世界文学名著名译典藏

全译插图本

飘 下

〔美〕玛格丽特·米切尔◎著　范纯海　夏旻◎译

GONE WITH THE WIND

长江出版传媒 | 长江文艺出版社

图书在版编目（C I P）数据

飘：全二册 / （美）玛格丽特·米切尔著；范纯海，
夏旻译. -- 武汉 : 长江文艺出版社， 2018.5
（世界文学名著名译典藏）
ISBN 978-7-5702-0218-8

Ⅰ. ①飘… Ⅱ. ①玛… ②范… ③夏… Ⅲ. ①长篇小说－美国－现代 Ⅳ. ①I712.45

中国版本图书馆 CIP 数据核字(2018)第 031545 号

责任编辑：池　威　　　　责任校对：陈　琪
封面设计：格林图书　　　　责任印制：邱　莉　　胡丽平

出版：长江出版传媒 | 长江文艺出版社
地址：武汉市雄楚大街 268 号　　　　邮编：430070
发行：长江文艺出版社
电话：027—87679360
http://www.cjlap.com
印刷：湖北新华印务有限公司

开本：880 毫米×1230 毫米　1/32　　　　印张：35.625　　插页：8 页
版次：2018 年 5 月第 1 版　　　　2018 年 5 月第 1 次印刷
字数：886 千字

定价：78.00 元（全二册）

31

1866年1月的一个寒冷的下午，斯佳丽正坐在账房里给佩蒂姑妈写信，这是她第十次向姑妈详详细细地解释她和玫兰妮、阿希礼不能回亚特兰大去和她做伴的原因。她边写边觉得很不耐烦，因为她知道佩蒂姑妈会只读开头几行便不读了，接着又会给她写信，唉声哀气地说："可是我孤单单一人在这里住着害怕呀！"

她手冻僵了，便停下笔来搓搓手，还把脚直往那条保暖的旧棉胎深处伸。她那双便鞋的后跟已磨穿了，用几片破地毯垫补着。那几片破地毯虽能让她的脚不至于接触到地板，却无法使她的脚暖和起来。那天早晨威尔牵马到琼斯博罗去上马掌。斯佳丽满肚子不高兴地想，马都有鞋子穿，人却跟狗一样光着脚丫子，这是什么世道！

她又拿起羽毛笔来写信，但一听到威尔从后门进来，便重又放下了。她听见他那条木腿笃笃地在过道里走着，到账房门口停住了，她等着他进来，可是等了一会儿没动静，便叫了他一声。他进来了，耳朵冻得通红，一头泛着红色的头发乱蓬蓬的。他站在那里低着头看着她，嘴角挂着一丝幽默的微笑。

"斯佳丽小姐，"他问，"你手头到底有多少现钱？"

"你不是看中了我的钱想跟我结婚吧，威尔？"她有点发火地问道。

"不，小姐。我只不过是想了解一下。"

她带着询问的目光盯着他。威尔的神情并不是一本正经的，不过他这个人从来就没有一本正经的模样。然而，她觉得准是出了什么岔子了。

“我有十块金币，”她说，“那个北方佬的钱就剩下这么一点了。”

“哦，小姐，这点钱不够。”

“不够干什么？”

“不够纳税的呗。”他答道。他一瘸一拐地走到壁炉旁，弯下身子，把一双冻得通红的手伸向火苗。

“纳税？”她重复道，“怎么回事，威尔？我们已纳过税了呀。”

“没错，小姐。可他们说你没有纳够，这是我今天在琼斯博罗听到的。”

“可是，威尔，我没明白。你到底是什么意思？”

“斯佳丽小姐，你已经够心烦的了，我真不想再给你添烦恼，可这件事我不能不告诉你。他们说你得补交税款，数目比你交过的要大得多。我敢肯定，他们把塔拉庄园的税额定得特别高——比县里任何地方都要高。”

“可我们已经交过一次税了，他们不能再要我们交啊。”

“斯佳丽小姐，你现在不常去琼斯博罗，不去也好。近来这地方已经不是太太小姐们该去的地方了。你要是常去的话，就会知道近来有一大帮叛贼（指美国南北战争后重建时期同北方政府合作的南方白人。——译者注）、共和党和提包客（指美国南北战争后重建时期只带一只提包去南方投机谋利的北方政客。——译者注）在那里活动。他们会让你气得发狂。还有些黑鬼，在街头横冲直撞，白人都没法在街上行走了，而且——”

“可这些人跟我们纳税有什么关系呢？”

“这事儿我正要说呢，斯佳丽小姐。那帮坏蛋把塔拉庄园的税定得高高的，高得让人觉得这儿每年好像有一千包棉花的收成似的，这里肯定有名堂。我一听到这消息，就悄悄地去那些酒吧从大家的闲谈里探听情况，我发现有人看中了塔拉，等你付不出这笔额外的税款、让公家收去拍卖时，他们就可以廉价把它买下来。而且大家都知道你交不出这笔税。到底是谁看中了这块地方，我还不清楚。我没探听到。不过我看跟凯瑟琳小姐结婚的那个鬼头鬼脑的希尔顿肯定知道，因为我跟他提起这事时，他还不怀好意地朝我笑呢。”

威尔在沙发上坐下来，一边揉着他那段残余的腿子。天气寒冷，加上那段木腿又镶接得不好，所以断腿老是痛。斯佳丽愣愣地看着他。他在给塔拉敲丧钟的当口儿神情居然那么若无其事。公家要收去拍卖？那让他们一大家到哪儿去呢？塔拉庄园要成为别人的财产了吗？不，这不可思议！

她一直在专心致志地经营塔拉庄园，所以对外界的事几乎不太注意。琼斯博罗和费耶特维尔两处的事都由威尔和阿希礼在照管，她很少离开庄园。晚饭后，威尔和阿希礼在饭桌旁讨论重建时期开始阶段的情况时，她也不听，正如她以前不听父亲谈论战争一样。

噢，当然，她听人说起过那帮叛贼，就是那些加入共和党以谋私利的南方人；她也听说过那些提包客，也就是南方吃败仗后像蝗虫般涌到南方来的北方佬，他们的全部家当都装在一只旅行提包里。她和那个解放了的黑人事务局也曾有过几次不愉快的接触。她也听到过某些最近被解放的黑人态度变得十分傲慢的传闻，不过对这种说法她感到难以相信，因为她这辈子还没亲眼见过目中无人的黑人呢。

不过，有许多事情威尔和阿希礼串通好了一直瞒着她。战争的灾难过去后，接踵而来的是重建时期更深重的苦难，他们两人在谈到家乡形势的时候，总是尽量避开那些骇人听闻的细节。而且即使斯佳丽耐下性子来听了，大半也只是左耳朵进右耳朵出。

她曾听阿希礼说起南方已被当作被征服的殖民地了，那些征服者的主要策略就是施加报复。但这种消息对斯佳丽来说没有丝毫意义，政治是男人们的事。她也听威尔说过，在他看来，北方佬是再也不会让南方人有出头的日子了。哦，斯佳丽想，男人们总是有点杞人忧天。就她本人来说，北方佬从来都没打过她一下，这次他们也不会这么干。现在最要紧的是拼命地工作，别去担心北方佬政府会怎么样。无论如何，战争已经结束了。

斯佳丽不知道世道已经变了，老老实实地干活是不会再得到正当的报酬了。现在佐治亚州实际上正处于戒严法的控制下，北方佬的驻军到处都是，解放了的黑人事务局掌握着大权，他们在制定适合自身利益的法律。

这个解放了的黑人事务局是联邦政府建立的，专门负责照管那些刚被解放了的、兴高采烈、无所事事的奴隶，把他们从庄园里成千成千地招收到村庄和城市去。有解放了的黑人事务局养着，他们游手好闲，解放了的黑人事务局还教他们使坏，唆使他们对过去的东家实施报复。杰拉尔德的老监工乔纳斯·威尔克森现在当上了本地分局的头，凯瑟琳·卡尔弗特的丈夫希尔顿做了他的副手。这两个人竭力散布谣言，说南方人和民主党人正伺机把黑人重新收回去做奴隶，又说只有得到解放了的黑人事务局和共和党人的保护黑人才能避免这种命运。

威尔克森和希尔顿还对黑人说，他们和白人没有丝毫区别，不久白人和黑人就可以通婚了，还有，他们过去东家的土地也要拿出来均分，每个黑人都会分到四十英亩地，外加一头骡子。他们还通过种种宣传说白人待黑人如何如何残酷，挑动他们的反感情绪。于是，这块素来以主奴感情融洽而著称的地方也开始滋长仇恨和猜忌了。

解放了的黑人事务局背后有军队做后盾，军方颁布了许多内容相互抵触的法令来管制被征服了的百姓。谁要是怠慢一下局里的官员，立刻就会遭到拘捕。学校、卫生单位都在军法的管辖下，连人们衣服上的纽扣、商品的销售，以及几乎任何事情都受到军法的管制。无论斯佳丽进行什么买卖或交易，威尔克森和希尔顿都有权干涉，并任意标定价格。

幸好斯佳丽本人和这两个人很少打交道，因为威尔劝她专心经营庄园，做买卖的事由他来操办。威尔生来性子好，几桩诸如此类的麻烦事都让他顺利地应付过去了，对斯佳丽却只字没提。如果有必要，威尔是能对付那帮提包客和北方佬的。但现在出现了这么大的问题，他就没法对付了。他不能不让斯佳丽知道这笔向他们额外征收的税款、即将失去塔拉庄园的危险——而且应该立即让她知道。

她目光炯炯地盯着他。

“哦，该死的北方佬！”她叫道，“他们让我们吃了败仗，让我们做了叫花子，难道这些还不够吗？竟然还要放出这些流氓来整我们。”

虽说战争已结束，宣告了和平，但这些北方佬照样可以抢劫她，照样可以让她饿肚子，照样可以把她从自己的宅子里赶出去。在这几个令人消沉的月份里，她一直在想，假如能熬到春天，情况就会好起来的。她多傻呀。辛辛苦苦干了一年，盼了一年，威尔却带来了这么个消息，这真是晴天霹雳，叫她如何承受得了。

“哦，威尔，我原以为战争结束了我们就不会有什么麻烦了。”

“不是的，小姐。”威尔抬起一张乡里乡气的翘着下巴的瘦脸，眼睛盯了她老半天，“我们的麻烦才刚开头呢。”

“他们到底要我们补交多少？”

“三百块。”

她吃了一惊，愣了半天。三百块钱！这对她来说简直跟三百万是一样的。

“哎呀，”她语无伦次地说，“哎呀呀，那我们无论如何得筹集起三百块钱来呢。”

“对，小姐——还得筹一座彩虹，一两个月亮呢。”

“哦，不过，威尔！可不能让他们把塔拉庄园卖出去啊，为什么——”

他那温和而软弱的目光里露出一种深恶痛绝的神色，这大大出乎她的意料。

“不能吗？不，他们能，而且准会这么干的，他们还很乐意这么干呢。斯佳丽小姐，请原谅我说句粗话，我们这块地方真他妈的要遭殃了。这帮提包客和叛贼都有选举权，而我们民主党人却大多数没有。在我们州，凡是在1865年的征税册上征收额超过两千美元的民主党人都没选举权。照这样，你爸爸，还有塔尔顿先生、麦克雷一家和方丹兄弟都没选举权了。还有，在这次战争中当过上校以上军官的也都不能参加选举，斯佳丽小姐，我敢肯定我们这个州里当过上校的比南部邦联里其他任何州都多。再有，凡在南部邦联政府里当过公务员的，下至公证员上到法官，都被剥夺了选举权，现在树林里全躲着那样的人。实际情况是北方佬搞了个什么宣誓大赦，凡是战前有点身份的人都没有了选举权——有名望的、有地位的、有财产的都被剥夺了选举权。

“嗨！我倒是可以参加选举的，只要我肯去参加他们那该死的宣誓。1865年那会儿我身无分文，自然也没当上校或是什么显赫的官。可我不愿意去向他们宣誓，看看他们的所作所为，我才不干呢！要是那帮北方佬行为正当，我早就对他们宣誓效忠了，现在我可不干。他们可以把我收进联邦可收不了我的心！我宁愿一辈子没有选举权也不去干宣誓效忠的事——可是希尔顿那种下三滥都可以有选举权，还有乔纳斯·威尔克森那种流氓，斯莱特里家的那种穷白人，还有麦金托什家那种地位低微的人反倒有选举权。现在他们说了算，要是他们想让你的税款再增加十几倍，你也奈何不了他们。现在就是黑鬼杀了白人也不会被绞死了，还有——”他说到这里停住了，露出了窘态，他跟斯佳丽都想起在洛夫乔伊附近一个荒凉农场上一个白人单身女人的遭遇……“现在这些黑鬼们对我们不利的什么事情都干得出来，他们身后有解放了的黑人事务局和军队的枪炮撑腰，我们既没选举权，也毫无办法！”

“选举！”她叫道，“选举！这事跟选举有什么关系，威尔？我们现在说的是税款啊……威尔，大家都知道塔拉是个多么好的庄园，如果有必要，我们可以把它抵押出去筹款付税啊。”

“斯佳丽小姐，你并不傻，可有时候说出来的话却很傻。谁有这么多钱借给你呢？你拿这庄园抵押给谁啊？除了那些提包客在千方百计地动它的脑筋之外，还有谁会这么干？唉，大家自己都有地，他们的地都自身难保。你的地抵押不出去的。”

“我有从那个北方佬身上搜来的钻石耳坠，可以拿去卖。”

“斯佳丽小姐，这一带谁会有钱买耳坠？大家连买排骨肉的钱都没有，谁还买得起这种不能吃不能用的装饰品呢？你现在有十块金币，我敢说已经比大多数人富了。”

他们又沉默了，斯佳丽觉得自己现在是拿头在碰石壁。这一年来碰过的石壁也真够多的了。

“我们该怎么办啊，斯佳丽小姐？”

“不知道。”她冷冷地说。她觉得自己并不担心，不过是多了一座石壁而已。她忽然觉得非常疲惫，全身的骨头都酸疼了。她为什么要这么工作、奋斗，把自己弄得精疲力竭呢？而每一次的奋斗到头来似乎都是失败在等待着她，嘲弄她。

“我不知道该怎么办，”她说，“你可千万别让爸知道，他要发愁的。”

“那是自然。”

“你跟别人说起过没有？”

“没有，我一到就直接上你这儿来了。”

不错，她想，一有了坏消息就直接上她这儿来，这让她感到厌倦。

“韦尔克斯先生在哪儿？也许他会有主意的。”

威尔用柔和的目光凝视着她，就像阿希礼回家那天一样，她觉得他好像什么事都知道。

“他正在果园里做栅栏呢，刚才拴马的时候我听见他砍斧子的声音。可他的钱比我们也多不了多少。”

“我去跟他商量商量总可以吧，对吧？”她尖酸地说，一面踢掉裹着脚踝的棉胎站起身来。

威尔并没有生气，仍在火炉上擦着手。“你最好戴上围巾，斯佳丽小姐，外面可是冷得很呢。”

她没有戴围巾便出去了，因为围巾在楼上。她急于去见阿希礼，把自己的麻烦全告诉他。

要是她能看到阿希礼是独自在那儿，那可就真太幸运了！自从他回来，她还从来没私下里跟他谈过一句话呢。家里人老围着他，玫兰妮也总是厮守在他身边，还时不时地摸摸他的袖子，以证明他确实在那儿，好让自己放心。看见她那种“他是我的”的表示以及心里甜滋滋的姿态，斯佳丽便妒火中烧。有好几个月这种妒火一度已平息下去，因为那时她以为阿希礼可能已经阵亡了。现在她决定要单独见见他，这次谁也阻挡不了她找他单独谈话了。

她从光秃秃的树枝下穿过果园，树下的湿草弄潮了她的脚。她能听见抡斧子的声音，阿希礼正把从沼泽地运来的圆木劈成栅栏。把北方佬肆无忌惮地烧掉的围栏重新修复可是件没完没了的苦差事。她疲倦地想，每件事情都是没完没了的苦差事，这太没劲了，她感到厌倦、恼火、反感。如果阿希礼不是玫兰妮的丈夫而是自己的丈夫，她现在就能到他跟前去，将头伏在他肩上哭一场，把自己一身的重担全交给他，让他去想办法，那该有多好啊！

她绕过一片在寒风中摇曳着枯枝的石榴树丛，便看见他倚着斧子正用手背擦着额头。他穿着一条灰胡桃色的破裤子，上身穿着杰拉尔德的破衬衫，这是过去境况好时杰拉尔德只有在法院开庭日或去参加野宴时才穿的。这件褶边衬衫穿在现在的主人身上短得没法形容。他把外衣挂在一根树枝上，因为干这活儿很热。正在他站着休息的当口儿，斯佳丽走上前来。

见阿希礼穿得破破烂烂，手里拿着一把斧子，她心里生起满腔怜爱，同时对命运的安排怒火中烧。她的阿希礼曾经是娇生惯养、无忧无虑的人，如今她不忍心目睹他衣衫褴褛地干苦活。他那双手天生不是干活的，他的身子也只该穿呢子和精细的亚麻布。他命里注定该坐在宽敞的大厅堂跟体面的人们聊聊天、弹弹钢琴、写写辞藻华丽却毫无意义的诗文。

看到自己的孩子系着用粗麻袋布制的围兜，看到姑娘们穿着邋遢的旧方格布衫，她受得了，看到威尔干的活儿比哪个庄稼汉都重，她也受得了，但看到阿希礼这样，她却受不了。他太娇生惯养了，而且对她来说他也太珍贵了，所以决不能让他落到这步田地。她宁可自己去劈木头也不愿看着他劈而让自己心里难受。

“人家说林肯也是劈栅栏出身的，”等她走近，阿希礼这么说道，“看来我的前途也不可估量啊！”

她皱了皱眉。他在谈论艰苦日子的时候总是那么满不在乎。在她看来，这些都是极其严重的事，因而对他说的这些话有时她几乎要恼火。

她突然把从威尔那里听来的消息告诉了他，说得很简洁，没有半句多余的话，一边说着一边觉得心里轻松了许多。毫无疑问，他是一定能助她一臂之力的。但他却不作声，见她在发抖，便取下自己挂在树枝上的外衣披在了她的肩上。

她后来开口说："哦，你是不是觉得我们得上什么地方去弄这笔钱呢？"

"对，"他说，"可上哪里去弄呢？"

"是我在问你呢。"她有点不高兴。无担一身轻的感觉消失了。即使他无能为力，为什么不能说几句安慰的话？哪怕只说一句"哦，我听了也挺难受的"也行。

他微微一笑。

"我回来后这几个月，听说的真正有钱的只有一个人，那就是瑞特·巴特勒。"他说。

上个星期，佩蒂帕特姑妈曾写信给玫兰妮，说瑞特已经带了一辆马车和两匹好马回亚特兰大来了，并且口袋里装满了美钞。不过她暗示说，他的这些钱来路不正。佩蒂姑妈有一种亚特兰大人大都一致的看法，即南部邦联国库里有一笔秘密的巨款落到了瑞特手中。

"我们不要谈他了吧，他是个少有的卑鄙家伙！"斯佳丽立刻接过来说，"我们该怎么办呢？"

阿希礼放下斧子，朝别处望去，他的目光似乎扫到了她无法随之而去的遥远的他乡。

"我在想，"他说，"我一直在想不仅我们塔拉的人不知将来会怎样，就是整个南方的人也不知将来怎样呢。"

她立刻想气冲冲地说："让整个南方的人见鬼去吧！我只想问问我们自己怎么办。"但这话她没说出口，因为那种疲惫的感觉又出现了，而且比刚才更厉害。阿希礼一点也帮不上忙。

"说到底，只要一种文明瓦解了，过去发生过的情况就是将来要发生的。有头脑、有勇气的人存活下去，没头脑、没勇气的人就会被淘汰。能目睹'众神的末日'（原文是德语，出自德国神话，指世界诸神在与罪恶势力的决战中遭毁灭。——译者注），即使不怎么赏心悦目，至少也会饶有趣味吧。"

"目睹什么？"

"众神的末日。不幸的是我们南方人过去都把自己当作神！"

"看在上帝的分上，阿希礼·韦尔克斯！别尽站在这儿胡说八道了，现在轮到我们自己要被淘汰了！”

她越来越强烈的疲惫感似乎有点渗透到他的脑子里去了，把他从漫无边际的遐想中唤了回来。他温柔地抓起了她的双手，翻过手掌，看着上面长的茧子。

“这是双我平生见过的最美丽的手，”他边说边分别在两个手掌上轻轻地吻了一下，“它们美丽是因为它们强壮，上面每个茧子都是一枚奖章，斯佳丽，每个茧子都是对你无私无畏的一份奖赏。这双手是为了我们大家才变得这么粗糙的——为了你父亲，为了你两个妹妹，为了玫兰妮，为了她的婴儿，为了那些黑人，也为了我。亲爱的，我知道你心里在想什么。你心里是在想：‘这里站着一个不讲求实际的傻瓜，嘴里尽说些关于死去的神的蠢话，而不顾活人的危险。’是不是？”

她点了点头，巴不得他一辈子就这么拿着自己的手，然而他却松开了。

“你来找我，是希望我能帮你。可是我也没办法呀！”

他看着那把斧子和一堆木头，眼里流露出痛苦的神色。

“我的家完了，我所有的钱也完了。以前我一直理所当然地认为这些钱是自己的，所以从没意识到它的存在。在这个世界上我已不适合做任何事情，因为我所属的那个世界已经不存在了。我没法帮助你，斯佳丽，我能做的就只有尽量通情达理地学着做一个笨手笨脚的庄稼人。我这样做是决不可能替你保全塔拉庄园的。我们现在全都在靠你的周济过日子，是啊，确实是靠你的周济，斯佳丽，你以为我不清楚我们处于这种境况的痛苦吗？你这么一片好心对待我和我的家人，这是我今生今世也报答不了的。这情形我是一天天越来越深刻地感觉到了。而且，我一天天越来越清楚地意识到自己没能力对付落到我们大家头上的种种困难——我真该死，天天都在想逃避现实，这使我更加难以去面对新的现实。你明白我的意思吗？”

斯佳丽点了点头。对他话里的意思她并不十分明白，但她却屏声静气地听着。这是他头一次对她说真心话，虽然表面上他似乎对她仍然很疏远。她激动起来，觉得自己快要窥见他心中的秘密了。

“我这种不愿正视活生生现实的态度是个大毛病。这次战争开始前，生活对我来说就从来不比投在幕布上的影子更真实，而我却宁可它是这样。我不喜欢事物的轮廓过于清楚，我喜欢它们模模糊糊、朦朦胧胧的。”

他停下来淡淡地笑了笑。一阵冷风刮过他薄薄的衬衫，他微微打了个寒战。

“换句话说，斯佳丽，我是一个懦夫。”

他说的什么影子戏呀、朦胧的轮廓呀，她都不明白是什么意思，可是他最后那句话她倒是听懂了。她知道这句话并不是真的，他身上并没有懦夫的性格。他颀长身躯上的每一根线条都显示着他是多少代英雄豪杰的后裔，他在这次战争中的功绩斯佳丽记得清清楚楚。

“哦，这不是事实！懦夫会在葛底斯堡爬到大炮上去重整败军吗？一位将军会亲自写信给玫兰妮谈一个懦夫的事吗？再说——”

“那算不上勇敢，”他声音疲惫地说，“打仗就像香槟酒一样，它能麻醉一个英雄，也能麻醉一个懦夫。在战场上，就是傻瓜也会变得勇敢，因为不勇敢就没命了。现在我说的不是这种勇气。我的这种懦夫性格，比起我第一次听见打炮声就想逃跑更糟糕。”

他说得很慢，而且很艰难，在讲述这些事的时候他心里似乎很痛苦，他仿佛远远地站在一旁观望着，在伤心地倾听他自己说的话。换了别人这么说话，斯佳丽准会以为他是在假装谦逊以博得别人的称赞，因而会根本不听地驳斥他。但阿希礼似乎说的是真话，而且他的眼睛里有一种让她感到困惑的表情——那既不是恐惧也不是内疚，是一种不可避免、难以抗拒的过分紧张的情绪。这时，一阵寒风掠过她那潮湿的脚踝，她又打起寒战来，不过这一次的哆嗦与其说是因风而起，还不如说是因他骇人的话语所致。

“可是，阿希礼，你到底害怕什么呢？”

“哦，一些难以名状的东西。这些东西一旦用语言来表达就显得非常可笑。这主要是因为生活一下子变得太逼真了，因为你被迫与生活中一些活生生的现实发生了关系，这些现实跟你太休戚相关了。并不是说现在我不乐意在这泥地上劈木头，我是对这到底意味着什么想不通。我为丧失的往日生活里的美好东西而难过。斯佳丽，战争以前，生活是多么美好呀。它就像一件希腊的艺术品，匀称、完整、尽善尽美、魅力无穷。也许并非人人都有这样的感觉，这我现在明白了。不过对我来说，十二棵橡树庄园的生活具有一种真正的美。我属于那种生活，我是那种生活的一部分。现在那种生活一去不复返了，而新的生活跟我又格格不入，我感到害怕。现在我明白了我从前看到的只是一种影子戏，我曾经回避一切真实的东西，无论是人是情还是景，凡是过于逼真、有生气的东西，我都要回避。我讨厌它们闯进我的生活中来。我对你也回避，斯佳丽。因为你太富有生气，太真实了，而我却太怯懦，宁愿去寻找幻影和梦境。”

“可是——可是——兰妮呢？”

“玫兰妮就是一个最温柔的梦，是我梦境中的一部分。假如没有这场战争，我本可以快快活活地藏身于十二棵橡树庄园，心满意足地看着生活一天天过去，而自己却永远游离于它之外。但是战争来了，真实的生活硬向我逼过来。我第一次去打仗的时候——那是在布尔伦河，不知你是否记得——我亲眼看见儿时的伙伴被炸得粉碎，亲耳听见奄奄待毙的战马在哀鸣，亲身体验了自己的枪声一响就有人流血倒下的那种令人厌恶的可怕感觉。但是这些，斯佳丽，还都算不上战争中最糟的事情。最糟的是我非得跟人们相处不可。

“我以前总是回避人，交朋友十分谨慎。可是这场战争让我明白了我过去为自己建立了一个小天地，这个小天地里的人都是梦中人。战争又使我明白了真正的人是什么样的，但是没有教会我怎么跟他们相处。看来我一辈子都学不会了。现在我明白了为了养家糊口，就非得混在和我毫无共同之处的人群里向前走。而你呢，斯佳丽，却抓住了生活的双角，扭得它由你摆布。这世界上哪儿有适合我的立足之地呢？我告诉你我害怕。”

他用低沉而具有磁性的嗓音不断地诉说着，声调凄凉，而其中的感情斯佳丽却无法理解，她不时地抓住一些词句，拼命地想把握它们的含义。可是，那些词句就像野鸟似的从她手里扑腾着飞走了。在他背后有某种东西似一条残酷无情的鞭子在驱迫着他，但她不知道这东西究竟是什么。

“斯佳丽，我生活中的影子戏早已收场了，我自己也不清楚我到底是什么时候开始凄凉地明白这一点的。也许是在布尔伦河眼见着我开枪打死的第一个人倒下时的最初五分钟里吧。无论如何，我知道那场戏收场了，我再也当不成观众了。确实是当不了了，因为我突然发现自己在幕布上，扮演着一个角色，忸怩作态、徒劳无益地表演着。我内心的小天地已不复存在，已被一些人侵占了，这些人的思想和我格格不入，他们的行为对我来说就像霍屯督人（非洲西南的一个游牧民族。——译者注）那么陌生。这些人正用污秽的脚蹂躏着我的小天地，使我的情况变得难以忍受时也无处藏身。当初在俘虏营，我曾想过：等这场仗打完了，我就可以回到以前的生活中去，重温旧梦，重新观赏我的影子戏。可是，斯佳丽，我现在回不去了！我们现在面临的境况比战争还严峻，比在俘虏营还要糟——而对我来说，比死亡还要可怕……所以，斯佳丽，你知道，我现在正忍受着这种恐惧的折磨。"

她边听边像是陷在稀里糊涂的泥潭里挣扎，听到这里她开口说："可是，阿希礼，如果你怕的是会挨饿，好了，好了——喂，阿希礼，我们总会有办法过下去的！我知道会有办法的。"

他睁着亮晶晶的灰色大眼睛盯着她看了好一会儿，目光里是一种钦佩的神色。但之后他忽而又移开目光朝远处望去，她心里一沉，知道他刚才没在考虑挨饿的事。他们俩在交谈时，好像各自使用的不是同一种语言。她爱他爱得太深了，所以每当他像现在这样把目光移开，她总觉得好像是一轮暖日沉落下去，撇下她在黄昏的寒露里挨冻。她真想抱住他的肩膀，将他搂到怀里，让他明白自己是个有血有肉的人，而不是他书中读到或梦中见到的某种东西。她多么渴望自己跟他之间能有一种心心相印的感觉，她怀有这种渴望已经很久了，自他从欧洲回来那天，站在塔拉庄园的台阶上抬头向她微笑时就产生了。

"挨饿是不好受的，"他说，"我就曾经挨过饿，所以我知道。可是我不怕挨饿。我怕的是生活失去了往日世界那种优哉游哉的美，而我却不得不面对这种生活。"

斯佳丽失望地想，玫兰妮可能懂得他话的意思。兰妮和他常常谈论诸如此类的傻东西，像诗歌呀，书籍呀，梦幻呀，月光呀，还有星星呀。她害怕的东西，他却不怕。他既不怕饥肠辘辘，不怕喝西北风，也不怕被人从塔拉庄园赶出去。而他感到恐惧的东西，她却从来不明白，也想象不出。因为，上帝啊，在目前这个残破的世界里，除了受冻挨饿和无家可归外，还有什么可怕的呢？

她觉得，要是自己仔细听，是会知道怎样回答阿希礼的。

“哦！”她说，声音里带着失望，正如一个小孩打开了一只漂亮的包，结果却发现里面是空的一样。听出她声调里的失望，他便苦笑了一下，像是在表示歉意。

“请原谅我刚才所说的话，斯佳丽。你并不懂害怕的含义，所以我没法让你理解。你有狮子般的勇气，却丝毫没有想象力，你这两种品性我都很仰慕。你从来不怕面对现实，也从来没像我这么去逃避现实。”

“逃避！”

这两个字似乎是他所说的话里她唯一能听懂的词儿。阿希礼跟她一样，也厌倦奋斗，想要逃避。她的呼吸变得急促起来。

“啊，阿希礼，”她大声说，“你错了，我也想逃避，我对这一切都厌倦透了！”

他抬了抬眉毛表示怀疑，她却把一只热情而迫切的手放在了他的肩上。

“听我说，”她急促地开始说道，一句接一句，毫不停顿，“告诉你吧，对这一切我都感到厌倦。真是厌倦得要命，再也忍受不了了。为了吃的，为了弄钱我一直在拼命，我要拔草，要锄地，要摘棉花，甚至还要犁地，我简直是一分钟也忍受不了了。跟你说，阿希礼，我们南方算是完蛋了！它垮了！已经被北方佬、解放了的黑鬼，还有那些提包客占据了，我们已是一无所有。阿希礼，我们一起逃走吧。”

他低下头来机警地凝视着她，她的脸红得似火一般。

“对，我们逃走——把他们统统扔下！我讨厌为这些人干活。自然会有人来照管他们的。凡是自己不能照管自己的人，总会有人来照管他们的。哦，阿希礼，我们逃走吧，就你和我俩。我们可以逃到墨西哥去——墨西哥的军队里现在正需要军官，我们到那里去一定会非常快乐的。我会为你干活的，阿希礼，我什么事都愿意为你做。你知道你自己并不爱玫兰妮——”

他脸上出现了感动的神情，刚想开口却被她滚滚如潮的话给挡住了。

“那天你曾对我说过，与爱兰妮相比你更爱我——哦，你总还记得那天吧！我知道你一直没有变心！我看得出来你没变！刚才你还说她不过是个梦——哦，阿希礼，我们离开吧！我一定会让你非常快乐的。无论如何，”她恶毒地补充道，“玫兰妮是不能让你快乐的——方丹大夫说她不能再为你生孩子了，而我能给你生——”

他的手紧紧抓住了她的肩膀，她觉得有点儿疼，这才住了口，却仍气喘吁吁的。

“我们说好要把那天在十二棵橡树庄园的事忘掉的。”

“你以为我能忘得了吗？你自己忘掉了吗？你敢真心地说你不爱我吗？”

他深深地吸了口气急切地回答说。

“不，我不爱你。”

“你在说谎。”

“就算我是说谎吧，”阿希礼声音极其平静地说，“这种事是辨不清的。”

“你是说——”

“就算我不喜欢玫兰妮和孩子，你以为我能丢下他们一走了之吗？你以为我会让玫兰妮心碎吗？我会让他们去靠亲友的施舍过日子吗？斯佳丽，你疯了吗？难道你的心肠真的那么狠吗？你不能丢下你父亲和两个妹妹不管。你对他们是有责任的，正如我对玫兰妮和孩子有责任一样。无论你是不是觉得厌倦，他们在这儿，你就得忍受。”

“我能丢开他们——我讨厌他们——讨厌极了——”

他把身子靠近她。有好一会儿，她的心怦地一跳，以为他会马上把自己搂到怀里。然而他并没有那么做，只是拍了拍她的肩膀，像安慰孩子似的说起来。

“我知道你既厌倦又疲惫，所以才会说出这种话来。你肩上担着三个男人才能挑得起的担子。不过我以后一定会帮你——我不会一直这样添麻烦的——"

"你要帮我就只有一个办法，"她呆板地说，"那就是带着我离开这里，一起到别处去重新开始寻找幸福。这里已没有什么值得我们留恋的了。"

"是没有，"他平静地说，"除了道义，的确是什么也没有了。"

她怀着被压抑的热情望着他，仿佛是第一次发现他那新月般的眼睫毛密密实实犹如成熟的金黄色麦穗，他的头傲慢地耸立在光着的脖子上，虽然衣衫褴褛，模样可笑，但那颀长而挺拔的身躯仍然顽强地显示着他的门第和尊严。她的目光和他相遇了，她的眼神里明显地流露着祈求，而他那双眼睛却像遥远的灰色天空下山中的两泓清澈池水。

从他的眼睛里，她看到了自己狂妄的梦想和放肆的欲望的幻灭。

伤心和疲惫笼罩了她，她垂下头双手捂着脸哭了。他从来还没见她哭过。他也从没想到过像她这么一个性格刚强的女人也会哭，心里不由得产生了一种怜悯和悔恨。他急忙凑向她，把她一把搂到怀里，将她的头贴在自己的胸口，轻轻地摇晃着她，低声安慰她说："亲爱的！我勇敢的宝贝，别哭！你不能哭！"

经过这么一接触，他觉得她在自己怀里起了变化，她苗条的身躯产生了狂热和魔力。她抬起头来望着他，绿眼珠里露出热切而柔和的光芒。一瞬间，阿希礼觉得肃杀的严冬消失了，春天又回到了人间——在他朦胧的记忆里，那春天曾经是香气扑鼻、绿影扶疏的，他曾满怀青春的热情，过着悠闲自得、无忧无虑的生活。痛苦的日子消失了，他看见她两片红红的嘴唇颤抖着凑了上来，便吻了她。

她觉得耳朵里响起一阵奇怪的嗡嗡声，就像把海螺壳凑在耳边听到的一样，在这嗡嗡声里她隐隐约约听到了自己怦怦心跳的声音。她仿佛融化在他的身躯里了，有好长好长时间，他俩的身体融合在一起，他贪婪地吻着她，好像永远难以满足似的。

后来他突然放开了她，她觉得站立不稳，便抓住了栏杆不让自己倒下。她抬起一双燃烧着爱情和胜利之火的眼睛看着他。

"你是爱我的！你是爱我的！你说——说吧！"

他的双手仍按在她的肩上，她觉得他的手在颤抖，她喜欢他这样颤抖着。她热切地将身子向他靠过去，但他却稍稍推开她打量着她，眼睛里那种漠然的目光已完全消失，但是充满着挣扎、绝望、饱受煎熬的神情。

“别这样！”他说，“别这样！如果你再这样，我就马上要你了。”

她笑了，笑得既欢欣又热情，忘记了时间和空间，忘记了一切，只想着他的嘴唇贴着自己的嘴唇的感觉。

突然，他抓着她的身体摇晃起来，直把她的黑头发摇散到肩上，那样子就像在对她——也在对他自己大发雷霆似的。

“我们决不能这样！”他说，“告诉你，我们决不能这样！”

看起来好像他再这样摇晃她，她的脖子就会啪地折断了似的。她的眼睛被自己披散的头发遮住了，她被他弄得晕头转向。她拼命挣脱了，目不转睛地盯着他。他的额头上冒出了细小的汗珠，两只手发痛似的痉挛着，那双敏锐的灰眼睛也正看着她。

“这都是我的错——没你一点儿错。这样的事永远不会再发生了，我决定带玫兰妮和孩子走了。”

“走？”她痛苦地喊道，“哦，你不能走！”

“我要走，非走不可！你以为在经过了这样的事情以后我还能在这里待下去么？何况这样的事可能还会发生，到时候——”

“可是，阿希礼，你不能走。你干吗要走呢？你是爱我的——”

“你要我说这句话吗？那么好吧，我说。我爱你。”

他突然模样很粗野地凑近她，倒吓得她直往围栏边退去。

“我爱你，爱你的勇敢，爱你的顽强，爱你烈火般的情感，爱你毫不留情的冷酷。如果要问我爱你有多深，那我可以告诉你，爱到刚才差点要凌辱这幢盛情供我和我一家人容身的房子，爱到几乎忘记了我那世上少有的贤妻，爱到几乎就在这泥地上要了你了，把你当成——”

她在乱成一团的思绪里挣扎了一会儿，心就像被冰凌刺了一下，又冷又痛。她断断续续地说：“如果你心里那样想，而竟然没有要了我——那说明你并不爱我。”

“我永远也无法让你明白。”

他们面面相觑，默默不语。突然，斯佳丽打起寒战来，仿佛刚刚长途跋涉归来，刚刚发现正是严冬，刚刚发现周围是一片荒芜凄凉，她觉得冷极了。同时她也发现，阿希礼脸上重又出现了平时她所熟悉的那种冷漠的神色，但夹杂着痛苦和悔恨，严冬又回来了。

她本想立刻转身离开他，跑回屋子里躲起来，但是她已经精疲力竭、动弹不了了。甚至连说话也没了力气。

“什么都完了，”过了很久她才说道，“我是什么都没有了。没有什么值得爱的了。没有什么值得去争取的了，你已经变了，塔拉庄园也快失去了。”

他看着她，看了很久很久，然后弯下腰，从地上抓起一块红土来。

“不，不会什么都没有的，”他说，脸上又重新泛起一丝熟悉的微笑，像是在嘲弄她，同时也在嘲弄自己似的，“有一样东西你爱它甚于爱我，只是你自己没有意识到罢了。那就是塔拉庄园。”

他抓起了她一只疲软的手，将那团潮湿的红土塞进那只手里，然后合上她的五个指头。这时他的两只手已经没有了一点激情，她的两只手也没有了。她看了一会儿手里的红土，全然不懂其中的意味。她又看了看他，于是便朦朦胧胧地意识到他的精神状态是非常健全的，无论是她那双充满激情的手，还是任何其他的手，都不能瓦解它。

即使死他也决不会离开玫兰妮的。即使到死他都对斯佳丽怀着火一般的感情，他也会竭力设法和她保持距离，决不会和她干那勾当的。她永远也不可能打破那层盔甲。对诺言、友情、忠诚和荣誉，他看得比她更重。

手里那块红土让她觉得很冷，她又低下头去看着它。

“是的，”她说，“我还有这个。”

起初，这些话丝毫没什么意义，红土不过是红土罢了。但是，她自然而然地想到塔拉庄园四周那茫茫一片的红土来，觉得它非常珍贵，这是她费了多大劲才保存下来的啊。如果希望今后也能保存它，她还得进行多么艰苦的斗争啊。她又望了他一眼，心里不免有些诧异，他那汹涌的激情哪儿去了呢。她能思考，但已没了知觉，对阿希礼，对塔拉，她都没知觉了，因为她的一切感情都已枯竭了。

“你用不着离开，”她明明白白地对他说，“我不会让你们大家挨饿的，就因为我一直在拼命讨你喜欢。这样的事今后也决不会再发生了。”

她转过身，开始穿过高低不平的田野朝屋子走去，一面伸手在脖子后将头发绾成一个髻。阿希礼目送着她离去，看着她边走边把两只瘦削的肩膀抬得高高的。这姿势比她说的任何话都更让他刻骨铭心。

32

她走上前门台阶时手里仍抓着那块红土。她小心地避开前门从后门走，因为黑妈妈的眼睛特尖，肯定会看出破绽的。斯佳丽这会儿不想见到黑妈妈，任何人都不想见。她觉得没有心情见任何人，没心情跟谁聊天。她现在并不感到羞耻，也不感到失望和痛苦，她只觉得两腿无力，心头万分空虚。她将手里那团土拼命地捏着，直捏得它从握紧的拳头里挤了出来。她鹦鹉学舌般一遍又一遍地说着："我还有这个。对，我还有这个。"

现在她除了这片红土外是一无所有，的确是一无所有了。可就在几分钟前，她曾想把这片红土像扔一块破手帕似的扔掉。这会儿，她才又觉得这片红土十分珍贵，她在那儿呆呆地想，刚才自己究竟是中了什么邪，会把它看得那么一文不值！如果阿希礼屈服了，她准会离开家庭和亲友跟他一起逃走的，连头都不会回一下。但是，即使在现在这样心灵十分空虚的时刻，她也知道要离开这片可爱的红丘陵，离开那些长年流水潺潺的溪谷和那一棵棵瘦削的黑松，她的心会被撕碎的。她会如饥似渴地怀念这一切，直到生命的最后一息。在她的心里，塔拉被连根挖走所留下的空隙，即使是阿希礼也无法填补。阿希礼多么聪明啊！他多么了解她啊！他只需将一团红土塞进她手里，立刻就会让她恢复理智。

她在过道里正想关上门，忽然听到了马蹄声，便朝车道的方向望去。怎么偏偏这时候来客人，真不是时候！她想赶快回自己的房间去，推说头痛。

但是，等那辆马车驶近，她大吃了一惊，便呆着没动。那是一辆崭新的马车，油漆得亮晃晃的，鞍辔也是全新的，各处还镶着一片片擦得锃亮的铜片。那肯定是陌生人。她的熟人中谁也不会有钱置这么辆簇新的、装备齐全的马车。

她站在门口望着，冷飕飕的穿堂风吹动着她潮湿脚踝上的裙子。不一会儿马车便在房前停了下来，乔纳斯·威尔克森从车上下来了。斯佳丽看见她家从前的监工驾着这么漂亮的马车，身上穿着那么光彩夺目的外套，愣住了，她简直不敢相信自己的眼睛。威尔曾经告诉她，威尔克森自从在解放了的黑人事务局里得到一份差使后，看上去阔极了。威尔说，他不是诈骗黑人就是诈骗官府，要么两头都骗。他还把老百姓的棉花充公，硬说是邦联政府的棉花。在这么艰难的岁月里，他的钱肯定来路不正。

这会儿他正从那辆精致的马车里跨出来，同时搀下一个穿着打扮极尽奢华之能事的女人。斯佳丽打量了她一眼，只见她服装的色彩耀眼得俗不可耐，尽管如此她还是贪婪地将这人全身的打扮看了个够。她有好多好多年都没见过这么时髦的服装了。哦，这么说今年不时兴宽裙边了，她上上下下打量着那套大红方格呢的长外衣时这么想到。当她看到那件黑天鹅绒的宽外套时，才知道现在竟流行这么短的上衣。瞧，那顶帽子真够精巧的！系带的软帽肯定过时了，因为那顶帽子只是一件样子古怪的用红绒制作的扁玩意儿，它像一只硬邦邦的烙饼盖在这女人的头上。帽子的缎带不像常见的软帽那样系在下巴颏下，而是系在背后挺大一束卷曲的流苏下边；那流苏是从帽子后垂挂下来的，斯佳丽发现那束流苏无论是色调还是质地都跟那女人的头发不相配。

那女人下了车，便朝屋子的方向望了一眼。斯佳丽这时才发现她那张抹着厚厚一层白粉的兔子脸有些面熟。

"哟，是埃米·斯莱特里呀！"她嚷道，因为太意外了，竟然把这句话大声说了出来。

"不错，是我，太太。"埃米边说边带着谄媚的笑扬了扬头朝台阶走去。

埃米·斯莱特里！那个肮脏的蓬头娼妇，她养的小杂种是母亲给施的洗礼；就是这个埃米，把伤寒传染给了母亲，要了她的命。这么个粗俗低贱的垃圾货，竟然打扮得花枝招展踏上塔拉庄园的台阶来了，还趾高气扬、满面笑容，简直把这个宅子看作是她自己的了。斯佳丽想起了母亲，突然她空虚的心里又充满了情感，那是一股杀气腾腾的怒火，来势之凶猛犹如突然患了疟疾一般。

"不许你踏上这台阶，你这下流的婊子！"她大声喝道，"从这儿滚开！滚！"

埃米顿时傻了眼，朝乔纳斯瞟了一眼。乔纳斯尽管怒不可遏，也只好耷拉着眉毛尽量装出庄严的样子。

"你不该这样跟我太太说话。"他说。

"太太？"斯佳丽说着哈哈大笑起来，那笑声里含着刀一般锋利的鄙夷，"好啊，你现在是该娶她做太太了。你们把我母亲给害死了，等你们再生出小杂种来谁给他们施洗礼呀？"

埃米"啊"地叫了一声，急忙退下了台阶，可是乔纳斯狠命地一把抓住了她的胳膊，不让她逃向马车。

"我们到这儿来是拜访——探望老朋友的！"他咆哮着，"还有一点正事要跟老朋友谈谈。"

"朋友？"斯佳丽的声音像鞭子，"我们什么时候跟你们这种人做朋友了？斯莱特里一家子以前全靠我们周济过日子，却以怨报德害死了我母亲。至于你——你——爸是因为你和埃米有了那小杂种才打发你走的，这你自己心里清楚。哼！朋友？你快给我从这里滚开，免得我叫本蒂恩先生和韦尔克斯先生来。"

埃米听了这番话，立刻挣脱了丈夫的手，飞也似的向马车跑去，一下子跳上了车，她那双红帮上饰着红穗子的漆皮鞋闪露了一下。

乔纳斯这会儿气得浑身发抖，其愤怒程度不亚于斯佳丽，他那张黄脸涨红得像一只被激怒了的公火鸡。

"你还这么神气活现的，自以为了不起，是吗？哼，你们这些人的情况我全知道。我知道你脚上没鞋穿。我也知道你老爸变成了白痴——"

“你给我滚!”

“哼!你用这种腔调说话的时间长不了了。我知道你也成了个穷光蛋,连税款都付不起了。我这次来本想向你提出买这所房子的——我打算出个好价钱。埃米很想住在这里。现在你不识好歹,我就连一个子儿也不给你了!你这不知天高地厚的爱尔兰穷鬼,等你付不了税款人家拿你的房子去拍卖时,你就会明白现在这地方是谁当权了。到时候我一定会把这地方——家具呀什么的,一股脑儿全买下来,我要住在这里!”

原来是乔纳斯·威尔克森在动塔拉庄园的脑筋——乔纳斯和埃米从前在这所房子里蒙受过耻辱,如今想用重回这所房子这种变相的方式报昔日之仇。斯佳丽每根神经都愤恨得嗡嗡作响,跟她那大把手枪对准那北方佬长满络腮胡子的脑袋开枪时一样,她只恨现在手里没有手枪。

“我宁愿把这房子一块块拆掉、烧掉,将这些耕地全撒上盐,也决不会让你们两人跨进这门槛,”她喊道,“滚!给我滚开些!”

乔纳斯直直地瞪着她,又张嘴说了些什么,便朝马车走去了。他跨进马车,在哭哭啼啼的妻子身旁坐下,随即掉转了马头。他们赶车离开的时候,斯佳丽情不自禁地想朝他们啐一口唾沫。她真的啐了!她知道这是极平常的孩子气举动,但她觉得啐一口心里会好受一些。她但愿能当着他们的面啐唾沫。

这对该死的亲黑人分子竟敢跑到这里来奚落她穷!这条狗哪里是真到这里来买塔拉庄园的。他不过以此为借口带埃米到她面前来炫耀罢了。这帮卑鄙的叛贼,这帮下流的白人穷鬼竟然口出狂言,想来塔拉庄园住!

之后,她蓦地感到恐惧起来,怒火一下子便熄了。上帝!他们会来这儿住的!她没法不准他们买塔拉,她没法阻止他们来扣押所有的镜子、桌子和床,还有母亲那些亮亮的桃花芯木和花梨木家具,这些家具虽然由于北方佬的蹂躏而伤痕累累,但对她来说每一件都是极其珍贵的。还有那些罗比亚尔家族的银器。决不能让他们这么干,斯佳丽情绪激昂地想。决不,我宁可放把火把这里全烧掉也不能让他们拿走!凡是母亲的脚踏过的每一寸土地,埃米·斯莱特里的脚就休想再踏上去！

她关上门，背靠在门上，心里觉得很害怕，甚至比那天谢尔曼的士兵来抄家时还害怕。那天她害怕的充其量是塔拉庄园会在她头顶上烧毁。然而现在的情形更糟糕——这帮下流东西竟然要来这里住，还会对他们那些下流的伙伴夸口，说他们已把骄横的奥哈拉一家赶走了。说不定他们甚至会把那些黑鬼带进这屋里来吃饭睡觉。威尔曾告诉她，乔纳斯在大肆叫嚷白人与黑人一律平等，他和他们一块儿吃饭，去他们家串门儿，用自己的马车带着他们到处兜风，还与他们拥抱呢。

当她想到塔拉庄园最后有可能蒙受这样的侮辱，她的心就剧烈地跳动，几乎让她喘不过气来。她很想镇静下来考虑一下自己的问题，试图琢磨出个对策，但每次她刚刚集中思想，愤怒和恐惧就又向她袭来，弄得她心慌意乱。天无绝人之路，在这世上总会有地方有某个人能让她借到钱。钱又不会化成灰飞走，总有人有钱的。接着，她便想起阿希礼刚才笑着说的话来：

“现在有钱的人只有一个人，那就是瑞特·巴特勒。”

瑞特·巴特勒！一想到他她就急忙走进了客厅，随手将门关上。客厅里的窗帘都是拉上的，又正值冬天的黄昏，门一关上她就被黑暗笼罩了。谁也不会到这儿来找她，她需要充足的时间不受打扰地去思考。刚才出现在她脑海里的念头原本非常简单，她不明白自己以前为什么没想到呢？

“我要从瑞特那儿弄到这笔钱。我要把钻石耳坠拿去卖给他，或者拿它向他作抵押，向他借这笔钱，等还清了再把它赎回来。”

有好一会儿，她感到非常宽慰，甚至感到轻松了很多。她会付清税款，可以当面去嘲笑威尔克森了。但是，紧接着这种乐观念头而来的是对严酷无情的现实的认识。

“我并不是单单今年一年需要这笔税款呀。还有明年、后年，这一辈子都得要呢。就算我这次付清了，下次他们还可以将税金提高，直到把我赶走为止。如果我的棉花有个好收成，他们就会把税额增加到我一分收益都没有的程度，或者可能干脆将棉花全部没收去，说这是南部邦联政府的棉花。这帮北方佬跟那些流氓串通一气，他们想把我怎么样就会怎么样。只要我还活着，我这一辈子，就会处于担心他们用某种方式来整我的害怕中。我一辈子都得担惊受怕，拼命去挣钱，辛苦得要命，到头来却一场空，活儿会白干了，棉花也会都被抢走……现在我即使借到这三百块钱也只是救一时之急。我希望能一劳永逸地摆脱这个困境，这样晚上我就可以安安稳稳地睡觉，免得今天愁明天，这个月愁下个月，今年愁明年。”

她就这样不断地思前想后，脑海里渐渐产生了一个冷静而合情合理的念头。她想起了瑞特，想起了闪露在他那黝黑脸庞上的那口雪白的牙齿，想起了抚慰她时他那双嘲弄的黑眼睛。她又回忆起亚特兰大那个炎热的夜晚，那时围城正接近尾声，他坐在佩蒂姑妈家那掩映在夏日暮色中的门廊上，她又感觉到他那只暖烘烘的手抓住了她的肩膀，对她说：“我想要你，比我曾经想要的任何女人都要急迫——我等待你，觉得比我过去等待的任何女人都长久。”

“我要嫁给他，”她冷冷地想，“那么我就不必再为钱的事操心了。”

啊，从此就不用为钱担心了，塔拉庄园可以保全了，一家人可以衣食不愁了，她也从此再不会在石壁上碰得青一块紫一块了，这是多么称心如意的想法呀，比盼着进天国还美呢！

她觉得自己老了很多，整个下午发生的事似乎已经把她所有的感觉都掏空了。先是得到关于税款的惊人消息，接着是阿希礼的事情，最后是对乔纳斯·威尔克森的厉声呵斥。是的，现在她心里一切的感情都消失了。如果她此刻的感觉还没有丧失殆尽的话，那么她内心深处的某种东西早就会对她自己头脑里形成的计划提出抗议了，因为对瑞特她真是恨之入骨。然而，她已经没有感觉了。她只能思考，而且想法非常实际。

“那天夜里，他在半路上把我们大家撇下的时候，我曾对他说过许多刻薄的话，但是我会让他忘记的，”她轻蔑地想，她对自己的魅力仍然很有信心，“去见他的时候，我可以装得诚心诚意。我要让他相信我一直爱着他，那天夜里只不过是心烦意乱、忧心忡忡罢了。哦，这些男人就喜欢别人奉承，只要当面说他几句好话，还有什么不相信的呢？……我无论如何不能让他知道我们目前的境况，一定要等把他弄到手后才让他知道。是的，现在决不能让他知道！哪怕是让他猜到我们有多穷，他也会看清我不是要他的人而是要他的钱了。但是他毕竟是无法了解事情真相的，因为就连佩蒂姑妈也不完全了解我们穷到了何种地步。等到和他结婚后，他就不得不帮我们了。他不能眼看着自己妻子家里的人挨饿呀。”

给他做妻子？做瑞特·巴特勒太太？某种隐藏在她理智的思想深处的反感微微动了一下，很快又平静了下去。她回想起自己跟查尔斯短暂蜜月中的种种令人尴尬、厌恶的情景来，想起他乱摸乱抓、笨手笨脚的样子，记起他那种捉摸不透的情感——还有韦德·汉普顿。

“我现在不去想它，等跟他结了婚再说……”

想到跟他结婚，又唤起了她的记忆。她只觉得脊梁骨里一阵凉丝丝的。她想起了那天夜里在佩蒂姑妈家的门廊里，自己曾问过他是不是打算向她求婚，记得他当时是多么可恶地笑着说：“亲爱的，我是一个不结婚的男人。”

假如他仍然是个不结婚的男人呢？假如无论怎么向他献媚，无论怎么诱惑他，他还是拒绝和她结婚呢？假如——哦，想到这一点她觉得可怕极了！——假如他完全把她给忘了，而正在追求别的女人呢？

“我想要你，比我曾经想要的任何女人都要急迫……”

斯佳丽紧捏拳头，指甲都掐进手掌里去了。“如果他把我忘了，我要让他重新想起我。我要让他重新再要我。”

再说，即便他不愿跟她结婚，却仍想要她，那她也有法子弄到钱了。无论怎么说，他是曾经想让她做他的相好的。

在客厅朦胧的阴影里，她在与自己心灵深处三股最强大的约束力作着不断的斗争——这三股约束力是对母亲埃伦的记忆、她信仰的宗教教义和对阿希礼的爱。她知道自己头脑里的那种念头，如果让母亲的在天之灵知道了，一定会觉得非常可怕的。她知道这种私通行为是莫大的罪恶。她也知道既然自己深爱着阿希礼，那么她的计划就构成了双重犯罪。

但是，由于内心已变得冷酷无情，有着一种要拼命奋斗的决心，因此所有这些约束力都战败了。母亲已经死了，也许死亡对一切都会谅解的。宗教是要用地狱里的烈火来禁止私通行为的，但如果教会认为她会为保全塔拉庄园免遭侵占和避免全家人挨饿而有所顾忌，不敢干有些事情的话——好吧，那就让教会去伤脑筋吧。她才不去伤这个脑筋呢。至少目前不会。那阿希礼呢——阿希礼并不要她呀。是的，阿希礼是要她的。刚才他那两片温暖的嘴唇还吻了她呢，这便是证明。但是他终究不愿带她逃走。奇怪的是，她跟阿希礼一起逃走似乎算不上犯罪，可跟瑞特——

在这冬日下午苍茫的暮色中，她走到了漫长旅程的尽头，这段旅程是从亚特兰大陷落那天夜里开始的。当初她刚踏上这段旅程时，还只是个被宠坏了的、只顾自己的、从未尝过人间艰辛的女孩子，充满着热情和青春活力，极易被生活所迷惑。现在，在这段旅程的尽头，原来那个女孩子已不复存在。饥饿、艰辛、担忧和长年累月的紧张，战争的恐怖和重建时期的惊恐，已完全夺去了她的青春、热情和温柔。在她生命的核心周围已结起了一层硬壳，在这漫长的几个月里，这层硬壳越结越厚。

但是直到今天为止，一直都有两种希望在支撑着她。她希望战争结束后生活可以逐渐恢复它原来的面貌。她还希望阿希礼的归来能使生活重新具有某种意义。但现在，这两种希望都破灭了。从她见到乔纳斯·威尔克森在塔拉庄园门前出现的那一刹那起，她就已经明白了这场战争对她，对整个南方，是永远不会结束的。因为最残酷的战争、最野蛮的报复才刚刚开始。阿希礼用语言来禁闭他自己，这禁闭比任何监狱都牢固。

和平让她失望了，阿希礼也让她失望了，这两件事恰恰发生在同一天，她生命外壳上的最后一道缝隙似乎都已给封住了，最后一层软膜也已经变硬了。她已经变成了方丹老奶奶曾告诫过的那种女人——她已经历了最最恶劣的遭遇，如今已变得天不怕地不怕了。她不怕生活的艰辛，她不怕母亲的责备，她不怕爱情的挫折，她也不怕舆论的批评。能够让她害怕的，只有饥饿和饥饿的噩梦。

现在她终于硬起心肠来摆脱过去的一切束缚，摆脱过去的斯佳丽了，于是心目中便出现了一种轻松而无所顾忌的奇怪感觉。她已作出了决断，而且谢天谢地，她已没了害怕的感觉。她已没什么可失去的了，她已下定了决心。

只要能骗瑞特和她结婚，一切都会圆满解决的。但如果无法办到呢——嗯，她也照样可以弄到钱。有短短的一瞬，她怀着不受感情支配的好奇心，想了想做情妇会是什么境况。瑞特会不会硬要把她留在亚特兰大，正如人们所说的他曾把那姓沃特林的女人留在那里一样？如果他把她留在亚特兰大，那他就得多花钱——这钱得足以弥补她离开塔拉庄园所受到的损失。由于斯佳丽对男人生活中隐蔽的一面一无所知，也就无法得知会出现什么情况。她不知道自己是不是会生孩子。那显然是件要命的事。

"我现在不去想它，等以后再考虑吧。"她把这种讨厌的念头丢到脑后，以免它动摇自己的决心。今天晚上她就要告诉家里人，说她要到亚特兰大去借钱，如果必要的话，就拿农场作抵押。现在只需让他们知道这些。等那不幸的日子来临后，他们发现情况并非如此时再向他们解释也不迟。

想到要采取行动，她便昂起了头，挺起了胸。她明白这件事是不会那么轻易就办成的。以前，是瑞特求她，大权掌握在她手里。现在她成了叫花子，叫花子是不能提条件的。

"可是我决不能像叫花子似的去见他。我要像王后似的去给他恩赐。他是怎么也不会看出来的。"

她走到穿衣镜前，高高地抬起头看着自己。在那面嵌在镀金镜框中布满裂痕的耀眼的镜子里，她看到的是一个陌生人。一年来，她似乎第一次真正看清了自己的面容。她每天早晨都照镜子，看看脸是不是干净，头发有没有梳光，不过她总是在忙着别的事情，以至于从没真实看清自己的面孔。然而这个陌生人！这个面容憔悴、双颊深陷的女人决不是斯佳丽·奥哈拉！斯佳丽·奥哈拉可有一张漂亮、迷人而生气勃勃的脸呀！现在她目不转睛地看着的这张脸一点也不漂亮，这脸全然没了她清清楚楚记得的妩媚。这张脸是苍白、紧张的，那双乜斜着的绿眼珠上，两条黑眉毛就像受惊鸟儿的两只翅膀那样在那煞白的脸颊上拼命地扑腾着。这张脸上笼罩着一种困难重重、走投无路的神色。

"我不够漂亮，不能迷住他!"她暗自想，心里不免又绝望起来，"我瘦了——哦，瘦得不成样了!"

她拍了拍自己的面颊，又拼命地摸了摸自己的两条锁骨，发现它们从紧身上衣里突了出来。她的乳房也变小了，似乎跟玫兰妮的一样小。她得用棉絮垫胸脯，让自己的乳房显得丰满一些，过去她是一直瞧不起别的女孩子们使用这种东西的。说起棉絮，她想起自己的服装来。她低下头看着自己的衣服，用两只手把衣服上修补过的褶皱拉直。瑞特喜欢女人穿漂亮的衣服、时髦的衣服。她记起自己刚刚脱下孝服穿上那套镶荷叶边的绿裙时的急切心情，她穿着那套绿裙，配上他带给她的那顶插着羽毛的绿帽，记得他还说了些恭维话呢。她又想起了埃米·斯莱特里穿的那套大红方格呢的长外衣，那双系着红穗子的红帮漆皮鞋，还有那顶像只烙饼的帽子，于是不由得妒火中烧，她那身打扮，尽管样式很新很时髦，也很惹眼，但却俗不可耐。哦，现在她自己是多么需要能惹眼呀！特别是要惹瑞特的眼！如果让他看见自己穿着这么破旧的衣服，那么他准会看出塔拉庄园的境况不妙。决不能让他知道这个情况。

刚才她多傻呀，居然以为她现在这种骨瘦如柴、衣衫褴褛、一双眼睛像饿猫似的样子竟能跑到亚特兰大去让他乖乖地听话！以前，在她的美貌处于巅峰，衣服也穿得最漂亮的时候，都没能引诱得他向自己求婚，现在她人丑了，穿着也破烂了，怎么还能指望他来求婚呢？如果佩蒂小姐说的是事实，那他在亚特兰大一定是比谁都有钱，漂亮女人，好的也罢，坏的也罢，他说不定都可以随意挑了。对，她坚定地想，我有件东西却是大多数美丽女人不具备的——那就是我斩钉截铁的决心。只要有一件漂亮的衣服，那——

但塔拉没有一件漂亮的衣服，也没有一件没翻过两次面、没缝补过的衣服。

"情况就是这样。"她闷闷不乐地望着地板。母亲留下的那条苍绿色天鹅绒地毯，已经被不计其数的士兵睡得千疮百孔、污渍斑斑了。这景象更让她感到灰溜溜的，她意识到塔拉庄园现在也跟她一样褴褛。这时整个屋子里的光线渐渐暗了，她觉得心情沮丧，便走到窗前掀起窗框，推开了百叶窗，让冬天落日的余晖从外面照进屋里来。她又关上了窗子，将头靠在了天鹅绒的窗帘上，望着窗外一片荒凉的牧场和牧场那片坟地上黑沉沉的雪杉。

她的脸贴在那苍绿色的天鹅绒窗帘上，觉得那绒毛既柔软又有点扎人，便像猫似的在它上面惬意地蹭了蹭。她忽然又对着窗帘看了一会儿。

一分钟后，她将一张沉甸甸的大理石桌面的桌子从屋子的一头拖到了另一头，桌脚上四只生锈的小滑轮发出吱吱嘎嘎的反抗声。她将桌子拖到窗口，撩起衣裙爬到了桌子上面，踮起脚尖，伸手去抓挂帘子的粗棍子。那棍子很高，她几乎够不着，于是她便使起性子将棍子猛地一拉，竟把钉子也拔了出来，窗帘跟棍子什么的一齐啪啦一声掉在了地板上。

就像变魔术似的，客厅的门开了，黑妈妈那张又宽又黑的脸在门口出现了，每条皱纹显然都露出极大的诧异和深深的疑问。她责怪地瞟了斯佳丽一眼，她站在桌上，衣裙正撩到大腿，做着姿势准备跳下桌子。她的脸上显出兴奋、喜悦的神情，弄得黑妈妈满腹狐疑。

“你干吗要动埃伦小姐的窗帘？”她问。

“你干吗在门外偷听？”斯佳丽敏捷地从桌上跳了下来，抓起一段积满厚厚一层灰尘的窗帘反问道。

“这响声不用偷听也听得见，”黑妈妈反驳道，她挺了挺身子，像准备跟她决斗似的，“埃伦小姐的窗帘碍你什么事了，怎么连棍子都拔出来丢在地板上，弄得一塌糊涂。埃伦小姐对这些窗帘可是爱惜得很的，我可不能让你这么乱弄一气。”

斯佳丽那双绿眼睛盯着黑妈妈，那是一双热情而欢乐的眼睛，一双在往日欢乐日子里让黑妈妈摇头叹气的淘气小姑娘的眼睛。

“快点到阁楼上去，把我那箱纸样拿出来，黑妈妈，”她一面嚷着一面轻轻推了黑妈妈一把，“我要做件新衣服。”

黑妈妈想到自己这两百磅重的身子无论往哪儿跑都受不了，何况要上阁楼，便觉得很恼火，同时她也开始怀疑要发生什么可怕的事。她猛地一把把斯佳丽手里拿着的那段帘子抢了过去。捧在自己那对下垂的大奶子前，仿佛它是神圣的遗物。

“埃伦小姐的窗帘是不能给你拿去做衣服的，你在动它的脑筋，对吗？只要我还有一口气，我就决不能让你这么干。”

有一刹那，一种神情掠过了她年轻女主人的脸庞，黑妈妈常把这种神情暗自称之为“使牛性子”，这种神情继而又转成了微笑，这微笑是黑妈妈难以抵御的。可是，这微笑并没有让老太婆上当。她知道斯佳丽小姐的笑是装出来的，目的无非是要说服她，可是在这件事上，她已经铁了心，决不能被说服。

“黑妈妈，别那么小气。我是要到亚特兰大去借钱，所以得要一套新衣服。”

“为什么要穿什么新衣服呢？别人家的小姐也都没有新衣服穿啊。大家都在穿旧衣服，谁也没觉得有什么不光彩的。埃伦小姐的孩子为什么就不能穿破衣服？你穿了破衣服，大家还是会像你穿绸子一样尊敬你的嘛。”

那种使牛性子的表情又开始出现了。天哪！真奇怪，随着年龄的增长，斯佳丽小姐是越来越像杰拉尔德先生，越来越不像埃伦小姐了。

“听着，黑妈妈，佩蒂姑妈来信说芳妮·艾尔辛小姐这个星期六要结婚，我当然得去参加婚礼。我要穿一套新衣服。”

“我看你身上这件就不会比芳妮小姐的新婚礼服差。佩蒂小姐在信里说过，芳妮家可是穷得很呢。”

“可是我一定要有件新衣服！黑妈妈，你不知道我们多么需要钱。那些税款——”

“是的，税款的事我全知道了，可是——”

“你全知道？”

“嗯，上帝也给了我一双耳朵呀，是不是？有耳朵就会听啊！尤其是威尔先生，他说话可是从来不压低嗓门的。”

看来黑妈妈什么事情都偷听到了。斯佳丽觉得很奇怪，这么个走起路来地板都会震动的笨重身子，在它的主人想偷听别人说话时，居然还可以做到神不知鬼不觉的，不弄出一点声响来。

“嗯，既然你什么都听到了，你总该也听见了乔纳斯·威尔克森和埃米——”

“是的，小姐。”黑妈妈说着，眼睛里满是怒火。

“那么黑妈妈你就别这么固执了。难道你不明白我必须得去亚特兰大借钱付税款吗？我一定得借到这笔钱。我一定要办到！”她捏起一只小拳头朝另一只手掌拍去，“天哪，黑妈妈，他们要把我们全都赶到大路上去，到那时让我们到哪儿去呢？那个害死母亲的垃圾货埃米·斯莱特里打算要搬到这房子里来住，还存心要睡母亲睡过的床，你还想跟我争母亲的窗帘这样的小事吗？”

黑妈妈的两只脚交替挪动着，像一头不肯安静下来的大象。她隐隐约约觉得自己在渐渐被说服。

“不，小姐，我当然不愿意那垃圾货跑到埃伦小姐的屋子里来，也不愿意我们大家全被赶到大路上去，不过——”她突然带着谴责的眼神盯住斯佳丽，“你到底要去向谁借钱，非得穿新衣服不可？”

“那，”斯佳丽吃惊地说，“那是我自己的事，用不着你管。”

黑妈妈用窥视的目光看着她，小时候她做错了事，徒然拼命地想用花言巧语搪塞过去的时候，黑妈妈就是用这种眼光看着她的。她好像正在把她的心思看穿，斯佳丽不由得垂下了眼皮，她对自己准备做的事开始感到羞愧了。

“这么说为了借钱你需要一件崭新漂亮的衣服了，这我觉得不太对劲。再说，你又不肯说出去向谁借钱。”

“我不想告诉你，”斯佳丽忿忿地说，“这是我自己的事。你到底愿不愿意把这窗帘给我，还帮我做衣服？”

“愿意，小姐，”黑妈妈口气突然软了下来，投降了，这反而让斯佳丽疑心重重了，“我会帮你做的，我看可以把那帘子的缎子衬里拆下来做一条衬裙，还可以把上面的花边拆下来镶裤子的边。”

她将天鹅绒窗帘还给斯佳丽，脸上露出了狡黠的笑容。

“兰妮小姐跟你一起去亚特兰大吧，斯佳丽小姐？”

“不，”斯佳丽厉声回答，她有点明白黑妈妈在打什么主意了，“我一个人去。”

“这是你自己的想法，”黑妈妈坚定地说，“我可要陪你和你的新衣服一块去。是的，小姐，一路上我会一步都不离开你。”在很短的一瞬，斯佳丽想象着无论是去亚特兰大的旅途中还是她跟瑞特谈话的时刻，黑妈妈都像一只又大又黑的冥府看门狗一样在一旁监护着。她又笑了，还把手放在了黑妈妈的臂膀上。

“黑妈妈，亲爱的，你的心真好，想陪我去，照顾我，可要是你不在，这儿的人怎么办呢？你知道这塔拉几乎就是你一手在张罗啊。”

“哼！”黑妈妈说，“别拿这套好听的话来哄我，斯佳丽小姐。你小时候的第一块尿布都是我给垫上的，我还不清楚你吗？我说了要跟你去亚特兰大，就一定得去。亚特兰大现在到处是北方佬，还有新放出来的黑人什么的，要是让你一个人去，埃伦小姐在坟墓里也不得安宁。”

“可是我是住在佩蒂姑妈家啊。”斯佳丽激动地说。

“佩蒂小姐当然是个好人，她以为自己什么都懂，其实并不是那么回事。”说完这话，黑妈妈便威风凛凛地结束了谈话，转过身自顾自地到过道里去了。她在那儿嚷着，声音大得连地板都在颤动。

“普莉西，孩子！快到阁楼上去，把小姐的纸样箱子拿下来，再找把剪子来，别磨磨蹭蹭地找老半天！”

“这下可糟了，”斯佳丽泄气地想，“我就是让一条警犬跟着也比这强啊。”

晚餐桌收拾干净之后，斯佳丽和黑妈妈将那些裁衣裳的纸样在饭桌上摊开，苏埃伦和卡丽恩便忙着拆窗帘上的缎子衬里，玫兰妮拿着一把干净的发刷在刷帘子上的灰尘。杰拉尔德、威尔和阿希礼则都坐在屋里抽烟，笑嘻嘻地看着女人们忙乱着。从斯佳丽身上产生的一种愉快而兴奋的情绪感染着大家，但大家都不懂为什么会这么兴奋。斯佳丽脸红通通的，眼睛里也闪着光芒，还老笑个没完。她的笑声让大家都觉得快乐，这几个月他们还没听到她这么放声大笑过呢。杰拉尔德尤其觉得快活，看着斯佳丽的身躯在屋里窸窸窣窣走动，他的眼神不像平时那么呆滞了。当她走到他身边能够得着的距离时，他总是赞许地拍拍她。几个女孩子也兴奋得像是准备去参加舞会似的，拆的拆，剪的剪，缝的缝，仿佛是在替自己做舞衣一样。

斯佳丽要去亚特兰大借钱，如果必要的话，就把塔拉庄园押出去。但是抵押究竟是怎么回事？斯佳丽说等明年棉花收起来了，他们就可以一下子把塔拉赎回来，而且还会有多余的钱呢。她说得非常肯定，大家就没提出什么疑问。有人问她打算向谁借钱时她答道："不动声色准能迷惑住爱管闲事的人。"她的口气那么调皮，大家都笑了，还跟她开玩笑地说她有个百万富翁朋友。

"我猜肯定是瑞特·巴特勒船长。"玫兰妮狡黠地说，引得大家哄堂大笑，说她的猜测简直太荒谬了，因为大家都知道斯佳丽非常憎恨瑞特·巴特勒，每次提起来总是说"瑞特·巴特勒那个流氓"。

但斯佳丽并没笑，阿希礼本来在笑，但一看见黑妈妈朝斯佳丽抛去了谨慎的一瞥，便突然停住没笑了。

苏埃伦被当时的集体精神所打动，居然慷慨地拿出了她那个虽有点旧了但仍然漂亮的镶着爱尔兰花边的领子，卡丽恩也坚持要斯佳丽穿上她的软底鞋到亚特兰大去，因为这双鞋在塔拉庄园比谁的鞋都要完好。玫兰妮恳求黑妈妈给她留点天鹅绒边脚料以便给那顶磨损的便帽换个面，还说要是这只老公鸡（玫兰妮是指自己的那顶装饰着羽毛的旧便帽。——译者注）不再跑到泥沼里去，它那簇漂亮的黑里泛青的古铜色尾毛就要跟身体分离了，这句话逗得大家捧腹大笑。

看着大家七手八脚地忙碌着，又听到大家这样欢笑，斯佳丽便把伤心和轻蔑的心情都藏到了心里。

"他们对我、对他们自己、对整个南方究竟都发生了什么，还都是稀里糊涂的呢。尽管落到这步田地，他们仍然以为不会有什么可怕的事落到他们头上，他们仍然是奥哈拉、韦尔克斯和汉密顿家的人。甚至连那些黑人也这样想。唉，真是一群傻瓜！他们是永远也不会明白的！他们还会照样那么认为，照样过以前一直过的那种日子，什么都无法让他们改变。兰妮可以穿得破破烂烂，可以摘棉花，甚至可以帮我杀人，但这一切都无法把她改变。她依然是那位腼腆而有教养的韦尔克斯太太，依然是一位十全十美的贵妇人！阿希礼可以目睹战争和死亡，也可以受伤躺在俘虏营里，然而回到一无所有的家里，他仍然是个绅士，跟他拥有整个十二棵橡树庄园的时候没什么不同。威尔就不一样了，他懂得实际情况，但从另一方面来说，他也没什么可失去的。至于苏埃伦和卡丽恩，她们认为这一切都是暂时的。她们都不愿改变自己以适应这种改变了的环境，因为她们觉得这一切都会很快成为过去的。她们总认为上帝一定会专门为她们创造一个奇迹，殊不知上帝不会这样。现在这里唯一可创造的奇迹，就是由我去从瑞特·巴特勒身上创造……他们是不会改变的，他们大概也无法改变，那只有我变了——不过，要是可以，我也不想改变。”

黑妈妈后来把男人们全都请出了饭厅，然后关上了门，这样便可以试穿衣服了。波克把杰拉尔德扶到楼上去睡觉，阿希礼和威尔被单独地丢在前面过道的灯光下。有一会儿他们默默无语，威尔嘴里嚼着烟草，就像一头在安静地反刍的动物。但他那张脸上却没有一点安静的神色。

“去亚特兰大这件事，”他终于慢条斯理地说，“我不赞成，一点也不赞成。”

阿希礼赶紧朝威尔瞥了一眼，马上又将眼光转开了，一声不吭。他暗暗纳闷，威尔是不是也像他自己一样，心里萦绕着一个可怕的疑团。但这不可能。威尔并不知道那天午后发生在果园里的事，也不知道斯佳丽是因为那件事才被迫孤注一掷的。威尔不可能注意到刚才提起瑞特·巴特勒的名字时，黑妈妈脸上的表情。再说，威尔也不知道瑞特有钱，更不知道他名声这么坏。至少，阿希礼认为他是无法知道这些事情的，但自从回到塔拉庄园，他觉得威尔与黑妈妈一样，似乎用不着别人告诉他什么，对情况就很了解，并颇有先见之明。阿希礼觉得这气氛中有某种不祥的东西，这不祥的东西究竟是什么，他也说不清。他只觉得自己是没有能力去把斯佳丽从中解救出来的。整个晚上她始终都没有正视过他，但她用那种格外兴高采烈的态度对待他，让他感到很诧异。这些折磨着他的疑问大得难以用言语来描述。他无法盘问她这些疑问是否就是事实，他也没权利这样去侮辱她。他紧紧地握着拳头。现在，凡是跟她有关的事，他是绝对没有权利去过问了。就在今天下午，他亲自把这种权利永远地剥夺了。他无法帮她，谁也帮不了她。但他想起了黑妈妈，想起了她刚才裁剪那块天鹅绒窗帘时脸上出现的那种坚韧不拔的决心，心里才稍稍感到了些宽慰。不管斯佳丽愿不愿意，黑妈妈会照管好她的。

“这一切都是我造成的，”他绝望地想，“是我把她逼到了这个地步。”

他想起了今天下午她是怎么挺起胸，并掉转身子离开他的，也想起她是怎么固执地昂着头。他为自己的无能为力而痛心，又因为怀着对她的钦佩而黯然神伤。他对她充满着怜爱。他知道在她的词语中是没有“勇敢”这个词的，也知道如果自己对她说，她是他所知道的最勇敢的人，她准会茫然地瞪着他。他知道她不会理解，每当自己想到她的勇敢，是如何把许多真正美好的品质放在她身上的。他知道她正视生活，用刚强的意志去克服生活中可能出现的困难，并顽强地奋斗下去。她从不承认失败，即使看到失败不可避免也照样会战斗下去。

但四年来，他也看到很多不承认失败的人，他们在战场上赴汤蹈火，奋不顾身，他们是英勇的战士，可结果到底还是失败了。

在灯光幽暗的过道里看着威尔时，阿希礼想，威尔是决不会理解斯佳丽·奥哈拉的豪举：她穿着用她母亲的天鹅绒窗帘改成的衣服，插上公鸡的尾毛，去征服世界。

33

第二天下午，当斯佳丽和黑妈妈在亚特兰大下火车时，寒风正猛烈地刮着，暗灰色的云团在天空中疾驰着。这座城市被焚毁后，车站至今没有修复，她们就在离烧焦的车站废基几码远的焦炭和烂泥里下了车。打仗那几年，每次斯佳丽从塔拉庄园回亚特兰大，总有彼得大叔、佩蒂姑妈的马车在等着，现在她也习惯性地朝四面望着、寻找着彼得大叔和马车。接着，她对自己如此的心不在焉感到可笑。她这次来事先并没通知佩蒂姑妈，彼得自然是不会来车站的。何况她还记得，那位老小姐在一封信里曾伤心地说彼得的那匹老马死了，那匹老马是南军投降后彼得从梅肯领回来送老小姐回亚特兰大的。

她朝车站四周那一片布满车辙、凹凸不平的空地处张望，希望那里停有朋友或熟人的马车，可以让她们搭乘到佩蒂姑妈家，但是她谁也没有认出来，既没有黑人，也没有白人。如果佩蒂信里的话是真的，也许她的熟人里已没有一家有马车了。这年月日子艰难，连人的吃住都成了问题，哪里还养得起牲畜呢。在这些日子里，佩蒂姑妈的大多数朋友都跟她自己一样，出门得用脚走。

几辆运货的马车在火车旁装货，此外就是几辆溅满泥浆的公共马车，赶车的都是些模样粗野的外乡人。私人马车只有两辆，一辆是轿车，另一辆是敞篷车，上面坐着一个衣着华丽的女人和一个北方佬军官。一看见那套军官制服，斯佳丽不禁猛抽了一口气。虽然佩蒂姑妈在信中提到过亚特兰大有驻军，满街都是士兵，可是乍一见到这种蓝色军服她还是不免吓了一跳。她一时忘记了战争已经结束，这个当兵的不会来追她，抢她，侮辱她。

她看到火车站周围比过去空荡，便不由得想起1862年那天清晨她来到亚特兰大时的情景。那时她刚做了寡妇，头上披着黑绉纱，心里烦闷得很。那天车站上运货马车、私人马车和救护车挤得水泄不通，车夫的谩骂声、叫嚷声和人们互相问候的寒暄声震耳欲聋。她想起过去战争年代那种让人兴奋得忘记了忧愁的心境，便叹了一口气，接着想到得一路走到佩蒂姑妈家去，就又叹了一口气。但是，她仍抱着希望，等走到桃树街，说不定会碰到熟人愿意让她们搭乘马车的。

她正站在那儿东张西望，忽然有一个皮肤呈马鞍色的中年黑人驾着一辆轿车朝她驶来。"要马车吗，太太？"那黑人从车厢里探出身子问道，"两毛五分，上哪儿都行。"

黑妈妈恶狠狠地瞪了他一眼。

"出租马车！"她咕哝道，"黑鬼，你知道我们是什么人吗？"

黑妈妈虽说是个乡下黑人，但她并不是一直待在乡下的。她知道正经的女人没有自家的男人在旁边陪着，是从来不坐出租马车的，何况这还是一辆轿车呢。即使有她这么个黑佣人在，也还是不合礼节。看到斯佳丽看着那辆出租马车有想坐的意思，她便狠狠地瞪了她一眼。

"你过来，斯佳丽小姐。一辆出租马车加上一个刚放出来的黑鬼！哼，搭配得还挺好！"

"我不是刚放出来的黑人，"赶车人忿忿地说，"我是塔尔博特老小姐家的，这是她的马车，我不过是赶车为家里挣几个钱罢了。"

"哪个塔尔博特小姐？"

"米勒奇维尔的苏珊娜·塔尔博特小姐。我们老东家战死了，我们就搬到这里来了。"

"你认识她吗，斯佳丽小姐？"

"不认识，"斯佳丽遗憾地说，"米勒奇维尔的人我没几个认识的。”

“那么我们就走着去吧，”黑妈妈口气严厉地说，“赶你的车吧，黑鬼。”

她从地上拿起那只毛毡制的提包，里面装着斯佳丽那件天鹅绒新衣服、一顶帽子和一件睡衣，还有一件用一块整洁的印花大方巾打的包袱，里面装着她自己的东西，她也把它拿起来夹在腋下。然后，她就带着斯佳丽穿过那一片湿漉漉的焦土。尽管斯佳丽很想坐马车，可是她没争辩，因为她不愿意跟黑妈妈之间有什么分歧。自从昨天下午突然发现斯佳丽把天鹅绒窗帘扯下那一刻起，黑妈妈的眼睛里便总是流露出一种让斯佳丽看了不舒服的怀疑而警觉的目光。所以想要逃避黑妈妈的陪伴是很难的，而且除非万不得已，她不想惹得黑妈妈满腔怒火。

她们在那条狭窄的人行道上往桃树街走去的时候，斯佳丽又悲伤又灰心，因为现在亚特兰大显得如此荒凉，跟她记忆中的情形完全两样。她们走过亚特兰大旅馆的遗址，以前瑞特和亨利伯伯都曾在这里住过，这么一座优雅的旅店如今只剩下一副骨架和发黑的残垣断壁了。那些沿着铁路两旁绵延了四分之一英里的货栈，原来是存放成吨成吨军需品的地方，如今没有修复，只留下许多长方形的地基，在灰暗的天空下显得死气沉沉的。铁路两旁的建筑物墙都没有了，车棚也不见了，铁路赤裸裸地暴露在那里，没有了遮拦。在这一大片废墟中，有一处就是查尔斯作为遗产留给她的货栈房，现在也无从辨认了。亨利伯伯曾代她给这个货栈房纳税，一直纳到去年为止。这笔钱她迟早得还给他。这是她的另一桩心事。

她们拐进了桃树街，斯佳丽便朝着五角场的方向望去，不禁惊叫了起来。尽管弗兰克把这座城市夷为平地的情形都跟她说了，她却始终没料到会毁坏到如此程度。在她的想象中，这座她极为喜爱的城市依然是满街华丽的建筑物。然而，她现在看到的桃树街光秃秃的，什么标志都没有了，显得如此陌生，就好像她以前从没来过似的。她记得在战争岁月，她曾不知多少次赶着车穿过这条泥泞的街道。还记得在围城的日子里，她曾缩着头、弓着身子在炮弹的呼啸中沿着这条街心惊胆战地奔逃。她仍记得撤退那天，她慌乱而痛苦地最后一次看了一眼这条街。然而，这条街她现在却一点也认不出来了，她真想大哭一场。

在谢尔曼的军队撤出这座燃烧的城市和南部邦联的军队回来后的那一年里，曾经建起了许多新楼房，然而五角场周围一带仍然是一片空旷，只有一堆堆破砖残瓦埋没在杂乱无章的荒草垃圾里。有几座她依稀记得的建筑物仍残留着，但屋顶都没了，只剩下几堵墙，暗淡的光线穿过断墙照射过来，没有玻璃的窗户像张着的嘴，几根烟囱孤零零地高耸着。偶尔，她也会发现几家熟悉的店铺，它们在战火中幸存下来并经过修复，崭新的红砖在那些污黑的断垣残壁中显得格外醒目。在一些新建的店铺大门和事务所的玻璃窗上，她高兴地看到了一些熟悉的名字，但大多数名字都是陌生的。特别是写在那些小招牌上的医生、律师和棉花商的名字都不熟悉。以前，亚特兰大城里的人她差不多都认识，如今见到这么多陌生的名字，心里真不是滋味。但当她看到沿街不少新房子正在兴建时，便又高兴起来。

新盖的房子有好几十座，其中有些还是三层的！到处都在大兴土木，她沿街望去，想调节一下自己的心态，以适应这座新建的亚特兰大城。听着令人欣喜的锤声和锯声，看到脚手架高高地耸立着，人们驮着砖头在爬梯子。看着这条自己心爱的街道，她的眼睛有点模糊了。

“他们将你烧毁了，”她想，“他们将你夷为平地了，可他们并没能消灭你。他们是消灭不掉你的！你会重新成长，长得和以前一样强大，一样生气勃勃！”

她沿着桃树街往前走着，后面跟着步履蹒跚的黑妈妈。这时她发现人行道上拥挤得跟战争打得最激烈时一样，这座正在复苏的城市仍然那么忙忙碌碌。记得当年，她初次到这里来探望佩蒂姑妈时，这座城市曾让她热血沸腾。她还发现，在坑坑洼洼的泥泞中颠簸行驶着的车辆竟跟过去一样川流不息，只是少了当年邦联军队的救护车。店铺木天棚前的马槽架上拴着的骡马，竟也和以前一样多。尽管人行道上熙熙攘攘，但没一张脸是她熟悉的，头顶上挂着的招牌也没一块是她曾经见过的。无论是相貌粗野的男人还是穿着妖艳的女人，都是陌生的。每条街上都是黑压压的一片，全是游手好闲的黑人，他们有的靠在墙上，有的坐在路边石头上，看着来来往往的车辆，那种新奇的神态真像孩子们在观看马戏团的游行。

“全是些刚解放出来的乡下黑人，”黑妈妈轻蔑地说，“像一辈子都没见过马车似的。而且那样子多粗鲁啊！”

斯佳丽也觉得他们的样子确实粗野，因为他们神气活现地盯着她。但当她看见一群穿着蓝军服的士兵时，又大吃了一惊，脑子里也就丢开了这些黑人。现在这城里到处都是北军的士兵，有的骑着马，有的步行，有的坐在军车里，有的在街头闲逛，还有的正满嘴酒气地从酒吧里走出来。

我永远也不会习惯这一切的，她捏紧了拳头想。绝对不会！然后她回过头叫道：“快走，黑妈妈，我们快从这人堆里走出去。”

“来了，我得把这个挡路的黑鬼推开，”黑妈妈大声嚷着答道，一面把包一甩，把一个在她面前惹人讨厌地慢吞吞走路的黑人撞到边上去，“我讨厌这座城市，斯佳丽小姐。哪儿来的这么多北方佬和黑人！”

“人不挤的地方会好些。等走过五角场就不会这么糟了。”

她们小心翼翼地踩在滑溜溜的用来垫脚的石头上，穿过满是泥浆的迪凯特街，一直向桃树街走去，路上的行人渐渐稀少起来。后来她们走到了卫理会教堂——1864 年斯佳丽跑着去找米德大夫的那天，曾在这儿歇过脚喘过气——她看了一下教堂，便放声笑了起来，那笑声既突兀又可怕。黑妈妈用她那双老练的眼睛满心疑惑地盯着斯佳丽的眼睛，但是她的好奇心并没有得到满足。斯佳丽轻蔑地回忆起自己那天被吓得六神无主的情形，觉得很可笑。当时她害怕北方佬，也害怕博就要出世，吓得胆战心惊，怕得毛骨悚然。现在她很诧异，自己当时怎么会吓成那个样子，就像小孩子听见一声巨响那样。当时她竟以为北方佬、炮火和战败是自己经历的最最糟糕的事情，那样想真是太幼稚了！这一切比起母亲的死，比起父亲的麻木痴呆，比起挨饿、受冻与累死累活地干活和由于生活中的不安全感所引起的噩梦，是多么微不足道啊！现在她觉得面对一支入侵的军队是容易的，但对威胁着塔拉庄园的危险却那么束手无策！不错，她现在除了贫穷之外是再也没有什么可怕的了。

一辆轿车沿着桃树街驶来，斯佳丽赶紧往路中间靠了靠看看马车里坐的是不是熟人，因为到佩蒂姑妈家还要走好几条横街呢。马车驶近时，斯佳丽和黑妈妈赶忙探过身去，这时一个女人的头从车窗里伸了出来，一顶精巧的皮帽子盖着一头鲜红的头发，斯佳丽差点没叫出声来。两人打了个照面，都认出了对方，斯佳丽连忙后退了一步。原来是贝尔·沃特林，在她把头缩回去之前，斯佳丽瞥见她的一对鼻翼不高兴地张了一下。看到的第一张熟脸竟是贝尔，真是奇怪！

"那是谁？"黑妈妈疑心地问，"她认识你，却没有跟你打招呼。我从来没见过这种颜色的头发，就是塔尔顿家的人也没像这样——我看，这头发呀，这头发准是染的。"

"对，是染的。"斯佳丽一边简洁地回答，一边加快了步子。

"这个染发女人你是怎么认识的？我问你她到底是谁？"

"她是这城里的坏女人，"斯佳丽简略地说，"跟你说实话，我不认识她，你就不要多问了。"

"我的天哪！"黑妈妈压低嗓门说道，一面张着大嘴，好奇心十足地望着远去的马车。自从二十年前跟着埃伦离开萨凡纳，黑妈妈还没见过一个娼妓呢，她后悔刚才没把贝尔看得仔细些。

"她穿得可真讲究，坐的马车也够漂亮的，还有马夫呢，"她唠唠叨叨地说，"我真不明白，上帝是怎么想的，竟让这种坏女人享福，我们做好人的倒要饿肚子，甚至连鞋都穿不上。"

"上帝好多年前就不管我们了，"斯佳丽忿忿地说，"别跟我说上帝，母亲听了我说这话在坟墓里会不得安宁的。"

她想让自己觉得在道德方面自己优越于贝尔，但是办不到。如果她的计划进行得顺利，她不是跟贝尔处在同样的地位，并让同一个男人供养着吗？对自己作出的决定她虽然丝毫也没有后悔，但这件事情本身总使她觉得狼狈。"我现在不去想它了。"她暗暗对自己说，加紧了步子向前走去。

她们经过米德家原来的地方，那儿现在只剩下两道孤零零的台阶和一条走道，走道尽头一无所有。惠丁家原来的地方更是一片光秃秃的平地，连墙基石和砖砌的烟囱都不见了踪影，但装走这些东西的马车留下的车辙却清晰可见。艾尔辛家的砖房还在那里，还加了一层，并新盖了屋顶。邦尼尔家的屋子用一些粗糙的木板代替木瓦遮着、挡着，虽然一副破破烂烂的寒酸相，但看上去还过得去。但这两家的窗户里却不见一张脸，门廊下也不见身影，这反倒让斯佳丽高兴了。她眼下不想跟谁说话。

接着，佩蒂姑妈那幢红砖石板屋顶的房子在眼前出现了，斯佳丽的心怦怦跳个不停。老天爷没把这座房子夷为平地、弄得无法修复，真是谢天谢地！这时有一个人手臂上挽着菜篮子，从前院走了出来，那正是彼得大叔。他见斯佳丽和黑妈妈蹒跚而来，黑脸上露出了惊异的微笑。

我简直要亲吻这老黑傻瓜了，见到他真是太高兴了，斯佳丽愉快地想道。于是她大声喊着："赶快去把姑妈的头晕药拿来，彼得！真的是我！"

那天晚上，佩蒂姑妈的餐桌上照例是玉米粥和干豆子。斯佳丽一边吃着，一边赌咒道，等她重新有钱了，是决不会让这两种食物出现在她的餐桌上的。无论付出什么代价，她一定得重新弄到钱，而且还不只是仅仅够付塔拉庄园税款的数目。总有一天她一定会用某种方式弄到大笔的钱，哪怕是去杀人也在所不惜。

在餐室的黄色灯光下，她问起了佩蒂姑妈家里的经济状况，她抱着一线希望，希望能从查尔斯家借到她急需的那笔款子。问题提得并不转弯抹角，可佩蒂姑妈因为家里有人可以聊天，高兴得什么似的，竟然不觉得问题提得太直截了当了。她当时就哭了起来，并开始诉说自己的种种不幸。她自己也不清楚她的那些农场、城里的房产和现钱都到哪里去了，在不知不觉中这些东西丢得一干二净。至少亨利伯伯是这样告诉她的。他没法儿支付她全部产业的税款，所以除了现在住的这栋房子，其他东西全没了。不过佩蒂没静下来好好想一想，其实连这栋房子也从来都不是她的，它是玫兰妮和斯佳丽的共同财产。亨利伯伯现在也只能给这栋房子纳税，此外每月还支付给她一点生活费，尽管拿他的钱很丢脸，但她也无可奈何，只能这样了。

"亨利总说他负担太重，加上税率又这么高，实在有点入不敷出。当然，也许他是在骗我，他的钱多得很，就是不肯多给我罢了。"

斯佳丽知道亨利伯伯没有骗人。她曾经收到过他的几封信，都是谈的有关查尔斯财产的事，从信中可以看出他并没骗人。这位老律师为了保全这栋房子和市中心那个货栈，确实拼命地斗争过，这样韦德和斯佳丽在劫难之后多少还有点剩余的东西。斯佳丽知道亨利替她负担着这笔税款，对他实在是一种极大的牺牲。

"他当然没有什么钱了，"斯佳丽心里悻悻地想，"好吧，从我的名单里把他和佩蒂姑妈勾掉吧。这样剩下的就只有瑞特了。那么我就不得不这么做了。我只能这样，别无选择。不过现在我不必过多考虑……我得让她谈起瑞特，那我就可以趁机暗示她，叫她请他明天到这儿来看我们。"

她笑了，紧紧地握着佩蒂姑妈两只胖乎乎的手。

"亲爱的姑妈，"她说，"我们别再谈钱啊什么的让人扫兴的事了吧。暂时把这事忘掉，谈谈让人高兴的事吧。给我讲讲我们以前那些老朋友的消息吧。梅里韦瑟太太和梅贝尔现在怎么样了？听说梅贝尔那个小个子克里奥尔人平安回家了。还有艾尔辛家以及米德大夫和太太呢？"

佩蒂帕特见她要换个话题，顿时露出了喜色，她那张满是泪水的孩子脸不再颤动。她详详细细地说了一些老邻居们的情况，连他们吃的、穿的、做的、想的都讲了。她用恐怖的声调说起勒内·皮卡尔还在前线时，梅里韦瑟太太和梅贝尔曾经靠做糕饼卖给北军士兵过日子的情形。想想看，竟落到那步田地！有时候二三十个北方佬站在梅里韦瑟家的后院里等着烙饼出锅呢。后来勒内回家了，就让他每天赶着辆破马车去北方佬兵营卖馅饼、蛋糕、饼干。梅里韦瑟太太说，等攒够了钱，打算在闹市开一家饼铺。佩蒂不想批评谁，不过终究——换了是她自己，佩蒂说，她宁肯饿死也不会去做这些北方佬的生意。每次在街上碰到北方佬的士兵，她总是不屑一顾，还连忙走到对街去，尽量显出对他们无礼的样子。她说，虽然，在雨天这么做是件很麻烦的事。斯佳丽听了有这样的印象：就佩蒂小姐本人而言，尽管弄得满脚泥浆，但她如此牺牲，也算是对南部邦联的一片赤诚。

米德太太和大夫家的房子在北方佬放火烧城时化为灰烬，他们没有钱，也不忍心重新盖房了，因为菲尔和达西都死了。米德太太说从此她不想再要家了，儿子、孙子都没有，还能算是个家吗？他们觉得很孤独，就搬去跟艾尔辛家一起住，艾尔辛家把损坏的那部分房屋修好了。惠丁先生夫妇俩也在那里占了一个房间，邦尼尔太太也在说要搬进去住，如果她能幸运地将自己的房子出租给一位北方佬军官和他的家眷的话。

"可是怎么挤得下呢？"斯佳丽嚷道，"那里已经有了艾尔辛太太、芳妮，还有休——"

"艾尔辛太太和芳妮在客厅里睡，休就睡在阁楼上，"佩蒂解释道，她对那些朋友家的安排了解得一清二楚。"亲爱的，我真不愿跟你说这些，可是——艾尔辛太太把他们叫作'付钱的客人'，可是，"佩蒂压低嗓音说，"他们实际上就是房客呗，艾尔辛太太是在开客栈呢！你说可不可怕？"

"我倒觉得好得很，"斯佳丽紧接着说，"我倒但愿去年一年里塔拉庄园也有这样的'付钱的客人'，因为去我们那儿住的都是分文不付的，否则我们现在也许不至于这么穷。"

"斯佳丽，你怎么能说这种话？要是你可怜的母亲得知塔拉庄园要收客人的房钱，那她在坟墓里也不会安宁的。当然，艾尔辛太太也是实在没办法呀，尽管她自己揽些针线活儿，芳妮替人给瓷器画画，休卖柴挣几文小钱，可一家人仍难以糊口。你想想，休这样的宝贝儿竟然被迫去卖柴！他可是一门心思想当一名优秀的律师的呀！我们的孩子都落到这种地步了，我只能为他们流泪！"

斯佳丽想起塔拉庄园那烈日炎炎的天空下一行行的棉田，想起自己弯腰弓背在棉田里干得腰酸背痛的情景。她仍忘不了自己那双不熟练的、布满血泡的手扶住犁把时的感觉，便觉得休·艾尔辛并不特别值得同情。佩蒂这傻老太未免也太天真了，尽管她的周围都成了一片废墟，她却受到了庇护！

“他要是不愿意卖柴，那干吗不开业当律师呢？难道在亚特兰大就没有当律师的机会了？”

“哦，有！有的是当律师的机会。现在几乎是人人都在打官司，由于那场大火把什么都烧了，地界也搞乱了，谁也不清楚他们的土地从哪儿开始到哪儿结束。不过大家的口袋都空空的，当律师的去向谁收诉讼费呢？所以休只好卖柴了……哦，我差点忘了！我给你的信上提到过吗？芳妮·艾尔辛明天晚上结婚，你当然应该去。艾尔辛太太如果知道你在城里一定是十分乐意你参加的。但愿除身上这套衣服外，你还有一套衣服带着。我倒不是说这套不够漂亮，亲爱的，不过——说实话，它看上去是旧了点儿。哦，你有一套漂亮衣服？我太高兴了，这是自这座城市陷落以来我们参加的第一个婚礼呢。他们准备了点心、备好了酒，还有跳舞会，可我不知道艾尔辛家怎么办得起，他们穷得很呢。”

“那芳妮跟谁结婚呢？我原以为达拉斯·麦克卢尔在葛底斯堡战死——”

“亲爱的，你不该责备芳妮。不是人人都跟你一样给可怜的查理守寡的嘛。让我想想，他叫什么来着？我记名字的本领差极了——叫汤姆什么的。我和他母亲挺熟，我们一起在拉格兰奇女子学院读过书，她姓汤姆林森，是拉格兰奇本地人，她母亲是——让我想想……是姓珀金斯？还是帕金斯？哦，对了，是姓帕金森！是斯巴达人。门第倒是不错，可话虽这么说——嗯，我知道自己不该这么说，可我不明白芳妮干吗要嫁给他？”

“他酗酒还是——”

“噢，不！他的人品没说的，可你知道，他下半身受过伤，一颗炮弹炸在了他的两条腿上，把他炸成——炸成，哎，我讨厌用这个字眼儿——把他炸得两腿奓着。走起路来样子可丑着呢——总之，不太好看。我不明白她为什么要嫁给他。”

“女孩子总得要嫁人的嘛。”

“那也不见得吧，”佩蒂发火地说，“我就一辈子没嫁过人。”

“不，亲爱的，我并没说你呀！大家都知道你当年多么讨人喜欢，现在仍然是这样！嗨，那位老卡尔顿法官是一直都在拿眼睛瞟着你呢，后来我——”

“哦，斯佳丽，快别胡说！那个老傻瓜！”佩蒂吃吃地笑着，火气全消了。“不过，芳妮毕竟也是很讨人喜欢的，她尽可以找个好一点的男人，我觉得她并不爱那个叫什么汤姆的。我看她并没完全忘了战死的达拉斯·麦克卢尔，不过她不像你，亲爱的。你是一直对亲爱的查理忠贞不贰，尽管你遇到过许多次改嫁的机会。大家都说你是个铁石心肠的轻佻女子，我和兰妮却常常说你一直把对查理的爱埋在心里。”

斯佳丽略过这些漫无边际的知心话，巧妙地引导佩蒂从一个朋友谈到另一个朋友，然而在这个过程中，她一直迫不及待地想把话题引向瑞特。刚才一到家就马上问起他，是不妥当的。这会引起这位老小姐往不该想的地方去想。如果瑞特拒绝跟她结婚，那以后她可有的是时间让佩蒂去东想西猜了。

佩蒂姑妈兴冲冲地说个没完，就像一个碰到了有人听他说话的孩子那样高兴得很。亚特兰大被那帮共和党人的倒行逆施弄得一团糟，她说。他们不停地干坏事，最糟糕的是他们还向那些穷黑鬼们灌输他们的思想。

“亲爱的，他们要让黑人参加投票选举哩！你听到过比这更荒唐的事吗？尽管——我不明白——我正琢磨这事。彼得大叔比我见过的哪个共和党人明白的事理都多，也比他们更懂规矩。可彼得大叔极有教养，他是怎么也不会去投票的。这种观念一直让黑人觉得心烦意乱，现在他们全都给教坏了。他们当中有些人神气活现的。天黑后在街上走路，生命安全都得不到保障，甚至在大白天，他们也会把女人从人行道上推到泥潭里去。要是哪个男人敢出来打抱不平，他们就把他抓起来——亲爱的，我对你说过吗？巴特勒船长给抓去坐牢了。”

“瑞特·巴特勒？”

尽管消息这么让人吃惊，斯佳丽仍然非常感激佩蒂姑妈，因为这样就免得她自己在谈话中先提到他了。

“对啊，一点不错！”佩蒂兴奋得脸上泛起了红晕，便坐直了身子。“他现在还在牢里呢，就因为杀了个黑人。他们说不定要判他绞刑的。想想看吧，巴特勒船长要上绞架了!”

听到这个消息，斯佳丽有好一阵子连气都透不过来，只是盯着这位胖老小姐看。这位老小姐见自己的话产生了效果，正得意扬扬呢。

“这案子还没被证实，但据说那个黑人侮辱了一个白种女人，于是就有人把他杀了。北方佬很恼火，因为近来有许多盛气凌人的黑人被杀的案子。现在他们虽然没法证明凶手就是巴特勒船长，但是他们打算用他来杀一儆百，米德大夫是这么说的。大夫还说假如他们真的把巴特勒船长给绞死了，这将是北方佬办的第一桩德政。但话又说回来，我不知道……但你想想看，巴特勒船长上星期还到这里来过，给我送了一只绝顶可爱的鹌鹑，还问起了你的消息，说什么他担心在城被围的那个时候得罪了你，怕你一辈子也不会原谅他。”

“他要在牢里关多久啊?”

“没人知道。也许一直关到把他绞死为止，但也可能到头来无法证明他犯有杀人罪。不过话得说回来，这些北方佬，他们才不管你有罪还是没罪呢，他们要绞死谁还不容易吗?他们——”佩蒂神秘地压低了嗓门说，“让三K党闹得坐卧不宁。你们乡下也有三K党吗?亲爱的，我敢肯定你们那儿准有，不过阿希礼不会让你们知道这种事罢了。三K党的人都是秘密的，他们半夜三更穿得像鬼一样，骑着马到处转悠，专门去找那些盗窃钱财的提包客和吆五喝六的黑人。有时候他们只是恐吓恐吓他们，警告他们离开亚特兰大，但在他们不太规矩的时候，就会用鞭子抽他们，”佩蒂轻声说，“有时候还把他们杀死，把尸体丢在人们容易看见的地方，尸体上还放上三K党的卡片……所以北方佬恼火极了，一直想找个人来杀一儆百……不过休·艾尔辛告诉我说，依他看他们不会把巴特勒船长绞死，因为北方佬认为他知道那些钱存放的地方，只是不肯说出来罢了。他们正千方百计地让他招供呢。”

“钱?”

“你没听说过?我信中没告诉过你吗?亲爱的，塔拉庄园真闭塞，不是吗?当初巴特勒船长回到这里的时候，可是闹得满城风雨呢！他驾着四骏马，坐在一辆非常富丽堂皇的马车上，口袋里塞得满满的都是钱，可我们其余的人都是吃了上顿没下顿。大家都觉得气愤极了，这个专门说南部邦联坏话、袖手旁观的家伙居然这么阔气，而我们大家却都穷得要命。大家都急于知道他的这些钱是怎么搞来的，可谁也没勇气开口问他——就只有我问过，可他只是放声笑了一通，回答道：'来路不正就是了。'你是知道的，要他这个人说正经话可不容易。"

"不过，他的钱当然是靠偷越封锁线来的——"

"当然，是的，乖乖，可这仅仅是一部分。从封锁线上挣来的钱，只是他财产的九牛一毛罢了。大家都相信，当初邦联政府在什么地方藏有几百万金元，现在落到了他的手里，就连北方佬也相信有这么回事。"

"几百万——金元？"

"是的，亲爱的，我们邦联政府的金元到哪里去了呢？总有人拿了吧，巴特勒船长就是其中的一个。北方佬原来还以为是戴维斯总统从里士满撤退时带走了，可是他们后来抓住这个可怜的人时，他几乎是一个子儿也没有。仗打完时，金库里的钱全没了，所以大家认为一定是某些偷越封锁线的商人拿走了，还守着秘密。"

"几百万——金元！可他们怎么——"

"巴特勒船长不是曾经运了几千包棉花到英国和拿骚替邦联政府卖吗？"佩蒂得意扬扬地说，"他带去卖的不仅是他自己的棉花，也有政府的棉花。你总知道战争时期棉花在英国卖的是什么价吧。是可以随意开价的！他当时是政府的全权代理人，原本应该用卖了棉花的钱买军火，再把军火运回来。后来因为封锁得太严密，他没法把军火运进来，卖棉花的钱就一分也没花。所以巴特勒船长和另一些跑封锁线的商人就把数百万美元存入了英国银行，等待封锁线形势的缓和。不用说，他们是不会用邦联政府的名义存钱的。他们用的是私人的名义，钱仍然在那儿……投降以来，大家就一直在谈论这件事，还严厉地指责那批闯封锁线的商人。北方佬因为巴特勒船长杀了那个黑人逮捕他时，准是早听到这种传闻了，因为他们一直在逼他说出钱的去向。你知道，现在南部邦联的存款都成北方佬的了——至少，北方佬自己是这么想的。但是巴特勒船长却说他一无所知……米德大夫说，不管怎么说，他们还是应该把他绞死，这么一个贼，一个投机商，上绞架是罪有应得的——哎呀，怎么了，你脸色怎么这么难看！你头晕吗？你听到这些受不了，是吗？我知道他曾追求过你，可我以为你们早就闹翻了呢。我对他从来就不满，因为他是个十足的流氓——”

“他跟我毫不相干，”斯佳丽勉强说道，“你去梅肯后，围城时期我和他吵过。现在——他人在哪儿？”

“关在广场附近的消防站里。”

“消防站？”

佩蒂姑妈格格地笑了。

“对呀，是在消防站。现在北方佬用它做军事监狱了。北方佬在广场上的市政厅周围搭起了许多木棚做营房，消防站在附近的一条街上，所以巴勒特船长就被关在那儿了。还有，斯佳丽，昨天我还听到了关于巴特勒船长的一件非常有趣的事。我忘了是谁告诉我的。你知道，他这个人向来讲究穿着——简直是个花花公子，而他们却一直把他关在消防站里，不让他洗澡，他就每天闹着要洗澡，后来他们把他从牢房带到了广场上，那儿有一只饮马的水槽，全团的人都在那里洗澡，里边的水从来也没换过！他们告诉他，他可以在那里洗澡，他说，不，他情愿留着身上南方的污垢标记，也不愿再加上一层北方佬的污垢，而且——”

斯佳丽只听见一个兴冲冲的声音在喋喋不休地说着，也没留意她在说些什么。现在她念念不忘的只有两件事，一是瑞特的钱甚至比她预料的还要多，二是他正关在牢里。他关在牢里，而且很可能会被处以绞刑这个事实使局势稍微有了点变化，实际上是似乎变得更乐观了。瑞特要被绞死，没有什么可同情的。她现在急需的是钱，急到不择手段的地步，哪里还有什么心思去管他的最后命运？况且，对米德大夫的观点她也稍微有点同意，他被绞死是罪有应得。深更半夜，把一个女子撇在两军交战的险境，自管自地去为一个已失败的事业战斗，这种人还不应该被绞死吗？……如果能趁他坐牢的时候跟他结婚，那几百万的财产不就是她的了吗？等他一被绞死，那不都归她一人所有了吗？假如不能马上结婚，那也许可以先向他借一笔钱，答应等他一被释放就跟他结婚，或者答应他——哦，无论答应什么都行！要是他们把他绞死了，那她欠的那笔债就可以永远一笔勾销了。

有好一阵子，她的想象像火焰一般燃烧着。她想要是北方佬政府能行行好，干预这件事，让她再做一次寡妇就好了，那可是几百万元的金元啊！她就可以重修塔拉庄园，雇佣农工，可以种起绵延几十英里的棉花。她还可以添置漂亮的衣服，吃想吃的东西，苏埃伦和卡丽恩也就都能有吃有穿了。韦德也可以穿得暖暖乎乎的，可以吃到营养丰富的食品，把那只尖瘦的下巴吃得胖乎乎的，还可以给他请家庭女教师教他念书，将来还可以上大学……用不着光着脚丫子长大，像穷光蛋那样不学无术。她还可以请个好医生来照料爸爸，她还要帮助阿希礼——为了阿希礼，她还有什么不能做呢！

佩蒂姑妈的独白突然中断了，只听她问道："怎么了，黑妈妈？"斯佳丽从想入非非中醒过神来，看见黑妈妈正站在门口，两手插在围裙口袋里，一双眼睛机警地瞪着。她不知道黑妈妈在那里站了多久，也不知道她到底听到、看到了多少。从她那双炯炯有神的老眼看来，她大概什么都听到了，什么都看到了。

"斯佳丽小姐看上去累了，我想她最好睡觉去。"

"我是累了，"斯佳丽边说边站起来，眼睛朝黑妈妈看着，那神情像个无可奈何的孩子，"我怕是还着了凉。佩蒂姑妈，明天早上我想多睡一会儿，不跟你一起去拜访客人了，你说好吗？我以后什么时候去都可以。明天晚上芳妮的婚礼我是一定要去的。要是伤风越来越重，那就去不成了。在床上睡上一天，真是件难得的乐事。"

黑妈妈摸了摸斯佳丽的手，又看了一眼她的脸色，便露出了一点焦灼的神色。斯佳丽的脸色确实不太好。刚才思潮起伏而引起的兴奋已消退了，所以脸色发白人发抖。

"你的手冰凉，宝贝儿。赶紧去睡吧，我去给你熬点黄樟茶喝喝，再拿块烫砖焐焐，让你出身汗。"

"我太不会照顾人了，"胖墩墩的老小姐一边大声说着，一边从椅子上跳了起来，拍了拍斯佳丽的肩膀。"只顾自己说个没完，竟一点儿也没想到你。宝贝儿，你明天就睡一天吧，躺着养养神，我会来陪你说话儿的——哦！不，亲爱的，明天我不能陪你。我已经答应明天去陪邦尼尔太太。她得了感冒，病倒了，她的厨娘也病倒了。黑妈妈，有你在可太好了。明天早晨你跟我一起去给我帮忙吧。”

黑妈妈陪着斯佳丽匆匆爬上了黑洞洞的楼梯，嘴里叽里咕噜地说着小姐手冰凉，脚上鞋子太单薄。斯佳丽一脸顺从的样子，而且她也是完全心甘情愿。假如她能再进一步除去黑妈妈的疑虑，明天早晨让她离开这屋子，那就万事俱备了。等她们一走，她就可以去北方佬的监牢里看瑞特了。楼梯才爬了一半，她就听见隆隆的雷声开始隐隐约约地响了起来，她站在熟悉的楼梯平台上，想起这雷声多么像围城时的炮声啊。她打了个冷战。对她来说，雷声永远意味着战争和炮火。

34

第二天清晨，太阳忽明忽暗地照耀着，狂风驱赶着一团团乌云急速飘过。风儿吹得窗玻璃嘎嘎作响，又窜进屋子发出轻轻的呜呜声。斯佳丽做了简短的感恩祷告，并多谢上帝让昨夜的雨停住不下了。她一直在床上躺着没睡着，倾听着这雨声，她知道这一下她的天鹅绒新衣服和新帽子可要遭殃了。现在能断断续续地瞥见阳光，她顿时觉得精神焕发。她好不容易才赖在床上，装出虚弱的样子，还假惺惺地咳嗽了几声，等待着佩蒂姑妈、黑妈妈和彼得大叔出门，到邦尼尔太太家去。后来，大门终于砰的一声关上了。家里就只剩下厨娘一个人在厨房里哼着小调，她从床上跳了起来，从衣橱的挂钩上取下了自己的新衣服。

睡眠使她的精神恢复了不少，也给她增添了力量。她还从自己内心深处那颗又冷又硬的心中汲取了勇气。眼看自己就要跟一个男人——随便哪个男人——展开一场智慧斗争，这似乎让人感到很振奋。过去的几个月里，她经历了无数次挫折，现在得知自己最后正式面对一个不折不扣的对手，而且也许可以用自己的力量把他摔下马来，心里不由得产生了一种轻松的感觉。

穿衣服没人帮忙是很费劲儿的，但她终于把它穿上了。她戴上那顶饰着别致羽毛的帽子，急忙奔到了佩蒂姑妈的房里，对着一面长镜子将自己打扮了一番。她看上去多美啊！帽子上的羽饰让她看起来精神抖擞，天鹅绒的苔绿色映得她的眼睛闪闪发光，差不多像翡翠一样，那件衣服显得十分鲜艳大方，简直无与伦比。能重新穿上漂亮衣服真是太好了。见自己这么漂亮，这么有魅力，她得意极了，情不自禁凑到镜子上亲了亲自己，完了又觉得自己这种傻乎乎的举动好笑。她把母亲的一条细毛方巾围上，可这条褪色的方巾跟她那身苔绿色的裙子极不相称，使她看上去略微有点寒酸。她打开佩蒂姑妈的壁橱，挑了件黑细布的斗篷披了上去，那是佩蒂礼拜天才舍得穿的薄秋衫。她又往自己穿过的耳垂上挂了一对从塔拉带来的钻石耳坠，并晃了晃脑袋，看看效果如何。耳坠子嗒嗒作响，声音也十分悦耳。她暗自想，跟瑞特说话时，一定得多摇几回头。摇晃着的耳坠能使姑娘们显得格外活泼可爱，让男人倾倒。

佩蒂姑妈除了现在戴在手上的那副手套之外没有别的手套，真遗憾。女人不戴手套实在不体面，但斯佳丽从离开亚特兰大以后就一直没戴过手套。在塔拉庄园干了好几个月的重活后，她的手也变得粗糙了，这双手现在远远谈不上漂亮了。唉，现在已经没办法可想了。她把佩蒂姑妈的一个小巧的海豹皮手笼拿来套在了自己裸露着的手上。斯佳丽觉得这一下她样样齐备，看上去像样了。见到她的人谁也不会怀疑她贫穷拮据了。

不能让瑞特怀疑自己穷，这是至关重要的。必须让瑞特觉得她是纯粹因为感情才去找他的。

她蹑手蹑脚地下了楼，出了大门，那厨娘自管自在厨房里大声唱着，并没注意她。为了避开邻居们无时不在的目光，她急匆匆地沿着贝克街走去，走到了常春藤街一幢被大火烧毁的房子前，在一块下车台上坐了下来，想等着搭辆顺路的马车。太阳在匆匆飘过的云层后面忽隐忽现，淡淡的阳光照在街面上，没有一点暖意，风儿将她的裙边吹得不停地飘动着。天气比她想象的要冷，她将佩蒂姑妈那件薄斗篷紧紧地裹在身上，并坐立不安地哆嗦起来。她打算步行穿过城区到北方佬的兵营去，一辆破马车在街头出现了。赶车的是个老太婆，上嘴唇上沾满了鼻烟，一顶褐色斜纹布的太阳帽底下藏着一张饱经风霜的脸，拉车的是一头懒洋洋的老骡。她正朝市政厅方向驶去，她非常勉强地同意让斯佳丽搭车。不过，她显然对斯佳丽的衣服、帽子和手笼看不顺眼。

“她还以为我是个轻浮女人呢，”斯佳丽想，“不过，也许她的看法不错！”

后来她们到了市中心的广场上，眼前矗立着市政厅的白色圆顶建筑。斯佳丽向那个老太婆道了谢，跳下了车，看着这乡下女人赶车离去。她小心翼翼地四下张望着，想弄清楚有没有人看见她。然后她拧了拧自己的面颊，想让它们显出点血色来。她又狠狠地咬了咬自己的嘴唇，想把它们咬红些。她整了整帽子，理了理头发，又向广场四周扫了一眼。只见那座二层楼的红砖市政厅虽经历了城火之灾，却依然完好，但在灰色的天空下却显得既破旧又孤零。市政厅楼就在广场中央，楼周围全是一排排肮脏的、溅满泥浆的供军队住的木棚子，广场上都布满了。北方佬的兵在那儿到处游荡，斯佳丽犹豫不决地看着他们，她的勇气稍稍减少了一点。她该怎么走进敌人的营地去找到瑞特呢？

她朝着那条街上的消防站方向望去，只见两扇拱形的大门紧闭着，两名哨兵在那幢房子的两边一来一往地走动着。瑞特就在里面，可是她怎么去跟那些北方佬士兵说呢？他们又会说些什么？她挺了挺胸。想当初杀死那个北方佬的时候也没觉得害怕，现在只是去跟北方佬说话，有什么可怕的？

她小心翼翼地踩着泥浆中的踏脚石穿过大街，一直走到消防站前，一个士兵走上前拦住了她，他穿着蓝色的军大衣，为了挡风，扣子一直扣到了脖子上。

“你有什么事，太太？”他一口中西部的土音，可说话的态度却是又客气又恭敬。

“我要看这里边的一个人——他是个犯人。”

“嗯，这我可不知道，”那士兵挠着头皮说，“对来探监可控制得紧，不让随便进，而且——”他忽然停住了，仔细打量着她的脸。“怎么了，太太！你不要哭呀！你到那边的营区司令部去跟我们长官说说吧，他们是一定会让你见的。”

斯佳丽本来就没有要哭的意思，听了这话便对那士兵微微笑了一下。他向另一个正不紧不慢巡逻的士兵说：“喂，皮尔，你过来一下。”

另一个哨兵是个大个子，他用蓝军大衣将自己裹得紧紧的，可他那黑黑的络腮胡子却讨厌地在外面鼓着。他踩着烂泥朝他们走来。

“你带这位太太到司令部去。”

斯佳丽向他道了谢，就跟着另一个哨兵走了。

“当心，太太，站稳了。”那士兵搀着斯佳丽的手臂说，“把裙子撩起点儿，免得溅上泥浆。”

从那络腮胡子里发出来的声音也同样带着重重的鼻音，但是那声调却和善而令人愉快，他紧紧地搀着她，显得恭恭敬敬。这么看来，北方佬一点儿也不坏啊！

“今天冷啊，太太们这种天出门可真受罪了，”那护送的士兵说道，“你是从老远来的吗？”

“哦，是挺远的，得从城那头过来呢。”她答道。见他说话和气，她心里觉得很温暖。

“太太们这种天气是不该出门的，”那士兵带着责怪的口气说，“这些日子流感可厉害了。哦，这里就是营区司令部，太太——怎么了？”

“这房子——这房子就是你们的司令部？”斯佳丽抬起头来看了看广场上那排她熟悉的漂亮的住宅栅栏，差点儿叫出声来。打仗那会儿，她不知多少次来到这幢房子里参加过社交聚会。这里曾是个华丽的娱乐场——可现在它顶上飘扬的是一面合众国的旗帜。

“你怎么了？”

“没什么——没什么——我只不过想起以前我有熟人在这儿住。”

“哦，太糟糕了。我想要是他们自己来看一下的话，准认不出来了，里面不成样子了。好吧，你进去吧，太太。去跟那个队长说吧。”

斯佳丽一边抚摸着破损的扶手一边走上了台阶。她推开了大门。门厅里黑咕隆咚的，地窖一样凉飕飕的，一个瑟瑟发抖的哨兵正靠着一排关着的折叠门站着，在过去那些美好的日子，折叠门里曾是餐厅。

“我要见队长。”她说。

他拉开了门，她走了进去。她的心怦怦直跳，脸颊因为窘迫和激动而变得绯红。屋子里有一股空气不畅的闷气，混杂着火炉的烟味、烟草味、潮湿的毛料军装味，还有很久没洗澡的身上发出的臭味。她迷迷糊糊觉得自己看见的光秃秃的墙壁上还残留着撕破的糊墙纸，成排的蓝军大衣和耷拉着的军帽在墙钉上挂着，屋子里生着熊熊的炉火，一张长桌上摆满了文件，好多穿铜纽扣蓝军服的军官在里面。

她咽了一口唾沫，总算张开了口。绝对不能让这些北方佬觉得自己害怕。她尽量装出若无其事的样子，尽量让自己显得妩媚动人一些。

“哪位是队长？”

“我就是。”一个敞着军服没扣纽扣的胖子说。

“我要见一个犯人，瑞特·巴特勒船长。”

“又是巴特勒！这人交际倒很广，”队长将嘴上嚼过的雪茄拿下来笑道，“你是他的亲戚吗，太太？”

“是的——是的——是他妹妹。”

他又笑了起来。

“他的妹妹可不少啊，昨天刚来过一个妹妹呢。”

斯佳丽的脸刷地红了一下。准是常跟瑞特厮混的妓女中的一个，也许就是那个叫沃特林的女人吧。现在这些北方佬准把她也当作其中之一了，这怎么让人忍受得了！哪怕是为了塔拉庄园，她也一分钟都待不下去了，她再也受不了这种侮辱了。她转过身去，忿然伸手去抓门的把手，突然另一名军官走到她跟前，他脸刮得很整洁，年纪很轻，长着一双明快而和蔼的眼睛。

“稍等一下，太太。请在火炉边烤会儿火，好吗？我来替你想想办法。你叫什么名字？昨天来的那位——那位女士他拒绝见呢。”

她在他指的那张椅子上坐了下来，朝那个一脸窘相的胖队长狠狠瞪了一眼，报出了自己的姓名。那位和气的青年军官匆匆披上大衣，离开了屋子，其他人便移到桌子另一头，一边抓着文件一边压低嗓门交谈着。斯佳丽满怀感激地把脚朝火炉伸去，她这时才觉得自己那双脚已冻得冰凉，后悔没想到垫一片硬板纸在鞋底的破洞上。

没过一会儿，她就听到门外隐隐约约有说话声，接着她听到了瑞特的笑声。门开了，一股穿堂风刮进屋里来，瑞特出现了，他没戴帽子，肩上胡乱披着一件长斗篷。他没刮脸，身上很脏，也没系领带，尽管衣衫不整，但他似乎依然神采奕奕，一见到她，一双黑眼睛便闪烁出欣喜的光芒。

“斯佳丽！”

他一把握住她的双手，她跟从前一样，顿时觉得他的手充满了热情、活力和兴奋。她还没来得及想他会怎么样，他便低下头亲了亲她的面颊，小胡子扎得她怪痒痒的。当他感到她受惊的身躯想挣开时，便立刻搂着她的双肩说：“我亲爱的小妹！”一边低头朝她笑，好像见到她对他的爱抚无可奈何觉得喜滋滋似的。见他趁机为所欲为，她只好报以微笑。真是个流氓！连坐牢也没有使他有一点儿改变。

那个胖队长衔着雪茄正和那个目光和蔼的军官叽叽咕咕说着话。

“你真是乱来，怎么能把他带出消防站。你是知道命令的。”

“哦，看在上帝的分上，亨利！要是让这位太太待在那车库里，准会冻僵的。”

“好吧，好吧，这事儿由你负责。”

“你们放心，各位先生，”瑞特一面转过头去对他们说道，一面仍把斯佳丽搂得紧紧的，“我——我妹妹没有给我带锯子、锉子什么的帮我逃跑。”

他们都笑了，这会儿斯佳丽立刻朝四周望了一下。哎呀，我的天，难道让她当着这六个北方佬军官的面跟瑞特谈话吗？难道他真是个重犯，非得随时有人监视不可吗？她为难的神色被那个和善的军官看了出来，他推开一扇门，里面有两个士兵，见他进去立刻站起身来，他低声跟他们说了几句。那两个士兵便拿起枪，关上门走到门厅里去了。

“你们可以待在值班室里，”那青年军官说，“不过不许把门闩上，外边有人守着。”

“你看，他们把我当成铤而走险的家伙了，斯佳丽，”瑞特说，“多谢了，队长。你这人真太好了。”

他随随便便向他鞠了个躬，便抓住斯佳丽的胳膊，将她拉起来，推着她走进了那间肮脏的值班室。她永远都不会记得这间屋子到底是什么样儿，她只知道它很窄小，光线很暗，并且一点也不暖和，破破烂烂的墙上钉着手写的纸条，椅子上铺着还残留着毛的牛皮。

瑞特随手掩上门，迅速走到她跟前，低下头来。她知道他想干什么，便赶忙扭开头，与此同时从眼梢上送给他一个媚笑。

"现在我还不能真正吻你一下吗？"

"像个好哥哥那样在我额头上亲一下吧。"她严肃地说。

"不，多谢。那我宁可等待，等待你真正愿意让我好好吻一下的时候。"他的目光投到了她的嘴唇上，在那里停留了片刻。"你能来看我，真是太感谢了，斯佳丽！自从被监禁，你是第一位来看我的有身份的公民，坐牢的人见到朋友来探监总是很感激的。你是什么时候到城里来的？"

"昨天下午。"

"昨天下午才到，今天上午就来看我了？哎呀，亲爱的，你真是太好了。"他朝她微笑着，那种真正感到快乐的表情是斯佳丽从没见过的。斯佳丽心里是又兴奋又好笑，便装作腼腆的样子低下了头。

"当然，我是马上来看你的。佩蒂姑妈昨晚谈起了你的情况——我，我一夜都没睡好，这事太糟了。瑞特，我心里可难过了呢！"

"怎么了，斯佳丽！"

他的声音很温柔，却带着颤抖。斯佳丽抬起头看着他黝黑的脸庞，丝毫没发现那种她熟悉的怀疑和嘲弄的神色。他两眼直勾勾地盯着她，她不由得低下了头，心里一片纷乱。事情进展得甚至比她想象的还顺利。

"能再见到你，听到你说这样的话，就是坐牢也值得。刚才他们把你的名字报给我听，我简直不敢相信自己的耳朵！你知道，那天夜里在马虎村附近，我是出于爱国心才干出那样的事来的，我总以为你是永远不会原谅我了。可是，现在你来看我了，我想这说明你已经原谅我了。"

一想到那天夜里的事，尽管隔了这么久，她立刻感到怒火中烧，然而她克制住了自己的愤怒，扬了扬头，那对耳坠便晃荡了起来。

“不，我并没有原谅你。”她说，还噘了噘嘴。

“又一个希望破灭了。我曾把自己献给了国家，在富兰克林的雪地里赤着脚战斗过，还患过最严重的疟疾，我吃过的苦是你闻所未闻的，事到如今你难道仍然不给我希望吗？”

“我不想听你说什么吃苦的事，”她答道，一边仍噘着嘴儿，一边却从眼梢里朝他微笑着。“我一直认为你那天夜里的行为很可恶，我也永远不打算原谅你。你竟然不顾我面临的危险，把我扔下一走了之！”

“可是结果你没碰到什么危险呀。所以，你看，我对你的信心并没错。我知道你会平平安安地回到家，路上会有老天保佑的，也不会遇到北方佬。”

“瑞特，你到底为什么要做那样的蠢事？你明明知道我们会被打败的，为什么临到最后还要去参军呢？你一直说，只有傻瓜才会把自己的身体送去当枪靶子！”

“斯佳丽，原谅我吧！一想起这件事我就觉得惭愧！”

“嗯，既然你能为自己那样对我而感到惭愧，我就高兴了。”

“你误解了。抛下你不管那件事，抱歉得很，我一点儿都不觉得问心有愧。可是参军的事——我一想起当初参军，穿着亮晃晃的靴子，雪白的亚麻布制服，身边只挂着两支决斗手枪——我还想起穿破了靴子光着脚在寒风凛冽的雪地里一走就是几十英里，身上没大衣，肚子里空空如也……我实在是不懂，当初我怎么就没逃跑？当初全凭一种非常单纯的狂热。但是这种狂热确实存在于我们每个人的血液中。南方人永远也无法容忍自己的事业遭到失败。不过，不用讲什么理由。只要你能原谅我也就够了。”

“我没有原谅你啊！我觉得你是一头猎犬。”不过她说到“猎犬”两字的时候声调非常亲热，那亲热劲儿简直可以用“宝贝”两字来代替了。

“别骗我了。你已经原谅了我，不然像你这样年轻的太太，怎么会不怕北方佬的岗哨，到牢里来探监呢？难道仅仅是为了表示仁慈？还穿着天鹅绒的衣裳，插着羽毛，还带着海豹皮的小手笼，这么漂漂亮亮的。斯佳丽，今天你真是美极了！谢天谢地，你不用再披麻戴孝，不再是衣衫褴褛了！我看见女人穿得破破烂烂，或者老是披着黑纱，就觉得讨厌。你现在看上去就像巴黎大街上的时髦女人。来，转过身去，亲爱的，让我好好看看你。”

原来他已经注意到这身衣服了。当然，像瑞特这样的人，怎么会注意不到这类事呢？她稍显兴奋地笑了笑，便伸开胳膊，踮起脚转动身子，还翘起裙箍让那镶花边的小裙子露出了一点。瑞特那双黑眼睛从头到脚细细端详着她，什么都不曾遗漏，那粗鲁的目光，仿佛要把她的衣服扒去似的，过去曾每每让她全身起鸡皮疙瘩。

“你看上去那么珠光宝气，打扮得那么干干净净，可爱得几乎让人想把你吃下去。要不是外面有北方佬守着——不过你放心，我不会把你怎么样的，亲爱的。请坐下吧，我不会像上次见到你时那样捉弄你的。”他假装悔恨，摸了摸面颊。“说实话，斯佳丽，你不觉得那天夜里你有点自私吗？想想我为你做的一切吧——我冒着生命危险，为你偷来了那匹马，而且是匹好马！为了‘我们壮丽的事业’我冲锋陷阵！我吃了千辛万苦，得到的却是什么？一顿臭骂，脸上还狠狠地挨了一巴掌。”

她坐了下来。谈话并没有完全按照她所希望的进行。他刚才初见到她时显得十分和蔼，对她的到来也感到非常高兴。他几乎像是一个好人了，而不是她过去熟悉的那个坏蛋。

“你吃的苦头非得都得到报酬不可吗？”

“嗯，当然！我是个自私自利的怪物，这你是知道的。凡是付出的东西，我总是要得到报偿的。”

这句话让她微微打了个寒战，但是她又振作了起来，又将那副耳坠子摇得嗒嗒直响。

“哦，瑞特，你其实没有这么坏。你只不过是想表现一下而已。”

“哎呀，你变了！”他边说边笑了起来，“你怎么突然变得大慈大悲了呢？我经常从佩蒂姑妈那里了解你的情况，可是她从没说起过你已经变得更有女人味，更温柔了。说说你自己吧，斯佳丽。跟我分手之后，你一直在干些什么？”

他当初在她心里激起的恼怒和对抗情绪，至今依然十分强烈，她真想说几句刻薄的话以解心头之恨。然而，她露出了笑容，脸上呈现出一对酒窝。他拖了把椅子在她跟前坐下，她便不知不觉地将身子靠了过去，轻轻地用手扶住了他的臂膀。

“哦，我一直都挺好的，谢谢。塔拉庄园现在一切都好。当然，在谢尔曼的军队来抄家之后的那段日子里，我们吃尽了苦头。不过，幸好他们没把我们的房子烧掉，黑人把牲口都赶进了沼泽，所以大部分也都保全了下来。今年秋天的棉花收成还不错，也有那么二十包。当然，这跟塔拉庄园的实际生产能力简直是无法相比的，可我们现在人手少啊。爸说，明年境况准会好些。可是，瑞特，现在乡下日子过得可真单调啊！你想想，没有舞会，没有野宴，人们在一起唉声叹气的！天哪，我真是厌烦透了！上个星期，我实在是烦闷得受不了了，所以爸爸说得让我出门去走走，好好玩一下。这样我就到这儿来了，打算先做几套衣服，然后到查尔斯顿去看姨妈。又可以跳舞了，真让人高兴。”

说到这儿，她想，自己刚才编的那番话说得恰到好处，既没把自己说得太阔，也没把自己说得太穷，心里确实很得意！

“你穿起跳舞衣服来可漂亮着呢，亲爱的，而且糟糕的是对此你自己也知道，我看你这次出来走亲戚的原因是你跟县里那帮乡巴佬朋友混厌了，想到别处去找点新朋友吧。”

斯佳丽想，谢天谢地，瑞特这几个月是在国外度过的，最近才回亚特兰大。不然的话，他决不会说出这么可笑的话来。她稍稍想了想那些乡巴佬朋友：穿得破破烂烂度日如年的方丹兄弟、一贫如洗的芒罗家的小伙子，还有琼斯博罗和费耶特维尔的那帮公子哥儿，都成天忙着犁地、劈柴，喂养又老又病的牲口，哪还想得到什么跳舞呀、打情骂俏呀这类事。但是，斯佳丽没有再回忆，故意吃吃地笑了起来，装作给他说对了。

“哦，得了。”她不以为然地说。

“你真是铁石心肠，斯佳丽，不过也许这也正是你的魅力所在。”他笑了，那笑容像过去一样，一只嘴角向下歪着。不过她知道，他那是在恭维她。“因为，当然，你知道你的魅力已超过了律法所能允许的程度。就连像我这样感情麻木的人，也会为之所动。我认识不少比你漂亮的女人，也肯定比你聪明，而且为人恐怕也比你诚实，心地也比你善良，但我总是只对你一个人念念不忘，这真让我百思不得其解。投降后的那几个月，我在法国和英国，见不到你，也听不到你的声音，虽有机会跟许多漂亮女人接触，我依然时时刻刻想起你，惦记着你，不知你近况如何。”

听见他说别的女人比她漂亮、聪明、善良，她心里便生了气，这时又听他说她有魅力，并且对她念念不忘，她那一时之气也就消了。这么看来，他并没有忘掉她！这事情就好办多了。而且他现在的态度也非常好，竟差不多像个上等人了。现在，她只需把话题转到他自己身上去，以便可以暗示他，她也没有忘记他，于是——

她又轻轻捏了捏他的臂膀，重新露出一对酒窝来。

“哦，瑞特，你怎么没完没了地戏弄起我这个乡下姑娘来了！我心里清楚得很，自从那天夜里你离我而去，你从来就没想到过我。你跟那些漂亮的法国姑娘和英国姑娘厮混，哪儿还会想到我？不过我今天大老远来，不是来让你取笑的。我来这儿——我来——是因为——”

“因为什么？”

“哦，瑞特，我真的替你愁死了！真是替你担心得很！他们什么时候才会让你离开这可怕的地方？”

他连忙把手合在她的手上，将它紧紧地按在自己的臂膀上。

“我很感激你的关心。什么时候才能出去那可说不准。说不定要等他们把绞索拉紧一点以后。”

“绞索？”

“对啊，我看我要到挂在绞索上后才能从这儿出去呢。”

“他们难道真的会绞死你？”

“他们会的，只要能再找到一点我有罪的证据。”

“哦，瑞特！”她把手按在自己的胸口上叫了起来。

“你会伤心吗？你要是非常伤心，我会在遗嘱里提到你的。”

他紧紧地握着她的手，瞪着那双贼溜溜的眼睛朝她放肆地笑着。

遗嘱！她生怕被他看出什么破绽，便急忙垂下眼睛，可已经来不及了，他的眼睛里突然露出了好奇的神色。

“照北方佬看来，我应该立一个周密的遗嘱。他们似乎对我目前的经济状况发生了极大的兴趣。他们每天都要提审我一次，问的全是些愚蠢的问题。现在好像流传着一种谣言，说邦联政府有一批神秘的黄金被我吞了。”

“哦——真有这事?”

“亏你也会问这样的问题！你和我一样清楚，邦联政府只有一家印刷所，没有造币厂啊。”

“那么你那么多钱是从哪儿弄来的?投机来的?佩蒂姑妈说——”

“你可真会盘问!”

该死的！他当然有的是钱。她一下子变得非常激动，没办法用温柔的口气跟他说话。

“瑞特，你被关在这里我真为你难过。你觉得自己有出去的希望吗?”

“我的格言是‘Nihil desperandum’。”（拉丁语，有“天无绝人之路”的意思。——译者注）

“你这话是什么意思?”

“意思是‘或许有希望’，我迷人的傻瓜。”

她眨着浓密的睫毛看着他，随即又重新低下了头。

“哦，你那么精明，哪里会等着他们来绞死你呢！我相信你一定会想出好办法战胜他们，然后离开这里的！到那时——”

“到那时怎么样?”他将身子凑近了些，轻声问道。

“哦，我——”她装作有点窘迫和害羞。要装作脸红并不难，因为这会儿她正气喘吁吁，心跳得像打鼓。“瑞特，我想起了那天晚上——你知道，就是在马虎村——我对你说过的话，我觉得很后悔。当时我——哦，我心里非常害怕，也非常沮丧，而你当时却那么——那么——”她低下头去，看见他那只棕色皮肤的手紧紧地握着她的手。“那时候我想，我是永远永远也不会原谅你的！然而就在昨天佩蒂姑妈说起你——说他们说不定会绞死你——这消息突然紧紧抓住了我，于是我——我——”她连忙抬起头用哀求的目光看着他的眼睛，她还在那目光中加进了一点心痛欲碎的神情。“哦，瑞特！他们要是真的把你绞死了，我也宁愿去死。我真受不了！你知道，我——”这时他的眼睛里有一种灼热的光芒在闪动，她被刺得受不了，于是垂下了眼皮。

她在诧异和激动中想道，再过一会儿我真的要哭出来了。我到底该不该哭？哭了是不是会更自然些？

他接着说：“天哪，斯佳丽，难道你是说——”他的手捏得更紧了，她觉得自己的手都给捏痛了。

她紧闭双眼，想挤出点眼泪来，但却想起应该把脸稍稍抬高些，好让他方便地吻自己。好吧，只要一会儿，他那两片嘴唇就会跟她的嘴唇接触，她忽然清楚地记起，他那猛烈而持久的吻曾使她全身瘫软。然而，他并没吻她。她异常失望，便把眼睛睁开一条缝，鼓起勇气看了他一眼。他那满头黑发的头低了下来看着她的手，她看着他把自己的一只手抓起来亲了一下，又将她另一只手抓起来，放到自己的面颊上贴了一会儿。她原以为他会有猛烈的举动，想不到他竟如此温文尔雅，绵绵柔情，这倒让她很诧异。她很想看看他脸上的表情，但他的头是低着的，她看不清。

她唯恐他突然抬起头来，看见自己脸上的表情，于是便急忙垂下了眼睛。她知道自己的眼睛里肯定充满了洋洋自得的神情，他看一眼就会明白。只要一会儿，他就会求她嫁给他——或者至少会说他爱她，然后……透过自己的睫毛，她见他将她的手翻了个个，让手掌朝上，也在上面亲了一下，接着他突然倒吸了一口气。她低头看见了自己的手掌，这是一年来她第一次真正看清了这只手掌，心里顿时凉了半截，异常担忧。这是一只陌生人的手掌，不是她斯佳丽·奥哈拉那只雪白粉嫩、长着浅浅波纹而显得纤弱的手掌。这只手因为干活而变得粗糙，由于日晒而变得黝黑，上面布满了斑斑点点。指甲都是破损的，长长短短地参差不齐，手掌心长着许多老茧，大拇指上还有个没结痂的水泡。上个月被热油烫伤留下的红疤显得很丑，也很刺眼。她看着自己那只手，心里害怕起来，便不由自主地把手捏成了拳头。

他仍然没抬起头来。她也仍然看不见他的脸。他毫不容情地重新掰开她的拳头，对着她的手掌盯了一眼，又将她的另一只手拿起来，并排抬着她的两只手，低头默默地端详着。

“你看着我，”他终于抬起头来，声调异常平静。“别这么一脸正经的表情。”

她情不自禁地看着他的眼睛，脸上现出倔强而烦乱的神色。他那两道浓黑的眉毛耸了起来，眼睛里闪着光。

“你说，你在塔拉庄园的日子过得不错，棉花的收益很可观，所以你就可以出来玩了。你这双手到底是干了什么活儿——犁地吗？”

她想把手挣脱出来，却被他抓得紧紧的，他还用大拇指摸着那些老茧。

“这不是一双太太的手。”他说着把那两只手扔回到她的裙兜里。

“哦，住嘴，”她大声说，现在她可以把自己的感情说出来了，心里暂时感到了一阵轻松。“我这双手干了什么活儿你管得着吗？”

我多傻呀，她暗自忿忿地想。要是把佩蒂姑妈的手套借来或者偷来戴上就好了。可是我怎么就没有想到自己的手会这么难看呢。他当然会注意到这双手。现在我使了性子，事情看来全给弄糟了。哦，就在他正要表白的时候，竟然出了这事！

“你的手当然不关我的事。”瑞特冷冷地说，身子傲慢地往椅背上一靠，脸上呈现出一副冷漠的神情。

这么一来，他就变得难以对付了。出现这种情况让她觉得厌烦，尽管如此，如果她想克服这困难的话，她还是得逆来顺受！要是对他说上几句甜言蜜语，也许——

“我觉得你把我这双可怜的手一扔太无礼了，我不过是上个星期去骑马没戴手套才把手弄坏的——”

“骑马？见鬼去吧！”他仍然用平静的声调说着，“你是一直用这双手在干活，就像那些黑人一样。你想怎么回答？刚才你干吗骗我说塔拉庄园一切都好？”

“听我说，瑞特——”

“打开天窗说亮话吧，你来看我的真正目的到底是什么？你那样卖弄风情，装模作样地说为我担心，为我难过，我差点就相信了。”

“哦，我确实为你难过！说实话——”

“不，没有的事。他们就是在绞架上把我吊得再高你也不会在乎的。你的心思清清楚楚地写在脸上，正如你干苦活的情形明明白白地写在你手上一样。你到底想从我这儿得到什么，并且你的要求非常迫切，所以就假惺惺地演起戏来了。你干吗不痛痛快快地把真实情况告诉我？如果那样的话，你得到的机会会大得多，因为我只看重女人的一个品性，那就是坦率。可是你却没有。非要把耳坠摇得嗒嗒响，一会儿噘嘴，一会儿摇晃，活像个拉客的妓女。”

说到最后一句话他既没提高嗓门，也没加重语气，但是在斯佳丽听来，这些话像噼啪作响的鞭子在抽打她。她看出指望他向她求婚的希望已经破灭了，心里一阵绝望。假如他也像别的男人那样，出于虚荣心受到伤害而暴跳如雷，或者谴责她一顿，那她还是有办法对付的。但是，他的声调却平静得令人难以忍受，让她害怕，让她束手无策不知如何是好。尽管现在他做了囚犯，隔壁又有北方佬的士兵把守着，但她突然觉得瑞特·巴特勒是个危险的人物，怎么也惹不起他。

“我看我的记性是越来越不行了。我本该想到你和我一样，无论做什么事都是别有用心的。这一次，让我想想。你葫芦里究竟卖的是什么药，汉密顿太太？难道你竟会如此地鬼迷心窍，以为我会向你求婚吗？”

斯佳丽脸涨得通红，没有回答。

“可是你不可能忘记我屡次跟你说起过的那句话——我是一个不结婚的男人。”

她依然一声不吭，他突然暴跳如雷地说：

“你没有忘记吧？回答我！”

“没有。”她可怜巴巴地说。

“你活像个赌徒，斯佳丽，”他讥讽道，“你以为我关在牢里，无法接近女人，就趁机来试一下，以为我会像条鳟鱼那样，一见诱饵就一口咬住。”

你刚才不就差一点一口咬住诱饵了吗？斯佳丽心里忿忿地想，要不是因为那双手——

“好吧，现在事情真相都已经揭穿，只剩下你这么做的动机。那么请你说实话，你到底为什么要我跟你结婚？”

他的口气很温和，而且几乎带有一点开玩笑的意味，于是她又产生了勇气。也许事情毕竟还没弄到完全不可收拾的地步。当然，结婚的希望成了泡影，但即使在绝望中，她仍然感到高兴。这个人竟会如此毫无改变，让她觉得害怕，所以她现在一想到要跟他结婚心里就害怕。但是，要是她机灵一点，对他的同情心和对往事的记忆要一点手腕，说不定可以向他借到一笔钱。她在脸上作出一副和解和稚气的表情。

“哦，瑞特，你是能帮我大忙的——只要你还存有好心的话。”

“我最喜欢的就是对人存好心！”

“瑞特，请你看在老朋友的情分上，帮我个忙吧。”

“那么，这位手上长着老茧的小姐到底要说出自己真正的使命来了。恐怕你此行的任务不是‘探望病人和囚犯’吧。你想要什么？钱？”

她本想使用感情手段迂回曲折地提出这件事，可经他这么开门见山地一问，她的希望成了泡影。

“别那么小气，瑞特，”她娇声娇气地说，“我确实需要一点钱。我要向你借三百块钱。”

“到底说实话了。嘴上说的是爱情，心里想的却是金钱。好一个地道的女人啊！你急需这笔钱吗？”

“啊，对——嗯，也没什么了不起的大事，不过我需要这笔钱。”

“三百块。数目可不小啊。你到底要用它来做什么呢？”

“付塔拉庄园的税款。”

“原来你想借点钱。好吧，既然你跟我谈生意，我也跟你谈生意。你拿什么作抵押呢？”

“什么，什么？”

“抵押。就是用来担保我付出的钱的东西。我当然不想让这笔钱白白丢掉。”他的声调几乎平滑得像丝绸。他分明是在哄骗她，但她没在意。或许事情到头来会变得顺利的。

“耳坠。”

“我对耳坠不感兴趣。”

“我愿意用塔拉庄园给你作抵押。”

“我现在要农场有什么用？”

“嗯，一定有用——一定有——这是个很好的庄园啊！你的钱决不会白丢掉的。等明年收起棉花来我就还你。”

“我倒觉得靠不住。”他朝椅背上一靠，将两手插进裤袋，“棉花的价钱在跌，现在的日子难过，钱紧得很呀。”

“哦，瑞特，你在跟我开玩笑吧！你知道自己有几百万呢！”

他用眼睛窥视着她，眼神里充满着极大的恶意。

“这么说来，你一切都挺好，并不怎么缺钱用。哦，我听了很高兴。我巴不得老朋友们都好。”

“哦，瑞特，看在上帝的分上……”她发急了，勇气和镇定都瓦解了。

“小声点儿！我想你不见得是想让北方佬听见吧。别人有没有告诉过你，说你的眼睛像猫——黑暗中的猫？”

“瑞特，别这样！我把一切都告诉你吧。我确实急需这笔钱。我刚才说的一切都是骗你的，一切实在都糟得很！父亲他——他——精神失常了，自母亲去世后，他一直都那么呆呆的，一点都帮不了我。他简直就像个孩子。而且现在家里是一个干农活的人都没有，棉花没人种，吃饭的人倒有十三个。还有那税款——要的很高。瑞特，我全告诉你了。这一年多来，我们都差点饿死了。哦，这你不知道！也不可能知道！我们从来都没吃饱过，早上醒来是挨饿，晚上睡着也是挨饿，这日子可真受不了了！再加上身上没有暖和的衣服，孩子们老是挨冻、害病，还——”

“你这身漂亮衣服是从哪儿弄来的？”

“是用母亲的窗帘改做的。”她回答道。这话说出来很丢人，但她心里实在是着急，一时竟编不出谎来。“如果单单是挨饿受冻，我是能挺住的，可现在——现在提包客提高了我们的税款，而且这笔钱得马上付。我只有一块五元的金币，此外是什么都没有。我一定得筹到这笔税款！你明白吗？如果我付不出这笔钱，我就会——我们就会失去塔拉庄园。我们无论如何不能丢掉塔拉！我们决不能放弃它！”

“那你为什么不一开始就告诉我这一切，偏要先来折磨我这颗易动感情的心呢？凡是涉及美貌女人的事情，我这颗心一向是很脆弱的。不，斯佳丽，你别哭。除了这套把戏，你什么手段都使用过了，这我可受不了。现在我既然已发现你要的是我的钱，而不是我这个颇有魅力的人，我的感情已经由于失望而受到了伤害。”

她知道每当他这样嘲讽自己也嘲讽别人时，往往吐露的是肺腑之言，所以她急忙抬起头来看着他。难道他的感情真的受到了伤害？难道他当真有意于她？刚才在看到她的手掌之前，他难道是真的打算要向她求婚？或者是仅仅像以前那两次一样，再次提出那种令人作呕的建议？假如他真的对她有意思，那她说不定还能收服他。然而，他那双贼溜溜的眼睛正在折磨她，一点不像是个情人，接着他轻轻地笑了。

“我不喜欢你的抵押品，我不会经营农场。你还有别的可作抵押的东西吗？”

哦，终于又谈到这个话题上来了。机不可失！她深深地吸了口气，与他的眼睛正面相对。这时，她振作起精神，去办这件她最担忧的事，并且也顾不上做出媚态来卖弄风情了。

“我——还有我自己。”

“是吗？”

她下颚的纹路紧绷成了四方形，眼睛转成了翡翠的颜色。

“记得围城时有天夜里在佩蒂姑妈家门廊上的情景吗？当时你说——你说你需要我。”

他毫不在意地往椅背上一靠，看着她紧绷的脸，黝黑的脸上的表情深不可测。他眼睛深处有某种东西在闪烁，可他不吭声。

“你说——你说过你从来不曾像要我这样迫切地要一个女人。你如果仍然要我，你可以得到我。瑞特，我会对你百依百顺的，可请你看在上帝的分上，开一张支票给我吧！我说话是算数的。我可以赌咒，决不食言。哪怕你要我写张字据也行。”

他古怪地看着她，脸上仍是那种深不可测的表情。她急匆匆地说话时，无法看出他是高兴，还是反感。要是他能说句话就好了，说什么都行！她觉得自己的脸渐渐变得火辣辣的。

“我得立刻得到这笔钱，瑞特。他们要把我们赶出门，爸当年那个该死的总管要来占据这个地方，而且——”

“等等。你怎么知道我仍然要你？你怎么知道你自己值三百块钱？女人大多没有这么高的价。”

她的脸一直红到了发根，这一下子她可真是被羞辱到了极点。

“你为什么非这么干不可呢？你尽可以放弃那个农场，住到佩蒂帕特小姐家去。她那房子有一半是你的嘛。”

“哎呀，我的天哪！”她喊道，“你傻啊？我不能放弃塔拉庄园。那是我的家，我决不会放弃它！只要还有一口气，我就决不放弃！”

“爱尔兰人真要命，”他一边说着，一边放平了椅子，又把手从裤兜里抽了出来。“他们总把许多微不足道的东西看得很重，比如土地。天底下的土地到处都一样。好吧，斯佳丽，让我来把事情说个明白，你这次来，是来跟我做买卖的，我给你三百块钱，你就愿意做我的情妇。”

“是。”

既然这句令人厌恶的话说出来了，她反而轻松了，希望又在她心里滋长起来。他刚才说“我给你三百块钱”。这个时候他的眼睛里射出一种恶魔般的光芒，好像有什么让他觉得乐不可支似的。

“不过，以前我厚着脸皮向你表述同样的意思时，你却把我赶出了大门。还臭骂了我一顿，说你不想养上‘一窝崽’。不，亲爱的，我并不是要揭你的伤疤，我只是对你脑子里的怪念头感到惊讶。你这么做并不是为了个人的快乐，而是为了不让豺狼跨进你的家门。这就证明了我的一个论点：一切美德都不过是代价问题。”

“哦，瑞特，看你说了个没完！如果你存心侮辱我，那就继续这么做好了，但钱可得给我。”

现在她觉得呼吸轻松多了。既然瑞特是这种人，他自然会尽量折磨她，侮辱她，以报过去受尽种种轻蔑之仇，发泄刚才受到耍弄的气愤。好吧，由他折磨、侮辱她吧，她受得了，她什么都受得了。为了塔拉庄园，这一切都是值得的。有一会儿，她想象着在那仲夏时节，午后的天空湛蓝湛蓝的，她懒洋洋地躺在塔拉庄园浓密的三叶草坪上，仰望不断翻滚着的似城堡般的云彩，白花的香气阵阵扑鼻而来，耳畔是忙碌的蜜蜂发出的悦耳的嗡嗡声。这午后时分，这寂静的环境，以及从盘旋上升的层层红艳艳的田野里传来的隐隐约约的马车声，都值得她付出这些代价，她还愿意付出更多。

她抬起了头。

“你打算把钱给我了吗？”

他的神情好像在自得其乐，但他说出的话却冷酷之中带着温和。

“不，我不打算。”他说。

一时间，她无法让自己的思维适应他的话。

“即使我愿意，也不能给你。我身上一个子儿都没有。我在亚特兰大一块钱也没有。不错，我有点钱，但不在这里。我不想告诉你钱放在了什么地方，到底有多少。不过，假如我设法给你开张支票，这些北方佬便会像野兽见到猎物似的扑过来，这样你我就都拿不到这笔钱了。你觉得怎么样？”

她脸色发青，显得很难看，鼻子上的雀斑也都突然显了出来，嘴唇扭曲得就像杰拉尔德大发雷霆时的模样一样。她从椅子上跳了起来，发出语无伦次的喊声，以致隔壁房间里嗡嗡的谈话声都戛然而止了。瑞特像一头豹子，迅猛地走到她的跟前，用他那只有力的手捂住了她的嘴，手臂紧紧地搂住了她的腰。她发疯似的想挣脱他，想咬他的手，踢他的腿，并发出尖叫，以发泄心头的愤恨、失望和自尊心受到伤害的痛苦。她弯下身子，拼命想从他那条铁箍般的臂膀里挣脱出来，她的心都快要蹦出来了，她穿着的紧身褡绷得她透不过气来。他紧紧地抓着她，动作粗暴得让她发痛，那只捂住她嘴的手残酷地掐进了她下颚的肉里。他那张黝黑的脸一下子变得煞白。他瞪着忧虑的眼睛把她抱起来搂在怀里，坐了下来，将她放在了自己的膝上，可她仍然在他手里挣扎着。

“亲爱的，看在上帝的分上，别这样！小声点！不要叫！再叫他们马上就要进来了。你一定得安静下来，你非要北方佬看到你这副模样不成吗？”

无论谁看见她都不在乎，她只恨不能将他杀死，别的她什么都不在乎。她突然觉得一阵头晕目眩向她袭来。她透不过气来。他仍然把她的嘴捂着。她的紧身褡像铁圈越箍越紧。他双臂搂着她，她则怀着绝望的怨恨和怒火拼命地挣扎着。接着，他的嗓音显得越来越微弱、模糊，他俯视着的脸庞在一层让人讨厌的迷雾中旋转着，这迷雾越来越浓，她终于看不见他了——什么都看不见了。

等到她昏昏沉沉地苏醒过来，发现自己疲惫不堪、浑身无力、神情恍惚。她仰躺在椅子上，帽子都掉了。瑞特正拍着她的手腕，那双黑眼睛正焦急地盯着她的脸庞。那位和蔼的青年军官拿着一杯白兰地正往她嘴里灌，结果泼翻了，酒顺着她的脖子直往下淌。其他几位军官无能为力地在一旁走来走去，交头接耳地挥舞着手。

“我想——我刚才一定是晕过去了。”她说，她觉得自己的声音好像是从很远的地方发出来的，不免吃了一惊。

“把这个喝下去。”瑞特说着把白兰地送到她嘴边。现在她想起来了，虚弱地朝他怒目而视，但她太虚弱了，连发火的力气都没有了。

“请看在我的面上喝下去吧。”

她喝了一口便呛着了，接着咳了起来，但他依然把杯子送到了她的嘴边。她喝了一大口，那股热流一下子就让她喉咙里火辣辣的。

“我看她现在好些了，先生们，”瑞特说，“多谢各位了，她得知我要被处死就吓得晕了过去。”

那群穿蓝军服的人满脸窘态，清了清喉咙便拖着缓慢的步子走了出去。那位青年军官在门口停了下来。

“还有什么用得着我的吗？”

“没有了，谢谢。”

他走出去，随手关上了门。

“再喝一点吧。”瑞特说道。

“不。”

“喝一点吧。”

她又喝了一口，当即觉得全身暖和起来，体力渐渐恢复了，两腿也不发抖了。她推开酒杯，想站起来，但他一把将她按了回去。

“你放开，我要走了。”

“你还不能走。再等一会儿。说不定你又会晕过去的。”

“我宁可晕倒在马路上，也不愿跟你一起待着。”

“我不管你宁可怎么样，反正不能让你晕倒在路上。”

“让我走吧。我恨你。”

听她这么一说，他脸上又露出了一丝微笑。

“这话才像你说的。你现在一定感觉好些了吧。”

她放松地躺了一会儿，尝试着激起一些怒气来支撑自己，以鼓起劲来。但她太疲惫了，疲惫到既无法恨，也无法考虑任何事情的地步。失败像一块铅沉沉地压在她的精神上。她把所有一切都拿来孤注一掷，现在却输得精光。甚至连自尊心都输掉了。她最后一线希望也山穷水尽了。塔拉庄园完了，家里人也全都完了。她闭上眼睛，仰卧了很久。这时候她听到他就在旁边喘着粗气，同时那白兰地的酒力也渐渐地渗透到了她的全身，她似乎感觉到了一点温暖，力气也好像大了一点。后来，她终于睁开了眼睛，看到他的脸，心里又燃起了怒火。她那对浓眉紧紧锁在一块儿，这时瑞特脸上又泛起了熟悉的微笑。

“你现在觉得好点了吧，这一点从你紧皱着的眉心可以看出来。”

“不错，我是好些了。瑞特·巴特勒，你这个人真可恨，是个流氓，在我见过的人中只有你是流氓！我刚才一开口，你就很清楚地知道我打算说什么，你也知道自己不能把钱借给我。可是你却让我往下说，让我把什么都倒出来。你完全可以避免让我这么做——”

“避免让你说下去，那我便什么都听不到了。不，我才不会那样做呢。这儿可供消遣的东西太少了，我从来还没见过这么有趣的事呢。”他突然发出一阵嘲弄的笑声。听到这笑声，她猛地站了起来，抓起了自己的帽子。

他蓦地按住了她的双肩。

“你还不能走。现在你是不是觉得好了，可以把话讲清楚了？”

“放开我！”

“我看你是好了。那么你只回答我一句话。你要打主意的猎物是不是只有我一个？”他的眼睛敏锐而机警，仔细地观察着她脸上表情的变化。

“你这话是什么意思？”

“你准备用这种办法试一试的是不是只有我一个人？”

“这和你有什么关系？”

“当然有关系。你是否还要算计别的男人？你说。”

“没有。”

“我不信。我才不信没有五六个做候补的人呢。肯定有人会接受你有趣的建议的。这我可是挺有把握的，我可以给你提一点小小的忠告。”

“我不需要。”

“不需要，我也要提。现在我能给你的似乎也只有忠告了。听着，这可是一条非常好的忠告。当你想向男人索取什么东西的时候，千万别像刚才对我那样毫无保留地和盘托出。你一定要想法子做得委婉些、圆滑些，才能取得较好的效果。这种手法你过去懂得，而且还非常精通。可是你刚才提出拿——拿抵押品来向我借钱的时候，看上去简直跟铁钉一样生硬。我记得跟别人决斗的时候，对手就站在二十步之外，他那双眼睛就像你刚才那样，让人看了很不舒服。这种眼神是决不会在男人心里引起热情来的。这决不是对付男人的办法，亲爱的。你把早年所受的训练都忘得一干二净了。”

“用不着你来教训我该怎么做。”她一边说着一边疲倦地戴上帽子。她不明白，这个人脖子上已套着绞索，对她可怜的境遇，居然还会这么谈笑风生。她甚至都没注意到，他紧握着拳头的双手把裤袋塞得鼓鼓的，仿佛拼命在跟自己的无能为力作斗争似的。

“别灰心，”在她结帽带时，他说，“等我上绞架的时候，你可以来看我，那时你准会觉得舒服多了。到那时，我们俩的旧账就可以一笔勾销了——包括这笔账。我一定会在遗嘱里提到你的名字的。”

“谢谢。可是要是他们一直拖着不送你上绞架，那付税款就来不及了。”她说，声调突然变得跟他一样恶狠狠，她是故意这样的。

35

她从那幢房子出来时，天正下着雨，天空是一片暗淡的油灰色。广场上的士兵都进那些临时营房中躲雨去了，街道上空无一人，也见不到任何车辆，她知道自己得走老远的一段路回家去了。

她拖着沉重的脚步往前走着，白兰地的酒力渐渐消失了。冷风吹得她瑟瑟发抖，冰凉的雨点针刺般打在她脸上。佩蒂姑妈的薄斗篷不一会就被雨给淋得湿透了，湿乎乎地贴在她身上。她知道那套天鹅绒衣服也快淋坏了，帽子上的几根羽毛也都湿漉漉地耷拉着，就像长在塔拉庄园潮湿鸡棚里的公鸡尾巴上一样。人行道上的铺路砖七零八落的，有时好长一段路上干脆全都没了砖头，走在上面烂泥直没到脚踝，鞋像是让胶水给粘住了似的，后来甚至连鞋都从脚上掉下来了。每次她弯下身去把鞋子重新穿上时，裙边都碰到了泥浆。她压根儿没想绕过泥潭，而是让那沉重的衣裙从泥浆里拖过去。她能感觉到那湿淋淋的衬裙和裤子裹在脚踝上冷冷的，可她也顾不得刚才曾拿来进行赌博的这套衣服给弄得不像样子。她只觉得心灰意冷，并且是既沮丧又绝望。

她对家里人说了那么多豪言壮语，现在哪还有脸回塔拉庄园去见他们？她怎么对他们说，他们全都得到别处去？那红色的田野，那高高耸立的松树，那黑沉沉的沼泽地，还有在那一片雪杉的浓荫下静悄悄地埋着母亲的寂静墓地，这一切她怎么舍得离开？

她拖着沉重的步子在滑滑的街道上缓缓地向前走的时候，对瑞特的仇恨又开始在心头燃烧。那真是个十足的流氓！她巴不得他们真的能绞死他，这样她就可以永远不必再见到他了，因为他知道她受到的耻辱，出的丑。只要他愿意，他当然可以为她搞到那笔钱。哦，绞死他还算是便宜了他呢！谢天谢地，这会儿他见不到她了。她全身湿透了，头发披散着，牙齿冻得格格直响，她现在的模样多难看呀，他见了准会笑话她的！

她在烂泥里歪歪斜斜地滑着走着，还不时地停下来喘口气儿、拔鞋跟，匆匆地从那些黑人身旁走过，他们都很没礼貌地咧着嘴笑她，还互相哈哈大笑着。这些黑皮猴好大的胆子，竟敢笑她！竟敢咧着嘴笑塔拉庄园的斯佳丽·奥哈拉！她真想找人用鞭子把他们一个个抽得皮开肉绽、鲜血直流。北方佬真不是东西，竟然把这些人给解放了出来，让他们肆无忌惮地嘲笑白人。

当她走到华盛顿街，周围景象之沉闷看上去跟她的心情一样。这儿丝毫见不到桃树街上那种繁忙和振奋。过去很多漂亮的房子，现在都毁坏了，很少有重新修复的。到处都是被烟火烤焦了的屋基，不时还可以见到黑乎乎的烟囱孤零零地耸立着，人们都称之为“谢尔曼的哨兵”，让人看了甚是气馁。一条条杂草丛生的道路通向过去曾经有过房屋的地方，过去的草坪现在枯草丛生，一排排下车台上还留着她熟悉的一些名字，拴马的桩子上却不再系有缰绳。沿路都是泥浆和光秃秃的树木，寒风凛冽，凄雨绵绵，四周寂静无声，一片凄凉。她的两只脚都湿透了，回家的路是多么漫长啊！

她听见背后有马蹄踩在泥水里的叭嗒声，便往狭窄的人行道上避让，以免佩蒂帕特姑妈的斗篷溅上更多的泥浆。一匹马拉着辆轻便马车慢慢驶来，她回过头看了看，心想要是赶车的是个白人，她就一定要请求搭车。马车驶近时，尽管雨水模糊了她的视线，但她还是看到了防水油布下那个赶车人的脸，那块油布从他的下巴处一直遮掩到马车的挡泥板。那张脸有点面熟，所以她便走近街心想看个清楚，这时那人窘迫地轻咳了一声，接着一个熟悉的声音又惊又喜地叫道：“哎呀，这不会是斯佳丽小姐吧！”

“啊，肯尼迪先生！”她一边喊着，一边踩着泥水穿过街心，将身子靠在了满是污泥的车轮上，全然不顾那件斗篷会糟蹋成什么样子。“怎么会碰到你？真是高兴极了！”

听到她说出这么毫不掩饰的热忱话，他高兴得脸都涨红了，连忙朝马车的另一侧吐了一口带烟叶汁的唾沫，敏捷地跳下了马车。他热情地跟她握了握手，便掀起油布扶她上了马车。

“斯佳丽小姐，你孤零零一个人到这种地方来干什么呀？你不知道近来这里非常危险吗？你浑身都淋湿了，来，用这条车毯把脚裹上。”

他像一只咯咯叫着的母鸡，围着她忙碌着，这时她听凭着他的摆布，乐得让人照料，让自己好好舒服一下。有个男人，哪怕是婆婆妈妈的弗兰克·肯尼迪咯咯地叫着、责备着围着她转，她也觉得心里很惬意。特别是在刚刚受到瑞特残酷无情的对待后，她尤其感到安慰。哦，现在她离老家那么遥远，能见到一个老乡是多么让人高兴啊！她发现他的衣服穿得很整齐，那辆轻便马车也是新的。那匹马看上去还小，喂养得也很结实，可是弗兰克却看起来比他的年纪大多了，也就是说比起他那年跟手下人在塔拉庄园度圣诞夜时老多了。他瘦骨嶙峋、面容憔悴，一双黄黄的噙着泪水的眼睛深陷在布满皱纹的松弛皮肤里。他那姜黄色的胡须稀疏了，上面还沾着一丝丝的烟叶汁，乱蓬蓬的，仿佛他老是在乱挠似的。不过，他看上去生气勃勃，心情愉快，与斯佳丽随便从什么人脸上看到的那种悲伤、担忧、疲惫的神情形成了鲜明对比。

“见到你真是太高兴了，”弗兰克热情地说，“我不知道你在城里。我上星期碰到过佩蒂帕特小姐，她并没说起你要来。有没有人——哦——塔拉有没有人跟你一块儿来呀？”

他是在想苏埃伦，这老傻瓜！

“没有，”她答道，把那块暖和的车毯往身上一裹，还一直把它拉到了脖子上围了起来，“就我一个人来的，事先也没跟佩蒂姑妈打招呼。”

他吆喝着马，那马慢吞吞地朝前走着，还小心翼翼地在滑溜溜的街道上择路而行。

“塔拉那边大家都好吧？”

“见到你真是太高兴了,”弗兰克热情地说,“我不知道你在城里。”

“哦，好，马马虎虎吧。”

她必须得说点什么，但她觉得无话可说。由于刚才的惨败，她心情沉重，她唯一想做的事就是盖着这条暖和的毯子躺下，并对自己说：“现在不去想塔拉庄园的事了，等以后心情好一些再考虑吧。”她只需找个话题想法让他往下说，一直说到家门口，这样她自己就只用每隔一会儿含含糊糊地说声“真不错”或者“你真行”之类的话就可以了。

“肯尼迪先生，真没想到会见到你。我知道，我是个坏姑娘，跟老朋友们都不来往，可我不知道你在亚特兰大呀。记得有人对我说过你在玛丽埃塔。”

“我在玛丽埃塔做生意，并且做了不少生意呢，”他说，“苏埃伦小姐有没有告诉你我住在亚特兰大？她告诉过你我开店的事吗？”

她隐隐约约记得苏埃伦唠唠叨叨地说起过弗兰克和他开店的事，但她对苏埃伦说过些什么是从来不留意的。她只要知道弗兰克还活着，将来会把苏埃伦从她手里接过去就够了。

“不，她一个字都没提起过呀，”她谎称道，“你开了一家店？你可真能干呀！”

听说苏埃伦没宣布过这个消息，他略微有点儿感到伤心，但听了斯佳丽的几句恭维，心里又高兴起来。

“是呀，我开了一家店，还经营得挺不错呢。人家都说我天生就是块做生意的料。”他高兴得大笑起来，那种嗤嗤的笑声向来是斯佳丽讨厌的。

好个自吹自擂的老傻瓜，她暗暗地想。

“哦，肯尼迪先生，无论干什么你都会成功的。可你这家店又是怎么开起张来的呢？前年圣诞节见到你那会儿，你还说自己身无分文呢。”

他粗声粗气地清了一下嗓子，把络腮胡子捋了捋，便神经质地露出羞涩的微笑来。

“唔，说来话长，斯佳丽小姐。”

谢天谢地！她想。或许这样一来，他就可以一直说到家门口了呢。于是她大声说：“你说吧！”

“你还记得上次我们到塔拉庄园来搜寻粮食的事吗？嗯，那以后不久，我就服现役去了。我的意思是说去参加真正的战斗，不当军需官了。当时实在也不再需要什么军需官了，斯佳丽小姐，因为我们当时已经搜不到什么东西了，所以我想一个身强力壮的人应该到第一线去才是。就这样，我在骑兵队里打了一阵子仗，后来我肩膀上挨了一颗子弹。”

他露出很自豪的样子，斯佳丽便说：“真是可怕！”

“哦，那没什么，只不过伤了点皮肉罢了，”他满不在乎地说，“受伤后，我就被送到南方的一个医院去了，谁知伤口正要痊愈的时候，北方佬的骑兵冲了过来。哎呀，那时可真紧张啊！我们事先一点都不知道，当时凡是能动的人全都去帮忙把军需品和医疗设备送到火车站运走。我们正要把一列火车装满时，北方佬的骑兵从城的一头冲进来了，我们就尽快往城的另一头跑。嗨，那情景可惨了！我们坐在火车顶上，眼睁睁地看着北方佬焚烧我们不得已留在车站上的那些军需品。斯佳丽小姐，他们烧毁了我们沿铁路堆放着的大约半英里长的物资。我们只是人逃了出来。”

“哎呀，太可怕了！”

“可不是吗？真是可怕。那时候我们的人都回到了亚特兰大，所以火车也就开到这里来了。哦，斯佳丽小姐，没过多久，战争便结束了——嗯，当时像瓷器呀、小床呀、床垫呀、毛毯呀什么的多的是，就是没人来认领。我看它们大概是属于北方佬的。我想这是投降的条件规定的吧，你说是不是？”

“嗯。”斯佳丽漫不经心地答道。那时她身上已经暖和起来，便略微感到有点睡意了。

“直到现在我也不清楚自己当时做得对不对，”他有点抱怨说，“不过依我看，这些东西对北方佬是一点用处都没有。他们会把它们一把火烧掉的，而我们的人过去可是花了许多钱才添置起来的呀。所以当时我觉得它们仍然应该归南部邦联或者是南部邦联的公民所有。你懂我的意思吗？”

“嗯。”

“你能同意我的看法，我真高兴，斯佳丽小姐。不知怎么，这事儿我一直觉得良心上过不去。许多人对我说：'哦，把这事忘掉吧，弗兰克。'可我就是没法忘掉。如果觉得自己做错了事，我就会抬不起头来。你觉得我做得对吗？"

"当然，"她说，其实她连这个老傻瓜在说些什么都没弄明白，只知道他在说什么跟自己的良心作斗争。像弗兰克·肯尼迪这把年纪的人，应该明白别去管那些不相干的闲事。谁知他总是这么神经过敏、大惊小怪、婆婆妈妈的。

"听你这么说，我真高兴。刚投降那会儿，我身边一共才十块银币，其他的什么都没有。他们把我在琼斯博罗的房子和店铺弄成了什么样子，你是知道的。那时我真不知该怎么办才好。我用那十块钱给五角场的铺子盖了个房顶，把那些医院设备都搬到里面去卖。那些床呀、瓷器呀、床垫呀什么的，人人都是用得着的，我卖得很便宜，因为我不仅把这些东西当成自己的，也把它们当成是大家的。不过我还是赚了几个钱，又去采购了一些东西，那家店倒也生意兴隆。我看如果货物周转得快的话，我准会赚大钱。"

听到"钱"字，斯佳丽立刻头脑清醒地把注意力重又转回到他的身上。

"你赚了钱？"

他见她来了兴致，便显得格外热情。他这一生遇见过的女人，除了苏埃伦之外，对他都不过是礼节上的敷衍罢了，现在这个曾经是美人儿的斯佳丽，居然对他说的事情如此感兴趣，让他不由得心花怒放。于是他让马走慢了些，这样就有足够的时间让他在马车到家之前谈完自己的经历。

"但还算不上是百万富翁，斯佳丽小姐。比起我过去的钱财，我现在拥有的简直微不足道。可是我今年居然也攒了一千块钱。当然，我得花五百块钱去办新货、修店面、付租金。不过，我还是净赚了五百，现在生意是越来越兴隆了，明年我能净赚它两千块。这两千我肯定是可以派上用场的。你看，我还在办别的事儿呢。"

听他谈到钱，她一下子变得兴致勃勃起来。她让自己浓密的睫毛遮住了眼睛，将身子稍稍向他挪过去了点儿。

"你这话是什么意思，肯尼迪先生。"

他放声大笑，将缰绳在马背上抽了一下。

“谈这种生意上的事，让你厌烦了吧，斯佳丽小姐。像你这样的美人儿是没有必要懂什么生意经的。”

这个老傻瓜!

“哦，我知道自己对生意经是一窍不通，可我还是非常感兴趣的！请你把生意上的事全讲给我听听吧，我不懂的地方你可以向我解释嘛。”

“好吧，我刚才说的另一件事是指锯木厂。”

“什么?”

“一个锯木头、做木板的工厂。现在我还没有把它买下来，可是我会买的。有个叫约翰逊的，他有一个厂子，就在桃树街的那一头，他急于要把它卖掉。他急需现钱，所以打算把这个厂子卖掉，还愿意留在厂里帮我经营，由我每星期给他付工钱。这厂是这一带剩下的少数几家厂之一，斯佳丽小姐。北方佬把大多数工厂都给毁了。现在谁要是拥有一家锯木厂，就像是有了一座金矿，因为这年头木材的价钱可以随你开。北方佬把这里许许多多房子都给烧了，人们住房紧张，现在人人都拼命在想盖新房呢。可是他们没法弄到足够的木材，要搞到木材可费神了。眼下人们都在往亚特兰大涌，都是些从乡村里来的人，现在乡下没黑人，他们没法靠种庄稼发财了。还有些北方佬和提包客，也一窝蜂地涌了进来，他们嫌剥削得我们不够，还来敲骨吸髓。跟你说，这亚特兰大用不了多久就会变成一座大城市。他们建房子得用木头呀，所以我打算尽快买下这锯木厂——也就是说，等我收回一部分欠账就买。到明年这时候，关于钱的事我就可以松一口气了。我——我想你也明白，我干吗急着要挣钱吧，是不?”

他的脸又红了，嘿嘿地笑了起来。他是在想苏埃伦呢，斯佳丽鄙夷地想。

有一会儿，她曾考虑开口向他借那三百块钱，但她还是打消了这个念头。他会显出很不好意思的样子，吞吞吐吐，并找出各种借口，但就是不会借给她这笔钱。这钱是他辛辛苦苦挣来的，有了这钱到明年春天他就可以娶苏埃伦了；但若是把这钱借出去了，婚期就会无限期地耽搁下去。即使她能激起他的同情心，并且增强他对未来家庭的责任感，而让他同意借这笔钱，她知道苏埃伦也决不会同意的。苏埃伦现在是越来越着急，她觉得自己都快成老姑娘了，所以凡是延误她婚姻的事，她都会竭尽全力去阻止的。

那个啰啰嗦嗦、只知怨天尤人的姑娘究竟用了什么法术，竟使这个老傻瓜这么迫不及待地去为她建个安乐窝？苏埃伦不配有这样痴情的丈夫，也不配拥有店铺和锯木厂。一旦她有了钱，她一定会高高在上，让人受不了，她决不会拿出一个子儿来帮助维持塔拉庄园。苏埃伦就是那种人！她会觉得离开塔拉庄园是件值得庆幸的事，只要她自己有漂亮衣服穿，她的姓名后面有"太太"这个称呼，即使塔拉庄园为了付税款而抵押给了别人，或是被烧成平地，也与她不相干。

一想到苏埃伦的终身有了着落，而她自己与塔拉庄园今后却朝不保夕，斯佳丽顿时怒火中烧，觉得人生实在太不公平了。她赶忙把脸转向马车外，对着泥泞的街道，免得让弗兰克看见她的脸色。眼看她将失去一切，而苏埃伦却——突然间，她萌生了一个念头。

决不让苏埃伦得到弗兰克和他的店铺以及锯木厂！

苏埃伦不配得到这一切。这一切应属于她。她想到了塔拉庄园，回忆起乔纳斯·威尔克森那条狠毒的毒蛇当时站在门前台阶下的情景，她便决定抓住这条浮在她人生沉船上方的最后一根救命稻草。瑞特虽已让她失望，但老天爷却把弗兰克赐给了她。

然而，我是否能得到他呢？她茫然地望着雨景，握紧了拳头。我能否让他忘记苏埃伦而与我结婚呢？我刚才就差点儿让瑞特向我求婚，我看我准能征服弗兰克！她转向他，眨巴着眼睛。他确实长得不漂亮，她思量道，他那口牙齿太难看了，还满嘴口臭，他的年龄可以做我父亲了。再说，他这个人很神经质，既胆小又窝囊，作为一个男人没有比这更令人厌恶的了。不过，他至少是个上等人，跟他一起生活要比跟瑞特好些。他比较容易控制。总而言之，一个已落到了叫花子地步的人，哪里还能挑肥拣瘦呢。

她丝毫没有因为他是苏埃伦的未婚夫而感到良心上的不安。她是在道德全面崩溃后才到亚特兰大来见瑞特的，抢自己妹妹的情人似乎已不值得大惊小怪，眼下这种时候哪儿还顾得上为这种事烦恼呢？

这个新希望一萌发，她的脊梁骨又昂然挺直了，也忘记了那又湿又冷的双脚。她眯起双眼紧盯着弗兰克，这似乎令他感到有点吃惊。但是她又连忙低下了眼睛，因为她想起瑞特说过的话："我记得用手枪跟别人决斗的时候，对手就站在二十步之外，他那双眼睛……这种眼神是决不会在男人心里引起热情来的。"

"怎么了，斯佳丽小姐？你冷了吗？"

"是的，"她无可奈何地说，"可不可以——"她腼腆而犹豫。"可不可以让我的手在你的衣服口袋里插一会儿？天气太冷，我的手笼都湿透了。"

"哦——哦，当然可以。你没有手套吗？哎呀，老天，我真该死，这么慢腾腾地走着，还唠叨个没完，你一定是冻坏了，想烤烤火了。驾，沙利！顺便问问，斯佳丽小姐，我光顾自己说话，也没问你一下，这么冷的天你来这儿干什么呀？"

"我刚从北军的司令部来。"她不假思索地回答道。他大吃了一惊，黄眉毛都竖了起来。

"可，斯佳丽小姐！那些兵——怎么——"

"圣母玛莉亚，让我编个真正顶用的谎话出来吧。"她急忙在心里祈求道。决不能让弗兰克怀疑她见过瑞特。弗兰克一向把瑞特看成十恶不赦的流氓，规矩的女人和这种人搭腔危险得很。

"我去那儿——我去那儿是想看看有没有军官要买我的刺绣，好捎回家去给他们的太太。我的活儿绣得可好呢。"

他吓得一下子靠在车座背上，心里既愤懑又惶惑。

"你到北方佬那儿去了——但斯佳丽小姐！你不该去那儿的。哎——哎……你父亲一定不知道！佩蒂帕特小姐肯定也——"

"哦，要是你告诉佩蒂帕特姑妈，那我就去死！"她真的急得哭起来了。这会儿她本来就要哭了。因为她又冷又烦。她这一哭效果显著。即使她突然开始脱衣服，弗兰克也不会比这会儿更窘迫、更手足无措了。他的舌头像不听使唤似的，咕咕哝哝地叫着"唉！唉！"，还徒然地朝她打着手势。他脑子里出现了一个大胆的念头，觉得自己这会儿应该把她的头拉到自己的肩膀上靠着，同时轻轻地拍拍她。然而他从来没有对女人这么做过，几乎不知道该怎么做。这么活泼美丽的斯佳丽·奥哈拉竟然在他的马车里哭起来了。像斯佳丽·奥哈拉这种生性高傲的人，竟然会去向北方佬兜售针线活儿。他的心像火一般地燃烧了。

她继续呜咽着，断断续续诉说着，从她的话中他听出塔拉庄园境况并不妙。奥哈拉先生仍然“神志不清”，还要供那么多人吃饭，经济上已入不敷出。所以她才只好来亚特兰大为自己和孩子挣点钱。弗兰克又咂了几下舌头，这时他突然发现她的头已经靠在了他的肩膀上。他不知道她是怎么靠过来的。他肯定没有伸手拉过她，但她的头明明已靠在自己的肩头。斯佳丽依偎在他那瘦骨嶙峋的胸口绝望地啜泣着，这让他既新鲜又兴奋。他怯生生地拍了拍她的肩膀，起先还战战兢兢地，后来发现她没反对，就壮起胆子用力拍起来。她是一个多么娇滴滴而孤苦伶仃的弱小女子啊，如今为生计竟亲自去卖针线活儿，真是既勇敢又愚蠢。她竟去跟北方佬做买卖——那也太过分了。

“我不告诉佩蒂帕特小姐就是了，可你得答应我，斯佳丽小姐，以后别再干这种事情了。你要记住你父亲是——”

她显得很无助地拿一双湿润的碧眼搜索着他的眼睛。

“可是，肯尼迪先生，我总得干点什么吧。我不能不管我那可怜的孩子，现在没谁照顾我们了。”

“你是个勇敢、可爱的女人，”他说道，“但我不能让你做这种事情。你们全家会让你羞辱尽了的。”

“那叫我怎么办呢？”她抬起噙着眼泪的眼睛看着他，仿佛知道他准有办法似的，期待着他的回答。

“哦，我现在一时也说不上来，不过我一定会想出办法来的。”

“哦，我知道你准会的！因为你很聪明，弗兰克。”

她过去从来没有这样称呼过他，现在听到她这么称呼自己，他不由得又惊又喜。这可怜的姑娘一定是心情太沮丧了，以至于没有意识到自己说漏嘴了。他觉得自己对她很和蔼，同时也感到自己在尽力保护着她。如果能为苏埃伦·奥哈拉的姐姐做点什么，他当然愿意效劳。他抽出一条红色印花大手帕递给了她，她擦了擦眼泪，羞涩地笑了。

“我真是个小傻瓜，”她抱歉地说，“请你原谅。”

“你哪里是个小傻瓜。你是个非常勇敢而可爱的女人，你在努力挑起一副重担。恐怕佩蒂帕特小姐也帮不了你什么。我听说她的财产大半失去了，亨利·汉密顿先生自己的境况也很糟。我但愿自己有个可以让你住的家。不过，斯佳丽小姐，记住，等我和苏埃伦结婚以后，你尽可以住到我们家来，也可以把韦德·汉普顿带来。”

现在时机正好！天上诸圣和天使肯定一直在守候着她，所以给她这么一个千载难逢的机会。她装出一副异常吃惊而窘迫的样子，好像要开口说话却又突然住了嘴。

“到明年春天我就是你妹夫了，你用不着装糊涂。”他不安地打趣道。这时，他看见她眼里又含着泪水，便吃惊地问：“怎么了，莫非苏埃伦小姐病了？”

“啊，不，没有！”

“一定出了什么事，你得告诉我。”

“哦，我不能说！我不知道！我想她自己一定已经写信给你了——唉，太丢人了！”

“斯佳丽小姐，到底是怎么回事？”

“哦，弗兰克，这话我本不想说，不过我原以为你已经知道了——她已经写信告诉了你——”

“告诉我什么？”他在发抖。

“哦，对你这样的好人竟然做出这种事来！”

“她做了什么？”

“她真的没写信告诉你？哦，我想她是内疚，不好意思写吧。她应该感到内疚！唉，有这么个妹妹，真丢人哪！”

这会儿弗兰克连问话的勇气都没有了。他脸色阴沉地坐在那儿瞪着眼看她，手里的缰绳松垮垮地荡着。

“她下个月就要跟汤尼·方丹结婚了。哦，我真是难过极了，弗兰克。我真不愿告诉你这些。她怕做老姑娘，因此等得不耐烦了。”

当弗兰克将斯佳丽扶下马车的时候，黑妈妈正站在前门廊上。她站在那里分明已有好长时间了，因为她的包头布已经湿了，脖子上紧紧裹着的一块旧围巾上也落了许多雨点。她那张布满皱纹的黑脸上流露出极大的愤怒和忧虑，她的嘴唇比斯佳丽记得的任何时候都噘得高。她朝弗兰克瞥了一眼，当认出他来时，她的表情便变了——呈现在脸上的是高兴、惶惑，还略带几分羞愧。她一边兴高采烈地寒暄着，一边蹒跚地向弗兰克走去，当他跟她握手时，她笑得嘴都合不拢了，还行了个屈膝礼呢。

“看见老朋友来了，真让我高兴，”她说，“你好啊，弗兰克先生？哦，你看上去真精神啊！我要早知道斯佳丽小姐是跟你出去的，就不担心了。我知道你会照顾好她的。我也刚回来，一看小姐不在，我急得像热锅上的蚂蚁。满街都是些刚放出来的臭黑鬼，她独自出去在城里逛来逛去，把我急坏了！乖乖，你出去怎么不跟我说一声？你感冒还没好呢！”

斯佳丽狡黠地朝弗兰克眨了眨眼，尽管刚听到坏消息而心情非常沮丧，弗兰克还是露出了笑容。他知道她眨眨眼是告诉他，他们要一起对刚才所说的事严守秘密。

“你赶快去为我准备几件干衣服，黑妈妈，”她说，“再弄点热茶来。”

“哎呀，我的天！你这套新衣服算完了，”黑妈妈埋怨道，“让我来烘一烘，刷一刷，晚上参加婚礼时再穿。”

黑妈妈进屋去了，斯佳丽靠近弗兰克低声说：“今晚你一定在这儿吃晚饭，我们太寂寞了。吃完晚饭我们一块儿去参加婚礼。你一定得陪我们去！不过请你千万别对佩蒂姑妈提起——提起苏埃伦的事儿。她会很伤心的，我也不愿让她知道我妹妹——”

“哦，不会的！不会的！”弗兰克连忙说，心想，这事儿他连想都不愿想。

“今天你待我真好，帮了我的大忙。我觉得又有勇气了。”分手时，她紧紧握着他的手，一边说着一边向他频送秋波。

黑妈妈一直在门里边等着，她一进门便高深莫测地瞅了她一眼，然后气喘吁吁地一直跟她上楼，走进卧室。她一声不吭地看着斯佳丽把湿衣服脱下来晾在椅子上，然后服侍她上床睡觉。她端上一杯热茶，拿来一块用法兰绒包着的烫砖头，然后便低头带着歉意和斯佳丽说话，她从没听她这样说过话。“乖乖，我是你妈妈，你怎么不跟我说实话？你这次回来到底是为了什么？不然我也犯不着一路跟着你到亚特兰大来。我上了年纪，又太胖，行动不太方便。”

“你这话是什么意思？”

“乖乖，你瞒不过我，我是知道你的。刚才你们俩那样子我都看见了，我知道你脑瓜子里在想啥，就像在读《圣经》一样，我看得一清二楚。我还看见你跟他咬耳朵，听到你提到苏埃伦小姐的事。早知道你追的是弗兰克先生，我就老老实实地待在家里了。”

“嗯，”斯佳丽简短地答道，一边在毯子底下舒服地蜷曲了一下身子。她很清楚，要阻止黑妈妈寻根究底是办不到的。“那你原以为我是来找谁的呢？”

“孩子，我不清楚，可你昨天那样子，我可不爱看。我记得佩蒂帕特小姐给玫兰妮小姐写信，说那个叫巴特勒的流氓有很多钱，这话我是不会忘记的。弗兰克先生虽说长得不好看，可他毕竟是个上等人。”

斯佳丽狠狠地瞪了她一眼，黑妈妈也回敬了她一眼，那眼光里显露的是一种无所不知的神情。

“哼，你想干什么？去说给苏埃伦听吗？”

“我要想办法帮助你，好让弗兰克先生高兴呀。”黑妈妈一面说着，一面替斯佳丽掩了掩毯子。

斯佳丽静静地躺着，与此同时黑妈妈在屋子里忙活了一阵。发现不用再对她费什么口舌，斯佳丽的心倒也宽了下来。黑妈妈没有要求她作解释，也没有责备她。她什么都明白了，所以也就不再做声。斯佳丽觉得黑妈妈是一个比自己还坚定的现实主义者。一旦她的心肝宝贝受到危险的威胁，她那双斑驳而机灵的老眼，就会以原始人和孩子般的坦诚，锐利地看透一切，看清一切。斯佳丽就是她的心肝宝贝，只要是她的宝贝要的东西，哪怕是属于别人的，黑妈妈也愿意帮她弄到手。至于苏埃伦和弗兰克·肯尼迪的权益，她根本都没把它当回事，只是在心里不怀好意地偷笑而已。斯佳丽现在正挣扎在困难中，而斯佳丽又是埃伦小姐的孩子。黑妈妈毫不犹豫地支持她。

斯佳丽认为黑妈妈的不作声就是对她的支援，脚边的那块烫砖头使她感到暖烘烘的，于是刚才回家路上闪烁着的一线希望，渐渐燃成熊熊大火了。这片火焰烧过全身，她只觉得自己的心在怦怦跳着，血液在全身的血管里涌流。她的体力又重新恢复了，一时兴奋得几乎要大笑出来。我终究还没有完全被打垮，她兴高采烈地想着。

“把镜子给我，黑妈妈。”她说。

“把肩膀盖好，别露出来。”黑妈妈命令道，一边将镜子递给她。她那两片厚嘴唇微笑着。

斯佳丽对着镜子打量着自己。

“我的脸苍白得像鬼一样了。”她说，“头发乱得像马尾巴。”

“可不是？你是不像以前了。”

“嗯……外面雨下得很大吗？”

“是的，似泼水一般呢。”

“唔，无论如何你得替我上趟街。”

“这么大的雨，我不去。”

“不，你得去，要不我就自己去。”

“什么事不能等等再办呀？这一天下来你也够累的了。”

斯佳丽一面照着镜子一面说：“我想买瓶香水。这样你可以替我洗一下头，搽上点香水。再买一瓶榅桲子浆，好把我的头发弄得平整些。”

“这样的天气，我是不会替你洗头的。我也不会给你搽香水，学那种放荡女人。只要我还有一口气，就决不允许你这么干。”

“不行，我就是要这样。你在我钱包里找一下，有个五块的金币，你拿上，上街去。还有——嗯，黑妈妈，你去城里顺便可以给我买盒胭脂来。”

“那是什么玩意儿呀？”黑妈妈满腹狐疑地问道。

斯佳丽下意识地用冷漠的眼神看着她。她真不知道黑妈妈在多大程度上是受她指使的。

“你别管，去买就是了。”

“我不知道的东西，我是决不会去买的。”

“如果你一定想知道，那我告诉你，是搽脸用的。别站在这儿像癞蛤蟆似的鼓着腮帮子，快去吧！”

“搽脸的！”黑妈妈突然喊道，“搽脸用的！唉，你现在长大了，我不能揍你了！我一辈子也没有丢过这种脸！你准是发昏了！埃伦小姐这会儿准要从坟墓里站起来了！把脸搽得像个——”

“你总知道我外婆罗比亚尔是搽脸的，而且——”

“是啊，她还光穿一条衬裙呢，上面的汗水都透得过来，裙子裹得紧紧的连腿子都露出来了，可这并不是说你也可以这样。老一代小姐们当姑娘的时候，就是那种习俗，现在时代不同了，而且——”

“我的天哪！”斯佳丽火了，她掀开身上盖的毯子吼道，“你给我回塔拉庄园去！”

“你不能赶我回塔拉庄园去，除非我自己愿意回去。我是自由人，”黑妈妈怒气冲冲地说，“我就是要待在这儿，回床上去。你会着凉得肺炎的。好好躺下吧，乖乖。听我说，斯佳丽小姐，这种天气你是不能出门的。哎呀，你怎么和你爸一样！快回床上去吧——我不会去替你买搽脸的东西！要是被人知道我家的孩子买这种玩意儿，那可要把脸都丢尽了！斯佳丽小姐，你长得够标致、够可爱的了，用不着搽这种东西。乖乖，你听着，只有婊子才用这种玩意儿啊。”

“那，她们搽了不是好看多了吗？”

“哎呀，主啊，你听她都说了些什么！乖乖，你怎么能说这种话！把你的湿袜子脱下来吧，乖乖。我不能让你自己去买那玩意儿。埃伦小姐会来找我的。快回床上躺着去吧。我替你去买，行了吧。我说不定能找到一家没有人认识我们的铺子。”

那天晚上，在艾尔辛太太家，芳妮的婚礼如期举行，老利维和其他乐师奏着舞曲，斯佳丽环顾周围，心情很愉快。她又能参加晚会了，因此非常兴奋。她也为自己受到热情款待而高兴。她挽着弗兰克的胳膊走进屋子的时候，大家都朝她走过来，嚷嚷着表示欣喜和欢迎，有的还亲她，与她握手，并说他们可惦记她了，说什么也不让她再回塔拉庄园去了。那些男子看来也都颇有绅士风度，因为曾几何时她还让他们伤透了心，如今他们一点也不耿耿于怀；而那些姑娘们对她过去曾想方设法夺走她们情人的往事，也丝毫不存芥蒂。连战争结束那会儿待她十分冷淡的梅里韦瑟太太、惠丁太太、米德太太和其他几位寡妇，也都忘了她轻浮的行为，忘了她们自己曾对这种行为的指责，记得的只是她跟她们大伙儿一样遭受了战争的创伤，只记得她是佩蒂的侄媳、查尔斯的遗孀。她们吻她，噙着眼泪小声地谈起她亲爱的母亲的后事，还详细地打听她父亲和妹妹们的情况。大家都问起玫兰妮和阿希礼，问他们俩不回亚特兰大来的原因。

尽管斯佳丽对自己受到的欢迎感到高兴，但心底却有一种拼命想掩饰的尴尬，这尴尬来自她身上那套天鹅绒衣服。尽管黑妈妈和厨娘使出浑身解数将这条裙子用装着滚水的水壶熨烫过，用干净的刷子刷过，还在火上烤过，可它仍然一直湿到膝盖，裙边依然污渍斑斑。斯佳丽生怕有人看出她这身衣服曾经淋过雨，从而知道她仅有这么一件漂亮的连衣裙。当她看到其他许多来宾身上穿的衣服还远不如她的漂亮时，心里才感到一丝欣慰。她们那些裙子都很旧，都小心地织补和烫过。而她这身裙子，虽说有点儿湿，却是完整的，新的，——实际上，除了芳妮那套白缎的结婚礼服之外，晚会上只有她身上穿的这条裙子最新了。

想起佩蒂姑妈跟她提起过艾尔辛家的经济状况，她真不知道他们家做白缎礼服的钱是从哪儿弄来的，还有那些买点心、装饰屋子和请乐师的钱。钱一定花了不少。或许钱是借来的，再不就是整个艾尔辛家的人都为这奢侈的婚礼出了力。斯佳丽觉得，在这种困苦的时期举办这样的婚礼，就像塔尔顿家为儿子立墓碑一样铺张浪费。她跟当时站在塔尔顿家墓地上一样心里产生了恼怒和反感。挥金如土的日子一去不复返了，为什么这些人还摆出往日那种架势呢？

她耸了耸肩，把自己瞬间的恼怒情绪驱走了。他们用的又不是她的钱，她不想让今晚的兴致被自己对别人愚蠢行为的反感所破坏。

她发现那位新郎她认识。他叫汤米·韦尔伯恩，老家在斯巴达。1863年他肩膀曾受过伤，是她看护的。他当时是个英俊小伙子，身高六英尺，为参加骑兵团而放弃了医科大学的学业。而现在他看上去像个小老头，由于臀部的伤他身子有些佝偻。他走路有点困难，正像佩蒂姑妈说的，要奓着腿，样子非常丑。然而他本人似乎对自己的外貌一无所知，或者说并不在意，一副不求人的样子。他已放弃了继续学医的希望，当了一名包工头，管理着一个爱尔兰建筑队，正在建造一幢新旅馆。斯佳丽真想知道就他现在的状况怎么能干得了这么繁重的工作，不过她没有开口问，因为她带点自嘲地想到人到了逼不得已的时候，什么事都干得了。

汤米、休·艾尔辛和那个猴子般长相的小个子勒内·皮卡尔和她站在一起聊天。为了准备跳舞，这会儿人们正把椅子、家具什么的往墙边移。休自从斯佳丽1862年最后一次见到他以来没有什么变化。他仍然是个瘦瘦的敏感的小伙子，前额依旧耷拉着一绺淡褐色的头发，那双手依旧像她清楚地记得的那样细皮嫩肉干不了活儿。然而勒内自从那次利用休假跟梅贝尔·梅里韦瑟结婚以后变化很大。他那双乌黑的眼珠子仍闪烁着高卢人的光芒，他性格中仍充满着克里奥尔人那种对生活的热情，但是不管他笑得多么轻松，脸上总流露出一种艰辛，而这种艰辛在战争初期是看不到的。他当年身穿义勇军漂亮的军服时所呈现的那种既傲慢又优雅的神情现在已荡然无存了。

“双颊像玫瑰，双眸似翡翠！”他一边说着一边亲着斯佳丽的手，又对她脸上搽的胭脂大加恭维。“你还像我当初在义卖会上第一次见到你时一样漂亮。还记得吗？我怎么也忘不了你把结婚戒指扔进我篮子里时的情景。哈，你那会儿可真勇敢！不过我怎么也没想到你为了得到另一只戒指竟等待了那么久！”

他的眼睛调皮地眨着，还用胳膊肘顶了顶休的肋骨。

“我怎么也没想到你会赶着一辆糕饼车，勒内·皮卡尔。”她说。当着他的面提起他低下的行当，他非但没觉得不光彩，反而显得很高兴，还拍着休的后背哈哈大笑起来。

“啊！”他嚷道，“这是我岳母梅里韦瑟太太让我干的活儿，我这辈子头一回干这活儿！我勒内·皮卡尔原本打算长大了养养赛马、拉拉小提琴，如今却干起推糕饼车的行当来了。我现在挺乐意干这一行的！我岳母梅里韦瑟太太真是个能人，她可以让男人去干任何事情。她本该当将军的，那那场战争我们就会打赢的，汤米，是吧？”

得了！斯佳丽想道。当年他家沿密西西比河拥有十英里的土地，在新奥尔良还有座大宅子。亏他想得出，说什么乐意去推糕饼车！

“要是当年允许我们的岳母们参军，那不用一个星期就会把北军打垮，”汤米一边表示同意，一边向刚成为他岳母的颀长而顽强的身影瞟了一眼。“我们之所以在战争中能坚持那么久，唯一的原因就是我们背后有不肯屈服的妇女们。”

“应该说是决不屈服，”休补充道，脸上呈现出既自豪又略带挖苦的微笑。“今晚在场的女士们没人投降过，不管她们家的男人在阿波马托克斯干了些什么。但她们现在的日子比我们当时难熬多了。当时我们至少还可以用战斗来出气。”

“她们可以用仇恨来出气，”汤米接着说，“你说呢，斯佳丽？妇女们看到她们的男人如今落到这般田地，心里不是滋味；而我们男人却很少有这样的烦恼。休当年打算做法官；勒内打算当小提琴家，到欧洲去给王公大臣们演奏——”他急忙低下头躲避勒内打向他的拳头。“而我原来是打算当大夫的，可现在——”

“只要给我们时间，”勒内嚷道，“我就会成为南方的糕饼大王！我的休老弟就会成为燃料大王了，而你，汤米老兄就会统治着一批爱尔兰奴隶，而不是黑奴。变化可大哪！可真有趣呀！你斯佳丽小姐和玫兰妮小姐想干点什么呢？挤牛奶、摘棉花？”

“不，我决不会干那种活儿！”斯佳丽冷冷地说，她不明白勒内对这艰难的生活怎么会那么乐观。“我们有黑人去干。”

“听说玫兰妮小姐给孩子取名叫‘博勒加尔’，你告诉她，我勒内很赞成，除了‘耶稣’之外，再没有比这个名字更好的了。”

他笑着提起这位路易斯安那州威风凛凛的英雄，眼里闪着自豪。

“唔，还有‘罗伯特·爱德华·李’，”汤米补充道，“我打算给我的另一个儿子取名为‘鲍勃·李·韦尔伯恩’，但我并不是有意贬低老博的声望。”

勒内笑着耸耸肩。

“我给你们说个笑话，不过这是件真事。你们可知道克里奥尔人是怎么看我们勇敢的博勒加尔和你们的李将军的吗？在新奥尔良附近的一趟列车上，一个在李将军麾下当兵的弗吉尼亚人遇到了博勒加尔部队的一个克里奥尔人。那个弗吉尼亚人李将军长李将军短地没完没了，于是那个克里奥尔人装出很礼貌的样子，皱了皱眉，似乎拼命在回忆什么，接着笑了笑说：‘啊，对了，李将军！我现在想起来了，李将军！就是博勒加尔将军常常说的那个挺不错的人！’”

出于礼貌斯佳丽想跟他们一块儿笑，但她觉得这个故事除了说明克里奥尔人与查尔斯顿人以及萨凡纳人一样狂妄自大之外，没多大意思。而且她一直觉得阿希礼的儿子应该取父亲的名字。

乐师们调好琴弦之后便演奏起《老丹·塔克》的曲调来，汤米转过身来对她说。

“斯佳丽，跳舞吗？恕我不能和你跳，可休和勒内——”

“不，谢谢。我还在替母亲服丧呢，”斯佳丽赶紧说，“我就在这儿坐坐吧，不跳舞了。”

她朝弗兰克·肯尼迪瞟了一眼，并把他从艾尔辛太太身边叫了过来。

“我想坐到那个角落去，麻烦你给我拿些点心来，我们可以好好聊聊。”其他三位男子离开的时候她对弗兰克说。

他匆匆走过去替她拿了一杯酒和一薄片蛋糕，这时斯佳丽便在客厅一端的角落里坐了下来，还小心翼翼地扯了扯裙子，把那些糟糕的污斑遮掩起来。又能见到这么多人，听到动听的音乐，她很是激动，已把上午受到瑞特羞辱的事忘得一干二净了。等到了明天，想起瑞特的所作所为，想起自己蒙受的耻辱，她又会觉得痛苦的。等到了明天，她会考虑自己是否给弗兰克破碎和惶惑的心留下了什么印象。但是今晚，她什么都不想。今晚，她要充满朝气，要让自己所有的感官都充满希望，让自己的眼睛闪烁着光芒。

她从角落往宽敞的客厅望去，望着翩翩起舞的人群，回忆起战争期间，这间客厅是多么漂亮。那时她初到亚特兰大，这儿的硬木地板像玻璃一样明亮，头顶悬挂着枝形吊灯，上面装饰着的成百块小巧玲珑的棱晶玻璃，将吊灯上几十支蜡烛的光反射出来，就像钻石、火焰和蓝宝石发出的光芒一样，客厅被照得亮堂堂的。墙上挂着的几幅祖先的肖像，高贵而端庄，带着老成持重而又殷勤好客的神气俯视着宾客。几张花梨木沙发显得柔软而舒适，其中最大的一张就放在现在她坐着的这个角落的一个尊贵位置上。在过去举行的许多社交集会上，每次斯佳丽都最喜欢坐在这张沙发上。从这个位置可以看到整个漂亮的客厅和客厅那头的餐厅：那儿有一张可供二十个人就餐的椭圆形的桃花芯木桌，二十张细腿的椅子板板正正地靠墙放着，一只结实的餐具柜里摆着沉甸甸的银器和几副七枝烛台、高脚酒杯、调味品瓶子、细颈盛水瓶和亮晶晶的小玻璃杯。战争刚开始的几年里，斯佳丽常常坐在那张沙发上，身边少不了围着一些英俊的军官；她坐在这里一边欣赏着小提琴和低音大提琴、手风琴和班卓琴奏出的音乐，一边听着人们迈着舞步在打蜡的光滑地板上踩出令人激动的嚓嚓声。

如今，那盏大吊灯黑沉沉地斜吊在那儿，上面的棱晶玻璃大半都已破碎了，仿佛那些北军占领者看到它们太美了，所以就把它们当成了他们皮靴蹂躏的对象。这会儿，客厅里点着一盏油灯和几支蜡烛，屋子里的亮光主要来自大壁炉里熊熊燃烧着的炉火。一闪一闪的炉火照着失去光泽的旧地板，上面千疮百孔，已到了无法收拾的地步。墙上，褪了色的糊墙纸上现出几个方形痕迹，表明那儿曾经挂过肖像；天花板上的灰泥裂着大缝，使人想起遭到围攻的那一天，一颗炮弹落在宅子上，把部分屋顶和二层楼楼板都炸掉了。那张沉甸甸的桃花芯木桌，上面摆满了蛋糕和长颈玻璃水瓶，除此外餐厅显得空荡荡的。桌子上到处是擦刮的伤痕，几条断过的桌腿看来都简单地修理过。餐具柜、银器皿，还有那些细腿的椅子都不在了。客厅后那挂在几扇拱形落地玻璃门上的暗黄色缎子门帷也都不见了，只有几块花边窗帘还挂在那儿，虽然都洗得干干净净，但显然打过补丁。

以前放那张她十分喜爱的靠背沙发的地方，现在放着一张坐上去极不舒服的硬木长椅。她尽量显出温文尔雅的样子坐上去，心里却担心自己的裙子是否仍能保持挺括，以便让她跳舞。又能跳舞真是太令人高兴了。然而，在这僻静的角落里比气喘吁吁地跳弗吉尼亚舞更能对弗兰克产生影响，她可以专心地听他说话，也可以怂恿他去冒更大的傻气。

不过这音乐倒是令人心旷神怡。她的脚下意识地合着老利维那只朝外张着的大脚打着拍子，老利维这会儿正弹着刺耳的班卓琴，大声嚷嚷着让大家跳弗吉尼亚舞。一双双脚擦着地板沙沙作响，两排跳舞的人互相朝对方靠过去，接着又后退，转身，用手臂搭起拱形门。

老丹·塔克烂醉如泥——
(让你的舞伴转圈呀!)
他掉进火堆把木柴踢起!
(轻盈地蹦一下吧，女士们!)

在塔拉庄园度过沉闷而劳累的几个月后，又一次听到音乐，听到舞步声，又一次见到许多熟悉友善的面孔，在昏暗的灯光下欢笑着、大声嚷着当年熟悉的笑话和流行语，互相逗趣、挖苦、戏弄，真让人高兴。这就像死而复生。几乎让人觉得五年前光辉灿烂的岁月又回来了。如果闭上眼睛，不去看那些用旧衣服改制的衣裙，不去看那些打了补丁的皮靴和缝补过的软底鞋，如果能忘却双人舞中缺掉的那些男孩子的面容，她几乎会认为什么都没有变。可是，当她睁开眼看到老人们成群地围坐在餐室里的长颈酒瓶旁，看到主妇们沿墙站着聊天，手里连把扇子都没有，看到一些年轻人摇摆着身子蹦跶着，她突然不寒而栗地觉得，一切都大大地变了，眼前这些熟悉的身影仿佛都成了鬼魂。

他们看上去还是老样子，但一切都变了。这是怎么回事？只是因为他们都长了五岁吗？不是的，变化不只是时光的流逝，它表现在许多方面。他们身上似乎失去了什么，他们的世界似乎也失去了什么。五年前，有一种连他们自己都没有觉察到的安全感轻轻地包裹着他们，他们就在这种安全感的庇护下生活着。如今，这种安全感消失了。随着安全感的消失，往日的心醉神迷，往日那种随处可见的欢乐和兴奋，往日那种生活方式的魅力也都消失了。

她知道自己也变了，虽说变得没这么剧烈，但她仍感到迷惑不解。坐在那儿，看着他们，她觉得在他们中间自己显得很陌生，很孤立，仿佛来自另一个世界，说的是他们不懂的语言，而她也不懂他们的语言。后来她明白了，这种感觉就跟她与阿希礼在一起时的那种感觉一模一样。跟他在一起，跟他这类人在一起——她所处的环境中大多数是这类人——她觉得自己处于某种无法理解的东西之外。

他们的容貌没什么变化，他们的神态也一点没有变，可是她似乎觉得这些老朋友身上遗留下来的也只有这两样东西了。岁月的流逝丝毫没有带走他们身上的高贵气质和豪放风度，这些他们到死也不会丢失；但是他们遭受的永无止境的苦难，那种难以言喻的深重灾难，却会一直伴随着他们走进坟墓。他们是一些谈吐温和、性格强悍但却疲惫不堪的人。被打垮了却不愿承认失败，被摧毁了却依旧挺直腰板。他们是被征服的土地上受到镇压而孤立无援的公民。他们眼睁睁地看着自己热爱的国土遭受敌人的蹂躏，看着流氓愚弄法律，看着过去的奴隶威胁他们，看着男人们被剥夺公民权，女人们受尽侮辱。他们想到了地狱。

旧世界的一切都发生了变化，但旧的礼仪却没有变。旧的习俗仍然存在，而且应该继续存在着，因为礼仪是他们留下的唯一东西。他们紧紧抱住过去最熟悉、最喜爱的东西不放——从容不迫、仪态端庄、待人随和、不拘小节。而最突出的是男人视保护女子为天职。男人们恪守着教育他们成长起来的传统。彬彬有礼、温柔体贴，他们几乎已创造了一种保护女性的氛围，不让她们接触一切残酷的、不适宜让女性见到的东西。这真是荒谬透顶，斯佳丽想，因为在过去的五年里，连最最与世隔绝的女子也见识了一切。她们看护伤员，亲手为死者合上眼睑，经历了战争、烈火和劫掠，饱尝了恐惧、逃难和忍饥挨饿的痛苦。

但是，不管他们目睹了什么景象，也不管他们干过或者以后还得干些什么卑贱的活儿，他们仍然是女士和绅士，是被充军流放的贵族——他们痛苦、超然，对什么都没兴趣，但彼此之间仍然友爱相待。他们像金刚石一样刚强，但同时又像他们头顶上那盏破损的大吊灯上的水晶那样明亮而脆弱。以往的岁月已经一去不复返了，但这些人依然故我，好像仍在过从前的日子似的。他们依然有迷人的魅力，依然悠闲自得，他们下定决心不学北方佬那样横冲直撞、掠夺钱财，抱定一个宗旨即不与旧的生活方式脱离。

斯佳丽知道她自己也有很大的变化。不然，她离开亚特兰大以来所干的一切她是决不可能干出来的，不然，她现在也不会费尽心机地做这些迫切要办的事了。但是，他们的刚强与她的刚强之间是有差别的，她暂时还说不清楚这差别是什么。也许差别就是她什么事都会去干，而这些人呢，有许多事宁死也不会去干。也许差别就在于他们虽然对未来已失去了希望，但仍然用微笑来对待生活，并彬彬有礼地朝它鞠躬，然后从它面前走过。而这正是斯佳丽难以做到的。

她不能无视生活。她得生活下去，即便是要她试着用微笑来掩饰一下生活的严酷，她都觉得太残忍、太充满敌意了。她的朋友们所表现出来的温柔、勇气和气节在她看来都毫无价值。在他们身上，她只看到一种愚蠢的傲慢：他们不愿正视眼前严酷的现实，只一笑置之。

她望着跳着双人舞的满脸通红的人们，心里纳闷，那些给她以打击的事情是否也在打击着他们？情人死亡、丈夫残疾、孩子挨饿、土地易手、心爱的家园里住满了陌生人。当然，他们也遭受到了这种种打击。她只是对他们的情况远不如对自己的了解罢了。他们的损失也是她的损失，他们的贫穷也是她的贫穷，他们面临的问题也正是她所面临的。然而，只是他们对这些问题作出的反应不同。她现在在这个客厅里见到的张张笑脸不是他们真正的脸，他们都戴着假面具，一副永远不会拿下的绝妙假面具。

但是，如果他们也和她一样在残酷的现实生活中吃尽了苦头——事实上他们也是吃尽了苦头——那他们怎么能仍然如此兴高采烈、无忧无虑呢？他们究竟为什么偏要这么做？他们让她难以理解，并弄得她莫名其妙地恼火。她不可能像他们一样，做出无动于衷的样子来审视这满目疮痍的世界。她像一只被追赶的狐狸，奔跑得连肺都要炸了，拼命想在猎犬没追上之前赶回洞穴。

她蓦地对他们产生了一种憎恨，因为他们跟她不同，他们是用一种她永远无法而且也永远不愿采取的态度来承受不幸。她恨他们——这些笑容满面、步履轻盈的陌生人，这些失去了东西反而引以为荣的狂妄傻瓜。失去了东西不以为耻，似乎还觉得自豪呢。这些女人的仪态举止像贵妇人，她知道她们也确实是贵妇人，尽管她们天天得干下贱的粗活儿，不知道什么时候才能添上一件新衣服。可她们都是贵妇人呀！然而，虽然她穿着天鹅绒裙子，头发上搽了香水，虽然她出身高贵，并曾拥有过体面的财富，她却无法把自己看做贵妇人。在塔拉庄园的红土地上干的粗活已使她完全失去了淑女的斯文，她知道除非她的桌子上摆满银餐具和水晶器皿，有热气腾腾的丰盛菜肴，除非她的马厩里有自己的马匹和马车，除非在塔拉庄园摘棉花的手是黑皮肤的，而不是白皮肤的，她就永远也不会觉得自己是一位贵妇人了。

“嗨！”想到这里她愤怒地吸了口气，“差别就在这儿！她们虽穷，可仍然觉得自己是贵妇人，而我却不觉得。这些傻女人似乎并不明白没有钱就当不了贵妇人！”

甚至在这瞬间的启示中，她也朦朦胧胧地意识到，她们看起来虽傻，但所抱的态度却是正确的。母亲要是活着也会这样想的。这使她有点不安起来。她知道自己应该跟这些人想的一样，可是她办不到。她知道自己应该像她们那样虔诚地相信：一个生来就是贵妇人的女人，即使落到一贫如洗的田地，也还是贵妇人。可现在她无法让自己相信这一点。

她这辈子常听人们嘲笑那些北方佬，因为他们自命为上等人的依据是财富而不是所受的教育。不过，尽管这是一种谬论，这时她却认为即使北方佬在其他问题上全错了，至少在这一点上他们是对的，要成为贵妇人必须得有钱。她知道要是母亲听到自己的女儿说这种话，准会气昏过去的。无论穷到什么地步，母亲都不会感到丢人的。而斯佳丽却是这样感觉的，真丢人！她穷，穷到不顾颜面，穷到囊空如洗，穷到干黑人干的活，这还不够丢脸！

她悻悻地耸了耸肩。也许这些人是对的，是她错了。但尽管如此，这些傲慢的傻瓜并没像她那样往前看，想方设法去把失去的东西夺回来，甚至不惜牺牲自己的尊严和名声。对他们中的许多人来说，拼命挣钱是有失体面的。这是个残酷而艰难的时代，要想在这样的时代生存下去就非得进行艰苦而激烈的斗争不可。斯佳丽知道家庭的传统力量会阻止他们许多人去进行这种斗争——因为人们公认这种斗争的目的是赚钱。他们都认为纯粹为了攒钱，甚至谈论钱都是俗不可耐的。当然，也有例外。例如，梅里韦瑟太太烘面包卖，勒内推小车卖糕饼，休·艾尔辛劈柴卖柴，汤米当包工头，还有，弗兰克雄心勃勃地开铺子。可是他们干的都是什么阶层的行当呀？那些庄园主种几亩薄地，过着清苦的日子。那些律师、大夫又回去干他们的老本行，但说不定白等一天也不见有当事人和病人来。还有其余那些靠年收入过清闲日子的人怎么样呢？他们会有什么结局呢？

然而，她自己不想一辈子受穷。她不想干坐着耐心地等待奇迹的发生。她要闯进生活中去，努力争取她所能取得的一切。父亲当年起家的时候只是个一无所有的移民孩子，后来不是也获得了塔拉庄园辽阔的土地吗？他能办到的，他女儿就能办到。她不像这些人那样，把赌注全押在一个不复存在的事业上，竟还觉得心满意足，还说什么为事业的失败感到自豪，因为这个事业值得让人作出任何牺牲。他们是从过去汲取勇气，而她却从未来汲取勇气。眼下，弗兰克·肯尼迪就是她的未来。别的不说，他至少开着一家店铺，有现钱。只要能嫁给他，控制他的那些钱，那塔拉庄园明年的开销就不用发愁了。接下来就是让弗兰克把那家锯木厂买下来。她自己也能看出这座城市正在加紧重建，由于没有竞争对手，不管是谁，只要能搞到木材买卖，准能发大财。

她脑海深处忽然传来了瑞特战争初期对她说过的有关他闯封锁线挣钱的话。当年她并没想去弄清楚，可现在这话的意思清楚极了，她不懂当年是因为太年轻，还是因为脑袋笨，竟然没听懂那些话。

"无论是在文明建设时期还是在文明破坏时期，都同样有利可图。"

"现在就是他当年预见的破坏时期吧，"她想，"他说对了。只要不怕干苦活，或者不怕去掠夺，现在仍然可以赚大钱。"

她看见弗兰克拿着一杯黑樱桃酒，托着一只盛着一小片蛋糕的盘子，穿过客厅向她走来，脸上便露出了笑容。她没有想到问问自己，为了塔拉庄园嫁给弗兰克值不值。她知道这是值得的，所以也就没有再去想。

她呷着酒，微笑着抬头看着他，她知道自己双颊红扑扑的，比这儿跳舞的任何人都更迷人。她挪过一点裙子让他坐下，又懒洋洋地挥了挥手绢，好让香水味扇到他鼻子里去。客厅里除她之外没谁搽了香水，弗兰克也注意到了这一点，这让她很得意。他突然鼓起勇气悄悄对她说，她像玫瑰花般芬芳艳丽。

要是他不那么腼腆，该多好啊！他那模样让她想起田野里胆小如鼠的棕色老兔子。要是他有塔尔顿兄弟般的豪爽和热情，或者哪怕有瑞特·巴特勒的粗鲁和厚颜无耻，那该多好啊！不过，如果他具备这些特性，也许早就察觉到了她那双不断眨巴着的媚眼后隐藏着的走投无路的神情。事实上，他对女人不甚了解，所以一点也没疑心她会有什么目的。这算她走运，但她并没有因此而更高看他。

36

在旋风式的追求下，只用了两个星期，斯佳丽就跟弗兰克·肯尼迪结婚了。后来她红着脸对他说，这种旋风式的追求使她喘不过气来，他的热情使她无法再拒绝。

他不知道在这两个星期里，她天天晚上在房间里踱来踱去，咬牙切齿地责怪他对她的暗示和鼓励反应迟钝，还默默祈祷着在这个节骨眼上苏埃伦千万别写信给弗兰克，要不然她的计划就要成为泡影了。谢天谢地，好在她这个妹妹是最最懒得动笔的，她只乐意让别人给她来信，却讨厌给别人回信。但是，她来信的可能性总是存在的，确实存在。在漫漫的长夜里，她睡衣外紧紧裹着母亲那块褪了色的披肩，在自己卧室冰凉的地板上来回踱步时，心里就是这么想的。弗兰克不知道她曾收到威尔的一封短信，信中提到乔纳斯·威尔克森又去了塔拉庄园，得知她去了亚特兰大，便大吵大闹，后来威尔和阿希礼把他赶了出去。威尔的信让她明白了一个最清楚不过的事实——那笔额外税的付款截止期越来越近了。她心急如焚地看着日子一天天地过去，恨不得用手抓住时针，让它停止走动。

然而，她非常周密地掩饰着自己的情感，把自己的角色演得又如此地巧妙，弗兰克竟没产生丝毫怀疑，他只看到表面的东西——查尔斯·汉密顿的这位年轻漂亮、无依无靠的遗孀，每晚都在佩蒂帕特小姐的客厅里迎接他，怀着敬佩的心情敛神屏气地听他讲他店铺以后的经营计划，谈论如果能盘下那家锯木厂能赚多少钱。她对他说的每一句话都温柔地表示赞同，还目光炯炯地显示出莫大的兴趣，这就像是给他敷了一层药膏，可以医治苏埃伦的变心给他造成的创伤。他对苏埃伦的行为既感到痛心又感到惶惑。他知道自己人到中年，对女人已没有了什么吸引力，因此他的虚荣心，一个中年单身汉的那种敏感而怯懦的虚荣心，深深地受到了伤害。他不能给苏埃伦写信谴责她的不忠，这样做他连想都不敢想。不过他可以和斯佳丽谈论她，从中得到点安慰。斯佳丽用不着说苏埃伦一句坏话就能让他明白，她知道自己的妹妹是如何对不起他，而他是值得一个欣赏他的女子好好相待的。

这位双颊红扑扑的汉密顿太太真是迷人极了，她一会儿因想起自己的苦楚而忧伤叹息，一会儿又因听了弗兰克解闷儿的笑话像银铃般发出快乐而甜蜜的笑声。那件翠绿色的衣服黑妈妈已替她收拾得十分整洁，穿在她苗条的身躯上显出她那纤细的腰身，真是美极了。她的手帕和头发不时飘出阵阵幽香，怎不令人销魂！这么一位娇滴滴的少妇，竟孤苦伶仃地生活在这样的乱世中，甚至不懂得世道的艰辛，真是太遗憾了！没有丈夫，没有兄弟，现在连父亲都不可能保护她了。弗兰克觉得这世界太残忍，一个孤零零的女子是无法生存的。对这个想法，斯佳丽私下里也深表赞同。

佩蒂家的气氛愉快而舒适，所以弗兰克每晚都来。黑妈妈每次都面带笑容地开门迎客，她的笑容是专门留给贵宾的。佩蒂每次都拿出咖啡加少量的白兰地来招待他，并且还甜言蜜语地恭维他。斯佳丽对他更是百依百顺。有时，他下午出去做生意，就用马车带上斯佳丽一起去。和她一起乘马车出门可真是件愉快的事，一路上她尽问些傻问题——“到底是女人，见识少。”他得意地对自己说。对生意经她真是一窍不通，有的问题让他忍俊不禁，她也笑着对他说：“嗯，像我这样的傻女人，哪会懂你们男人的事啊！”

她让这个老光棍破天荒头一次感到，他是老天爷造就的有着优秀气质的堂堂男子汉，专以保护世上无依无靠的傻女人为天职。

后来他们终于站在一起结婚了。她那随他摆布的小手任他握着，她的两道乌黑的睫毛低垂着，密密层层地呈现在她微红的面颊上，这时候他还是不明白这一切是怎么发生的。他只知道自己平生头一次干了件既浪漫又激动人心的事。他，弗兰克·肯尼迪，居然把这么个美人弄得神魂颠倒，投入了自己的怀抱。他有点飘飘然了。

没有亲戚朋友参加他们的婚礼，证婚人也是临时从街上拉来的。斯佳丽坚持要这样，他只好让了步。他原来是想从琼斯博罗把他妹妹和妹夫叫来参加婚礼的。如果能在佩蒂小姐的客厅里举行酒会，朋友们欢聚一堂，大家喜气洋洋地向新娘祝酒，那该多么快乐。但是，斯佳丽连佩蒂小姐都不愿让到场。

“就我们俩吧，弗兰克，”她捏捏他的肩膀恳求道，“就像私奔一样。我真的一直想跟人逃走结婚呢！亲爱的，你就依了我吧！”

正是这些亲昵的话——这些话仿佛至今仍在他耳边回响——加上她抬头哀求似的望着他时那淡绿色的眼珠周围涌出了一圈亮晶晶的眼泪，把他给打动了。无论如何，男人总是迁就他的新娘子的，何况婚礼的事，女人对这类感情上的事向来是很看重的。

他就这么稀里糊涂地结了婚。

斯佳丽用纠缠不休的甜言蜜语把弗兰克弄得晕头转向，终于给了她那三百块钱。他先是有点犹豫，因为这意味着他要马上盘过来那家锯木厂的希望落空了。但是他不能眼看着她的家人被人赶出去呀！看见她笑逐颜开，他失望的情绪顿时缓和了下来。后来，她为了感激他的慷慨大方和他亲热，于是他的失望情绪也就烟消云散了。弗兰克这辈子从来还没见过女人对他如此感激，所以他这三百块钱到底还是没白花。

有了钱斯佳丽立刻派黑妈妈回塔拉庄园去做三件事：一是将这笔钱交给威尔；二是宣布她的婚事；三是把韦德带到亚特兰大来。两天后，她就收到了威尔的一张便笺，她把这张便笺带在身边，读了又读，越读心里越快活。威尔在便笺中说，税已经交了，乔纳斯·威尔克森听到消息时“样子非常难看”，但到目前为止他没有进一步提出恫吓。最后威尔写了句祝福她的话，不过那只是句简短而正式的套话，没有什么特别的意思。她知道威尔是了解她所做的一切的，也了解她为什么要这样做，所以他并没作任何褒贬。可是，阿希礼会怎么想呢？她心里七上八下地在纳闷。不久前，我还跟他在塔拉庄园的果园里说了那番话，现在他会把我看成什么样的人呢？

同时她也接到了苏埃伦的一封信，虽别字连篇，但措辞却非常激烈，还破口大骂，信纸上泪痕斑斑，满纸是恶毒的语言和对她性格的恰如其分的评论，她一辈子也忘不了这封信和写这封信的人。但是她这时正得知塔拉庄园安然无恙，至少暂时没有危险，内心异常高兴，所以苏埃伦的那些话并没引起她的多大不快。

现在让她难以接受的是她永久的家是在亚特兰大而不是在塔拉庄园。当她拼命地想弄到那笔钱付税时，心里除了塔拉庄园及它不幸的命运之外，再不能容下其他的事。哪怕是在结婚那一刻，她也没有想到自己为保全家园而付出的竟是永远离开家园的代价。现在家园是保全了，但当她意识到这一点时却患起了思乡病，并且怎么也摆脱不掉。但事情已成定局。既然交易已经达成，她准备信守诺言。她因弗兰克保全了塔拉庄园而对他万分感激，不由得对他怀有炽热的感情，同时她又下定了决心，永远不为嫁给他而后悔。

亚特兰大的女人们对邻居家的事向来跟对自家的事一样清楚，而兴趣却比对自家的事还要浓。他们都知道弗兰克·肯尼迪跟苏埃伦·奥哈拉私立“终身约定”有好几年了，事实上他也曾羞羞答答地对人说过，他希望明年春天结婚。而现在却宣布说他跟斯佳丽不声不响地结婚了，因而人们风言风语、纷纷猜测、疑心重重，就不足为奇了。梅里韦瑟太太尤其爱打听，便老实不客气地当面去问弗兰克，他既然和妹妹订了婚，为什么却娶了姐姐，道理何在？后来据她向艾尔辛太太报告说，她问了半天，他的回答就是一脸呆相地望着她。至于斯佳丽，就连梅里韦瑟太太这么泼辣的女人，也不敢当面去问。这些日子里，斯佳丽看上去特别温柔、非常妩媚，但是眼睛里却流露出一种得意扬扬的神情，让人看了讨厌。她还做出一副挑衅的架势，所以谁也不想去惹她。

她自己也知道亚特兰大人都在议论她，但她毫不在意。毕竟，跟一个男人结婚没什么不道德的啊。只要塔拉庄园保住了，人们爱怎么议论，就让他们议论去吧，她要操心的事还多着呢。现在当务之急是怎么婉转地让弗兰克明白，他那家铺子应该多赚点钱。自从被乔纳斯·威尔克森惊吓了一番后，她整天提心吊胆，非等她和弗兰克积攒点钱，她是不能安心的。就算没什么意外的事，弗兰克也必须多挣钱，因为她要备足明年的税款。另外，弗兰克说起的锯木厂的事也让她很费心。如果把那锯木厂给盘过来，弗兰克就可以赚大钱。现在木材这么贵，开这么个厂子准会发财。弗兰克的钱交了税就买不成锯木厂，买了锯木厂就没钱交税，为此她暗暗发愁。因而，她下定决心非要想法让他那家铺子多挣钱不可，而且得赶快，这样他就可以抢在别人前面把锯木厂盘下来。她看得出这是笔划算的买卖。

如果她是男人，她就要把那家锯木厂盘过来，为了筹钱哪怕是把店铺抵押掉她也干。然而，就在他们结婚的第二天，她将这个想法巧妙地暗示给弗兰克时，他只是微笑。他还对她说让她自己那颗可爱的小脑袋歇歇吧，不必为这些生意上的事操心。他颇感意外，她居然懂得什么是抵押。所以，一开始他觉得有趣。可是，这种感觉很快就消失了，在他们新婚的日子里代之的是震惊。有一次，他不小心说漏了嘴，让她知道了他的店有人欠账（他故意不说出那些人的名字），他们现在还不起，他也不愿去催讨，因为都是些老朋友，而且都是体面人。这以后她三番五次地问起这件事，弗兰克后悔不该跟她提。每次问起的时候，她总是显出十分天真的孩子气，表示她只不过是好奇，想知道哪些人欠他的钱，欠多少。弗兰克对此一直敷衍搪塞。他总是局促不安地咳嗽，还摆着手翻来覆去地说那些让人厌烦的取笑她那颗可爱的小脑袋的话。

他现在开始明白了，这颗可爱的小脑袋同时也是一颗“善于算计的脑袋”。事实上，她的脑袋在计算方面比他自己的要高明得多。这一发现使他深感不安。让他大吃一惊的是，她能迅速地将一长串数字用心算加起来，而他自己三个以上的数字就非用笔算不可。就连分数的计算，她也丝毫没感到有什么困难。在弗兰克看来，一个女人懂得分数和生意经这一类的东西似乎有失体统，就他看来，如果一个女人不幸生来就懂这种不合上等女人身份的玩意儿，表面上也应该装作一窍不通。因此，以前没有结婚的时候，他最喜欢跟她谈的就是生意上的事，而现在他是最讨厌跟她谈了。以前他以为她对这些事稀里糊涂，所以乐得解释给她听。如今看到她对这些事异常精明，便产生了那种一般男人对女人的两重性所常怀有的恼怒心情，同时，还产生了一般男人发现女人颇有头脑后常产生的那种失望感。

弗兰克究竟是在婚后的什么时候发现斯佳丽跟他结婚是个骗局，这谁也不清楚。也许，他最早得知事实真相是在汤尼·方丹——他的想象力显然不受拘束——来亚特兰大做生意那一次。也可能是对他的结婚颇感震惊的妹妹从琼斯博罗来信，跟他更为直截了当地说了。他肯定不是从苏埃伦那儿得知线索的。她从来不给他写信，当然他也就不可能给她写信解释。他既然已经结了婚，解释又有什么用？苏埃伦永远不会知道真相，因此总认为是他稀里糊涂地抛弃了她，一想到这一点他心里就觉得很苦恼。说不定人人都在这么想，都在指责他。他的处境确实很尴尬。他无法说清楚，因为男人哪能到处对人说自己为了一个女人而昏了头——再说一位绅士是不能公开宣布自己受骗、中了老婆的圈套的。

斯佳丽是他的妻子，做妻子的有权利要求丈夫必须忠诚。何况他也没法让自己相信她冷淡地嫁给自己，对自己没一点感情。男子汉的虚荣心不允许他这种想法长久存留在自己的头脑里。有一种想法让他感到愉快，那就是她突然爱上了自己，为了得到他才说了谎。但是这种想法实在是难以自圆其说。他知道自己对一个年龄比自己小一半、长得既俊俏又伶俐的女人来说没有多大吸引力，不过弗兰克到底是个上等人，他把自己的迷惑藏在心里。斯佳丽是他的妻子，他不能问她这种让人窘迫的问题去羞辱她，再说毕竟问了也无法挽回呀！

弗兰克也并没有特别想要挽回的意思，因为他们的婚姻从表面上来看也算美满。斯佳丽是个妩媚动人的漂亮女人，在他眼里她十全十美，只是太任性了一点。结婚后没多久，弗兰克就发现凡事只要顺着她，生活就可以过得顺心快活，可要是不顺着她……凡事只要顺着她，她就像孩子似的兴冲冲的，一天到晚笑个不停，疯疯癫癫地说些笑话，还会坐到他的腿上来捋他的胡须，直到他发誓说自己觉得年轻了二十岁才罢休。她会出人意料地温柔和体贴：晚上他回来的时候，她会把他的鞋放在火炉上烘烤，还会亲切地为他弄湿的脚和没完没了的感冒忙个不停。她还会老是记得他爱吃鸡肫，一直不忘他咖啡里要放三匙糖。总之，跟斯佳丽一起生活让你觉得既甜蜜又舒适——只要你凡事顺着她。

结婚两个星期后，弗兰克就染上了流行性感冒，米德大夫让他卧床休息。战争第一年，他曾患过肺炎，在医院里躺了两个月，从那以后，他就一直害怕再得肺炎，所以他就心甘情愿地躺在床上用三条毯子捂着发汗，每隔一个小时还喝下黑妈妈和佩蒂姑妈端来的热汤药。

病一天天地拖下去，弗兰克越来越惦记店铺里的事。现在那店铺由一个伙计掌管着，他每晚都到家里来报告一天的买卖情况，但弗兰克很不满意，心里挺恼火。斯佳丽一直在等待这样的机会，看到这情形她便伸出一只冰凉的手摸了摸他的额头，说："听我说，亲爱的，你总是这样心神不定，可真让我担心死了。让我去城里看看店里的情况怎么样了。"

他略微表示了异议，但都让她以笑脸驳了回去。她去了。在新婚后的这三个星期里，她一直急于查看他的账本，想看看他的财产情况究竟怎么样。现在他卧床不起了，真是千载难逢的好机会！

那店铺就在五角场附近，屋顶是新盖的，在那堵烟熏黑了的老墙映衬下，显得格外明亮。人行道上的凉篷一直搭到了街上，柱子间的长铁条上拴着几匹马和骡子，它们背上披着破烂的毯子和被子，正低着头淋着冷丝丝的细雨。店堂里的摆设倒很像琼斯博罗布拉德家的铺子，不同的是烈火熊熊的炉子边少了一群围坐着的游手好闲的人在那儿切切削削，并往沙箱里吐带烟草的口水。这家店铺比布拉德家的大，但光线比较暗。外面的木凉篷把冬季的阳光几乎全挡住了，店堂里又暗又脏，只有边墙高处的几扇满是污斑的小窗透进一些光来。地板上到处都是沾着烂泥的木屑，到处都是灰尘和污垢。店堂前面还算整齐，高高的货架一直矗到阴暗处，上面摆放着色彩鲜艳的布匹、瓷器、炊具和精巧的小玩意儿。可是店堂后面，被墙板隔开的部分，就杂乱无章了。

店堂后面没有铺地板，硬泥地上乱七八糟地堆放着各种货物。在半暗半明的光线中，她看见各种货物用箱子和口袋装着，有犁头、马笼头、马鞍子，甚至廉价的松木棺材。还有各种旧家具，上至花梨木、黄檀木的，下至胶皮树的，都黑乎乎地立在那里。色彩鲜艳但有点破旧的锦缎和马鬃椅光彩夺目，显得与周围肮脏的环境很不协调。瓷夜壶、成套的碗具、大水罐散得满地都是。靠墙放着一圈高木箱，黑咕隆咚地看不清，她把灯伸到上面去，这才看清里面盛着种子、铁钉、门闩和木工用具。

“我原以为弗兰克这么个老处女般爱挑剔的男人不至于这么邋遢，”她一边想，一边用手帕擦着自己的脏手。“这地方像猪圈。哪有这么开店铺的！要是把这些东西上的灰尘掸掉，放在前面别人看得见的地方，不是可以卖得更快些吗？”

货物尚且这么乱糟糟的，账目就更不用说了！

我要看看他的账簿，她心里想，便拿起灯，往店堂前面走。那个伙计威利将那一大本封面上满是污垢的分类账本递给她的时候，显得不太情愿。显然，尽管年纪轻轻，他跟弗兰克的想法是相同的：女人是不应该管生意的。但是斯佳丽狠声狠气地吼了他一声，他便不敢吭声了。她让他出去吃午饭。他走了后，她心里觉得好过了一些，连他也反对她看账，真气人。她在火炉边一张铺着破坐垫的椅子上盘起一条腿坐下来，把账本摊在膝盖上。现在正是吃午饭的时间，街上空荡荡的，没有顾客来买东西，铺子里就她一个人。

她一页一页地翻着账本，仔细阅读着那一行行名字和数字，这些字都是弗兰克亲手用工整的字体写下的，密密麻麻地难以辨认。这一点她早就料到了，可当她发现新证据表明弗兰克缺乏生意意识时，便皱起眉头来了。这里面至少有五百元的欠账，有几笔已经欠了好几个月了，那些欠债人都是她熟悉的，其中包括梅里韦瑟家和艾尔辛家。弗兰克提到有人欠账，并表示想将其免掉时，她一直以为是一笔很小的数目。但是，瞧这数目！

“如果付不起钱，为什么还要不断地来买东西？”她怒气冲冲地想，“他明知他们还不起，为什么还照样要把东西卖给他们？只要催一下，他们许多人还是还得起账的。比如说艾尔辛家，他们嫁女儿买得起缎子衣服，办得起那么排场的婚礼，难道这点钱还不起？这都怪弗兰克心肠太软，他们都利用了他这个弱点。这不，只要他收回这些欠账的一半，他早就可以买下那家锯木厂了，而且还有余钱替我纳税。”

于是她又想道：“再想象一下弗兰克会怎么去经营那个锯木厂吧！那真是活见鬼了！这家店铺都给他开得像个慈善机构了，怎么能指望他开锯木厂赚钱呢？开一个月的收入还不够交给收税员的。这家店铺要是让我来开，可以比他开得好多了！尽管我对木材买卖一窍不通，我经营锯木厂也可以比他干得出色。”

一个女人做生意能够跟男人干得一样好或者更好，这对斯佳丽来说是一个令人震惊的念头，一种革命的思想。因为在斯佳丽生长的这个环境里，人们有着这样的传统观念：男人无所不能，而女人则都很笨。当然，她也曾发现这种观念并不完全正确，但是在她头脑里至今仍萦绕着一种有趣的幻想。她从来没有把这种奇思妙想说出口。这会儿她静静地坐在那儿，那本沉甸甸的账本在腿上摊着，她的嘴惊讶地微张着。想到这几个月来自己在塔拉庄园熬过的贫困日子，她确实已经做了一个男人的工作，而且做得还挺不错呢。她从小受的教育是：一个女人单靠自己是成不了什么事的。但是在威尔没来之前，在没有男人帮助的情况下，她居然也把这座农庄经营下来了。哦，哦，是呀，她在心里结结巴巴地说。女人不用男人的帮助，世上的事也没有哪件不能办——只有生孩子除外，不过，老天知道，一个正常的女人如果办得到的话，没有谁是愿意生孩子的！

想到自己和男人一样能干，她突然产生了一种自豪感和一种想证明这种自豪感的热切心情。她要像男人一样自己来挣钱。那将是她自己的钱，用不着向别人讨，也用不着向任何男人报账。

“但愿我自己有足够的钱盘下那家锯木厂，”她大声说道，并叹了口气，“我肯定会把它办得兴兴旺旺，连一个小木片都不会赊给别人。”

她又叹了口气。她没有地方可以弄到钱，所以这个想法是不可能实现的。弗兰克只需把欠账收回来就可以买下那个锯木厂。这是一个可靠的赚钱途径。等他把锯木厂买到手，她一定会让他好好地经营，再不能像以前开铺子一样。

她从账本背后撕下一页来，将欠了数月以上的债户名字抄了下来。待会儿一到家，她就要跟弗兰克谈这个问题。她要让弗兰克明白，这些人虽然是老朋友，但账是不能不还的，即使他觉得催他们还账确实很不好意思也不行。这也许会让弗兰克感到不快，因为他胆子小，又喜欢让朋友们称赞。他脸皮很薄，让他一本正经地去向人家要债，他是宁可亏本也不愿干的。

他可能会对她说，他们谁都不会有钱还债的。哦，他说的也许是事实。她当然也知道现在大家都很穷。可是差不多人人都积蓄了一些银器呀、珠宝呀什么的，或者手里紧紧攥着一点房地产什么的。弗兰克可以把这些当成现钱收进来嘛。

她想象得到要是她把这些想法跟弗兰克商量，他准会唉声叹气地说个没完。去要朋友的珠宝和地产，那还了得！好吧，她耸耸肩想，他若要唉声叹气地说什么就让他说去吧。我要告诉他，他可以为了朋友永远穷下去，我可不愿意。要是拿不出点勇气，就休想干出什么业绩来！他一定得干出点业绩来！一定得让他赚钱，万不得已我就要掌握这个家的大权逼着他这么干。

她正拼命皱着眉、牙齿咬着舌头奋笔疾书的时候，前门开了，一阵冷风吹进店堂。一个高个子男人迈着轻松的印第安人似的步子，跨进这邋遢的屋子里来。她抬头一看，原来是瑞特·巴特勒。

他穿着一套崭新的衣服，外面罩着件厚大衣，大衣上一顶漂亮的风兜搭在他厚实的肩膀上。当她的目光与他相遇的时候，他正摘下高高的礼帽朝她深深鞠了一躬，同时把一只手按在胸口那件洁白无瑕的褶边衬衫上。他雪白的牙齿在那褐色的脸衬托下，闪着光，十分醒目。他那双大胆的眼睛直视着她。

“我亲爱的肯尼迪太太，”他边说边走向她，“我最最亲爱的肯尼迪太太！”说着便发出一阵快乐的笑声。

她先是大吃一惊，好像看见一个魔鬼闯进了她的店堂，然后连忙放下那条盘着的腿，挺直了腰，冷冷地看了他一眼。

“你到这儿来干什么？”

“我去了趟佩蒂小姐家，知道你结婚了，所以我赶来给你贺喜来了。”

想起自己曾受到过他那样的羞辱，她不由得涨红了脸。

“我真不懂你怎么还胆敢来见我！”她喊道。

“恰恰相反！你怎么还胆敢见我？”

“哦，你这个人真是太——”

“我们休战好吗？”他开朗而兴奋地朝她笑着，这微笑隐藏着厚颜无耻，但却没有为自己的行为感到羞愧，也没有对她的所作所为有什么谴责。于是她也不由自主地笑了，但这是一种尴尬的苦笑。

“真遗憾，他们怎么没把你绞死！”

“我看恐怕别人也有你这想法吧。得了，得了，斯佳丽，别激动嘛。看你这样子，好像肚里吞了一根枪通条那么生硬，没有必要这样啊。当然，我开了——那么个小小的玩笑，你气一定还没消。”

“玩笑？哼！我一辈子也忘不了！”

“哦，不，你一定会忘了的。你这怒气冲冲的样子是故意做给我看的，因为你觉得只有这样才算有面子。我可以坐下吗？”

“不可以！”

他却自顾自地在她旁边一张椅子上坐了下来，咧着嘴笑着。

“我听说你连两个星期都不愿意等我呀，”他说着嘲弄地叹了口气，“女人可真是变化多端啊！”

她一声不吭，他便继续说道。

“你老实说吧，斯佳丽，我们是朋友——是非常熟悉、非常交心的朋友——无话不谈，如果你能等我从牢里出来，不是更明智吗？难道你觉得嫁给弗兰克·肯尼迪那老头儿，比跟我私下偷情更有诱惑力吗？”

像往常一样，他的讥讽总是惹得她极为愤怒，对他的厚颜无耻她总是用放声大笑来表示轻蔑。

“别胡说八道！”

“还有件事困扰我很久了，你能不能满足一下我的好奇心？你对所嫁的男人并没有一点爱情，甚至没有一点好感，但是却嫁了一个又一个，难道你这样做就没有一点女性的厌恶，没有一点娇弱者的恐惧吗？人们都说我们南方女性很娇弱，难道我听到的情况不正确？”

“瑞特！”

“让我自己来回答吧。虽然我从小受的教育让我得出女人是脆弱、温柔而敏感的这么一个可爱的结论，我却向来觉得女人有一种男人所不具备的刚强和忍耐。但是依据欧洲大陆的规矩，夫妻之间要是真正有爱情，倒是一种极其糟糕的结合形式。从趣味上来说，确实很糟糕。我向来认为欧洲式的婚姻观念很正确。为方便而结婚，为快乐而恋爱。这是一种相当合情合理的制度，难道不是吗？想不到你的观念与欧洲国家的见解倒比较接近。”

斯佳丽恨不得大声喝道：“我不是为方便而结婚！”但不幸的是瑞特已经把她给制伏了，无论她怎么抗议说自己的清白受到了损害，都只能引出他更加刺人的话来。

“你怎么说个没完？”她冷冷地说。她想赶快换个话题，便问道：“你是怎么从监狱里跑出来的？”

“哦，那件事儿？”他满不在乎地答道，“没碰到什么大麻烦，今天早晨他们就放我出来了。我有一个华盛顿的朋友，在联邦政府的参议院里有很高的地位，我巧妙地对他施行了一点讹诈，事情就办成了。这人倒是个好人，是北方的一个坚定的爱国者，当年我帮南部邦联买枪和有裙箍的裙子，都是从他那儿搞到的。当我以适当的方式让他知道我倒霉的处境之后，他便赶忙用他的势力把我给释放了。现在什么都靠势力，斯佳丽。将来万一你被逮捕，就要记住这句话。有了势力什么事情都能办，一个人有罪还是无罪不过是理论上的问题罢了。”

“我敢打赌，你决非无罪之人。”

“说得不错！被释放了，我可以说句老实话，我跟该隐一样有罪。那个黑人确实是我杀的。他对一位上等女人咋咋呼呼的，见到这种事我们南方的男子汉能容忍得了吗？既然对你招认了，我索性都说了吧。我还曾经在一家酒吧里为了几句口角开枪杀死了一个北方军的骑兵。当时我没有为这件事受到指控，大概哪个可怜的替死鬼早已替我上了绞架。”

见他这么轻松愉快地谈论杀人的勾当，她不由得毛骨悚然。出于道德她真想怒斥他一顿，但是她突然想起埋在塔拉庄园攀藤的葡萄棚下的那个北方佬了。他始终没引起她良心上的谴责，正如她可能踩死一只蟑螂一样。她自己也跟瑞特一样有罪，怎么能堂堂正正地审判瑞特呢？

“还有一件事，看来我还是干脆对你和盘托出吧，我对你现在已经是肝胆相照了，不过请你千万别告诉佩蒂帕特小姐！我的确有那笔钱，现在正平平安安地放在利物浦一家银行里。”

“那笔钱？”

“对，就是北方佬拼命想查找的那笔钱。斯佳丽，那天你向我要钱，我不肯给你，决不是我吝啬。当时如果我开一张支票给你，他们就有可能会查出这笔钱的下落，到那时没准你会一个子儿都拿不到。我唯一的希望就是按兵不动。我知道这笔钱非常安全，因为万一出现了最不幸的情况，这笔钱被他们查了出来，并从我手中拿走，那我就会把战争期间卖武器弹药给我的那些北方爱国者的名字一个个讲出来。这样一来，丑闻就张扬出去了，因为这批人里有的现在在华盛顿身居要职。事实上，我这次之所以能出狱，用的就是恫吓的办法。我——”

“你是说——你手中确实有南部邦联政府的金子？”

“不，不是全部。上帝呀，并不是全部！当初参与做这种封锁线生意的大概有五六十人，他们的钱也有许多存放在拿骚、英国和加拿大。南部邦联政府的人非常讨厌我们这些人，因为他们没我们精明。我手里有近五十万。想想看，斯佳丽，五十万金币呢！要是你能控制住自己急躁的脾气，不匆匆忙忙地与别人结婚就好了。”

五十万金币。一想到这么多钱，她就痛苦极了，像真的得了病似的。他那几句挖苦话就像耳旁风，她连听都没听见。在这个苦难、贫困的世界上，竟还藏有这么多钱，真让人难以置信。这么多的钱，这么许许多多的钱，却让别人拿去了，毫不费力地拿去了，而且拿去了也没多大用处。而她呢，只有这么一个多病的老头儿丈夫，只有这么一家寒碜肮脏的小店铺，除此之外就是这个对她充满敌意的世界。瑞特·巴特勒这样的流氓竟有那么多钱，而她虽肩负着这么沉重的担子，却两手空空，这太不公平了。她恨他——这个穿着像花花公子、坐在这儿奚落她的家伙。哼，她不想恭维他的聪明乖巧，否则他会越发得意忘形了。她只想找几句刻毒的话刺刺他。

“你拿了政府这笔钱还自以为是正当的吧。哼，根本就不是正当的。你这明明是偷钱，难道你不清楚吗？换了我，是决不会要这种昧良心的钱的。”

“哎呀，我的天哪！这葡萄可真是蛮酸呀！”他大声喊道，一面一本正经地板起脸来。“那么我这钱究竟是从谁那儿偷来的呢？”

她没吭声，心里拼命地在想他的钱究竟是从谁那儿偷来的。说穿了，他干的事其实就是弗兰克干的，只不过弗兰克干的规模小一些罢了。

“老实告诉你吧，”他继续说道，“我这笔钱里，有一半是我正正当当赚来的。有一部分是在北方爱国者的帮助下攒起来的，他们偷偷地出卖他们那个合众国是自愿的，因为他们卖的货有百分之百的利润。还有一部分是我在战争初期做棉花生意赚的，当时我低价买进棉花，正赶上英国纱厂急需棉花，我就一块钱一磅卖给了他们。还有一部分是搞粮食投机赚来的。我为什么要让北方佬拿走我辛辛苦苦得来的成果？不过剩余的部分确实是南部邦联政府的。那是我设法把政府的棉花偷运出封锁线，运到利物浦去后高价出售得来的。当初政府信任我，把棉花交给我去卖，然后将卖得的钱用来买皮革、枪支和机器。我收下棉花，帮助代买货品，这些本都是诚心诚意的。我奉命把卖得的黄金以我私人的名义存在英国银行里，这样我可以取得较好的信誉。你还记得，后来封锁线形势吃紧，由于找不到一条船可以让我出入南方的任何港口，所以那些钱就留在英国了。再说当时我又能有什么办法呢？难道像傻瓜似的把钱从银行里提出来，设法运回威尔明顿来，然后让北方佬都收去吗？难道封锁线吃紧是我的过失吗？我们的事业失败了，难道也是我的过失吗？这钱是属于南部邦联政府的。然而现在已经没有邦联政府了——尽管有些人说这很难说。那么让我把钱交给谁呢？交给北方佬政府吗？人们觉得我是个贼，我怎能不怨恨呢？”

他从口袋里掏出一只皮匣子，从里面抽出一支长雪茄，拿到鼻子前津津有味地闻着，一面假装焦急地看着她，好像在等她回答。

这该死的家伙，她想，他总是先我一步。他的论点里总是有毛病，但是我永远没法儿弄清楚他的毛病究竟在哪儿。

“你可以把这笔钱，”她严肃地说，“去分给穷人嘛。邦联政府虽然不存在了，但是邦联的支持者还是很多的呀，他们家里的人都在挨饿呢。”

他把头往后一仰，放肆地大笑起来。

“每次你这样装出伪善的样子时，就是你最最妩媚动人、也是你最最荒唐可笑的时候，”他显出非常兴奋的样子嚷道，“我劝你还是一直说老实话吧，斯佳丽。你不会说谎。世上就数你们爱尔兰人最不善于说谎了。算了，别转弯抹角了。你是决不会关心他妈的什么邦联政府的，更不会关心支持邦联的人。如果我提出把钱全部送掉，你准会尖叫起来反对，除非我先让你得到最大部分的钱。”

“我不要你的钱。”她勉强装出一副冷漠而正经的神情开口说。

“哦，真的不要吗？你的手心马上就会发痒呢。如果我拿四分之一的钱让你看，你准会扑上去。”

“如果你到这儿来是为了侮辱我、嘲笑我穷的话，那我就要请你走了。”她一边反驳，一边用手把沉重的账本从腿上移开，以便站起来说话可以更有力些。他马上站到她前面，哈哈笑着把她推回到椅子上去。

“你什么时候才能做到听到真话不发火呢？你自己实事求是地谈论别人时从不在乎，那为什么别人实事求是地谈论你就不行呢？我并没有侮辱你。我觉得占有欲是一种很好的品性。”

她不怎么理解“占有欲”这词儿的含义，但是他既然在赞美这种品性，她的心情也就稍微平和了一些。

“我并不是来嘲笑你贫穷的，而是来祝你健康长寿、婚姻美满的。顺便问一声，你妹妹苏埃伦是怎么看你这种非法侵占的呢？”

“我的什么？”

“你是在她鼻子底下把弗兰克抢走的。”

“我并没——”

“好吧，我们不要咬文嚼字了。她到底是怎么说的？”

“她什么都没说。”斯佳丽说。他的眼珠子转了转，流露出对她说谎的指责。

“她可真慷慨啊！好吧，现在谈谈你自己的情况吧。不久前，你还去监狱找过我，我当然有权知道你的境况。弗兰克的钱真像你希望的那么多吗？”

她无法回避他的粗鲁。要么忍受，要么让他走开。可现在她不想让他走。虽然他的话句句带刺，但说的都是事实。他知道她做了些什么，也知道她这么做的原因，但他好像并不因此而看轻她。他的问题虽然提得很露骨，让人听了不舒服，但似乎都是善意的关切。他是她唯一可以吐露心声的人。这是一种莫大的安慰，因为她已好久没向别人谈谈自己，吐露一下自己的心思了。每次她向别人说心里话，别人似乎都感到特别吃惊。跟瑞特谈话可以用一件事作比喻：就像穿着一双太紧的鞋子跳舞之后，换了一双旧拖鞋那么舒适而自在。

“你那笔税款还没弄到手吗？塔拉庄园大门口的那条狼不至于还在吧。”他说这句话时，语气完全变了。

她抬起了头，与他目光相遇，发现他脸上有一种表情，这种表情先是让她感到震惊和惶惑，接着便露出了笑容。这是一种近来她脸上难得出现的甜蜜而妩媚的笑容。虽然瑞特这个人十恶不赦，但有时候心肠却极好。现在她明白了，他到此来的真正原因并不是来戏弄她，而是想弄清楚她急需的那笔钱是否已经搞到了。她知道他一出监狱就急忙来到她这里，如果她还需要钱，就打算借给她，尽管他表面上装着从容不迫的样子，他折磨她、羞辱她，即使她识破了他的真正用意，他也决不会承认的。这个人真是让人难以捉摸。难道他对她真的怀有一份心，只是不愿意承认吗？或者还是有什么别的用意？也许他还怀有别的用意吧，她想。但谁说得清呢？他常常会干出些怪异的事来。

“对，”她说，“现在门口已没有狼了。我——我已经弄到那笔钱了。”

“我敢说你一定是经过了一番斗争才弄到的。你不可能一直忍着，到结婚戒指套上指头才开口吧？”

被他一语道破了实情，她差点儿笑出来，虽拼命忍着，仍不免露出了笑靥。他重又伸开腿舒舒服服地坐了下来。

“好吧，说说你贫穷的境况吧。弗兰克这家伙曾对你吹嘘过他的未来吗？如果他真这样欺骗过一个无依无靠的女子，那就该结结实实地揍他一顿鞭子。好吧，斯佳丽，把一切都告诉我吧。你不应该对我隐瞒什么，你最糟的情况我也都了如指掌。”

“哦，瑞特，你这人真是太坏了——我真不知道用什么词儿才恰当！他的确没有欺骗过我——”她突然觉得想一吐为快。“瑞特，只要弗兰克能把外面的欠账收回来，我就什么心都不用操了。可是，瑞特，欠他账的有五十个人，他就是不肯去要。他脸皮太薄，他说一个上等人不能对别的上等人做这种事。所以这些钱可能要几个月后才能收回来，也许永远都收不回来。”

“嗯，那又有什么关系呢？难道你家里没钱吃饭了，非等他收回钱不可吗？”

“可不是，不过——嗯，其实我是自己想要一点钱用用。”她想起了锯木厂，眼睛一亮。也许——

“做什么用？还是要付税款吗？”

“这关你什么事？”

“当然，因为你现在心里正盘算着向我借钱呢。哦，你的心思我全明白。我愿意借给你，亲爱的肯尼迪太太，而且，不需要你不久以前提议给我的那种可爱东西作担保。当然，除非你坚持要给。”

“你真是个最最粗鲁的——”

“一点也不是，我只不过是想让你放心罢了。我知道你为了这点事在担心呢。虽然并不十分担心，但总有那么一点吧。我愿意借钱给你。但是我确实很想知道你打算怎么用这笔钱。我认为我有这个权利。如果你是要用这钱去买几件漂亮的衣服，或者购置一辆马车，那我心甘情愿借给你。但如果你是去替阿希礼·韦尔克斯买新裤子穿，那我恐怕就不能不拒绝你了。”

她一下子火冒三丈，嗫嚅了半天才说出话来。

“阿希礼·韦尔克斯从来没拿过我一个子儿！他哪怕在挨饿，也决不会拿我一个子儿的！你一点也不了解他，他这个人非常有尊严，非常有骨气的！像你这种人——当然不可能理解他。”

“你何必开口骂人呢。我也可以想出点什么来骂你，而且可以骂得一点也不比你差。你忘了我是不断通过佩蒂帕特小姐了解到你的情况的，她是个老实人，碰到富有同情心的人是无话不谈的。我知道阿希礼从罗克艾兰回来后一直就待在塔拉庄园。我也知道你甚至容忍他带着妻子住在那儿，想必这让你很是痛苦吧。”

“阿希礼是——”

“啊，对，”瑞特大大咧咧地挥挥手说，“阿希礼是个非常高尚的人，决不是我这种俗人所能理解的。但你别忘了当初在十二棵橡树庄园你跟他演的那微妙的一幕，我可是个相关的见证人啊。我看得出从那以后，他的心意始终没变。而你也始终没变。要是我没记错的话，他那天扮演的角色可并不十分高尚啊。我看他现在扮演的角色也不见得会更高尚。为什么他不带着家眷去找工作？为什么要赖在塔拉庄园？当然，这仅仅是我一时的想法，但是你要钱去维持供养着他的塔拉庄园，那我一个子儿都不会借给你的。对男人而言，谁要是让女人养活，那是非常丢人的。”

“你怎么能说出这种话来？他一直都像庄稼汉一样干着活儿呢！”她尽管满腔怒火，但一想到阿希礼劈栏木的情景，便觉得一阵心酸。

“我看他真是把难得的好手啊。干起施肥活儿来他真是没说的，而且——”

“他是——”

“哦，不错，我知道。我们可以承认他在尽他的力量干活，但我想象不出他会给你多大帮助。他们韦尔克斯家的人永远干不了什么庄稼活——也干不成什么有用的事！这类人纯粹是装饰品。哦，请你别发火，我对这位有尊严、有骨气的阿希礼所说的粗话你别放在心上。我就纳闷，像你这么一个意志坚强的女人，怎么也会一直抱着那种错觉不放。你到底要多少钱？你要钱到底干什么用？”

她没有回答，他便不断地问她。

“你到底要这些钱干什么？我倒要看看，你会不会对我说实话。你说实话就跟你说假话一样有效。事实上，你最好还是说实话的好，因为要是你说了假话，我肯定会发现的，你想想到那时自己会多尴尬呀！斯佳丽，你得永远记住，对你我什么都能忍受，唯有说假话不能——你可以讨厌我，可以对我发脾气，也可以对我施展任何恶毒的手段，这些我都能忍受，但是你不能说谎。现在告诉我，你到底要这些钱干什么？”

听到他这么攻击阿希礼，斯佳丽怒不可遏，恨不得啐他一脸，面对他那副嘲弄的嘴脸义正词严地一口回绝他提出的愿意借钱的事。有好一会儿，她几乎就要这么做了，但是一只理智而冷静的手把她给按住了。她强咽下这口气，拼命装出一副和悦而庄重的神态。他靠向椅背，并将两腿伸到火炉边。

“假如这世界上还有一件让我最感到快乐的事，”他议论道，“那就是看你在面对原则问题和像金钱之类的实际问题之间作出抉择时进行思想斗争的模样。当然，我知道在你的内心，实际问题往往会占上风，不过我一直在旁观等待，看看你那较为高尚的本性是否从此就不会占上风了。等我搞清楚了这一点，我一定收拾行李永远离开亚特兰大。天下始终让高尚本性占上风的女人多得很呢……啊，我们还是谈谈正经事吧。你需要多少钱？做什么用？”

“我也不知道到底需要多少，”她悻悻地说，“我只是想买一个锯木厂——我想我可以廉价将它买到手。我还需要两辆货物运输车，两匹骡子。而且必须是好骡子。我自己还要一匹马和一辆马车。”

“锯木厂？”

“对，如果你能借钱给我，我可以把赢利的一半分给你。”

“我要锯木厂干什么？”

“赚钱呀！我们可以赚很多很多的钱呢。要不，我给你付利息——我们来谈谈，多少利率才好呢？”

“五分的利就很好了。”

“五分的利——哦，你是在说笑话吧！别笑，你这混蛋。我可是认真的。”

“就因为你是认真的我才笑呢。你那可爱而迷人的脸蛋后面的脑袋里转着什么念头，恐怕除我之外谁也不知道。”

“嗯，你管它干吗？听我说，瑞特，你看这对你算不算得上是一桩好买卖。弗兰克告诉我说，有一家锯木厂，是一家小厂，坐落在桃树街上，厂主想把它卖掉。他急于要现钱，所以愿意便宜一点脱手。这一带现在锯木厂不多，大家又都在造房子，我们的木料肯定可以卖大价钱！那个厂主同意留在厂里替我们管理，由我们付他工资。这都是弗兰克告诉我的。如果钱够的话，弗兰克打算自己把它买下来。我猜他替我付税款的那笔钱，原来就是预备买这锯木厂的。”

“可怜的弗兰克！将来等你告诉他，你已背着他自己先把厂子买下来了，他会怎么说呢？还有你从我这儿借钱的事，你打算怎么向他解释才不致妨碍你的名声呢？”

斯佳丽只想着锯木厂会挣钱，因而关于这一点她连想都没想过。

“那么，我干脆不让他知道。”

“他准会知道你的钱不是从树林里拣来的。”

“那么我就告诉他——啊，对了，我就告诉他，我把钻石耳坠卖给你了。我原本也会把那副耳坠给你的，就算我的抵——抵什么品的。”

“我不会要你的耳坠的。”

“反正我也不要了，我并不喜欢这副耳坠。再说它本来就不是我的东西。”

“那是谁的啊？”

斯佳丽立刻回想起塔拉庄园那个静悄悄的炎热中午，回想起在过道里碍手碍脚地躺着的那个穿蓝军服的尸体。

“那是别人给我留下的——那人已经死了。现在完全属于我了。你拿去吧，反正我不要了。我宁可把它换成现钱。”

“我的天哪！”瑞特不耐烦地嚷道，“难道除了钱之外，你就没有什么可想的了吗？”

“是的，”她坦白地回答。她转过那双绿眼珠朝他望着。“假如你有过我这种经历，你也会跟我一样的。我现在明白了，世界上最要紧的东西就是钱，老天作证，我决不想再过那种两手空空的穷日子了。”

她回想起那炎炎的烈日，回想起脚下那让人头晕的软红土，还有十二棵橡树庄园废墟后面那臭气熏天的黑人窝棚。她回想起自己心里曾反复念叨的：“我不想再挨饿了，我不想再挨饿了。”

“总有一天我会有钱，有很多很多的钱，到那时我想吃什么就能吃什么，我的餐桌上从此就不会再出现玉米粥和干豆子了。我还要买漂亮的衣服，还要把所有的衣服都做成绸子的——”

“所有的衣服？”

“对，所有的衣服，”她直截了当地答道，对他的挖苦都没觉得脸红。“我要攒足钱，让北方佬永远无法夺走我的塔拉庄园。我要在塔拉庄园再盖一栋新房子，再建一座新牲口棚，再添几头耕地用的骡子，种上很多很多的棉花，多得你从没见过。至于韦德，他将永远不会知道什么叫贫困，永远不会！我要让他享有一切。还有我的全家人，我也要让他们从此不再挨饿。我说到做到，事事都要做到。像你这种自私自利的家伙是不会理解的。你从来没有经历过提包客要来赶你走这样的事。你从来没挨过冻，也没穿过破衣服，更没有为了糊口而拼死拼活地干过活！”

他平静地答道：“我曾在邦联军队里待过八个月，我看世界上哪里也不会比那儿更糟糕。”

“军队！呸！你从来没有摘过棉花，也从来没有在玉米地里除过草。你从来——不许你笑话我！”

就在她提高了嗓音，人变得粗暴的那一刻，他的手又按在了她的手上。

“我没有笑你。我笑的是你现在的样子和你原来的样子相差太远了。同时我想起在韦尔克斯家的野餐会上第一次看见你时的情景。当时你穿着一条绿色的裙子，脚上穿着一双小巧的绿鞋，踌躇满志地被一大群男人包围着。我敢打赌，你那时候连一块钱值多少分币都不知道。那时候你心里只有一个念头，那就是诱惑阿希——”

她突然把手缩了回去。

“瑞特，如果你还想与我愉快地交谈的话，那就不要再提阿希礼·韦尔克斯。一提到他，我们就会吵架，因为你无法理解他。”

“看来你是非常理解他的啰，”瑞特不怀好意地说，“不行，斯佳丽，如果想让我借钱给你，那就必须让我保留谈论他的权利，而且我爱怎么说就怎么说。我可以放弃收利息的权利，但是我不放弃这个权利。关于这个年轻人，我还有很多事情想了解。”

“我没有义务和你讨论他。”她没好气地答道。

“哦，不，你有义务！钱掌握在我手里，你瞧。等将来你有了钱，你同样有权力这样对待别人嘛……明摆着你仍喜欢他——”

“没有的事儿。”

“哦，瞧你这样拼命为他辩护的样子，事情再清楚不过了。你——”

“我无法忍受别人嘲弄我的朋友。”

“好吧，我们暂时不提这事。他是不是对你仍有意思？他在罗克艾兰的经历没有让他忘记你吗？他会不会终于认识到自己的妻子有多么宝贵？”

一听提到玫兰妮，斯佳丽的呼吸就立刻变得急促起来，几乎无法控制住自己，几乎把全部真情和盘托出：阿希礼仅仅是为了顾全名誉才和玫兰妮待在一起的。她刚想开口，随即闭上了。

“哦，这么说他仍然没有领悟到韦尔克斯太太的优点？他在监狱里吃了那么多苦，仍没有减少对你的热情吗？”

“我看没有必要讨论这个问题。”

“我倒想讨论一下，”瑞特说。他用无精打采的语气说着话，斯佳丽虽不清楚其中的意思，但却觉得讨厌。“说真的，我一定得讨论下去，而且你必须回答我。那么，他还爱着你吗？”

“哼，爱我又怎么样？”斯佳丽被惹火了，大声嚷嚷道，“我不想跟你讨论他的事，因为你既不了解他，也不了解他那种爱。你知道的爱，就是——嗯，就是你用在那个姓沃特林的女人身上的那一种。”

“哦，”瑞特轻声轻气地说，“原来我这个人只有肉欲？”

“哼，你心里明白，就是那么回事。”

“现在我明白你为什么不愿意跟我谈论这件事了。你是怕我这双肮脏的手和嘴会玷污他对你纯洁的爱吧。”

“嗯，对——差不多吧。”

“我对这种纯洁的爱倒蛮感兴趣的——”

“瑞特·巴特勒，别这么下流！你要是卑鄙透顶，认为我和他之间有过什么不正当的关系——”

“啊，说真的，我的脑袋里可从没有跑进过这种想法。这正是我感兴趣的地方。你们之间为什么会不曾有过不正当的关系呢？”

“你以为阿希礼会——”

“啊，这么说努力要维持这种纯洁的爱的是阿希礼，而不是你啰。斯佳丽，说真的，你不应该这么轻易地就把实话给说出来了。”

斯佳丽看着那张平静而毫无表情的脸，心里既不解又生气。

“这事儿我们不要往下谈了，你的钱我也不要了。你滚吧！”

“别，别，你当然需要我的钱，而且我们已经谈到这个地步了，干吗要半途而废呢？既然你们俩之间没什么，那么谈谈这段纯洁无瑕的爱情史也无伤大雅嘛。这么说，阿希礼是爱你的心灵、你的灵魂、你的高尚品格啰？”

听了这些话，斯佳丽心如刀绞。当然，阿希礼爱的就是她这些。正因为知道这一点，她才觉得生活可以忍受。她知道自己身上深藏着一些美丽的东西，这些东西只有阿希礼能看到。但是由于被名誉所束缚，他只能对她持有一种遥远的爱。谁知她这种种深藏的美，经瑞特这么一挑明，却显得并不那么美了，何况瑞特故意用一种平和的声调来掩盖其挖苦的意味。

“这使我回想起我做孩子的时候，”他继续说道，“我曾有过一种理想，以为在这个肮脏的世界上，可能存有这种纯洁的爱。这么说来，阿希礼对你的爱是与肉体无关的？那如果你长得很丑，没有这么雪白的皮肤，他也会爱你吗？如果你没有长着一双使男人们神魂颠倒的绿眼睛，他也同样会爱你？如果你不会扭屁股，让哪怕是九十岁的任何男子见了也神魂颠倒，他也同样会爱你？还有你那两片嘴唇——哦，得了，我不该让自己的肉欲也来插一脚。总之，阿希礼对这一切一概都视而不见吗？或者即使看见了也毫不动情？”

斯佳丽不由得回想起那天跟阿希礼一起在果园里的情景来，他用颤抖的双臂紧紧地搂着她，他的嘴唇热辣辣地贴在她的嘴唇上，仿佛再也舍不得放开。想到这些，她便脸红起来，这没有逃过瑞特的眼睛。

“那么，”他带着一种近于愤怒的颤抖声调说，“我明白了，他纯粹是爱你的心灵了。”

他怎么胆敢无耻地来问长问短，从而玷污她一生中唯一美丽而神圣的东西呢？他冷静而坚定地在攻击她最后一道防线，他想要打听的情况就要泄露了。

“是的，确实是这样。”她大声说道，一边抑制住关于阿希礼那两片嘴唇的记忆。

“亲爱的，他连你有没有心灵都不知道呢！倘若他真是被你的心灵吸引，他就用不着为了把这种爱搞得那么——姑且说，那么‘神圣’，而拼命地提防你了。他尽可以放下心来，因为一个男人是可以爱慕一个女人的心灵的，同时仍然可以做一位体面的上等人，仍然忠诚自己的妻子。然而，他现在却是一面看中你的肉体，一面又要顾全他们韦尔克斯家的门风，那肯定是万分为难的吧。”

“你自己心地肮脏，就以为人人都跟你一样了！”

“嗯，我从来不否认自己渴望得到你的肉体，如果你说的是这个意思的话。不过，好在我可不管什么名誉不名誉。凡是我想要的东西，只要可能，我就要拿到手。所以我用不着去跟天使或魔鬼搏斗。你给阿希礼造了一个多么快乐的地狱啊！我真替他难受。”

“我——我给他造了一个地狱？”

“是的，是这样！你对他便是一种永远难以消除的诱惑，但是他像他们那个类型的大多数人一样，是宁要名誉而不要爱情。照我看，这个可怜虫现在是既没有爱情的温暖，也得不到名誉的慰藉了。”

“他有爱！……我的意思是说，他是爱我的！”

“真的吗？那么请你再回答我一个问题，这样我们今天的谈话就可以告一段落了，同时你也就可以拿到我的钱了，哪怕你拿去扔到阴沟里，也不关我的事。”

瑞特站了起来，将才吸了半截的雪茄扔进痰盂。他的动作里含有一种异教徒的无所顾忌和一种被压抑着的力量，这是斯佳丽在亚特兰大沦陷那天晚上见到过的。这动作有些凶狠，也有些吓人。“要是他真的爱你，怎么肯让你独自一个人跑到亚特兰大来筹这笔税款？换了我，是决不肯让自己心爱的女人去干这种事的。我宁可——”

“他并不知道这事！他一点也不知道我——”

“那么你想到过他本该知道吗？”他说话的腔调里明显充满着野性。“如果如你所说，他是爱你的，他就应该知道你在无可奈何的情况下会干出什么事来。他即使杀了你，也不应该让你独自跑到这儿来——何况你又是来找我！真是天晓得！”

“可是这一切他都不知道呀！”

“要是你不告诉他，他就猜不到，那他就不了解你这个人和你那宝贵的心灵。”

他说这话多么不公平啊！仿佛阿希礼能看透别人的心似的！仿佛如果阿希礼知道这件事，就能阻止她来这儿似的！但是，她忽然领悟到阿希礼确实能阻挡她来这儿。那天在果园里，只要他能给她一点点暗示，总有一天情况会发生变化，那她也就不会想到要找瑞特了。就是到了临上火车的那一刻，只要阿希礼对她说句温情脉脉的话，或者表示一下临别的爱抚，就可以将她留住。然而，阿希礼当时只讲到荣誉。不过——瑞特的话正确吗？阿希礼是不是本该看出她的心思？她连忙抛开这种不忠诚的念头。当然，阿希礼是不会怀疑她的。阿希礼是绝对不会怀疑她会去干这种不道德的事的，他肯定认为这种事她连想都不会去想，更别说去干了。阿希礼太高尚了，决想不到这样的事。瑞特这样说只不过是想破坏她的爱，想破坏她最珍爱的宝贝罢了。将来总有一天，她狠毒地想，等她开稳了店铺，办顺利了锯木厂，赚够了钱，她要跟瑞特算这笔账，非让他为她所受的痛苦和羞辱付出最大的代价不可。

他站在她面前，俯视着她，脸上微微流露出一丝感兴趣的样子。刚才那阵让他激动的情绪已经过去了。

“这一切跟你有什么关系？”她问道，“这是我和阿希礼的事，与你何干？”

他耸了耸肩。

“没别的，斯佳丽，我只是对你的忍耐力怀有一种客观而深切的敬佩，同时也不愿意看到你在精神上受到过多的折磨。说起塔拉庄园，那是身强力壮的男子汉才能胜任的重活啊。你还有一个害病的父亲，他再也不能给你任何帮助了。此外，你还有妹妹和那些黑人。现在又加上了一个丈夫，可能还包括佩蒂帕特小姐之类的。即使没有阿希礼·韦尔克斯和他的家眷，你身上的担子也已经够重的了。”

“他并没有靠我负担呀。他还帮我们——”

“哦，我的天哪，”他不耐烦地说，“别再来这一套了。他帮不了什么忙。他现在是靠你养活，将来还要靠你养活，哪怕是不靠你也要靠别人养活，直到死。我从心底里讨厌再谈他这个人……你到底要多少钱？”

一串咒骂涌到她嘴边，既然他已对她百般羞辱，既然他诱使她把最珍贵的东西都说出来了，并加以践踏，难道他还以为她会接受他的钱吗？

但这些涌到嘴边的话被挡住了。现在傲慢地拒绝他的借款，并叫他立刻滚出去，那是再痛快不过的事了。但只有那种真正富有、真正有保障的人才能有这样的豪举。只要她还贫穷，就不得不忍受这样的局面。但是一旦她有了钱——哦，一想到这是多么兴奋啊！——一旦她有了钱，她决不会忍受自己讨厌的东西，也决不允许失去自己渴望的东西，甚至也决不会对没有好感的人彬彬有礼。

我一定得让他们全都见鬼去，她想道，第一个去的就是瑞特！

想到这儿，她不由得高兴起来，那双绿眼睛放出了光芒，嘴角也微微泛起了一丝微笑。瑞特也笑了。

“你真可爱，斯佳丽，”他说，“特别是当你脑子里转着恶作剧念头的时候。我不要别的，单是看看你那对酒窝儿，我就是买十二三头骡子来送给你都愿意，如果你要的话。”

前门开了，那伙计走了进来，边走边拿着一根鹅毛管剔牙。斯佳丽站起身，将披巾披上，又把帽带在下巴下系紧。她已下定了决心。

“你今天下午有空吗？你现在能跟我去吗？”她问。

“去哪里？”

“我要你赶车和我一起去锯木厂。我答应过弗兰克，独自一个人不赶车到城外去。”

“下这么大的雨还去锯木厂？”

“对，我现在就要买下那锯木厂，免得日后你改变主意。”

他笑了，笑得非常洪亮，把站在柜台后的那个伙计吓了一大跳，很好奇地看着他。

“难道你忘记自己结过婚了吗？你现在可是肯尼迪太太了，要是让人看见跟我这个姓巴特勒的流氓一起赶车到城外去，那还了得。

要知道我这种人是连上等人家的客厅都进不去的呢。难道你连自己的名誉都不顾了吗?"

"名誉，你这是胡说八道！我要马上把那家锯木厂买下来，免得你变了主意，也免得让弗兰克发觉。快，别磨磨蹭蹭，瑞特。这点儿小雨怕什么，快走吧。"

锯木厂！弗兰克后来每想起它就会唉声叹气，他后悔当初不该跟斯佳丽提起。她把自己那对耳坠拿去卖给了巴特勒船长（没卖给别人，偏偏卖给了他!)，而且在和自己的丈夫都没商量的情况下，便买下了那个锯木厂，这已经够糟的了。更糟的是，买下了锯木厂不交给丈夫经营。看来情况真是不妙啊，她好像不信任他，仿佛他的判断力不可靠似的。

弗兰克这个人，跟所有其他男人一样，认为做妻子的总应该听丈夫的指导，因为他们有高明的见识，应该完全接受丈夫的意见，而不能有自己的意见。女人大多都有自己的主张，他弗兰克也未必会不听。女人都是非常有趣的小东西，有时对她们那些小小的癖好迁就一下也无伤大雅。他性情温和、态度文雅，对于妻子的要求不见得会过分拒绝。他会满足某个可爱的小东西提出的傻乎乎的要求同时又深情地责备她愚蠢而没有节制。但是，斯佳丽现在决心要的东西太不可思议了。

就说这锯木厂吧。他一问这事，斯佳丽就笑眯眯地回答他说，她打算亲自经营这个厂，这让他大吃一惊。"我要亲自经营木材生意。"她就是这么说的。弗兰克一辈子也忘不了他听到这句话时的惊愕。亲自经营木材生意！真让人难以想象。在亚特兰大没有女人经商，实际上弗兰克从来也没听说过哪儿有女人经商。就算现在日子过得艰难，有些女人不得不去挣几个小钱补贴家用，那她们也是做点女人做的活儿——比如像梅里韦瑟太太那样烤饼卖，像艾尔辛太太和芳妮那样画瓷器、缝衣服、收房客，或是像米德太太那样做教师，像邦尼尔太太那样教授音乐罢了。这些太太小姐们都在挣钱，但她们都像一般的女人那样，都是在家里做活儿。但是一个女人如果离开了家庭的保护，冒险混进男人们粗俗的世界，跟男人来往，与男人竞争，就有可能遭到侮辱和议论……更何况斯佳丽的男人完全有能力供养她，她根本没必要这么做。

弗兰克但愿她不过是与他闹着玩，跟他开个玩笑（开这种玩笑的趣味也太成问题了），但是不久他发现，她是认真的。她确实将锯木厂经营起来了。她早上比他起得还早，然后赶车到桃树街，晚上往往要等弗兰克关了店门、回到佩蒂姑妈家吃晚饭的时候才回来。她要赶着车走许多英里才到锯木厂，马车经过的树林里全是新解放的黑奴和北方的痞子，而她身边只有那个一肚子不情愿的彼得大叔权当保镖。弗兰克自己不能陪她去，因为铺子里的事把他的时间都占去了。不过他还是提出了抗议，她听了立刻说："要是我不去好好监视那个叫约翰逊的狡猾家伙，他会把我的木料偷去卖了，将钱揣进自己腰包。只要找到一个可靠的人帮我经营这锯木厂，我就不经常去那儿了。这样我就可以一直在城里待着卖木料了。"

在城里卖木料！那可是再糟也没有的事了！她确实经常抽空到城里来，带着木头到处兜售。每当这时候，弗兰克但愿自己能躲到漆黑的店堂后面，什么人都不见。他的老婆在卖木头呢！

于是人们开始风言风语地议论她。说不定也在议论他呢，说他不该允许她去干这种不该女人干的事。弗兰克在柜台上见到顾客，听到他们说"我刚才看见肯尼迪太太在……"时，便觉得脸没处搁。人人都不厌其烦地来告诉他她在干些什么。大家都在谈论新旅馆建设工地发生的事。说斯佳丽赶车经过那儿，正巧看见汤米·韦尔伯恩在那里向另外一个人买木材，便在一群粗里粗气的爱尔兰泥瓦匠打桩的地方跳下马车，直截了当地对汤米说他差一点就吃亏了。她说她的木料价格便宜，货色又好，还当场立刻心算出一串数字给汤米以证明她的说法，并当场给他提供了一个估计数。她挤进那些粗俗的泥瓦匠中去已经够糟的了，现在竟还在大庭广众间向人显示她会算账，岂不是糟透了！后来汤米觉得斯佳丽报的价钱合适，便订了她的货。但她并没有文文雅雅地马上离开，而是还在那儿不紧不慢地跟那伙爱尔兰工人的工头，一个叫约翰尼·加勒吉尔的心狠手辣的矮汉子聊天。这人在亚特兰大名声很坏，所以这件事在城里一连被议论了好几个星期。

最主要的是她确实从这个锯木厂的经营中赚了钱，但哪个男人会因为老婆干了那么不适合女人干的事并获得了成功而高兴呢？再说，她也没有把赚来的钱或者是一部分钱交给他，放在铺子里用。她把大部分钱都拿到塔拉庄园去了，还定期给威尔·本蒂恩写信，把钱的用途一一交代清楚。这还不算，她还告诉弗兰克，等塔拉庄园的修理完工了，她打算收抵押品放债。

“唉！唉！”弗兰克一想起这件事就不住地叹息。一般女人甚至连抵押放债是怎么回事都不知道。

这些日子里，斯佳丽脑子里充满了各种打算，而在弗兰克看来，她的打算是一个比一个更糟。她本来有一个货栈，被谢尔曼的军队烧了，现在她竟打算在那块地上建一座房子开酒馆。弗兰克本人并不是一个戒酒主义者，但是他强烈反对这个计划。开办酒店不是一个名声好的行当，也很不吉利，几乎跟租房子给人开妓院一样。至于究竟为什么名声不好，他也说不出个所以然来，针对他站不住脚的论点，她只说了一声：“胡扯！”

“开酒店是好生意，以前亨利伯伯说过的，”她对他说，“住酒馆的房客向来是按期交租金的，而且你看，弗兰克，我拿那些卖不出去的劣等木料建酒店很省钱，却可以收很高的租金。有了收来的租金，加上锯木厂的赢利，还有放债收回来的钱，我就可以再置办几个锯木厂了。”

“我的宝贝儿，你不要再买什么锯木厂了！”弗兰克吓得大喊道，“你该做的是把你现在的这个锯木厂也卖掉。它把你的精力都耗尽了。再说你心里也清楚，雇那些自由的黑人干活也真够你麻烦的了——”

“这些自由黑人确实不是东西，”斯佳丽表示同意，但对要她卖掉锯木厂的建议却充耳不闻。“约翰逊先生说，他每天早上去上班时，总是说不准手下的人是不是都到齐了。现在这帮黑家伙根本靠不住。他们才干了一二天，就丢下活儿走了，直到工资花光了才再回来。说不定哪天晚上整班工人会都一齐跑光。我越看越觉得解放奴隶这事儿罪过。简直是毁了那些黑人。成千上万的黑人游手好闲，那些被我们锯木厂雇用的也都是些干活儿懒惰、吊儿郎当、没什么用处的人。如果你为了他们好，骂他们几声——不用说打了——那个解放了的黑人事务局就会像老鹰扑小鸡似的向你扑来。”

“宝贝儿，你可不能让约翰逊先生打他们——”

“当然不能，”她不耐烦地回答，“刚才我不是说过，我要是打他们一下，北方佬就会送我进监狱的。”

“我敢保证，你爸爸从来就没打过黑人一下。”弗兰克说。

“唔，只打过一次。那次他打了一天猎回来，看马的黑人没有替他给那匹马刷洗。不过，弗兰克，那时候情况不同啊。这些新解放的黑鬼是另一码事，用鞭子结结实实地揍他们一顿对他们会大有好处的。”

弗兰克不但对妻子的观点和计划，同时对她结婚以来几个月里的变化都感到惊诧。当初跟她结婚时，她是一个温柔、妩媚而娇滴滴的女人，现在可全然不是了。在他向她求婚的那短暂的日子里，他觉得自己有生以来第一次见一个女人在生活中如此有女性魅力：天真、羞怯、娇弱。现在，她的一切反应全部男性化了。虽然面颊仍然那么红扑扑的，一笑两个酒窝，十分迷人，但是她的谈吐、举止却都像男人了。她说话语气干脆坚决，办事果断，雷厉风行，没有一点女孩子的踌躇局促。她知道自己需要什么，就像一个男人那样以最简捷的方式去追求它，而不像一般女人那样躲躲闪闪，拐弯抹角。

泼辣的女人，弗兰克以前并不是没见过。亚特兰大跟南方其他所有的都市一样，也有一些财主太太没人敢惹。比如那位矮胖的梅里韦瑟太太，就没有人比她更威风；那位纤弱的艾尔辛太太，就没有人比她更专横；还有那位满头银发、说起话来柔声细气的惠丁太太，就没有人比她更精明。但是这些太太陈述自己的主张时，不管用什么手段，总还不失为女性的手段。她们对男人的意见，无论是否照办，总还是尽量装出尊重的样子。凡是男人说过的话，出于礼貌她们表面上还是接受的，这一点是很要紧的。然而，斯佳丽除了自己的主张，谁的话都不听，而且无论做什么事情采用的都是男性的方式，所以引得全城对她议论纷纷。

“而且，”弗兰克苦恼地想，“可能大家也在议论我，说我不该纵容她这样不守女人的本分。"

此外，还有那个姓巴特勒的家伙。他常常到佩蒂姑妈家来登门拜访，这便是莫大的耻辱。弗兰克在战争爆发前曾跟他一起做过生意，甚至从那时候起他就一直讨厌这个人。当初是他把瑞特带到十二棵橡树庄园去并介绍给自己的朋友们的，想到这一点他就常常怨恨自己。他之所以鄙视瑞特，一是因为他在战争期间昧着良心大发战争财，二是因为他逃避服兵役。至于瑞特在邦联军队里当过八个月兵一事，只有斯佳丽一个人知道，他曾经装作害怕的样子恳求斯佳丽，别把这个"耻辱"泄露给任何人。但是最让弗兰克蔑视的是他吞没邦联政府的黄金这件事，因为同样的情况像布洛克海军上将和其他一些人也曾经面临过，但别人都比他诚实，把成千上万的金子都交还给联邦政府的国库了。然而，不管弗兰克喜欢还是不喜欢，瑞特还是经常到佩蒂家来。

他表面上是来看望佩蒂小姐的，佩蒂小姐的头脑本来就简单，以为他真是来看自己的，还对他的来访装腔作势呢。然而，弗兰克觉得吸引他来访的并不是佩蒂小姐，心里觉得不舒服。小韦德见了大多数人都怕生，却偏偏喜欢瑞特，甚至还叫他"瑞特叔叔"，这让弗兰克很恼火。弗兰克禁不住想起战争期间瑞特曾经向斯佳丽献过殷勤，当时大家都议论纷纷。他想，说不定现在对他们的议论会更难听。他的朋友虽然常在他面前公开批评斯佳丽经营锯木厂，但却没人敢对他提起这件事。然而弗兰克已不由得觉察到，请他们夫妇俩去赴宴、跳舞的情况渐渐少了，到他们家来拜访的人也渐渐少了。斯佳丽对邻居们都没好感，又因为一天到晚忙着锯木厂的事，就是几家谈得来的人家，她也没工夫去拜访，所以对近来客人逐渐稀少的情况也并不在意。然而弗兰克却强烈地感觉到了。

支配弗兰克这一辈子的老是这么个想法："邻居们会怎么看呢？"所以对自己妻子干出的常常是不顾礼仪的事所带来的冲击，他没法儿应付。他觉得大家都讨厌斯佳丽，也都瞧不起他，因为他竟然让斯佳丽变得"不像个女人"了。就他看来，她做的许多事，都是做丈夫的所不能允许的。但要是他阻止、跟她争论，或者甚至批评她几句，那一场暴风雨就会劈头盖脸而来。

“唉！唉！”他无可奈何地想道，“她会一下发起疯来，一发就没完，这种女人真少见！”

“唉！唉！”他无可奈何地想，“她会一下子发起疯来，一发就没完，这种女人真少见！”

甚至在日子过得非常顺心的时候，也会出现这种情况。她这个既顽皮又多情、在家里无论走到哪儿都会独自哼着小曲儿的妻子，可以在一瞬间完全变成另一个人，真让人目瞪口呆。他只用说：“哦，宝贝儿，我要是你，我就不——”立刻就会爆发一场风暴。

每当她那双浓眉紧锁在鼻梁上形成一个三角时，弗兰克差不多就会明显地哆嗦起来。她有鞑靼人的脾气，像野猫一样凶猛。她发作时是什么话都说得出来的，全然不管别人是否受得了。每到这个时候，满屋子阴云笼罩，弗兰克就提早到店里去，很晚再回家；佩蒂则像兔子似的急急忙忙躲进自己的房里，图个太平；韦德和彼得大叔则躲进马车棚里；那厨娘就躲在厨房里压低嗓门唱赞美上帝的歌；只有黑妈妈泰然自若，忍受着斯佳丽的脾气。这是因为杰拉尔德·奥哈拉就是这副烈性子，黑妈妈经过多年的磨练早有了这功夫。

其实，斯佳丽并不是存心要发这么大的脾气，她也确实是想给弗兰克做个好妻子，因为她很喜欢弗兰克，打心眼里感激他帮助保全了塔拉庄园。不过他确实也经常以各种不同的方式弄得她忍无可忍，最后终于发作。

她怎么也无法尊重一个任她摆布的男人，每当他跟她或跟别人在一起遇到不愉快的场面时，他表现出来的胆怯、迟疑总令她难以忍受。不过既然她有些金钱问题正在得以解决，她原本可以不计较这些事，甚至还可以高高兴兴的。但许多迹象表明弗兰克自己不是个好生意人，而且还不想让她做个好生意人，这就使她时不时忍不住要发火。

正如她所预料的，直到她拼命催促，他才肯去收那些未付清的账，而且即使去了，也是满怀歉意，很不得力。在她看来，这就足以证明，除非她决心自己去赚钱，否则肯尼迪家就得永远过紧日子。她很清楚，只要那家肮脏的小铺子勉勉强强混得下去，他这辈子也就心满意足了。他好像不明白，他们这点可怜巴巴的资源实在算不上是什么保障，所以在时局动荡的今天，赚钱非常要紧，唯有钱能保证人免受肉体的痛苦。

假若是在战前的太平日子，弗兰克也许是一个会做生意的人，但现在时代变了，什么都变了样，她想道，而弗兰克却还在按老方式办事，还在顽固地墨守成规，真让人受不了。这残酷的新时代所必需的敢作敢为精神他完全没有。而她本人正具备这种气质，所以不管弗兰克喜欢与否，她都要把自己这个特长施展出来。他们需要钱，所以她就去挣钱，而挣钱是很辛苦的事。就她想来，不干扰她的计划这一点弗兰克至少是可以做到的，因为她的计划现在已经渐渐见效了。

由于缺乏经验，经营这个锯木厂对她来说还是很不轻松的，何况现在竞争也比当初激烈多了，因此晚上回家的时候，她总觉得异常疲倦，心里又烦躁又担忧。所以，每当弗兰克带着歉意清清嗓子说“宝贝儿，要是换了我，我就不会这么做，不会那么做”之类的话时，她只有拼命耐住性子不发作，但往往又忍不住。既然他自己没有胆量出去赚钱，那为什么老找她的岔子呢？何况他唠唠叨叨说的那些话又都那么蠢！这年头，她像不像个女人又有什么关系呢？更何况这不适合女人经营的锯木厂在不断赚他们所急需的钱，她和她的家庭，还有塔拉庄园都在等钱用，就是弗兰克自己也在等钱用啊。

弗兰克需要安静地休养。那场他极其认真地参与了的战争，毁坏了他的健康，断送了他的财产，并让他变成了一个老头。然而对这一切，他并不感到遗憾。经过四年的战争，他对生活的要求只剩下和平和仁爱了。他只求周围看到的都是友善的面孔，只求听见的都是朋友们的赞扬。不久，他发现家庭的和平是有代价的，这代价就是不管斯佳丽想做什么，一概都得顺着她。就这样，由于疲惫不堪，他答应了她提出的条件，从而换得了和平。寒冷的黄昏，当他从外边回来，斯佳丽替他开门，嫣然一笑，然后又在他的耳朵上、鼻子上，或是其他不恰当的地方吻一下时；在温暖的被窝里，当他觉得她的头依偎在他的肩头沉睡时，他就觉得这代价是值得的。只要凡事都依着斯佳丽，家庭生活就可以过得很愉快。然而，他所获得的和平是虚无的，徒然有一个和平的外表，因为为了换取这种和平，他已拿婚姻生活应该享受的一切去作了代价。

“一个女人应该把心思都花在自己的家庭和家里人上，不能像男人一样在外边瞎闯，”他想，“如此看来，只要她有一个孩子——”

一想到孩子，他便露出了笑容，从此他便常常想到孩子。而斯佳丽却开诚布公地说她不要孩子，但从另一个方面说，孩子是很少会等着让你去请他们来的呀。弗兰克知道许多女人说不要孩子，那只不过是因为愚蠢和恐惧。如果斯佳丽有了孩子，她准会很喜欢的，并且会跟别的女人一样，心甘情愿地守在家里照顾孩子。到那时候，她就不得不卖掉那锯木厂，于是问题也就解决了。女人必定要有了孩子后才会真正感到快乐，弗兰克明白，斯佳丽并不快乐。尽管他对女人了解甚少，但对斯佳丽的常常觉得不快乐，还不至于看不出来。

有时半夜醒来，会听见枕边有轻轻的啜泣声。当他第一次感觉到床因为斯佳丽的抽泣而微微震动时，曾经惊讶地问：“怎么了，宝贝儿?”而回答他的却是一声情绪激动的怒吼：“哦，别管我!”

不错，有了孩子她就会快乐的，也会使她不再分心去干跟她毫不相干的傻事了。有时弗兰克不胜感慨，自己逮住了一只羽毛鲜艳华丽的热带鸟，而对他来说，只要有一只鹪鹩也就行了。其实，鹪鹩比热带鸟还强多了呢。

37

四月的一天晚上，正下着大雨，汤尼·方丹从琼斯博罗骑马而来，那匹马跑得浑身是汗，都快累死了。他一下马就来敲门，把弗兰克和斯佳丽从睡梦中吵醒，吓得他们心惊肉跳。于是斯佳丽在过去的这四个月里第二次深深感到“重建”这两个字的深刻意味，也对威尔所说的“我们的麻烦才刚刚开头呢”那句话的意思有了更深刻的领会，又对阿希礼那天在塔拉庄园寒风凛冽的果园里对她凄凉地说“我们现在所面临的境况比战争更严峻——比俘虏营更糟糕——比死亡更可怕”领悟得更确切了。

她首次面对“重建”是那次得知乔纳斯·威尔克森可以凭借北方佬的势力把她撵出塔拉庄园的时候。但是，汤尼的到来让她更觉得“重建”这两个字所包含的可怕的含义。汤尼冒着大雨摸黑而来，但没过几分钟，就又摸黑走了，从此一去没回。然而就在这短短的几分钟里，他给她掀开了一重帷幕，向她展示了一片恐怖的新景象，使她绝望地感到这重帷幕是再也不会落下去了。

就在那个风雨交加的夜晚，敲门人匆忙、急促地砰砰敲着门，她紧紧地裹着晨衣，站在楼梯顶朝楼下过道里望着。她刚瞥见汤尼那张黑脸上的愁容，汤尼赶忙探身吹灭了弗兰克手里的蜡烛。她匆匆摸黑走下楼梯，抓住了汤尼冰凉的湿手，只听他压低嗓门说：“后面有人追我——我要到得克萨斯州去——我的马快要死了——我也快饿死了！阿希礼说你们会——别点灯！别把黑人吵醒了……我不愿意连累你们。”

他们把厨房里的百叶窗都拉下，又把窗帘都放下，他这才肯让弗兰克点起一盏灯。接着他便急急忙忙地跟弗兰克谈起话来，这时候斯佳丽四下奔忙着给他弄饭吃。

他没穿大衣，全身都让雨淋得湿透了。他也没戴帽子，乌黑的头发都粘在他那颗小脑袋上。但当他贪婪地灌下斯佳丽递给他的那杯威士忌时，那双一眨一眨的小眼睛里流露出他们方丹家的孩子人人都有的那种兴奋，只是那天夜里他的那种兴奋让人觉得有点毛骨悚然。斯佳丽觉得谢天谢地，因为这会儿佩蒂姑妈正在楼上死死地睡着，鼾声正浓呢。要是让她见到这种阴森森的情景，准会昏过去的。

“那个该死的畜牲，”汤尼一边骂，一边伸出空杯子来还要酒喝，“我一直骑着马拼命地跑，现在如果不赶快离开这儿，怕是要给活剥皮呢，不过这么跑也是值得的。天哪，这样跑是没错的！我打算跑到得克萨斯州躲起来。我跟阿希礼一起在琼斯博罗，是他让我来找你们的。你再替我搞匹马来吧，弗兰克，我还要一点钱。我的马快死了——一路拼命地跑，没歇过气呢——而且我也昏了头，既没穿大衣，也没戴帽子，两手空空地跑出家门。不过我们家其实也没什么钱。”

他笑了起来，馋馋地吃着一盆涂着厚厚一层白花花奶油的冷玉米饼和冷大头菜叶。

“你把我的马骑去好了，”弗兰克平静地说，“我身边现在只有十块钱，但明天早上——”

“着急上火的，我等不了，”汤尼加重语气说，但仍显得很高兴，“他们说不定就在后面跟着呢。我动身的时候走得很匆忙。当时要不是阿希礼把我从房里拉出来，催促我快上马，我肯定还傻傻地待在那里，这会儿恐怕颈梗都已经直了。阿希礼真是好哥们。”

这么说阿希礼跟这可怕的纠葛有牵连。斯佳丽双手压住了喉咙，浑身冰凉。阿希礼这会儿已经落到了北方佬手中了吗？哎哟，弗兰克为什么不把事情问个明白？为什么他的反应这么冷淡，好像这事是理所当然的似的？她耸了耸肩，想开口问问。

“为什么——”她开口说，“是谁——”

“就是你父亲以前的那个监工——那个该死的——乔纳斯·威尔克森。”

“你把——他死了？”

“哎呀，斯佳丽，我的天，”汤尼老大不高兴地说，“我一旦动手砍了人，你以为我只拿刀背刮刮他就行了不成？不，老天，我把他剁成了肉泥。”

“好，”弗兰克毫不在意地说，“我一直就讨厌那家伙。”

斯佳丽看了看他。这可不是那个柔和温顺的弗兰克——不是那个她熟悉的、总是神经质地捋胡须、可以随便让人欺侮的弗兰克。他现在的神情非常干脆，非常冷静。面对这种紧急情况，他一句废话也没说。他是个男子汉，汤尼也是个男子汉，而对付现在这种严酷局面是男人的事，没女人的份儿。

“可阿希礼——他也——”

“不。他想杀死他，可是我告诉他，这是我的权利，因为萨丽是我的弟媳，最后他总算想通了。他陪我一块儿去了琼斯博罗，因为他担心我会输给威尔克森。不过我看阿希礼不会牵连到这件事里去的。我希望这样。给这块玉米饼涂一点果酱吧。再给我包上点吃的好吗？”

“你把情况全给我说了吧，要不我可要尖叫了。”

“别忙，等我走了后你想怎么叫就怎么叫吧。趁弗兰克备马，我就给你说说吧。威尔克森这狗杂种干的坏事够多的了。你那税款就是他搞的鬼，这你是清楚的。这仅仅是他干的卑鄙勾当中的一件。最可恶的是他一直在挑唆黑人。我要是早点知道我这辈子早晚会把黑人恨之入骨就好了！这帮黑鬼真是不得好死，他们对那些流氓恶棍的话句句都信，把我们对他们的好忘得干干净净。现在北方佬在商量什么让黑人参加选举，反而不让我们参加选举。你看，凡是在邦联军队里服过役的人都被剥夺了选举权，全县只有极少的民主党人没有被剥夺选举权。假如黑人都有了选举权，那我们就完了。该死的，这是我们的国家！不是他们北方佬的国家！天哪，斯佳丽，我们已忍无可忍了！我再也忍受不了了！我们一定得采取行动，哪怕是再打一场战争。用不了多久，我们这里就会有黑人法官、黑人议员了——这帮从密林里来的黑皮猴——”

“请——快点告诉我！你们干了些什么？”

“这块玉米饼请慢点儿包，让我再吃一口。哦，当时到处都在传说威尔克森的什么黑人平等的玩意儿搞得越来越不像话了。呀，对了，他按时给那些愚蠢的黑人谈这些玩意儿。他竟胆大包天说什么——说什么——”汤尼不由得吞吞吐吐起来，“说黑人有权跟白种女人——”

“哦，汤尼，真有这事？”

“哎呀，真的！难怪你听了反感。不过，情况很紧急，斯佳丽，这对你也不是什么新闻。他们在亚特兰大也一直在宣传呢。”

“我——我不知道。”

“嗯，弗兰克可能还瞒着你。不管怎么样，从那以后我们都想到要在夜里偷偷去拜访这位威尔克森先生，以便好好照管他一下，可是我们还没能——你记不记得从前在我们家做工头的那个叫尤斯蒂斯的黑鬼？”

“当然。”

“就是这个尤斯蒂斯，今天跑到了我家厨房门口，当时萨丽正在厨房里做饭——我不知道他跟她都说了些什么。现在看来我是永远也不会知道了。不过，他确实说了些什么，接着我听到萨丽叫了起来，我连忙赶到厨房，看见那家伙喝得烂醉，像条野狗——对不起，我不小心说漏了嘴！”

“接着说！”

“我开枪杀了他，母亲赶来照料萨丽的时候，我就跳上马赶到琼斯博罗去找威尔克森了。这事儿应该由他负责。要不是他，那该死的黑人傻瓜是决不会想到这种事的。经过塔拉庄园时，我碰到了阿希礼，他一听说这事儿，当然就陪我一起去了。他说这件事让他去干，因为威尔克森对塔拉庄园所干的一切已让他忍无可忍，但是我说，不，这是我的事，因为萨丽是我已故兄弟的妻子。他还是跟我一起去了，一路上我俩还争论不休。等我们到了，天哪，斯佳丽，你猜怎么着，我竟连手枪都忘带了。我把枪放在了马厩里。我气昏了头，竟然忘了——”

他停了一下，咬了一口那硬邦邦的玉米饼，斯佳丽却在那里瑟瑟地抖着。方丹家的人一发起火来就杀气腾腾，这在县里的历史上是早已闻名了的。

“所以我就不得不用刀子去对付他了。我在酒吧里找到了他。他在一个角落里坐着，我一把抓住了他，阿希礼在一旁替我挡住其他人。我先跟他说清了道理，然后将刀捅进了他的身子。哎，我还没有感觉到，事情就完结了，”汤尼若有所思地说，“我记得的第一件事就是阿希礼将我推上了马，并叫我到这里来找你们。在紧要关头阿希礼是好样的。他头脑清醒，遇事不乱。”

弗兰克走了进来，他肩膀上挂着件大衣，他把它交给了汤尼。这是他仅有的一件厚大衣，但是斯佳丽并没有反对。这件事情她好像完全站在局外，因为这纯属男人的事。

“可是汤尼——你们家可少不了你。真的，如果你回去解释一下——”

“弗兰克，你娶了一个傻瓜老婆吧，”汤尼一边咧着嘴笑，一边使劲地穿大衣。“她还以为一个男人替女人挡住黑人的侮辱会得到北方佬的奖赏呢！是啊，有奖赏，那就是军事法庭和绞索。亲我一下吧，斯佳丽。弗兰克不会介意的，或许你永远见不着我了。得克萨斯州离这里可远着呢。我不敢写信，所以请你们告诉我的家人，说我到过这儿，一路平安。”

她让他亲了一下，于是两个男人便走进了倾盆大雨中，并站在后门廊里又谈了一会儿。过了一会儿，她突然听见一阵马踏积水的声音，汤尼走了。她将门打开一条缝，看见弗兰克正将一匹喘着大气的跛马牵进车马房。她重新关上门，两腿发抖地坐了下来。

现在她明白了“重建”两字的意义，也明白自己的屋子仿佛是被腰里围着遮布、裸露着身子的野蛮人包围着。这时，许许多多她近来不太在意的事一起涌进了脑海：她记起曾经偶尔听到的谈话；记起有时男人们在聊天，她一进屋他们便一下子都不做声了；记起一些当时她觉得无足轻重的琐事；还记起弗兰克徒然对她提出的多次警告，不许她赶车去锯木厂，因为旁边只有弱不禁风的彼得大叔在保护她。现在这一切串起来，成了一副令人毛骨悚然的画面。

那些黑人得势了，背后有北军的刺刀在为他们撑腰。她会被他们杀了，会被他们奸污，而且很可能事情会不了了之，拿他们没办法。谁敢替她复仇，就会被北方佬绞死，甚至不用经过法官和陪审团的审讯。北军军官对法律一窍不通，他们也不问案情的实际情况，便装模作样开庭审判，把绞索套进南方人的脖子。

“我们有什么办法呢？”她怀着无可奈何的恐惧，痛苦地拧着双手想，“像汤尼这样的好小伙子，为了保护自家的女人不受侮辱，把一个黑醉鬼和一个流氓成性的叛贼杀了，而我们除了眼睁睁看着这些魔鬼仅仅为了这事就要把他给绞死，又有什么办法呢？”

“我们已忍无可忍了！”汤尼这么喊过，他是对的。我们是忍无可忍了。但是，处于现在这种无可奈何境地的大家，除了忍受又有什么办法呢？她不由得发起抖来。她平生头一次看到有些人和事是不容她过问的，看到她斯佳丽·奥哈拉受尽惊吓、无可奈何，却无关紧要。在南方各地有成千上万她这样的女人，受尽了惊吓，却无可奈何。但是，还有成千上万的男人，尽管他们在阿波马托克斯放下了武器，但现在重又拿起了武器，时刻准备着，一旦需要就立刻不惜生命去保护妇女。

汤尼脸上出现的某种神情同样也在弗兰克的脸上显现出来，近来她在亚特兰大其他男人脸上也看到这种神情，但她只是注意到而没费心去分析。这种神情，跟她曾经见到过的投降后从战场归来的男人们脸上那种疲惫、绝望的神情有天壤之别。那些男人除了想回家之外什么都不关心。现在他们又在关心一些事情，麻木的神经又开始恢复生机了，传统的精神又开始燃起了火焰。他们怀着冷酷的痛楚关心着周围的一切。他们像汤尼一样，心里在想：“我们忍无可忍了！”

她目睹了一些南方的男人战前说话细声细语，颇为迷人，可是在战争后期那些绝望的日子里都变得无所顾忌、冷酷无情。然而，刚才在这两个隔着烛光相互注视的男人脸上，有某种非同寻常的东西，这东西既让她感到鼓舞，又让她觉得害怕——那是一种难以用语言形容的怒火，一种无法阻挡的决心。

她头一次觉得跟周围的人有一种亲密感，觉得自己是他们中的一员，跟他们一起忧虑，一起痛苦，一起决断。对，他们是忍无可忍了！怎么能不经一番斗争就放弃南方这片美丽的土地呢？南方太让人爱恋了，怎么忍心看到它任凭北方佬的蹂躏呢？这些北方佬对南方人恨之入骨，巴不得把他们碾成碎末。南方这块乡土太珍贵了，怎么能把它交给沉醉于威士忌和解放之中的那些无知的黑人呢？

想到汤尼的突然到来和匆匆离去，她便感到自己跟他非常亲切，因为她回想起当年父亲离开爱尔兰的往事——那也是在夜晚，也是匆匆出走，也是发生在杀人之后，虽然这对他本人或对他的家人来说不能算谋杀。她个性中有杰拉尔德的性格——烈性子。她回想起自己开枪打死那个正在抢劫的北军时欣喜若狂的心情。他们大家身上都有这种烈性子，这种性子就隐藏在他们和蔼有礼的外表下，一触即发。他们所有人，她认识的所有男人，都是这样的，连睡眼惺忪的阿希礼和一向为琐事焦躁不安的老弗兰克，也都隐藏着这种性格——一旦需要，这种性子可以变得极为激烈而杀气腾腾。甚至包括瑞特，尽管他是个丧尽天良的流氓，也因为一个黑人"欺侮一位上等女人"而把他杀了。

弗兰克浑身湿淋淋地咳嗽着走进屋子时，她腾地站起来。

"哎，弗兰克，这种日子究竟还要过多久啊？"

"只要北方佬还恨我们，我们就要过这种日子，宝贝儿。"

"难道谁都没办法了吗？"

弗兰克用一只疲倦的手抹了一下湿淋淋的胡子。"我们正在想办法呢。"

"什么办法啊？"

"现在何必谈它？等我们干出点成绩来了再谈也不迟。可能要等好多年。也许——也许我们南方永远就这样了。"

"哦，那可不行。"

"宝贝儿，睡去吧。你一定是冻着了。你在发抖呢。"

"这一切究竟要到何时才能结束呢？"

"要到我们大家都重新有选举权的时候，宝贝儿。要到每个为南方战斗过的人都能为一个南方人或一个民主党人投一张选票的时候。”

“选票？”她绝望地喊道，“当那些黑人都丧失了理智——当北方佬毒害了他们的心灵，让他们都来跟我们作对的时候，选票又有什么用呢？”

弗兰克继续耐心地解释给她听，但是选票可以医治困难的观念实在太复杂，她没法领会。她愉快地想道，乔纳斯·威尔克森再也不会对塔拉庄园造成威胁了，她在想念汤尼。

“哦，他们方丹家真可怜！”她喊道。“只剩下亚力克了，他们含羞草庄园的事又那么多。汤尼为什么会这么糊涂——为什么不等到夜里没人看见时动手啊？明年春天，能看到他帮家里犁地不是比看到他在得克萨斯更让人高兴吗？”

弗兰克伸出一只臂膀，搂住她。平时，他搂她的时候总是怯生生的，好像预感到她会不耐烦地甩开他，但是今天晚上，他的眼睛里却流露出一种深沉的神情，他有力地搂住了她的腰。

“现在有很多事情都比犁地更要紧，宝贝儿。给黑人一点颜色看看，教训教训那些叛贼便是其中之一。只要还有像汤尼那样的好小伙儿，我看我们就可以不必太为南方的前途担心了。好，我们睡去吧。”

“可，弗兰克——”

“只要我们团结在一起，对北方佬寸步不让，总有一天会取得胜利的。你可爱的小脑袋就别担忧这种事情了，宝贝儿。这些事让我们男人去操心吧。也许我们这一代人看不到这一天了，但将来它终究会到来的。等北方佬发现他们连削弱我们都办不到时，他们就会疲惫不堪，不想再跟我们纠缠不清了。到那时候，我们就可以居住在一个像样的世界了，可以养育我们的儿女了。”

斯佳丽想到了韦德，还想到一个搁在心里已好几天的秘密。不，这个世界上只有憎恨和不安，只有痛苦和潜在的一触即发的暴力，只有贫穷、磨难和不安全感，她不愿意让自己的孩子在这样一个一团糟的世界里成长。她决不能让自己的孩子知道这一切。她要一个安全而有秩序的世界。在这个世界上她可以朝前看，并且知道前面有一个安全的前景；在这个世界上，她的孩子只知道温柔和热情，只知道精美的衣裳和丰盛的食物。

弗兰克觉得这样的世界可以通过选举来实现。选举？这跟选举有什么关系？有教养的南方人是再也不会有选举权了。要想防止命运可能带来的灾难，这世界上只有一件东西是可靠的——那就是金钱。她兴奋地想，他们必须有钱，而且必须得有很多钱，才能防止灾难降临。

突然，她告诉他，她怀孕了。

汤尼逃跑后的几个星期里，佩蒂姑妈家多次遭到一批批北军士兵的搜查。他们随时都会闯进房屋里，事先没有一点警告。他们涌进所有房间，不时盘问，把壁橱一只只打开，戳戳碍手碍脚的衣服，还朝床下张望。军事当局已听到风声，说有人让汤尼逃到佩蒂小姐家去，所以他们认为他一定还藏在那里，或者在附近什么地方。

结果，佩蒂姑妈因为时时刻刻担心会有军官带着一队士兵闯进来，竟害起了彼得大叔称之为“神经紧张”的慢性病。弗兰克和斯佳丽都没有向她提起汤尼来待过一小会儿这件事，所以即使这位老太太想泄露点什么，也实在没有什么可泄露的。她情绪紧张地表白说，她这一辈子只见过汤尼一回，那还是1862年圣诞节的时候。她说的绝对是实话。

“而且，”为了表示主动配合，她会气喘吁吁地对北军士兵补充说，“那会儿他正醉成一摊泥！”

斯佳丽因为是在妊娠初期，身体不适，心情也不好，所以对那些穿着蓝制服闯进她的私室、见了喜欢的小摆设就拿走的北军，一方面觉得非常可恨，另一方面因为怕汤尼的事会连累大家，十分担忧。现在，监狱里已关满了人，都是因为比这更加微不足道的原因而被抓进去的。她知道只要被他们抓住一点儿证据，不但她和弗兰克，而且连清白无辜的佩蒂都会给关进牢里去的。

近来，华盛顿那边正掀起一场“没收逆产”以偿还合众国战争债务的运动，这使斯佳丽一直痛苦不堪、忧心忡忡。再加上现在亚特兰大又盛传说凡是触犯军法的，财产都要被没收，所以斯佳丽更加忐忑不安，生怕她和弗兰克不但要失去自由，而且连房子、店铺、锯木厂都要断送掉。即使他们的财产不被军事当局侵占，要是她和弗兰克进了监狱，又有谁来替他们照料生意呢？那不等于断送掉了吗？

她怨恨汤尼给他们带来这些麻烦。他怎么能对自己的朋友干出这事来呢？阿希礼又怎么能把汤尼往他们这儿送呢？以后如果再有人找她帮忙，只要会引得北军像黄蜂似的向她涌来，她是决不会再管了。是的，无论谁来找她帮忙，她准会让他吃闭门羹的。不过，当然，阿希礼例外。汤尼短暂来访后的几个星期里，她经常因外面街上的各种声响而从不安的睡梦中惊醒，担心阿希礼可能也正在受到追捕，也要从这里逃往得克萨斯州，因为他们曾帮汤尼这么干过。她不知道他目前的情况，因为他们不敢写信到塔拉庄园把汤尼那天夜里来过的事告诉他们。他们的信也许会被北方佬截获，这样连那座庄园也要遭殃了。但是，几个星期过去了，他们没有听到什么进一步的坏消息，于是他们知道阿希礼可能没事了。后来，北方佬终于不再来骚扰他们了。

但是，甚至这一令人宽慰的情况也没能让斯佳丽摆脱恐惧。这种恐惧始于汤尼来敲门的那一刻，它比围城时呼啸的枪林弹雨更让人心惊胆战，甚至比战争末期谢尔曼的军队更让人毛骨悚然。那个狂风暴雨之夜中汤尼的到来，仿佛把她眼睛前一副仁慈的眼罩扯掉了，迫使她真实地看清了自己不稳定的生活前景。

1866年寒冷的春天来临了，她环顾四周便明白了自己的处境，也意识到了整个南方所面临的形势。她可以为生活操尽心，也可以比以前的奴隶更努力地干活，她可以设法克服一切困难，还可以凭借自己的毅力去解决她平生从没遇到过的问题。但是，尽管她历尽了千辛万苦，尽管她作出了很大的牺牲，尽管她足智多谋，但她那付出巨大代价得到的初步一点点成果，任何时候都是可以被夺走的。一旦发生这样的事，她既没有法律上的权利，也得不到法律上的补救，有的只是汤尼咬牙切齿地提起过的那种临时法庭，以及那种为所欲为的军事法庭。现在，只有黑人才有控告权和索赔权。北方佬已经使南方屈服了，他们想让它永远屈服下去。南方好像被巨人的毒手颠覆了，从前曾经统治过南方的人，现在比他们以前的奴隶还要无依无靠。

佐治亚州到处都驻扎着北军的重兵，亚特兰大驻军的数目更大。各个城市驻军的指挥官权力都极大，甚至操有对老百姓的生杀大权，而且他们也在使用这种权利。他们可以凭借任何理由或者无缘无故地监禁市民，剥夺他们的财产，并绞死他们，他们的确是在这么干着。北方佬就营业方法、佣人工资的支付、公众和私下场合的言论、报刊上的文章，制定了种种自相矛盾的章程，并以此来折磨和迫害老百姓。他们还规定了倒垃圾的时间、地点和方式，规定了以前邦联政府里的人的妻女什么歌可以唱，所以假如有人胆敢唱《狄克西》或《美丽的蓝旗》之类的歌，罪名只会比叛逆轻一点儿。他们还规定，市民必须先宣誓效忠然后才能到邮局去取信；在某些情况下，他们甚至规定了新婚夫妇必须先发一些可恨的誓才能领到结婚许可证。

报纸的嘴也都被封住了，凡是涉及抗议军事当局残暴和腐败的舆论，一律禁止刊登。胆敢提出反对意见的，则用判刑监禁加以压制。监狱里关满了有声望的市民，而且关在那里的人都没有早日得到审讯的希望。陪审制度和人身保护法实际上都被废止了。民事法庭虽然仍在勉强受理案子，但是完全受军人的支配。军人可以干涉法庭的判决，所以市民若不幸被逮捕，性命实际上就掌握在军事当局手里了。被捕的人确实很多。只要稍有一点煽动反政府的嫌疑，或被怀疑与三K党有关系，或者有黑人控告某个白人对他无礼，就足以把他送进监狱。不需要人证和物证，只要有人控告就行了。而且有解放了的黑人事务局在那里怂恿，还怕找不到控告的黑人吗？

现在黑人还没有获得选举权，但是北方已经决定他们应该有选举权，同时还决定他们在选举中应该对北方表示友好。黑人知道这些情况后，认为没有什么是他们不该享有的了。黑人无论爱干什么，总有北军作后盾，而白人敢说黑人一句坏话，就非倒霉不可。

从前的奴隶现在都成了天之骄子。由于有北方佬撑腰，那些最卑贱、最愚昧的分子现在都出人头地了。他们中较体面的阶层根本瞧不起这种自由，他们和白人主人一样都在吃着苦。成千名家仆，当初他们属于奴隶中最高级的，现在仍然留在旧主人家中，干着过去比他们低下的人干的体力活。还有许多忠心耿耿的农奴，也不愿享受这种新自由，但是在一群群闹得最凶的“解放了的黑人渣滓”中，大部分是农奴出身。

在以前的农奴制时代，在家里和院子里干活的黑奴是瞧不起这些下等黑奴的。就像母亲那样，南方其他庄园的女主人也是先让一帮黑崽子接受一番训练，经过筛选，挑出其中最好的，让他们担任比较负责的职位。那些被派到田里去干活的，都是些最不想学、也最没能力学，同时也是最没干劲、最不诚实、最不可靠、最恶毒、最野蛮的黑奴。而如今把南方闹得民不聊生的就是这个黑人社会中最低微的阶层。

这些以前干农活的黑人，因为得到解放了的黑人事务局那些无法无天的冒险家的帮助，又受到北方人对南方人宗教狂热般的憎恨的鼓动，摇身一变，都身居要职了。他们智力低下，在那些职位上的所作所为，自然就可想而知了。就像把一群猴子或小孩放在许多珍贵的东西中间，这些东西的价值是他们无法理会的，于是他们就无法无天起来了——这也许是因为他们对破坏有一种变态的乐趣，也许只是因为他们的愚昧无知。

不过这些黑人，包括那些最愚昧的在内，也还有值得称道的地方，那就是他们中间真正怀有恶意的只是极少数人，而这极少数人即便是当奴隶时通常也是“下贱的黑鬼”。但是就整个阶层而言，他们的思想都像儿童那么幼稚，容易受人指挥，还因为很久以来养成的习性，惯于听从命令。以前，向他们发号施令的是他们的白人主人。现在，他们换了一批新主人，即解放了的黑人事务局和提包客，而他们发布的命令是：“你们与白人是同样的人，所以你们就照白人的样子去干吧。等到你们可以替共和党投票的时候，你们就可以得到白人的财产了。现在白人的财产也等于是你们的。如果能拿到手，你们就尽管拿好了！”

因为受这些谎言的迷惑，自由成了永远没有终结的愉快经历——天天吃吃喝喝、游手好闲、偷鸡摸狗、神气活现，就像在过狂欢节一样。乡下的黑人都涌进城来，农村都没人种庄稼了。亚特兰大挤满了黑人，但是仍有成百上千的人在涌进来，都是些新论调教育出来的懒惰而危险的分子。在城里由于都挤在肮脏不堪的小屋里，以致他们中流行着天花、伤寒、肺痨。从前做奴隶的时候，他们习惯于一生病就受女主人的照料，现在根本不懂怎么护理自己和其他病人。过去，他们依赖主人照看他们的老人和孩子，现在对于那些不能自主的人他们没有一点责任感。至于解放了的黑人事务局里的那些人，只对政治感兴趣，顾不上向他们提供以前庄园主给的那种照顾。

那些被遗弃的黑人孩子，像发了疯的动物一样满城乱跑，直到好心的白人把他们带回到自己的厨房里去养活。许多从乡下出来的老年黑人，都被自己的小辈给抛弃了，他们待在这个喧闹的城市里，丧魂落魄，惊慌失措。他们坐在街檐的石头上，向过路的上等女人哀求："太太，行行好吧，替我写个信给费耶特县我的老主人，说我在这儿。他会来把我这个黑老头儿领回去的。哎哟，天呀，这自由我受够了！"

解放了的黑人事务局见涌进城里来的黑人已多得成了灾，才意识到自己过去的政策有误，便设法将他们送回到他们过去的旧主人那儿去。他们告诉那些黑人，说如果他们愿意回去，那是以自由工人的身份回去的，有书面文契保护他们，工资也有明确规定。于是那些年老的黑人都高高兴兴地回去了，这就加重了那些贫困不堪的庄园主的负担，然而他们却不忍心把他们赶出门去。至于那些年轻黑人，便都留在了亚特兰大。他们是不愿干什么活儿的，哪儿都不愿去。他们现在肚子吃得饱饱的，干吗要去干活呀？

现如今，黑人可以喝威士忌了，而且想喝多少就有多少，这对他们来说是从来都没有过的事。过去，他们从没尝到过这东西，除非是在圣诞节，每人也只能像得到其他圣诞礼物一样尝到"一滴"。现在，不但有解放了的黑人事务局和提包客怂恿他们，而且威士忌也给他们火上浇油，所以他们必然会到处横行不法。人们的生命和财产也都得不到保障。白人因为得不到法律的保护，都惊恐万状。男人们在街道上会受到喝醉了的黑人的侮辱；住宅和仓库会在夜里失火；大白天，马匹、牲口、家禽也会被偷去。各种犯罪层出不穷，而作恶的人却很少受到法律的制裁。

但是，比起白种女人所遭受的灾难，这些侮辱和威胁都算不上什么，因为战争剥夺了现在多数女人应有的男性保护，加上她们都住在边缘地区和荒僻的路边。正是这种针对白种女人的大量暴行，加上对自己妻女安全无时无刻的担心，激起了南方男子的满腔怒火，导致三K党在一夜之间突然诞生。北方报纸大声疾呼要镇压这个夜间活动的组织，然而却从没意识到导致它必然产生的悲剧性原因。北方当局看到趁现在正常法律程序和社会秩序一概被入侵者们推翻之际，三K党人大胆地把惩治罪犯之权抓到了自己手中，所以要搜捕所有的三K党人，并绞死他们。

于是出现了触目惊心的一幕：半个国家企图在刺刀的威逼下将黑人统治强加于另半个国家，而这些黑人多数离开非洲丛林还不满一代人光景呢。必须给他们选举权，而他们过去的主人大多数却被剥夺了选举权。必须征服南方，而剥夺白人的选举权就是征服南方的手段之一。大多数从前在邦联军队服过役的、在邦联政府里做过官的，或者帮助和慰劳过邦联军队的，现在都不许参加选举，也不准选择自己的公仆，他们必须完全受外来统治的控制。也有许多人清楚地回忆起李将军的讲话并以他为榜样，愿意向北方政府宣誓，重新成为公民，然后忘记过去的一切。然而，他们却不被允许，而其他被准予宣誓的却坚决拒绝宣誓，因为对一个存心要他们屈服于残暴与羞辱之下的政府，他们不屑去宣誓效忠。

"假如他们的行为还像个样子，投降后我早就宣那该死的誓了。我可以在合众国里重新做一个公民，可是上天可以作证，要把我改造得对他们俯首帖耳那可办不到！"斯佳丽已经听到许多人说过这样的话，如果再有人对她说她会厌烦地尖叫起来的。

在这些令人焦虑的日子里，斯佳丽是日夜都处在提心吊胆中。那些无法无天的黑人和北军士兵，在她头脑里无时无刻不在威胁着她，而财产会被没收的危险也时时让她担忧，甚至连做梦也在想。同时，她还担心会发生更可怕的事情。想到自己和亲友，想到整个南方都处于绝望无援的境地，她非常沮丧，难怪她在这段日子里常常想起汤尼·方丹那句情绪激动的话：

“哎，斯佳丽，我们已忍无可忍了！我们再也忍受不了了！”

尽管经历了战争、大火和“重建”，亚特兰大又重新变成了一个兴旺的城市。在许多方面，这儿都很像邦联政府初期那个繁忙而生机勃勃的城市。唯一让人觉得不舒服的是，那些拥挤在街头的士兵的军服换了，钱财也已经掌握在另一批人手中，黑人们都过着游手好闲的日子，而他们从前的主人反而在挣扎、挨饿。

从表面上看，这是座繁荣的都市，喧嚣和繁忙已在一片废墟上重新建造起来，而藏在表面下的是痛苦和担忧。无论亚特兰大处于什么样的局面，一直都会是个繁忙的地方。像萨凡纳、查尔斯顿、奥古斯塔、里士满和新奥尔良这些城市，就从来没有繁忙过。繁忙是那种缺乏教养、北方化的现象。而在这个时期，亚特兰大是空前绝后地缺乏教养和北方化的。“外来人”从各地不断蜂拥而至，街上从早到晚都吵吵嚷嚷，令人窒息。北方军官的太太们和暴发起来的提包客都坐着雪亮的马车，在街上把泥水溅到本地人的破旧马车上，而有钱的外乡人建的华丽而俗气的新房子，则在原有市民庄严而稳重的住宅中拥挤着。

战争确立了亚特兰大在南方的重要地位，这个向来毫无名气的城市现在是闻名遐迩了。那条铁路——当年谢尔曼曾以牺牲几千士兵为代价为之战斗了整个夏天——曾经给这座城市带来生机，现在又在激发这种生机。亚特兰大又重新成为一个辽阔地区的活动中心，就像从来没有被毁灭过一样，同时这座城市正在接受潮水般涌来的新市民，其中有受欢迎的，也有不受欢迎的。

那些入侵的提包客，将亚特兰大变成了他们的大本营，他们在街上跟那些也是刚移居到这个城市的南方旧族的代表人物推推搡搡。当年谢尔曼的军队进军过来时，他们在乡间的旧宅故居都被烧掉了，同时由于没有了奴隶帮他们种棉花，他们在乡间无法生活，便都跑到亚特兰大来了。每天都有从田纳西和南、北卡罗来纳来的新迁居者，因为在那几个州里，“重建”手段甚至比佐治亚州还厉害。还有不少爱尔兰人和德国人，当初受重金雇佣在北军服役，遣散后也都在亚特兰大城里住了下来。还有那些北方驻军的家眷，经过了四年战争，对南方充满了好奇，有很多人也到这儿来了，使这座城市的人口更加膨胀。各种各样的冒险家也都蜂拥而至，寻找发财的机会。乡下的黑人，仍然成百上千地在往这儿来。

这是座喧闹声不绝于耳的城市——就像边远地区的乡村一样门户洞开，丝毫不掩饰它的种种堕落和罪恶。酒馆整夜开着，而且一个街区就有两三家，入夜后街上就到处是醉汉，有黑人，也有白人，他们跌跌撞撞，从墙壁撞到街沿，又从街沿撞到墙壁。歹徒、扒手、娼妓在没有灯火的小巷里以及阴暗的街道上鬼鬼祟祟地活动着。赌场里闹哄哄一片，几乎夜夜都有械斗和开枪杀人的事件。亚特兰大还有一个又大又兴旺的红灯区，规模比战争期间更大也更兴旺了，这使得正派的市民十分反感。刺耳的钢琴声在低垂的窗帘后通宵达旦地回响着，喧闹的歌声和笑声不断从屋内飘出来，时而夹杂着尖叫声和枪声。现在在这些院子里居住的人比战争时期的娼妓更大胆，竟不要脸地从窗口探出身子，向过路的行人打招呼。到了星期天下午，这个街区的老鸨们驾着绣帘低垂的漂亮马车，辚辚地驶过大街，马车里塞满了穿戴得花枝招展的姑娘，她们不时把头从帘幕后面探出来，呼吸一下新鲜空气。

贝尔·沃特林就是这些老鸨中名气最大的一个。她又独立开了一家新妓院，那是一栋二层楼的高大房屋，使这附近的一些房子显得破破烂烂的像兔子窝。楼下是一间长形的酒吧，吧中挂着许多优雅的油画，一支黑人乐队每夜都在那里演奏。据说楼上都是极华丽的罩着长毛绒的家具，厚实的镂空花帘幕和从国外进口的镶镀金边框的镜子。这些都是为十来个年轻的姑娘布置的，她们浓妆艳抹后，个个都花枝招展，举止也比其他妓院里的姑娘要文雅些。至少，在贝尔的院子里很少用得着叫警察。

这家妓院，已成为亚特兰大主妇们悄悄议论的话题，牧师们讲道时也言辞谨慎地指责它是罪恶的渊源，它成了让人唾弃和谴责的地方。大家都知道像贝尔这样的女人决没有这么多钱独自开办这么豪华的妓院。她肯定有个靠山，而且这个靠山一定是个富翁。瑞特·巴特勒向来不隐瞒自己与她的关系，所以大家都明白，除了他之外，她的靠山不会有第二个人。贝尔坐在她那辆由一个举止粗鲁、神情怯懦的黑人驾着的马车外出时，人们偶尔从低垂的窗帘缝里瞥见她那阔绰相。她坐在精致的马车座上驶过的时候，沿路的小男孩都设法从各自母亲身边逃出来，边跑边朝她张望，一边还兴奋地悄声说："是她！是老贝尔！我看见她的红头发了！"

提包客和战时投机商们的豪华住宅正在兴建，这些建筑有复斜屋顶，有山墙，有塔楼，有镶着五彩玻璃的窗子，还有宽阔的草坪，把那些弹痕累累、用旧木头和被烟火熏黑的砖头支撑的房子都挤到边上去了。每天晚上，这些新楼的窗口都灯火辉煌，从里面随风飘出音乐和舞蹈的声音。女人们穿着色彩鲜艳、烫得笔挺的绸缎衣服，在长长的走廊上散着步，身边有穿着夜礼服的男子护卫着。香槟酒瓶的木塞子被扑扑地打开，铺着抽花台布的桌子上摆放着七道菜的晚餐。醉火腿、鸭肉冻、鹅肝酱，还有各季的珍鲜水果，摆满了餐桌。

在那些破旧的老房子里，却住着贫穷和饥饿的人——由于那些人文质彬彬而无所畏惧，所以显得更加沉痛。又因为他们表面上要装出一副漠视物质需要的傲态，所以日子更加难熬。不少人被赶出大厦，住进了膳宿公寓，又从膳宿公寓被迫搬迁到冷街僻巷的龌龊小屋。这种不愉快的故事，米德大夫可以讲出很多。他有许多女病人，都患着"心脏衰弱症"和"憔悴病"。他明白，而且她们也知道他明白，这病实际上就是慢性饥饿症。他可以说出肺痨传染全家的事，也可以告诉你从前只有穷苦的白人才会患的癫痫病如今出现在亚特兰大最有名望的家庭里。刚出生的婴儿两条细腿患了佝偻病，而他们的母亲却没有奶喂他们。以前，这位老大夫每接生一个婴儿都会诚心诚意地感谢上帝。而现在，他觉得生命并非是什么恩惠了。这是一个让婴儿吃苦的世界，许多孩子活不了几个月便死了。

那些豪华阔气的大房子里，灯火辉煌，觥筹交错，人们身着绫罗绸缎，随着小提琴奏出的乐曲翩翩起舞。而就在附近的街角上，另一些人正在受冻、挨饿。一方面是征服者的专横跋扈和冷酷无情，另一方面是被征服者忍受的痛苦和满腔的仇恨！

38

这种种情景，斯佳丽都是亲眼看见的。她白天就生活在其中，晚上在床上又把它们带到睡梦中，一直处于不知可能会发生什么事的担心中。她知道因为汤尼的事，她本人和弗兰克的名字都已经上了北方佬的黑名单，随时都会大祸临头。特别是在这个时候，要是前功尽弃，那她可受不了，因为孩子就要生了，那个锯木厂也才开始赢利，而塔拉庄园在明年秋天棉花收上来以前还得靠她的钱去维持。哦，假如一切都没了，那怎么行呢？假如一切都得重新开始，手里又只有那一点微不足道的武器来跟这个疯狂的世界搏斗，那怎么行呢？她得用自己那两片红唇、那双绿眼和那颗敏感而浅薄的脑袋，去跟北方佬和北方佬所代表的一切作斗争。她现在已精疲力竭，如果让她一切再重新开始，那她宁可一死了之。

在1866年春天的一片破败和混乱中，她专心致志地用全部精力经营着锯木厂，让它赚钱。这时候，亚特兰大有的是钱。房屋重建的热潮给了她机会，她知道只要自己不坐牢，是能发财的。然而，她三番五次地告诫自己，必须办事谨慎、为人随和、忍气吞声、逆来顺受，对可能给自己带来损害的任何人都不要得罪，无论黑人还是白人。对于那些刚获得解放的神气活现的黑人，她跟别人一样憎恨。每次从他们跟前走过，听见他们说下流话和尖声尖气狂笑，她总是气得浑身都起鸡皮疙瘩。但是，她从来不鄙夷地对他们瞥上一眼。她痛恨那些提包客和叛贼，因为他们没费吹灰之力就暴富起来，而她却在这样拼死拼活地干活，尽管如此，她从来不对他们说一句谴责的话。对北方佬，亚特兰大没有人比她更深恶痛绝的了，因为她一见到穿蓝军服的，便气得浑身发抖，尽管如此，和家里人在一起时她也绝口不谈他们。

决不做心直口快的傻瓜，她坚定地想。让别人去为逝去的日子，为那些不能再复活的人伤心去吧！让别人对北方佬的统治，对选举权的丧失义愤填膺去吧！让别人去因说心里话而遭到监禁，去因加入三 K 党而被送上绞架吧！（哦，三 K 党这个名称是多么可怕呀！斯佳丽觉得几乎跟黑人这两个字一样让她心惊肉跳。）让别的女人去为她们的丈夫加入三 K 党而自豪吧！感谢上帝，弗兰克跟这个党没有任何瓜葛。让别人去为那些无可挽回的事烦恼、愤慨、密谋、计划吧！与紧张的现在和无把握的未来相比，过去又算得了什么呢？目前真正面临的问题是要有面包吃，要有房子住，要避免去坐牢，有没有选举权又有什么关系呢？我现在只求上帝保佑，让我平安无事地生活到六月份！

只要到六月就行了！斯佳丽知道到了六月她就不得不待在佩蒂姑妈家，足不出户，静静地等待孩子出世了。人们已经在批评她在目前这种情形下不该再抛头露面了。哪有女人家怀了身孕还出门的。弗兰克和佩蒂早恳求她少到外面抛头露面——让自己丢丑，也让他们丢丑，而她已经答应一到六月就停止工作。

只要到六月就行了！等到六月，她一定要把锯木厂经营得一切正常，这样她就可以放心地离开了。到了六月，她一定得攒上足够的钱，让自己稍稍有点保障，以防灾祸的发生。要做的事情实在太多了，而剩下的时间实在是太少了！她恨不得每天能多出几个钟头，她争分夺秒，发疯似的拼命挣钱，挣了还挣，越多越好。

胆小的弗兰克在她的不断催促下，总算让那家铺子境况好转了，就连那些旧的欠账也收了一些回来。不过，她的希望现在都寄托在那家锯木厂上。亚特兰大现在就像一棵被砍倒的大树，正在重新长出更多更粗壮的枝条，长出更茂盛的叶子。建筑材料的供应远远不能满足需要。木料、砖头、石块的价格都在飞涨，所以斯佳丽从黎明到掌灯时分，一直都在忙锯木厂的生意。

每天她都花一部分时间在厂里忙，什么事都亲自过问，竭尽全力阻止厂里正在发生的偷盗事件。不过大部分时间里她都坐着马车在城里到处奔走，找那些建筑师、包工头和木匠们，甚至根本不认识的人，只要听说谁将来可能要建房子，她就会跑去找人家，还连骗带哄地让人家答应向她独家购买木料。

不久，在亚特兰大的大街上她已成为人们常见的人了：她总坐着自己的轻便马车，将一条毛毯一直盖到腰间，一双戴着手套的小手交叉着放在膝盖上，旁边坐着那个一副庄严样子但心里却愤愤不满的黑人老车夫。佩蒂姑妈替她做了件绿色的小斗篷，样式可以掩盖她有孕的身段，又给她做了一顶绿色的扁平帽子，跟她眼睛的颜色正好相配。于是每次出去兜揽生意的时候，她总是穿戴这套行头。她两颊总是淡淡地搽上点胭脂，身上总是稍稍洒上点香水，模样也十分妩媚动人，只要她一直坐在车子上不下来，她的身孕是谁也看不出来的。而且她也难得有下车的时候，因为她只需嫣然一笑，微微招招手，这些人马上就会快跑到马车跟前来，常常还会光着头淋着雨跟她谈买卖。

发现靠木材生意发财现在正是大好时机的当然不止她一个，但是她并不怕与别人竞争。她知道自己头脑灵活，丝毫不逊色于任何人，因而心里暗暗得意。她是杰拉尔德的亲生女儿，他精明的生意头脑已经遗传给了她，现在由于境况所逼，她这种头脑变得更加敏锐。

起先，别的生意人都笑她，笑声中带有一点并无恶意的奚落，觉得女人竟然做起生意来。可是现在他们都不笑了。每次他们看见她赶着马车经过，心里都在暗暗诅咒。她是一个女子这个事实本身常常让她占到便宜，因为她有时可以装得既可怜又动人，可以融化别人的心。她可以毫不费力地悄悄给别人一种印象：她是一个有勇气但却很害羞的上等女人，只因为境遇不好，才落到这不如意的地步。她是个孤苦伶仃的弱女子，要是没有顾客来买她的木料，她说不定会挨饿的。不过，当她这种上等女人的风度不起作用时，她便会施展出冷酷的生意手段，只要能招揽到新主顾，她情愿赔本，以低价去打倒对手。只要她觉得能瞒得过去，不会被人发现，便会以劣充好。她还会大骂别的木材商。她会一边叹气，摆出一副不太情愿揭人老底的样子，对她未来的主顾说，她那些竞争者的木材价格高，都是些节节疤疤、质量低劣的烂木头。

斯佳丽头一次这么捏造谎言时，心里既窘迫又内疚——窘迫的是这些谎话竟然这么容易、这么自然地脱口而出，不费吹灰之力；内疚的是她忽然想到：母亲知道了会说些什么呢？

对一个造谣说谎、做事不择手段的女儿，母亲会说些什么是不言而喻的。她会目瞪口呆，觉得难以置信；她会说一些语气温和但言词尖锐的话；她会说对待邻居要得体，要正直，要坦诚，要尊重。那一瞬间，斯佳丽的脑海里出现了母亲的面容，她觉得有点畏缩。接着，母亲的面容被一种冲动抹掉了，那是一种猛烈、贪婪而不顾一切的冲动，它诞生于塔拉庄园那缺吃少穿的日子，现在又因为生活的不稳定而加剧。她就这样走过了这个里程碑——就像以前走过其他里程碑一样——一边叹息自己没有按照母亲的希望去做人，一边又耸耸肩反复念叨自己信赖的咒语："我以后再考虑这一切吧。"

然而，在做生意的事情上她从此不再去想母亲，在跟其他木材商打交道时施展任何手段她从此都不再内疚。她知道造他们的谣是绝对安全的。因为有南方的绅士风度保护着她：一位南方贵妇可以造一位南方绅士的谣，但一位南方绅士却是不可以造一位贵妇的谣的，更不可能把她说成是造谣者。其他的木材商只能暗暗生气，只能在他们自己家人面前怒气冲冲地表示愤怒，但愿老天爷让肯尼迪太太变成一个男人，哪怕五分钟也行。

迪凯特街上有一个办木厂的穷白人，曾经尝试着用斯佳丽自己的武器去跟她斗，公然说她是个造谣惑众的女骗子。谁知弄巧成拙，反而让自己遭了殃，因为大家都感到震惊，说竟连一个穷白人都说这种难听的话来侮辱一个出身高贵的女子，何况这位女子如今正无可奈何地干着这种不适合女子干的事情。对他说的话，斯佳丽起先是颇有气度地默默忍受着，但过了一段时间，她就集中精力去对付他和他的顾客。她冷酷无情地压低价格售出最最优质的木材——当然不免暗自心痛——以此证明自己说的话是诚实的，结果不久他便破产了。然后，她顺利地按她出的价钱把他的木厂盘了过来，这使弗兰克不胜惊讶。

她把那个工厂一弄到手，便出现了一个伤脑筋的问题，那就是要找一个信得过的人来管理厂子。她不想找约翰逊先生那样的人。她很清楚，尽管她处处防范，但此人仍背着她偷卖木料，不过她认为要找一个合适的人也不是件难事。现在不是人人都是穷光蛋吗？街上不尽是些没活儿干的人吗，其中有些人以前不也是有钱人吗？弗兰克没有哪天不掏钱去救济那些饥饿的退伍士兵，佩蒂姑妈和厨娘也没有哪天不包一点食物送给那些骨瘦如柴的乞丐。

但是，斯佳丽自己也不清楚是什么原因，这些人她一个都不要。“我不想要战争已结束了一年后还找不到活儿干的人，”她想，“如果他们到现在还没有适应和平，那他们也就无法适应我。而且他们那样子是多么卑贱、多么狼狈啊！我不要样子很狼狈的人。我要的是机敏而有才干的人，就像勒内、汤米·韦尔伯恩、凯尔斯·惠丁或者西蒙斯家的男孩，或者——或者任何像他们那样的人。他们都没有南方投降后那些士兵流露出来的那种‘什么都不在乎’的神情，而是显得对很多事情都在乎，而且是非常在乎。”

但是，西蒙斯兄弟已开办了一个砖窑，凯尔斯·惠丁则在出售他母亲厨房里配制的一种药剂，这种药剂专治黑人的鬈发，无论鬈得多厉害的头发，只要拿这种药涂抹六次保管就会变直。出乎她的意料，他们都朝她彬彬有礼地笑了笑，谢绝了她。她还去找了十来个人，得到的都是同样的结果。出于无奈她提出增加工资待遇，但仍然遭到了拒绝。梅里韦瑟太太的一个侄子，不客气地对她说，虽然他并不特别喜欢赶大车，但毕竟赶的是自己的马车，他宁可自己闯，也不想为斯佳丽工作。

一天下午，斯佳丽把自己的马车在勒内·皮卡尔的糕饼车旁停下，她看见汤米·韦尔伯恩也在车上，他是搭朋友的车回家的，于是她便向他们招呼了一声。

“喂，勒内，为什么不到我那里去工作呢？管理工厂的活儿总比赶着车卖小吃体面得多呀。我想你准会觉得丢人的。”

“我啊？我才不觉得丢人呢，”勒内咧着嘴笑着说，“谁还顾得上体面呢！我过去一向是体面的，直到战争把我像解放黑奴似的给解放了为止。从今往后，我再也不摆尊贵的架子，过百无聊赖的日子。现在我像鸟儿一样自由自在。我喜欢糕饼车，我喜欢我的骡子，我也喜欢那些照顾岳母的糕饼的北方佬。不，斯佳丽，我一定要做糕饼大王。这就是我的命运！就跟拿破仑一样，我听凭命运的安排。”说着，他像表演似的挥舞起他的鞭子来。

“可是你父母把你养大不是让你来赶糕饼车的，正如汤米的父母把他养大不是让他劳神费力地去跟那些放荡的爱尔兰泥瓦匠打交道的。我那儿的活儿比较——”

“那你的父母把你养大是为了让你开锯木厂的啰，”汤米说着撇了撇嘴，“不错，我可以看见小斯佳丽坐在她母亲的腿上咿咿呀呀地背功课：‘如果你能把坏木头卖好价钱，就千万别卖好木头。’”

勒内听了哈哈大笑起来，一边乐呵呵地闪动着他那双猴子眼，在汤米弓着的背上狠狠地捶了一下。

“别那么无礼，”斯佳丽冷冷地说道，因为她看不出汤米的话有什么好笑的。“当然，我并不是生来就是开锯木厂的。”

“我没有对你无礼的意思，可是你现在确实是在开锯木厂，不管你是否生来就该开，而且还开得挺不错呢。总之，照我看，我们大家现在所干的都是自己没有打算要干的事情，但是我们仍照样凑合着过日子。如果因为生活不能像自己所期望的那样就坐下来哭鼻子，那才是可怜虫和可怜的民族呢。你干吗不去找一个有魄力的提包客替你工作呢，斯佳丽？现在树林里有的是这种人，我敢发誓。”

“我不要提包客。提包客除了烧得红红的或者用钉子钉得牢牢的是什么都偷。他们只要稍稍有点身份，就会待在原来的地方，而不会跑到这儿来抢我们的东西了。我要一个好人，一个好人家出身的人，这人必须头脑灵活，为人诚实，又要有干劲，还要——”

“你的要求可并不高呀。不过就你出的这点工钱，找不到这样的人。你描述的那种男人，除非他已严重伤残，都早已找到活儿干了。可能他们干的活儿不太合适，但都已有事情在做了。他们干的都是自己的事情，总比替一个女人干强吧。”

“你们愿意去干那种低贱的活儿，说明你们男人缺乏见识。”

“或许是吧，可是他们很有骨气。”汤米庄重地说。

“骨气！骨气的味道好得很呢，特别是当它的外壳很薄，而你却给它加上一层蛋白酥皮的时候！”斯佳丽尖刻地说。

两人都笑了。虽然笑得有些勉强，但斯佳丽觉得他们两个男人似乎结成了联盟来反对她。汤米说的是真的，她想道。脑海里浮现出她已经找过的和她打算要去找的那些人。他们都忙忙碌碌，都在忙着做事。他们都在卖力地干活，这么卖力在战前的日子里是不可想象的。他们所干的活也许并不是他们想干的，或者说并不是最轻松的，不是培养他们的，但是他们确实在干活。现如今日子艰难，不容许男人们挑挑拣拣的。如果他们在为失去的希望而感到悲哀，并留恋失去的生活方式，那只有他们自己知道，别人是看不出来的。他们是在打一场新的战争，一场比过去那场战争更艰苦的战争。同时，他们又关心起生活来，并且这种关心迫切而强烈。在他们的生活被战争分割成两半以前，出于同样迫切而强烈的心情，他们生气勃勃。

“斯佳丽，”汤米尴尬地说，“对你说了这些不礼貌的话之后，我本来是不想再求你了，可是我还是有件事要求你。说不定这对你也有帮助的。我的舅子休·艾尔辛现在是靠卖引火柴过日子，境况不妙。现在除了北方佬，大家都自己出去拾引火柴。而且我知道艾尔辛一家的日子过得非常艰难。我自己——我是尽我所能在干，可是你知道，我不但要负担芳妮的生活，还要照顾住在斯巴达的母亲和两个寡妇姐姐。休是个好人，你刚才说要找一个好人，并且你也知道他是好人家出身，人又诚实。”

“可是——嗯，休不够精明强干，不然做卖引火柴这个行当也会成功的。”

汤米耸了耸肩。

“你看问题的眼光很毒，斯佳丽，”他说，“但你最好仔细考虑一下休这个人选。你可以进一步挑出他很多毛病。我认为他虽不够精明，但他的诚实和肯干是可以弥补这一缺陷的。”

斯佳丽没有回答，因为她不想显得过分粗鲁。不过在她看来，不够精明这一点是难以用其他品质来弥补的。

可是后来她找遍了全城，也没找到一个合适的人，而许多提包客都拼命要求应聘都被她拒绝了。最后她便决定接受汤米的建议，决定用休·艾尔辛。战争期间，休曾经是个有勇有谋的军官，但因受了两次重伤，四年的仗打下来，他的机智好像都消耗殆尽了，现在已变得像个孩子似的，面对和平时期的艰苦感到惶然无措。这些日子来，他在街上卖柴的时候，那神情像条丧家犬，所以他无论如何不是她期望的那种人。

“他很蠢，”她想，“他对生意经是一窍不通，我可以肯定他连二加二都算不清楚。我怀疑他是否还学得进什么东西。不过，至少他为人诚实，不会欺骗我的。”

诚实两字近来对斯佳丽是没有多大用处的，然而越是觉得诚实对自己没有什么用，她就越感到诚实对其他人是何等重要。

“可惜约翰尼·加勒吉尔现在在汤米·韦尔伯恩那个建筑工地上干事，”她想，“他正是我要的那种人。他硬得像石头，又滑得像蛇。但是如果诚实对他有好处的话，他会诚实的。我了解他，他也了解我。如果我们两个在一起做生意的话，可以合作得很好。等那座旅馆建成之后，我也许可以把他弄到手，但在此之前我只能将就着用休和约翰逊先生了。如果让休负责那家新木厂，把约翰逊留在老厂，那我就可以待在城里专管销售，锯木和运输都交给他们管。在我把约翰尼弄到手之前，如果我一直待在城里，就得冒约翰逊先生偷我木头的危险。要是他不偷就好了！我看我可以把查尔斯留给我的那块地分出一半来建个木料场。另一半可以建一个酒馆。要是弗兰克不扯着嗓门向我诉苦就好了！哦，一弄到足够的钱，我就要建酒馆，管他生多大的气。假如弗兰克的脸皮能厚一些就好了！哦，老天呀，我的孩子偏偏要在这个时候出生，真遗憾！用不了多久，我的肚子就会大得不能出门了。哦，上帝，假如我没怀孩子就好了！啊，天哪，如果那些北方佬不来找我的麻烦那该多好！假如——”

假如！假如！假如！生活中居然会有这么多的假如，竟然会没有永远确定的事情，没有永远的安全感，而老要担心会失去一切，会重新挨饿受冻。当然，弗兰克现在是稍稍多挣了几个钱，但是弗兰克老是感冒，往往一连几天起不了床。假如他成了一个废人，那该怎么办呢？不，她是不能指望弗兰克帮她多大的忙的。她只能靠自己，而决不能依靠任何东西和任何人。然而她所能挣到的钱似乎少得可怜！哎，假如北方佬拿走她所有的一切，那她该怎么办呢？假如！假如！假如！

她现在每月的收益，一半要寄到塔拉庄园去给威尔，一部分要拿去还瑞特的债，剩下的她就攒起来。没有哪个守财奴数钱会数得像她那么勤，也没有哪个守财奴比她更怕失去钱。她不肯把钱存在银行，因为银行可能会倒闭，北方佬可能会把钱没收。所以，她尽可能地把钱放在身边，塞在紧身胸衣里，分成一小叠一小叠地藏在屋里各处——垫在火炉边松动的砖头底下，藏在垃圾袋里，夹在《圣经》里。一个星期一个星期过去了，她的脾气变得越来越暴躁，因为每多攒一块钱，遇到灾祸就会多增加丢失一块钱的危险。

每次她发脾气时，弗兰克、佩蒂和仆人们都极其耐心地忍受着，总把她的坏脾气归咎于她怀有身孕，丝毫不明白真正的原因。弗兰克知道对怀孕的女人凡事都得迁就，所以他也就忍气吞声，从此不再提她办木厂的事，也不再责备她在这个时候还要出去抛头露面，很不像话。她的所作所为始终让他感到丢脸，但是他觉得自己可以再容忍她一阵子。等孩子生了之后，他知道她会重新变得像他向她求婚时那样娇媚可爱的。然而，尽管他用百般忍让来安抚她，她的脾气还是照发不误，以至于他常常觉得她像是中了邪似的。

看来谁也不知道她究竟中了什么邪，怎么会变得像个疯婆子。没有别的原因，只是因为她急于要在自己完全闭户不出之前把一切事都安排得井井有条。她要尽量多攒些钱来防备灾祸重新临头。她要用金钱筑起一道坚固的大堤来防备北方佬仇恨的潮水涌上来。近来她的心思完全被一个钱字占据了，就是在想起即将出世的孩子时，也只是怨恨这孩子来得不是时候，除此再没别的念头。

“死亡、纳税和生孩子！这三件事是永远不会碰到方便的时候的。”

当初斯佳丽一个女人家开始经营那个锯木厂时，亚特兰大人就极为反感，随着岁月的流逝，大家得出了个结论，这个女人没有什么事干不出来。她做生意的精明已是骇人听闻，何况她可怜的母亲还是罗比亚尔家的。人人都知道她已怀有身孕，她却照样天天招摇过市，这种行为简直太不像话了。一个体面的白种女人，还有少数黑人，一旦怀疑自己怀了身孕，是绝对不会再出家门的。所以梅里韦瑟太太愤慨地对大家说，看斯佳丽那样子，大概是打算在大街上生孩子吧。

但是，把以前那些对她行为的所有指责跟眼下城里流传的风言风语相比，那就算不了什么了。大家都在说斯佳丽不但跟北方佬做买卖，而且处处都显得是真的乐意这么干！

梅里韦瑟太太和其他许多南方人虽然也都在跟新来的北方佬做生意，但是他们与她是有区别的，那就是他们并不是心甘情愿这么干的，而且他们这种不情愿的心情是明显表露出来的。而斯佳丽却心甘情愿做这种买卖，或者至少表面上看是如此，反正情况一样糟糕。她确实跑到北方佬家里去过，跟北方佬的太太们一块儿喝茶。事实上，她跟北方佬的来往简直到了无所不为的地步，就差没有请他们到自己家里去了，而城里人则猜想，要不是佩蒂姑妈和弗兰克，她甚至会请他们去的。

斯佳丽自己也知道全城的人都在议论她，可她不在乎，也没法在乎。对于北方佬，她的心情就跟他们当年要烧掉塔拉庄园那天的心情一样，怀着深仇大恨，但是她能把这种仇恨掩饰起来。她知道如果要赚钱，就得从北方佬手上去赚。她还懂得对他们微笑，并说上几句好话去巴结他们，那是为自己的木材厂兜售生意的最可靠办法。

等将来有一天，她很有钱了，而且钱都已藏在北方佬找不到的地方，那她就要对北方佬说实话了，她会对他们说她多么憎恨、厌恶和鄙视他们。那该是件多么痛快的事啊！但在这一天还没到来之前，她只好跟他们相处，这是明摆着的通情达理的办法。如果说这是伪善，那就让亚特兰大人充分利用这种伪善吧！

她发现跟北方军官交朋友就像探囊取物般容易。他们是一片充满敌意的土地上的寂寞流亡者，而且他们中的许多人都渴望跟有教养的女性交往，然而在这座城市里，凡是体面人家的女子，从路上走过时都对他们侧目而视，那模样就像恨不得要朝他们吐唾沫似的。只有妓女和黑种女人，才会和和气气地跟他们说话。斯佳丽虽然惹起了不少议论，然而却分明是个上等女人，并且又出身名门，所以她嫣然一笑，那双绿眼里闪出的动人光芒，会让他们丧魂失魄。

斯佳丽坐在自己的马车里跟他们说话，让她那对酒窝发挥着作用，心里却往往对他们极端厌恶，她甚至想当着他们的面诅咒。不过，她克制住了自己，她还发现那些北方佬可以随她摆布，跟她和南方男子所进行的那种消遣一样容易。所不同的是，这谈不上是消遣，而是一件让人生厌的事。她扮演的角色是一位落难的优雅、可爱的南方太太。她摆出一副庄严矜持的神情，这样就可以把受她摆弄的那些男人拒于适当的距离之外。但是，她的举止仍然显得很文雅，使那些北方佬军官一想起肯尼迪太太，心里总有一点暖乎乎的感觉。

这种暖乎乎的感觉对斯佳丽是大有益处的——这正是她有意要造成的。有许多驻军军官，因为不知道要在亚特兰大待多久，都把家眷接来了。旅馆和客店都已挤满了人，所以他们在建造许多小房子，他们愿意向这位和气的肯尼迪太太买木材，因为她待他们比城里任何人都客气。那些提包客和叛贼，也都在建造华丽的住宅、店铺和旅馆，他们也都愿意上她这儿来谈生意，而不愿意到以前的邦联军人那儿去，因为这些人彬彬有礼，但这种彬彬有礼既一本正经又冷冰冰，实在比开口骂他们还要让人难受。

就这样，因为她既漂亮又迷人，有时候还会装出一副孤苦伶仃的样子，所以那些北方佬都愿意光顾她的木料场，也愿意光顾弗兰克的铺子，他们觉得应该帮助这位有勇气的弱女子，因为她显然只有一位窝囊的丈夫在支持她。斯佳丽眼看着生意在兴隆起来，觉得自己不但用北方佬的钱来使眼前的事情得到了保障，而且有了北方佬做朋友她将来也就有了靠山。

把跟北方佬军官的关系保持在她所希望的程度上比她设想的要容易，因为这些北方军官对南方的上等女人好像都怀有一点敬畏。但是不久她便发现，那些军官太太却都成了麻烦，这可是她没有预料到的。跟那些北方女人打交道，并不是她的本意。她倒很愿意避开她们，但是办不到，因为这些军官太太们非要见见她不可。她们对南方和南方女人怀有强烈的好奇心，而斯佳丽是第一个给了满足她们这种好奇心机会的人。亚特兰大的其他女人，跟她们不来往，甚至在教堂里碰见，也不肯向她们点头打招呼，所以当斯佳丽为了生意到她们家里去时，她仿佛使她们的愿望得到了满足。经常发生这样的事情：当斯佳丽将马车停在一个北方佬的家门口，坐在马车里跟这家的男人谈论屋顶和柱子的时候，这家的太太就会跑出来参加他们的谈话，或者执意要请她进屋去喝杯茶。虽然斯佳丽对这种邀请很反感，但却难以拒绝，因为她一直盼望着能有机会婉转地建议她们到弗兰克的铺子里去买东西。不过有好多次，她的自我克制能力受到了严峻挑战，因为那些女人会问她许多涉及到她个人的问题，也因为她们对所有南方的事物都做出一副居高临下的姿态。

由于那些北方女人把《汤姆叔叔的小屋》看做仅次于《圣经》的启示，所以她们全都想知道南方人是不是家家都养着用来追逐逃亡黑奴的猎犬。然而当斯佳丽回答她们说她这辈子都只见过一条猎犬，且既温和又瘦小，不是那种高大凶猛的猎犬时，她们始终不相信。她们想知道庄园主是否真有往农奴脸上烫印记的烙铁，和把农奴活活打死的九尾鞭，斯佳丽还发现她们对黑奴男女姘居的情形表现出非常粗俗而下流的兴趣。对此斯佳丽尤其感到厌恶，因为自从北方佬的士兵在亚特兰大驻扎下来以后，黑白杂种孩子的数量剧增。

这种抱着无知偏见的言论，若是让亚特兰大其他女人听到了，准会气得要死，但斯佳丽却尽量克制自己。她之所以能克制住自己，是因为她们激起她的与其说是愤怒，还不如说是鄙夷。她们毕竟是北方佬，北方佬本来就干不出好事的嘛。因此，她们对她的国家、她的人民以及他们的道德的随意侮辱，她都嗤之以鼻，不屑一顾，这些只能让她暗暗产生鄙夷。但是后来发生了一件偶然的事，使她怒不可遏，同时也让她看清了（如果她需要看清的话）：南北双方之间的鸿沟是多么深，而这道鸿沟是绝对不可能逾越的。

一天下午，她和彼得大叔赶着马车回家，路上经过一栋北方佬的房子，里边住着三户人家，他们都在造房子，用的是从斯佳丽那里买来的木料。她赶车经过的时候，这三家的女人正站在门口的过道上，她们招手让她停一下。那三个女人都跑出来走到下车台跟前，与她打招呼，那说话的腔调让她觉得，北方佬什么都可以饶恕，就是说话的口气坚决不可饶恕。

“肯尼迪太太，我正要找你，”一位从缅因州来的瘦长女人说，“我要向你打听一下有关这座愚昧无知的城市的事。”

斯佳丽鄙夷地将她这种对亚特兰大的侮辱咽下肚去，强装笑脸回答道：

“你要打听什么事？”

“我的保姆布丽奇特，回北方去了，她说她在这些‘黑鬼’中间一天也待不下去了。现在我的几个孩子闹得我都快疯了！你一定要告诉我怎么才能再找到一个保姆。我不知道上哪儿找去。”

“这并不难呀，”斯佳丽说着便笑了起来，“如果你能找到一个刚刚从乡下来的黑女人，这个女人还没有被解放了的黑人事务局教坏，那你就找到了一个最好的仆人。你只需站在自己家大门口，看见黑女人经过就问，保管你——”

那三个女人气得大声喊了起来。

“你以为我会把自己的孩子交给一个黑鬼吗？”那个缅因州的女人说，“我要一个爱尔兰好姑娘。”

“在亚特兰大恐怕找不到爱尔兰女佣，”斯佳丽语气冷淡地答道，“拿我自己来说吧，我就从来没见过白种佣人，我家里也不愿意雇用白种佣人。而且，”她忍不住让她的话里带上了点挖苦的味道，“我可以向你们保证，这些黑人不是吃人的野人，而是十分可靠的。”

“啊呀，不行！我家里是不容许有黑人的。你怎么出这么个主意！”

“我才不会相信那些黑人，我才不干呢，说到让她们来替我管孩子……”

斯佳丽想起了黑妈妈，她那双慈祥的、骨节很大的手就是在服侍母亲、她和韦德的过程中逐渐变粗糙的。这些外乡人对那些黑皮肤的手知道些什么呢？她们哪里知道这些手是多么可亲、多么令人感到慰藉，它们是多么善于安慰和爱抚呢？她顿时笑了起来。

“黑人是你们解放的，你们却这么看他们，这倒真是奇怪了。”

“我的天哪！不是我，亲爱的，”那个缅因州女人笑道，“我是上个月才到南方来的，在此以前我从来就没见过黑人，而且巴不得从今以后也不再见到呢。他们让我全身起鸡皮疙瘩。他们这种人我是一个也不会相信的……”

斯佳丽早已觉得身旁的彼得大叔呼吸急促起来，他挺直了腰板坐在那儿，一双眼睛牢牢地盯着马耳朵。后来那个缅因州女人突然大笑了起来，她指着彼得叫她的两个同伴看，这使斯佳丽更加注意他了。

“你们瞧那个老黑鬼，胖得简直像只癞蛤蟆，”她格格地笑着说，“我猜他准是你们家的老宝贝，是不？你们南方人并不懂怎么对待黑人，把他们都给宠坏了。”

彼得咽了一口气，额头上的皱纹显得更深了，但他仍然两眼直直地盯着前方。这辈子还从来没有哪个白人把他叫“黑鬼”呢。其他黑人倒是这么叫过。可是没有一个白人这么叫过他。许多年来他彼得可一直是汉密顿家受人尊敬的柱石，如今却被人说成是不可信赖的，还被人叫做“老宝贝”！

斯佳丽感到，而不是看到，彼得那黑黑的下巴由于自尊心受到了伤害而颤抖起来，于是她自己也不由得感到气得要发疯了。起先这几个女人还在耻笑南方军队，诽谤杰夫·戴维斯，还指责南方人虐待、杀害黑奴。她鄙夷地平心静气地听着。只要是对她本人有利，即使侮辱她不贞洁、不诚实，她也会忍受的。但是，此时她们对这个忠实的老黑人说了这么多愚蠢的话，就像一根火柴掉进了火药堆，她的怒火给点燃了。有好一会儿，她眼睛看着彼得腰带上挂着的一支大骑马手枪，两手痒痒的。这些傲慢、愚蠢、专横的征服者实在是该杀！然而她却只是紧紧地咬着牙，下颚上的肌肉都暴了出来。她暗暗提醒自己，现在还不是时候。将来总有一天，她可以直截了当地对北方佬说自己心里想说的话。总有这么一天的，对。老天有眼！但现在还不是时候。

“彼得大叔是我们家里的人，”她用颤抖的声音说，“再见，我们走吧，彼得。”

彼得突然抽了马一鞭，那马一惊向前蹦了起来。当马车颠颠簸簸地朝前走动的时候，斯佳丽听到那个缅因州女人迷惑不解地说："她家里的人？不见得说是她的亲戚吧？他的肤色黑得很呢。"

这些该死的家伙！应该把他们从地球上消灭掉。如果有一天我有了足够多的钱，我一定要朝他们脸上吐唾沫！我一定要——

她瞥了彼得一眼，看见一滴泪珠正从他的鼻子上滚落下来。她因为他受了侮辱，心里产生了一阵强烈的怜悯和悲伤，两只眼睛也不由得疼痛起来。仿佛有人愚蠢地虐待了一个孩子似的。这些女人伤了彼得的心——就是这个彼得，在整个墨西哥战争期间曾跟随汉密顿老上校；也就是这个彼得，在主人死的时候将他抱在怀里，他把兰妮和查尔斯扶养大，他一直都在服侍糊涂而傻乎乎的佩蒂帕特，在她逃难的时候"保护"她，投降以后还"弄"了一匹马，穿过满目疮痍的乡间把她从梅肯一路送回家去。而这些女人竟还说黑人不可信赖！

"彼得，"她一面用手抓着他骨瘦如柴的臂膀，一面颤抖地说，"你怎么哭了，真丢人。干吗放在心上？她们不过是几个该死的北方佬而已！"

"她们当着我的面说这种话，好像我是一个傻瓜，不懂她们的话——好像我是个非洲人，不懂她们在说什么，"彼得一边说着一边狠狠地哼了一声，"她们叫我黑鬼，可我不是什么黑鬼，我一辈子都没有被白人叫过黑鬼！还说我是老宝贝，说什么黑鬼是不可信赖的！说我这人不可信赖！哼，当初老上校死的时候对我说：'你，彼得！就好好照看我的孩子吧，好好照看年轻的佩蒂帕特小姐吧，'他说，'她头脑简单得像只蚂蚱。'这些年来我一直在好生照看着她。"

"除了天使加百列，谁也没有你干得这么出色，"斯佳丽安慰他说，"没有你，我们哪能活到今天！"

"谢谢你这么说，小姐。这种事情只有我知道，只有你知道，他们北方佬是不会知道的，他们也不想知道。他们怎么会跟我们搭界的，斯佳丽小姐？他们不了解我们南方人。"

斯佳丽没有作声，因为她憋了一肚子火，刚才在那几个北方佬女人面前没有发作，这会儿仍在肚子里燃烧着。两人默默无言地赶着车回家。彼得已停止了抽泣，他的下唇也开始渐渐地鼓了起来，鼓得让人惊讶，最初的伤心情绪正在渐渐平息，而怒火却在心坎里越烧越旺。

斯佳丽想：这些该死的北方佬真怪！这几个女人看到彼得肤色是黑的，似乎就以为他没长耳朵，听不见，以为他不像她们那样有敏锐的感情，不会伤心。他们北方佬不懂得应该耐心地对待黑人，他们跟孩子一样，应该受到指导、表扬、疼爱乃至责备。他们不了解黑人，也不了解黑人和他们旧主人之间的关系。然而，他们却发动了一场战争来解放他们。现在他们虽把黑人解放了，却又不愿和他们发生任何关系，仅仅是利用他们给南方人造成恐怖罢了。他们不喜欢黑人，不信任黑人，不了解黑人，却一直大声疾呼地宣传说，南方人不知道如何与黑人相处。

他们居然说什么不能信任黑人！斯佳丽对黑人远比对大多数白人信任，也肯定比对任何一个北方佬信任。他们身上具有忠诚、耐劳、仁爱等品质，不是任何煎熬能破坏的，也不是金钱能买到的。她想起面临北军入侵却仍然留在塔拉庄园的那几个忠心耿耿的黑人，当时他们本可以逃走，或者参军去过悠闲的日子。但是他们留下来了。她想起迪尔西当初是怎么陪她在棉田里干苦活的，又想起波克是怎么冒着生命危险偷邻居家的鸡来给家里人吃的，还想起黑妈妈为防止她做错事又是怎么跟着她到亚特兰大来的。她同时想到自己邻居家的那些仆人，也都忠心耿耿地始终厮守着他们的主人。男主人在前线打仗时，他们保护着自己的女主人，在战乱的恐怖中陪着她们去逃难，受了伤的他们护理，死了的他们掩埋，失去亲人的他们给以安慰。他们替主人干活，代主人乞讨、偷窃，为的是主人的桌子上不致缺乏食物。即使在现在，虽然解放了的黑人事务局对他们许下了种种奇迹般的诺言，他们仍然舍不得离开他们的白种主人，而且比以前当奴隶的时代更加劳苦。然而这一切，北方佬是不了解的，也永远不会了解。

“可是是他们解放了你们呢！”她大声说道。

“不，小姐！他们没有解放我。我也用不着这种穷白人来解放，”彼得怒气冲冲地说，“我仍是佩蒂小姐家的人，等我死了，她会把我葬在汉密顿家的坟地里，那儿是我的归宿……我的女主人要是听说你让那些北方佬的老婆欺侮我，她准会气病的。”

“我并没这么做呀！”斯佳丽吃惊地叫道。

“就是的，斯佳丽小姐，”彼得说着把下嘴唇伸得更长了，“问题是，你我要是和这帮北方佬没有一点来往，他们就没法侮辱我呀。要是你不跟她们聊什么天，她们就不会有机会把我当成傻子，或者非洲佬了。你刚才也没帮我说一句话呀！”

“我帮过的！”斯佳丽说，她被这句责备的话刺痛了，“我不是对她们说了你是我们家里的人吗？”

“那不算数，那本来就是事实嘛，”彼得说，“斯佳丽小姐，你要是不做生意，不就跟这些北方佬没有来往了嘛。你看谁家的太太小姐跟他们有来往？佩蒂小姐就不会理这帮穷白人。要是让她听见她们刚才说我的那些话，她准会不高兴的。”

彼得的这番批评，比弗兰克、佩蒂姑妈或邻居们所说的任何话都更让斯佳丽难受。听了这些话她觉得心烦意乱，恨不得一把抓住这老黑人，直摇得他两排没牙齿的牙龈啪地合上才罢休。彼得说的句句都是实话，可是她极不愿意听到这样的话从一个黑奴，而且是自己家的黑奴嘴里说出来。照南方人的看法，要是得不到自己奴仆的敬仰，那可是莫大的耻辱。

“叫我老宝贝儿！”彼得嘟囔道，“我想如果佩蒂小姐听到这种话肯定不会让我再替你赶车了。那是一定的，小姐！”

“佩蒂姑妈照样会让你替我赶车的，”她严厉地说，“不许你再说这种话了。”

“我背脊骨犯病了，”彼得神色阴郁地警告说，“这会儿我背疼得厉害着呢，挺都挺不起来了。在我犯病的时候，我的女主人是不让我赶车的……斯佳丽小姐，要是自己人不赞成你干的事儿，那不管那些北方佬怎么瞧得起你，也不管那些穷白人怎么瞧得起你，对你都是没好处的。”

这句话一语道破了斯佳丽目前的处境，她愤愤地陷入了沉默。说得不错，那些征服者确实都很赞赏她，而她的家人和邻居对她都有看法。全城是怎么在议论她的，这她全知道。而现在连彼得也开始对她不满了，甚至不愿跟她一起在大庭广众下露面。这可真叫她忍无可忍了！

在此之前，她对舆论向来是不当回事的，不但不当回事，而且还略微对它抱有鄙夷的态度。但是彼得的话却让她的心里燃烧起强烈的怨恨，逼得她采取防卫，并使她突然觉得那些邻居跟北方佬一样可恨。

“我做了什么事，干吗要他们来管？”她想，“他们准认为我喜欢跟北方佬交往，喜欢像庄稼汉一样干活。他们这样做，让我本来觉得困难的工作越发困难了。但我才不在乎他们怎么想呢，我不会让自己在乎的。我现在还顾不上在乎。不过总有一天——总有一天——”

啊，总有一天！到了那一天，她的生活重新又有了保障，她就要在家里舒舒服服地坐着，叉着双手，像母亲过去一样，做让人肃然起敬的贵妇人。等到了这一天，她就会像一位真正的贵妇人那样，有人服侍和保护，于是人人都会赞赏她了。哦，等到她再有钱的时候，她就会变得很了不起！到那时，她就可以让自己变得跟母亲以前一样，待人温和，也会想到别人、注意礼节了。到那时，她就不会日日夜夜忧虑重重，生活就又会变得平静而从容了。她会有空闲与孩子玩耍，关心他们功课了。在冗长而温暖的下午，会有许多体面的太太和小姐们来拜访，她会在塔夫绸裙的窸窣声和芭蕉扇有节奏的扇动声中，用茶水、可口的三明治和糕饼招待大家，用悠闲的聊天来打发时光。对那些受苦受难的人她会非常仁慈，并拿一篮篮的东西去救济穷人，给患病的人送去汤和果子冻，还用她自己漂亮的马车带上那些不那么走运的人去摆摆阔气。她会像自己的母亲以前那样，做一个真正的南方贵妇。于是，人人都会喜爱她，就像他们当年喜爱母亲一样。人人都会说她非常慷慨，把她叫做“女施主”了。

她从这些想法中获得乐趣，并没有因为自己其实没有那种真正要慷慨、宽厚、仁慈待人的愿望而感到扫兴。她之所以要具备这些品质，只是为了有一个好名声。不过她的脑袋是一张粗疏的网，根本无法滤出这种细微的区别来。她只知有一天，等她有了钱，人人都会称赞自己，如此而已。

有一天，但不是现在！时候未到，让别人说三道四去吧。现在还没到她做个显赫的贵妇人的时候。

彼得的话果然应验了。佩蒂姑妈果真激动了，彼得的背痛病也在一夜间发作起来，从此再也不能赶车了。这以后斯佳丽就只好独自赶车，手掌上已退去的茧子又重新长了出来。

春季的几个月就这样过去了，四月的冷雨已变成五月绿油油的温馨。好几个星期里，斯佳丽忙于工作，焦灼万状，怀孕的身子日趋臃肿，行动也渐渐不便。在这期间她的老朋友们对她是越来越冷淡，而家里人待她却越来越休贴，也越来越为她担心，同时看到她如此焦灼不安也越来越觉得迷惑不解。在她怀着焦灼的心情拼命奋斗的这些日子里，她心里只有一个人可以依靠，也只有一个人能理解她，这个人就是瑞特·巴特勒。说来也怪，瑞特这个人像水银般变幻莫测，似刚从地狱来的魔鬼一样十恶不赦，但以这种面目出现在她心坎里的偏偏是他。他确实给她以同情，这种同情她从没从别的任何人身上得到过，也从没期望从瑞特那里得到。

他经常离开本城神秘地到新奥尔良去，他从来没有说过去那儿的原因，不过斯佳丽略略带点嫉妒地觉得，这肯定跟某个女人——或者不止一个女人有关。但是自从彼得拒绝替她赶车以后，瑞特待在亚特兰大的时间就越来越长了。

他在亚特兰大的时候，大部分时间不是在现代女郎酒馆的楼上赌钱，就是在贝尔·沃特林的酒吧里跟那些有钱的北方佬和提包客密谋赚钱计划，使得全城的人越发觉得他比他这些朋友们更加可恨。现在他不到佩蒂家来了，这大概是因为他尊重弗兰克和佩蒂的缘故，因为在斯佳丽怀孕时期，要是有男客来访，他们准会恼火的。但是她几乎每天都会碰巧跟他相遇。当她赶着马车从僻静的桃树街和迪凯特街经过，到锯木厂去的时候，他往往会骑着马来到她的马车跟前。他总是勒住马缰，跟她聊一会儿，有时候他会把自己的马拴在她的马车后，跳上车去替她赶一会车。尽管她嘴上不肯承认，但她近来很容易疲劳，所以当瑞特上来接过缰绳时，她心里总是暗暗感激。他总是在到达城里之前离开她，尽管如此，全亚特兰大的人都知道他们的相会，这样就在斯佳丽长长的一串违反礼节的清单上又添加了新的谈论资料。

有时她也起了疑心，这一次次会面难道全是偶然的吗？随着一个个星期过去，城里黑人的行为越来越无法无天，而他们这种会面也越来越频繁了。可是他为什么偏偏要选她模样最丑的时候拼命来找她做伴呢？即使他以前曾对她有所图谋，眼下他肯定对她没有怀什么心思，不过对于这一点她也开始起疑心了。近来他已经有好几个月没有再开玩笑地提到他俩在北军监牢里那让人苦恼的场面了。他从不提阿希礼和她对阿希礼的爱情，而且再也不说自己“打她的主意”之类的粗话了。她觉得还是不要惹是生非为好，所以对他们频频会面的事，没有要求他作解释。最后，她自己得出的结论是：因为他除了赌钱之外无事可干，再加上他在亚特兰大几乎没有好朋友，所以他来找她不过是为了要跟她做伴。

无论是什么理由，她觉得她还是很高兴他来做伴的。他听她抱怨顾客的失去，烂账收不回来，约翰逊先生欺骗她，而休又是那么不称职。他为她的成就鼓掌喝彩。而弗兰克听了这些只是流露出宽容的微笑，佩蒂姑妈则会非常惊讶地说声：“哎哟！”她可以肯定瑞特经常在为她拉主顾，因为他跟有钱的北方佬和提包客关系都很密切，可是他向来否认自己在帮她。她知道他是一种什么样的人，也从来没有信任过他，但是每次看到他骑着匹大黑马，从弯弯的林荫道绕过来时，她的心情总是会高兴起来。当他跳上马车，从她手里接过缰绳，对她说上几句俏皮话时，虽然心事重重，身子也越来越臃肿，她立刻觉得自己又年轻、快活、富有魅力了。她几乎无论什么话都可以跟他说，丝毫不用费心去掩饰真正的动机或看法，倒是跟弗兰克说话时，她会感到难以开口——甚至在跟阿希礼说话时也有这种感觉，如果她必须得说实话的话。不过话要说回来，跟阿希礼交谈时，由于要考虑到名誉问题，确实有许多话不能说，这种情况也导致了对其他一些话的抑制。现在有了瑞特这么一个朋友，真使她感到宽慰，何况出于无法解释的原因，他已决意待她规规矩矩了。她确确实实感到了莫大的安慰，因为近来她的朋友少得可怜。

“瑞特，”在彼得大叔发出最后通牒后不久，她气冲冲地问道，

“为什么全城的人要这么卑鄙地对待我，这样议论我呢？照他们看来，我和那些提客包相比到底谁坏还没准儿呢！我一直都在管自己的事，从来没做过什么缺德事，而且——”

“你要是没做过什么缺德事，那是因为你没有机会，他们说不定隐隐约约有点知道这一点。”

“哦，别胡说了！他们要把我逼疯了。我只不过是想赚点钱罢了，再说——”

“你做的一切跟别的女人不同，而且你确实干出了点成绩。我以前对你说过，无论在什么社会里这都是一种不可饶恕的罪孽。谁要与众不同，就该倒霉！斯佳丽，不说别的，就说你那锯木厂办得很兴隆这件事吧，就是对任何一个生意不兴隆的男子的侮辱。你要记住，一个有教养的女人的地位是在家里，她应该对这个忙碌而残酷的世界上的事情一无所知。”

“可要是我一直待在家里的话，我早就无家可归了。”

“照理说，你就应该彬彬有礼地怀着一份自尊心挨饿。”

“哦，别瞎扯！你看梅里韦瑟太太，她把糕饼卖给北方佬，这不比开锯木厂更糟吗？艾尔辛太太揽针线活儿、开公寓收房客；芳妮做在瓷器上画花儿的生意，货色蹩脚得谁都不想要，可大家为了帮助她，都向她买，还有——”

“不过你没有看出其中的关键，我的宝贝。她们的事业都不成功，所以她们没有伤害南方男子们那种强烈的自尊心。他们仍然可以说：‘这些可怜的傻女人，她们干得多辛苦啊！啊，我要让她们觉得她们是帮了忙的。’而且，刚才说的那些太太们，她们都是没有办法了才这么干的。她们总是让人觉得这种繁重的活儿不应该是她们女人干的，她们一直等待着男人来把这副担子从她们身上卸下来。所以，人人都觉得她们可怜。而你分明是喜欢干事儿，而且你显然不愿意男人来管你的事，因此谁也不会可怜你。因而，亚特兰大人永远也不会饶恕你。他们从来就是喜欢可怜别人。”

“我希望你有时候说话能正经点儿。”

“你是否曾听人说过‘走自己的路，让别人说去吧’这么句话？让他们说吧，斯佳丽。我想什么也阻挡不了你前进的。”

“可是他们干吗要反对我挣一点钱呢？”

“你不可能样样都有嘛，斯佳丽。你要么像现在这样不守女人本分去挣钱，那就只能无论走到哪儿都遭人冷落；要么就过贫穷的日子，但仍保持体面，这样就可以有许多朋友。两条路由你选择。”

“我不愿受穷，”她连忙回答道，“可——这样的选择是对的，是不是？”

“假如你把钱看得比什么都重的话。”

“是的，我是把钱看得比什么都重。”

“那么你就只能选择这条路了。但这个选择会带来一种不良的后果，正如你所要的大多数东西都会带来不良的后果一样。那就是孤独。”

听了这话，她沉默了一会儿。这话说得一点没错。她静静地仔细想了想，觉得自己现在确实有点孤独——一种缺乏女性伴侣的孤独。战争期间，每当她感到烦闷，还可以到母亲那儿走走。母亲死后，玫兰妮一直是她的伴儿，虽然除了同在塔拉庄园干过苦活之外她跟玫兰妮并没什么共同之处。但现在是一个人也没有了。佩蒂姑妈除了她那个小小的圈子之外，对生活一无所知。

“我想——我想，”她犹犹豫豫地开口说道，“就女人之间的关系来说，我一直是孤独的。并不是因为我在干活亚特兰大的女人才讨厌我。她们反正不喜欢我。除了母亲外，没有哪个女人喜欢过我。就连我自己的妹妹也一样。我也不知道这究竟是为什么。甚至还在战前，甚至在我嫁给查理之前，那些太太小姐们对我做的无论什么事，似乎都不以为然——”

“但你忘了韦尔克斯太太，”瑞特说，眼睛里闪动着不怀好意的光芒。“她可是一直都彻头彻尾地赞成你的呀，我看除了杀人之外，无论你干什么她都会赞成的。”

斯佳丽冷酷地想：“即使是杀人她也是赞成的。”于是她鄙夷地大笑起来。

“哦，兰妮！”她说。接着她神情阴郁地说：“如果兰妮是唯一赞成我的女人，那对我当然也算不上什么光彩的事。她连一只珍珠鸡的头脑都不具备。假如她有点头脑——”她有点窘迫地停住了。

“假如她有点头脑，就会感觉到一些事情，于是也就不会赞成了，”瑞特替她说完了那句话，“嗯，这你当然比我清楚了。”

“哦，你这该死的记性，你的态度也太无礼了！”

“你这样骂我没道理，但我不会介意的，也不会理会，还是回到刚才的题目上来吧。这得你自己下决心。如果你要与众不同，那你就得孤立，不仅与你同辈的人要疏远你，就是你的长辈和下一辈也都会不理睬你。他们永远都不会了解你，无论你做什么事，他们都会感到震惊的。不过你的上上辈也许会为你感到自豪，说：‘是我们家的种！’而你的下下辈，会敬佩地叹息道：‘那是个多么了不起的老奶奶呀！’而且他们也都会想学你的样。”

斯佳丽高兴得哈哈大笑起来。

“有时候你说话真是一针见血！当年我们家的外祖母罗比亚尔就是这样的。我小时候淘气，黑妈妈总是拿她来吓唬我。外祖母这人冷若冰霜，对自己和别人的举止要求都非常严厉，但她结过三次婚，并且曾经使她的情人们为了她决斗了不知多少次。她爱涂脂抹粉，衣领开得让人吃惊地低，而且，嗯，里边几乎不穿内衣。”

“你非常钦佩你的外祖母，虽然你一向都想学你母亲！我祖父就是个海盗。”

“不见得吧！难道真是逼着人蒙着眼睛走跳板的那种海盗？”

“只要有利可图，我想他是会逼人走跳板的。总而言之，他弄到了很多钱，多得能留给我父亲，让我父亲也成了大富翁。不过我们家里的人都很小心，总是称他是一个‘海船的船长’。后来他在一家酒馆跟人吵架，被人打死了，那时离我出世还早得很呢。不用说，他一死，我们做小辈的都松了口气，因为这位老先生一天到晚都泡在酒里，喝得酩酊大醉的时候，很容易忘记自己是个‘已退休的船长’，反而常常向人们回忆自己过去的生涯，这可把我们这些儿孙们吓坏了。不过我倒是十分钦佩他的，我情愿学他的样，也不想学父亲。我父亲是位和蔼可亲的绅士，行为非常检点，满脑子为人之道——你准明白会是什么结果。我肯定你的儿女决不会赞成你的所作所为，斯佳丽，正如现在梅里韦瑟太太、艾尔辛太太以及她们的儿女对你不赞成一样。将来你的儿女大概都会既温柔又顺从，艰苦奋斗过的人养出来的子女通常都是这样。更糟糕的是，像所有的母亲一样，也许你也决不愿让自己的子女再吃你自己吃过的苦。这就大错而特错了。艰苦既能造就一个人，也能毁掉一个人。所以你只能等你孙子辈的人来赞赏你了。”

“我想不出我们的孙子辈会成为什么样的人？”

“你所说的‘我们’，意思是不是指你和我有共同的孙儿孙女呢？咦，肯尼迪太太！”

斯佳丽突然发觉了自己的失言，不由得满脸通红。她不仅仅是因为他这一句玩笑话而觉得不好意思，而且也突然意识到了自己的大肚子。他们俩谁也没有提起过有关她怀孕的事，而且和他在一起的时候，哪怕天气暖和，她也总是把车毯一直盖到腋下，同时还一直以一般女性的方式安慰自己，认为这么盖着大肚子就一点也看不出来了。现在她因为自己怀着身孕而突然恼怒起来，也因为他看出来了而感到羞愧。

“给我滚下车去吧，你这个想法肮脏的畜生！”她说道，声音有点发抖。

“我现在决不下车，”他平静地答道，“你还没到家，天就会黑下来了，而就在下一道泉水附近的帐篷和窝棚里，住着一帮新来的黑人，听说都是些下流鬼。你何必让容易冲动的三 K 党人今晚穿起夜行服来骑着马到处奔跑呢？”

“你滚吧！”她一边使劲地拉着马缰绳，一边喊道，可这时她突然感到一阵恶心。他连忙勒住马，递给她两块洁净的手帕，一面很熟练地托住她的头，让她伸到车子一边去。傍晚的阳光正穿过新抽芽的树叶丛斜射过来，仿佛一片金黄与翠绿交织成的旋涡，那景象持续了好一会儿，让人看了头晕目眩。等那一阵眩晕过去之后，她把自己的头埋在双手里，纯粹是由于羞辱而哭了起来。不仅是因为当着一个男人的面呕吐——呕吐本身就够煞风景的了，一个女人不巧遇到这样的事情会觉得狼狈不堪——而且由于这么一呕吐，她已经怀孕了这个羞人的事实现在肯定暴露无遗。她觉得自己从此不再敢正面注视他了。这种丢丑的事没有碰到别人，却偏偏碰到这个向来不尊重女人的瑞特！她不停地哭着，一边等着他说出几句她一辈子都忘不了的粗鲁的打趣话来。

“别那么傻了！”他平静地说，“如果因为怕难为情而哭泣，那你真是太傻了。听我说，斯佳丽，不要孩子气了。你当然应该清楚，我又不是盲人，我早就看出你怀孩子了。”

她用吃惊的声音喊了声“哦”，便用手指把那张绯红的脸捂得更紧了。“怀孩子”这几个字本身就够吓人的了。弗兰克在提到她怀孕的时候总是非常窘迫地说“你身子不便”；当年杰拉尔德在不得已提到这类事情的时候，惯于使用“即将分娩”这种较为文雅的字眼，而太太小姐们则斯文地把怀孕称做“有喜了”。

“如果你以为我不知晓这件事，那你真是个孩子了。你一直用这块暖和的车毯遮着身体，我自然知道。要不然，我为什么一直——”

他说了一半突然停住了，两人之间一片静默。他重新抓起缰绳，对着马儿“驾”地叫了一声。他继续平静地跟她谈着话，当他那慢条斯理的话语令人愉快地传到她的耳畔，她低垂着的脸上的红晕褪去了一些。

“我没想到你会这么吃惊，斯佳丽。我总以为你是个明白人，所以我感到失望。难道在你的头脑里会存有那种怕羞的念头？我想我自己不是一个上等人，所以才会对你提起这件事的。我知道自己确实不是一个上等人，因为见到怀孕的女人时应该窘迫，而我却没有这种感觉。我觉得可以把她们当正常的女人来看待，而不必故意地去看天、看地、看周围的一切，却不去看那个女子的腰部——然后又偷偷地朝她的腰部瞟上一眼，我一向认为这种做法是极不礼貌的。为什么要这样呢？女人怀孕完全是正常现象啊。在这种事情上，欧洲人就比我们通情达理得多。他们看见怀孕的母亲是要道喜的。虽然我并不赞同也那么做，但他们这种态度仍然要比我们这种讳莫如深的做法高明。这是正常的现象，女人应该为此而感到自豪，而不应该深深躲进关着的房子里，好像犯了什么罪似的。”

“自豪！”她声嘶力竭地喊道，“自豪——呸！”

“难道有孩子你不觉得自豪吗？”

“哦，天哪，不！我——我讨厌孩子！”

“你是说——弗兰克的孩子？”

“不——不管谁的孩子。”

她发现自己又说漏嘴了，有好一会儿都感到懊悔，可是他照样从容地谈着，好像没听见。

“那我跟你不同，我喜欢孩子。”

“你喜欢?”听见这话她觉得很吃惊，竟忘记了羞涩，抬起头来喊道，“你真会撒谎!”

“我喜欢刚出生的婴儿，也喜欢小孩子，但等他们长大了，获得了大人的思维习惯和大人说谎、欺骗、干卑鄙勾当的能力，我就不喜欢了。这对你来说不能算是新闻。你知道我是多么喜欢韦德·汉普顿，虽然他不是一个非常完美的孩子。”

这倒是真的，斯佳丽想，忽然觉得诧异起来。他确实很愿意跟韦德玩，还常常给他捎礼物。

“我们既然把这个让人讨厌的问题挑明了，而且你也已经承认在不久的将来就要生孩子了，那么我要跟你说一些我已经憋了两个星期一直想说的事情——两件事。第一件事是你独自赶车很危险。你自己也清楚。我跟你说过好多次了，如果你本人对遭人污辱不太在乎，你总得考虑这种事情所引起的后果吧。由于性格执拗，你也许会造成一种局面，使本城爱打抱不平的好汉们不得不替你报仇，非吊死几个黑鬼不可。这样，北方佬就会追捕他们，说不定就有人要上绞架。你是否想过，现在那些上等女人都不喜欢你，也许其中原因之一就是怕你的行为可能会害得她们的儿子和丈夫的脖子被套上绞索?再说，如果三K党杀了更多的黑人，北方佬就会对亚特兰大施行严厉的高压政策，相比之下谢尔曼的所作所为就会显得像天使般仁慈了。我知道自己所说的话句句是真，因为我跟北方佬来往密切。说来惭愧，他们把我当自己人，我听他们公开这么说过。他们打算消灭三K党，为了实现这个目的，哪怕把全城全烧光，把十岁以上的男子一齐绞死，也在所不惜。这对你也会有损害的，斯佳丽。你的钱也许会保不住的。而且，这野火一旦烧起来，就难说会烧到哪儿才停住。财产要被没收，租税要增加，可疑的女人要被处以罚金——这种种做法，我都听他们提起过。三K党——”

“你认识三K党的人?汤米·韦尔伯恩和休——还有——都是

不是——"

他不耐烦地耸耸肩。

"我怎么会知道？我是个叛徒、变节者，是叛贼。你想我会知道吗？可是我知道那些被北方佬怀疑的人，他们只要稍微出一点差错，就等于给套上绞索了。我知道你是哪怕害得邻居上绞架也不会后悔的，可是一旦失去那锯木厂，我相信你一定会后悔的。现在看到你脸上那副固执的模样，我就知道你不相信我的话，我等于是白说了。所以我只能对你说一句话，那就是你得一直把手枪带在身边——只要我在城里，我一定会设法来替你赶车的。"

"瑞特，你难道真是——真是为了保护我才——"

"是的，亲爱的，正是这种我自己经常夸耀的骑士精神促使我来保护你。"说着他那双黑眼睛里又开始闪烁着嘲弄的光芒，刚才那一脸正经的样子完全消失了。"我为什么要这样？那是因为我深深地爱着你，肯尼迪太太。是的，我一直都默默地念叨着你，一直都远远地崇拜着你，然而我是个讲体面的人，就跟阿希礼·韦尔克斯先生一样，所以我一直掩盖着这种感情。嗯，你现在是弗兰克的太太，名誉阻止我对你说这样的话。不过就连韦尔克斯先生的名誉有时也会出现裂痕，现在我的名誉也出现了裂痕，所以我就把自己隐藏着的感情向你吐露了，而且我——"

"哦，我的天哪，你住嘴！"斯佳丽打断了他的话。和往常一样，她对他让自己显得像一个自负的傻瓜总是非常恼火，同时她也不愿意把阿希礼和他的名誉当进一步交谈的话题。"你刚才还想告诉我的另一件事是什么？"

"什么？我正把一颗热恋而破碎的心向你展示的时候，你却要另换一个话题了？好吧，另一件事是这样的。"这时他眼中嘲弄的光芒又消失了，脸上呈现出阴沉而平静的神情。

"我想让你对这匹马干点什么。它性子太拗了，它那张嘴跟铁一样硬。赶起来挺费劲的，不是吗？嗯，要是它使起性子来脱缰乱跑，你没法控制它。要是车子翻进了沟里，你和孩子的性命说不定都保不住。你得替它换一副最重的嚼铁，要不然，我去替你换一匹性情温和、嘴也嫩一些的马来。"

她抬头朝他那张平静而没表情的脸望了一下，突然，她的恼怒消失了，就像刚才谈到她怀孕时引起的羞涩消失了一样。刚才，在她巴不得自己死的时候，他怀着一片好心安慰她。现在，他越发显出了好心，还十分周到地想到她的马。她突然觉得一阵感激袭上心头，她不明白他为什么就不能永远像现在这样。

“这马确实不好驾驭，”她口气温和地表示同意，“有时我白天赶车，晚上膀子就整夜酸疼。那你看怎么好就怎么办吧，瑞特。”

他的眼里闪着调皮的光芒。

“这话听起来甜蜜而充满女人味，肯尼迪太太。不像你平时那么强蛮霸道。哦，只要恰到好处地对待你，就可以让你变成一个依赖男人的女人。”

她眉头一皱，火气又上来了。

“这次你必须给我从车上滚下去，不然，我就拿鞭子抽你。我不知道自己为什么要容忍你——为什么要尽量对你客气。你这人不讲礼貌，没有道德，是个彻头彻尾的——哼，滚吧，我可不是说着玩儿的。”

但是，等他下了车，解下自己那匹拴在车背上的马，在苍茫的暮色中站着，咧着嘴朝她逗弄地嬉笑时，她一边赶车起步，一边也忍不住朝他抿嘴一笑。

是的，他这人的确很粗鲁，也很狡猾，跟他打交道很危险，而且你永远也说不准你在毫无防备的时候交到他手里的一把钝武器什么时候可能变成一把极锋利的尖刀。然而，不管怎么说，他总是让人感到兴奋——让人觉得就像偷喝了一杯白兰地那样！

几个月来，斯佳丽已学会了喝白兰地。当她傍晚回家，浑身被雨淋得湿漉漉的，赶车赶得浑身发僵而酸疼时，她没有别的念头，只想自己偷偷瞒过黑妈妈那双处处留神的眼睛而藏在衣柜顶层抽屉里锁着的那瓶白兰地。米德大夫也没想到应该警告她怀孕的妇女是不能喝酒的，因为他怎么也没想到一个正经的女子，会喝比葡萄酒还烈的酒。当然，在婚礼上喝杯香槟，或者患重感冒卧床不起时喝点加热水的甜烧酒要除外。当然，也有一些令人遗憾的女人确实喝烈性酒，从而使她们的家庭永远蒙受了耻辱，正如有些女人会患精

斯佳丽走进木棚，那儿摆着几个显然是当椅子用的空桶，她在一个桶上坐下来。

神病，会闹离婚，会像苏珊·B. 安东尼小姐那样认为妇女应该有选举权。然而，尽管米德大夫很不赞成斯佳丽的行为，却从没怀疑过她会喝酒。

斯佳丽发现晚饭前喝点纯白兰地大有益处，她总是能设法要么拿点咖啡放在嘴里咀嚼，要么用点花露水漱口，以消除酒气。男人想什么时候喝都可以，而且可以喝得踉踉跄跄，人们为什么会对女人喝酒有这么愚蠢的看法呢？有时候弗兰克躺在她身旁鼾声大作，而她自己却翻来覆去睡不着，忧心忡忡地为贫困而发愁。害怕北方佬，惦记着塔拉庄园，还思念着阿希礼，她觉得这时候要是没白兰地，她准会发疯的。当那舒服而熟悉的暖流悄悄地进入她的血脉，她的烦恼就会开始消退。三杯酒下肚，她总是可以对自己说："等明天再考虑这些事吧，那时我会更经受得起一些。"

可是，有几夜甚至连白兰地都无法压住她心中的痛楚，那是深深怀念塔拉庄园而引起的痛楚，这痛楚甚至比担心失去锯木厂而产生的痛楚还要深刻。亚特兰大充满了喧闹，到处是新建的房子、陌生的面孔，狭窄的街道上挤满了马匹、车辆和熙熙攘攘的人群，这一切有时候似乎让她感到窒息。她爱亚特兰大，可是——唉，她怀念塔拉庄园的优雅和安宁，怀念它那幽静的田园，怀念那红色的田野和周围黑沉沉的苍松。啊，她多么希望回塔拉庄园去，不管那儿的生活会是多么艰苦！她多么希望靠阿希礼近些，只要能见到他，听听他的声音，只要能确定他仍然爱着自己就行了！玫兰妮的每封来信都说他们很好，威尔每次寄来的字条中都谈到耕种和棉花的长势，这使她重新滋生起回家的念头。

到了六月，我一定要回去。六月份过后我在这儿便无事可干了。再过几个月我就要回去了。想到这里，她心里便激动起来。她果然在六月份回了家，但不是按她原来计划的那样回去的，因为六月初威尔写来一封短信，说杰拉尔德去世了。

39

火车晚点了好长时间，斯佳丽在琼斯博罗下车的时候，六月长长的、深蓝的暮色正渐渐降落到田野上。村子里余下的寥寥无几的铺子和房子，射出暗淡的黄色灯光。大街上，建筑物中间到处是一个个巨大的缺口，原来那儿的住房有的被炮弹轰掉了，有的被烧掉了。一些屋顶或半堵墙被毁掉了，弹痕累累的、残破了的房子矗立在她面前，悄无声息，黑漆漆的。几匹上了鞍鞒的马和几辆骡子车拴在布拉德铺子的木凉篷外。那条尘土飞扬的红土路上，空荡荡的，毫无生气，只有街上远处的一家酒馆里传来了喊叫声和醉汉的笑声，飘荡在寂静的暮色中，这是村子里唯一的声音。

自从战火毁掉了这个车站，一直没有重建，只是临时搭了一个木棚，四面连遮风挡雨的墙都没有。斯佳丽走进木棚，那儿摆着几个显然是当椅子用的空桶，她在一个桶上坐下来。她的眼光在街道上扫视着，寻找威尔·本蒂恩。威尔应该到这儿来接她的。他应该知道，一接到他通知杰拉尔德已经去世的便笺，她就会尽量赶乘第一班火车回来的。

她走得太匆忙了，只在那个毡制的小提包里塞了一件睡衣和一把牙刷，甚至连一件换洗的内衣都没来得及带。她没时间置办丧服，那件从米德太太那儿借来的黑衣服绷得太紧，穿着不舒服。米德太太瘦了，而斯佳丽怀孩子快足月了，所以那件衣服让人格外不舒服。

甚至在为杰拉尔德悲伤的时候，她也没忘自己那副模样，并厌恶地低头看了看自己的身子。她的身段完全变了样，脸和脚踝也浮肿了。在这以前，她并不很关心自己的外貌，可现在，一个小时内，她就要见到阿希礼了，对此她就非常关心了。哪怕在极度伤心的时候，一想到怀着另一个男人的孩子跟他见面，她就不敢往下想。她爱他，他也爱她，但目前就她看来，这个多余的孩子似乎成了她不忠于爱情的证据。不过，尽管她非常不愿意让他看到她那浑圆的腰身和蹒跚的步子，但却没法逃避。

她不耐烦地跺了跺脚。威尔应该来接她的。当然，要是她发现他来不了，她可以到布拉德的铺子去，问问他的情况，或者是请人驾车把她送到塔拉庄园去。正好是星期六的夜晚，说不定县里有一半人都在那儿。她身上那件不合身的黑衣服与其说遮盖、倒不如说突出了她变了样的身段，她不愿穿着它抛头露面，让人看到她怀孕的样子。她也不愿听别人倾诉对杰拉尔德的亲切同情。她不需要同情。她害怕别人向她提到他的名字，因为一提到他的名字她就会哭。她可不愿意哭。她知道要是一哭开了头，就会像那次一样，在亚特兰大陷落的那个吓人的夜晚，瑞特把她撇在了城外漆黑的路上，她号啕大哭，把心都哭碎了，眼泪直流下来，遏制不住，都滴在了马鬃上。

不，她不愿意哭！她感到嗓子眼被什么东西堵住了，自从得到这个消息，她就经常出现这种情况，可是哭是不会有什么用处的。只会使她糊涂和软弱。为什么，为什么威尔，或是玫兰妮，或是那些姑娘们不写信告诉她杰拉尔德生病了？一有火车，她就会赶回塔拉庄园去照看他的。如果需要的话，她会从亚特兰大带一个医生去。他们这些蠢货！没有她，他们什么都对付不了吗？她没法同时待在两地，但老天爷知道，在亚特兰大她是在尽最大的努力为他们办事。

威尔还没来，她坐在桶上，身子扭来扭去的，心里也紧张、烦躁起来。他在哪儿呢？后来，她听见背后传来咔嚓咔嚓的踩在铁轨煤渣上的脚步声，就转过身去，只见亚力克·方丹正穿过铁轨，向一辆大车走去，肩上扛着一袋燕麦。

“上帝啊！那不是你吗，斯佳丽？”他喊道，放下那袋燕麦，跑过来跟她握手，他那张黑黝黝的、充满沉痛的小脸上一下子显出了喜悦的神情。“看到你我真高兴。刚才我看到威尔在那边铁匠铺里，给马上掌。火车晚点了，他以为还有时间。我跑去叫他来好吗？”

“好，请去吧，亚力克。”她说，虽然悲伤，但仍面带微笑。又见到了县里的老乡，怎么能不高兴呢。

“啊——嗯——斯佳丽，”他神情尴尬地开口道，仍然握着她的手，“我为你爸爸的事感到难过。”

“谢谢你。”她答道，巴不得他没说这话。他的话让人如此清晰地记起杰拉尔德那张红彤彤的脸和吼叫似的说话声。

“我们这一带都为他感到非常的骄傲，斯佳丽，这对你也许多少是个安慰，”亚力克松开她的手，继续说，“他——啊，我们相信他像个士兵一样，是在进行士兵的事业中去世的。”

他这话到底是什么意思，她心慌意乱地想。士兵？他是被人开枪打死的吗？他像汤尼那样跟支持北方佬的叛贼干架了？可是她再也听不下去了。要是谈论起他，她一定会哭出声来的。她决不能哭，要哭也得等安安稳稳地跟威尔一起坐到大车中，离开村子，到了陌生人看不到她的田野以后。威尔看到是没关系的。他就像自己的亲兄弟一样。

“亚力克，我不想谈这件事。”她直截了当地说。

“我一点也不责怪你，斯佳丽，”亚力克说着，怒火中烧，脸涨得通红。“如果她是我妹妹的话，我就会——嘿，斯佳丽，我从来没对任何女人说过一句过分的话，可是我个人认为，应该有人用生牛皮鞭抽苏埃伦一顿。”

他在说些什么蠢话啊，她不明白。这一切跟苏埃伦有什么关系呢。

“这里人人都这样认为，我要遗憾地说。威尔是唯一仍对她好言好语的人——不用说，还有玫兰妮小姐，不过，她是个圣人，看不到别人身上不好的地方，而且——”

“我说过了，我不想再谈这件事了。”她冷冷地说，可是看来亚力克好像并没觉得受到了冷遇。他的神情似乎表明他了解她态度粗鲁的原因，这可真让人恼火。她不愿意从一个外人的嘴里听到有关她自己家里人的坏消息，不愿意让他知道她对发生的事情一无所知。威尔干吗不原原本本地把详细情况写信告诉她呢？

她希望亚力克不这么紧紧地盯着她看。她觉得他好像察觉到了她怀孕的情况，这让她窘迫。然而亚力克在这茫茫的暮色中盯着她看的时候想的是，她的面容完全变了，他不明白刚才自己到底是凭什么把她认出来的。或许是因为她就要生孩子了。在这样的时候，女人看起来像什么似的。再说，当然，她当时一定在深深地怀念她父亲奥哈拉。从前她是他的宝贝。然而，不对，不止这些变化。事实上，她的气色比他上次看到的要好。至少她现在看起来好像一天吃得饱三餐饭了。她眼睛里那种被追逐的野兽的神情消失了一部分。过去那种恐惧和绝望的眼神变得严峻了。她现出一种发号施令、信心十足和决断有力的神态，哪怕是微笑的时候，也这样。她跟弗兰克日子肯定过得挺快活！可不是，她变了。她是个漂亮的女人，这点没错儿，可是她脸上那种妩媚、甜美和温柔的神情却不见了；那种他比全能的上帝知道得更清楚的、抬起眼睛看男人时讨人喜欢的模样完全找不到了。

得了，他们不都变了吗？亚力克低头看了看自己穿的粗陋衣裳，脸上又显出经常出现的沉痛皱纹。有时候，晚上，他睁眼躺在床上，想着怎样才能让妈妈得到一次手术治疗，怎样才能让可怜的、失去父亲的乔得到受教育的机会，怎样才能弄到钱去再买头骡子，他希望战争仍在进行，希望战争永远进行下去。当时他们并不知道自己的命运如何。在军队里不愁没吃的，哪怕只有玉米和面包，总有人在发布命令，绝对不会有面对没法解决的问题而产生痛苦的感觉——在军队里，除了被打死外，什么事都不用操心。后来，出现了迪米蒂·芒罗。亚力克想和她结婚，可是他知道办不到，因为有那么多人在指望他养活。他爱了她那么久，现在她脸颊上的红润和她眼睛里那种欢乐的神情都在渐渐消失。要是汤尼不逃到得克萨斯州去就好了。如果有另一个男人在的话，眼前的一切就会大不一样了。他那个可爱的、性情很坏的弟弟在西部什么地方流落，穷得一个子儿也没有。可不是，他们都变了。再说，干吗不变呢？他很沉重地叹了口气。

“你和弗兰克帮了汤尼的忙，我还没向你们表示感谢呢，”他说，“是你们帮他逃走的，对吗？你们真好。我拐弯抹角地打听到他在得克萨斯州，挺安全的。我不敢给你写信——不过，你和弗兰克借钱给他了吗？我会偿还——”

“啊，亚力克，别再说了！现在不是说这些的时候！”斯佳丽叫了起来。就这么一次，她没把钱放在心上。

亚力克沉默了一会儿。

“我去替你把威尔找来，”他说，“我们明天会赶去参加葬礼的。”

他扛起那袋燕麦，转过身去，这时，一辆摇摇晃晃的大车从一条小路上歪歪斜斜地驶出，向他们吱吱嘎嘎地驶来。威尔在座位上叫着：“对不起，斯佳丽，我来晚了。”

他笨手笨脚地从大车上爬下来，向她噔噔噔地走来，弯下身子，吻她的脸颊。威尔以前从来没吻过她，也从来没忘记在她名字上加上“小姐”这个称呼，所以尽管他这个举动出乎她的意料，却使她感到温暖，让她非常高兴。他小心地扶着她爬过车轮，坐上大车。她往下一看，发现就是她逃出亚特兰大坐的那辆破旧的、不牢固的大车。都这么久了这辆大车还没散架呢！威尔一定维修得很好吧。看到这辆车，让她记起了那一夜，她稍微有点儿懊丧。哪怕不穿皮鞋，或是佩蒂姑妈的饭桌上端不出饭菜来，她也一定要给塔拉庄园置一辆新车，把这辆烧了。

开始威尔没说话，斯佳丽心里很感激。他把他那顶旧草帽往大车的后座上一扔，对那匹马一声吆喝，就动身了。威尔还是老样子，身材细长而单薄，一头浅红色的头发，目光温和，跟运货的马一样好性子。

他们出了村，拐到通往塔拉庄园的红土路上。天边还余有一点儿淡紫的色彩。一朵朵巨大而软绵绵的白云染上了金色和淡淡的绿色。宁静的乡村暮色降落在他们周围，使人像在做礼拜一样心情平和。她在想，远离了乡下的新鲜空气和耕地的味道，还有可爱的夏夜，那几个月她到底是怎么挨过的？湿润红土的气味那么好闻、那么熟悉、那么亲切，她真想下车去，抓一把土。大路两旁红色的沟里铺满了枝条纠缠在一起的绿色忍冬，跟以前一样在雨后散发出扑鼻的芳香，这是世界上最甜美的香味。一群在烟囱旁做窝的燕子突然从他们头上飞快掠过，时不时地有受到惊吓的兔子急匆匆地穿过大路，白尾巴上下摆动着，就像一个羽绒的粉扑。他们的马车从耕地中间驶过，绿油油的庄稼在红土地里茁壮地生长，她高兴地看到棉花的长势很好。这一切是多么美啊！潮湿的河边低地上是灰蒙蒙的雾、红色的土地和生长中的棉花，倾斜的耕地上弯弯曲曲地种着一行行绿油油的庄稼，黑郁郁的松树像一堵堵黑色的墙，在一切东西后面屹立着。她怎么会在亚特兰大待那么久？

“斯佳丽，在到家以前我要把一切都告诉你——在跟你谈奥哈拉先生的事情之前，有一件事我要征求你的意见。我想你现在是一家之主了。”

“什么事，威尔？”

他转过温和、严肃的目光，盯着她看了一会儿。

“我想让你同意我跟苏埃伦结婚。”

斯佳丽紧紧地抓住座椅，惊奇之极，差一点没往后仰下去。跟苏埃伦结婚。自从她把弗兰克·肯尼迪从苏埃伦那儿夺走以后，她就从来没想到会有人要娶苏埃伦。谁会要苏埃伦呢？

“天哪，威尔！”

“那么，你不反对？”

“反对？不反对，可是——嗨，威尔，你真把我吓了一大跳！跟苏埃伦结婚？威尔，过去我一直以为你对卡丽恩有意思。”

威尔的眼睛一直盯着马，他摆动着缰绳。他的侧面并没移动，不过她感觉到他微微叹了一口气。

“过去或许是这样。”他说。

“怎么了，她不愿嫁给你？”

“我从来没向她求过婚。”

“啊，威尔，你这傻瓜，去向她求婚。她抵得上两个苏埃伦呢！”

“斯佳丽，你不知道塔拉庄园发生的许许多多的事情。最近几个月来，你没怎么关心我们。”

“我不关心，是吗？”她的火气一下子上来了，“你以为我在亚特兰大干什么呢？坐着四匹马拉的车兜风，去参加舞会？我不是每个月都给你们捎钱了吗？我不是付了税、修好房顶、买了新犁和骡子吗？我不是——”

“得了，别发火了，收起你那暴跳如雷的脾气吧，”他沉着地打断她的话说，“要是有谁知道你干了多少活儿，那就是我，我知道你干了两个男人的活儿。”

她稍微平静了一些，就质问道：“好吧，那么你的话是什么意思？”

“不错，你让我们有房子住，有吃的，这我没否认，可是你不大想塔拉庄园里的每个人心里在想些什么。我不是责怪你，斯佳丽。这就是你的作风。你从前也不大注意人们心里在想些什么。不过，我要说的是，我从来没向卡丽恩小姐求过婚，因为我知道那是没有用的。她对我一直像个小妹妹，我想她跟我谈话比对世界上任何人都坦率。可是她始终忘不了那个死了的小伙子，而且永远也不会忘记。现在我也不妨告诉你，她正打算进查尔斯顿的一个修道院。”

“你不是在开玩笑吧？”

“得了，我知道告诉你你会吓一跳的，我只是想求你，斯佳丽，你千万别跟她去争论这件事，也别数落、嘲笑她。让她去吧。这就是她现在所要的。她的心都碎了。”

“活见鬼！很多很多人的心都碎了，可是他们并没都进修道院哪。比如我。我失去了丈夫。”

“可你的心并没有碎。”威尔平静地说着，从大车上拣起一根干草，放到嘴里慢慢地咀嚼着。这句话说得她哑口无言，没法再耍威风了。她总是这样，一听到有人说出事实真相，不管那真相多么叫人难受，诚实的秉性会强迫她承认那是事实真相。她沉默了一下，尽量习惯卡丽恩做修女的想法。

“答应我不唠叨她。”

“啊，好吧，我答应你。”然后她以一种新的理解和有点惊奇的神情望着他。威尔一直爱着卡丽恩，爱她爱得站在了她一边，帮她说情，好让她平静地进修道院。然而，他却要娶苏埃伦。

“那么，苏埃伦到底是怎么回事儿？你不喜欢她，对不对？”

“啊，不对，我确实有点儿喜欢她，”他说着，一边从嘴里拿出那根干草，打量着它，好像那草非常有趣似的，“斯佳丽，苏埃伦并不像你想的那么坏，我想我们会相处得很好的。苏埃伦唯一的烦恼是需要一个丈夫和几个孩子，这是每个女人都需要的。”

大车在布满高高低低的车轮印子的大路上颠簸着，有一会儿，两人都默不作声，斯佳丽心里却在忙碌着。事情一定不会像它表面看起来的那样，而要更深刻些，更重要些，这才使这个性情温和、说话轻声轻气的威尔想要跟苏埃伦那样的老是爱唠唠叨叨地抱怨的女人结婚。

“你没把真正的原因告诉我，威尔。要是我是一家之主的话，应该有权利知道。”

“说得对，”威尔说，“而且我想你应该会理解的。我舍不得离开塔拉庄园。那是我的家，斯佳丽，是我熟悉的、唯一的、真正的家，我爱那儿的每一块石头。我在那儿干活，就像那是我的庄园似的。你在哪儿花过力气干过活儿，你就会爱上它。你懂得我的意思吗？”

她懂得这话的意思，听到他说他也爱她最爱的东西，心里顿时对他涌起一阵强烈的亲切感。

“我估计情况会变成这样的。你爸去世了，卡丽恩当修女以后，庄园里就会只剩下我和苏埃伦。当然，如果我不跟苏埃伦结婚，就不能在塔拉庄园待下去。你知道人们会怎么说的。”

“可是——可是不是还有玫兰妮和阿希礼——”

一听到阿希礼，他便转过脸来，望着她，那双浅蓝色的眼睛里没有一点表情。她像从前那样感觉到威尔知道她和阿希礼的所有事情，理解一切，而且既不指责，也不赞成。

“他们马上就要走了。”

“走？去哪儿？塔拉庄园不但是你的，也是他们的呀。”

“不，那儿不是他们的家。这就是阿希礼一直感到苦恼的原因。那儿不是他的家，他让人觉得好像不能靠力气挣饭吃。他干庄稼活儿实在是太差劲了，这点他也知道。天地良心，他确实尽了最大的努力在干，可是他生来就不是干庄稼活儿的料，你跟我一样知道得一清二楚。让他劈引火柴的话，他很可能会把脚都砍掉。犁地呢，跟小博一样没法犁出一条笔直的犁沟，至于不懂得怎么让庄稼生长的事儿，那真是多得没法说了。这不是他的过错。他生来就不是干庄稼活儿的。他老是想着自己是个男子汉，却靠一个女人的善心住在塔拉庄园，而且无以回报，心里很是痛苦。"

"善心？他这样说过——"

"没有。他从来没说过什么。你是了解阿希礼的。我可以肯定地说。昨天晚上，我们坐着，给你爸守灵时，我告诉他我已经向苏埃伦求过婚，她也同意了。阿希礼随即说，这样他就可以脱身了，因为待在塔拉庄园，他觉得实在不是滋味，可是他知道既然奥哈拉先生去世了，他和兰妮小姐就不得不继续待下去，这样才能避免别人对我和苏埃伦说长道短。后来，他告诉我他打算离开塔拉去工作。"

"去工作？什么工作？上哪儿去？"

"我不清楚他要去做什么事，可是他说过要到北方去。他在纽约有一个北方佬朋友，那人写信告诉他可以到那儿的一家银行去工作。"

"啊，不行！"斯佳丽从心底发出了一声喊叫，听到这声喊叫，威尔用刚才同样的表情望着她。

"也许他真到北方去了，对大伙儿倒都好些。"

"不！不！我可不这么想。"

她心情激动地想着种种事情。阿希礼不能到北方去！她可能再也见不到他了。自从在果园里发生了那场决定命运的场面，她已经有好几个月没见到他，没跟他单独说话了。尽管如此，她没一天不想到他，没一天不为他受到她的庇护而感到高兴。她为捐给威尔的每一块钱能使阿希礼过得舒适些而感到高兴。不用说，他当庄稼人实在是不行。她骄傲地想着，阿希礼生来就是做比较高级的事情的。他生来就是统治他人的，住大房子、骑好马、读诗集和使唤黑人干活。尽管如今不再有大厦、马和黑人，几乎也没有了书，但情况却并没改变。阿希礼生来就不是犁地和砍木头的，怪不得他要离开塔拉庄园。

然而她不能让他离开佐治亚州。如果必要的话，她会硬逼着弗兰克给他在店铺里找个职位，让弗兰克把那个现在站柜台的小伙子辞退。不过，不行——阿希礼的位置既不该在犁后面，也不该在柜台后面。韦尔克斯家的人竟去站柜台！啊，那绝对不行！一定得找个地方——嗨，不用说，她的锯木厂！一想到这个主意，她便大大地舒了口气，脸上露出了微笑！可是他会接受她的建议吗？他仍然会认为那是出于她的善心吗？她一定要让他觉得他是在帮她。她要辞退约翰逊先生，让阿希礼来管老木厂，休负责新木厂。她会向阿希礼解释，弗兰克的身体是多么不行，店铺里的活儿压得他没法帮她，她还会拿怀孕作为她需要帮忙的另一个理由。

她会想法让他相信，她眼下不能没有他的帮助。她愿意给他一半的股权，只要他肯接受——她什么都愿意给他，只要他待在她身边，只要能看到他脸上露出欢乐的笑容，只要有机会察觉到他不经意时眼睛里偶尔流露出来的仍然爱她的神情。可是她对自己保证，永远、永远不再设法去逗引他吐露爱情的言辞，永远不再设法惹他抛弃那种他看得比爱情还重的愚蠢的面子。无论如何，她一定要巧妙地让他知道她的这个新决定。否则，他可能会拒绝，害怕再发生上次那样可怕的场面。

“我可以在亚特兰大为他找个工作。”她说。

“好吧，那是你和阿希礼的事，”威尔又把那根干草放进嘴里，“快跑，谢尔曼（此处指马的名字。——译者注）。我说，斯佳丽，我该把你爸的事告诉你了，在这之前，我还有一件事情要求你。我求你别责怪苏埃伦。她干的事，已经干了，你再怎么冲她大发脾气也不能让奥哈拉先生活过来。再说，她当时真的认为她完全是为了把事情做好才干的。”

“我是想要问你这件事的。干吗都要提到苏埃伦？亚力克刚才说了一通莫名其妙的话，还说她应该挨鞭子。她干了什么？”

“可不是，人们对她的火气可大着哩。今天下午我在琼斯博罗遇上的人个个都说，如果下一次碰到她，一定把她的脑袋割下来，不过也许他们的气会消的。好了，答应我别冲着她大发脾气。今天晚上，我可不想有谁发生争吵，奥哈拉先生的灵柩还停在客厅里呢。”

“他不想有谁发生争吵！”斯佳丽愤怒地想着，“他说话的口气好像塔拉已经是他的了！”

这时她想起了杰拉尔德，躺在客厅里，断了气，便突然哭了起来，哭得很痛心，抽抽搭搭的。威尔伸出一条胳膊搂着她，把她搂近些，以示安慰，可是什么话也没说。

他们慢腾腾地在越来越暗的大路上一路颠簸着驶去，她的脑袋靠在他的肩膀上，帽子斜戴着，在过去的两年里，她已经把杰拉尔德给忘了，那个眼光呆滞的老先生一直盯着门在看，等候着一个永远不会进门的女人。她在回忆那个生气勃勃、身子结实的老人，他拳曲的白发又长又密，他欢乐的说话声像吼叫，她回忆起他噔噔噔的皮靴走动声、他笨嘴拙舌的笑话、他慷慨的性格。她回想起小时候，他好像是世界上最了不起的人，那个咋咋呼呼的爸爸骑着马跳围栏的时候，常把她放在鞍子前面；在她淘气的时候，扭过她的身子，狠狠地抽她耳光，然后她叫，他也叫，接着把她放到一个地方，让她安静下来。她回想起他从查尔斯顿和亚特兰大回家时，带回许许多多的礼物，却从来没有一件合适的。她含着眼泪，带着一丝微笑，回忆起他怎么在开庭日深夜两三点从琼斯博罗赶回来，喝得酩酊大醉，跳过围栏，还欢乐地高声唱着《绿衣服》。接下来的几个早晨，面对埃伦，他是多么害臊啊。好了，现在他和埃伦在一起了。

“你干吗不写信告诉我他病了？我会很快赶来的——”

“他没生过病，根本没有。喂，宝贝儿，把我的手绢拿去，让我把事情原原本本地告诉你吧。”

她用他的印花大手绢擤了擤鼻子，又靠回到威尔的臂膀里。威尔多好啊。什么也不能使他心烦意乱。

“好吧，是这样的，斯佳丽。你一直捎钱给我们，我和阿希礼，对，我们付了税，买了骡子、种子和各种东西，还有几头猪和一些鸡。兰妮小姐的母鸡养得好，可不是嘛，确实养得好。她是个好女人，兰妮小姐真是个好人。尽管这样，为塔拉庄园置办了东西以后，就没剩下多少钱了。也没钱去买那些花里胡哨的装饰品了，不过我们大家都没抱怨。只有苏埃伦除外。

“玫兰妮小姐和卡丽恩小姐穿着旧衣服待在家里，好像以穿旧衣服为荣似的，可是苏埃伦你是了解的，斯佳丽。她从来没对缺少新衣服习惯过。每次，我带她上琼斯博罗，或是费耶特维尔时，她总是为不得不穿旧衣服而难过。特别是遇上了某些提包客的情妇时——女人总是爱穿戴着花里胡哨的玩意儿到处转悠。那些负责解放了的黑人事务局的该死北方佬的婆娘们，她们确实打扮得花枝招展！县里的太太、小姐们有点带着光荣的感觉，穿着她们最难看的衣服进县城，就是为了表示她们对这样的穿着不仅不在乎，而且感到骄傲。然而，苏埃伦却不这样。她还想要一匹马和一辆四轮马车。她说你有一辆。"

"那不是四轮马车，是辆很旧的轻便马车。"斯佳丽愤怒地说。

"得了，不管那是什么。我还是告诉你的好，她对你跟弗兰克·肯尼迪结婚这口怨气始终没有消。尽管我在怪她，可是我自己心里也没数。你知道这是对亲姐妹在耍不光彩的花招。"

斯佳丽猛地抬起头，像一条准备进攻的响尾蛇。

"不光彩的花招，嗯？我该谢谢你的脑子里还留有文雅的谈吐，威尔·本蒂恩！他情愿挑我，我有什么办法？"

"你是个精明的姑娘，斯佳丽，我猜，是的，你当时可能耍了手段让他选择了你。姑娘们往往会这么干的。不过，我想是你引诱他这么干的。你是个非常有吸引力的人，如果你打算做那样的人的话。可不管怎么样，他是苏埃伦的情人。哦，你上亚特兰大去的一星期前，她还接到过他的一封信，他对她的情意真是比蜜还甜，信中还说到等再挣一些钱后，他打算怎么办婚事。这些我都知道，因为她给我看了那封信。"

斯佳丽不吭声了，因为她知道他说的都是事实，她想不出什么话来说。她从来没料到，在所有的人当中，来审判她的偏偏是威尔。何况她跟弗兰克说的谎话从来没沉重地压在她的良心上。一个女孩子要是连情人都保不住，那么她失去他是活该。

"行了，威尔，别这么尖刻了，"她说，"苏埃伦要是跟他结婚了，你以为她会为塔拉或是我们哪个人花一个子儿吗？"

"我刚才说的是，如果你打算干的话，是会变得非常有吸引力的。"威尔一边说着，一边向斯佳丽转过脸来笑嘻嘻地做出一副心平气和的神情。"不会，我想我们不会看到老弗兰克一个子儿的。可这仍然没法改变别人的看法，这是一个不光彩的伎俩，你要是准备用

‘只要目的正当，可以不择手段’这样的话来替自己辩护的话，那跟我可就不相干了，还用得着我来抱怨吗？可不管怎么样，从那之后，苏埃伦一直像只大黄蜂。我想她并不怎么喜欢老弗兰克，可这件事伤害了她的虚荣心，她一直说你有漂亮衣服，还有马车，住在亚特兰大，而她却困守在塔拉。你知道，她确实喜欢串门、跳舞、穿时髦的衣服。对此我并不责怪她。女人都这样。

“哦，大约一个月前，我带她到琼斯博罗去，让她去串门，我去料理事务，我带她回家时，她仍然像木头似的不吭气，可我看得出她神情兴奋，快要沉不住气了。我还以为她发现了什么——或听到了有趣的闲话，也就没怎么放在心上。在家里她有一个星期左右心情兴奋，神气活现，话却不多。她去拜访了凯瑟琳·卡尔弗特小姐——斯佳丽，如果你见到了凯瑟琳小姐，会哭个没完的。可怜的姑娘，她嫁给了那个唯唯诺诺的北方佬希尔顿，还不如死了的好。你也知道他把地押了出去，已经没有地了，他们就要搬走了吧？”

“不，我不知道，而且也不想知道。我想知道爸的事。”

“好吧，我马上就要讲到他了，”威尔耐心地说，“她从那儿回来后，说我们都把希尔顿估计错了。她称他为希尔顿先生，说他是个漂亮的男人，可是我们都笑话她。然后，她开始下午带你爸出去散步。好多次，我从地里收工回家，看到她跟他一起坐在牧场的墙上，双手挥舞着，起劲地跟他说着话。老先生呢，只是看着她摇着头，脸上显出困惑的神情。你知道他的情况，斯佳丽。他变得有点越来越糊涂了，好像几乎不知道自己在哪儿或者我们是谁似的。有一次，我看见她指着你母亲的坟，老先生哭了起来。她回家后，现出非常快活和兴奋的样子，我责怪了她，口气也很凶，我说：‘苏埃伦小姐，你到底为什么要这样折磨你可怜的爸爸，向他提起你妈呢？在大多数时间里他并没有清楚地感到她已经去世了，可你却反复地讲，有意惹他不痛快。’她听了，只是稍微仰了仰头，笑了笑，说：‘别管闲事。有一天，你会为我干的事情而感到高兴的。’兰妮小姐昨夜告诉我，苏埃伦跟她谈过她的计划，不过兰妮小姐说她当时并没把苏埃伦说的当回事儿。她说她没对我们任何人说是因为她一想到她那个主意就心烦。”

“什么主意？你到底能不能谈谈正题？我们快到家了。我想知道爸的事情。”

“我一直在想法跟你讲这些，”威尔说，“现在离家这么近，我想我最好还是把大车停在这儿，直到讲完为止。”

他勒住缰绳，那匹马鼻子里哼了一声，站住了。他们停在那长得过了头的桑橙树篱旁，那是麦金托什产业的标记。斯佳丽瞟了一眼那些黑沉沉的树，只见那些长长的、幽灵似的烟囱仍然屹立在寂静的、倾塌了的房子上。她真想让威尔挑别的地方停车。

“好了，她那个主意，简单说来，就是让北方佬赔偿烧掉的棉花、拉走的牲口、拆掉的栅栏和牲口棚。”

“北方佬？”

“你没听说过吗？北方佬政府同意赔偿那些支持联邦制的南方人的被毁坏了的财产。”

“当然听说过，”斯佳丽说，“可那跟我们有什么关系？”

“按苏埃伦的想法，是大有关系的。那天我带她到琼斯博罗去，她碰到了麦金托什太太，闲聊的时候，苏埃伦不可避免地注意到麦金托什穿得实在漂亮，她也难免要问问她的衣服。然后，麦金托什太太摆出一副神气的架势，说她丈夫怎么向联邦政府提出要求赔偿他被毁坏了的财产，因为他是联邦忠诚的支持者，从没以任何形式向南部邦联提供过援助和慰劳品。”

“他们从没向任何人提供过援助和慰劳品，”斯佳丽厉声说，“真是吝啬的苏格兰-爱尔兰人！”

“得了，这也许是真的。他们我不认识。不管怎么样，政府给了他们，算了——我忘了是几千块。总之，是个相当大的数目。这让苏埃伦动心了。整整一个星期，她就一直在想这件事，可是并没向我们吐露一点儿口风，因为她知道我们会取笑她的。不过，她总得跟人谈谈，所以她就去找凯瑟琳小姐，那个该死的穷白佬希尔顿给她出了不少的主意。他指出你爸甚至不是在这个国家出生的，他没打过仗，也没儿子打过仗，也从来没在南部邦联中担任过什么职位。他说他们可以牵强附会地把奥哈拉先生说成联邦忠诚的支持者。他向她灌输了一脑门子这样的花招，回家后，她开始去说服奥哈拉先生了。斯佳丽，我敢拿自己的性命打赌，你爸有一半的时间甚至都不知道她在说些什么。这正是她希望的，他会宣誓效忠，甚至自己还不知道哩。”

“爸宣誓效忠！”斯佳丽叫了起来。

“得了，他最近几个月脑子很衰弱，我想这正是她希望的。听着，我们没一个人对这件事有一丁点怀疑。我们知道她在打什么主意，可我们不知道她在利用你去世的妈责怪他，他明明可以从北方佬那儿拿到十五万，却让他的女儿们穿得破破烂烂的。”

“十五万。”斯佳丽低声说道，她对宣誓的恐惧渐渐消失了。

那是多么大一笔钱啊！只需在效忠合众国政府的誓言书上签个名就行了，誓言书上写着签名人一向支持政府，从没向它的敌人提供过援助和慰劳品。十五万块！撒那么一个小小的谎，却能换来这么多的钱！得了，她没法责备苏埃伦。上帝啊！这就是亚力克要用皮鞭抽她的原因吗？县里的人为此还要过割她的脑袋？蠢货，他们人人都是蠢货。有了这么多钱，还有什么办不成的！任何人只要有了这笔钱，还有什么办不成的呢！撒那么小小的一个谎有什么关系？说到底，能从北方佬那儿弄到的每一块钱都是来路正当的钱，不管你是怎么弄来的。

“昨天，大约是中午，我和阿希礼在劈做栏杆的木头，苏埃伦便把这辆大车赶出来，把你爸扶上了车，他们一起向县城驶去，没跟任何人说一声。兰妮小姐倒是想到了会发生什么事，可是她祈祷让苏埃伦改变主意，所以没跟我们其余的人说什么。她就是没想到苏埃伦竟然会干出这样的事。

“今天，我听说了发生的一切。那个呆头呆脑的希尔顿，在县里的叛贼和共和党人中有些影响，而且苏埃伦也答应，要是他们闭闭眼，串通一气地承认奥哈拉先生是个忠诚的联邦支持者，并装模作样地说他是个爱尔兰人、从来没在军队里打过仗等诸如此类的话，并且在推荐信上签名的话，她就给他们一些钱——多少我可不知道。你爸要干的只是宣誓和签名，然后誓言书就会送到华盛顿去。

“他们急匆匆地念完了誓言，念得非常快，他什么也没说，一切都进行得顺顺利利，直到她安排他签名。那时候，老先生稍微清醒了一些，摇了摇头。我觉得他不知道自己在干什么，但他并不喜欢这个做法，苏埃伦老是惹他发火。经受了一切麻烦后，偏偏遇上了这个局面，她简直要急疯了。她把他从办公室里带出去，坐在马车上在路上来回转悠，一边跟他讲你妈在坟墓里直向他嚷嚷，因为他明明能供养得起她的孩子，却偏偏让她们受苦。他们告诉我，你爸在大车上坐着，像个孩子似的哇哇大哭，就像平时听到她名字后那样。县城里人人都看到了他们，亚力克·方丹跑去看是怎么回事，可苏埃伦恶狠狠地让他滚开，叫他别管闲事，他就走开了，差点儿没气疯。

“我不知道她是怎么想出这个办法的，不过下午的什么时候，她弄来了一瓶白兰地，带着奥哈拉先生回到账房，开始为他倒酒。斯佳丽，我们塔拉已经有一年不备烈酒了，只是喝点儿迪尔西酿的黑莓酒和麝香葡萄酒，奥哈拉先生已不习惯喝白兰地了。他真的喝醉了，苏埃伦跟他争啊，磨啊，唠叨了几个钟头后，他同意了，不管她拿出什么，他都会在上面签字。他们又把誓言书拿出来，他正要拿起笔在纸上签名时，苏埃伦却犯了个错误。她说：‘这下可好了。斯莱特里家和麦金托什家的人不会再在我们面前摆架子了！’你知道，斯佳丽，斯莱特里家已经递了申请书，要求赔偿一大笔钱，因为北军烧掉了他们那所小木房。埃米的丈夫把申请书送到华盛顿去了。

“他们告诉我，苏埃伦一说出这两个名字，你爸便稍微挺了挺身子，现出警惕的神情。他不再糊里糊涂，说：‘斯莱特里家和麦金托什家也在这样的东西上签了字吗？’苏埃伦顿时慌了，一会儿说签过，一会儿说没有，结结巴巴地说不清，他随即高声喊道：‘告诉我，那个该死的奥兰治派分子和那个该死的穷白佬到底在这样的东西上签字了没有？’希尔顿那家伙说话圆滑，他说：‘是的，先生，他们签了名。从而得到了许多钱，就像你也会得到一样。’

“接着，老先生便像头公牛似的发出了一声吼叫。亚力克·方丹说他在离那儿很远的街上酒馆里都听到了那吼叫声。他随即用一口浓得化不开的土音说：‘难道你以为塔拉庄园姓奥哈拉的竟然会愚蠢地跟一个该死的奥兰治派分子和一个穷白佬那样要下流花招吗？’说罢，他把那张纸撕成了两半，扔在了苏埃伦脸上，吼叫着说：‘你不是我的女儿！’接着便一阵风似的噔噔噔冲出了账房。

“亚力克说他看见你爸来到了街上，像头公牛似的横冲直撞。他说老先生好像恢复成从前的模样了，自从你妈去世后，这还是第一次。他还说你爸虽已醉得脚步踉跄、东倒西歪了，但仍扯着嗓门咒骂个没完。亚力克说他从来没听到过这么精彩的咒骂。亚力克的马停在那儿，你爸爬上马背，连个招呼也不打就骑走了，扬起一团烟雾似的尘土，浓得让他透不过气来，他每透一口气，便咒骂一声。

“嗯，大约是在太阳西下的时候，我和阿希礼坐在前门台阶上，向大路张望，心里非常焦急。兰妮小姐躺在楼上的床上在哭，她什么也不告诉我们。我们听到大路上传来一阵越来越响的马蹄声和有人发出的像猎狐狸时那样的叫嚷，阿希礼说：‘真奇怪！听起来像奥哈拉先生的声音，战前那会儿，他经常骑着马这样来看我们。’

“接着我们看到他从牧场尽头骑着马一路而来。他一定已经跳过了那儿的围栏。接着他拼命地登上了小山，扯着嗓门在唱歌，好像压根儿就没有一点烦恼似的。以前我不知道你爸有这么好的嗓子。他一边唱着《低靠背车上的假腿人》，一边用帽子抽打马，那匹马发疯似的跑着。跑近山顶时，他并没勒住缰绳，我们见他就要从牧场的围栏上跳过去了，都吓得要命，跳起身来，接着他嚷道：‘瞧，埃伦！看我跳过这一道了！’可是那匹马一下子蹲倒在围栏前，停住了，你爸脑袋冲下从马背上摔了下来。他没受一点痛苦。我们赶到那儿时，他已经死了。我想是脖子摔断了。”

威尔顿了一下，等她说话，可她没说。他就拿起了缰绳，“快跑，谢尔曼。”他吆喝着。马向回家的路上跑去。

40

那一夜，斯佳丽几乎没合眼。天亮后，太阳正悄悄地爬到小山东边那些黑松树的上空，她从凌乱的床上起来，坐在窗前一张凳子上，把疲倦的脑袋搁在一条胳膊上，放眼望去，从谷仓前的场地和塔拉的果园一直望到棉花地。什么都是新鲜的，上面沾满露珠，静悄悄、绿油油的，展现在她眼前的棉花地让她那颗痛苦的心得到了一点儿安慰和轻松。尽管塔拉庄园的主人去世了，这座庄园在朝阳下显得受到了爱护，照管得很好，气氛静谧。为了防止耗子和黄鼠狼钻进去，矮矮的木鸡棚上抹了泥，还刷上了白灰，保持着清洁，木牲口棚上也是这样。菜园里种着一行行玉米、黄灿灿的笋瓜、扁豆和大头菜，野草拔得干干净净，整整齐齐地用橡木栅栏围着。果园里收拾得非常整洁，长长的一行行果树下，除了雏菊，什么都没有。太阳用淡淡的光芒照出了半藏在绿叶丛中的苹果和毛茸茸的桃子。果树后面，是一行行弯弯的棉花，在刚现出金色的天空下，一丝不动，绿油油的。鸭啊、鸡啊，正摇摇摆摆、神气十足地向田野走去，因为在庄稼底下、犁过的柔软的土地上可以找到味儿最美的蚯蚓和蛞蝓。

对干了这一切的威尔，斯佳丽心里充满了亲切和感激。尽管对阿希礼一片忠心，她还是没法觉得这种兴旺的景象主要是他的功劳，因为塔拉庄园这欣欣向荣的景象不是一个庄园主和贵族的成绩，而是一个不懂得疲劳、只知咬着牙干活儿、热爱自己的土地的“小农”的成绩。这是一个“只有两匹马的”小农场，而不是从前那个气派十足的庄园：牧场上骡马成群，田野里是一眼望不到边的棉花和玉米。不过，眼下的状况是好的，等时局好转后，休闲的土地便可以开垦，并且因为休耕而变得更加肥沃。

威尔不仅仅种了几英亩地，还坚决地挡住了佐治亚州种植园的两大天敌：籽苗松和黑莓。在这个州的所有庄园，它们正悄悄地占领园子、牧场、棉花地和草坪，还肆无忌惮地在门廊旁长着，可是在塔拉庄园看不到这种情况。

想到塔拉庄园只差一点儿就变成了一片荒地，斯佳丽吓得心都要停止跳动了。幸亏她自己和威尔齐心协力，终于干成了一件好事。他们挡住了北方佬、提包客和大自然的侵蚀。最令她高兴的是，威尔告诉她，秋天，收了棉花后，她就不必捎钱来了——除非又有哪个提包客眼红塔拉庄园，大幅度地提高税金。斯佳丽知道，如果没有她的帮助，威尔的日子会过得很艰难的，可是她钦佩和尊敬他的独立精神。只要他仍处在雇工的地位，他就会拿她的钱，不过既然他将要做她的妹夫和当家人，他就得靠自己的努力过日子了。说真的，威尔是天上的主赐予的一个宝。

昨夜，波克已经在埃伦的坟旁挖好了墓坑，他站在潮湿的红土后，手里拿着铲子，再过一会儿，他就要用铲子把那些泥土送回原处了。斯佳丽站在他后面，在一棵树枝低垂、长满木瘤的雪松树荫下，六月清晨灼热的阳光在她身上撒下斑斑点点，她的目光尽量避开前面那个红墓坑。吉姆·塔尔顿、小休·芒罗、亚力克·方丹和麦克雷老头最年轻的孙子用两根橡木棍抬着杰拉尔德的棺材慢腾腾地、笨手笨脚地从房子里走出，沿小路走过来。跟在他们身后的是零零乱乱的一大群人，都是邻居和朋友，他们与之保持着一定的距离，以表示尊敬，他们穿得破破烂烂的，都默不作声。他们穿过园子，在阳光灿烂的小路上走过来时，波克脑袋耷拉在铲把上哭了，斯佳丽带着并不关心的惊奇心情发现他头上拳曲的头发已灰白了，几个月前她去亚特兰大那会儿却是又黑又亮的。

她疲倦地感谢上帝，她的眼泪昨夜已经都哭光了，所以现在才能站得笔直，不掉眼泪。苏埃伦的哭声就在她背后，惹得她窝着一肚子火，简直就要受不了了，她不得不握紧拳头，才没转过身去在那张哭肿了的脸上狠狠掴一个耳光。苏埃伦是断送爸爸性命的罪魁祸首，不管她是否是有意的，当着那些敌视她的邻居的面，她应该懂规矩，克制自己。那天早晨，没一个人跟她说话，也没人向她同情地看上一眼。他们默默地吻着斯佳丽，与她握手，对卡丽恩，甚至对波克，都低声慰问，可是都毫无表情地望着苏埃伦，好像她不在场似的。

在他们看来，她的所作所为比亲手杀害她父亲更坏。她设下圈套要欺骗他背叛南方。而在这一带严厉而紧密团结的居民看来，她好像是在试图背叛大家的荣誉似的。她破坏了这个县向全世界展示的坚固的统一战线。她企图从北方佬的政府那儿弄钱，这一举动已经让人把她归为提包客和叛贼一类人了，这两种人是比从前的北军更遭憎恨的敌人。她，一个古老而坚定地支持南部邦联的家庭中的一员，一个庄园主的家庭成员，竟投到敌人那边去干出那样的事情来，让县里每户人家都蒙上了耻辱。

送葬的人们忍不住流露出愤怒的神色，又因为悲伤而显得神情沮丧，尤其是其中的三个人——麦克雷老头，从许多年前他从萨凡纳来到内地，就一直是杰拉尔德的好朋友；方丹奶奶，她喜欢他，因为他是埃伦的丈夫；还有塔尔顿太太，她对他比对任何邻居更亲近，因为正像她经常说的那样，全县只有他一个人能够辨别出一匹阉过的公马和一匹没有阉过的公马。

举行葬礼前杰拉尔德的尸体停放在那间幽暗的客厅里，阿希礼和威尔看到那三张怒气冲冲、一触即发的脸，觉得有点儿不放心，于是他们便退到埃伦那间账房里去商量。

“他们要说苏埃伦的事情，”威尔突然说道，一边把嘴里的草咬成了两截，“他们觉得他们有正当的理由发表一些看法。也许他们的理由是正当的。这本不该由我来说。不过，阿希礼，不管他们说得对还是不对，作为这一家的男人，我们不得不对这样的做法表示不满，可这就会惹麻烦。没人能对麦克雷老头施加一点儿影响，因为他的耳朵聋得就是打雷也听不见，哪怕有人让他闭嘴，他也压根儿听不见。再说，你也知道，在这个世界上，没人能拦得住方丹奶奶说出她的心里话。至于塔尔顿太太——你看到了吗，她一看到苏埃伦，那双黄褐色的眼睛就骨碌碌乱转，她窝了一肚子火，快憋不住了。要是他们说了什么的话，我们也只能接受，可现在，即便不跟邻居闹意气，我们在塔拉的麻烦也够多的了。”

阿希礼担心地叹了口气。他比威尔更了解他那些邻居们的性格，他记得很清楚，战前，有一半的争吵和好几件枪杀案都起因于县里的那个习俗：在去世了的邻居棺材前致辞。通常那些话都是高度的赞扬，可是偶尔并非如此。有时候，表示极度尊敬的话却受到死者那些神经过分紧张的亲戚们的误解，还没等最后几铲土堆在棺材上，纠纷就发生了。

由于没有神父，阿希礼只好依靠卡丽恩的祈祷书来主持葬礼。琼斯博罗和费耶特维尔的卫理会以及浸礼会的牧师们的帮助都被得体地回绝了。卡丽恩是个比她姐姐更虔诚的天主教徒，由于斯佳丽没想到从亚特兰大带一个神父来，她心里很不自在，后来，有人提醒她，等神父来为威尔和苏埃伦主持婚礼时，可以同时给杰拉尔德祈祷，她才稍觉安心了些。是她拒绝了附近的新教牧师，而把祈祷的事交给阿希礼去办的，她在她的祈祷书上划了一些章节，让他去念。阿希礼靠在那张旧写字台上，知道自己身上的责任是要避免一场纠纷，也知道县里人一触即发的性子，简直不知道该怎么办才好。

“没有什么好办法了，威尔，”他一边说，一边把他那金灿灿的头发揉乱，“我不能把方丹奶奶，也不能把麦克雷老头，打倒到地上，又不能捂住塔尔顿太太的嘴。他们最客气也会说苏埃伦是个杀人凶手和叛徒，要不是她，奥哈拉先生会仍然活着。这个该死的葬礼前致辞的风俗。真野蛮。”

“哦，阿希礼，”威尔慢腾腾地说，“不管他们怎么想，我的目的是不让任何人说出任何责怪苏埃伦的话。你就交给我来办吧。你念完经文，做罢祷告，就说：‘如果有谁想说几句的话，’说的时候望着我，那样我就能第一个说话了。”

斯佳丽一直在注意着那几个抬棺材的人困难地把棺材抬进坟场

那狭窄的入口，一点也没想到葬礼结束后即将发生的纠纷。她心情沉重地想，埋葬了杰拉尔德，也就埋葬了她与过去无忧无虑的日子的最后一丝联系。

最后，抬棺材的人把棺材放在了墓穴附近，站立着，疼痛的手指头抓紧又松开。阿希礼、兰妮和威尔一下子钻了过来，站在奥哈拉家姐妹们后面。凡是能挤进去的比较亲近的邻居，都站在了他们后面，其他人则站在砖墙外面。斯佳丽这时候才真正注意到他们，见来了这么多人，真是又惊奇又感动。尽管缺乏交通工具，来的人确实不少。到场的有五六十人，他们中有些人是从很远的地方来的，她真不知道他们是怎么得到消息及时赶来的。有些人家，一家人从琼斯博罗、费耶特维尔和洛夫乔伊赶来，有的还带着他们的黑人佣人。在场的有许多是住在遥远的河对面的小农民，还有从偏僻的边远地区来的穷白人和零零星星从沼泽地来的人们。从沼泽地来的大个子男人们瘦骨嶙峋的，长着大胡子，穿着手工纺织的粗呢，戴着浣熊皮帽，胳膊弯里从容地挎着来复枪，嘴里仍然含着一小块嚼烟。他们是带着妻子一起来的，她们赤着的脚陷在柔软的红土里，下嘴唇沾满了鼻烟，脸在阔边的遮阳帽下显得憔悴，像害了疟疾似的，不过干净得闪闪发亮，刚熨过的印花布连衣裙因为上过浆而微微闪光。

附近的邻居全出席了。方丹奶奶浑身干瘪、满脸皱纹、肤色黄得像只脱了毛的鸟，用手杖支撑着身子，她的后面是萨丽·芒罗·方丹和年轻的方丹小姐。她们在低声恳求老太太，还拉她的裙子，想方设法地劝她坐到砖墙上去，可全是白费劲儿。老太太的丈夫，老大夫，没有来。他两个月前去世了，她那双对生活充满恶意的喜悦的老眼里亮光暗淡多了。凯瑟琳·卡尔弗特·希尔顿独自站着，她这样做是合适的，是她丈夫促成了眼下这场悲剧，褪色的阔边遮阳帽遮住了她低着的脸。斯佳丽惊奇地看到她那密织棉布连衣裙上有油渍，手上尽是雀斑，而且不干净。她的手指甲里甚至有弯弯的黑垢。现在，在凯瑟琳的身上一点也没有上等人的痕迹了。她那样子就像个穷白佬，甚至更糟。她看起来就像个得过且过、邋邋遢遢、懒懒散散的穷白佬。

“她不久就会吸鼻烟的，要是她还没吸的话，”斯佳丽想，心里吓坏了，“上帝啊！她竟然落到了这步田地！”

她打了个冷战，目光从凯瑟琳的身上移开，感觉到上等人和穷白佬之间的距离是多么狭窄。

“如果不是有强烈的进取心，这就是我的下场。”她想，她认识到投降以后，她和凯瑟琳是在相同的处境下开始的——两手空空，脑子里都有过同样的念头。她心里不由得涌起一阵骄傲。

“我干得不错啊。”她一边想，一边抬起了下巴，微笑了。

可是她看到塔尔顿太太恶狠狠的目光盯着她，马上收起了笑容。塔尔顿太太眼圈通红，责怪地看了斯佳丽一眼，又把眼光重新盯在苏埃伦脸上，这是一种凶狠而愤怒的注视，对她是个凶兆。在她和她丈夫背后是他们的四个女儿，她们的红头发和这个庄严场合的气氛显得格格不入，她们黄褐色的眼睛看起来仍然像充满活力的小动物的眼睛，活泼而警觉。

阿希礼拿着卡丽恩那本破旧的祈祷书走到前面来时，大家的脚都站着不动了，男人们都脱掉了帽子，交叉着双手，女人们的裙子不再发出窸窸窣窣的声音了。他站了一会儿，低着头向下看，阳光在他的金发上闪烁着。沉重的寂静笼罩着众人，真是寂静无声啊，他们能清楚地听到玉兰树叶间吹过刺耳的风声和远处一只模仿鸟响亮而悲伤的反复鸣叫声。阿希礼开始念祈祷文了，所有的人都垂着脑袋，他那有感染力的动听的抑扬顿挫的声音把简短而庄严的词句流利地读出。

“啊！”斯佳丽的喉咙一紧，“他的嗓音多美啊！总得有人为爸干这件事儿的，让阿希礼来干，我感到高兴。我情愿让他来，而不要神父。我宁愿让一个爸的自己人，而不是一个陌生人来主持他的葬礼。”

阿希礼念到灵魂在炼狱中那部分祈祷文时——卡丽恩划出来要他念的——突然合上了书。只有卡丽恩注意到了他的省略，她抬起头来，不知道是怎么回事，他开始背《主祷文》了。阿希礼知道在场的人中有一半从来没听说过炼狱，而那些听说过的人会认为，要是他在祈祷文中哪怕是暗示奥哈拉先生那样一个好人没有直接升入天堂的话，也是一种人身侮辱。所以为了表示对公众意见的尊重，他干脆免掉了提到炼狱。在场的人都热烈地背着《主祷文》，但是当他开始念《万福玛丽亚》，他们的声音却越来越低，最后变成了一片尴尬的沉默。他们以前从来没听到过这篇祈祷文，见奥哈拉家姐妹、兰妮和塔拉庄园的佣人们作出应答：“为我们祈祷吧，现在和在我们临终的时刻。阿门。”他们面面相觑地互相望着。

接下来，阿希礼便抬起头来，站了一会儿，拿不准该怎么办。邻居们一边用企望的眼光盯着他，一边换了一个比较舒适的站立姿势，准备听长篇大论的演说。他们在等待他继续主持仪式，因为他们当中没有一个人想到按天主教仪式的祈祷已经结束了。本县的葬礼总是很长。主持那些葬礼的浸礼会和卫理会的牧师没有固定的祈祷文，而是根据当场情况随机编造，几乎总要折腾到所有的送葬者淌下眼泪，死者的女亲朋们悲痛地尖叫起来，才肯收场。如果整个仪式就是对着他们亲爱的朋友的尸体念这些短短的祈祷文，他们会觉得震惊、悲痛和愤怒的，没有人比阿希礼知道得更清楚。人们会在晚餐桌上把这事讨论几个星期，县里人的看法肯定是奥哈拉家的姐妹们没有对她们的父亲表示恰如其分的尊敬。

所以他很快朝卡丽恩看了一眼，以示抱歉，又垂下头去，开始背诵他以前在十二棵橡树庄园时常为下葬的奴隶背诵的圣公会葬词。

“我是复活和生命……无论是谁……只要信奉我，就永远不死。”

由于得想想才背得出，所以他背得很慢，偶尔还得沉默一会儿，等着有些词句从记忆中出现。然而他这种字斟句酌的背诵反而给人留下了更深刻的印象，那些原来没有掉泪的送葬人现在也开始掏手绢了。他们都是坚定的浸礼会和卫理会的信徒，认为那是天主教仪式，此时顿时改变了他们最初以为天主教祈祷词冷冰冰的、只是宣扬天主教教义的看法。斯佳丽和苏埃伦同样不懂，觉得祈祷词只是给人以安慰和光彩。只有玫兰妮和卡丽恩察觉到一个虔诚信仰天主教的爱尔兰人正在按照英国国教的仪式举行葬礼。卡丽恩被悲痛和阿希礼的背叛造成的伤害弄得目瞪口呆，没法去干涉了。

阿希礼念完了祈祷词，把他那双悲伤的灰眼睛睁得大大的，望着那群人。停顿了一下后，他的目光同威尔的接触上了，他说：“在场的有哪一位想要说几句？"

塔尔顿太太神情紧张地扭动着身子，可是不等她有所行动，威尔已笨拙地走到前面，站在了棺材的一头，开始说话了。

"朋友们，"他用单调乏力的声音开始说，"也许你们以为我变得自高自大了，竟然第一个出来说话——大约一年以前，我还压根儿不认识奥哈拉先生，而你们都跟他相识有二十年了，或者更长。不过，在此我提出一个理由。如果他能多活一个来月的话，我就会有权利管他叫爸了。"

人群中响起一阵惊讶的声音。他们都很有教养，不至于低声议论，可是他们都转过身，盯着卡丽恩垂下的头看。人人都知道他默默地爱着她。威尔看到所有的眼睛都朝那个方面看，便继续说下去，好像压根儿没注意到似的。

"只要神父从亚特兰大一来，我就要和苏埃伦小姐结婚，所以我认为也许这是我有权利第一个讲话的原因。"

他最后那些话还没说完，人群中就响起一阵轻微的闹哄哄的声音，那是一阵好像蜜蜂发出的愤怒嗡嗡声。声音中透出气愤和失望。人人都喜欢威尔，人人都因他为塔拉庄园干的那些事而尊敬他。人人都知道他对卡丽恩的爱慕，所以当听到这个消息：他要跟这一带最差劲的姑娘结婚，大家心里实在恼火。好人威尔竟要跟性子古怪、贼头贼脑的苏埃伦·奥哈拉结婚！

有那么一会儿，气氛紧张。塔尔顿太太的眼睛开始冒出怒火，她的嘴唇在动，并发出无声的话来。在一片寂静中，可以听见麦克雷老头用响亮的声音在让他的孙子告诉他威尔说了些什么。面对着他们，威尔仍然脸色温和，可是他那双淡蓝的眼睛里却流露出一种表情，表明他谅他们也不敢说他未来妻子的一句坏话。有一会儿，人们在对威尔的好感和对苏埃伦的轻蔑之间相持不下。结果，威尔赢了。他继续说下去，好像刚才的停顿是挺自然的事。

"我跟你们大伙儿不一样，我从来没见过全盛时代的奥哈拉先生。我所认识的是一位极好的老先生，就是思维有一点儿糊涂。可是我听你们大家讲过他从前是什么模样。这话我要说：他是位战斗的爱尔兰人，是南方的绅士，而且是极端忠诚的南部邦联的支持者。

他集那么多优点于一身，不可能找到比他更好的人了。我们也不可能再见到许多像他这样的人了，因为培养他那样的人的时代和他一样死掉了。他出生在国外，可是今天在这儿下葬的这个人比我们任何一个来送葬的人更是一个佐治亚人。他和我们一样生活，他爱我们的土地，归根结蒂地说，他跟士兵们一样，是为我们的事业而死的。他是我们的一员，我们所有的优点和缺点他都有，我们具有的优势和劣势他也都有。他的优点和我们一样，那就是说，一旦下定了决心，没有人能阻拦他，他一点也不怕穿着皮靴的士兵。任何外部力量都不能够让他屈服。

“英国政府要绞死他，他不怕。他匆匆出走，离开了家。来到这个国家后，穷困潦倒，他也不怕。他去干活儿，挣到了钱。他闯到了这一带，当时这儿几乎是荒野，印第安人刚被撵走。他在荒野上开辟了一个大庄园。战争爆发后，他的钱开始变少了，他不怕再过穷日子。北军到了塔拉庄园，可能会烧死他，或者把他杀掉，他一点也不慌，也没有屈服。他坚持自己的立场，寸步不让。这就是我为什么说他的优点和我们的一样的理由。任何外部力量都不能够让我们任何人屈服。

“可他也有我们的短处，因为他可以从内部被制伏。我的意思是说，整个世界办不到的事，他的心却办到了。奥哈拉太太一死，他的心也死了，他被制伏了。我们看到的在这儿转悠的已不是从前的他了。”

威尔停顿了一下，他的目光从容地从这一圈人的脸上一个个扫过去。这群人站在灼热的阳光下，就像被魔法所迷惑，被粘在土地上不能动弹了似的，不管他们刚才对苏埃伦有多大的火气，都已经化为乌有了。威尔的目光在斯佳丽身上逗留了一下，眼角也稍微皱了皱，好像他心里在用微笑安慰她。斯佳丽刚才把涌上来的眼泪压了下去，确实感到了安慰。威尔在谈常识，而不是唠唠叨叨地讲废话，什么再团聚在另一个更好的世界里啊，让她的意志服从上帝的啊。而斯佳丽总是能在常识中得到力量和安慰。

“我希望你们没有一个人因为他身子一下子垮掉了而认为他差劲。你们大伙儿和我也跟他一样。我们有同样的弱点和短处。没有什么人能让我们屈服，也不能让他屈服，北军不能，提包客不能，艰难的时势不能，高额的捐税不能，甚至直截了当的饥饿也不能。可是等我们心中的弱点使自己的眼睛看不清楚时，就能使我们屈服了。并不是每个失去了亲爱的人的人都会像奥哈拉先生那样垮下去。每个人的主要动力是不一样的。我想要说的是——失去了主要动力的人还不如死了的好。现在，他们在这个世界上没有容身之地了，他们倒不如死了更快活……这就是我为什么说你们现在不必为奥哈拉先生悲痛的原因。悲痛的时候要回溯到谢尔曼的到来，追溯到他失去奥哈拉太太的时候。既然他的肉体是去跟他的心会合，我认为我们就没有理由哀悼，除非我们非常自私……我把他当做亲生父亲那样爱，我说了话……你们大伙儿要是不反对的话，就不要再有人来说话了。他的家族已痛心疾首，会听不下去的。那样对他们，未免太不像话了。”

威尔停下来，转向塔尔顿太太，用较低的声音说：“我不知道你能不能把斯佳丽扶进屋里去，太太。她不适宜在太阳下站这么久。方丹奶奶的精神看来也不怎么好，我这话并没有一点儿不尊敬的意思。”

斯佳丽听见威尔撇下赞词，一下子转换话题，提到了她，不由得大吃了一惊，这时候人人都转过眼睛来看她，她窘得涨红了脸。她怀孕的情形已经很明显了，威尔干吗要大肆宣扬？她又羞愧又生气地看了他一眼，可是威尔平静的注视把她的眼光压了下去。

“请吧，”他的眼睛在说，“我知道自己在干什么。”

他已经是这个家里的男人了，再说斯佳丽也不希望当众吵架。她无可奈何地转身向塔尔顿太太走去。那位太太，正如威尔所希望的那样，突然把心思从苏埃伦身上转到了一直使她着迷的生育问题上，不管是动物还是人的生育，她都感兴趣，她扶着斯佳丽的胳膊说：

“进屋去吧，宝贝。”

她的脸上现出亲切而关怀备至的神情。人群往后退了退，给斯佳丽让出了一条狭窄的路，她只好让塔尔顿太太把她领出去。她往外走时，响起一阵低低的表示同情的声音，有几个人伸出手来拍了拍她，以示安慰。她走到方丹奶奶身旁，老太太伸出一只皮包骨的手，说："让我也在你的胳膊上扶上一把吧，孩子，"接着恶狠狠地瞟了萨丽和那位年轻的小姐一眼，加了句："别，你们别跟着。我不要你们。"

她们慢腾腾地从人群中穿过，她们走过后，那个圈子又围拢了。她们走在那条通往住房、笼罩着树荫的小路上，塔尔顿太太热心地扶在斯佳丽胳膊下的那只手是那么有力，斯佳丽几乎每走一步都被托了起来。

"喂，威尔干吗要这么干?"一走到别人听不到的地方，斯佳丽就激动地叫了起来，"他实际上是在说：'瞧她！她都快生孩子了！'"

"得了，上帝啊，你是快生孩子了，对不对?"塔尔顿太太说，"威尔做得对。你愚蠢地站在火辣辣的太阳下，可能会晕过去、流产的。"

"威尔才不会为她流产而操心哩，"奶奶说，她费劲地穿过前院，向台阶走去的时候，有点儿气喘。她脸上露出勉强的、会心的微笑。"威尔真是个机灵鬼。他不想让你、我和贝特丽丝待在墓旁。他怕我们要说话，他知道这是摆脱我们的唯一办法……还不单单是因为这个。他不想让斯佳丽听到泥土撒在棺材上的声音。他是对的。记住，斯佳丽，只要没听到那声音，对你来说，人实际上就没有死。可是一旦你听到过那声音……唉，那是世界上最可怕的最后的声音……贝特丽丝，拉我一把，扶我上台阶，孩子。斯佳丽不需要你的胳膊，就像不需要丁字拐杖一样，我的精神可不怎么好，正如威尔所说……威尔知道你是你爸的宝贝女儿，事情已经到了这种地步，他可不想闹得更糟。他估计你的两个妹妹不会太糟的。苏埃伦有羞耻支撑着，而卡丽恩呢，有上帝。可是你却什么也没有，对不对，孩子?"

"对，"斯佳丽回答道，扶着那个老太太走上了台阶，听到那老人尖声说出真实情况，她微微感到惊奇，"从来没什么支撑过我——除我妈外。"

"不过，失去她后，你发现自己还是能独自活下去的，是不是?

哦，有些人却不行。你父亲就是其中一个。威尔说得对。你不必悲痛。没有了埃伦，他的日子就没法过，他还是待在现在那个地方更快乐些。就像我，跟老大夫在一起会更快乐些。”

她说着，并没有丝毫需要同情的样子，那两个人也并不表示同情。她说得那么轻松自然，就像她丈夫没有死，仍在琼斯博罗，只要坐上轻便马车，赶短短的一段路，他们就可以待在一起了似的。奶奶一大把年纪了，见过许多世面，已不怕死了。

“不过——你也能自个儿活下去。”斯佳丽说。

老太太用明亮的、像鸟眼一样的眼睛向她瞟了一眼。

“不错，可是有时候实在是活得不舒服。”

“喂，注意点，奶奶，”塔尔顿太太插话说，“你不该这样跟斯佳丽讲话。她已经够不舒服的了。她一路奔波到这儿，穿着这身裹紧了的衣服，极其悲痛，天气又热，哪怕你不火上浇油，讲这些痛苦和伤感的话，也够她受的了，难免会不流产。”

“简直是胡说！”斯佳丽恼火地喊道，“我没有不舒服。我也不是那种病恹恹会流产的女人！”

“这很难说，”塔尔顿太太带着无所不知的神情说，“我见到一头公牛挑伤了我们家的一个黑人，她的第一个孩子就流掉了，再说——你记得我的红牝马耐利吗？哦，看样子，你再也找不到比它更壮实的牝马了，可它却胆小而紧张，要是我不照看它，它就会——”

“住嘴，贝特丽丝，”奶奶说，“斯佳丽是决不会流产的，没错儿。让我们坐到过道里去，这儿阴凉。有一阵凉快的穿堂风从这儿吹过。好吧，你去给我们取杯脱脂牛奶来，贝特丽丝，要是厨房有的话。要不，看看储藏室有没有葡萄酒。我倒想来一杯。我们就坐在这儿，等人们来告别。”

“斯佳丽应该去床上躺着。”塔尔顿太太坚持说，眼光从上到下打量着她，摆出一副能一天不差地预测怀孕日期的内行派头。

“去吧。”奶奶说着用拐杖捅了她一下，塔尔顿太太随即向厨房走去，一边随手把帽子扔在餐具柜上，并用双手捋了捋她潮湿的红头发。

斯佳丽靠在椅子上，解开身上那件裹紧了的连衣裙的最上面两颗纽扣。天花板高高的过道里又阴凉又幽暗。她们刚才被阳光烤过，这会儿，从房子后面吹到前面来的飘忽不定的穿堂风使她们神清气爽。她从过道能一直看到停放过杰拉尔德尸体的客厅，为了强迫自己不去想杰拉尔德，她抬头看着挂在壁炉上的那幅外祖母罗比亚尔的肖像画。那幅划有刺刀痕迹的肖像画上发髻高耸、胸脯半露、表情冰冷傲慢的外祖母，一直对她有兴奋作用。

“我不知道什么对贝特丽丝·塔尔顿的打击更大，是失去了儿子呢，还是马，”方丹奶奶说，“你也知道，她从来不怎么把吉姆和女儿放在心上。她就是威尔刚才说的那种人。她的主要动力被毁掉了。有时候，我怀疑她会不会走你爸那条路。她是决不会快活的，除非当着她的面让牝马下马驹，或者女人生孩子，她的那几个女儿没一个结了婚，也没一个有迹象会在县里找到丈夫，所以她没什么需要费心思的事情。要不是她在心底里是个有教养的女人，她会变得不折不扣地粗俗……威尔刚才说要娶苏埃伦，这是真的吗？”

“是的。”斯佳丽说着，盯着老太太的眼睛看着。天哪，她还能记得，她以前怕方丹奶奶怕得要命！哦，从那以后，她长大了，要是奶奶干涉塔拉庄园的事，那才好呢，她就会直截了当地跟她说，见鬼去吧。

“他可以娶个好一点儿的姑娘。”老太太坦率地说。

“真的吗？”斯佳丽傲慢地说。

“别摆出一副傲慢的架子，小姐，”老太太尖刻地说，“我不会攻击你的宝贝妹妹的，尽管如果待在坟地上的话，我也许会这么干。我的意思是说，这一带男人少。这儿的大多数姑娘，不管是谁，威尔都能娶到。贝特丽丝的四只野猫，芒罗家的那些姑娘，还有麦克雷——”

“事实是他将要跟苏埃伦结婚。”

“她有幸得到了他。”

“是塔拉庄园有幸得到了他。”

“你喜欢这个地方，对不对？”

“是的。”

“喜欢得这么深，所以只要有男人在这儿照看塔拉庄园，连把妹妹嫁给一个比她阶级地位低的人也不在乎吗？”

“阶级地位？”斯佳丽说，她对这种说法感到吃惊，“阶级地位？一个姑娘只要能找到一个能照顾她的丈夫，阶级地位还有什么关系呢？”

“这是个可以争论的问题，”老太太说道，“有些人会说你讲的话合乎常识。另一些人却会说你在降低一英寸也不该降低的围栏。威尔当然算不上是上等人，而你们有些人却是的。”

她那双尖锐的老眼向罗比亚尔老太太的肖像望去。

斯佳丽脑子里想着威尔：个子瘦长，相貌平凡，性情温和，老是嚼着一根草，整个外貌给人一种缺乏精力的假相，就像大多数穷白人的外貌一样。他没有一长串家产殷实、地位显赫、门第高贵的祖先作背景。威尔家第一个到佐治亚州的人可能是奥格尔索普的一个债务人，或者是奴隶。威尔没有进过大学。事实上，他只在偏僻地区上了四年学，那是他受到的全部教育。他生性诚实，为人忠诚，有耐心，干活勤奋，然而他当然不是上等人。按照罗比亚尔家的标准，苏埃伦的地位毫无疑问是降低了。

“这么说，你赞成威尔成为你们家的人？”

“没错。”斯佳丽恶狠狠地答道。只要老太太谴责的话一出口，她就准备扑过去。

“你可以亲亲我，”奶奶出人意料地说道，她带着完全赞同的神态微笑着，“在此之前，我一直不怎么喜欢你，斯佳丽。你老是硬得像山核桃，哪怕是在小时候，我不喜欢性子硬的女人，我自己除外。不过，我确实喜欢你处理事情的态度。对没法避免的事，哪怕是不愉快的事，你从不大惊小怪。你像个好猎人，干净利落地保卫着自己。”

斯佳丽带着拿不准的神情微笑着，在朝她凑过来的干瘪的脸颊上匆匆地亲了亲。又听到赞扬的话了，哪怕这话里的意思她几乎没弄明白，心里也挺高兴的。

“这一带会有许多人因为你把苏埃伦嫁给一个穷白人而说长道短的——尽管人们都喜欢威尔。他们会一方面说他是个多好的人，另一方面说奥哈拉家的一个姑娘竟嫁给了一个地位比她低的男人，真糟糕。别让那些话惹你心烦。”

“别人说什么，决不会让我心烦。”

“这话我听到过。”苍老的声音里含着尖刻的意味，“好吧，不管别人说什么，别心烦就是了。那可能是桩很美满的婚姻。不用说，威尔这辈子是改不了他穷白人的模样了，结婚也不会对他有什么改善。再说，哪怕他发了大财，也决不会给塔拉庄园增添半点光彩，就像你爸爸那样。穷白人是缺乏光彩的。不过，威尔内心深处是位绅士。他有正确的本能。除非是一位天生的绅士，没有人能像他刚才在葬礼上那样正确地指出我们的错误。虽说整个世界都不能制伏我们，可是我们要是过分想念已经不再有的东西——老是念念不忘地回忆过去的话，那我们就把自己给制伏了。没错，威尔无论对苏埃伦还是塔拉庄园，都会很好的。”

“那么，我让他娶她你是赞成的了？”

“天哪，不！”苍老的声音虽疲惫辛酸，可是挺有力，“赞成穷白人跟大家子女联姻吗？呸！我会赞成把杂种马养成纯种马吗？啊，穷白人虽性子好，身子结实，做人老实，可——”

“可你刚才说了你认为那将是桩美满的婚姻！”斯佳丽喊道，她闹不懂了。

“啊，我是认为苏埃伦嫁给威尔是件好事——对她来说，嫁给谁都是件好事，因为她实在是需要一个丈夫。她还能从哪儿去找一个丈夫呢？你还能从哪儿找到一个这么好的塔拉庄园的管理人呢？不过，这并不是说我比你更喜欢这种局面。”

不过我倒确实喜欢，斯佳丽一边设法弄懂老太太话的意思，一边想。我很高兴，威尔要娶她。她干吗以为我不满意呢？她是在想当然地以为我不满意，就像她那样。

斯佳丽感到迷惑，有一点儿不好意思，人们把他们的情感和动机加在她身上，而且认为她也有同感时，她总会有这种心情。

奶奶用芭蕉扇给自己扇着，继续轻快地说：“我并不比你更赞成这门亲事，可是我讲求实际，而你呢，也讲求实际。所以遇到了不愉快、又没法避免的事情，我认为大声尖叫和乱发牢骚没什么意思。

这可不是应付生活盛衰的办法。我懂得这一点，是因为我一家子和老大夫一家子经历过的盛衰远比你们多。我们这些人要是有座右铭的话，那就是：‘别抱怨——面带微笑，等待时机。’我们就是这样渡过了不少难关，面带微笑，等待我们的时机，我们终于成为渡难关的专家。我们不得不这样。我们一直把赌注押在跑输的马身上。跟胡格诺派新教徒一起被撵出了法国，跟保皇党员一起逃出了英国，跟快活王子查理一起被撵出了苏格兰，被黑人撵出海地，现在又被北方佬制伏了。可我们总是在几年后又冒到上面来了。你知道这是为什么吗?”

她歪着头，斯佳丽想，她的模样再像一只懂事的老鹦鹉不过了。

“不知道，我实在不知道。”斯佳丽有礼貌地回答道。可是她实在感到很厌烦，就像奶奶那天跟她原原本本地讲克里克人暴动的时候那样。

“哦，这就是道理。我们只向不可避免的事情屈服。我们不是小麦，我们是荞麦！风暴来临时，成熟的小麦就倒下了，因为小麦干燥，在风中不能弯曲。可是成熟的荞麦体内有汁液，它能弯下。风暴一过，它就又挺起来，几乎跟从前一样茁壮笔挺。我们不是倔强的人。刮大风时，我们非常柔软，因为我们知道柔软是合算的。麻烦找上门来时，我们向不可避免的事情屈服，一点也不哭丧着脸。我们勤奋工作，我们面带微笑，我们等待时机。我们假装赞同地位比较低下的人的那套做法，从他们那儿取得能得到的东西。等我们够强大，已经骑在那些人的脖子上了，我们就踢他们。我的孩子，这就是能活下去的秘诀。”她停顿了一下，加上了一句，“我把这个秘诀传给了你。”

老太太格格地笑着，好像被这些话给逗乐了，尽管话里带有恶意。她好像希望斯佳丽能作一些评论，可是这些话对斯佳丽几乎没有一点意义，所以她想不出什么要说的话。

“可不是，小姐，”老太太接着说，“我们的人被治得服服帖帖地倒下了，可是又都站了起来。对附近一带许多人我却不能这么说了。看看凯瑟琳·卡尔弗特。你可以看出她已经落到了什么地步。穷白佬！比她嫁的那个男人差多了。瞧麦克雷那一家子。穷得什么都没了，却拿不出一点儿办法来，不知道该干什么，也不知道怎么去干任何事情。甚至都不愿试试。他们把时间都花在了嘀嘀咕咕地唠叨过去的好日子上。再瞧——算了，瞧瞧这个县里的人吧，几乎人人都这样，只有我的亚力克、萨丽、你和吉姆·塔尔顿，还有他的女儿们和其他一些人除外。其余的人都消沉下去了，因为他们身子里已经没有了活力，因为他们已经没有了再站起来的勇气。那些人只想到钱和黑人，别的都不放在心上，可既然钱和黑人都没了，那些人的下一代就会变成穷白人的。"

"你忘记了韦尔克斯一家人。"

"没有，我没忘记他们。我只是想，阿希礼好歹是这个家的客人，我一定要注意礼貌，不提他们。不过，既然你提到了他们——那么就来瞧瞧他们吧。拿印第亚来说，据我听到的有关她的消息，她已经成了一个干瘪的老姑娘，神情举止完全像个寡妇了，因为斯图特·塔尔顿已被打死了，她也不想任何办法忘了他，另外再找个男人。当然，她老了，可是她仍可以找个死了妻子并且有许多孩子的男人嘛，要是她愿意的话。再说可怜的哈妮，她一直就是个见了男人就着迷的蠢货，见识就跟一只珍珠鸡一样。至于阿希礼，瞧瞧他吧！"

"阿希礼可是个很好的人。"斯佳丽气呼呼地说。

"我从来没说他不好，可他像只被翻了个儿的海龟，一点用都没有。韦尔克斯一家好歹熬过了那些艰难的日子。那是兰妮带他们熬过的。不是阿希礼。"

"兰妮！上帝啊，奶奶！你在说些什么啊？我跟兰妮一起过的日子可不算短，她病恹恹的，胆小如鼠，没有勇气对一只鹅说声呸。"

"喂，人干吗要对一只鹅说呸呢？我一直认为这是在浪费时间。她也许不敢对一只鹅说呸，可是她却敢对这个世界，或是对北方佬政府，或是对其他任何威胁她珍贵的阿希礼或是她儿子的生命或是她的上流阶层的想法的东西说呸。她的风格跟你的不一样，斯佳丽，跟我的也不一样。你妈要是活着，也会这样的。兰妮让我想起了你妈年轻的时候……她也许能拉扯着韦尔克斯一家熬过来。"

"啊，兰妮是个好心的小蠢货。不过，你对阿希礼很不公平。

他是——”

“啊，别胡扯了！阿希礼天生就是个读书人，别的什么都不行。这对一个要从我们现在这样艰难的困境中熬出头的人可没有用。我听说全县就数他耕地最差劲！你不妨拿他跟我的亚力克比一比。战前，亚力克是个最没出息的花花公子，他想得到的顶多是一条新领带，醉酒后向人开枪，去追那些不规矩的姑娘。可是你看他现在！他学着干庄稼活儿，因为不得不学啊。要不，他，还有我们一大家就得挨饿。现在他种的棉花是全县最好的——可不是嘛，小姐！比塔拉庄园的棉花还要好得多！——他还知道怎么跟猪和鸡打交道。哈！尽管性子不好，他可是个好样的小伙子。他知道怎么等待时机，以变化来适应变化，等重建时期的苦难一过，你将会看到我的亚力克跟他爸、他爷爷一样有钱。可阿希礼——”

听到这种蔑视阿希礼的话，斯佳丽心里像针扎似的。

“这些听起来都是无聊的废话。”她冷冷地说。

“哟，这不可能，”奶奶一边说着，一边用尖锐的目光紧紧地盯着她，“因为这恰恰是你到亚特兰大后采取的那套办法。啊，可不是嘛！尽管我们待在闭塞的乡下，可还是听说了你那套出格的做法。随着时势的改变，你也改变了。我们听说了你怎么巴结北方佬、穷白佬和新发财的提包客，从他们那儿赚钱。根据我听到的一切，你装得倒挺老实。得了，放手干吧，我说！把你能从他们那儿弄到的每一个子儿都弄到手，等有一天你手里的钱够多了，就朝他们脸上踢一脚，因为他们对你再也没用了。一定要这么干，而且要干得巧妙，因为紧紧地拉着你上衣后摆的那些废物可能会毁了你。”

斯佳丽看着她，皱着眉头，一心想弄懂这些话的意思。这些话仍然对她没有什么意义，她仍然在为她把阿希礼比作一只翻了个儿的海龟而生气。

“我觉得你对阿希礼的看法是错误的。”她突然说。

“斯佳丽，你太不灵活了。”

“这是你的看法。”斯佳丽生硬地说，她恨不得狠狠地给老太太一个耳光。

“啊，你跟元啊、分啊什么的打交道，倒是挺机灵的。那是一种男人的机灵。可是作为一个女人你却压根儿不机灵。跟人打交道，你也是一点儿也不机灵。”

斯佳丽的眼睛已开始冒火，她的双手握紧又放松。

“我已经完全把你气疯了，是不是？”老太太微笑着问，“行了，我是有意这样的。”

“啊，你是有意的，真的？请问，为什么？”

“我实在有许多的理由。”

奶奶实实在在地靠在椅子上，斯佳丽突然发觉她看起来非常疲倦，老得让人难以置信。她那细小的、像爪子似的双手在扇子上交叉着，黄得像蜡做的，活像死人的手。斯佳丽突然产生了一个念头，心里的火气消了。她探过身去，双手捧起她的一只手。

“你真是个可爱的老骗人精，”她说，“你说的这些唠唠叨叨的废话是一点儿都不能当真的。你说这些话的用意无非是想转移我的注意力，免得我想爸爸，对不对？”

“别跟我瞎扯，”老太太恶声恶气地说，猛地把手抽了出去，“一部分是因为这个，还有一部分是因为我跟你说的都是实际情况，而你却太蠢了，竟理解不了。”

不过，她露出了一丝笑意，话中不再带刺了。斯佳丽心里因说阿希礼而引起的火气熄灭了。知道奶奶的话压根儿不是当真的，实在让人高兴。

“无论如何，还是谢谢你。你真好，跟我说这些话——真让我感到高兴，你对威尔和苏埃伦的婚事也跟我的看法一致，尽管——尽管许多人并不赞成。”

塔尔顿太太从过道那头走来，端着两玻璃杯脱脂牛奶。她干什么家务活都不行，两杯脱脂牛奶洒了一路。

“我一直找到冷藏室，才找到牛奶，”她说，“快喝吧，那些人马上要从墓地回来了。斯佳丽，你真的要让苏埃伦嫁给威尔吗？我倒并不是说他配不上她，只是他是个穷白人，再说——”

斯佳丽的眼光与奶奶的相遇了。她看到那双老眼里闪动着一丝邪恶，知道自己的眼睛里也闪着同样的光芒。

41

斯佳丽向最后一个人说了声再见，等最后一辆马车的车辆滚动声和马蹄的嘚嘚声消失后，她回到埃伦的账房，从那张写字台的文件架上泛黄的文件里取出了一件亮晃晃的东西，那是她昨天夜里藏在那儿的。听到波克在餐厅里一边走来走去地摆晚饭，一边抽抽搭搭地哭，她就叫他。他走到她面前，那张黑脸上一副凄惨相，就像条没主人的丧家犬。

“波克，”她严厉地说，“要是你再哭，那，我——我也要哭了。你一定要止住。”

“是，小姐。我试过了，可是每次我想不哭，就总是想起杰拉尔德先生——”

“好了，别想了。别人掉泪，我受得了，可是你掉泪那可不行。得了，”她突然温和地停顿了一下，“你不明白吗？我受不了你的眼泪，因为我知道你是多么的爱他。擤擤鼻子，波克。我有件礼物要送给你。”

波克响亮地擤了擤鼻子，眼睛里流露出了一点儿感兴趣的神情，不过那主要是出于礼貌，而不是兴趣。

“你还记得那天夜里你到人家的鸡棚里去偷鸡，挨了枪子儿的事吧？”

“上帝啊，斯佳丽小姐！我从没——”

“算了吧，你确实去偷过，已经隔了很久了，你不用对我撒谎。你还记得我说过你这么忠心，将来我要给你一块表吗？”

“是的，小姐。我记得。我还以为你已经忘记了。”

“没有，我没忘记，表就在这儿。”

她拿出一块大金表来递给他，表壳上有繁复的浮雕图案，还系着一条带有许多挂件和印章的表链。

“天哪，斯佳丽小姐！”波克嚷道，“这是杰拉尔德先生的表！我见他看这表，总有一百万次了！”

“是的，是爸的表，波克。我把它给你了。收下吧。”

“哦，不行，小姐，”波克吓得直往后退，“这是块白人绅士用的表，再说它是杰拉尔德先生的。你怎么能把这表给我呢，斯佳丽小姐？这表的所有权属于小韦德·汉普顿。”

“它是属于你的。韦德·汉普顿为爸干过什么？爸病弱无助时，他照顾过他吗？他给他洗过澡、穿过衣、刮过脸吗？北方佬来了后，他对他一片忠心吗？他为他去偷过吗？别傻了，波克。要说谁该拥有这块表，那就是你，我知道爸会同意的。拿去吧。”

她拉起一只黑手，把表放在了手掌里。波克毕恭毕敬地盯着表看着，慢慢地显示出满脸喜悦。

“给我的，真的，斯佳丽小姐？”

“是啊，没错儿。”

“那好吧，小姐——谢谢。”

“我把表带到亚特兰大去刻上字好吗？”

“刻字是什么意思？”波克的声音中带着疑虑。

“刻字的意思就是在表背面刻上一些字，比如——比如说‘送给波克——表现出色、忠心耿耿的仆人，奥哈拉家’。”

“不，小姐——谢谢，小姐。别费心去刻什么字了。”波克向后退了一步，紧紧地抓着那只表。

一丝微笑掠过了她的嘴唇。

“怎么了，波克？难道你不相信我会把表送回来吗？”

“哪会不相信呢，小姐！我只相信你——不过，嘿嘿，小姐，你也许会改变主意的。”

“我不会的。”

“得了，小姐，也许你会把表卖掉的。那值很多钱哩。”

“你以为我会把爸的表卖掉吗？”

“可不是嘛，小姐——如果你需要钱的话。”

“有这样的想法你真该揍，波克。我要收回这表。”

“不，小姐！你不会的！”波克那沉重悲伤的脸上露出了这天第一丝细微的笑意，“我了解你——再说，斯佳丽小姐——”

“什么，波克？”

“你只要对白人像对黑人一半好，我觉得大家就会待你好些。”

“他们待我够好的了，”她说，“喂，去找阿希礼先生，告诉他我要在这儿见他，让他马上来。”

阿希礼坐在埃伦写字台前那张小椅子上，他长长的身子衬得那件单薄的家具很矮小。斯佳丽向他提出了把锯木厂的一半股权给他的建议。他的眼光一次也不与她接触，一句话也不说地坐着，低头看着自己的一双手，两只手慢腾腾地翻过来覆过去，他先打量手掌，后打量手背，就像以前从来没看到过自己的手似的。尽管干着体力活儿，那双手仍显得纤细柔嫩，保养得不像庄稼人的手。

他耷拉着脑袋，默不作声，这让她心里有点儿不踏实，她接着加倍努力，把锯木厂说得颇有吸引力。她还展示所有的魅力，微笑啊，媚眼啊，可都白白浪费了，因为他不抬起眼来。只要他看她一眼就行了！她绝口不提威尔告诉她的消息：阿希礼决定到北方去。她带着明显的自作主张的神态说，不存在任何阻止他同意她计划的障碍。他仍然不说话，她说话的声音越来越小，最后也沉默了。他单薄的肩膀绷得紧紧的，显示着他的决心，这让她心慌！他当然不该拒绝！他到底有什么理由拒绝呢？

“阿希礼。”她又开始说，但刚出口就又顿住了。她刚才没打算拿怀孕来说服他，甚至想都不敢想阿希礼看到她腆着个大肚子的丑陋模样，可是既然他对其他理由都无动于衷，她便决定拿怀孕和她没人帮助作最后一张牌亮出来。

“你一定要到亚特兰大去。我现在没有你的帮助实在不行，因为我没法照料锯木厂。也许要等几个月后我才能，因为——你看——

唉，因为……”

“请别说了！”他粗声粗气地说，“上帝啊，斯佳丽！”

他站起来，突然走到窗口，背对着她站着，望着一群鸭子庄严地排成一排从谷仓前的空场穿过。

“难道这就是——就是你不看我的原因吗？”她可怜巴巴地问，“我知道我的模样——”

他猛地转过身，那双灰眼睛里的表情是那么强烈，让她不由自主地双手按住了喉咙。

“你那该死的模样！”他恶狠狠地快速说道，“你知道你的模样在我看来一直是最美的。”

她沉浸在幸福中，眼里涌出了泪水。

“你能这么说真是太好了！因为我本来觉得很不好意思，让你看到我——”

“你感到不好意思？干吗要不好意思。该不好意思的是我，而且我确实不好意思。要不是我愚蠢的话，你就不会落到这么狼狈的境地。你就永远不会嫁给弗兰克。去年冬天，再怎么我也不该让你离开塔拉庄园。啊，当时我真蠢！我本该知道你——知道你那会儿走投无路，那么走投无路——我真该——我真该——”他的脸色变得很难看。

斯佳丽的心在怦怦乱跳。他在懊悔没跟她一起逃跑。

“你收留我们那会儿，我们简直就像要饭的，我至少可以为你到大路上去抢劫，要不，就该去杀人抢税款。啊，我把事情全搞糟了！”

她的心被失望笼罩了，幸福的感觉有些减弱，因为她希望听到的不是这些话。

“无论如何，我总是会走的，”她疲惫地说，“我不能让你去干那种事。再说，无论如何，现在事情已成定局了。”

“可不是，已成定局了，”他不无辛酸地说，“你不会让我去干任何丢脸的事，可是你竟然把自己出卖给了一个你不爱的男人——还跟他生孩子，为的是不让我和一家人挨饿。我走投无路的时候，是你保护了我，你的心真好。”

他声音中带着锋芒，表明他内心的创伤还没愈合，还在刺痛，他的话让她的眼睛里流露出羞愧的神情。他马上就发觉了，脸色也变得温和了。

“你不会认为我是在责怪你吧？上帝啊，斯佳丽！不，你是我认识的女人中最勇敢的。我是在责怪自己。”

他转过身，又向窗外望去。她盯着他看，他的肩膀似乎挺得不怎么直。斯佳丽默默地等了好大一会儿，希望阿希礼会恢复到谈起她美丽的那种情绪，希望他再说一些她可以永远铭记在心的话。她那么久没见到他了，一直靠回忆活着，直到那些回忆被时光冲洗得淡薄了。她知道他仍然爱着她。这是明摆着的，他的每一句话、每一个痛苦和自责的措词，他对她怀了弗兰克的孩子的怨恨，都表明了这个事实。她多么希望听他用言语表露出来，希望自己能说一些引起他坦白的话，可是她不敢。她记得自己去年冬天在果园里许下的诺言，她再怎么也不会向他献殷勤了。她悲伤地意识到，要让阿希礼留在自己身边，就一定要遵守诺言。她一有爱情和企望的表示，一有要求与他拥抱的眼神，事情就会永远了结了。阿希礼当然会到纽约去的。可是绝不能让他去。

“啊，阿希礼，别怪自己！这怎么可能是你的过错呢？你会到亚特兰大来帮我的，是不是？”

“不。”

“可是阿希礼，”因为痛苦和失望，她嗓音都变了，“可是我一直指望着你。我确实非常需要你。弗兰克没法帮我。他照管店铺已经忙得不可开交，要是你不来的话，我真不知道在哪儿能找到一个男人！亚特兰大能干的人个个都在忙自己的事，其他人呢，又那么不中用和——”

“没办法，斯佳丽。”

“你的意思是说，你情愿上纽约去，住在北方佬中间，都不愿到亚特兰大来？”

“谁告诉你的？”他转过身来，面对着她，额头上现出浅浅的恼怒的皱纹。

“威尔。”

"是的，我已经决定到北方去。一个战前跟我一起去欧洲旅游过的老朋友给我在他父亲的银行里找了个职位。还是这样的好，斯佳丽。我对你毫无用处。木材买卖我一窍不通。"

"可是对银行业务你懂得更少，会更困难！我知道对你的缺乏经验我会比北方佬体谅得多！"

他的身子微微退缩了一下，她知道自己说错了话。他转过身，又向窗外望去。

"我不要别人体谅。我要靠自己的能力自立。直到现在，我为自己的生活都做了些什么呢？该是把我自己磨炼得有点儿出息的时候了——要不，因为我自己的过错，索性完了也好。靠你养活的日子已经过得太长了。"

"不过，我要给你锯木厂一半的股份，阿希礼！你会自立的，因为——你看，那将是你自己的买卖。"

"还不是一回事。我不可能买下那一半股份。我得把它当礼物来接受。可我已经接受了你太多的礼物——给我吃，给我住，甚至给我、玫兰妮和孩子衣服穿。可我没一点东西可回报你。"

"啊，你有！威尔不可能——"

"我现在能把引火柴劈得很好了。"

"啊，阿希礼！"她绝望地喊道，听到他那种嘲弄的语调，她的眼泪涌到了眼眶里，"我走了以后，出了什么事？你说起话来这么生硬、尖刻！你以前可从来不是这样的。"

"出了什么事？出了件极不寻常的事，斯佳丽。我一直在想。我认为，从投降那时起，直到你离开这里为止，我没有认真地想过。我当时不省人事，所以只要有点东西吃，有张床睡就足够了。可是你到亚特兰大去后，担负起了一个男人的责任，我觉得自己远远不及一个男人——说真的，远远不及一个女人。抱着这样的想法过日子是不会愉快的，我再也不愿抱着这样的想法过下去了。别人熬过了战争，手里有的比我更少，可看他们现在。所以我要到纽约去。"

"可——我真不明白。你要是想工作的话，亚特兰大哪儿赶不上纽约呢？再说，我的锯木厂——"

"不行，斯佳丽。这是我最后的机会了。我要到北方去。要是去亚特兰大为你工作，那我就永远完了。”

这个词儿“完了——完了——完了”在她心里像宣告死亡的钟声那样叮叮当当可怕地响着。她迅速地看着他的眼睛，可是他的眼睛睁得大大的，灰色的眼珠子里流露出清澈的眼光，眼光透过她的身子望着她身后的某种命运，这是她看不见也不明白的。

“完了？你是说——你干了什么亚特兰大的北方佬能整治你的事吗？我的意思是说，关于帮助汤尼逃走，要不——要不——啊，阿希礼，你不可能参加了三K党吧，对不？”

他望着远处的目光迅速回到她身上，短暂地微笑了一下，短得眼睛里都来不及露出笑意。

“我忘了你总是照字面理解别人的话。不，我倒不是怕北方佬。我的意思是说，要是到亚特兰大去，再接受你的帮助的话，就会永远埋葬任何独立的希望。”

“啊，”她很快舒了口气，“是这样！”

“是啊，”他又微笑了，笑得比刚才更冷淡，“不过就是这样。不过是我的男子汉的骄傲、我的自尊心，还有按你的说法是我不朽的灵魂罢了。”

“可是，”她从另一个方面拐弯抹角地劝他说，“你可以渐渐地从我这儿把锯木厂买过去，那厂子就会变成你自己的了，到那个时候——”

“斯佳丽，”他恶狠狠地插言道，“我干脆告诉你吧，不行！还有别的理由。”

“什么理由啊？”

“你比世界上任何人都更知道我的那些理由。”

“啊——那？可是——那不成问题，”她马上作出保证，“我答应过，你知道的。去年冬天，在果园里，我会遵守诺言的，而且——”

“这么说你对你自己比我更有把握。我没法指望自己遵守诺言。我本不该这么说，可是我必须得让你明白。斯佳丽，我不想再谈这件事了。就此了结了吧。威尔和苏埃伦结婚后，我就到纽约去。”

他的眼睛睁得很大，情绪激动，眼光对着她的眼睛看了一下，接着他很快走到了房间的一头。他的手放在了球形门把上。斯佳丽痛苦地看着他。会谈结束了，她失败了。由于神经紧张和前一天的悲伤，再加上眼下的失望，她的神经突然支撑不住了，她尖叫道："啊，阿希礼！"接着，一下子扑到那张塌下去的沙发上，号啕大哭起来。

她听到他犹豫不决地从门旁走过来的脚步声，她听到他无能为力地在她头顶上一遍遍叫她名字的声音。一阵叭嗒叭嗒的脚步声很快从厨房里传到过道上，接着，玫兰妮闯进了房间，她神情惊慌，眼睛睁得大大的。

"斯佳丽……孩子没有？……"

斯佳丽把脑袋藏在满是灰尘的沙发垫里，又尖叫了起来。

"阿希礼——他那么狠心！那么该死地狠心——那么可恶！"

"啊，阿希礼，你对她都干了些什么？"玫兰妮趴倒在沙发旁的地板上，把斯佳丽搂在了怀里，"你说了些什么？你怎么可以！也许会影响孩子的！行了，我的宝贝儿，把脑袋靠在我的肩膀上！有什么不对吗？"

"阿希礼——他那么死心眼和可恶！"

"阿希礼，你真让我大吃一惊！惹得她这个样子，她有身孕，何况奥哈拉先生刚下葬！"

"你别跟他咋呼！"斯佳丽突然从玫兰妮肩膀上抬起头来，语无伦次地喊道，她粗硬的黑发从发网中掉了出来，脸上挂着一道道泪痕，"他有权爱干什么就干什么！"

"玫兰妮，"阿希礼说，他脸色煞白，"你听我说。斯佳丽好心地提出要我到亚特兰大去，在她的一家锯木厂当经理——"

"经理！"斯佳丽愤怒地喊叫着，"我提出给他一半股份，可他却——"

"我告诉她我已经安排好了要到北方去，她就——"

"啊，"斯佳丽喊道，又开始抽抽搭搭地哭起来，"我跟他说了，又告诉他我是多么需要他——我实在找不到人手来管理锯木厂——我自己又快生孩子了——可是他拒绝来！得了——得了，我会不得不把锯木厂卖掉。而且我知道厂子压根儿卖不出好价钱，我会亏本的，我想也许我们就要挨饿了，可是他一点也不在乎。他那么狠心!”

她又把脑袋埋进玫兰妮瘦削的肩膀里，心里闪烁着一丝希望，真实的苦恼也有些消失。她察觉到了玫兰妮那颗忠诚的心，她找到了一个助手，不管是谁，哪怕是她心爱的丈夫，把斯佳丽惹哭了，玫兰妮也会发火的。玫兰妮像只下定决心的小鸽子那样扑向了阿希礼，第一次啄了他。

“阿希礼，你怎么能拒绝呢?不管怎么说，她为我们出过力!你让我们显得多么忘恩负义啊!现在，她怀着身孕，多么没办法——你却这么不仗义!在我们需要帮助的时候，是她帮助了我们，现在她需要你了，你却拒绝她!”

斯佳丽狡黠地偷望着阿希礼，看到他盯着玫兰妮那双愤怒的黑眼睛时脸上那副明显的惊奇和犹豫的神情。斯佳丽还对玫兰妮那进攻的劲头感到惊奇，因为她知道玫兰妮觉得丈夫是不可能受到做妻子的责怪的，她一直觉得他的决定仅次于上帝的决定。

“玫兰妮……”他说，接着便无可奈何地两手一摊。

“阿希礼，你怎么能犹豫呢?想想她为我们——为我做过的事吧!要不是她，生博的时候，我早就死在亚特兰大了!她——她还杀了一个北方佬，为了保护我们。这件事你知道吗?她为我们杀了一个人。你和威尔回家前，她干活，豁出命地干，为的是不让我们饿肚子。一想到那会儿她犁地、摘棉花，我真是只能——啊，我的宝贝儿!”她猛地低下头，带着强烈的爱恋吻斯佳丽蓬松的头发。“现在她第一次要求我们为她干点儿事——”

“你用不着告诉我她为我们干了些什么。”

“阿希礼，想想吧!除了可以帮她以外，想想吧，待在亚特兰大，我们就能待在自己人中间，用不着跟北方佬待在一起，这多有意思啊!有佩蒂姑妈和亨利伯伯，还有我们所有的朋友。博可以有许多伙伴一起玩，还能上学。要是到北方去的话，我们就没法让他上学，去跟北方佬的孩子们来往，再说在他的班级上还有黑孩子!我们不得不找个家庭女教师，我不知道我们怎么付得起——”

“玫兰妮，”阿希礼说，声调平静极了，“你真的一心一意地这么想到亚特兰大去?我们谈论到纽约去的时候，你从来没这么提出过，你也从来没有明白地表示过——”

“啊，可是我们谈论到纽约去的时候，我以为你在亚特兰大压根儿找不到工作，再说，我所处的地位本是不该说长道短的。做妻子的本分就是丈夫去哪儿就去哪儿。不过，既然斯佳丽这么需要我们，而且还有一个只有你才能胜任的职位，那我们就能回家！回家！”她紧紧地搂着斯佳丽，声音里充满了喜悦。“这样我就又可以看到五角场和桃树街了，还有——还有——啊，我是多么惦记那儿的一切啊！也许我们还能有一所我们自己的小小的房子！不管房子多么小、多么差，我都不在乎，不过必须是——我们自己的房子！”

她眼里闪着热烈而幸福的光芒。那两个人都盯着她，阿希礼带着古怪、愣住了的神情，斯佳丽带着混合着羞耻、惊奇的神情。她从来没想到过玫兰妮会这么念念不忘地惦记着亚特兰大，而且一心一意想回去，并想有一所自己的房子。她看起来好像对待在塔拉庄园一直挺满意，发现她想家斯佳丽感到震惊。

“啊，斯佳丽，你真好，给我们安排了这一切！你知道我是多么想家！”

和往常一样，玫兰妮习惯于把并不怎么了不起的事说得动机高尚，每当遇到这样的情况，斯佳丽总是感到羞愧和恼火，她突然没法看阿希礼或玫兰妮的眼睛了。

“我们可以有一所自己的小小的房子。你没发现我们结婚了五年，还从来没有一个家吗？”

“你们可以跟我们一起待在佩蒂姑妈家。那儿就是你们自己的家。”斯佳丽一边嘟嘟囔囔地说着，一边抚弄着一个枕头，眼睛一直看着下面，一直隐藏在她眼睛里的得意神情开始流露出来，因为她觉得情况在向对她有利的方向转化。

“不，可我还是得谢谢你，宝贝儿。那样会太挤了。我们要自己找一所房子——啊，阿希礼，你说行嘛！”

“斯佳丽，”阿希礼说，他声调平和，“看着我。”

她吓了一跳，抬起头来，看见那双灰眼睛里满是怨恨和无可奈何的疲倦神情。

“斯佳丽，我去亚特兰大好了……我斗不过你们俩。”

他转过身走出房间。她心里的得意劲儿多少被烦恼的恐惧冲淡了。他说话时眼睛里的神情跟他刚才说要是到亚特兰大去的话就永远完了的神情一模一样。

等苏埃伦和威尔结了婚，卡丽恩到查尔斯顿进修道院去了以后，阿希礼、玫兰妮和博带着做饭和当保姆的迪尔西来到了亚特兰大。普莉西和波克留在了塔拉庄园，一旦威尔找到其他黑人帮他在地里干活，他们也会到城里来的。

阿希礼为自己一家人在常春藤街找了一所小砖房，正好在佩蒂家后面，而且两家的后院连在一起，中间只隔了一道高低不齐、长得过了头的女贞树篱。玫兰妮挑上这所房子，主要是出于这个原因。她回到亚特兰大的第一天早晨，一边又哭又笑地拥抱斯佳丽和佩蒂姑妈，一边说，跟最爱的人们隔开了那么久，现在再接近也不会嫌太过分。

房子本来有两层，可是围城期间上面一层被炮弹炸掉了，投降以后，房主人回来没钱修复，只好凑合着在剩下的一层上盖了个平屋顶，使得这个建筑物显得矮胖、比例失调，像是用皮鞋盒做的玩具房子。这所房子从地面上看还是比较高的，盖在一个大地窖上，那道长长的弯弯地通往地窖的楼梯使地窖显得颇有点可笑。多亏有两棵姿态优美的老橡树笼罩着这所房子，大门的台阶旁还有一棵树叶上沾着灰尘、白花上有斑点的木兰树，它扁平、矮胖的形状才多少有所改观。草坪很宽阔，是一片绿油油的、茂盛的三叶草，被一道凌乱的、没修剪的女贞树篱分开，树篱上遍布着香喷喷的忍冬藤蔓。杂乱的玫瑰花星星点点地从草地上被踩断了的老梗上冒了出来，粉红和雪白的紫薇花开得欣欣向荣，好像在那些鲜花的上空从未发生过战争，北方佬的战马也从没咬断过它们的枝条。

斯佳丽认为这是她看到过的最难看的房子了，然而在玫兰妮看来，当初十二棵橡树庄园所显示的全部豪华气派也不见得比这儿更美。这是家，她、阿希礼和博终于可以一起待在自己的房子里了。

印第亚·韦尔克斯从梅肯回来了。从1864年起，她和哈妮一直住在那儿，现在她回来跟哥哥一起住了，在他一家人住的那所小房子里挤着。但是阿希礼和玫兰妮欢迎她。时代变了，钱又很少，可是什么也改变不了南方人的生活习性，家家都愿意腾出房间来给贫穷而没结过婚的女亲戚住。

哈妮已经结婚了，是下嫁的，印第亚这么说，嫁给了一个密西西比州来的西部人，他定居在梅肯。那是一个红脸膛、声音洪亮的快活人。印第亚不赞成这门亲事，因为不赞成，待在妹夫家里就不快活。听到阿希礼现在有了自己的家，她很高兴，这样她就可以脱离那个格格不入的环境，也可以不再看那让人痛心的情景：妹妹跟一个不相配的男人一起生活，却显得那么蠢头蠢脑地快活。

家里其他人私下里都认为那个只知痴笑、头脑简单的哈妮居然办成了这么一件大好事，实在是出人意料，他们对她居然逮到了一个男人，感到不可思议。她丈夫是个有身份的人，也有点资产。可印第亚生在佐治亚，长在弗吉尼亚，在她看来，不管是谁，只要不是在东海岸出生的，就是乡巴佬和野蛮人。也许哈妮的丈夫高兴跟她分开，并不亚于她高兴离开他，因为在那些日子里，跟印第亚住在一起确实是不容易。

现在她明显是一副老小姐的派头了。她已经二十五岁了，而且从面相上看也是这个年纪了，所以也用不着想方设法地装妩媚。她那没有睫毛的灰眼睛直截了当、毫不畏缩地正视着世界，她那薄薄的嘴唇总是高傲地紧闭着。现在在她身上有一种尊贵和骄傲的神情，说来也怪，比起她生活在十二棵橡树庄园那会儿所显示出的那种有决断的女孩子气的可爱神情，这倒更适合她。她的身份几乎是寡妇。人人都知道斯图特·塔尔顿要不是在葛底斯堡被杀死的话，一定会跟她结婚的，所以她虽然没结婚，却得到了一个有人爱慕的女人应有的尊敬。

常春藤街上那所小房子的六个房间很快就都摆上了少得可怜的几件家具，都是从弗兰克的店铺里搬来的最便宜的松木和橡木家具。阿希礼一个子儿也没有，不得不欠账，所以他只要最便宜的，别的一概不要，而且只买了一些日常生活的必需品。这使弗兰克感到很尴尬，因为他喜欢阿希礼。这也使斯佳丽感到痛苦。她和弗兰克心甘情愿地把铺子里最好的桃花芯木和雕花的黑黄檀木家具送给他们，分文不取，可韦尔克斯家这对夫妻固执地拒不接受。他们的房间难看、简陋得简直不成样子，斯佳丽不愿看到阿希礼住在没有地毯、没有窗帘的房间里。可是他看起来好像没有察觉到他的环境，而玫兰妮呢，结婚以来，第一次有了自己的家，心里很快活，真的为这个住所感到骄傲。在斯佳丽看来，要是被朋友们发现自己没有帷屏、地毯和垫子，没有一定数目的椅子、茶杯和汤匙，就会感到丢脸和苦恼。可是玫兰妮在她的房子里尽主人之谊时，就好像长毛绒窗帘和锦缎沙发都是她的似的。

尽管一望可知玫兰妮的心情很快活，但她的身体却很不好。怀小博时，她的健康就受到很大影响；生下他后，她在塔拉庄园干重活儿，身子便更亏了。她那么瘦，细小的骨头看来似乎随时都会刺穿那雪白的皮肤。从远处看，她在后院跟孩子一起蹦蹦跳跳时，看起来就像个小女孩，因为她的腰细得让人难以置信，实际上，她已没有身段了。她没有胸脯，屁股也扁得像博的。她既不虚荣，也不懂窍门（斯佳丽是这么认为的），她紧身上衣的胸部没装荷叶花边，胸衣后面也没缝衬垫。她的消瘦是很明显的。她的脸跟她的身材一样，也太瘦、太苍白，她那泛着光泽的眉毛弯弯的，细得像蝴蝶的触须，在没有血色的皮肤上显得特别黑。她那张小脸上，眼睛太大了，大得算不上美，眼睛底下的黑圈把眼睛衬托得大极了，可是眼睛里的表情还跟她做小姑娘时一样无忧无虑，始终没有变。战争、长期的悲痛和艰苦的劳动都对那双清澈可爱的眼睛无能为力。那是一个幸福女人的眼睛，这样的女人也许饱经风霜，但她平静的内心却丝毫没被扰乱。

她怎么能保持这种眼神呢，斯佳丽想着，羡慕地望着她。斯佳丽知道她自己的眼睛有时会流露出饿猫的神情。有一次，瑞特说到玫兰妮的眼睛——说她眼睛里傻乎乎的神情像烛光，那是什么意思？啊，是了，好像卑劣的世界上两道善良的光。可不是，就像烛光，是任何风都吹不灭的烛光，这两道柔和的亮光是因为又生活在朋友们中间感到幸福才点亮的。

小房子里总挤满了人。玫兰妮像个孩子似的遭人喜爱，整个小城的人都跑来欢迎她。人人都带着礼物到这所小房子来，小摆设啊、

小房子里总挤满了人。玫兰妮像个孩子似的遭人喜爱，整个小城的人都跑来欢迎她。

画啊、一两把银匙啊、亚麻布枕套啊、餐巾啊、碎毡小地毯啊，从谢尔曼手里抢救出来的种种小玩意儿，他们都一直珍藏着，可现在他们赌咒说这些东西对他们一点用处也没有了。

跟她爸爸一起在墨西哥作过战的那些老人都来看她，并带着客人们来见见"老上校可爱的女儿"。她妈的老朋友们也都围在她周围，因为玫兰妮对长辈们毕恭毕敬，这对那些老太太们是个极大的安慰，因为在那些无法无天的日子里，年轻人们似乎已经把礼貌忘得一干二净了。她的同辈人，年轻的妻子、妈妈和寡妇，都喜欢她，因为她也经历过她们的苦难，却没有丝毫怨恨，总是用同情的态度听她们诉苦。年轻人，年轻人也总是来啊，因为他们在她的房间里过得很愉快，而且总能遇见他们想要遇见的朋友们。

玫兰妮为人得体、谦逊，在她周围很快就形成了一个由年轻人和老年人组成的小圈子，这些人是亚特兰大战前社交界剩下的精华代表。虽然他们钱包里全都掏不出几个钱，却为家世感到骄傲。仿佛这被战争拆得四分五裂、零零落落，被死亡吓得精疲力竭，被变化弄得迷惑不解的社交界，已经发现在她的身上有一个可以重组它自己的顽强的细胞核。

玫兰妮虽然年轻，可是她身上具有一切被当年那些准备战斗的残余分子赏识的品质，贫穷，却穷得有志气，勇敢而不发牢骚，心情愉快，热情好客，心地仁慈，最要紧的是，忠诚一切旧传统。玫兰妮拒绝改变，甚至拒绝承认在一个正在改变的世界里有任何需要改变的理由。在她那所房子里，以前的日子似乎又回来了，人们产生了信心，对那些提包客和新暴发的共和党人的无法无天的生活和高级生活方式的潮流甚至更蔑视了。

他们盯着她那张年轻的脸看，看到了她对过去的日子毫不动摇的忠诚，这时，他们就能暂时忘掉自己阶级内那些正在引起愤怒、恐惧和痛心的叛徒。这样的人很多。他们出身名门，被贫穷逼得走投无路，就跑到敌人那边去了，变成共和党人，接受征服者给的职位，这样他们的家人就不用靠赈济过日子了。还有一些以前当过兵的年轻人，他们缺乏正视积聚财产所需要的漫长岁月的勇气，这些小伙子以瑞特·巴特勒为榜样，跟提包客们串通在一起，策划种种见不得人的赚钱阴谋。

最糟糕的是，亚特兰大几户最显赫人家的女儿都成了叛徒。那些姑娘是投降后才长大成人的，对战争只有童年的记忆，缺乏刺激她们长辈的那种沉痛感。她们既没有失去丈夫，也没有失去情人。她们对过去的财富和荣耀几乎没有记忆——那些当官的北方佬却是那么漂亮，衣着那么讲究，人又那么无忧无虑。他们还举行那么豪华的舞会，骑着那么矫健的马，而且一心一意地崇拜南方姑娘！他们待她们就像待王后，那么小心谨慎，不去损伤她们敏感的自尊心，说到底——干吗不跟他们来往呢？

与那些穿着寒酸、一本正经、辛辛苦苦地干活儿、几乎没有玩耍时间的当地小伙子相比，他们的吸引力要大多了。所以有一些姑娘跟当官的北方佬私奔了，这种事让亚特兰大许多人家伤心。做兄弟的在街上从姐妹身边经过，不说话；做父母的绝口不提女儿的名字。那些把“决不投降”作为格言的人回忆起这些悲剧，血管里就会流过一阵寒冷的恐惧——但一看到玫兰妮那张温柔且毫不动摇的脸，恐惧就被驱散了。那些老太太们说，她是全城年轻姑娘中最好的、最有益的榜样。而且因为她从来不炫耀自己的美德，所以姑娘们并不怨恨她。

玫兰妮压根儿就没想到她正在成为一个新社交圈的头儿。她只觉得人们真好，来看她，让她参加他们的缝纫会、交谊舞俱乐部和音乐团体。亚特兰大一向擅长音乐，并喜爱好的音乐，尽管南方的一些姐妹城市讥讽这个城市缺少文化。现在对音乐的兴趣又热烈地时兴起来了，尽管时势越来越艰苦和紧张，兴趣却反而越来越强烈。听音乐时，他们比较容易忘掉街上那些骄横的黑脸和驻军的蓝军服。

玫兰妮发现她已然成了新近成立的周末夜音乐社的头儿，感到有点儿窘迫。她没法处于这么高的位置，除非她能为谁钢琴伴奏，哪怕是麦克卢尔小姐们也行，她们不善于辨别高音，可是会二重唱。

最终的结果是，玫兰妮凭着得体的手腕设法把妇女竖琴演奏会、男子合唱队、女青年曼陀林和吉他演奏会跟周末夜音乐社合并成了一个团体，所以亚特兰大现在有值得一听的音乐了。事实上，许多人都认为这个音乐社演唱的《波希米亚姑娘》比在纽约和新奥尔良听过的专业演出要好得多。她用手腕把妇女竖琴演奏会并过来以后，梅里韦瑟太太对米德太太和惠丁太太说，她们一定要让玫兰妮做音乐社的牵头人。她要是能跟竖琴演奏会的人合得来，那她就跟谁都合得来，梅里韦瑟太太说。那位太太自己为卫理会教堂的唱诗班弹管风琴，作为一个管风琴家，她对竖琴和竖琴演奏者是不会有敬意的。

玫兰妮还被阵亡将士墓地美化协会和南军寡妇孤儿缝纫会选为书记。她这一新荣誉是在这两个团体开了一次联席会议后得到的，那次会议开得是人人心情激动，结果差一点大打出手，差一点割断了两个团体长期友好的友谊联系。问题出在会议讨论了是否要除掉南军墓地附近北军墓地上的野草。北方佬那长满乱草的土墩外貌太难看了，使那些太太美化她们自己死者的坟墓的努力都变得徒劳无功。闷在紧身上衣里的火焰顿时失去了控制，燃烧起来。两个团体一下子闹翻了，恶狠狠地互瞪起了眼睛。缝纫会主张除掉野草，墓地美化协会的女会员们却激烈地表示反对。

米德太太表达了后一个团体的意见，她说："给北方佬的墓地除草？只要给我两分钱，我就把北方佬全都从坟墓里挖出来，扔到垃圾堆里去！"

听到这些斩钉截铁的话，两个团体便闹了起来，太太们个个都在发表自己看法，没一个人在听。会议是在梅里韦瑟太太的会客室里举行的，梅里韦瑟爷爷被赶到了厨房里，他后来说那吵声响得像富兰克林战役中的炮声。他还说，那场面真是糟糕透了，他觉得置身于富兰克林战役也要比待在那些太太们的会场上要安全些。

玫兰妮好不容易才挤到激动的人群中央，又好不容易才让她那一向温和的声音盖过吵吵嚷嚷的声音，让人听到。她为自己胆敢当着一群愤怒的人说话而吓得心怦怦乱跳，差点没堵住嗓子眼，她的声音颤抖着，但是她不断地喊道："太太们！请静一下！"直到吵声终于渐渐静下来。

"我想说——我的意思是说，我想了好大一会儿了——我们不但应该拔掉草，还应该种上花——我——我不在乎你们怎么想，可是每次我送花到亲爱的查理坟上去时，我总是在附近的一个不知姓名的北军坟上也放一些。那个——那个坟看来挺凄凉的!”

情绪又激动起来了，人们用更响的声音来表示她们的情绪，这一次，两个组织合为一体，说的话也一模一样。

“把花放在北方佬的坟上！啊，兰妮，你怎么能干这种事!”“是他们杀了查理!”“他们也差一点杀了你!”“嗨，博要是当时已经生了的话，北方佬也许也会把他给杀了的!”“他们想放火烧塔拉庄园，把你赶出来!”

玫兰妮紧紧地靠在椅背上，作为一种支持。在一片以前从来没有经受过的不赞成的压力下她几乎垮掉了。

“啊，太太们!”她喊道、请求道，“请静一下，让我说完！我知道自己没有权利在这个问题上说话，因为除了查理，我没有其他亲人被杀死，而且我也知道他埋在哪儿，感谢上帝！然而我们中间有许多人不知道儿子、丈夫和兄弟埋在了什么地方，也——”

她哽咽了，房间里死一般寂静。

米德太太冒火的眼睛忧郁了，战争结束后，她老远地赶到葛底斯堡，想把达西的尸体运回来，可没有人能告诉她他埋在何处。他在敌人土地上某条匆忙挖掘的战壕里。阿伦太太的嘴唇哆嗦了，她的丈夫和弟弟参加了摩根那次不幸的攻进俄亥俄的突击战，她得到的他们最后的消息是，在北军骑兵的强攻中，他们倒在了河岸上。她不知道他们究竟埋在了哪儿。艾利森太太的儿子死在战俘集中营里，而她是穷人中最穷的，没能把他的尸体运回家来。还有一些人，在伤亡人员通知单上写着：“失踪——认为已死亡”，这些文字就是她们亲眼看着开赴前线的男人的最后消息。

她们转过脸去看着玫兰妮，眼神好像在说：“你干吗要再揭这些伤疤呢？这些是永远不会愈合的创伤——是不知道他们埋在何处的创伤。”

房间里一片寂静，玫兰妮的声音越来越有力了。

“他们的坟墓在北方土地上的某些地方，就像北军的坟墓在这儿一样，啊，要是听到哪个北方女人说要把他们挖出来，那就太可怕了，再说——”

米德太太轻轻地发出了一个害怕的声音。

"可是要是知道有哪位好心的北方女人——一定有某些好心的北方女人。不管怎么说，她们不可能都是坏人。要是知道她们把我们的男人坟上的野草拔掉，给他们送花的话，哪怕她们是敌人，该有多好啊。查理要是死在北方的话，若是有人——我会感到慰藉的。我不管你们把我看成什么样的人，"她的声音又停住了，"我要退出这两个团体，我要——要把能发现的北军坟上的每一根野草都拔掉，还要种上花——而且——想来也没什么人敢阻止我！"

玫兰妮说完最后这句挑战性的话，突然哇的一声哭了出来，磕磕绊绊地向门口走去。

梅里韦瑟爷爷安全抵达现代女郎酒馆里只许男人进入的地区，一个钟头后，向亨利伯伯报告说，玫兰妮说完那些话后，大家都哭着拥抱她，会议的结局皆大欢喜，玫兰妮被两个组织推选为书记。

"她们就要去拔野草了。妙就妙在多莉说，我会很高兴地去帮忙干这活儿的，因为我没有很多别的事情可干。我也没有事情要跟北方佬过不去，所以我想兰妮小姐是对的，其余的太太们实在是大错特错了。可是亏她想得出这个主意，像我这把年纪，腰部还有风湿痛，却要我去拔草！"

玫兰妮是孤儿院的女干事之一，她还帮助新成立的青年图书协会收集书籍。甚至演员们每月举行一次业余演出时，都嚷嚷着要她来。她太腼腆了，不愿抛头露面，但是她可以用麻袋做行头，如果她手头只有这种料子的话。是她在莎士比亚的阅读会上投了决定性的一票，决定除了这位诗人的作品以外，还应该有点变化，也读读狄更斯先生和布尔沃-利顿的作品，但不该读拜伦爵士的诗歌。拜伦的作品是由一个玫兰妮暗自很害怕的生活很放荡的年轻单身汉会员提出来的。

夏末的夜里，她那灯光暗淡的小房子里总是挤满了客人。椅子一直都不够，太太们经常坐在前门廊的台阶上，男人们则坐在她们两旁的栏杆上、板箱上或者是草地上。有时候，斯佳丽看到客人们坐在草地上喝茶，茶是韦尔克斯家唯一能招待得起的饮料，她想不通玫兰妮怎么能这么一点也不害臊地展示自己的贫穷。斯佳丽要等到能把佩蒂姑妈家布置得跟战前一模一样，做到能给客人提供美酒啊、薄荷鸡尾酒啊、烤火腿啊、冷鹿腿肉啊，才打算在家里招待客人——特别是那些显赫的客人，就像玫兰妮招待的那些人一样。

约翰·布·戈登，佐治亚州的英雄，经常带着一家人到那儿去。瑞安神父，南部邦联的诗人和教士，只要经过亚特兰大，总要来做客，他凭着机智使在场的人如醉如痴，用不着别人再三请求，他就会背诵他的《李的剑》或是他不朽的《被征服了的旗帜》。太太们一听到这些诗，就会不由自主地掉眼泪。亚力克·史蒂文斯，以前的南部邦联副总统，只要在城里，就一定来。消息一传开，玫兰妮家的那所房子就挤得密密匝匝的，在这个身体虚弱的残疾人的响亮的声音的魔力吸引下，人们一坐就是几个钟头。通常会有十几个孩子在场，被他们的父母抱着，脑袋一颠一颠地打着瞌睡，睡觉比正常上床时间要晚几个钟头。没有一个人家甘心让他们的孩子错过这个机会，那些孩子多少年后还能说那位伟大的副总统吻过他们，或说他们握过那只帮助指导那场事业的手。每个重要的人物来到这个城市，都会找到韦尔克斯家来，而且往往要在那儿住上一宿。那所平顶的小房子里挤得到处都是人，印第亚不得不睡到给博当育儿室的那个小房间的小床上去，玫兰妮还得打发迪尔西匆匆忙忙地穿过房后的树篱到佩蒂姑妈的厨娘那儿去借早餐用的鸡蛋，她礼数周到地招待他们，就像她的家是幢豪门大宅似的。

不，玫兰妮从来没想到过人们集合在她的周围，可能是把她当作一面破旧而可爱的旗子。所以当米德大夫在她的房子里度过了一个愉快的黄昏，庄严地读了那段《麦克佩斯》，并吻了她的手以后，用当年谈到“我们光荣的事业”时常用的声音发表意见的时候，她是既吃惊，又困窘。

“我亲爱的兰妮小姐，待在你家里永远是一种特殊的荣耀和快乐，因为你——还有跟你一样的女士们——是我们所有人的心，是我们剩下的一切。因为他们已经夺去了我们的男人的英年和年轻的女人的欢笑，他们已经摧残了我们的健康，灭绝了我们的生活并扰乱了我们的习惯。他们已经毁掉了我们的产业，让我们倒退了五十年，在我们的孩子和老人的肩膀上压上了太沉重的负担，而那些孩子原本该去上学，那些老人也本应该在阳光中打瞌睡的。可是我们会重建旧业，因为我们有像你这样的人的心可以依赖。只要有了这样的心，北方佬即使把别的一切都占有了也没关系！”

斯佳丽的腰身是越来越粗了，连佩蒂姑妈的那条黑色大披巾也掩盖不住她挺着的大肚子了，到了这个时候，她才经常和弗兰克悄悄地穿过后面的树篱，去参加在玫兰妮家门廊前举行的夏夜集会。斯佳丽总是坐在一点儿亮光也没有的地方，在阴影的保护下躲藏着，在那儿她不但不会引人注意，而且可以在没人看见的情况下尽情地望着阿希礼。

把她吸引到这个地方来的完全是阿希礼，因为那些谈话让她厌烦和悲伤。谈话按照固定的模式进行着——首先是艰难的时势，其次是政治形势，然后，不可避免地谈到战争。太太们哀叹样样东西价都高，问那些先生们好时光还会不会回来。那些无所不知的先生们总是说，一定会回来的，只不过是时间问题罢了。局势艰难只是暂时的。太太们知道先生们在撒谎，先生们也知道太太们知道他们在撒谎。可是他们还是照样愉快地撒谎，太太们假装相信他们的话，大家都知道艰难的时势要在这儿逗留。

一谈到艰难的时势，太太们就谈起越来越骄横的黑人、无法无天的提包客和北军在各个街角转悠的耻辱。先生们认为北方佬到底会成功地重建佐治亚州吗？那些让人放心的先生们认为重建很快就会完成——也就是说，只要等民主党人能再投票就行了。太太们相当体谅先生们，并不去问要等到什么时候。谈完了政治，关于战争的谈论就开始了。

以前的南部邦联分子不管在什么地方，只要一碰面，总是什么也不谈，只谈一个内容，凡是有十几个或更多的人聚在一起的地方，谈话的内容是可以预料得到的，这场仗会重新大打特打。而“要是”这个词儿总是在谈话中处于最显著的地位。

“要是英国承认了我们——”“要是杰夫·戴维斯在封锁加紧以前征用了所有的棉花，并运到英国去——”“要是朗斯特里特在葛底斯堡按命令行事了——”“要是杰布·斯图亚特在那次突击中，李将军需要他的时候，他能在场——”“要是我们没有失去石墙将军杰克逊——”“要是维克斯堡没有陷落——” “要是我们能再坚持一年——” 而且总说：“要是他们不用胡德换掉约翰斯顿——” 或是“要是他们派了胡德，而不是约翰斯顿在多尔顿指挥——”

要是！要是！他们在寂静的黑暗中谈论步兵、骑兵、炮兵，唤起生活处于高潮时期的种种回忆，在寒冬凄凉的夕照中回首盛夏如火如荼的情景，他们那软绵绵的、拖长了的声音在往昔兴奋的影响下，越说越快。

“他们不谈别的任何事情，”斯佳丽想，“没有别的，只有战争。老谈战争。他们从来不谈别的，谈来谈去还是战争。不会改的，到死都不会改的。”

她望着周围，看到小孩子们躺在爸爸的胳膊里，听着那些仲夏夜的故事，什么骑兵发起疯狂的进攻啊，军旗插在敌人的胸膛上啊，这会儿，他们的呼吸急促了，眼睛闪闪发亮。他们听到了战鼓咚咚、军号嘹亮，听到了南军的一片喊杀声，看到了脚受了伤的士兵斜扛着一面撕破的旗子在雨中走着。

“这些孩子也将永远不会谈别的任何事情。他们会认为跟北方佬作战，瞎了眼、瘸了腿回来——或者压根儿回不来，是了不起和光荣的。他们都喜欢记住这场战争并谈论它！可是我不。我甚至想都不愿想。要是可能的话，我宁愿忘掉它——要是可能，那该多好啊！”

玫兰妮讲着发生在塔拉庄园里的事，把斯佳丽说成了女英雄，她怎么面对入侵者，又是怎么保全了查尔斯的军刀，夸耀斯佳丽怎么扑灭了大火。听到那些话，斯佳丽总是浑身起鸡皮疙瘩。对那些事情的回忆她既不感到欢乐，也不感到骄傲。她压根儿不愿想那些事。

“啊，他们干吗不能忘掉呢？他们干吗不向前看，而要往后看？我们因为愚蠢，才打了这场仗。忘掉得越早越好。”

可是没人想忘掉它。看来除了她以外，似乎没有一个人这样，所以等到斯佳丽老老实实地告诉玫兰妮，哪怕是在黑暗中她都感到挺窘迫的时候，她确实感到高兴。玫兰妮马上懂了她的解释，她对关于生孩子的一切事都极敏感。玫兰妮想再生一个孩子，实在是想得厉害，可是米德大夫和方丹大夫都说，再生一个孩子，就会断送她的性命。所以她只好勉强接受，但是并不完全认命，她大多数时间跟斯佳丽待在一起，享受着并不是她自己的怀孕的乐趣。斯佳丽呢，她可并不想要这个即将出生的孩子，而且对孩子来得不是时候感到很恼火，在她看来，玫兰妮这种感情用事的态度简直愚蠢到了极点。不过，她带着一种内疚的心情感到高兴，大夫们这样嘱咐后，阿希礼和他的妻子不可能再有任何真正的两性关系了。

斯佳丽现在经常看到阿希礼，但不是单独看到他。每夜他从锯木厂回家的途中都特地到她家去转转，汇报一天的工作，可通常都有弗兰克和佩蒂在座，或者更糟，玫兰妮和印第亚也在。她只能问一些事务性的问题，并提一些建议，然后说：“你真是周到，还特地赶来。再见。”

要是她不生孩子，那该有多好啊！那岂不是天赐良机，每天早晨都可以和他一起骑马到锯木厂去，穿过偏僻的树林，远远地躲开刺探的目光，他们可以想象着又回到了战前在县里的那种从容的时光。

不会的，她不会想法让他说出一个“爱”字！她不会用任何方式提到爱的。她起过誓，她再也不会这样了。不过，如果再跟他单独相处，他也许会脱下那个自从来到亚特兰大就一直戴着的不带私人感情色彩的、礼貌周到的面具。或许他又可能成为从前的他，成为那次烤肉野宴以前的、他们倾吐情话以前的阿希礼。他们不能成为情人，也可以再成为朋友呀，她可以用友谊的热情来温暖自己那颗寒冷而寂寞的心。

“要是能早点把这孩子生下来，那该有多好啊，”她不耐烦地想，“那我就可以天天跟他一起骑马，一起聊天——”

倒不是仅仅因为想跟他在一起，她才对自己的无法行动感到束手无策，而产生一种不耐烦的苦恼。锯木厂需要她。自从她把两家锯木厂交给休和阿希礼负责，自己不再参与管理后，厂子就一直在亏本。

休是那么无能，尽管他干得很卖力。他是个蹩脚的生意人，当工头，就更蹩脚。任何人都可以杀他的价。只要任何一个狡猾的合同人说木材是次货、价钱太高，休就认为一个正派人能做的就是道歉和降价。她听说他卖掉一千英尺地板料的价格，气得眼泪都掉下来了。锯木厂开办以来出产的最高级的地板料，简直是被他白白送掉的！再说，他也对付不了那些工人。那些黑人坚持要天天付工钱。拿到工钱，他们常常喝得大醉，结果第二天不来上班。遇到这样的情况，休不得不去找新工人，锯木厂就很晚才能开工。休被这种困难缠住了身子，就会一连几天不能进城卖木料。

斯佳丽眼巴巴地看着利润从休的手指间流掉，对自己的行动不便和他的愚蠢，她简直是要急疯了。只要孩子一生下来，她可以回去工作了，她就要辞退休，另外再雇一个人。任何人都会好些的。她怎么着也不会浪费时间跟自由黑人打交道了。自由黑人老是不上班，谁又能让他们完成什么工作呢？

"弗兰克，"跟休为了他找不到工人而作了一场措辞激烈的谈话后，斯佳丽说，"我差不多已打定主意了，我要租用囚犯到锯木厂干活儿。前些时候，我一再跟汤米·韦尔伯恩的工头约翰尼·加勒吉尔谈到我们遇到的麻烦，那些黑人不出活儿，他问我干吗不用囚犯。这听起来倒像个好主意。他说转租那些囚犯几乎可以不花钱，而且给他们吃的都是最便宜的。他还说只要让他们干出活儿来，不管用什么法儿都行，不会有解放了的黑人事务局的人像黄蜂似的在周围转悠，插手与他们压根儿不相干的事。等约翰尼·加勒吉尔跟汤米签的合同一到期，我就雇他去管理休管的那个厂子。管他是谁，只要他能让归他管的那伙无法无天的爱尔兰人出活儿就行，不用说，他准能让囚犯出许多活儿的。"

囚犯！弗兰克一言不发。斯佳丽尽想些荒唐的点子，雇用囚犯算得上是最糟的了，甚至比她想建酒馆的念头更糟。

至少，在弗兰克和他生活于其间的那个保守派阶层看来，更糟。租用囚犯的新制度是有的，因为战后政府贫困，也没法养活那些囚犯，就把他们租给那些大量需要劳动力的人，去修铁路，去松树林里伐木和锯木材。尽管弗兰克和他那些文静的、喜欢上教堂去的朋友了解这个制度的必要性，他们还是深感遗憾。他们中的许多人甚至一直不相信奴隶制，认为这比过去的奴隶制还要坏得多。

斯佳丽竟然要租用囚犯！弗兰克知道，如果她干出这等事来，他就永远也别想抬起头来了。这比她自己拥有和经营锯木厂，或者她干的其他任何事情，都要坏得多。他过去的反对总是跟这个问题连在一起的："人们会怎么说呢？"可是这件事——这件事比害怕舆论更厉害。他觉得这是在贩卖人口，是与经营卖淫业一样肮脏的交易，要是他允许她这么干的话，那将是玷污他灵魂的一个罪孽。

弗兰克深信这件事不正当，便鼓起勇气禁止斯佳丽去干，而且措辞是那么强烈，竟把她吓了一跳，她随即一声不吭了。最后，为了让他平静下来，她温顺地说，她不是当真的。她已被休和那些自由的黑人折腾得精疲力竭，失去了耐心。可暗地里，她仍然打着这个主意，而且带着祈盼的心情。租用囚犯可以解决她最困难的问题之一，不过要是弗兰克对这件事还是这么恼火的话——

她叹了口气。哪怕有一个厂子赚钱，她都顶得住。然而阿希礼那个厂子的经营状况不见得就比休好。

起先，斯佳丽发现阿希礼没有马上控制住局面，把她经营时厂子里赚的钱翻一番，感到十分震惊和失望。他那么机灵，又念过很多书，为什么不能获得辉煌的成功并赚到许多钱呢，简直没有一点儿道理。可是他并不比休成功。他跟休一样没有经验，常犯错误，对业务的判断也没有一点儿眼力，对必须果断处置的买卖不能当机立断。

斯佳丽的爱很快为他找到了借口，她并没以同样的态度看待这两个人。休是蠢得不可救药，而阿希礼只不过是对业务不熟悉。不过，她不由自主地想到阿希礼始终没有像她那样，能很快地在心里估算，然后报出一个正确的价格。有时候她拿不准他到底是不是能将地板和木板区别开来。因为他自己是个正派人，是靠得住的，所以对每个前来的坏蛋他都信任。有几次，要不是她机智地干预，他早就把她的钱白白地送掉了。他要是喜欢一个人——而且看起来他喜欢的人好像很多！——他就把木材赊给他们，从来没想过他们在银行里是不是有钱，或者有没有产业。在这方面，他和弗兰克一样糟。

不过他是能学会的！只要他还在学，对他的错误她就有一种亲切的、做妈妈的放任心情。每到黄昏，他来她家时都疲劳而沮丧，而她则孜孜不倦地向他提出机智而有用的建议。但是尽管她尽力鼓励他，想让他高兴起来，他的眼睛里总有种古怪的、死气沉沉的神情。这种神情她没法理解，这让她害怕。他变了，变得跟过去不一样了。单独跟他待在一起，她也许能找出原因来的。

这种情况让她许多晚都睡不着觉。她替阿希礼担心，因为她知道他不快活，也因为她知道这种不快活对他当个出色的木材买卖人是没什么好处的。在那无人相助的几个月里，她干得是多么辛苦，计划得又是多么周到啊，现在把两个厂子交给了对做买卖一窍不通的休和阿希礼，伤心地看着她的竞争者们拉走了她最好的顾客，真是痛苦之极。啊，要是她能再回去工作，她会照看好阿希礼，那他当然能学会了。让约翰尼·加勒吉尔来管另一个锯木厂。她呢，应付销售，那么一切就都会好的。至于休，让他负责赶车送货，要是他仍然愿意为她工作的话。他顶多只能干这个。

当然，尽管加勒吉尔很精明，可看起来也像是个无所不为的人，可是——她还能去找谁呢？为什么另一些既精明又老实的人那么别扭，不愿替她干活儿呢？如果他们中有一个人现在能代替休为她干活儿的话，那她就不会那么担心了，可是——

汤米·韦尔伯恩，尽管脊背残废了，却是城里最忙的、发了大财的承包商，人们如是说。梅里韦瑟太太和勒内日子开始过得顺当了，现在已经在闹市区开了一家面包房。勒内以他法国人那种克勤克俭的精神管理着这个店铺；梅里韦瑟爷爷很高兴能离开那个烟囱旁的角落，赶勒内的送糕饼车。西蒙斯家的小伙子在忙着烧砖窑，一天三班。凯尔斯·惠丁在靠弄直头发发财，因为他对黑人们说，要是他们留着鬈发，就不可能被允许投民主党的票。

那些她所认识的精明的小伙子，医生啊、律师啊、店主啊，情况都如此。战争刚结束时控制他们的那种冷漠心情已经完全消失了。他们正忙着为自己创造财富，实在太忙了，顾不上帮她创造了。不忙的也就是休那种类型的人——或者是阿希礼那种类型的。

既要亲自管理买卖，又要生孩子，那简直是瞎胡闹！

“再怎么我也不会生第二个的，”她坚决地打定主意，“我不会像别的女人那样每年生个孩子。上帝啊，那就是说，我一年要有六个月不能到锯木厂去！可现在我发现哪怕一天不到厂里去都受不了。我会干脆地跟弗兰克说，我再也不要孩子了。”

弗兰克想要许多孩子，可是尽管这样，她还是能说服弗兰克的。她已经打定了主意。这是她最后一个孩子。锯木厂要重要得多。

42

斯佳丽生了个女儿，一个秃头的小不点儿，丑得就像没毛的猴子，太荒谬了，简直活脱脱一个弗兰克。除了她那个溺爱她的爸爸外，没人能发现她有任何美的地方，可是邻居们都很厚道，说所有丑娃娃最后都会出落得很漂亮的。她叫埃拉·洛雷纳，埃拉是照她外祖母埃伦取的名字，而洛雷纳则是当时女孩子最时髦的名字，就像罗伯特·爱·李和石墙将军杰克逊是当时流行的男孩子名字，亚伯拉罕·林肯和“解放”是黑人孩子的热门名字一样。

她生下来的那个星期，正赶上一种狂热的激动情绪控制着亚特兰大，并且气氛紧张，大概要发生不幸的事情了。一个黑人自夸强奸了一个白种女人。他确实也已经被逮捕了，可是在他被审讯之前，监狱遭到三 K 党人的袭击，他被秘密地绞死了。三 K 党人之所以这么干是为了避免那个尚未透露姓名的受害人在公开的法庭上作证。如果她出现在法庭上，宣扬她蒙受了耻辱，她的爸爸和哥哥就会开枪将她打死。与其让那种事发生，倒不如用私刑结果那个黑人的性命。在亚特兰大人看来，这不失为一个明智的解决办法，事实上，这是唯一可行的正当的解决办法。然而军事当局却暴跳如雷。他们找不到一点儿那个姑娘不愿公开作证的理由。

士兵们进行大规模的逮捕行动，赌咒发誓说哪怕不得不把亚特兰大所有的男人都抓进监狱，也要消灭三 K 党。黑人们都吓坏了，沉着脸，咕哝着焚烧房屋的报复措施。于是谣言四起：有的说犯罪的那伙人如果被找到的话，北军就把他们统统绞死；有的说黑人正在酝酿着一场反对白人的暴动。城里家家都大门紧锁，百叶窗紧闭，人们待在家里，男人们不敢外出处理业务，害怕撇下妻子和孩子没人保护。

斯佳丽精疲力竭地躺在床上，心里默默地感谢上帝：阿希礼是个有头脑的人，而弗兰克年纪已大，又生性懦弱，他们俩都不会参加三K党的。要知道北军随时都可能扑过来，把他们抓走，那可太可怕了！情况本来就够坏的了，三K党中那些疯疯癫癫的年轻蠢货干吗不安分守己，偏要惹是生非触怒北军呢？也许那个姑娘根本就没被强奸。也许她只不过是被吓傻了，可为了她，许多人可能会丧失性命。

在这样的气氛中，就像眼巴巴地看着一根导火索慢慢地向一桶火药越烧越近，真让人神经紧张，但斯佳丽的体力却很快恢复了。当初助她熬过塔拉庄园那些艰苦日子的健康体力，现在对她大有益处。生下埃拉·洛雷纳还不到两个星期，她已经健壮得能坐起来了，只是对自己不能行动感到焦躁不安。三星期后，她已经起床，宣称得去看看锯木厂。现在两个厂子都已处于怠工状态，因为休和阿希礼都害怕整天撇下家人不管。

接着，打击来了。

弗兰克一心是刚做爸爸的骄傲，他鼓起勇气禁止斯佳丽走出房子，外面太危险了。要不是他把她的马和两轮马车放在马棚里，吩咐除他自己外，不得交给任何人使用的话，她才不会把他的吩咐放在心上哩，她会只当没那么回事，照样出去处理她的业务。更糟糕的是，他和黑妈妈趁她身体不好的时候，仔细地搜寻了一下房子，把她藏的钱都找出来了。弗兰克以自己的名字把钱存进了银行，所以她现在连租一辆马车都办不到。

斯佳丽对弗兰克和黑妈妈大发脾气，接下来态度大变，变成了哀求，最后足足哭了一个早晨，就像一个生气的、不称心的孩子。可是尽管她费尽了心机，却只听到："得了，宝贝儿！你是个有病的小姑娘。"还有就是："斯佳丽小姐，你要是不停止这么没完没了地嚷叫，你的奶就会变酸，孩子就会肚子痛，肚子就会硬得像铁。”

斯佳丽气呼呼地冲过后院，来到了玫兰妮家，她在那儿扯着嗓门把心里的烦恼一股脑儿倾吐了出来，还宣布她要到锯木厂去，她会走遍亚特兰大，让每个人都知道她嫁给了一个什么样的混蛋，她才不想被人当作淘气的、头脑简单的孩子对待哩。她会随身带一把手枪，谁威胁她，她就向谁开枪。她开枪打死过一个男人，她会乐意，对，乐意向另一个开枪的。她会——

玫兰妮连她自己的前门廊都不敢去，听到这样的威胁，可吓慌了。

“啊，你可千万别去冒险啊！要是你有个三长两短的话，那我只好去死了！啊，请——”

“我一定得去！我一定得去！我会走去——”

玫兰妮看着她，明白了这不是一个产后仍然虚弱的女人的歇斯底里。玫兰妮从斯佳丽的脸上看到了她以前经常看到的、杰拉尔德·奥哈拉在打定主意后脸上所显现出的那种危险的、宁折不弯的神情。她伸出两只胳膊，紧紧把她搂住。

“都是我的过错，没你那么勇敢，老是把阿希礼留在家里陪我，他应该到锯木厂去。啊，亲爱的！我真是太蠢了！亲爱的。我会告诉阿希礼，我一点都不害怕了，我要过来，跟你和佩蒂姑妈待在一起，这样他就能回去工作了，而且——”

斯佳丽甚至对自己也不肯承认阿希礼独自应付不了这个局面，她喊道：“不要！要是阿希礼随时都在为你担心的话，怎么还干得好工作？人人都那么可恶！甚至连彼得大叔都拒绝跟我一起出去！可是我不在乎！我会独自一个人去的。我会一步步走去，在哪个地方找一伙黑人——”

“啊，不行！你可千万别这样！你可能会遇上什么可怕的事的。他们说迪凯特路上的贫民区里尽是些不安分的黑人，你可是得打那儿过的。让我想想——亲爱的，答应我，今天你什么也别干了，我会想出办法来的。答应我，回家躺着去吧。你很消瘦。答应我。”

因为发脾气发得精疲力竭，什么也干不成了，斯佳丽便沉着脸答应了。回家后，她高傲地拒绝了家里人任何愿意和解的表示。

那天下午，有一个陌生人笨手笨脚地从玫兰妮的树篱和佩蒂的后院穿过。显然，他是黑妈妈和迪尔西所说的“兰妮小姐从街上捡来、睡在她地窖里的下等人”。

玫兰妮那所房子的地窖里有三个房间，以前两间是佣人的住房，一间是藏酒的。现在迪尔西占用了其中一间，其他两间一直给川流不息的可怜巴巴、衣衫褴褛的过路人暂时居住着。除了玫兰妮，没人知道他们是从哪儿来的，要到哪儿去；除了她，也没人知道，她是从哪儿把他们收罗来的。或许那两个黑人的话是对的，他们确实是从街上捡来的。不过，一方面，大人物和近似大人物的人被吸引到她的小客厅里，另一方面，不幸的人也找到了进入她地窖的道路，在那儿他们有东西吃，有床睡，上路的时候还可以得到一包包吃的。在那两个房间里居住的人通常是那种比较粗野、没有受过教育的前南军士兵，或没有家的人，或没有妻儿的人，他们挣扎着到处流浪，希望能找到工作。

经常有棕色皮肤、相貌憔悴的乡下女人，带着一伙蓬头垢面、默不作声的孩子，在那儿过上一夜。她们是战争中失去了丈夫的女人，土地也被剥夺了，在寻找分散和失踪的亲戚。有时候，附近一带的人会感到震惊，那儿有外国人，只会说一点英语，或者完全不会说，他们是被一些人们编造出来的、活灵活现的发财故事吸引到南方来的。有一次，一个共和党人也睡在了那儿。至少黑妈妈一口咬定他是个共和党人，她说她能闻出共和党人的气味，就像马能闻出响尾蛇的气味那样，可是没人相信黑妈妈的话，因为即使是做好事，玫兰妮也一定会有个限度。至少人人都是这么希望的。

“可不是，”斯佳丽想，在苍白的十一月的阳光中，她坐在旁边的门廊上，孩子放在腿上，“他是玫兰妮的一条瘸腿的狗。而且他真是个瘸子！”

那个正穿过后院的男人正笨手笨脚地走着，和威尔·本蒂恩一样，他的一条腿是木头的。他是个又高又瘦的老头儿，秃头上泛着肮脏的淡粉红色的光，灰白的胡子长得可以塞进他的皮带里。根据那粗糙的、满是皱纹的脸来判断，他已六十多岁了，可是他浑身没有一点衰弱的痕迹。他又瘦又难看，尽管还装着一条木腿，可走起路来，快得像蛇一样。

他走上台阶，向她走来。甚至还没等他开口，声调中就流露出低得难以听清的土音和发“r”音时颤动小舌的粗喉音，凭这斯佳丽就知道他出生在山里。像大多数山民那样他衣服肮脏、破烂，神情凶狠，沉默寡言，态度傲慢，既不容许放肆，也不容忍愚蠢。他的胡子上沾着斑斑点点的烟草汁，一大块嚼烟让他的下巴突出，脸看起来就像变了形。他鼻子薄薄的，线条分明；眉毛浓密而弯曲，就像女巫的鬈发；耳朵里长出长长的毛，看起来毛茸茸的，就像猞猁的耳朵。在他的额头下，一只眼窝里没有眼睛，一道伤疤从眼窝向下一直到脸颊的一边，划出一道穿过胡子的斜线。另一只眼睛小小的、冷冰冰的，呈淡灰色，那是一只一眨不眨的、无情的眼睛。他的裤带上毫不掩饰地挂着一把沉甸甸的手枪，破旧的皮靴筒边上露出一把长猎刀的刀把。

斯佳丽盯着他，他也冷冷地望着她，说话前，他先向栏杆外吐了一口唾沫。那只独眼里流露出并不是针对她个人的，而是针对整个女性的轻蔑。

“韦尔克斯小姐派我来为你工作，”他说得很简短。他的声音很刺耳，就像他不习惯于说话似的，说起话来也很慢，而且几乎很困难似的。“我叫阿尔奇。”

“对不起，可是我没工作给你，阿尔奇先生。”

“阿尔奇只是我的教名。”

“请原谅。那你姓什么？”

他又吐了一口唾沫。“我想那不关别人的事，”他说，“叫我阿尔奇就行了。”

“我才不在乎你姓什么哩！我没有什么事给你干。”

“我想你有。听说你要像个傻瓜似的独自跑来跑去，韦尔克斯小姐不放心，就派我来给你赶车。”

“真的？”斯佳丽叫了起来，对这个男人的粗鲁和兰妮的干预她很生气。

他的独眼看着她的眼睛，并带着并非针对某个人的厌恶。“可不是。一个女人不应该在她的男人们设法照顾她的时候让他们烦心。

你要是非要到处乱跑不可的话，我就给你赶车。我恨黑鬼——也恨北方佬。”

他把那块嚼烟转移到脸颊的另一边，不等邀请，就在最高一阶台阶上坐了下来。“这并不是说我喜欢给女人赶着车去转悠，可是韦尔克斯小姐对我有恩，让我睡在了她的地窖里，是她派我来给你赶车的。”

“可是——”斯佳丽无可奈何地开始说着，接着她停住了，看着他。过了一会儿，她开始微笑了。她不喜欢这个上了年纪的、活像个土匪的人的相貌，可是他的到来会使事情简单化。有他在身边，她就可以到城里去，驾车到锯木厂去，去跟顾客打交道。跟他在一起，没有人会怀疑她的安全，而且他那副尊容也足以堵住别人的嘴，不会引起流言蜚语。

“那就这么决定了，”她说，“我是说，如果我丈夫同意的话。”

弗兰克在跟阿尔奇进行了一场私下的谈话后，勉强同意了这件事，通知马棚别再管住马和马车。斯佳丽做了妈妈后并没像他希望的那样有所改变，这让他感到痛苦和失望。不过，要是她决意要回她那该死的锯木厂的话，那么阿尔奇正是从天上掉下来的、再好不过的跟班。

两个人的关系就这么开始了，亚特兰大人起先是感到震惊。阿尔奇和斯佳丽的搭配是那么奇怪：那个粗暴、肮脏的老头儿把一条木腿直撅撅地伸在挡泥板上，而那个容貌漂亮、穿得整整齐齐的年轻女人则心不在焉地皱着额头。人们可以在亚特兰大以及亚特兰大附近，在任何时间和任何地方看到他们，两人难得交谈，显而易见，彼此都不喜欢，但是因为相互需要，被拴在一起了。他需要钱；她呢，则需要保护。最后，城里的太太们说，这比跟那个叫巴特勒的男人那么不害臊地一起坐着马车转悠要好些。出于好奇，她们想知道这些天瑞特在哪儿，因为三个月前，他突然离开了这座城市，那以后，没人知道他在哪儿，甚至连斯佳丽都不知道。

阿尔奇是个沉默的人。你不跟他说话，他从不开口，回答起话来，也常常是哼哼哈哈的。每天早晨，他从玫兰妮的地窖里出来，坐在佩蒂家前门廊的台阶上，吃嚼烟，吐唾沫，直到斯佳丽出来，彼得把马车从马棚赶出来。彼得大叔怕他，只比怕魔鬼和三K党稍微强一点儿，甚至连黑妈妈在他身旁走路时也轻手轻脚、提心吊胆。他讨厌黑人，他们知道这事，所以怕他。除原有的手枪和猎刀外，他又增加了一把手枪。他的名声在黑人中传得很远。他用不着抽出手枪，或者甚至用不着把手放在皮带上。仅凭那股威势已经足以让他们慑服了。在阿尔奇听得见的范围内，甚至没一个黑人敢笑。

有一次，斯佳丽好奇地问他，他干吗恨黑人，出乎意料地听到了他的回答，因为通常他对一切问题的回答是："我想那不关别人的事。"

"我恨他们，就像所有的山民恨他们一样。我们从来就没有喜欢过他们，也从来没有拥有过他们。是黑鬼发动了战争。我也为这事恨他们。"

"可你打过仗。"

"我想那是做男人的特权。我还恨北方佬，比恨黑鬼还恨。恨的程度大概跟恨多嘴多舌的女人一个样。"

这样坦率粗鲁的谈吐，把斯佳丽的嘴一下子堵住了，让她憋了一肚子火，一心想辞退他。可是没有他，她又能做些什么呢？她能有别的办法得到这样的自由吗？他既粗暴又肮脏，身上偶尔还有一股臭味，可是他管用。他赶车送她往返于锯木厂，去看她的一个个顾客。在她说话和吩咐的时候，他吐唾沫，眼睛望着别处。她要是跳下马车，他也跟着下车，走在她后面。她待在粗野的工人、黑人或是北军中间时，他简直是寸步不离。

不久，亚特兰大已习惯于看到斯佳丽和她的保镖在一起了。习惯以后，那些太太们越来越羡慕她能自由行动了。自从三K党用私刑杀人以来，太太小姐们实际上是被禁闭在家里，甚至不能到城里去采购，除非有六、七个人。她们天生喜爱社交活动，这下子变得坐立不安了，只得暂时抑制住自尊心，恳求斯佳丽借用阿尔奇。她挺通情达理的，只要她不需要，就把他借给别的太太们使用。

不久，阿尔奇就成了亚特兰大的特殊人物，太太们抢着占用他的空闲时间。难得有一个早晨，在吃早饭的时候没有孩子或黑人佣人送这样的字条来："要是你今天下午不用阿尔奇的话，请务必让我用一下。我要乘马车送鲜花到墓地去。”“我一定要到女帽店去。”“我想让阿尔奇赶车送内利姑妈出去兜兜风。”“我一定要去看望彼得·斯特里特，可是爷爷觉得身体不舒服，没法带我去。能否让阿尔奇——”

他赶车一一送她们，不管是没结婚的、嫁了人的，还是寡妇，凡是女人，他都明显地表示出同样的、毫不妥协的蔑视。显然，他不喜欢女人，不亚于他不喜欢黑人和北方佬，只有玫兰妮除外。太太小姐们起初对他的粗鲁感到震惊，最后也就习惯了。他是那么沉默，只是间或爆发出吐烟叶汁的声音，她们把他当他赶的马一样看待，认为那是理所当然的，从而忘记了他的存在。事实上，梅里韦瑟太太在把她外甥女坐月子的细节一股脑儿告诉米德太太后，才记起阿尔奇坐在马车前座上。

只有在这个时代才可能发生这样的事。若是在战前，甚至都不允许他走进那些太太小姐的厨房。她们会在后门口给他递吃的，打发他去干自己的事。然而她们现在欢迎他在场，他在场，她们就放心了。他粗鲁，没念过书又肮脏，却是太太小姐们和重建时期之间的屏障。他既不是朋友，也不是佣人。他是雇用的保镖，在男人白天出去工作或夜晚不在家的时候负责保护女人。

在斯佳丽看来，阿尔奇为她工作后，弗兰克夜晚出去的次数就很频繁了。他说店铺里的账得结清，可眼下买卖相当忙，工作时间挤不出时间去干这些事。还有，害病的朋友也得去探望。再说，还有民主党组织，党员们每个星期三夜晚开会，商讨着重新获得投票权的种种办法，而弗兰克是一次也不缺席的。斯佳丽想那个组织老是在论证约翰·布·戈登将军的功绩高于别的所有将军，只有李将军除外，要么就是谈论重新打这场战争，除此之外，几乎没别的事可干。她当然看得出恢复投票权的事没有丝毫进展。可是弗兰克显然乐意参加那些会议，因为每个开会的夜里他都一直要待到会议结束才回家。

阿希礼也去探望病人，也去参加民主党会议。他也经常在弗兰克出去的夜晚出去。在那些夜里，阿尔奇护送着佩蒂、斯佳丽、韦德和小埃拉穿过后院，来到玫兰妮家，两家人在一起度过黄昏。太太们做针线活的时候，阿尔奇则直挺挺地躺在客厅的沙发上打呼噜，每呼一声，长胡子就飘动一下。没人请他在那张沙发上躺着。那是房里最好的一件家具，所以每次太太们看到他躺在那上面，皮靴搁在漂亮的垫子上，都暗自叹气。可没一个人有勇气劝他别这样。他说了他真幸运，很快就能睡着，因为否则的话，女人们那像珍珠鸡似的叽叽喳喳的声音肯定会把他逼疯。在这以后，更没人拦他了。

有时候斯佳丽很想知道，阿尔奇是从哪儿来的，在来到玫兰妮的地窖以前，他过的是怎样的生活，可她什么也不问。大概是他那张凶恶的、只有一只眼的脸打消了她的好奇心。她知道的只是他有北部山里人的口音，参过军，投降前不久失去了一只眼睛和一条腿。有一次她一时气愤，说了一些责怪休·艾尔辛的话之后，才使他吐露了真实身世。

那天早晨，老头儿赶车把她送到了休的那家锯木厂。她发现厂子没开工，黑人们都不见了，休垂头丧气地坐在一棵树下。他手下的人那天早晨都没露面，他正不知怎么办才好。斯佳丽气坏了，毫无顾忌地拿休出气，因为她刚接到了一张需要大量木材的订单——并且是一张紧急订单。她花了精力，用了魅力，经过讨价还价，得到了这张订单，可现在锯木厂却寂静无声。

“送我到另一家锯木厂去，”她指示阿尔奇，“是的，我知道要很长时间，我们会吃不上饭，可我雇你是干什么的呢？我不得不去通知韦尔克斯先生停止他正在干的一切活儿，让他把这批木材赶出来。很可能他手下的人也没在干活儿。这些人干得可真卖力啊！我从来没有见过像休·艾尔辛这样的蠢货！等约翰尼·加勒吉尔正在建造的那些铺子一完工，我就打发他走。我干吗要计较加勒吉尔在北军里待过呢？他干活在行。我还从没碰到过一个懒惰的爱尔兰人！再怎么着我也不跟解放了的自由黑人打交道了。你压根儿就没法信任他们。我要雇约翰尼·加勒吉尔，让他去租一些囚犯。他会让他们出活儿的。他会——”

阿尔奇朝她转过脸来，那只独眼流露出恶毒的神情，说话的时候，刺耳的声音里充满着冰冷的愤怒。

“你哪天租到囚犯，我就哪天离开你。”他说。

斯佳丽吓了一大跳。“天哪！为什么？”

“我可知道租用囚犯是怎么回事。我把那叫杀害囚犯。这是像买骡子那样买人。他们受到的待遇连骡子都不如。他们挨打、挨饿，有的还被杀死。有谁关心他们呢？政府不关心。拿了租金嘛。那些租囚犯的人也不关心。他们需要的是让他们吃得便宜，让他们尽最大的可能干活儿。活见鬼，太太。我一向是不怎么看得起女人的，现在我更看不起她们了。”

“这跟你有什么关系吗？”

“我想是的，”阿尔奇简短地说，接着停顿了一下，说，“我做了将近四十年的囚犯。”

斯佳丽喘着粗气，身子往后缩了一下，靠在了垫子上。原来这就是阿尔奇之谜的谜底，这就是他为什么不愿意说出他的姓、他的出身地或是一星半点过去生活的原因，这就是他为什么说话困难并冷酷地憎恨世界的原因。四十年！他入狱时一定还只是个小伙子。四十年！为什么——他一定是被判了无期徒刑，而无期徒刑是——

“你是——杀了人吗？”

“是，”阿尔奇一边简短地说着，一边抖动着缰绳，“我妻子。”

斯佳丽吓得飞快地眨着眼睛。

胡子后的嘴似乎动了动，仿佛是见她害怕，不由得狞笑了。“我不会杀你的，太太，如果你为此而着急的话。要杀一个女人，理由只有一个。”

“你杀了你的妻子！”

“她竟跟我弟弟睡觉。他逃走了。我就杀了她，我一点儿也不后悔。水性杨花的女人就是该杀。法律没有权力为这种事把一个男人关进监狱，可我却被送了进去。”

“可是——你是怎么出来的？逃出来的？还是被赦免了？”

“也可以说是赦免。”他浓密的灰眉毛紧皱在一起，好像把一个个字连起来挺困难似的。

“直到1864年，谢尔曼打了大胜仗，那时我在米勒奇维尔监狱大约已有四十年了。监狱长把我们犯人一股脑儿召集在一起，说北方佬就要打过来了，他们杀人放火。要是说我有什么比恨黑人和女人更恨的话，那就是北方佬。”

“为什么？难道你——你认识哪个北方佬？”

“不是，太太。可我听人说起过他们。我听人说过他们总是不安分，爱管闲事。而我则讨厌爱管闲事的人。他们在佐治亚州干了些什么呢？解放我们的黑鬼，烧毁我们的房子，屠杀我们的牲口！还是说那个监狱长吧，他说部队非常需要士兵，无论谁，只要参军，战争结束后就能获得自由——要是我们还活着的话。可是我们这些被判无期徒刑的犯人——我们这些杀人犯，监狱长说，部队不要。我们要被送到另一个监狱去。可是我跟监狱长说，我跟大多数被判无期徒刑的犯人不一样。我是因为杀了自己的妻子才被关进来的，而她的的确确该杀。再说，我要去打北方佬。那个监狱长倒跟我的看法一样，就把我悄悄塞在别的犯人一起，放了出来。”

他停顿了一下，哼了一声。

“嘿。说来也怪。我是因为杀了人才被关进监狱的。可现在又让我出来，拿枪去杀更多的人，反而却赦免我无罪。手里拿着步枪，又能做个自由人，真太好了。我们从米勒奇维尔监狱出来的人都打得狠，杀了不少敌人——我们也有许多人被杀死了。可我从来没听说过有开小差的。南方投降后，我们就自由了。我被打断了这条腿，又被打瞎了这只眼睛。可是我不后悔。”

“哦。”斯佳丽有气无力地说。

她使劲回想，她听到的在顶住谢尔曼的部队潮水般进攻时所作的绝望努力中，有关释放米勒奇维尔监狱囚犯的传闻。好像弗兰克在1864年那个圣诞节上说过。他说了些什么？可她对那段时间的记忆太混乱了。她又感到了那些日子里的疯狂恐怖，听到了攻城的炮声，看到一辆辆大车上的鲜血滴在红色的大路上，看到自卫队开拔，看到年轻的军校学员和像菲尔·米德那样的孩子，还有亨利伯伯和梅里韦瑟爷爷那样的老人上战场。囚犯们也都出发了，在南部邦联摇摇欲坠的时候去送死，去打田纳西州最后一场战役，在雪中和雨中冻得浑身僵硬。

有那么短短一瞬间，她想那个老头儿真蠢，为一个剥夺了他四十年生活的州去打仗。佐治亚州为了一件对他来说是完全无辜的罪行夺去了他的青春年华，然而他却大方地把一条腿和一只眼睛给了佐治亚州。她想起了战争初期瑞特说的那些辛辣的话，她还回忆起他说过他绝不会为一个唾弃他的社会去打仗。可紧急关头，他还是为这个社会打仗去了，就像阿尔奇那样。在她看来，所有的南方男人，不管上等人还是下等人，都是感情用事的蠢货，他们把自己的生命看得比毫无意义的语言轻。

她望着阿尔奇那尽是骨节的苍老的手、他的两把手枪和一把猎刀，又被吓得忐忑不安了。到底还有多少像阿尔奇这样以前的囚犯、杀人犯、暴徒、盗贼，被以邦联的名义赦免了？啊，街上任何一个陌生人都可能是个杀人犯！要是弗兰克知道了阿尔奇的真相，那还了得。或者要是佩蒂姑妈——这一惊会要了佩蒂的命。至于玫兰妮——斯佳丽几乎希望能把阿尔奇的真相告诉玫兰妮。这是她捡来下三滥塞给亲戚朋友应得的报应。

“我真——真是高兴，你能告诉我，阿尔奇。我——我不会告诉任何人的。这会让韦尔克斯太太和别的太太们大吃一惊的，要是她们知道了的话。”

“嗨。韦尔克斯太太是知道的。在她过分关心我、非要让我睡到她地窖里不可的那夜，我就告诉她了。你想，我会让一位好心的太太把我带进她的房子里而不告诉她吗？”

“基督保佑我们！”斯佳丽喊了起来，一下子吓得愣住了。

玫兰妮知道这人是杀人犯，并且杀的是女人，而她却没有拒绝让他进入她的房子。她把她的儿子、姑妈、小姑子还有她所有的朋友都托付给了他。她，是女人当中胆子最小的，却不怕独自跟他待在房子里。

“就一个女人来说，韦尔克斯太太是颇有头脑的。她认为我是不会再干坏事了。她知道一个撒谎的人会一直撒谎，一个小偷会一直去偷，可人们一辈子顶多只杀一次人。她相信，任何人只要他为南部邦联打过仗，他干的坏事就都可以抵消了。虽说我杀了自己的妻子，但我并没干什么坏事……可不是，就一个女人来说，韦尔克斯太太是颇有头脑的……我可以肯定地告诉你，你租用囚犯的那天，就是我离开你的那天。”

斯佳丽没回答，可她想：

“你越早离开，我会越称心。你这杀人犯！”

兰妮怎么能这么——这么——了得，简直找不出一个词来形容玫兰妮的行为，她接受了这个老流氓而不把他是个囚犯的事告诉朋友们。在部队服过役就能抵消过去的种种罪孽吗！玫兰妮把当兵和受洗礼混为一谈了！不过，兰妮一遇到南部邦联、它的老战士和任何有关他们的事情，就变得傻乎乎的。斯佳丽暗暗诅咒北方佬，又记上了他们一笔欠账。他们强迫一个女人在自己身旁安排一个杀人犯当保镖，他们应该为这样的情况负责。

斯佳丽在寒冷的暮色中与阿尔奇一起坐着马车回家的途中，在现代女郎酒馆门口看到那里乱糟糟地停着上了鞍的马、轻便马车和大车。阿希礼骑在马上，脸上露出紧张和警惕的神色；西蒙斯家的弟兄从马车里探出身子，强调地做着手势；休·艾尔辛一绺棕色头发披在了眼睛上，挥舞着双手；梅里韦瑟爷爷的送糕饼车停在混乱局面的中心，斯佳丽的马车驶近了些，只见汤米·韦尔伯恩、亨利伯伯一起挤在他的车座上。

“但愿，”斯佳丽恼火地想，“亨利伯伯别坐那个新鲜玩意回家。让人看到他在那里面坐着，他应该感到害臊。就像他自己没马似的。他这样就可以夜夜和爷爷一起上酒馆了。”

她来到那群人旁，尽管她并不敏感，但也感到了紧张的气氛，恐惧揪住了她的心。

“啊！”她想，“但愿没人被强奸！三K党要是再用私刑处死一个黑人的话，北方佬就会把我们全消灭的！”接着她对阿尔奇说，“停车，出事了。”

“你不能把车停在酒馆外面，”阿尔奇说。

“照我说的办。停车。各位，你们好。阿希礼——亨利伯伯——出了什么事吗？你们看起来都那么——”

那群人向她转过脸，抬手碰了碰帽边，露出了微笑，可是他们眼里却有一种强烈的激动神情。

“是好事情，也是坏事情，”亨利伯伯吼叫道，“那在于你怎么看了。照我看州议会是不可能另搞一套的。”

州议会？斯佳丽一听，舒了口气。她对州议会没一点儿兴趣，觉得它的所作所为对她几乎是不可能有什么影响的。她怕的是北方佬又要来一次无法无天的蛮干。

“现在州议会都干了些什么？”

“他们直截了当地拒绝批准修正案，”梅里韦瑟爷爷说着，声音里显示出骄傲。“这样就向北方佬提供了一个有说服力的证明。”

“这次他妈的会闹得吃不了兜着走的——对不起，斯佳丽。”阿希礼说。

“啊，修正案？”斯佳丽问，尽量装出一副聪明的样子。

政治与她不搭界，她难得浪费时间去想什么政治。前些时候，有过一个什么第13号修正案，还是什么第16号修正案，可内容是什么她却一点儿也不知道。男人们总是为这种事情而激动。她的脸上现出难以理解的神情。阿希礼笑了。

“那是一个让黑人参与投票的修正案，你知道的，”他作了说明，“虽递交给了州议会，可他们拒绝批准。”

“他们多傻呀！你知道北方佬会强迫我们接受的！”

“所以我说他们会他妈的闹得让人吃不了兜着走的。”阿希礼说。

“我为州议会感到骄傲，为他们的勇气感到骄傲！”亨利伯伯喊道，“要是我们不接受的话，北方佬是没法强迫我们接受的。”

“他们能，而且他们会这么干的。”阿希礼的声音很平静，可眼睛里却现出担心的神情，“那样，我们的情况就会困难得多了。”

“啊，阿希礼，决不会的！情况不可能比现在更艰难！”

“可能，情况可能会更糟，甚至可能比现在还糟。如果我们有一个黑人的州议会呢？一个黑人州长呢？如果我们有比现在更坏的军事统治呢？”

斯佳丽总算听明白了一点儿，害怕得将眼睛越睁越大。

“我一直在动脑筋想，怎么对佐治亚州才最好，对我们才最好。”阿希礼拉长着脸。“像州议会那样硬顶，会激怒北方，不管我们要不要，他们会把所有的北军派出来，硬塞给我们黑人选举权，这是不是最聪明的办法呢。或者——尽最大的可能忍气吞声，收起我们的尊严，体面地屈服，虽然心里不痛快，却能尽可能地顺利办妥事情。到头来的结果反正是一样的。我们没有办法。我们只好吞下他们决定塞给我们的苦药。我们也许还是老老实实地接受的好。”

他的话斯佳丽几乎没有听到，但是话的总体意思当然在她的脑子里掠过。她知道阿希礼从来都是从两方面看问题的。她总是只看一面——这么给北方佬一个耳光以后对她可能有什么影响。

“想变成激进分子，投共和党的票吗，阿希礼？”梅里韦瑟爷爷尖刻地嘲笑道。

一阵紧张的沉默。斯佳丽见阿尔奇的手迅速向手枪伸去，但又停住了。阿尔奇觉得，而且还经常说，爷爷是个多嘴多舌的老头儿。阿尔奇不想让他侮辱玫兰妮小姐的丈夫，哪怕玫兰妮小姐的丈夫说话总是傻里傻气的。

阿希礼眼睛里困惑的神情一下子化为乌有，顿时冒出了炽烈的怒火。可是他还没来得及开口，亨利伯伯就冲着爷爷骂开了：

“他妈的——你该死——对不起，斯佳丽——爷爷，你这头蠢驴，你怎么能这么跟阿希礼说话！”

“阿希礼可以照顾自己，用不着你来卫护他，”爷爷冷冷地说，“可他说话的样子像个加入了共和党的南方人。屈服，真是活见鬼！对不起，斯佳丽。”

“我不相信有脱离联邦的可能，”阿希礼说，他气得声音都发抖了。“可是佐治亚州如果脱离了联邦，我会支持它的。还有，以前我不相信战争，可是我参加了战争。北方佬现在已经够疯狂的了，我也不相信那种让他们更疯狂的做法。可是如果州议会作出了决定要这么干的话，我也拥护。我——”

“阿尔奇，”亨利伯伯突然说，“送斯佳丽小姐回家去。这里不是她待的地方。不管怎么说，政治不是该女人过问的，再说，这儿马上就要骂脏话了。阿尔奇，去吧。斯佳丽，再见。”

马车驶到桃树街，斯佳丽的心吓得怦怦乱跳。州议会这个愚蠢的行为会对她的安全造成任何影响吗？他们惹得北方佬冒火后，她会失去锯木厂吗？

“喂，这下倒好了啊，”阿尔奇瓮声瓮气地说，“我听人说过兔子会冲着叭喇狗的脸吐唾沫，可在此之前，我还从没见过。既然州议会的那些人这么干了，还是为他们——还有我们将会遇到的一切好事高呼‘杰夫·戴维斯和南部邦联万岁’的好。喜欢黑鬼的北方佬已经让黑鬼做我们的主子了。可是你得佩服州议会的人有胆量！”

“佩服？那伙能干的家伙！佩服他们？他们应该被枪毙！那会让北方佬来对付我们，就像鸭子对付无花果虫那样。他们干吗不能准——准——干他们应该干的任何事，让北方佬心平气和，而偏要去惹他们呢？他们会让我们屈服的，与其将来屈服，倒不如现在就屈服的好。”

阿尔奇那只独眼冷冷地盯着她。

“不打一仗就屈服？女人和山羊一样没自尊心。”

斯佳丽租用了十名囚犯，两个锯木厂各五个，阿尔奇说话算话，拒绝再干跟她有关的任何事。尽管玫兰妮一再恳求他，弗兰克甚至答应提高他的工资，但都没法说服他再为斯佳丽赶车。他心甘情愿保护玫兰妮、佩蒂、印第亚和她们的朋友在城里各处转悠，可斯佳丽不行。要是马车里有斯佳丽，他甚至不愿给别的太太们赶车。让那个老暴徒这么毫不留情地指责她，这局面太让人尴尬了，更尴尬的是，她知道家里的人和朋友们竟然全都同意那个老头儿的看法。

弗兰克求她别走这一步。起先阿希礼拒绝安排囚犯工作，可斯佳丽哭哭啼啼的，苦苦哀求，还答应等时局一好转，就雇用被解放了的黑人。他终于违背了自己的意愿，被说服了。邻居们直言不讳地表示不赞成，弗兰克、佩蒂和玫兰妮简直感到抬不起头来。甚至连彼得和黑妈妈都说，让囚犯干活不吉利，这么干是不会有好结果的。人人都说，从别人的苦难和不幸中得到好处，那是不正当的。

“对让奴隶干活儿你们可一点儿也不反对啊！”斯佳丽气呼呼地喊道。

啊，这可不一样。奴隶们既没苦难，也没不幸。黑人们当奴隶那会儿比现在自由了要好得多。要是她不信的话，看看周围！可是跟以前一样，越是有人反对，斯佳丽就越坚定地要按原计划进行。她把休从锯木厂经理的位置上调开，让他赶大车运木材，决定雇用约翰尼·加勒吉尔。

在她认识的人当中，他似乎是唯一赞成租用囚犯的。他略略点了点他那圆脑袋，说这一手干得很漂亮。斯佳丽望着这个从前当骑师的小个子，他两条短短的罗圈腿稳稳地站着，侏儒似的脸上带着冷酷而讲求实际的神情，她心想："凡是把马让他骑的人都是不怎么爱惜马的。我不会让他走到我任何一匹马十英尺以内。"

可是她却毫不犹豫地把一拨囚犯交给了他。

"我可以自由地调派那些人吗？"他问，眼睛像灰玛瑙那样冷冰冰的。

"可以。我要求的就是你要保持这个锯木厂正常开工，在我要木材的时候就送来，而且能要多少就送多少。"

"我是你的人了，"约翰尼简短地说，"我会告诉韦尔伯恩先生，我不想为他干了。"

他摇摇摆摆地穿过那群泥瓦匠、木匠和运灰浆的杂务工离开时，斯佳丽感到松了一口气，她的心情又好了起来。约翰尼确实是她的人。他强硬、冷酷，决不允许胡闹，"是个一心往上爬的棚户区出身的爱尔兰人。"弗兰克这么轻蔑地称呼他，但就是因为这个缘故，斯佳丽才看重他。她知道一个决心要出人头地的爱尔兰人是值得雇用的，不管他个人的品性可能是怎样的。她感到与许多和她自己同属一个阶级的男人相比，她和他有一种更密切的类似亲属的关系，因为约翰尼知道钱的价值。

他接管锯木厂的第一个星期就证明她的希望是有道理的，因为他用五个囚犯干的活儿比休用十个被解放了的黑人干的还多。不仅如此，他让斯佳丽得到了自去年来到亚特兰大以来比以往任何时候更多的空闲时间，因为他不喜欢她到锯木厂去，并且非常坦率地这样说。

"你只管你销售那边的事，我管锯木厂这边，"他简短地说，"囚犯营可不是太太应来的地方。要是没别人告诉你的话，那么约翰尼·加勒吉尔现在就告诉你了。我把木材运送给你，对不对？好了，我不想每天都有人来纠缠我，像韦尔克斯先生那样。他需要纠缠。可我不。"

斯佳丽只好少去约翰尼那个锯木厂，生怕去得太勤，他会辞职，那可就糟了。他那句阿希礼需要纠缠的话刺痛了她，因为这话所包含的真实性，已经超过了她愿意承认的限度。阿希礼用囚犯干活比过去用自由劳工干活好不了多少，尽管他也说不清是什么原因。而且他看来好像对安排囚犯干活感到羞耻。这些日子，他也很少和她说话。

斯佳丽对他的变化感到担心。他油亮的头发中有了白发，肩膀老是疲惫地耷拉着。脸上也难得有笑意。他不再是许多年前那个让她着迷、和蔼可亲、彬彬有礼的阿希礼了。他看起来好像是在被一种难以忍受的痛苦暗暗折磨着，嘴角显出一副让她沮丧和痛心的严酷、紧张的神情。她真想使劲把他的头拉到自己的肩膀上，抚摸他花白的头发，喊道："告诉我，你担忧什么！我会处理的！我会替你解决的！"

可是他拘谨、疏远的神态让她保持着一定的距离。

43

这是十二月里难得的好天气，那天，阳光温暖得几乎像小阳春。干枯了的红叶仍然留在佩蒂姑妈院子里那棵橡树的枝头上。即将枯死的小草仍然泛着淡淡的黄绿色。斯佳丽抱着孩子，走到门廊上，坐在阳光下的一张摇椅里。她穿着一件崭新的饰有一道道黑色波浪花边的绿衣服，戴着一顶佩蒂姑妈为她新做的抽花便帽。她知道衣服和帽子都很合适，所以她很喜欢。有好几个月，她变得丑死了，现在重新变得漂亮了，真是件好事！

她一边晃着孩子，一边哼着歌。听到街上传来得得的马蹄声，便好奇地从缠绕在门廊上枯死的藤蔓后往外望去，她看到瑞特·巴特勒正骑着马向这里驶来。

杰拉尔德刚去世后，埃拉·洛雷纳出生之前好久，他就离开了亚特兰大，已经好几个月了。她一直惦记着他，可现在她急切地希望能有什么办法避免与他见面。事实上，一看到那张黑黝黝的脸，她胸中就涌起一阵愧疚的恐慌。一件牵涉到阿希礼的事压在她的良心上。她不想跟瑞特谈论这件事，可她知道不管她多么不愿意，他都会逼着她谈的。

他在大门前停住了，麻利地翻身下了马。她一边神经质地盯着他，一边想他的外貌就像韦德老是缠着她念的一本书中的一幅插图。

“他只缺一副耳环和嘴里衔着一把短剑了，”她想，“好吧，管他是不是海盗，要是我对付得好，他今天是不会割断我的喉咙的。”

他从人行道上走来，她向他打着招呼，装出最可爱的微笑。真幸运，她正好穿着新衣服，戴着合适的帽子，显得很漂亮！他的眼光一下子看遍了她的全身，她知道他也觉得自己漂亮。

“一个刚生的孩子！哟，斯佳丽，这太出乎意料了！”他笑着说，同时弯下身，揭开埃拉·洛雷纳那张小小的丑脸上的毯子。

“别说傻话了！”她说着涨红了脸，“你好吗，瑞特？你离开很久了。”

“是很久了。让我抱抱孩子，斯佳丽。啊，我知道怎么抱孩子。我有好多稀奇古怪的本领。哟，他当然长得像弗兰克。什么都像，就是没络腮胡子，不过到时候会有的。”

“我希望没有。她是个女孩子。”

“女孩子？那就更好了。男孩子实在麻烦。别再生男孩子了，斯佳丽。”

她的话都到了嘴边，准备尖刻地说她怎么也不打算再生孩子了，不管男孩还是女孩，但是她及时忍住了，露出笑意，并在脑子里寻找话题来拖延她害怕的事情被提出来讨论。

“你这次出门愉快吧，瑞特？这些日子你上哪儿去了？”

“啊——古巴——新奥尔良——还有别的地方。喂，斯佳丽，把孩子接过去。她开始淌口水了，我没法拿手绢。这是个好孩子，真的，可是她把我的衬衫都弄湿了。”

她接过孩子来，把她抱在膝上。瑞特懒洋洋地坐在栏杆上，从银烟盒里取出一支烟。

“你总是到新奥尔良去，”她说，微微噘起了嘴，“可你从来不告诉我你到那儿去干什么。”

“我是个工作勤奋的人，斯佳丽，或许是业务需要我到那儿去。”

“工作勤奋！就你！”她放肆地哈哈大笑起来，“你一辈子都没干过活儿。你太懒了。你干的只是在提包客偷窃的时候帮他们把钱弄到手，然后分得一半利润，还有就是向北方佬的官员行贿，让你参与剥削我们纳税人的勾当。”

他头一仰，哈哈大笑起来。

“你是多么希望有足够的钱去贿赂官员们啊，那你也能这么干了！”

“你这想法——”她开始发火了。

“可是或许有一天，你会挣足够的钱去大规模地行贿官员。也许你会靠租用的囚犯发财的。”

“啊，”她说道，有一点儿窘，“你怎么这么快就知道了我租的那拨囚犯？”

“我昨天夜里到的，在现代女郎酒馆消磨了一个黄昏，在那儿可以听到城里的一切新闻。那是个流言蜚语的传播所。比太太们的缝纫会消息还灵通。大家都告诉我，你租用了一拨囚犯，并让那个小个子恶棍加勒吉尔负责让他们干活儿，简直要把他们活活累死。”

“撒谎，”她气愤地说，“他不会让他们活活累死的。我会过问的。”

“你会？”

“当然！你怎么能拐弯抹角地谈这些事呢？”

“啊，实在对不起，肯尼迪太太！我知道你的动机无可厚非。不过，在我认识的人当中，约翰尼·加勒吉尔是个冷酷的小暴徒，我是绝不会看走眼的。还是注意着他点儿好，否则，等检查员来了，你会有麻烦的。”

“管好你自己的事，我的事我会管好的，”她愤怒地说，“我不想再谈囚犯的事了。人人都讨厌他们。我租那拨囚犯是我自己的事——你还没告诉我，你在新奥尔良都干了些什么呢。你经常到那儿去，人人都说——”她停住了，不想说得太多。

“人人都说什么？”

“好吧——说你有个情人在那儿。说你要去那儿结婚。对吗，瑞特？”

她对这件事的好奇已经有好久了，所以忍不住直截了当地提出了这个问题。一想到瑞特要结婚，就有一种小小的古怪的嫉妒刺痛她，尽管那究竟是什么原因，她自己也说不清。

他那双神态温和的眼睛突然变得警惕起来，接着他发现她在盯着他看，于是就也看着她的眼睛，直到她脸上微微泛出一点儿红晕。

“这对你很重要吗？”

“这个嘛，我不想失去你的友谊。”她装作一本正经的样子说，接着故意作出不关心的神情，弯下身，把埃拉·洛雷纳头旁的毯子拉好。

他突然短促地笑了笑说：“看着我，斯佳丽。”

她不情愿地抬起眼看着他，脸越来越红。

“你可以告诉你那些好奇的朋友们，如果有一天我要结婚的话，那是因为我没别的办法得到我想要的那个女人。我至今还没遇到过一个爱得那么深、居然想要和她结婚的女人。”

这时候，她确实有些慌张、困窘，因为她记起围城期间，那天夜里，就在这个门廊上，他说过：“我不是个适合结婚的人。”接着便很随便地暗示让她做他的情妇——她还记起监狱里那个可怕的日子，对这个回忆她感到耻辱。他从她的眼里看出了她的心思，脸上慢慢流露出恶毒的微笑。

“不过既然你这么直截了当地提出了问题，我会满足你庸俗的好奇心的。促使我到新奥尔良去的是一个宝贝儿。是一个孩子，一个小男孩。”

“一个小男孩！”这个出乎意料的消息引起了她的震惊，消除了她的慌张。

“可不是嘛，他是我合法的被监护人，我对他负有责任。他在新奥尔良上学。我经常到那儿去看他。”

“还给他带礼物？”她想，他一直就知道韦德喜欢什么样的礼物，原来原因在这儿！

“是的。”他带着不情愿的神情简短地答道。

“哟，真想不到！他长得漂亮吗？”

“太漂亮了对他自己可没什么好处。”

“他是个好男孩吗？”

“不是的。他是个十足的淘气鬼。我真恨不得他没生下来。男孩子总让人伤脑筋。你还有什么事想知道吗？”

他看上去好像突然发火了，眉毛也紧皱着，就像他已经十分懊悔他刚才说的事情似的。

“算了，要是你不想再告诉我什么的话，那就没有了，”她装出一副傲慢的样子说，尽管她巴不得能知道更多的消息，“可我就是想象不出你当监护人的样子。”接着她哈哈大笑，想把他弄得很狼狈。

“对，我也觉得你想象不出。你的想象力太差了。”

他不再说话，默不作声地抽了一会儿烟。她在搜寻一句跟他一样生硬的话，可就是想不出来。

“要是你不把这些事告诉任何人，我会领情的，”他最后说道，“虽然要求一个女人闭嘴不谈是不可能的事。”

“我可以保守秘密。”她带着被损伤了的尊严说。

“你能吗？听到以前不知道的事情是有趣的。得了，别噘着嘴不高兴了，斯佳丽。对不起，我说话有些生硬，不过既然你要打听隐私，受到这样的对待也不冤枉。笑一下，在我提起一件不愉快的话题之前，让我们高兴一下。”

呀，天哪！她想。喂，他就要谈阿希礼和锯木厂的事了。她赶紧微笑了一下，露出酒窝，逗他高兴。“你还去过哪儿，瑞特？你不是一直在新奥尔良，是不是？”

“不是，上个月我在查尔斯顿。我父亲去世了。”

“啊，我很难过。”

“别难过。我可以肯定他对去世并不难过，而且真的，我对他的去世也不难过。”

“瑞特，你这话说得太糟了！”

“要是我不难过却假装难过的话，那就更糟了。我们俩从来没有相互爱过。我不记得那位老先生什么时候对我没有不满意过。我太像他自己的父亲了，而且他打心底里对他父亲不满。随着我年纪渐渐大起来，他对我的不满就干脆变成了讨厌，我承认，我也没干过什么让他改变对我的态度。我父亲要我做的一切都是让人腻味的事。最后，他把我赶到了社会上，我身上一个子儿也没有，也没有一技之长，什么也干不了，只能做个查尔斯顿的绅士、高明的手枪手和呱呱叫的扑克牌赌徒。在他看来，我没挨饿，反而巧妙地利用我玩扑克牌的本事靠赌博过起了豪华的生活，这是对他的当众侮辱。在他看来巴特勒家的人去当赌徒，是一种不能容忍的侮辱，我第一次回家时，他不许母亲见我。整个战争期间，我在查尔斯顿城外酿私酒，母亲只好靠撒谎隐瞒，才能溜出来看我。当然，这不会增加我对他的爱。”

“啊，这一切我以前都不知道！”

“他被认为是一位旧式的老绅士，也就是说，他无知无识、蠢头蠢脑、缺乏肚量，除了旧式绅士那种思想外就没有任何别的思维方式了。人人都对他大为敬仰，因为他与我断绝了关系，在他眼里，我是个已经不在世上的人了。‘假如你的右眼让你跌倒了就剜出来丢掉。’我是他的右眼，他的长子，他狠狠地把我剜掉了。”

他流露出了一点儿笑意，他有趣的回忆让他的眼光变得冷酷。

“算了，这一切我都能宽恕，可是我不能宽恕战争结束后他对母亲和妹妹的所作所为。他们确实穷得叮当响。庄园里的房子都被烧掉了，肥沃的田地又变成了沼泽。城里的房子卖掉付了税款，她们住在两间就是让黑人住都不合适的房间里。我寄钱给母亲，可父亲把钱都退了回来——肮脏的钱，你看——有几次，我到查尔斯顿去，偷偷地把钱给妹妹。可是父亲总能发现，并对她大发脾气，骂得她简直不想活了，可怜的姑娘。钱呢，最后还是退给了我。我不知道，她们的日子是怎么过的。不，我确实知道。我弟弟尽可能地拿出钱来，可是他也拿不出多少，他也不愿接受我的任何东西——投机商的钱不干净，你看！还得靠朋友救济。你的姨妈尤拉莉，她心眼一直很好。她算得上是母亲最好的朋友，你也知道。她给她们衣服，还有——上帝啊，我母亲得靠救济过日子！”

她见到过几次他的真面目，这是其中的一次，他对父亲的露骨憎恨和为母亲感到的痛苦让他脸上流露出了冷酷的神情。

“尤拉莉姨妈！可是，天哪，瑞特，除了我寄给她的东西，她也没什么东西了！”

“啊，原来是从你这儿来的！你的教养真是差，我亲爱的。我为这事儿丢人现眼，你却当着我的面炫耀。你一定要让我还你钱！”

“好吧。”斯佳丽说，她突然做出个龇牙咧嘴的微笑，他也微笑着回报了她。

“啊，斯佳丽，只要一想到钱，你的眼睛是多么亮啊！除了爱尔兰血统，你真的没有苏格兰或犹太血统吗？”

“别有怨气！我并不是有意当着你的面谈尤拉莉姨妈的。可是，老实说，她以为我的钱多得不得了。她老是写信向我要钱，天知道，我手头虽然有些钱，也不见得能养活查尔斯顿所有的人啊。你父亲得什么病死的？”

“摆架子饿死的，我想——也是这么希望的。他活该。他情愿让母亲和罗斯玛丽与他一起挨饿。既然他死了，我就能接济她们了。我为她们在炮台区买了一所房子，还雇了佣人。不过，当然，她们不能让别人知道是我出的钱。”

“干吗不能？”

“亲爱的。你肯定了解查尔斯顿的情况！你是去过那儿的。我家里的人也许很穷，可是她们却要维持一种地位。要是让人知道这是赌博赢来的钱，是投机商挣来的钱，还有提包客的钱的话，那么她们的地位就维持不成了。不行，她们对别人说我父亲有一笔数目很大的人寿保险金——他宁愿自己过穷日子，活活饿死，也不愿让钱少下去，这样，他死后，她们就不愁没钱过日子了。这样一来，他就被看做是一位比以前更了不起的旧式绅士了……事实上，是一家人的牺牲者。尽管他当时百般阻挠，母亲和罗斯玛丽现在也过得挺舒服的，我希望他知道这些情况后在坟墓里气得坐起来……从某种角度来说，我为他的死感到难过，因为他想死——对死是那么高兴。”

“为什么啊？”

“啊，他确实该在李将军投降那会儿死的。你知道他那种类型的人。他永远都不能调整自己以适应新时势，而总是把时间花在谈论从前的好日子上。”

“瑞特，难道所有的老人都那样吗？”她想起了杰拉尔德和威尔告诉她的话。

“天哪，哪儿的话！只要看看你的亨利伯伯和那个强悍的梅里韦瑟老头儿，仅以这两人为例。他们跟自卫队一起出发后，就像获得了新生似的。在我看来，从那以后，他们就变得更年轻、更泼辣了。今天早晨我遇见梅里韦瑟爷爷赶着勒内的送糕饼车，就像驯军骡那样咒骂那匹马。他告诉我说，自从逃出那所房子和她儿媳妇的精心照顾后，他干起了赶大车的活儿，觉得年轻了十岁。还有你的亨利伯伯，乐于在法庭上和法庭外跟北方佬作斗争，卫护孤儿寡母——恐怕是免费的吧——反对提包客。要不是这场战争，他早就该退休，养他的风湿病去了。他们又年轻了，因为他们又有用了，觉得有人需要他们了。他们喜欢这个又给老人一次机会的新时代。不过，有许多人，包括年轻人，他们跟我父亲和你父亲的想法一样。他们不能，也不愿调整，这样就把我引到了我想跟你讨论的不愉快话题上了，斯佳丽。”

他突然话题一转，让她不知如何应付才好，她结结巴巴地说：“什么——什么——”她内心呻吟着：“啊，天哪！哦，要来了。我拿不准能否靠花言巧语平息一场风波。”

“我对你如此了解，原本不该指望你会说真话、讲信誉或是公平地待我。可我真蠢，竟信任了你。”

“我不明白你这话是什么意思。”

“我想你是明白的。不管怎么说，你看来挺心虚的。刚才我从常春藤街一路骑马赶来看你时，有人在树篱后叫住了我，原来是阿希礼·韦尔克斯太太！当然，我就停住了马，跟她聊了起来。”

“是吗？”

“可不是嘛，我们谈得很愉快。她告诉我，她一直想要让我知道，她认为我是个多么勇敢的人，甚至在最后的危急关头，我都为邦联斗争。”

“哦，真是乱弹琴！兰妮是个傻瓜。正因为你那夜的英勇行为，差一点送了她的命。”

“我想，如果是那样的话，她会认为她是为正义的事业而牺牲的。接下来，我问她，她在亚特兰大干什么，她对我的毫不知情显得非常惊讶，并告诉我他们现在住在这儿，说你真好，让韦尔克斯先生当你锯木厂的合伙人。”

“是的，那又怎么样呢？”斯佳丽简短地问道。

“当初我借钱给你买锯木厂的时候，可有言在先，你也是同意了的，那就是，不可以用厂子来养活阿希礼·韦尔克斯。”

“你太霸道了吧。我已经把钱还给你了，厂子是我的，我要怎么那是我自己的事。”

“劳驾请你告诉我你是怎么挣钱把我的借款还清的，好不好？”

“那还用说，是靠卖木材呀。”

“你是靠我借给你的钱做本开了个头，才挣到钱的。你的话是这个意思吧。我的钱却被用来养活阿希礼。你是个很不讲信誉的女人，要是你没归还我的借款，我现在就会从讨回这笔钱中得到很大的乐趣；要是你拿不出的话，那我就要用公开拍卖的方式将你卖掉。”

他口气虽轻松，但眼里却闪着怒火。

斯佳丽赶忙把战争引到敌人领土上去。

“你干吗这么恨阿希礼呢？我想你是嫉妒他吧。”

这话一出口，她就恨不得咬下自己的舌头，因为他脑袋往后一仰，哈哈大笑起来，直笑得她因羞辱而脸涨得通红。

“不守信用，还加上骄傲，”他说，“你永远都不会忘记你是这个县的美人儿，对不对？你会永远自以为自己是最逗人喜爱的、穿着皮鞋的小姑娘，你遇到的人个个都爱你爱得要命。”

“我才没这么想！”她发火地嚷着说，“可我就是不明白你为什么这么恨阿希礼，我想这是唯一的解释。”

“得了，还是想想别的吧，漂亮的美人儿，因为这个解释并不对。至于说到恨阿希礼——我谈不上恨他，也谈不上喜欢。事实上，我对他和他那样的人只有一种情感，那就是怜悯。”

“怜悯？”

“对，还有一点瞧不起。来吧，像公火鸡那样昂起头，神气活现地对我说，他抵得上一千个像我这样的浪荡子，我不该这么放肆，竟然怜悯他，还瞧不起他。在你神气活现地说完之后，我会把我这话的意思告诉你的，如果你感兴趣的话。”

“得了，我才不感兴趣呢。”

“可我还是要告诉你，因为我受不了你继续紧紧抱着的那个可爱幻想：我嫉妒。我怜悯他，因为他本应该死的，可他没有。我瞧不起他，因为他的世界已经不再存在，他不知道自己现在该怎么办才好。”

她觉得他表示的看法有点儿熟悉。在她混乱的记忆中，她听到过类似的话，但她记不起是在什么时候和在哪儿了。她并没费很大的劲去想，因为她恼火透了。

“要是你能为所欲为的话，那么所有正派的南方人都会活不成的!”

“要是他们能为所欲为的话，我想，那么像阿希礼那样的人就会情愿不活下去的。死后在他方方正正的墓碑上刻上：‘一个为南方牺牲的邦联战士长眠于此’，或者‘为祖国而牺牲是愉快和光荣的——’或者任何其他流行的墓志铭。”

“我看不出为什么要这样!”

“无论什么，只要字母不写到一英尺高，而且不放到你鼻子底下，你就从来看不到，对不对?如果他们死了，他们的烦恼就没有了，就不需要面对这些问题了，这些他们解决不了的问题。再说，他们的家族数不清有多少代人会为他感到骄傲。我听说死了的人是快乐的。你觉得阿希礼·韦尔克斯快乐吗?”

“哦，当然——”她开始说。接着她想起了近来阿希礼眼睛里的神情，停住了嘴。

“他、休·艾尔辛，或是米德大夫快乐吗?有哪一点儿比我父亲和你父亲快乐?”

“好吧，他们也许是不如以前快乐，那是因为他们都没钱了。”

他哈哈大笑起来。

“不是因为没钱，宝贝儿。我可以肯定地告诉你，是因为失去了他们的世界——他们是在那个世界里被抚养成人的。他们现在就像离开了水的鱼，或是长出了翅膀的猫。他们被培养成某种人，干某种事，拥有某种地位。在李将军抵达阿波马托克斯后，那些人、那些事和那些地位就永远消失了。啊，斯佳丽，别这么蠢头蠢脑的!阿希礼·韦尔克斯的家已经没有了，他的庄园已经被卖掉付了税款，二十个呱呱叫的绅士只值一便士，他还有什么事可做呢?他能靠头脑或双手工作吗?我敢肯定，自从他经管那个锯木厂以来，你已经亏了不知道多少钱了。”

“没有!”

“那太好了。哪个星期天的黄昏，有空的话，我可以查查你的账本吗？”

“你见鬼去吧，用不着等到你有空。你现在可以走了，这跟你毫不相干。”

“宝贝儿，我倒是去过魔鬼那儿，他是个乏味的家伙。我不愿再到那儿去了，哪怕是为了你……在你急需钱的时候，拿了我的钱，而且你也用了。我们有过协议，该怎么用那笔钱，可你破坏了协议。记住，我可爱的小骗子，你会向我借更多的钱的。你会要我以低得没法相信的利息向你提供资金，以便去买更多的锯木厂和骡子，盖更多的酒馆。到那时你别痴心妄想，指望我会再借钱给你了。”

“什么时候需要钱，我会去向银行借的，谢谢你。”她冷冷地说着，满腔怒火，胸脯剧烈地起伏着。

“你会？去试试看。银行里有我许多股份。”

“真的？”

“可不是嘛，我对一些正当的企业是感兴趣的。”

“还会有别的银行——”

“银行多得是。要是我愿意的话，你就别想从不管哪家银行借到一分钱。需要钱，你可以去找放高利贷的提包客。”

“我会兴高采烈地去找他们的。”

“你会去的，可听到他们的利息，你就不会兴高采烈了。我漂亮的妞儿，在商界做买卖，手段不正当是要受到惩罚的。对我你应该老老实实的。”

“你是个好人，对不对？又这么有钱，还这么有权有势，竟跟像我和阿希礼这样潦倒得一塌糊涂的人过不去！”

“别把你自己算在他那类人中。你没有潦倒。也没有什么能让你潦倒。可他却潦倒得一塌糊涂了，而且还会一直潦倒下去，除非在他背后有个精力充沛的人指导和保护他一辈子。我才不愿把我的钱用来为这样的人做好事哩。”

“你当时不反对帮我的忙，而我正潦倒得一塌糊涂，而且——”

“你当时是个像样的冒险家，亲爱的，一个有趣的冒险家。为什么呢？因为当时你没有靠在你男亲戚的身上，抽抽搭搭地哀求过以前的生活。你走出家门，忙忙碌碌地奔波，现在你的财产牢牢地扎根在一个死人的钱包和从邦联偷来的钱上。你够光荣的了，杀过人，偷过别人的丈夫，企图私通，撒谎，做买卖不择手段，只要有空子可钻，就要在账目上耍那种经不起仔细检查的花招。这些事件件让人钦佩。这些事表明了你是个干劲十足而且有决断力的人，并且在金钱方面是个好样的冒险家。只有让别人高兴、帮助别人的人才能帮助自己。我愿意借一万块钱给那个信天主教的老太婆梅里韦瑟太太，连借据都不要。她是从一篮饼开始的，瞧瞧她现在吧！一个雇了六、七个人的面包房，老爷爷快乐地赶着送货车，那个懒骨头，小个子克里奥尔人勒内勤奋地干活，而且干得挺欢的……还有那个可怜虫汤米·韦尔伯恩，他虽只有半个身子，却干着两个人的活儿，而且干得是那么好，还有——好了，我不想再说下去了，免得让你厌烦。"

"你确实让我厌烦，烦得我简直要发疯了。"斯佳丽冷冷地说，希望能惹他发火，把阿希礼这个永远不幸的话题岔开。可他只是不在乎地笑笑，拒绝她的挑战。

"他们那样的人是值得帮助的。可阿希礼·韦尔克斯——呸！在我们所处的这个天翻地覆的世界里，他那种人是没用的，或者说是无足轻重的。不管在什么时候，只要世界上一发生天翻地覆的变化，首先要被消灭的就是他这种人。为什么不是呢？他们不配活下去，因为他们不愿意战斗——也不懂得怎么战斗。这不是第一次世界天翻地覆，也不是最后一次。以前发生过，以后还会发生的。发生这种变化时，人人都失去了一切，所以人人都平等了。然后，都是什么也没有，再从零开始。也就是说，除了灵活的头脑和坚强有力的双手，什么也没有了。可有些人，像阿希礼，是既不灵活，又没力气，或者虽两样都有，却有所顾忌，不敢使用。所以他们也就沉了下去，他们也应该沉下去。这是自然规律。没有他们，世界会更好些。可是有一些吃得起苦的硬汉子熬过来了，经过一定的时期，他们又会回到世界上发生天翻地覆变化以前的老位置上。"

"你原来也很穷！你刚才说过你父亲把你赶出了家门，身上一个子儿也没有！"斯佳丽说着，气呼呼的，"我本以为你会了解和同情阿希礼的！”

“我确实了解他，”瑞特说，“可我要是同情的话，那才是该死哩。投降后，阿希礼比我被赶出去那会儿要有办法得多。至少，他有朋友们收留他，而我却是《圣经》中被亚伯拉罕摒弃的依实玛利。可阿希礼为他自己都干了些什么呢？”

“要是你拿他和你自己比较的话，你这骄傲的家伙，喂——他跟你不一样，感谢上帝！他才不会像你那样弄脏自己的双手，跟提包客、叛贼和北方佬一起捞钱。他洁身自好，行为可敬！”

“他可并不太洁身自好和行为可敬啊，他没有拒绝一个女人的救济和钱嘛。”

“他还能干些什么别的呢？”

“为什么要由我来说呢？我只知道在我被赶出来那会儿和现在我自己所干的事。我也知道别人干了些什么。我们在文明的毁灭中看到了机会，而且尽情利用了这个机会，有些人用正当的手段，有些人则用不正当的手段。而且我们现在仍然在尽量利用这个机会。在这个世界上，阿希礼那样的人有着同样的机会，但他们却白白放过了。他们不精明，斯佳丽，只有精明的人才配活下去。”

她几乎没听到他正在说的这些话，因为在几分钟前，他一开始说话的时候，有件往事隐隐约约闪现在她的脑海中，现在这件事清清楚楚地重现了。她记起了那吹过塔拉庄园的瑟瑟寒风，阿希礼站在一堆圆木旁，眼睛望着她身后。接着他说话了——说了些什么？某个古怪的外国名字，听起来好像是渎神似的，还提到了世界末日。她当时不知道他的话是什么意思，可现在渐渐有了个模模糊糊的了解，而且是带着腻烦、厌倦的心情。

“哦，阿希礼也说过——”

“什么？”

“有一次，在塔拉庄园，他说了一些关于众神——没——没落，关于世界末日，还有诸如此类的蠢话。”

“啊，众神末日！”瑞特的眼光带着兴趣尖利起来了，“还说了些什么呢？”

“啊，我记不清楚了。当时我没怎么注意。可是——对了——还说了坚强的熬出头来活下去，软弱的就被淘汰。”

“啊，原来他是知道的。那么，对他来说，那就更艰难了。他们中的大多数人不知道，而且永远都不会知道。他们会纳闷一辈子那失去了的魅力消失在哪儿。他们只会在骄傲和没用的沉默中痛苦下去。可他懂。他知道自己已被淘汰了。”

“啊，他没有。只要我还有一口气，他就不会被淘汰的。”

他默默地看着她，棕色的脸看上去好像挺平静。

“斯佳丽，你是用什么办法让他同意到亚特兰大来并经管那个锯木厂的？他激烈地反对过你的想法吗？”

她猛地回忆起杰拉尔德葬礼后跟阿希礼在一起的情景，可马上又撇开了回忆。

“哦，当然没有，”她气愤地回答道，“我一对他说我需要他的帮助，因为我不相信那个小窝囊废能经管好我的厂，而弗兰克太忙，帮不了我，我马上又要——嗯，生埃拉·洛雷纳，你看。他就很高兴地来帮我解决困难来了。”

“动用做妈妈的权利是愉快的！原来你是这么说服他的。好吧，你现在已经把他摆在了你要他担任的位置上了，可怜的人，被你用欠你的情束缚着，就像那些囚犯被铁链束缚着一样。我希望你们两位都快活。不过，我在一开始讨论这件事的时候就说过，不管你多么不爱惜你体面的太太身份，也不管你再要什么小小的鬼花招，都别想从我这儿弄到一分钱，你这个两面三刀的太太。”

她既愤怒、失望又痛苦。她已经盘算了一些时候，准备再向瑞特借些钱，在城里的商业区买一块地，在那儿兴办一个木料场。

“没你的钱，我也能行的，”她嚷着说，“约翰尼·加勒吉尔经营的锯木厂赚了钱，并且赚得很多，因为我不用雇被解放了的黑人，我还放了一些钱出去，作为抵押借款，我们的店铺还从跟黑人的交易里赚了大量现钱。”

“可不是嘛，这我听说过。你真聪明，骗走投无路的人、寡妇、孤儿和无知无识人的钱！可是要是你一定要偷的话，干吗不偷有财有势的人的钱，偏偏要偷穷人和软弱的人呢？从罗宾汉时代一直到现在，那一直被认为是合乎崇高的道德的。”

“因为，”斯佳丽马上说道，“偷——这可是你的说法——穷人要容易和安全得多。”

他默不作声地笑着，笑得肩膀都摇晃了。

“你真是一个好样的、诚实的无赖，斯佳丽！”

无赖！说来也怪，这个词太刺人了。她不是无赖，她情绪激动地对自己说。至少，她不是存心想要当个无赖。她要做一名身份高贵的太太。刹那间，她一下子回想起多年前的情景：她看见妈妈走来走去的，裙子发出好听的窸窸窣窣的声音，身上有一股淡淡的香粉气味，她那双忙碌的小手不知疲倦地为别人服务着，并受到别人的喜爱、尊敬和怀念。她的心突然一阵难受。

“你要是想惹我发火的话，”她疲倦地说，“那没有用。我知道这些日子以来，我没有像应该的那样——循规蹈矩。也不像我受的教养所要求的那样心眼好并可爱。可我没办法，瑞特。真的，我没有办法。我还能干些别的什么呢？北方佬到塔拉庄园时，我要是——斯斯文文的话，那我、韦德、塔拉庄园和我们大伙儿会是什么样的遭遇呢？我原本该——可我甚至想都不愿想。乔纳斯·威尔克森要霸占那片家园时，要是我当时——心眼好并循规蹈矩的话，那我们现在会在哪儿呢。要是我性情温和、头脑简单，不与弗兰克软缠硬磨，硬逼着他了结那笔讨厌的债务，我们就会，算了，不说了。也许我是个无赖，可我不愿永远做无赖，瑞特。在过去的几年里——甚至在现在——我能干些别的什么呢？我又怎么能做另一种人呢？我一直觉得我是在暴风雨中划一条载得重重的船。为了让船继续航行，我得应付许多的烦恼，我不能让那些无关紧要的事，还有那些我能轻易摆脱的事，来打搅我，而且我也顾不上考虑礼貌周到和——嗯，诸如此类的事。我太害怕船会沉没了，所以我把看来不那么重要的东西都从船上扔了下去。”

“自尊、信誉、真理、德行，还有仁慈，”他沉着脸一一列举道，“你说得对，斯佳丽。在一条船就要沉没时，那些都不重要了。不过，看看你周围的朋友。他们要么带着整船的货，完完整整地，安全地把船靠到岸上，要么心甘情愿地坚持战斗，毫不屈服地沉没。”

“他们是一帮蠢货，”她直截了当地说，“在这个时代干什么都行。等我有了足够的钱，我也会按照你所喜欢的那样变好的。我会变得正正经经的。到那个时候我就能做个正经人了。”

“你能——可是你不愿意。打捞扔进海里的货物是很困难的，即使打捞上来了，往往也坏得没法修补了。我担心等你有条件把扔进海里的信誉、德行、仁慈啊什么的打捞起来，你会发现那些东西都被海水泡得变了样，没用了，我担心，会变成让人发笑的、奇形怪状的东西了……”

他突然站起身，拿起了他的帽子。

“你要走了吗？”

“对。你松了一口气吧？我要让你残存的良心来处置你。”

他停顿了一下，低头看着那个孩子，伸出一个手指头让她抓。

“我想弗兰克乐坏了吧？”

“啊，当然。”

“想必他对这孩子有许多计划吧？”

“啊，哟，你知道男人对他们的孩子有多傻。”

“那么，告诉他，”瑞特说着，突然停住了，脸上显出古怪的神情，“告诉他，如果他想看到他对孩子的那些计划实现，夜晚还是经常待在家里的好，别像现在这样老往外跑。”

“你这个话是什么意思？”

“就是这个意思。告诉他在家里待着。”

“啊，你这坏家伙！暗示可怜的弗兰克会——”

“啊，我的天哪！”瑞特突然哈哈大笑起来，“我并没有说他跟别的女人在一起混！弗兰克！啊，我的天哪！”

他走下台阶，一路仍哈哈大笑着。

44

三月的下午，风刮得很猛，寒气逼人。斯佳丽把车毯拉到胳肢窝下，赶着马车从迪凯特公路向约翰尼·加勒吉尔管的那个厂子驶去。这些日子，独自赶车是危险的，而且她也知道比以往任何时候都更危险，因为现在的黑人是完全无法控制了。正像阿希礼预言的那样，既然州议会拒绝批准修正案，他们已经他妈的沸沸扬扬闹得让人吃不了兜着走了。斩钉截铁的拒绝就像掴了大发雷霆的北方佬一个耳光，马上就来报复了。北方决定在这个州强制推行黑人选举，而且为了这个目的，已经宣布佐治亚州发生了叛乱，被置于最严厉的军事管制法之下。佐治亚已经被取消了作为一个州的存在，它已经和佛罗里达和亚拉巴马一样，受到一个联邦将军的控制，成为“第三军管区”了。

如果说在此之前，生活不安定，让人提心吊胆的话，现在的情形则加倍糟糕。去年的军管法当时看来是那么严厉，但跟波普将军颁布的一比，就显得温和多了。一想到将来难免要出现黑人统治，前途就变得暗淡和没有希望了，而面对这个苦恼的状况，人们只能无可奈何地感到痛心和咽不下这口气。至于那些黑人，他们觉得自己已变得前所未有的重要，有北方佬军队的支持，他们越发横行霸道了。没一个人敢说黑人会不来找他的麻烦。

在这么个混乱、可怕的年代，斯佳丽感到害怕——虽然害怕，可是她下定决心，仍然独自来来去去，把弗兰克的手枪塞在轻便马车的垫子里。她默默诅咒给大家招来了更重大灾难的州议会。这样干到底有什么好处呢，虽说这是个勇敢透顶的立场，是个人人称之为英勇的姿态，但它只是把事情闹得更糟糕了。

她得经过一条小路，那条小路顺着光秃秃的树林往下直通到小河的尽头，贫民区就在那边。每次驶近那条小路，她就发出咯咯的声响，催马加快速度。每次驶过这个由废弃的军用帐篷和木板小屋组成的肮脏、破烂的地区，她总感到不自在。这一带是亚特兰大以及附近名声最坏的地方，因为在这片污秽的土地上居住的是无家可归的黑人、黑人妓女和零零星星的处于社会最底层的穷白人。谣传这里是黑人和白人罪犯的避难所。北方士兵要通缉某个人，总是先到这里来搜查。开枪和捅刀子的事在这儿是家常便饭，连当局都很少费事去调查了，通常让贫民区的居民们自己去解决他们那见不得人的勾当。树林深处，有一家酿造劣质威士忌的酿酒场，夜晚，小河尽头那些小屋里充斥着醉汉们的叫嚷和诅咒。

甚至北方佬也承认，这是个藏污纳垢的地方，应该将之清除掉，但他们没在这方面采取行动。那些不得不在这条路上穿梭于亚特兰大和迪凯特两地之间的居民都骂骂咧咧地发泄他们的火气。男人经过那个贫民区，都将手枪皮套解开，正派的女人，哪怕在男人保护下，也决不愿意经过那儿，因为经常有喝得醉醺醺的黑人妓女坐在路旁，恶狠狠地辱骂和喊着粗话。

阿尔奇陪在斯佳丽身旁时，她压根儿就不把贫民区放在心上，因为就算是最放肆的黑人女人也不敢在她面前发出笑声。不过，自从她不得不独自赶车以来，发生了不少让人生气和恼火的事。每次她坐着马车经过那儿，那些黑人婊子就惹是生非。她不得不只当没这回事，憋一肚子火，除此之外，别无他法。她甚至没法把这些麻烦告诉邻居或家里人以从中得到安慰，因为邻居们会得意扬扬地说："得了，那你还指望别的什么呀？"而家里人则又会大惊小怪，想方设法阻止她去锯木厂。她不想就此罢休。

感谢上帝，今天路旁没有穿得破破烂烂的女人。她的马车驶过那条通往居住地的小路时，她厌恶地望着那片在下午令人沮丧的斜阳照耀下挤在洼地上的小屋。寒冷的风在吹着。经过那儿时，她闻到了木柴烟、炸猪排和没打扫的厕所的混合气味。她鼻子一侧，躲开气味，使劲用缰绳抽打着马背，催马快速驰过公路拐弯处。

她刚松了一口气，又突然吓得心跳到了嗓子眼，因为一个身材高大的黑人正默默无语地从一棵大橡树后走了出来。她吓了一大跳，可并没吓得神志不清。马一下子被拉得停住了，她手里已经拿着弗兰克的手枪。

“你想干什么？”她吆喝道，尽可能地显出最严厉的神情。那个高大的黑人一下子躲到了橡树后面用害怕的声音说：

“上帝啊，斯佳丽小姐，千万别向大个子山姆开枪！”

大个子山姆！有那么一会儿，她没弄懂他的话。大个子山姆，塔拉庄园的工头，她最后看到他是在围城时期。到底……

“出来，让我看看你是不是真的是山姆！”

他很勉强地从躲藏的地方悄悄地走了出来，一个穿得破破烂烂、身材魁梧的大高个子，赤着脚，穿着一条斜纹布裤子和一件合众国军服上衣，那件上衣对他高大的躯体来说，实在太短太紧了。在看清那人真的是大个子山姆后，她便把手枪插进车垫，愉快地笑了。

“啊，山姆，看到你真高兴啊！”

山姆一溜烟跑到那辆轻便马车前，快活得眼睛滴溜溜乱转，露出两排闪闪发光的白牙齿，用两只大得像野兽后掌似的黑手紧紧抓住她伸过来的那只手。他伸出西瓜瓤般红的舌头，整个身子都在扭动，那喜悦的动作就像一只猛犬在戏耍似的滑稽。

“我的上帝啊，可看到了一个家里人，真是太好了！”他一边嚷着，一边紧紧捏着她的手，直到她的骨头都要断了，“你怎么变得像个坏人，随身带起手枪来了，斯佳丽小姐？”

“现在，坏人这么多，我只好带枪了。你到底在贫民区这么个乌七八糟的地方干什么，你，一个体面的黑人？干吗不到城里来看我？”

“天哪，斯佳丽小姐，我没住在贫民区。我只是暂时待在这儿。就是让我白住，我也不会住在这个地方的。这辈子我都没看到过那么下流的黑人。我不知道你在亚特兰大。我以为你在塔拉庄园哩。

我准备一有机会就回塔拉庄园家里去。”

“围城以来，你一直都住在亚特兰大吗？”

“不，小姐！我去过外地！”他的手松开了。她的手好痛，她试着弯曲了几下，看看骨头有没有出毛病。“还记得你最后看到我是什么时候吗？”

斯佳丽想起来了，那天很热，围攻还没开始，她和瑞特坐在马车上，一伙黑人在大个子山姆的带领下，一边唱着《去吧，摩西》，一边沿着那条尘土飞扬的街道向防御阵地走去。她点了点头。

“嘿，我拼命地干活儿，挖胸墙呀，装沙袋呀，直到南军撤出了亚特兰大。那个让我负责的上尉军官被打死了，也没人告诉大个子山姆该怎么办，所以我就干脆老老实实地躺在树丛下。我想我会想办法回到塔拉庄园的家里去，然而当时听说塔拉那一带的房子都烧掉了。再说，我也没办法回去，怕被巡逻队逮住，因为我没通行证。后来，北军进城了。一个北方军官，他是个上校，喜欢我，把我留了下来，照顾他的马和皮靴。

“可不是嘛，小姐！我当然觉得神气啊，我跟波克一样是贴身仆人了，我以前可是在地里干活的。我没告诉那位上校，我原来是干地里活儿的，但他——对了，斯佳丽小姐，北方佬个个都啥都不懂！他看不出有什么不同！就这样，我跟他待在了一起。谢尔曼将军去萨凡纳时，我也跟着上校到那儿去了。天哪，斯佳丽小姐，我从来没看到过在去萨凡纳一路上所见到的种种事情！到处是偷东西的啊，烧房子的啊——他们把塔拉烧掉了吗，斯佳丽小姐？”

“他们放了火，可我们把火扑灭了。”

“好啊，小姐，听到这消息，我当然高兴呀。塔拉庄园是我的家，我想回那儿去。战争结束后，上校对我说：‘你这个山姆！跟我回北方去。我会付给你很高的工资的。’和所有黑人一样，我想在回家以前尝尝向往的自由，所以就跟上校到北方去了。是啊，小姐，我们到了华盛顿、纽约和上校住的波士顿。是啊，小姐，现在我是个出过远门的黑人了！斯佳丽小姐，北方街上的马和马车多得没数，就是吓唬它们也没法让它们停住的！我老是害怕自己会被撞倒！”

“你喜不喜欢北方，山姆？”

山姆挠了挠他长满鬈发的脑袋。

“喜欢——又不喜欢。上校是个大好人，他也了解黑人。可他妻子，却是另一种人。他妻子第一次看到我时，竟然管我叫‘先生’。可不是嘛，小姐，她是这么叫的，她叫我的时候，我总觉得比死还难受。上校跟她说叫我‘山姆’，她才这么叫我了。可是所有的北方佬，第一次看到我时，都管我叫‘奥哈拉先生’。他们还让我跟他们坐在一起，好像我跟他们一样有身份似的。得了，我从来就没跟白人在一起坐过，我太老了，也没法学了。他们把我当成跟他们身份一样的人，斯佳丽小姐，可是在他们心里，他们不喜欢我——他们不喜欢黑人。他们还惧怕我，因为我的个子是这么的高大。他们还总是问我那些追赶我的凶恶猎狗以及我所挨的打。上帝啊，斯佳丽小姐，我可是从来没挨过打的！你知道杰拉尔德先生是从来不会让谁打像我这样值钱的黑人的！

“我把这事告诉了他们，还告诉他们埃伦小姐待黑人是多么的好，在我生肺炎那会儿，她坐着照顾了我一个星期，他们听了，都不相信。斯佳丽小姐，我想念埃伦小姐和塔拉庄园了，我再也忍受不了了。有天夜里，我趁天黑动身回家，一路上靠搭货车来到了亚特兰大。要是你给我买一张到塔拉去的车票，我是很高兴回家的。我很高兴能再见到埃伦小姐和杰拉尔德先生。我有过足够的自由，现在我需要有人给我一天三餐，美美地吃一顿，告诉我该干什么，不该干什么，并在我生病的时候照顾我。我要是再害肺炎呢？那位北方太太会照顾我吗？不，小姐！她会叫我‘奥哈拉先生’，但她不会护理我的。可是埃伦小姐，我害了病，她会护理我，还——你怎么了，斯佳丽小姐？”

“我爸妈都死了，山姆。”

“死了？你是在跟我开玩笑吧，斯佳丽小姐？你这样待我可不应该啊！”

“我没开玩笑。是真的。谢尔曼的士兵经过塔拉庄园的时候，妈死了；爸呢——他是去年六月去世的。啊，山姆，别哭了，请你别哭！你一哭，我也就要哭了。山姆，别哭！我受不了。现在别谈这事了。以后我会原原本本告诉你的……苏埃伦小姐在塔拉，她嫁给了一个大好人，威尔·本蒂恩先生。卡丽恩小姐，她在——”斯佳丽停住了，怎么也没法让那个呜呜哭的巨人搞清楚什么是修道院。“她现在住在查尔斯顿。波克和普莉西在塔拉……好了，山姆，把鼻子擦擦。你真的想回家吗？”

“是啊，小姐，可那跟我原来想的跟埃伦小姐在一起是不一样了，还有——”

“山姆，待在亚特兰大为我干活儿，怎么样？我需要一个赶车的。现在，有这么多的坏人，所以我非常需要一个。”

“可不是嘛，小姐。你是需要。我早就准备告诉你你独自赶着马车来往于这一带是要吃亏的，斯佳丽小姐。你不知道，现在有些黑人是多么不像话，尤其是那些住在这个贫民区的。你不安全。我才来贫民区两天，可我就听他们谈论起你。昨天，你赶车路过时，那些下流的黑人冲着你喊叫，我认出了你，可你的马车过去得太快了，我赶不上。我当然狠狠地揍了那些黑人！当然揍过了。没有注意到今天他们没一个人在这一带了吗？”

“注意到了，当然，谢谢你，山姆。好吧，你愿意替我赶马车吗？”

“斯佳丽小姐，谢谢，小姐，可我想我还是回塔拉庄园去的好。”

大个子山姆看着地下，他光着的脚趾毫无目的地在路上划出了一条条痕迹。他表现出一种鬼鬼祟祟、不自在的神情。

“喂，为什么啊？我给你大价钱。你一定要跟我在一起。”

他那张现出愚蠢而又像孩子似的藏不住心事的大黑脸抬了起来，脸上露出恐惧的神情。他走近了些，在马车的一边探近身子，低声说道：“斯佳丽小姐，我非离开亚特兰大不可了。我非去塔拉庄园不行，在那儿他们找不到我。我——杀了人。”

“黑人吗？”

“不是，小姐。一个白人。一个北方佬士兵。他们正在追捕我。这就是我待在贫民区的原因。”

“到底怎么回事？”

“他喝醉了，说了些我难以忍受的话，我就用双手掐住了他的脖子——可我并不是有意要杀死他的，斯佳丽小姐，但我的手太有劲儿了，还没等我发觉，他已经咽气了。我吓坏了，不知该如何是好！所以就溜到这儿躲了起来。昨天看到你路过这儿，我就说‘上帝保佑！斯佳丽小姐！她会照顾我的。她不会让我被北方佬抓去的。她会打发我回塔拉庄园去的。’”

“你说他们在追捕你。他们知道是你干的吗？”

“是的，小姐，我的个子这么大，他们是不会认错的。我想我是亚特兰大个子最大的黑人了。昨夜，他们已经到这里来抓过我了，多亏一个黑人姑娘，她把我藏在了树林里一个洞里，直到他们走了为止。”

斯佳丽皱着眉坐了一会儿。她一点儿都不为山姆杀了人而感到惊慌，或者担忧，而是为没法留住山姆替她赶车而失望。有山姆这样的大个子黑人当保镖，跟有阿尔奇完全一样。好吧，不管怎么说，她一定要把他安全地送回塔拉庄园去，当然，绝不能让当局抓住他。这么宝贵的黑人，决不能让他被绞死。可不是，他算得上是塔拉庄园最好的工头了！在斯佳丽的心中，一点也没想到他已经被解放了。他仍然是属于她的，就像波克、黑妈妈、彼得和普莉西。他仍然是“我们家里的人”，既然如此，就该受到保护。

“我今夜就送你回塔拉庄园去，”她最后说，“我说山姆，我得再赶一段路，不过在太阳落下去以前，我可以回到这里来。我回来的时候，你就在这里等我。别告诉任何人你要去哪儿。要是有帽子的话，就戴上遮住你的脸。”

“我没帽子。”

“这是两角五分钱。去向哪个穷黑人买顶帽子，在这里和我见面。”

“好的，小姐。”又有人告诉他该怎么办了，他宽慰地舒了口气，眉开眼笑了。

斯佳丽一边赶着车，一边想着。威尔当然会欢迎一把好手在塔拉庄园的地里干活儿。波克过去不是，将来也不会是把好手。如果山姆接替了波克，波克就能到亚特兰大来，跟迪尔西在一起了，这是杰拉尔德去世后，她答应过他的。

她到锯木厂时，太阳就要落下去了，这比她计划在外面逗留的时候稍晚了些。约翰尼·加勒吉尔站在一个破烂棚屋的门洞子里，那所房子是那个伐木区的食堂。在那所给囚犯睡觉用的狭长棚屋前，放着一根圆木。斯佳丽交给约翰尼管的那家锯木厂的五个囚犯，倒有四个坐在那上面。由于出了汗，他们的囚衣很脏，还有臭味。当他们疲劳地走动时，脚镣的铁链在脚踝中当啷当啷地响着。他们满脸冷漠和绝望的神情。他们瘦削而不健康，斯佳丽心里想到，狠狠地盯着他们看，但是在她租用他们时，那只是在不久前，他们却个个结实而健康。她跨下马车时，他们甚至连头都没抬起来，但约翰尼却向她转过身来，大大咧咧地脱掉了帽子。他向她打招呼时，那张棕色的脸紧绷着，没一点儿表情。

“我不喜欢这些人成这副模样，”她突然说道，“他们看起来身体不好。另一个人呢？”

“他说他病了，”约翰尼简短地说，“在棚屋里。”

“什么病？”

“主要是懒。”

“我去看看。”

“别去。他也许正赤身裸体。我会照看他的。他明天就会起来干活的。”

斯佳丽犹豫不决。一个囚犯疲劳地抬起脑袋，瞪了约翰尼一眼，目光里流露出强烈的憎恨，然后又望着地面。

“你鞭打这些人了吗？”

“我说，肯尼迪太太，对不起，是谁在管这个厂子？你交给了我负责，吩咐我来经管。你说过我可以自由自在地干的。你没什么抱怨我的理由吧，是不是？我不是比艾尔辛先生为你多采伐了一倍木材吗？”

“是的，确实是。”斯佳丽说，可是她打了个寒战，就好像有一个蠢女人走过她的坟头似的。

这个盖着丑陋棚屋的伐木区有一股阴森森的气氛，有一种休·艾尔辛管理时没有的气氛。有一种让她心里发凉的荒凉、隔膜的气氛。这些囚犯与一切都隔绝了，全得听凭约翰尼·加勒吉尔的摆布。他要是乐意鞭打他们，或是用别的办法虐待他们，她也许永远都不会知道。囚犯们不敢向她诉苦，怕在她走后会受到更重的惩罚。

“这些人看起来很瘦。你给他们吃够了吗？天知道，我在他们的伙食上是花了足够的钱的，好让他们吃得跟阉猪一样胖。上个月，光面粉和猪肉就花掉了三十元。他们晚饭吃什么？”

她走到那间用作厨房的棚屋前，一个黑白混血的胖女人探着身子站在一只生锈的旧炉子前，她看见斯佳丽，稍微弯了弯膝盖，行了个礼，然后继续搅拌锅里正在滚的豇豆。斯佳丽知道约翰尼·加勒吉尔在与她同居，但是认为最好还是只当不知道的好。除了豇豆和一盘玉米饼以外，没有准备别的什么饭菜。

“难道没有别的东西给他们吃了吗？”

“没有，太太。”

“你没在这锅豇豆里放一些咸排骨肉吗？”

“没有，太太。”

“豇豆里不放咸肉？可是豇豆里不放咸肉是不行的。他们吃了没有力气。干吗不放咸肉呢？”

“约翰尼先生说放咸肉没什么用。”

“你必须放咸肉。供应的食品都在哪儿？”

那个混血女人带着害怕的神情转动着眼睛，向那个用作食品贮藏室的小房间望去。斯佳丽砰的一声打开了门，房间的地板上摆着一桶已经开了盖的玉米粉、一小袋面粉、一磅咖啡、一点糖、一加仑壶的高粱糖浆和两只火腿。架子上有一只火腿是新近煮熟的，只切掉了一两块。斯佳丽气坏了，猛地向约翰尼·加勒吉尔转过身去，正迎上他盯着她看的冰冷的、愤怒的目光。

“我上星期送来的五袋面粉在哪儿？还有那袋糖和咖啡呢？我还送来过五只火腿、十磅咸肉和很多的红薯和土豆。说呀，东西都在哪儿？哪怕一天给这些人吃五顿，一个星期也用不完这么多啊。你竟把它们给卖了！你干的好事，你这个贼！竟把我供应的食品给卖了，把钱装进自己兜里，只给这些人吃干豆子和玉米饼。怪不得他们会这么瘦。滚开。”

她怒气冲冲地从他身边走过，来到了门洞子里。

“喂，你，那边那个——对，就是你！到这边来！”

那人站起身，笨拙地向她走过来，脚镣发出当啷当啷的响声。他光着的脚踝被铁镣擦伤了，红肿着，皮开肉绽的。

“你最近一次吃火腿是什么时候？”

那人看着地面。

“你尽管大胆地说！”

那人站着，仍然默不作声。最后，他抬起眼，流露出恳求的神情看着斯佳丽，然后目光又朝下看。

“不敢说，嗯？好吧，到食品贮藏室去，把那只火腿从架子上拿下来，丽贝卡，把刀给他。把火腿拿去给那些人，分给他们吃。丽贝卡，给那些人做些软饼和咖啡。要多加些高粱糖浆。马上动手，这样我才能亲眼看到你干了。”

“那些是约翰尼先生私人的面粉和咖啡。”丽贝卡害怕地咕哝着。

“约翰尼先生的，见他的鬼！我想那也是他私人的火腿吧。照我说的做。快。约翰尼·加勒吉尔，你跟我一起到外面的马车旁去。”

她大模大样地走过乱糟糟堆着木材的场地，登上了轻便马车，看着那些人扯下一块块火腿，没命似的塞进嘴里，真觉得出了口恶气，心里满意了。看他们那副急相，就像火腿随时都会被取走似的。

“你是个少有的恶棍！”她冲着约翰尼喊道，他站在车轮旁，帽子推在耷拉着的脑袋后面。“你得把我供应食品的钱交还给我。以后，我按天给你食品，而不是按月。那样，你就不能欺骗我了。”

“以后，我不会待在这儿了。”约翰尼·加勒吉尔说。

“你是说，你不想干了！”

有那么一瞬间，斯佳丽的话都已经到了发烫的舌尖：“走吧，那才叫好呢！”可经过冷静而慎重的考虑后，她的话没有出口。要是约翰尼不干的话，那她该怎么办呢？他交的木材比休交的要多一倍。眼下，她刚刚接了一大笔订单，是她接到过的订单中数目最大的一笔，而且交货日期也很紧。她得尽快把那批木材运到亚特兰大去。要是约翰尼不干了，那她去找谁来经管这个锯木厂呢？

“是的，我不干了。你把这儿交给我全面负责，你跟我说过的，你对我的要求只是尽可能地多出木材。当时你并没跟我说该怎么管理事务，我现在也不想让你来限制我。怎么出木材我用不着你管。

你不能抱怨我没按协议办事。我替你赚了钱，我挣了工资——另外顺手捞一点我能捞到的外快。然而你到这里来，插上一手，还提出种种问题，还当着那些人的面破坏我的威信。以后，你怎么还能指望我来维持纪律？即使那些人偶尔挨一顿揍，那又怎么样呢？下贱的懒骨头理应受到更重的惩罚。即使营养不怎么好，伙食味道比较差，那又怎么样呢？他们不配吃得更好。要么你管你的事，让我管我的事，要么我今晚就走。”

他那张冷酷的小脸比任何时候的神情都强硬。斯佳丽犹豫不决。要是他今夜就走的话，她怎么办呢？她不能通宵达旦地待在这儿看管囚犯呀！

她眼里流露出左右为难的神情，约翰尼的表情马上起了微妙的变化，他脸上冷酷的神情有所缓和，说话时，声调也变得从容悦耳了。

“已经晚了，肯尼迪太太，你还是回去的好。我们不会为了这么一丁点儿小事而闹翻的吧，对不对？你可以在我下个月的工资里扣掉十块钱，我们的账就算清了。”

斯佳丽很不情愿地望着那帮可怜巴巴地在啃火腿的人，还想到了那个躺在透风的棚屋里的病人。她应该把约翰尼·加勒吉尔赶走。他是个贼，是个人面兽心的家伙。没有人揭发她不在场时他是怎么对付那些囚犯的。但是，从另一个方面说，他精明强干，老天知道，她需要一个精明强干的人。算了，现在她不能跟他分手。他在为她赚钱。只要能保证那些囚犯吃上像样的伙食就行了。

“我要从你的工资里扣掉二十块，”她没好气地说，“明天早晨我们再讨论这件事。”

她拿起了缰绳。但她知道不会再讨论了。她知道这件事是到此结束了。她知道约翰尼也知道。

她赶着马车驶向那条小路，那条小路通往去迪凯特的大路。一路上，她的良心跟她爱钱的欲望斗争着。她知道她没权利让那几个人的性命听凭那个狠心的小个子男人去摆布。要是他把其中一个整治死了，她将和他一样有罪，因为她在知道他的种种野蛮行径后，还继续让他负责。可是，从另一方面说——对了，从另一方面说，人不该为非作歹，变成囚犯啊。一旦犯了法，被人逮住了，那就应该任人摆布了。这想法多少让她的良心得到了些安慰，但一路上，那些囚犯没精打采的瘦脸一直在她的脑子里闪现。

“啊，以后再想他们的事儿吧。”她做出了决定，然后把心思转到木材上去，将别的事都抛到了脑后。

她来到贫民区上面那条大路拐弯的地方，太阳已经完全落下去了，周围的树林昏昏暗暗的。太阳落下去后，透骨的寒气笼罩着暮色苍茫的世界，冷风刮过昏暗的树林，光秃秃的树枝噼啪作响，枯树叶发出沙沙的声音。她从来没独自这么晚待在户外，她觉得不自在，想回家了。

到处看不到大个子山姆。她勒住缰绳等着他，为他不在场而担心，北方佬也许已经把他逮住了。后来，听到从那片居住地的小路上传来了脚步声，不由得宽慰地舒了一口气。她一定要为山姆让她这么等而狠狠地咒骂他一顿。

然而来到大路拐弯处的不是山姆。

那是一个穿得破破烂烂的大个子白人和一个矮胖的黑人，那个黑人的胸脯和肩膀都像个大猩猩。她很快用缰绳在马背上抽了一下，接着就紧紧握住了手枪。那匹马开始小跑，但是突然惊得往后退了一下，原来那白人猛地举起了一只手。

“太太，”他说，“能给我两角五分钱吗？我实在是饿了。”

“滚开，”她说着，尽可能让自己的声音平稳些，“我一个子儿也没有。驾。”

那个男人的手突然飞快地抓住了马笼头。

“快抓住她！”他向那个黑人喊道，“她的钱也许放在了胸口！”

接下来发生的事，对斯佳丽来说，简直是一场噩梦，而且所有的事都发生得那么快。她迅速举起了手枪，某种本能告诉她，不能向那个白人开枪，因为怕打中了马。那个黑人冲到了马车旁，他那张黑脸上五官扭曲，龇牙咧嘴地露出嘲弄的笑意，她朝他近距离平射。到底有没有打中他，她始终不知道，但接下来她的手腕被紧紧地抓住了，差一点没被扭断，手枪也被抢走了。那个黑人就在她身边，离得那么近，他使劲地把她拉到马车一边的时候，她能闻到他身上的恶臭味。她用那只没被抓住的手疯狂地搏斗着，抓他的脸，接着她感到那只大手掐住了她的喉咙，紧接着哗啦一声，她的紧身上衣从脖颈裂到了腰部。然后那只黑手便在她的乳房上乱摸，她产生了一种从来没有过的恐惧和厌恶，像个疯女人似的尖叫起来。

“把她的嘴堵住！把她拉出来！”那个白人嚷着说，那只黑手从斯佳丽的脸上摸到嘴上。她死命地狠狠咬着，接着又尖声叫着。她在尖叫声中听到那个白人的咒骂，同时看到那条昏暗的路上又过来了一个人。堵在她嘴上的那只黑手拿开了。大个子山姆向那个黑人扑过来时，他跳开了。

“快跑，斯佳丽小姐！”山姆一边大叫着，一边跟那个黑人扭打了起来。斯佳丽浑身颤抖，尖声喊叫着，抓起缰绳和马鞭，直往马身上打着。马猛地一跳，起步了。她感到车轮碾在了一个柔软的东西上，一个妨碍轮子前进的东西。是那个白人，他躺在了山姆把他揍倒的地方。

她几乎被恐惧给吓疯了，一次又一次地鞭打着那匹马，马飞快地跑着，马车摇晃颠簸着。她在惊恐中觉得背后有奔跑的声音，于是尖叫着吆喝着马跑得更快了。要是那个猩猩似的黑人再赶上她，甚至不等他的手碰到她的身子，她就会没命的。

她背后传来了大声的喊叫：“斯佳丽小姐！停车！”

她没放松缰绳，只是哆哆嗦嗦地回头看了一眼，只见大个子山姆从后面的路上跑来，两条腿像迅速运动的活塞那样在跑动。她拉紧了马缰绳，并让他跳上了车。他一下子扑到马车里，巨大的身子把她挤到了一边。汗水和血水从他的脸上淌了下来，他喘着粗气说：

“你受伤了没有？他们伤害你了吗？”

她说不出话来，他的目光一接触到她就急忙避开了。他的这个举动，让她明白了她的紧身上衣已经裂到了腰部，她赤裸的胸部和紧身胸衣都露在了外面。她哆哆嗦嗦地把两片衣襟紧紧地抓在了一起，低下头，开始用吓坏了的声音抽抽搭搭地哭了起来。

“把缰绳给我，”山姆一边说着，一边从她手里一把抢过缰绳，“马儿，快跑！”

斯佳丽浑身颤抖，尖声喊叫着，抓起缰绳和马鞭，直往马身上打着。马猛地一跳，起步了。

鞭子啪啪地响着，受了惊的马疯了似的跑着，差一点没把马车翻到沟里。

“但愿我已经把那头黑猩猩干掉了。可我没查清楚就来了，”他喘着粗气，“不过，要是他伤害了你，我就赶回去，一定要了他的命。”

“别——别——快赶车吧。”她抽抽搭搭地哭着。

45

那天晚上，弗兰克把她、佩蒂姑妈和孩子安置在玫兰妮家后，便和阿希礼一起骑上马，沿着街道走了。斯佳丽既恼火又伤心，肺都要气炸了。他怎么偏偏要在今夜去开一个政治会议呢？政治会议！就在今天晚上，她刚受到过袭击，当然她是什么事情都可能遇上的啊！他实在是无情和自私。再说，当山姆扶着哭哭啼啼的她进屋的时候，她的紧身上衣一直裂到了腰部，从那时起，他对整个事情的态度沉着得简直要把人给气疯了。当她哭着讲述事情的经过的时候，他甚至连一次胡子都没挠过，只是温和地问："宝贝儿，你是受伤了——还是吓坏了？"

她既恼火，又在掉泪，没法回答。山姆替她说，她是被吓坏了。

"他们刚扯开她的衣服，我就赶到了。"

"你是好样的，山姆，我不会忘记你所做的一切的。要是我能为你做什么的话——"

"是的，先生，请你送我回塔拉庄园去，越快越好。北方佬正在追捕我。"

弗兰克同样沉着地听着山姆的叙述，并且什么也没问。他的神情就像汤尼来敲他们的门那夜显示的一样，就好像这完全是一件该由男人去处理的事，是一件该用最少的语言、流露最少的感情去处理的事。

“你到轻便马车上去。我会派彼得今夜把你送到马虎村去的，你可以躲在树林里，等天一亮，就乘火车到琼斯博罗去。这样安全些……我说，宝贝儿，你就别哭了。事情都过去了。你确实没受伤。佩蒂小姐，请把嗅盐给我好吗？还有黑妈妈，给斯佳丽小姐倒杯酒来。”

斯佳丽突然又流眼泪了，这一次是火冒三丈的眼泪。她要的是安慰、愤怒和报复的威胁。她甚至宁愿他冲她大发脾气，说他早就提醒过她，告诉她会遇上这种事的——不管怎么样，都比他这样漫不经心，把她所遭受的危险当作一件无足轻重的小事要好。当然，他是亲切而温和的，但是他心不在焉，好像脑子里有什么重要得多的事似的。

而那件重要的事原来只不过是一个小小的政治会议！

他告诉她去换件衣服，做好准备，他要护送她到玫兰妮家去度过黄昏。当时，她简直不敢相信自己的耳朵。他应该知道这场飞来横祸是多么让人苦恼，应该知道她现在不想到玫兰妮家去，而是迫切需要躺到床上，盖上毯子，放松身子——还要一块烫砖烫烫她有刺痛感觉的脚指头，要一杯兑水的热酒以消除恐惧。要是他真的爱她，在这样的夜晚，不管有什么事都没法强迫他从她的身旁走开。他原本该待在家里，握着她的手，一遍又一遍地告诉她，万一她有个三长两短，他就不愿活下去了。等他今夜回来，和她单独在一起时，她一定会这么对他说的。

玫兰妮家小客厅的夜晚跟往常弗兰克和阿希礼出去后一样，宁静而安详。女人们坐在一起做针线活。在炉火的照耀下，房间里温暖而愉快。桌上那盏灯射出柔和的黄光，照亮了四个垂着的油光光的脑袋，她们的脑袋都凑在了她们的针线活儿上。四条裙子在微微翻动，八只小巧的脚优雅地搁在低低的脚踏上。韦德、埃拉和博平静的呼吸从开着门的育儿室里传了出来。阿尔奇坐在炉火旁的凳子上，背靠着壁炉，嘴里嚼着烟叶，脸颊鼓着，他正使劲地削着一根木头。这个肮脏的、头发和胡子都特长的老头儿和那四位衣着整洁讲究的太太小姐形成了鲜明的对照，他就像一条毛色灰白的凶恶的看门狗，而她们则是四只小猫咪。

玫兰妮柔和的声音中带着一点火气，没完没了地说着，她在讲妇女竖琴演奏会最近闹别扭的事儿。太太们对男子合唱队下一个演奏会的节目有不同的意见，那天下午，她们来找玫兰妮，宣布说想完全脱离音乐社。玫兰妮使出了所有的外交手腕，才终于使她们推迟了这个决定。

斯佳丽太紧张了，恨不得叫嚷道："啊，该死的妇女竖琴演奏会!"她想讲讲自己可怕的遭遇。她迫不及待地要详详细细地叙述事情的经过，这样就能用让别人害怕来减轻她自己的害怕。她要表明她当时是多么的英勇，她只是为了要用自己说话的声音来向自己证实，她当时确实是很英勇的。但是每次她提起这个话题，玫兰妮总是巧妙地引向其他不关痛痒的事。这让斯佳丽很恼火，几乎要憋不住了。她们和弗兰克一样自私。

她刚刚逃避掉一场可怕的劫难，她们怎么能这么沉着和平静？她们甚至不懂一般的礼貌，也不让她谈谈这件事，宽宽心。

下午的遭遇产生的震动，比她自己所愿意承认的，甚至比她对自己所愿意承认的，都要大。她每次想起那张表情恶毒的黑脸从暮色苍茫的树林中那条大路的阴影里盯着她看时的情景，就忍不住直哆嗦。她想起那只黑手摸到她胸脯而此时山姆要是没来将会发生的事情，她的头垂得更低了，眼睛也闭得紧紧的。她默不作声地坐在平静的房间里，一边勉强地做着针线活，一边听着玫兰妮说话，时间越长，她的神经就越紧张。她觉得随时都会听到神经砰的一声绷断，那声音会跟班卓琴弦突然绷断的声音一模一样。

阿尔奇削木头的声音让她心烦，她向他皱了皱眉。突然，她觉得这情形有点怪：他坐在那儿，摆弄着一块木头。夜晚守卫时，他通常是直挺挺地躺在沙发上睡觉，打呼噜时每次都带着响亮的声音，呼出来的气那么厉害，把他的长胡子都吹到空中去了。更怪的是，不管玫兰妮，还是印第亚，都没婉转地提醒他，应在地上铺一张纸以接住削下来的碎木片。他已经把壁炉前那张小地毯给弄得一塌糊涂了，但她们似乎都没注意到。

她望着他时，他突然向壁炉转过身去，把一嘴的烟汁喷在了炉火上。他使的劲儿那么大，印第亚、玫兰妮和佩蒂都吓得直跳起来，就像一颗炸弹爆炸了似的。

“你非要吐得那么响吗?”印第亚叫了起来，声音嘶哑刺得人神经痛。斯佳丽奇怪地看着她，因为印第亚一向都是非常沉得住气的。

阿尔奇的眼睛直盯着她正望着他的眼睛，一眨也不眨。

“我的确非得这样。”他冷冷地答道，接着又吐了一口。玫兰妮微微皱着眉，瞟了印第亚一眼。

“我一直很高兴，我父亲从来不嚼烟叶。”佩蒂开始说。玫兰妮的眉头皱得更紧了，猛地向她转过身，说了句斯佳丽以前从来没有听到过的尖刻话。

“啊，还不闭嘴，姑妈!怎么这么不懂事。”

“哎呀!”佩蒂把针线活儿放到膝上，气得嘴都噘起来了，“真奇怪，我不知道今天晚上有什么事让你们不舒服?你和印第亚像发神经似的心惊肉跳、性子暴躁。”

没人回答她。玫兰妮甚至没为顶撞她道句歉，而是又开始做针线活儿，并且下针比刚才更重了。

“你的针脚都有一英寸长了,”佩蒂满意地说,“以后你不得不把它们都拆掉。你怎么了?”

玫兰妮仍然不回答。

斯佳丽拿不准到底出了什么事儿。她那会儿的心思都集中在自己的恐惧上，没察觉到什么吗?可不是吗，尽管玫兰妮想方设法地要让这个晚上显得跟她们一起度过的五十个晚上中的任何一个一样，但气氛却大不相同，总有一种紧张气氛，不能完全说是因为她们听到了下午发生的事而引起了恐慌和震惊。斯佳丽偷偷地瞟向她的同伴，正好迎上了印第亚的目光。印第亚的目光让她不自在，因为那是长久的、估量的目光，在那冷冷的、深沉的目光中带着一种比憎恨更强烈、比蔑视更具有侮辱性的神情。

“她好像倒觉得我该为发生的事受到责备似的。”斯佳丽气愤地想。

印第亚的目光从斯佳丽的脸上移开，转向了阿尔奇，她脸上恼火的神情全没了，她向他投去的目光中带着隐蔽而急于询问的表情。但他的目光并没同她的相遇。他反倒望着斯佳丽，用和印第亚一样冷冰冰的目光盯着她看。

玫兰妮没再开口，寂静沉闷地笼罩着房间。寂静中，斯佳丽听到外面起风了。突然，这个夜晚变得极不愉快。她开始感到了这种气氛的压力。她拿不准是不是整个夜晚一直存在着这压力——当时，她心里太乱了，没注意到。阿尔奇脸上也现出警惕、戒备的神情，他那双毛茸茸的、有着一簇长毛的老耳朵像猞猁的耳朵一样，一直在留神地听着。玫兰妮和印第亚现出一种好不容易才抑制住的不大自在的神情，每次听见路上得得的马蹄声、光秃秃的树枝在呼啸的风中的吱吱嘎嘎的声音、枯叶在草坪上翻滚的沙沙声，她们都从针线活上抬起头来。壁炉里燃烧的木头每次发出轻轻的毕剥声，都会把她们吓一跳，好像那是偷偷走近的脚步声。

出事了，但斯佳丽拿不准是什么事。什么事情正在发生，然而她不知道。她向佩蒂姑妈瞟了一眼，她那胖胖的、毫无心计的脸以及噘着的嘴告诉她，那位老太太和她一样一无所知。但阿尔奇、玫兰妮和印第亚知道。寂静中，她似乎能感觉到印第亚和玫兰妮的思想像笼子里的松鼠那样在发疯似的打着转。她们知道那件事，在等候那件事，尽管她们作出了种种努力，使情况显得跟往常一样。她们不由自主地把内心的不自在传递给了斯佳丽，从而让她比刚才更神经紧张。她笨拙地做着针线活，针不小心刺进了大拇指，她轻轻地叫了一声，以示疼痛和恼火，吓得她们都跳了起来。她紧紧地捏紧大拇指，直到一滴鲜红的血冒了出来。

"我神经太紧张了，简直没法做针线活了，"她一边说一边把缝补的东西扔到了地上，"我紧张得简直要叫起来了。我要回家睡觉去了。弗兰克知道这种情况，他就不该出去。他谈啊，谈啊，谈论什么保护妇女不受黑人和提包客的侵犯，可是轮到该他为保护妇女干些事的时候，他在哪儿呢？在家里照顾我？不，正跟别人一起闲逛，那些人什么都不干，只是空谈和——"

她那双气得发亮的眼睛终于注视到印第亚的脸了，接着她便停住了嘴。印第亚呼吸急促，她那没睫毛的灰眼睛带着冷酷得让人难以忍受的神情狠狠地盯着斯佳丽的脸。

"印第亚，要是你不太痛苦的话，"她突然挖苦地停顿了一下，

“你能否告诉我，干吗整个晚上总是盯着我看，我会非常感谢的。我的脸大概都变成绿色的了吧？”

“告诉你不会让我感到痛苦。我会很高兴这么干的，”印第亚说，她的眼睛在闪闪发亮，“我讨厌看到你贬低肯尼迪先生这样的好人，要是你知道这时候——”

“印第亚！”玫兰妮提醒印第亚，她双手握得紧紧的，搁在了针线活上。

“我觉得我对自己的丈夫比你更了解。”斯佳丽说着，眼看就要吵起来了，这是她第一次公开和印第亚吵架，她的劲儿上来了，神经也不怎么紧张了。玫兰妮的目光截住了印第亚的目光，印第亚不甘心地闭上了嘴。可几乎是马上，她又说话了，冷冰冰的声音里带着憎恨。

“你让我恶心，斯佳丽·奥哈拉，你竟然谈什么受保护！你哪里有一点儿想要受到保护的心思！要是你想要的话，也不会像这几个月以来所干的那样，抛头露面，打扮得花枝招展地在城里转悠，在陌生的男人面前卖弄自己，希望他们个个都喜欢你！今天下午你遇到的事真是活该。倘若世界上还有公道的话，你会遇到更糟的事情。”

“哦，印第亚，闭嘴！”玫兰妮嚷道。

“让她说，”斯佳丽喊道，“我喜欢听。我知道她一直恨我，但由于她是个非常虚伪的人，所以不敢承认。要是她觉得有谁喜欢她的话，她会赤身裸体地在大街上从一大早走到天黑的。”

印第亚站起身。她受到了侮辱，瘦削的身子气得直哆嗦。

“我的确恨你，”她用清晰而颤抖的声音说，“不过，并不是我虚伪才一直没说出来。而是出于你并不懂得的道理，你连一星——一星半点普通的礼貌和普通的教养都没有。因为我认识到要是我们大伙儿不团结在一起，不消除小小的憎恨，就不能指望打败北方佬。可你——你——你干尽了降低正派人声望的勾当——做买卖，给一个好丈夫带来了耻辱，让北方佬和下三滥有权利耻笑我们，用侮辱性的言论说我们缺乏文雅和教养。北方佬不知道，你不是我们自己人，从来都不是。北方佬不够聪明，不知道你并没有文雅的教养。

你赶着马车在树林子里转来转去，把自己暴露在外，受到攻击时，你已经对黑人和下流的穷白佬产生了诱惑，因而把城里每一位品行端正的女人都暴露在受人攻击的危险之中。你还使我们的男人处于危险的境地，因为他们得——”

“我的上帝啊，印第亚！”玫兰妮嚷道。即使在愤怒中，听到玫兰妮亵渎主的名字，斯佳丽也震惊得愣住了。“你一定要闭上嘴！她不知道，她——你千万不要说！你答应过——”

“啊，姑娘们！”佩蒂帕特嘴唇哆嗦着恳求道。

“我不知道什么？”斯佳丽怒气冲冲地站起身，面对着冷冷地发火的印第亚和正在恳求的玫兰妮。

“母珍珠鸡，”阿尔奇突然说道，他的声音是蔑视的。还没等人斥责他，他灰白的脑袋便猛地一抬，很快站起身来，“有人从小路走过来了。不是韦尔克斯先生。你们别咯咯咯地吵了。”

他声音里带着男性的权威。女人们站起来，默不作声，脸上的怒火也很快平息了下去。他一瘸一拐地穿过房间，向门口走去。

“是谁？”还没等来人敲门，他就问道。

“巴特勒船长。让我进来。”

玫兰妮急忙穿过房间，她走得那么快，裙箍在剧烈地摇晃，长裤一直露到了膝部。阿尔奇还没来得及伸手抓住门把手，她就已经把门砰的一声打开了。瑞特·巴特勒站在门口，一顶黑色阔边软呢帽低低地压在眼睛上，狂风已把他身上那件斗篷吹出了明显的褶子。就这么一次，他顾不上显示周到的礼貌。他既没脱帽子，也没跟房间里其他人说话。他看也没看别人一眼，也不打招呼，眼睛盯着玫兰妮，突然说：

“他们都到哪儿去了？快告诉我。这可是人命关天的事儿。”

斯佳丽和佩蒂吓了一大跳，却摸不着头脑，相互惊奇地望着。印第亚像只精瘦的老猫，飞快地穿过房间，来到了玫兰妮身边。

“什么都别告诉他，”她快速地嚷着，“他是个奸细、叛贼！”

瑞特瞟都没瞟她一眼。

“赶快，韦尔克斯太太！也许还有时间。”

玫兰妮看来好像是吓瘫了，只是盯着他的脸看。

“到底是什么——”斯佳丽说。

“闭嘴，”阿尔奇简短地发号施令道，“你也闭嘴，兰妮小姐。滚出去，你这个叛贼。”

“别这样，阿尔奇，别这样！”玫兰妮喊道，她一只颤抖的手按在瑞特胳膊上，好像要保护他不受阿尔奇的伤害似的。“出了什么事？你是怎么——怎么知道的？”

瑞特黑黝黝的脸上露出不耐烦的神情，在尽量不失礼节。

“上帝啊，韦尔克斯太太，他们一开始就受到了怀疑——不过，他们一直都太自作聪明了——直到今晚！我怎么知道的？刚才我与两个喝得醉醺醺的北军上尉打扑克。是他们泄露了真情。北军知道今晚要出乱子，他们已经准备好了。那伙笨蛋已经落进圈套了。”

一瞬间，玫兰妮好像重重地挨了一拳，身子摇晃着。瑞特伸出一只胳膊扶住了她的腰，好让她站稳。

“别告诉他！他在引你上圈套！”印第亚嚷道，瞪大了眼盯着瑞特。“你没听他说他今晚还跟北军军官在一起吗？”

瑞特还是没看她。他的目光始终停留在玫兰妮那张煞白的脸上。

“告诉我。他们去哪儿了？他们有集会的地方吗？”

尽管斯佳丽害怕和不理解，却在想着她从来没见过比瑞特的脸更呆板、更没表情的脸了，可玫兰妮显然是看到了别的，终于信任了瑞特。她挺直了小小的身子，摆脱扶着她腰的那条胳膊，神态平静但声音却在颤抖，她说：

“他们在往迪凯特去的大路上，贫民区附近。他们总在老沙利文庄园的地窖里集会——就是那个烧掉了一半的庄园。”

“谢谢你。我会马不停蹄地赶到那儿去的。一旦北军到这儿来，你们都要说什么都不知道。”

他走得很快，黑斗篷消失在黑夜中，他们甚至都拿不准他到底来过没有，直到听到小路上有砂砾溅起的声音，和接下来的一匹马飞快地跑过时所发出的发疯似的马蹄声。

“北方佬要来了？”佩蒂嚷着说。她那双支撑着身子的小小脚一移动，就瘫倒在沙发上了，她吓得哭都不敢哭了。

“这到底是怎么回事？他刚才的话是什么意思？要是你不告诉

我，我会急疯的！”斯佳丽双手扯住玫兰妮，使劲地摇她，好像只要用力摇她，就能摇出答案似的。

“什么意思？意思是说，很可能你就是断送阿希礼和弗兰克性命的罪魁祸首！”尽管受到恐惧的煎熬，印第亚声音中却有得意的调子，“别摇兰妮，她会晕过去的。”

“不，我不会的！”玫兰妮一边低声说，一边紧紧地扶着椅子背。

“上帝啊，我的上帝啊！我真是不明白！杀死阿希礼？请说啊，告诉我啊——”

阿尔奇的声音像生锈的铰链，打断了斯佳丽的话。

“坐下，”他简短地命令道，“拿起你们的针线活来。就像什么也没发生过似的干活儿。说不定北方佬从太阳下山后就一直在这所房子周围暗中监视着哩。喂，坐下，做针线活儿。”

她们哆嗦着，顺从地照办了，甚至连佩蒂也拣起了一只袜子，用颤抖的手指头捏着，但她的眼睛却像一个吓慌了的孩子的眼睛那样睁得大大的，东张西望，寻找解释。

“阿希礼在哪儿？出了什么事儿，兰妮？”斯佳丽嚷道。

“难道你不关心你的丈夫在哪儿吗？”印第亚把她刚才在补的那条破毛巾揉皱又拉直，那双灰眼睛带着疯子般的恶意，冒着怒火。

“印第亚，请你别这样！”玫兰妮控制着自己的声音，但是她那煞白的、哆嗦着的脸还有流露出极度痛苦的眼神，表明她一直被紧张的心情折磨着。“斯佳丽，也许我们应该告诉你，可——可——你今天下午经历了那么多的事，我们——弗兰克觉得不——以前你一直都那么毫无保留地反对三K党——”

“三K党——”

斯佳丽说着这个词儿，就像以前从来没听说过，也不懂这个词的意思似的，接着：

“三K党！”她几乎在喊，“阿希礼不是三K党！弗兰克也不可能是！他答应过我的！”

“当然，肯尼迪先生是三K党，阿希礼，他也是，还有我们认识的所有男人，都是。”印第亚大嚷着，“他们是男人嘛，对不对？既是白人又是南方人。你本该为他感到骄傲的，而不应该让他那么偷偷摸摸地出去，好像那是件见不得人的事似的，还有——”

“你们都一直知道，而我却不——”

“我们怕这会让你心烦。”玫兰妮悲伤地说。

“这么说，他们去开政治会议就是到那儿去了？啊，他答应过我的！这下可好，北方佬会来抢走我的锯木厂和店铺，还会把他关进监狱——哦，瑞特·巴特勒的话又是什么意思？”

印第亚和玫兰妮的目光在失魂落魄的恐惧中相遇了。斯佳丽站起身来，把针线活儿扔到了地上。

“如果你们不告诉我，那我就到人多的闹市去查明情况。每见到一个人就问，直到查清——”

“坐下，”阿尔奇说，同时盯着她，“让我来告诉你。就因为你今天下午出去闲逛，因为你自己的过错，现在惹出麻烦了，韦尔克斯先生、肯尼迪先生和其他的男人今夜要出去，要是他们在那儿找到那个黑鬼和那个白人，就把他们干掉，还要整个儿消灭掉那个贫民区。要是那个叛贼说的是真的，北方佬产生了怀疑，要不，就是不知怎么得到了风声，他们已派出了部队，埋伏着在等候他们。我们的人已经落进了圈套。如果巴特勒说的不是真的，那他就是个奸细，他会把他们的行踪报告北方佬，他们还是免不了被干掉的。要是他确实去报告了他们的行踪，那我就要干掉他，哪怕这是我这辈子最后一件事。即使他们没有被干掉，也不得不逃离这一带，到得克萨斯州去，隐姓埋名，躲藏起来，也许永远都回不来了。这都怪你，你的两只手上沾着鲜血。”

玫兰妮看到斯佳丽的脸上渐渐流露出了理解的表情，紧接着这种理解又变成了恐惧。玫兰妮的脸上，愤怒的表情驱散了害怕的神色。她站起身来，一只手放在了斯佳丽的肩膀上。

“你要是再说这种话，就离开这所房子，阿尔奇，”她严肃地说，“这不是她的过错。她只不过是干了——干了她觉得不得不干的事。而我们的男人干的也是他们觉得不得不干的事。人们一定要做他们想要做的事。我们大家的想法并不都是一样的，我们的行为也并不是一样的，所以拿自己去判断别人，是——是错误的。你和印第亚怎么能说出这么狠心的话来呢，此刻我丈夫和她丈夫也许——

也许——”

“注意!”阿尔奇低声打断了她,“快坐下,太太们。有马蹄声。”

玫兰妮靠在了一张椅子上,拿起阿希礼的一件衬衫,头垂在衬衫上,下意识地开始把褶边扯成小布条。

那群马朝着房子一路跑来时,马蹄声越来越响。传来了马嚼子的叮当声、勒缰绳的声音和说话声。马蹄声在房前停住了。有一个人的声音比其他人的高,在下达命令。房子里的人听到了脚步声从院子向后门厅走来。她们觉得有一千只充满敌意的眼睛在没有拉下窗帘的前窗外向她们望着。四个女人的心里充满了恐惧,垂着头不停地做着针线活。斯佳丽的心在尖叫:“是我害死了阿希礼!是我害死了他!”在这个让人心焦的时刻,她甚至没有想到她可能也害死了弗兰克。她的脑子被阿希礼的幻像占据了,再也没有余地容纳别人:阿希礼躺在北方骑兵的脚旁,金色的头发上沾着斑斑点点的血迹。

外面响起了刺耳而急促的敲门声,她向玫兰妮望去,只见她那张紧张的小脸上现出的是一种新的表情,一种她刚才在瑞特·巴特勒脸上看到的呆板表情,一个正在打扑克的赌徒手里只有一对“两点”,却要吓得对手认输时所显示出的那种平淡而呆板的神情。

“阿尔奇,去开门。”她平静地说。

阿尔奇悄悄把刀插进靴筒,解开了他插在皮带上的手枪,一瘸一拐地走到了门口,砰的一声打开了门。佩蒂看到门外挤着一个北军上尉和一队士兵,便轻轻地发出一声尖叫,就像一只老鼠感到捕鼠笼的门啪地关上了一样。不过,其他的人什么也没说。斯佳丽发现她认识那个军官,便稍微松了一口气。那人是汤姆·贾弗里上尉,是瑞特的一个朋友。她曾卖过木料给他盖房子。她知道他是个有教养的人。既然是个有教养的人,他也许不会拉她们去坐牢的。他一眼就认出了她,便脱掉帽子,鞠了一个躬,有点儿窘迫。

“晚上好,肯尼迪太太。你们中哪位是韦尔克斯太太?”

“我是,”玫兰妮一边回答着一边站起身来,尽管个子小,却浑身透着庄严。“你们凭什么这样闯进来找我?”

那个上尉的眼睛在很快地眨着,观察着房间里的情况,他的眼光在每个人的脸上都停留了一下，接着便很快从她们脸上转到了桌子和帽架上，好像在找男人待过的迹象似的。

“对不起，我想跟韦尔克斯先生和肯尼迪先生谈谈话。”

“他们不在。”玫兰妮说着，柔和的声音里带着冷漠。

“你敢肯定吗?”

“你不是在怀疑韦尔克斯太太的话吧。”阿尔奇说着，火气上来了。

“请你原谅，韦尔克斯太太。我绝对没有一点儿不敬的意思。您要是向我保证的话，那我就不搜了。”

“我向你保证。不过，要是你高兴的话，尽管搜。他们正在肯尼迪先生的店铺里集会。”

“他们不在那个店铺里。他们今夜也没有集会，”那个上尉严厉地回答道，“我们就在外面等着，直到他们回来。”

他微微鞠了个躬，走出了屋子，随手关上了门。待在房间里的人透过风声听到了一道严厉的命令：“包围房子。每个窗口和门口都站一个。”然后是一阵噔噔噔的脚步声。斯佳丽模模糊糊地看到每个窗户外都有长着胡子的脸在盯着她们看。她好不容易才控制住了自己，没有吓得跳起来。玫兰妮坐了下来，用并不颤抖的手从桌上拿起一本书。那是一本破旧的《悲惨世界》，这部小说受到了南军士兵的喜爱。他们就着营火阅读，还苦中作乐地把它叫“李的悲惨的部下”。她把书翻到当中，开始用清晰、单调的声音念起来。

“做针线活。”阿尔奇用沙哑的声音轻轻地说，三个女人由于受到玫兰妮平静的声音的鼓舞，拿起针线活儿，埋下头去。

玫兰妮在那圈人的监视下到底念了多久，斯佳丽永远都不知道，但是似乎有好几个钟头。玫兰妮所念的，她甚至一个字也没有听清楚。这会儿，她不但在想阿希礼，而且也在想弗兰克了。原来这就是今天晚上他表面上显得平静的原因！他答应过她，不会跟三 K 党有丝毫牵连的。啊，这正是她曾担心他们会遇上的麻烦！去年的一切心血都白费了。她在雨中和寒冷中所做的一切挣扎、所担心的一切和所受的苦，都将化为泡影。谁想得到没精打采的弗兰克会参加三 K 党那不顾死活的行动呢？说不定这时候，他已经死了。即使没有死，让北方佬逮住，也会被绞死的。还有阿希礼！

她的手指甲掐进了手掌心，直到出现了四道鲜红的月牙印。阿希礼正处在要被绞死的危险中，玫兰妮怎么能这么平静地念啊念的，念个没完？在他可能死去的时候！但，在玫兰妮念着的让·瓦尔让的种种不幸的平静而柔和的声音中，有一股力量在支持着她，让她不至于跳起来尖叫。

她的思绪一下子回到了那天夜晚，汤尼·方丹被人追捕，精疲力竭、身无分文地来到他们家。他要不是来到他们家，得到了钱和一匹精神饱满的马，说不定早就被绞死了。要是弗兰克和阿希礼这会儿还没死，那他们正处于汤尼的境地，而且只会更糟。房子已经被士兵包围，他们没法回家来取钱和衣服，否则就会被逮住。这条街上所有的房子前可能都有一队士兵，这样他们也没法去求朋友们帮忙了。或许现在他们正骑着马在黑夜中拼命向得克萨斯州奔去。

但瑞特——也许瑞特及时赶上了他们。瑞特身上总是带着大量的现钱。也许他会借给他们足够的钱，并帮他们渡过难关的。但是真奇怪，瑞特干吗要不厌其烦地关心阿希礼的安全呢？不用说，他不喜欢他；不用说，他总是蔑视他。那，干吗——可是这个谜被一阵新涌起的、担心阿希礼和弗兰克的安全的心情淹没了。

“啊，这全是我的过错！”她暗自悲叹道，“印第亚和阿尔奇说得对。这都是我的过错。可我从来都没想到他们俩会这么蠢，竟然参加了三K党！我也从来没想到我真的会出乱子。可是我没有别的办法。兰妮说的是实话。人们不得不做他们不得不做的事。我不得不去维持锯木厂开工啊！我也不得不有钱啊！可我可能会失去所有的钱的。无论如何，这全是我的过错！”

过了很久，玫兰妮的声音哆哆嗦嗦地变低了，静了下来。她向窗口转过头去，盯着看，就好像没有北军士兵隔着玻璃在盯着她看似的。其他人看到她注意倾听的姿势，也都听了起来。

传来了马蹄声和唱歌声，因为门窗都是关着的，所以声音显得很闷，还被风吹往了相反的方向，但是仍然能听得出来。那是所有歌中最可恨、最可恶的歌，那是首关于谢尔曼的士兵的歌——《进军佐治亚》，唱歌的是瑞特·巴特勒。

他第一段还没唱完，另外两个醉汉的声音就开始数落他的歌唱得实在不行，还有愤怒的、傻呵呵的声音，说起话来结结巴巴的，字句模模糊糊，无从分辨。贾弗里上尉在前门厅上很快地下达了命令，接着便是迅速跑动的脚步声。但是在这些声音响起之前，那几位太太小姐对望着，愣住了。因为那两个说瑞特唱得不行的原来是阿希礼和休·艾尔辛。

前面小路上的声音越来越响：贾弗里上尉简短的讯问声、休夹着傻呵呵的笑声的尖叫声、瑞特深沉而满不在乎的声音以及阿希礼那古怪、不真实的喊叫声："到底是怎么回事啊！到底是怎么回事啊！"

"不可能是阿希礼！"斯佳丽急切地想着，"他从来不喝醉！还有瑞特——咦，瑞特喝醉后，话是越来越少的——从来不这么大叫大嚷的！"

玫兰妮站起身来，阿尔奇也随她站了起来。他们听到了那个上尉尖利的声音："你们俩被捕了。"阿尔奇的手紧紧按在手枪柄上。

"别动，"玫兰妮神态坚决地低声说道，"别动，让我来对付。"

这时她脸上的神情，跟那天斯佳丽在塔拉庄园看到她站在最顶一级台阶上看着那个北方佬的尸体时显出的神情一模一样，当时她手里拿着的那把沉重的马刀压得她那瘦削的手腕都抬不起来了——一个温和而腼腆的女人为环境所迫，鼓起了勇气，现出母老虎一般谨慎和愤怒的神态。她猛地打开门。

"请把他带进来，巴特勒船长，"她用清晰的、咬牙切齿的、恶毒的声调喊道，"我想你又把他灌醉了吧。把他带进来吧。"

那个北军上尉在黑暗、有风的小路上说："对不起，韦尔克斯太太，你的丈夫和艾尔辛先生被捕了。"

"被捕？为什么？喝醉了酒吗？要是亚特兰大人喝醉了酒就要被捕的话，那整个北方驻军都会陆续被关进监狱了。好吧，带他进来，巴特勒船长——我是说，你自己要是能走的话。"

斯佳丽的脑子转得不快，有那么短短一会儿，她什么也没弄懂。她知道，不管是瑞特，还是阿希礼，他们都没喝醉。她也知道，玫兰妮也知道他们没喝醉。但是，往常那么温文尔雅的玫兰妮却在这儿，还当着北方佬的面，像泼妇似的尖叫着说他们醉得连路都走不动了。

传来了一阵短短的、含糊不清的争论，其中还夹杂着咒骂，接着，踉跄的脚步声从台阶上传了上来。阿希礼出现在门口，脸色煞白，脑袋耷拉着，一头乱蓬蓬的金发，他高高的身子从脖子到膝盖都裹在瑞特的黑斗篷里。休·艾尔辛和瑞特，站都站不大稳，在他的左右扶着他。显而易见，要不是有他们帮忙，他会倒在地板上的。他们身后，站着那个北军上尉，脸上现出怀疑但又觉得有趣的神情，这种混合的表情真是有意思。他站在开着门的门边，他的部下在他后面好奇地张望着，寒风对着这所房子猛吹着。

斯佳丽感到害怕、困惑，她瞟了玫兰妮一眼，眼光又落在衰弱的阿希礼身上，这时她有点儿明白了，她差一点没叫出声来："可他是不可能喝醉的！"她硬是把这话憋了回去。她察觉到自己在看戏，一场人命关天的危险戏。她知道，她不是，佩蒂姑妈也不是戏中的人物，可其他人是，他们互相提示着，像演员们在彩排一出戏那样。她只明白了一部分，可是明白这些已经足够让她默不作声了。

"把他放到椅子上，"玫兰妮愤怒地嚷着，"你，巴特勒船长，马上离开这里！你怎么敢把他灌成了这副样子后，还在这儿露面！"

那两个男人小心地把阿希礼安置在一张摇椅里，接着瑞特摇摇晃晃地抓住椅子靠背，让自己站稳，然后与那个上尉说着话，声音里满是痛苦。

"这就是我所得到的呱呱叫的感谢，不是吗？帮他避免了被警察抓走，把他带回了家，他却嚷啊叫的，还硬要抓我！"

"你，休·艾尔辛，我都替你感到害臊！你那可怜的妈会怎么说？喝得烂醉，跟——巴特勒船长那样的、北方佬喜欢的叛贼一起出去！哦，韦尔克斯先生，你怎么能做出这种事情？"

"兰妮，我没怎么喝醉。"阿希礼咕哝着，说罢，身子往前一倾，脸贴在了桌子上，双手还捧着脑袋。

"阿尔奇，把他扶进卧房去，放到床上——跟往常一样，"玫兰妮吩咐道，"佩蒂姑妈，请去整理一下床铺，哇，"她突然哭了起来，"啊，他怎么能这样呢？他答应过的呀！"

阿尔奇把胳膊伸到阿希礼的胳膊下，佩蒂站在那儿，既害怕又心里没数。这时候，那个上尉来干涉了。

“你别碰他。他已经被捕了。中士！”

那个中士提着步枪，走进了房间，显然瑞特是为了要稳住自己的身子，把一只手放在了那个中尉的胳膊上，好不容易才集中了目光。

“汤姆，干吗要逮捕他？他醉得不算厉害呀。我看到过比他醉得更厉害的。”

“喝醉酒，去他妈的吧，那算得了什么，”那个上尉嚷着，“他就是躺在沟里，我也不管。我不是警察。他和艾尔辛先生被捕是因为他们今夜参加了三K党对贫民区的袭击。一个黑人和一个白人被杀死了。韦尔克斯先生是领头的。”

“今夜？”瑞特哈哈大笑起来。他笑得那么厉害，笑得终于坐在了沙发上，双手捧着脑袋。“不可能是在今夜，汤姆，”他缓过气来后说，“这两个人一直跟我在一起——从八点起，大家都认为他们在开会。”

“跟你在一起，瑞特。可——”那个上尉的眉头皱了起来，他拿不太准地看着打呼噜的阿希礼和他哭哭啼啼的妻子。“可——你刚才在哪儿？”

“我不想说。”瑞特那双机灵的醉眼飞快地向玫兰妮望了一眼。

“我看你还是说的好！”

“我们到门厅去，我会告诉你我们刚才在哪儿的。”

“现在就告诉我。”

“当着太太小姐们的面，怎么好意思呢。这些太太小姐要是离开房间的话——”

“我不走，”玫兰妮嚷着，并气呼呼地用手绢擦着眼睛，“我有权知道我丈夫刚才在哪儿？”

“在贝尔·沃特林的妓院里，”瑞特说着，露出害臊的神情，“他刚才在那儿，还有休、弗兰克·肯尼迪和米德大夫，还——还有好多人。刚才有一个酒会。一个盛大的酒会。香槟酒。姑娘们——”

“哦——在贝尔·沃特林那儿？”

玫兰妮的声音响了起来，直到强烈的痛苦让她的声音变得沙哑，人人都害怕地扭过头去看着她。她的手紧紧地抓着胸脯，还没等阿尔奇拉住她，她就已经昏了过去。接着是吵吵嚷嚷，一片混乱，阿尔奇扶起她来，印第亚赶紧跑到厨房去拿水，佩蒂和斯佳丽在给她打扇，敲她的手腕子，而休·艾尔辛呢，则一遍遍地在喊："看看，这下你称心了！看看，这下你称心了！"

"嘿，这下全城的人都会知道的，"瑞特恶狠狠地说道，"我想你觉得满意了，汤姆。明天，亚特兰大没有一个妻子会和她丈夫说话了。"

"瑞特，我没想到——"尽管寒风穿过开着的门吹到了那个上尉的背上，他却汗都淌出来了，"喂！你发誓他们刚才是在——嗯——在贝尔那儿？"

"见鬼，可不是嘛！"瑞特吼叫道，"要是你不相信的话，去问问贝尔自己就是了。得了，让我把韦尔克斯太太抱到她的房间里去吧。把她交给我，阿尔奇。可不是嘛，我能抱得动她。佩蒂小姐，掌着灯，在前面走。"

他从容地从阿尔奇的胳膊上接过玫兰妮软弱的身躯。

"你扶韦尔克斯先生到床上去，阿尔奇。从今以后，我再也不愿见到他，或碰到他的身子了。"

佩蒂的手哆嗦着，这盏灯对房子的安全是个威胁，但她总算把它拿稳了，快步走在了前面，向黑沉沉的卧室走去。阿尔奇哼了一声，把一条胳膊伸到了阿希礼胸前，将他扶了起来。

"可——我得逮捕这些人啊！"

瑞特在幽暗的过道里转过身来。

"那明天早晨再逮捕吧。在这种情况下，他们是不可能逃掉的——再说，我以前从来都不知道，在妓院里喝醉酒是犯法的。上帝啊，汤姆，有五十个证人能证明他们刚才是在贝尔那儿。"

"总是有五十个证人能证明一个南方佬在一个他压根儿没待过的地方，"那个上尉憋着一肚子气说，"跟我走，艾尔辛先生。只要有人起誓作保，我就假释韦尔克斯先生——"

"我是韦尔克斯先生的妹妹。我保证他到案，"印第亚冷冷地说道，“好了，请你走吧，行不行？你这一夜惹的麻烦够多了。”

“万分抱歉。”那个上尉尴尬地鞠躬道，“我只希望他们能证明他们是在——嗯——沃特林小姐——沃特林太太那儿。请告诉你哥哥，明天早晨他一定要到宪兵司令那里去报到，接受讯问，行吗？”

印第亚冷冷地一鞠躬，把一只手放在门的把手上，不出声地示意他走得越快越好。那个中尉和中士退了出去。休·艾尔辛跟他们一起离开了。她随即砰的一声关上了门。她甚至都没朝斯佳丽看一眼，便迅速走到各个窗口拉下了窗帘。斯佳丽的膝盖直哆嗦，她抓住刚才阿希礼坐过的那把椅子，稳住自己的身子。她向下一看，见椅背垫上有一个黑乎乎的潮湿的印渍，比她的手还大。她感到迷惑，用手摸了一下，马上被吓坏了，因为她手掌上是一抹湿乎乎的红色粘液。

“印第亚，”她低声说道，“印第亚，阿希礼——他受伤了。”

“你这蠢货！你真以为他喝醉了？”

印第亚啪地拉下最后一道窗帘，一溜烟向卧室跑去。斯佳丽紧紧跟在她后面，心都跳到了嗓子眼儿。瑞特高大的身子挡在了门口，但斯佳丽从他肩膀上方看到阿希礼正躺在床上，脸色煞白，一动也不动。玫兰妮刚才还昏过去了，这会儿却麻利得异乎寻常，正用绣花剪剪开他那件沾满了血的衬衫。阿尔奇把灯光低低地照在了床上，这样好亮一点儿，他那只全是骨节的手指头按在阿希礼的手腕上。

“他死了？”两个姑娘一起嚷着问。

“没有，只是晕过去了，他失血过多。子弹射穿了他的肩膀。”瑞特说。

“你干吗把他带回这儿来，你这蠢货？”印第亚喊道，“让我到他那儿去。让我过去。你干吗带他回这儿来好被逮捕？”

“他刚才太虚弱了，不可能到别的地方去。没有别的地方可以让他去，韦尔克斯小姐。再说——难道你想让他像汤尼·方丹那样当逃犯吗？难道你想让你的十几个邻居住在得克萨斯州，用假名度过余生吗？有个办法可以让他们都逃脱罪名，如果贝尔——”

“让我过去！”

“不行，韦尔克斯小姐。你还有事要去干哩。你一定得去请个大夫——米德大夫不行。他牵扯到了这场乱子中，现在很可能正在向北军辩解哩。去另请个大夫。你夜晚独自一个人出去害怕吗？”

“不怕，”印第亚说着，灰眼睛在闪闪发亮。“我不怕。”她一把抓起挂在过道钩子上玫兰妮的那件带兜帽的斗篷。“我去找老迪安大夫。”她尽量使自己平静下来，声音里也没有兴奋的调子了，“我叫过你奸细和蠢货，请你原谅。我以前不了解。非常感激你为阿希礼所做的一切——可我仍然瞧不起你。”

“我很欣赏你的坦率——我为你的坦率表示感谢。”瑞特鞠了一个躬，嘴唇向下一撇，挤出一丝有趣的微笑，“好了，赶紧去吧，要走小路。回来时，如果看到附近有士兵的行迹，就别走进这所房子。”

印第亚心情痛苦地很快又朝阿希礼瞟了一眼。她裹上斗篷，利索地穿过过道，走到后门口，然后静悄悄地跨出门，消失在夜幕里。

斯佳丽睁大眼睛，从瑞特的肩膀上注意看着。她看到阿希礼的眼睛睁开了，她的心又怦怦地跳起来了。玫兰妮从脸盆架上抢过一条叠好的毛巾，紧紧地按在他流血的肩膀上，他朝她虚弱地、让人放心地微笑了。斯佳丽感到瑞特那尖锐的、刺透人心的眼光正盯着她看，知道自己脸上的表情明显地泄露出了心情，但她不在乎。阿希礼正在流血，也许就要死了，而她这个爱他的人害得他的肩膀被子弹穿了个窟窿。她要到床边，弯下身去，紧紧搂住他，可她的膝盖在哆嗦，没法走进房间。她一只手捂着嘴，眼看着玫兰妮又拿起另一条毛巾按住他的肩膀，按得那么重，就像能把他的鲜血重新压回他的身子里去似的。但毛巾好像被魔法染红了。

一个人流了这么多的血怎么还能活着呢？可是，感谢上帝，他嘴唇上还没有血泡——啊，那些血泡，是死亡的预兆，她从桃树溪战斗起就知道得很清楚了，那天可真可怕，受伤的人都死在了佩蒂姑妈家的草坪上，嘴上都是血。

“打起精神来，”瑞特说着，声音里有冷酷且稍带嘲笑的意味。“他死不了。喂，去替韦尔克斯太太掌灯，把灯拿好。我需要阿尔奇去办事。”

阿尔奇隔着灯看着瑞特。

“我不听你的命令。”他简短地说，把嘴里的嚼烟挪了一下位置。

“你照他说的去办，”玫兰妮严肃地说，“赶快去。只要是瑞特船长说的，你件件都要照办。斯佳丽，拿着灯。”

斯佳丽走上前去，把那盏灯接过来，两只手拿着，免得掉下来。阿希礼的眼睛又闭上了。他赤裸着的胸膛缓慢地隆起，很快又下陷，鲜红的血从玫兰妮那小小的、激动得发狂的手指中渗了出来。她模模糊糊地听见阿尔奇一瘸一拐地从房间穿过，走到瑞特的面前，接着听见瑞特急促地低声说着话。她的心思都在阿希礼身上，所以只听见瑞特压低了声音说话的开头部分：“骑我的马去……拴在外面……拼命地骑。”

阿尔奇嘟嘟囔囔地在问着什么，斯佳丽听瑞特回答道：“老沙利文的庄园。你会找到塞在那个烟囱里的长袍。全烧掉。”

“嗯。”阿尔奇哼了一声。

“有两个——人在地窖里。你要尽力把他们弄到马背上，并把他们送到贝尔家后面那片空地上——就是她那所房子和铁路中间的那一片。千万要小心。万一你被谁看到，你跟我们其他人一样也会被绞死的。把他们放在那片空地上，再把手枪放在附近——手里。给你——把我的手枪拿去吧。”

斯佳丽从房间的这头望过去，只见瑞特把手伸到夜礼服下，掏出了两把左轮手枪，阿尔奇接过手枪，插在腰带上。

“每把手枪都开一枪。得布置得明显像一场枪杀案。你懂了吗？”

阿尔奇点了点头，像完全懂了似的，接着，他那只冷冰冰的独眼不甘心地闪出敬佩的光芒。但斯佳丽一点也没懂。刚刚过去的半个小时简直就像一场噩梦，她觉得没一件事情是明白和清楚的。但是，瑞特看来好像完全掌握着这个让人摸不着头脑的局面。这是个小小的安慰。

阿尔奇转过身要走了，却猛地又转回身，那只独眼带着询问的神情盯着瑞特的脸。

“他吗？”

“是的。”

阿尔奇哼了一声，朝地板吐了口唾沫。

“真是糟糕。”他一边说着，一边一瘸一拐地从过道向后门口走去。

最后那场低声的对话中有什么东西在斯佳丽心中引起了新的恐惧和怀疑，就像一股不断往上冒泡的冰凉的涌泉。等到那股涌泉一冲出来——

她喊着问：“弗兰克在哪儿？”

瑞特迅速穿过房间，来到了床前，他那高大的身躯像只猫似的转来转去，毫无声息。

“一切都干得很及时，”他说着轻轻一笑，“拿好灯，斯佳丽。你不见得要把韦尔克斯先生烧掉吧。兰妮小姐——”

玫兰妮抬起头来，就像一个等待命令的好士兵。局面那么紧张，她压根儿就没有想到这是瑞特第一次用她名字的爱称在称呼她，而这个爱称是只有亲戚和老朋友才用的。

“请原谅，我的意思是说，韦尔克斯太太……”

“啊，巴特勒船长，别请我原谅！你要是叫我‘兰妮’而不加上小姐的话，我将感到无比光荣！我觉得你就像是我的——亲哥哥，或者说——或者说是堂哥。你心地这么好，人又是那么聪明！我该怎么感谢你才好啊？”

“谢谢，”瑞特说。有那么一瞬间，他看来几乎是有点窘。“我哪儿敢这么放肆，可是兰妮小姐，”他声音里带着抱歉，“对不起，我刚才是不得已才说韦尔克斯先生在贝尔·沃特林那里。对不起，我把他和其他人牵扯到这么一个——一个——可是我骑马从这儿出发时，就匆忙地在考虑，这是我能想出的唯一的计划。我知道我的话是会被相信的，因为我在北方军官中有那么多的朋友。他们几乎把我当作自己人，这使我的名声受到了怀疑，因为他们知道，我在这个城里的人们中——我们不妨说是‘不受欢迎’的吧？——你看，今天天黑前，我是在贝尔的酒吧里打扑克。有十几位北方佬可以证明这件事。贝尔和别的姑娘们会争得面红耳赤地撒谎，说韦尔克斯先生和其他人——整个晚上都在楼上。北方佬会相信她们的话的。北方佬就那么怪。他们想不到干——那一行的女人也可能有强烈的忠诚，或者说是爱国心吧。北方佬不会相信亚特兰大一位无比正派的女人说那些今夜应该在开会的男人在哪儿，然而他们却会相信那些——以卖笑为生的姑娘的话。我想，靠一个叛贼和十几个以卖笑为生的姑娘的保证，我们也许可能让那些人不至于被判罪。”

说到最后这些话，他脸上流露出讥讽的微笑，然而玫兰妮抬起头来看着他，脸上充满了感激，他收起了讥笑。

“巴特勒船长，你真是机灵！哪怕你说他们今晚去过地狱，我也不在乎，只要能救他们！因为我知道，认识他的人也都知道，我丈夫从来不去那种可怕的地方！”

“这——”瑞特尴尬地说，“事实上，他今晚去过贝尔那儿。”

玫兰妮冷冷地挺直了身子。

“你怎么也没法让我相信这种谎话！”

“对不起，兰妮小姐！你听我说！今晚，赶到老沙利文那儿时，我发现韦尔克斯先生受伤了，和他在一起的有休·艾尔辛、米德大夫和梅里韦瑟老头儿——”

“那位老先生他不可能！”斯佳丽喊着说。

“男人是不会因为年老而不干蠢事的。还有你的亨利伯伯——”

“啊，天哪！”佩蒂姑妈叫出声来。

“跟部队发生了接触以后，其他的人都分散了，这伙没被打散的人来到了沙利文的庄园。他们把长袍藏在烟囱里，接着察看韦尔克斯先生受的伤到底有多重。要不是因为他受了伤，他们——他们大家——这会儿早直奔得克萨斯州而去了，他没法骑马赶那么远的路，他们又不愿把他撇下。必须证明他们在别的地方，而不是在他们逗留过的那个地方，所以我就从小路把他们带到了贝尔·沃特林那儿。”

“噢，我明白了。请原谅我的失礼，巴特勒船长。我明白了必须带他们到那儿去的原因了，可——啊，巴特勒船长，他们进去免不了会被别人看到的啊！”

“没人看见我们，我们走的是那扇对着铁路的、没人知道的后门。门一直黑沉沉的，上着锁。”

“那你怎么——”

“我有钥匙。”瑞特简短地说，他用平静的目光看着玫兰妮。

玫兰妮被他这话里的意思震动得心神不宁，她笨拙地系着绷带，结果绷带完全从伤口上滑了下来。

“我不是有意要打听——”她含含糊糊地说，脸涨得通红，急忙将毛巾重新按在了伤口上。

“我很抱歉，不得不跟一位太太谈这种事。”

“那么，是真的了，”斯佳丽带着奇怪的痛苦想，“那么，他的确是在跟那个坏女人沃特林同居！他确实是她的房东！”

“我见到了贝尔，把一切都跟她讲清楚了。我们给了她一张今夜出去了的人的名单。她和她的那些姑娘都会证明他们今夜都在她那儿。接着，为了让我们离开得更惹人注意，她叫来了两个维持秩序的保镖，把我们从楼上拉下来，扭打着经过酒吧，推到了街上，就像对付那些搅乱那个地方而闹事的醉汉那样。”

他一边回忆着一边咧嘴笑了。“米德大夫扮的醉汉不怎么像。在那样的地方，他都觉得扮醉汉有失尊严。可你的亨利伯伯和梅里韦瑟老头儿倒是演得呱呱叫。他们没干演戏这一行，舞台上少了两个伟大的演员哩。他们好像觉得这件事很有趣。因为梅里韦瑟先生热心地扮演着他的角色，亨利伯伯的一只眼圈怕是都给打紫了。他——”

后门砰的一声被打开了，印第亚走了进来，后面跟着老迪安大夫，他长长的白头发乱蓬蓬的，破旧的皮袋在斗篷下鼓了出来。他略略点了点头，但没跟在场的人说话。他麻利地揭掉阿希礼肩上的绷带。

“部位很高，不可能伤着肺，”他说，“要是他的锁骨没被打碎的话，那就不严重。多给我拿些毛巾来，太太小姐们，还有棉花，要是有的话，再拿些白兰地。”

瑞特从斯佳丽手中接过灯，摆在了桌子上。玫兰妮和印第亚听着大夫的吩咐，动作麻利地在跑来跑去。

“你在这里什么也干不成。到客厅的壁炉旁去吧。”他搀着她的胳膊，扶她出了房间。他的手和声音都现出一种以前没有过的温柔，“你这一天可真够呛，对不对？”

她让自己被扶到前房。尽管站在壁炉前的小地毯上，她却在不停地哆嗦。胸中那股怀疑的涌泉这会儿冒的气泡越来越大了。已经不仅仅是怀疑。几乎是确凿无疑了，可怕的、确凿无疑的事实。她抬起头来，盯着瑞特那纹丝不动的脸，有一刹那，她说不出话。

“弗兰克刚才——在不在贝尔·沃特林那儿？”

“没在。”

瑞特的声音是生硬的。

“阿尔奇把他送到了贝尔家附近的空地上。他死了。脑袋上被打了个窟窿。”

46

这一夜，在城市的北区，没几家人睡好了觉，因为印第亚·韦尔克斯把三K党遭到围剿的消息和瑞特的策略迅速地传播开了，她像幽灵似的悄没声息地穿过一个个后院，急切地低声把话传进一家家厨房，然后又溜进那刮着风的黑暗。她一路上给人们带去恐惧和渺茫的希望。

从外表看，一所所房子都黑沉沉、寂静无声地裹在睡意里。房中，人们压低了声音热烈地说着话，一直说到天亮。不仅仅是那些参加夜间袭击的，而且是每个三K党员，都准备远走高飞了。桃树街的每个马厩里，马儿乎都备上了鞍，站在了黑暗中，手枪也都插在了皮套里，粮食装在了干粮袋中。是印第亚低声传递的信息阻止了一次大逃亡："巴特勒船长说了不要逃。大路上有人监视。他已经和那个沃特林安排好了——"在一个个黑暗的房间里，男人们在低声说："可我干吗要相信巴特勒那个该死的叛贼的话？也许那是个圈套!"女人们在恳求："别走！要是他救了阿希礼和休，他也可能救所有的人的。要是印第亚和玫兰妮相信他——"他们半信半疑，停住了没走，因为他们没有别的出路。

夜晚早些时候，士兵们敲了十几家的门。那些说不出或是不愿说出那天夜里到哪儿去过的人，都被逮捕了。不少人是在监狱里过的夜，其中有勒内·皮卡尔、梅里韦瑟太太的一个侄儿、西蒙斯兄弟和安迪·邦尼尔。他们全都参加了那次倒霉的袭击，只是在枪战后跟其他人分散了。他们骑着马拼命往家赶，还没听到瑞特的计划就被捕了。幸亏他们在受讯问时都说，他们那天夜里去过哪儿是他们自己的事，跟该死的北方佬毫不相干。于是他们就被关了起来，等早晨再受审讯。梅里韦瑟老头儿和亨利伯伯却毫不害臊地说，他们是在贝尔·沃特林的妓院里过的夜。贾弗里上尉恼火地说，他们干这种事，年纪太大了点，他们却要打他。

贝尔·沃特林接到贾弗里上尉的传讯后便亲自来了。还没等他说明他的使命，她就嚷着说今夜妓院要关门。一批爱吵架的醉汉昨天晚上早早地闯了进来，互相扭打，把那个地方打了个稀巴烂，把她那些最好的镜子都打碎了，把那些年轻的姑娘都吓坏了，所以今夜暂停一切业务。不过，如果贾弗里上尉要喝一杯的话，酒吧倒是开着——

贾弗里上尉敏感地意识到他手下人那龇牙咧嘴的笑容。他束手无策地感觉到他是在跟迷雾搏斗。他愤怒地说他既不要年轻的姑娘，也不想喝一杯。他问贝尔是不是知道那些砸坏她东西的顾客的姓名。啊，可不是吗，贝尔认识他们。他们都是她的老主顾。他们每个星期三晚上都来，自称为“星期三的民主党人”，不过他们这样说是什么意思，她既不知道，也不关心。如果他们不赔偿楼上过道里那些被打碎了的镜子，她就要和他们打官司。她开了一家挺像样的妓院，却——哦，他们的姓名？贝尔毫不犹豫地一口气写了十二个受怀疑的人的姓名。贾弗里上尉只有苦笑。

“那些该死的南方叛乱分子组织得就跟我们的特务机构一样高明有效，”他说，“你和你那些姑娘明天早上得来见宪兵司令。”

“宪兵司令会让他们赔偿我的镜子吗？”

“让你的镜子见鬼去吧！让瑞特·巴特勒去赔吧。那是他的地方，对不对？”

天还没亮，城里以前是邦联分子的人家就一切都知道了。家里的黑人，尽管没人对他们说过什么，但也都知道了一切。他们是通过白人不懂的秘密传递信息的途径知道的。人人都知道了那次袭击的细节，弗兰克·肯尼迪和瘸腿的汤米·韦尔伯恩死了，阿希礼是在运弗兰克的尸体时受的伤。

女人们本来都恨透了斯佳丽，因为这场悲剧完全是她惹起的，但听说她丈夫已经丧命，尽管她已经知道，却不能承认，就连认尸那一点可怜的安慰也得不到，因而憎恨的情绪也就有所缓和。在晨光显露出那两具尸体、当局来通知她以前，她得装成什么都不知道。弗兰克和汤米，冰冷的手里拿着手枪，僵硬地躺在空地上的枯草丛里。北方佬会说他们是在酒醉后的争吵中为了贝尔那里的一个姑娘而互相将对方杀死的。人们非常同情芳妮——汤米的妻子，她刚生了孩子。可没人能在黑夜里溜到她那儿去安慰她，因为一队北军包围着房子正等着汤米回来。另一队士兵则守在佩蒂姑妈家周围，等着弗兰克。

天亮前，消息慢慢传开了，当天要进行军事审讯。城里的居民由于缺乏睡眠，又一直在焦急地等待，所以个个耷拉着眼皮，他们知道那几个最著名的公民的性命取决于三件事——阿希礼能站直身子出现在军事委员们面前，好像他只是在早晨过后害上了头痛罢了，压根儿就没有什么剧烈的痛苦；贝尔·沃特林能证明那些男人整个晚上都在她的屋子里；瑞特·巴特勒能证明当时他一直跟他们在一起。

城里的人对后两件事十分苦恼！贝尔·沃特林！她们男人的性命得靠她来救！真让人受不了！以前女人们看到贝尔走过来，就神气活现地走到对面的街上去，不知贝尔现在是不是还记得她们所干的事，她们正为干过这种事而感到担惊受怕。男人们不像女人们那样因为靠贝尔救了命而感到丢脸，因为他们好多人都认为她是好样的。但是他们都为不得不靠瑞特·巴特勒这个投机商兼叛贼救命并获得自由而感到痛苦。贝尔和瑞特，一个是城里最著名的妓女，一个是大家最讨厌的男人。可他们得欠这两个人的情。

另一个让他们痛苦得有火没处发的念头是，北方佬和提包客会嘲笑他们！他们会笑得多么热烈啊！城里十二位最著名的公民被揭露了出来，竟然是贝尔·沃特林妓院的老主顾！其中还有两人在抢夺一个下三滥小姑娘的争斗中送了命。其他人都醉得太不像话了，甚至被贝尔撵了出来，有几个人尽管大家知道他们在那儿，却拒绝承认，被逮捕了！

亚特兰大担心北方佬的嘲笑，这估计是正确的。他们在南方人的冷淡和蔑视下苦恼得太久了，现在乐得要发狂了。军官们叫醒他们的伙伴，原原本本地将消息传播出去。丈夫们则在天亮的时候推醒妻子，把凡是能体面地告诉女人的事都告诉她们。那些女人急忙穿上衣服，敲开邻居的门，传播着这个故事。北方的太太小姐们被这个故事陶醉了，笑得直淌眼泪。这就是你们南方骑士的风度和侠义精神。也许那些把头抬得高高的、对一切友好的表示都冷冰冰地拒绝的女人现在不会那么盛气凌人了，因为人人都知道她们的丈夫在应该开政治会议的时间里，却在那样消磨时光。政治会议！得了，真有意思！

不过，即使在嘲笑的时候，她们也为斯佳丽和她的悲剧表示遗憾。归根结底，斯佳丽是位太太，而且是亚特兰大几位与北方人友好相处的太太之一。她已经赢得了她们的同情，因为事实上她丈夫不能或是不愿好好地供养她，她不得不做买卖。尽管她丈夫人很差劲儿，但发现他对她不忠实，总是件糟透了的事。更糟的是他死亡和他不忠的消息同时来到。毕竟，一个不好的丈夫总比没丈夫好，所以那些北方太太小姐们打定主意，要对斯佳丽特别好。但是，对米德太太、梅里韦瑟太太、艾尔辛太太、汤米·韦尔伯恩的寡妇，特别是对阿希礼·韦尔克斯太太，每次见到她们都要嘲笑。她们要教她们学得谦逊一点儿。

那天夜里，这个城市北区所有黑沉沉的房间里不断在低声谈论的大多是同样的话题。亚特兰大的太太们情绪激动地告诉她们的丈夫，北方佬怎么想她们一点也不在乎。可在心底里，她们情愿挨一次印第安人的鞭打，也不愿遭到北方佬的讥笑，而不能说出丈夫的真相，这与挨鞭打相比不知要难受多少。

米德大夫因为瑞特把他和别人哄得落入了这样的境地，尊严受到了损害，气得发疯。他告诉米德太太，要不是这件事牵涉到别人，倒不如吐露真相而被绞死，免得说他当时是在贝尔那儿。

“这是对你的侮辱，米德太太。”他气得直跳。

“可人人都知道你不在那儿，因为——因为——”

“北方佬不会知道的。要是我们保住了性命的话，他们就会相信这话。他们会嘲笑我们的。一想到有人相信这话并嘲笑我们，我就要发火。那对你是侮辱，因为——亲爱的，我对你一直是忠诚的。”

“这我知道，”黑暗中，米德太太笑了，她悄悄把一只瘦削的手放在大夫的手里，“不过，我情愿你在那儿，而不愿你的一根头发受到伤害。”

“米德太太，你知道你在说些什么吗？”大夫叫了起来，他万万没想到妻子会变得这么现实，吃惊得愣住了。

“当然，我知道。我失去了达西，失去了菲尔，现在我只有你了。与其失去你，倒不如让你永远住在那个地方。”

“你急糊涂了，简直不知道自己在说些什么吧。”

“你这老蠢货！”米德太太温柔地说着，把头靠在了他的袖子上。

米德大夫气呼呼地不吭声了。他抚摸着她的脸颊，接着又发作了。“要欠那个巴特勒的情！跟这相比，还不如被绞死了好受。不行，哪怕他对我有救命之恩，我也不可能以礼待他。他傲慢得目空一切，他恬不知耻的投机倒把行为让人气愤。欠一个从来没参过军的人的救命之恩——”

“兰妮说过，亚特兰大沦陷后，他入过伍。”

“撒谎。任何一个花言巧语的恶棍的话，兰妮小姐都会相信的。我不明白的是，他干吗要做这一切呢——揽下所有这些麻烦。我不愿意提，可——嘿，一直有人在议论他和肯尼迪太太。去年，我就常常看见他们坐着马车同进同出，次数实在不少。他一定是为了她才这么做的。”

“如果是为了斯佳丽，那他会手都懒得动弹哩。他会很高兴地看到弗兰克·肯尼迪被绞死。我想他是为了兰妮——”

“米德太太，你不可能是在暗示他们俩有什么事情吧！”

“哦，别说蠢话了！不过，自从他在战争期间设法把阿希礼交换出来后，她一直对他好得没法说。不过，我也得说明，他跟她在一起时，从来不那样色迷迷的笑。他总是尽可能地显得端庄文雅，思量周全——确实是像换了个人。看他跟兰妮在一起时的行为，不妨说，只要他愿意，他还是可以做个正派人的。对了，我对他为何要做这一切倒有个想法——”她顿了一下，“大夫，你不会喜欢听我的想法。”

“对这整个事我都不喜欢！”

“得了，我想他一方面是为了兰妮，更主要的是因为他想跟我们大伙儿开个大玩笑。我们那么恨他，而且都摆在脸上，这下他让我们陷入了困境，我们就不得不选择，要么承认你们当时在那个沃特林的屋里，让你们自己和你们的妻子在北方佬面前丢脸——要么就说出真相，被绞死。他知道我们都欠下了他和他那——情妇的情，也知道我们几乎都是宁愿被绞死，而不愿欠他们的情。啊，我敢保证，他正觉得有趣哩。”

大夫呻吟了一声。“他在那地方领我们上楼的时候，倒并没显出高兴的样子。”

“大夫，”米德太太迟疑着说，“那儿是什么样子？”

“你说什么，米德太太？”

“她房里。那里是什么样子？有雕花玻璃的枝形吊灯吗？有红色长毛绒的帷幕和十几面人一样高的镜子吗？那些姑娘——全不穿衣服吗？”

“上帝啊！”大夫喊了起来，吓坏了，因为他从没想到过一个正派女人对那些不正派的女人的好奇心会那么强烈，“你怎么会问出这么不正经的问题？你神经出毛病了。我要给你调一杯镇静剂。”

“我不需要镇静剂。我想知道。啊，亲爱的，这是我唯一的机会了，我想知道一所不正派的房子是什么样的，可你却扭扭捏捏地不肯告诉我！”

“我什么也没注意到。我向你保证，发现自己在那种地方，我难受坏了，压根儿没去注意周围的环境，”大夫拘谨地说，他无意中认清了妻子的品德，这比那天夜里经历过的种种事情更让他心烦意乱。“现在，你要是不反对的话，我想睡一会儿。”

“好吧，那就睡吧，”她回答说，不过声调中明显带有失望。接着，大夫便弯腰脱靴子，这时，在黑暗中她的声音重新带着愉快的声调说话了。“我想多莉已经从梅里韦瑟老头儿那儿打听到了一切，她会告诉我的。”

“天哪！米德太太！你的意思是告诉我，正经女人们在一起的时候也谈论这种事——”

“啊，上床睡吧。”米德太太说。

第二天，雨夹着雪，但是当冬天暗淡的曙光渐渐逼近的时候，雪停了，刮起了冷风。玫兰妮裹在斗篷里，莫名其妙地跟在一个陌生的黑人马车夫后，从她家前面的小路上走了出来，她被神秘地叫到一辆马车前，这辆马车门窗紧闭，停在她家门前。她一走到马车边，车门就打开了。幽暗的车厢里坐着一个女人。

玫兰妮凑近身子，一边仔细朝里面看，一边问道：“是谁？怎么不进屋去？天气这么冷——”

“请上车，跟我一起坐一会儿吧，韦尔克斯太太。”车厢深处传来一阵亲切得像亲戚的声音，那也是一阵困窘的声音。

“啊，你是沃特林小姐——太太！”玫兰妮喊着说，“我真的很想见你！你一定要进屋去坐坐。”

“这可不行，韦尔克斯太太，”贝尔·沃特林的声音听起来好像觉得很震惊，“你上来，跟我一起坐一会儿吧。”

玫兰妮跨进车厢，那个马车夫马上关上了车门。她坐在了贝尔身旁，伸出手去握住了她的手。

“你今天所做的事，我真不知道该怎么感谢你才好啊！我们都不知道该怎么感谢你才好啊！”

“韦尔克斯太太，今天早晨你不该派人给我送那张便条。收到你送来的便条，我是感到骄傲，可那样不好，因为条子可能会落到北方佬手里。至于说你要来拜访我以示感谢——哦，韦尔克斯太太，你一定是失去理智了！怎么想得出这个主意！所以天一黑，我就马上赶来告诉你，你千万别这么做。嗯，对你——嗯，对我——压根儿都不合适。”

“拜访一个救了我丈夫性命的好心女人并向她表示感谢，不合适？”

“啊，真是乱弹琴，韦尔克斯太太！你知道我的话是什么意思！”

玫兰妮沉默了一会儿，被她话中的暗示给窘住了。不管怎么说，这个坐在黑沉沉的车厢里、漂漂亮亮、衣着大方的女人与她想象中的坏女人——妓院老鸨的模样和谈吐是不一样的。她的话听起来——嗯，是有点粗俗和乡气，然而却亲切而热心。

“今天你在宪兵司令面前的表现真是了不起，沃特林太太！你和其他——你的——那些年轻小姐们确实救了那些男人的命。”

“韦尔克斯先生才真的了不起。我真不知道他到底是怎么站起来，讲他那一套编好的话的，至于他神情那么冷静就不说了。昨天夜里，我见到他那会儿，他流了不知多少血哩。他还好吗，韦尔克斯太太？”

“还好，谢谢你。大夫说他尽管确实流了不少血，但只不过是皮肉伤，今天早晨，他——唔，他喝了好多白兰地提神，否则，他再怎么也不会有精力这么顺利就应付过去的。不过，是你，沃特林太太，是你救了他们。你气得发狂似的谈到打碎了的镜子那会儿，你说得是那么——那么可信。”

“谢谢你，太太。不过，我——我想巴特勒船长也是干得顶呱呱的。”贝尔说，声音里带着腼腆的骄傲。

“啊，他真是了不起！”玫兰妮热切地嚷着，“北方佬不得不相信他的证词。他把整个事儿处理得那么巧妙。我真不知该怎么感谢他——还有你——才好！你们真是人好，心眼儿也好！”

“非常感谢你，韦尔克斯太太。我很高兴能干这件事情。我——我希望，我是说在我说韦尔克斯先生经常到我那儿去的时候，没把你给窘住。他从来就没有，你知道——”

“是，我知道。不，我一点也不窘。我只是感激你。”

“我敢肯定，别的太太们是不会感激我的，”贝尔突然恶狠狠地说，“我敢肯定她们也不会感激巴特勒船长的。我敢肯定，她们只会更恨他了。我敢肯定你是唯一向我表示谢意的太太。我敢肯定她们在街上看到我，甚至不会朝我的眼睛看。但我不在乎。她们的丈夫就是都被绞死，我也不会放在心上。可我的确关心韦尔克斯先生。你看，我忘不了战争期间你待我有多好，把我捐的钱送到了医院。城里没有哪个太太小姐像你待我那么好，我决不会忘记别人的恩情。我想到了要是韦尔克斯先生被绞死的话，你就会成寡妇，还有一个孩子，而——他是个好孩子，我说的是你的孩子，韦尔克斯太太。

我也有个孩子，所以我——”

“啊，你也有孩子？他在——嗯——”

“啊，不，太太！他没在亚特兰大。他从来没到这里来过。他在上学。在他还很小的时候，我就跟他分开了。我——哦，不管怎么说，巴特勒船长让我为那些男人撒谎的时候，我就问他那些人是谁，一听到其中有韦尔克斯先生，我就不再犹豫了。我对我那些姑娘们说：‘要是你们不特别地说明整个晚上你们都跟韦尔克斯先生在一起的话，我就要揍得你们死去活来。’”

“啊！”玫兰妮说，当她听到贝尔随口说出她的“姑娘”，越发窘了，“啊，那是——嗯——你心眼儿真好，也是——她们心眼儿好。”

“替你做点什么是应该的，”贝尔充满热情地说，“若是为别人，不管是谁，我才不干哩。要是只有肯尼迪太太丈夫一个人，无论巴特勒船长怎么说，我是一根手指头也不会动的。”

“为什么呢？”

“是这样的，韦尔克斯太太，干我们这一行的人知道的事情可多着哩。许多名门太太小姐要是知道我们对她们的事情知道得那么多的话，她们会感到奇怪和震惊的。她的行为太不好了，韦尔克斯太太。她害死了自己的丈夫和那个好小伙韦尔伯恩，简直就是她亲手开枪把他们打死的。她是这场乱子的罪魁祸首，她独自神气活现地在亚特兰大来来往往，惹得黑鬼和穷白人干坏事。哦，连我的姑娘们也没人——”

“你千万不能说我嫂子的坏话。”玫兰妮的语气变得强硬而冰冷了。

贝尔热切地把一只手放在玫兰妮的胳膊上以安慰她，接着又赶快缩了回去。

“请别对我冷淡，韦尔克斯太太。你刚才待我是那么亲切友好，我受不了冷淡了。我忘了你是多么喜欢她。我对刚才说过的话感到抱歉，也为肯尼迪先生的去世感到遗憾。他是个好人。我以前常向他买一些我需要的东西，他总是待我很客气。可肯尼迪太太——嗯，她跟你不是一路人，韦尔克斯太太。她是个非常冷酷的女人，所以我那么想也是实在没办法……他们什么时候埋葬肯尼迪先生?”

“明天早晨。但是你对肯尼迪太太的看法不正确。唉，现在，她已悲痛得支撑不住了。”

“也许是这样的,”贝尔带着明显不信任的表情说,“好了，我得走了。要是我待得太长了，只怕有人也许会认出这辆马车，那对你就不好了。我说，韦尔克斯太太，要是你在街上看到我，你——你用不着和我说话。这我是懂的。”

“我将因跟你说话而感到骄傲。因欠你的情而感到骄傲。我希望——我希望我们能再见面。”

“不,”贝尔说,“那不妥当。再见。”

47

斯佳丽坐在卧室里，一边在黑妈妈送来的一托盘晚餐里挑挑拣拣地吃着，一边倾听着外面黑夜里呼啸的狂风。房子里死一般寂静，比几个小时前弗兰克的尸体停在客厅里的时候更静。那会儿，还有踮着脚走动的声音、压低嗓门说话的声音、模模糊糊的敲前门的声音、邻居们急匆匆地来吊唁的声音，还有从琼斯博罗赶来参加葬礼的弗兰克的妹妹偶尔发出的哽咽声。

然而，现在房子笼罩在一片寂静中。虽然她的房门是开着的，但她听不见楼下有一点儿声音。自从弗兰克的尸体运回家后，韦德和埃拉就一直待在玫兰妮家。她惦记着那个男孩的脚步声和埃拉的笑声。厨房里静静的，没有彼得、黑妈妈和厨娘争吵的声音传上楼来。在楼下藏书室里的佩蒂姑妈，为了不打搅斯佳丽的悲伤，也不摇晃她那张吱吱嘎嘎的椅子了。

没有人闯进来看她，人人都觉得她希望带着悲痛独自待着，然而斯佳丽最不愿意的就是独自一个人待着。要是只有悲痛的话，她还能忍受，就像她能忍受其他的悲痛一样。但是弗兰克的死除了让她产生了一种不知所措的失落外，还有恐惧、怨恨和突然觉醒的良心的折磨。在她的一生中，她第一次为自己所干的事情感到懊悔，带着无限迷信的恐惧懊悔着自己的所作所为，她忍不住斜着眼向她和弗兰克一起睡的那张床瞟了几眼。

她害死了弗兰克。确实是她害死了他，就像是她的手指头扣的扳机似的。他让她别独自一人到处转悠，可是她不听。由于她的固执，让他送了命。上帝会为此而惩罚她的。还有一件事在折磨她的良心，比促使他送命这件事更严重、更可怕——以前她从来没有为那件事苦恼过，直到看到他躺在棺材里的那张脸，她才为之一动。那张一动不动的脸上有一种无可奈何、可怜巴巴的神情在谴责她。当时他确实是爱苏埃伦的，但却娶了她。上帝会为这事惩罚她的。她将战战兢兢地缩在审判席旁，交代她那次从北军兵营里坐着他的马车回家时，她对他说了谎话并为此承担责任。

现在，即使她振振有词地说，她是为达到目的，所以不择手段，说让他落入圈套是迫不得已，说一大家人的命运在指望着她，她没法考虑他与苏埃伦的权利和幸福，那也没有用了。实际情况很明显，她只有颤抖着缩着身子躲开。她冷淡地嫁给他，又冷酷地利用他。近六个月以来，她本可以使他很快活，却使他很不快活。上帝会因她没好好待他而惩罚她的——她欺侮他、刺激他、对他发脾气、说话尖刻、疏远他的朋友，还经营锯木厂、建酒馆、租用囚犯、不给他面子，等等。为此上帝一定会惩罚她的。

她让他不快，这她知道，但是他像个有教养的人一样忍受着。她干的唯一使他真正快乐的事是给他生了个埃拉。而且她知道要是她有办法不生的话，那埃拉就永远不会生下来。

她颤抖着，恐惧极了，希望弗兰克还活着，那她就可以好好地待他，很好很好地待他，弥补以前的一切过失。啊，只要上帝不那么愤怒并对她施加报复就好了！啊，只要时间不一分分地过得那么慢，房子里不那么寂静就好了！只要她不是独自一人就好了！

只要玫兰妮跟她在一起，就能使她的恐惧平静下来。但是玫兰妮在家里照料阿希礼。有一会儿，斯佳丽想把佩蒂帕特叫来做伴，好分散一下良心的折磨，但是她有些犹豫。佩蒂也许会把事情搞得更糟，因为她是真心地为弗兰克哀痛。与其说他是斯佳丽的同代人，倒不如说他与佩蒂是同代人。她一向对他忠心耿耿。他作为“家里的男人”，可以说是十全十美地满足了她的需求，他送给她小礼物，跟她无伤大雅地闲聊、开玩笑和讲故事，在夜晚她给他补袜子的时候，他读报给她听，还向她讲解当天的话题。她过去对他一直格外关心，想方设法为他烧制饭菜；他感冒过不知多少次，在病中，她对他悉心照料。此时此刻她非常思念他，一边轻轻地擦她那双红肿的眼睛，一边一遍又一遍地重复着："他要是不跟三K党一起出去就好了！"

要是有个人能安慰她，消除她的恐惧，并向她解释清楚这种使她深感恶心的冷冰冰的沉闷感觉、这种惊慌失措的恐惧是怎么回事，那该有多好啊！要是阿希礼——她一下子把这个念头缩了回去。她差一点没害死阿希礼，就像她害死弗兰克那样。要是阿希礼知道了事情的真相：为了得到弗兰克，她是怎样说了谎话，知道了她一向待弗兰克是多么刻薄，他就再也不可能爱她了。阿希礼是个正直、诚实、和气的人，他看事情总是有条不紊、思路清晰。如果真的告诉他整个事情的真相，他或许会理解。啊，可不是，他会完全理解！不过，他再怎么也不会爱她了。所以她永远也不能让他知道事实真相，只有这样他才会一直爱她。他的爱情是她精神力量的秘密源泉，要是这个源泉被剥夺了，那她还怎么活下去呢？然而，能把头靠在他的肩膀上哭泣，吐露真情，卸下内疚的包袱，那又是多么舒心的事啊！

寂静的房子笼罩着沉甸甸的死亡感，孤独紧紧地缠绕着她，这种感觉让她觉得无依无靠，再也无法忍受。她小心翼翼地站起身来，虚掩上门，然后在她放内衣的衣柜底层抽屉里翻寻。她掏出了佩蒂姑妈那个装白兰地的"治头晕药瓶"。瓶是她藏在那儿的。她举起瓶子，凑近灯光。里面的酒几乎只剩半瓶了。才不过一夜的光景，她当然不可能喝那么多！她倒了不少在她喝水的玻璃杯里，咕嘟一口喝了下去。天亮前她得在酒瓶里兑满水，放回到盛酒的橱柜里去。举行葬礼前，那些抬棺材的人需要喝一杯，黑妈妈已经找过这瓶酒了，在厨房里，黑妈妈、厨娘和彼得互相猜疑，气氛已变得很紧张了。

白兰地带给她一种火辣辣的快感。当你需要这玩意的时候，没有什么东西能替代它。事实上，白兰地几乎在任何时候都给人一股劲儿，比淡而无味的果子酒强多了。那到底为什么女人只喝果子酒而不喝烈酒才合乎体统呢？梅里韦瑟太太和米德太太在葬礼上很明显是在闻她的口气，接着她看到她们得意扬扬地交换了一个眼色。这两个老太婆！

她又倒了不少。今晚，即使她喝得有点儿迷迷糊糊也没关系，因为她马上要上床睡觉了。在黑妈妈来给她宽衣之前，她可以用花露水漱口。她希望自己能像从前杰拉尔德在开庭日那样，喝得酩酊大醉，什么都不想。那样，她也许能忘掉弗兰克那张凹陷的脸，那副谴责她毁掉了他一生、害死了他的神情。

她拿不准城里的人是不是个个都认为是她害死了他。不用说，出席葬礼的人对她是冷漠的。只有那些跟她做买卖的北方官员的妻子们才会在她们同情的表情中显露一些温暖。得了，她才不在乎城里人说她什么呢。与她必须要向上帝交代和承担责任的那些事相比，人们怎么说看来是多么无关紧要啊！

想到这儿，她又干了一杯。火辣辣的白兰地顺着她的喉咙淌了下去，而她的人却在发抖。这会儿，她已挺暖和了，可是仍然没法从脑子里排除对弗兰克的想念。男人真是愚蠢至极，他们怎么竟然说出酒能让人忘掉一切这样的话来！除非喝得失去知觉，否则她仍能看到弗兰克的脸，那张脸带着腼腆、责备和抱歉的神情，就像他最后一次求她别独自一人赶马车出去时那样。

前门的门环响起了一阵沉闷的撞击声，在这所寂静的房子里回荡，接着她听到佩蒂姑妈摇摇晃晃地走过过道的脚步声和开门声。传来了问候声和听不清楚的低语声。是邻居来谈论葬礼，或送来一杯牛奶冻。佩蒂会高兴的。从前来凭吊的客人的谈话中她能得到很大的、忧郁的乐趣。

她并没有好奇心，只是想知道来的是谁，一个洪亮而不紧不慢的男人声音盖过了佩蒂低低的、悲痛的声音，她一下子知道来人是谁了。是瑞特。她心中一下子洋溢出喜悦和宽慰。自从他告诉她弗兰克已经死亡那个坏消息后，她再没见过他。她内心马上知道，他是今夜唯一能帮助她的人。

“我想她会见我的。”瑞特的声音由楼下传到她的耳中。

“可眼下她已经睡了，巴特勒船长，无论是谁，她都不会见的。

可怜的她已经支撑不住了。她——”

“我想她会见我的。请告诉她我明早就要走了，也许要离开一段日子。事情很重要。”

“可——”佩蒂帕特姑妈心神不定。

斯佳丽赶紧跑到过道里来看，突然她觉得自己的脚步有一点踉跄，就靠在了楼梯栏杆上。

“我马上下楼来，瑞特。”她嚷着说。

她向佩蒂帕特姑妈那张胖胖的、仰着的脸瞟了一眼，只见她那双眼睛睁得像猫头鹰似的，带着惊奇和不赞成的神情。这下全城会传遍了，在丈夫举行葬礼的那一天，我的行为就极不像话，斯佳丽一边想一边赶快跑回卧室，开始梳头。她把身上那件黑色紧身上衣的钮扣一直扣到下巴下，用佩蒂帕特服丧的饰针把领子别住。她凑近镜子看了看，心想，我看起来好像不怎么漂亮，脸色太苍白，神色太惊慌。有一刹那，她的手向藏胭脂的上了锁的小箱伸去，但是她最终决定不用。她要是脸色红润、满面春风地下楼去，可怜的佩蒂帕特会神情慌乱得没命的。她拿起花露水瓶，喝了一大口，仔细地漱了漱，然后吐在污水罐内。

她急急忙忙奔下楼去，那两个人仍然站在过道里，佩蒂帕特因为被斯佳丽的举动弄得心烦意乱，所以没有请瑞特坐。他有礼貌地穿着黑礼服，衬衫有饰边，还浆洗过；他的举止完全符合习俗，是以老朋友的身份前来吊慰一个遗孀的。事实上，他扮演得太过尽善尽美，有点儿像演滑稽戏了，不过佩蒂帕特并没发觉。他得体地对打扰斯佳丽表示歉意，还为不能出席葬礼感到遗憾，因为他在离城以前有些业务要安排。

“他来这儿到底为什么？”斯佳丽在纳闷，“他说的那些全都是借口。”

“我不愿这时候闯进来看你，可我有一件不能等的业务要来谈谈。我和肯尼迪先生原本要——”

“我不知道你和肯尼迪先生有业务往来。”佩蒂帕特姑妈说，弗兰克的活动她竟然不知道，她感到气愤。

“肯尼迪先生是个兴趣广泛的人，”瑞特恭敬地说，“我们到客厅去好吗？”

“不。”斯佳丽嚷着，并向关着的折叠门瞟了一眼。她总觉得弗兰克的棺材还停在那里。她真希望自己永远不再进去。佩蒂这一次总算领会了暗示，可是心里不大情愿。

“到藏书室去吧，我得——得上楼去，把我要缝补的活儿取来。啊呀，这个星期，我把这件事儿忘了。真怪——”

她走上楼，带着责备的神情回头看了一眼。不管是斯佳丽还是瑞特，都没有注意到她这一眼。他让在一旁，让她先走进藏书室去。

“你跟弗兰克有什么业务？”她突然问。

他靠近了些，低声说：“什么也没有。我不过是要把佩蒂小姐打发走罢了。”他停顿了一下，向她探出身子，“这样没用，斯佳丽。”

“什么没用？”

“花露水。”

“我可以肯定地说，我不明白你的话是什么意思。”

“我可以肯定地说，你明白。你喝得实在不少。”

“好吧，我喝得多又怎么样？这跟你有什么关系吗？”

“即使在悲痛的深渊，也要注意礼貌。不要独自喝酒，斯佳丽。别人总是会发现的，这样就把名声毁了。再说，独自喝醉也不是件好事情。怎么了，宝贝儿？”

他领她到花梨木沙发前，她默不作声地坐下。

“我可以把门关上吗？”

她知道黑妈妈要是看到门关着的话，会大为吃惊的，还会为这事训斥和咕哝好几天。不过，要是黑妈妈无意中听到在谈论喝酒的事，尤其是想到那瓶不见了的白兰地，那就更糟了。她点点头，瑞特合上那两扇拉门，然后回过身来，坐到她身旁，两只黑眼睛在她脸上不停地搜寻着。在他显示出来的活力面前，笼罩着的死亡阴影退却了。房间里看来好像又变得有快乐感并像个家了，灯光映出的玫瑰色让人感到温暖。

“怎么了，宝贝儿？”

世界上没人能像瑞特那样把那个表示亲热的愚蠢词儿说得那么甜，哪怕是在他开玩笑的时候，可是这会儿他看来好像不是在开玩笑。她神情痛苦地抬起头看着他的脸，不知为什么，一看到那张毫无表情的、谜一样的脸她就感到安慰。她不知道为什么会有这种感觉，因为他是一个让人琢磨不透、冷酷无情的人。也许正是因为像他经常说的，他们太相像了。她有时候想，除了瑞特外，所有她认识的人都是陌生人。

“你能不能告诉我？”他握着她的手，温柔得出奇，“你喝酒不仅仅是因为老弗兰克撇下你走了？你需要钱吗？”

“钱？上帝啊，不。啊，瑞特，我真是太害怕了。”

“别傻了，斯佳丽，你这辈子从来没害怕过。”

“啊，瑞特，我害怕！”

她好像有千言万语要说，一时又不知从哪儿说起。她可以跟他说。她什么都可以跟他说。他自己一向很坏，所以他不会审判她的。世界上到处是为了挽救灵魂而不肯撒谎的人，情愿挨饿而仍要脸面的人。能知道某个人行为不端、声名狼藉、招摇撞骗、谎话连篇，那真是太好了！

“我怕死后要下地狱。”

他要是嘲笑她的话，她立马就会活不下去的。可是他没有。

“你很健康——也许根本就没有什么地狱。”

“啊，有的，瑞特！你知道有！”

“我知道是有的，不过地狱就在现实的世界上。不是在死后。我们死后，什么都没有了，斯佳丽。现在你尝的就是下地狱的滋味。”

“啊，瑞特，你这是亵渎上帝！”

“可是能异乎寻常地给人以安慰。告诉我，你为什么打算下地狱？”

他这会儿在取笑她，她可以看到他眼睛里隐隐约约闪烁着光亮，但她不在乎。他那双手那么温暖有力，紧紧地握着她，是那么让人宽慰。

“瑞特，我真不该跟弗兰克结婚。那件事干得不对。他原本是苏埃伦的情人，他爱的是她，不是我。可是我跟他撒谎，告诉他苏埃伦就要跟汤尼·方丹结婚了。啊，我怎么能干这样的事呢？”

“噢，原来是这么回事！我一直为此而纳闷。”

“后来，我使他过得很不愉快。凡是他不愿干的事情，我都硬逼着他干，比如说，让一些人在确实付不出账的时候付账。而我经营锯木厂、建酒馆和租用囚犯等事确实伤了他的心。这些事使他感到丢脸，弄得他简直抬不起头来。瑞特，是我害死了他。是真的！我当时不知道他参加了三 K 党。我怎么也想不到他胆子这么大。可是我本该知道的。是我害死了他。”

“‘伟大的尼普顿统领的所有海洋能洗清我手上的鲜血吗？’”

“你说什么？”

“没什么，说下去。”

“说下去？就这些。还不够吗？我嫁给了他，我使他过得不快乐，我害死了他。啊，上帝啊！我真不明白我怎么会干出这样的事情来！我用谎话让他娶了我。我在干这件事情的时候，觉得一切都是正确的，可是我现在明白了我干得是多么不对。瑞特，这一切似乎都不是我干的。我对他那么刻薄，可是我并不是个刻薄的人。我受的不是那样的教养。妈——”她停住了嘴，抑制住强烈的感情。她整天都在避免想到埃伦，可是她怎么也不能抹去她的形象。

“我经常拿不准她是个怎样的人。但在我看来，你很像你爸。”

“妈妈——啊，瑞特，我第一次为她的去世感到高兴，她看不见我了。她并不是要把我教成一个刻薄的人。她待人一直都那么和气，那么好。她情愿我挨饿，也不愿我干这样的事情。以前我非常想在各方面都像她，可我一点都不像。我以前从来没有想到过这事——因为要想的事情太多——可是我想要像她。我不想像爸。我爱他，可是他是——那么——那么——没脑筋。瑞特，有时候，我想尽力待人宽厚，对弗兰克好，可是那噩梦又会出来，把我吓得要死，我真想跑出去，从别人的手里把钱抢过来，不管那是不是我的。”

泪水从她的脸上直流下来她也顾不上擦。她紧紧地抓着他的手，指甲都掐到他的肉里去了。

“什么噩梦？”他声音平静，令人感到宽慰。

“啊，我忘了你不知道。是这样，每当我想要善待他人，跟自己说钱不是一切的时候，我上床后就会做梦，梦见在妈妈刚去世后，北方佬刚走后，我回到了塔拉庄园。瑞特，你没法想象——我一想起那情景，就浑身发抖。我所看到的是一切都烧光了，到处一片寂静，而且什么吃的也没有。啊，瑞特，在梦中，我又挨饿了。”

“接着说。”

“不仅我饿，人人都在挨饿，爸、女孩子们、黑人们，他们一遍遍地说：‘我们饿。’而我的空腹疼痛得厉害，而且吓得没命。我的脑子里一直在想：‘我要是最终能摆脱这光景的话，就永远，永远不会再饿肚子了。’接着梦境变成一片灰蒙蒙的雾，我在雾中跑啊跑，拼命地跑，差一点肺都要炸了。有什么东西在追我，我透不过气来，可是我一直在想我要是赶到那儿的话，就安全了。可是我不知道自己要到哪儿去。接着我就醒了，吓得浑身发抖，害怕得很，我肚子又饿了。我从梦中醒来，似乎世上没有足够的钱可以消除我对再挨饿的恐惧。而弗兰克说话老是那么拐弯抹角、慢条斯理，我简直要发疯了，我忍不住就要发脾气。我心想，他不理解，而我又没法让他理解。只好等有一天我们有钱了，不怕饿肚子了，再报答他。现在，他已经死了，太晚了。我在干那件事的时候，好像非常正确，可是那一切压根儿就不对。要是再让我干一次的话，我会干得完全不一样的。”

“别说了，”他一边说着，一边把手从她紧紧握着的双手中抽出来，从兜里掏出一条干净的手绢，“擦擦脸吧，不要这样不停地掉眼泪了。”

她接过手绢，在自己那张潮湿的脸上擦着，不知不觉地感到心里轻松了一些，好像把一些负担转移到他宽阔的肩膀上去了似的。他显得那么能干和沉稳，甚至努努嘴也能让人感到安慰，好像能证明她的苦恼和慌乱是没有根据的。

“现在觉得好些了吗？那么，我们来好好谈谈这件事吧。你说你要是再干一次的话，就会干得完全不一样。可是会不一样吗？喂，想想看。会吗？”

“这——”

“不，你还会再干同样的事情的。除此之外你还有别的选择吗？”

“没有。”

“那么，你干吗要那么难受呢？”

“我以前那么刻薄，他现在已经死了。”

“他要是没死的话，你仍然会待他刻薄的。我知道，你并不是真的为嫁给了弗兰克、欺侮了他，并无意中断送了他的性命而感到难受。你只是因为怕下地狱而感到难受。对吗？”

“这——这话听起来好像很混乱。”

“你的道德观也相当混乱。你的心境跟一个当场被逮住的小偷的心境是一样的，不是为偷了东西而感到难受，而是因为怕蹲监狱才感到非常非常难受。”

“小偷——”

“啊，别那么抠字眼！换言之，要是没有这个该下地狱、让烈火焚烧的蠢念头，你就会想这样摆脱弗兰克其实不坏呀。”

“哦，瑞特！”

“啊，得了。你在忏悔，你还是把这里的实情忏悔成一个得体的谎言才好。那次你建议把——我们说说那件事儿吧——那件比生命还珍贵的宝石首饰换三百块的时候，你的良心——嗯——让你大为烦恼吗？”

白兰地的劲儿这会儿在她的脑子里上来了。她感到头晕，有了什么都不在乎的感觉。对他撒谎有什么用呢？他似乎总能看透她的心思。

“当时我确实没有更多地想到上帝——或者地狱。我想到的时候——哦，我只是猜想上帝会了解的。”

“可是你觉得上帝不知道你为什么跟弗兰克结婚吗？”

“瑞特，既然你自己不相信有上帝，怎么还能这么谈论上帝呢？”

“不过，要相信有一个惩罚罪恶的上帝，而这在现在是至关重要的。上帝干吗不知道呢？塔拉庄园仍然归你所有，那儿没有住着流浪者，你为这感到难受吗？你为没有挨饿、没有穿得破破烂烂而感到难受吗？”

“啊，不！”

“那么，除了跟弗兰克结婚以外，你当时有什么别的选择吗？”

“没有。”

“他并不是非得跟你结婚不可，对不对？男人是自由自在地掌握着主动权的。尽管你硬逼着他去干那些他不愿干的事，可他并不是非干不可的，对不对？”

“这——”

“斯佳丽，干吗为这件事而烦恼呢？要让你再这么做一次的话，你还会迫不得已说谎的；他呢，仍会不得不跟你结婚的。你仍然会因到处乱跑而遭遇危险；他呢，仍旧是要为你报仇不可的。如果他跟苏埃伦妹妹结了婚，他的性命也许不会断送，但他很可能加倍地不快活。事情不可能变得不一样。”

“可我本可以对他好一些的。”

“你是可以——要是你是另一个人的话。可是你天生就是要欺侮你能欺侮的人的。强者生来就是要欺侮弱者的，而弱者生来就是屈服的。弗兰克不拿赶车的皮鞭抽你，那完全是他的过错……斯佳丽，到了这个年纪，你居然还会良心发现，这真让我惊奇。像你这样投机取巧的人是不应该有良心的。”

“投什么，什么是投呀机呀——你管那叫什么来着？”

“利用机会的人。”

“那样干不对吗？”

“那样干一向被人认为是臭名昭著的——尤其是有同样机会而不干的人都这样看。”

“啊，瑞特，你不是在开玩笑吧，我原以为你会待我好些的！”

“我一直待你都很好——就拿我来说吧。斯佳丽，宝贝儿，你喝醉了。这就是你现在这副模样的原因。”

“你竟敢——”

“可不是，我敢。你快要，说通俗些，‘哭鼻子’了，所以我要换个话题，告诉你一些你感兴趣的事情，让你高兴起来。事实上，这就是我今晚到这儿来的原因，我要在出门前告诉你一些关于我的事情。”

“你要上哪儿？”

“英国，也许要去几个月。忘掉你的良心吧，斯佳丽。我不想再跟你讨论你的灵魂幸福的事情了。你要听有关我的事吗？”

“可是——”她有气无力地说。白兰地冲淡了她强烈的怨恨。瑞特的话尽管带着讥讽，却给人以安慰。这样一来，弗兰克苍白的幽灵渐渐隐没在了黑影中。也许瑞特的话是对的。也许上帝确实了解一切。她的心情已经逐渐平静，忘掉了苦恼，她拿定主意："这一切等明天再考虑吧。"

"你有什么事吗？"她费劲地说，一边用他的手绢擦鼻子，一边随手拢了拢散乱的头发。

"这就是我的事，"他嬉皮笑脸地望着她，"你仍然是我最想要的女人。既然弗兰克已经去世，我想你会有兴趣听的。"

斯佳丽猛地抽出被他握着的手，一下子跳起身来。

"我——你是这世界上最没教养的人，偏偏在这个时候上这儿来胡说八道——我原该知道你是永远不会改的。弗兰克尸骨未寒！你要是懂得一点儿礼貌的话——你走开——"

"小声点，要不，佩蒂帕特小姐马上会下楼来的，"他说，并没有站起身来，但是却伸出手去，握住她的两个拳头，"我想你是误会我的意思了。"

"误会你的意思？我什么也没误会。"她在挣脱那双被他紧紧握着的双手，"放开我，滚出去。我从来没听到过这么不得体的话。我——"

"别吭声，"他说，"我在向你求婚。你要我跪下来才肯相信吗？"

她气喘吁吁地"啊"了一声，接着便直挺挺地坐到了沙发上。

她盯着他，张着嘴，拿不准是不是白兰地在脑子里跟她开玩笑，莫名其妙地记起他的嘲笑："亲爱的，我是个不结婚的男人。"不是她喝醉了就是他疯了。不过，他看来好像没有疯。他显得很平静，就像在谈论天气，他平稳、慢腾腾的声音传到她的耳中，丝毫没有强调的语气。

"我第一次看到你是在十二棵橡树庄园，当时你扔了一个花瓶，还咒骂我，使我发现你不是个淑女。打那以后，我就一直盘算着不管怎样都要把你弄到手。可是你和弗兰克已经攒了一点儿钱，我知道你再也不会迫不得已来向我提出任何借款和担保之类有趣的建议了。所以我明白我不得不跟你结婚了。"

"瑞特·巴特勒，你这是在恶毒地嘲弄我吗?"

"我在吐露真言，而你却在怀疑！不，斯佳丽，这是真诚、体面的声明。我承认这样做不是很得体，这时候上这儿来，可是我对自己这种缺乏教养的行为有个很好的借口。我明天早晨就要出门了，而且要去很长时间。我怕等到我回来后再说，你也许已经嫁给另一个有点儿钱的男人了。所以我想干吗不嫁给我、花我的钱呢?说真的，斯佳丽，我不能这么过一辈子，我得趁早在你更换丈夫的时候抓住你。"

他是认真的。这一点毫无疑问了。她细细品味着这些话，抑制着自己的感情，盯着他的眼睛，想要找到一些暗示，她感到口干舌燥。他眼里充满了笑意，可除此之外，他眼睛深处还有别的表情，那种神情是她以前从来没见过的，一种让人难以琢磨的眼神。他虽自在地、大大咧咧地坐着，可是却在机警地注视着她，好像一只猫注视着一个耗子洞一样。在他平静的外表下，有一股使劲挣扎着要摆脱束缚的力量，这力量让她退缩，让她害怕。

他确实在向她求婚，在干令人难以置信的事。从前，她曾设想过，要是有一天他向她求婚的话，她要折磨他。从前，她想过，他胆敢说这些话的话，她要煞煞他的气焰，并要从中得到恶意的乐趣。好了，现在他说这些话了，可是她甚至没有想到那些设想，因为像以前一样，她控制不了他。事实上，是他在控制着局面，她像个第一次听到别人求婚的小姑娘那样心慌意乱，只能涨红着脸、结结巴巴地说话。

"我——我再也不嫁人了。"

"啊，会的，你会嫁人的。你生来就是嫁人的料。干吗不嫁给我呢?"

"可瑞特，我——我不爱你。"

"那不该是个障碍。我记得你的另外两次带有风险的尝试中也没有明显的爱情。"

"啊，你怎么能这么说?你知道我是喜欢弗兰克的!"

他什么也没说。

"我喜欢！我喜欢!"

“得了，我们不要争论这个了。我不在的时候，你会考虑我的要求吗？”

“瑞特，我不喜欢把事情拖着不解决。我情愿现在就告诉你。不久我就要回塔拉庄园去了；印第亚·韦尔克斯将跟佩蒂帕特姑妈待在一起。我要回家去待很长一段时间；而且——我——我再也不嫁人了。”

“胡说八道。为什么？”

“啊，得了——别管为什么吧。我就是不喜欢嫁人。”

“可是可怜的孩子，你从来没有真正嫁过人。你怎么知道呢？我承认你一直运气不好——一次是为了赌气而嫁人，一次是为了钱而嫁人。你从来没有想过——光是为了乐趣而嫁人吗？”

“乐趣？别像个傻瓜那样说话。嫁人没有乐趣。”

“没有？为什么没有？”

她的神态稍微平静了一些，白兰地使她又露出了说话干脆的天性。

“对男人来说，是乐趣——不过只有上帝知道为什么。我是怎么也弄不明白的。不过，所有的女人嫁人后得到的是，一日三餐、忙不完的活儿、不得不忍受的男人的愚蠢——还有一年生一个孩子。”

他开怀大笑，笑声在这寂静的夜晚显得那么响亮。接着斯佳丽听到开厨房门的声音。

“别作声！黑妈妈的耳朵像猞猁一样灵；才办过丧事——就这么笑，是不合乎礼节的——别笑。你知道这是真的。有什么好笑的！真是乱弹琴！”

“我刚才说过，你运气一直不好，你的话证明我没有说错。娶你的一个是孩子，另一个是老头。再说，我敢肯定，你妈跟你说过，女人不得不忍受‘这种事情’，因为有做妈妈的乐趣为补偿。得了，这都是不对的。干吗不试试嫁给一个名声不好，可是有对付女人本事的呱呱叫的年轻人呢？那就会有乐趣了。”

“你粗鲁、骄横。我想话题扯得够远的了。这——这样谈话很粗俗。”

“也很有趣，是不是？我敢打赌，你以前从来没有跟男人谈过婚姻关系，包括跟查尔斯或弗兰克。”

她皱着眉，气呼呼地看着他。瑞特知道得太多了。她感到惊奇，他从哪儿听来这么些关于女人的事情。这不正派。

“别皱眉头了。说个日子吧，斯佳丽。为了你的名声，我并不催你马上嫁给我。要等到合适的时候。顺便问一下，‘合适的时候’要多久？”

“我没说过要嫁给你。在这样的时候，即使是讨论这样的事都是不合适的。”

“我已经告诉过你为什么要现在跟你谈这件事。我明天早晨就要出门了。我是个好激动的情人，再也没法抑制我的激情了。不过，也许我的求婚方式太鲁莽了。”

突然，她吓了一跳。他从沙发上滑下来，跪到地上，一只手姿势优雅地按在心口，急促地说：

“请原谅我，我的感情过于强烈，吓着你了吧，我亲爱的斯佳丽——我的意思是说，我亲爱的肯尼迪太太。这一切逃不过你的眼睛，我过去对你藏在心底的友谊已经发展成为一种更深沉的感情，一种更美、更纯洁、更神圣的感情。我可以向你吐露吗？啊！是爱情让我壮起了胆子！”

“快起来，”她恳求说，“你这样子像个傻瓜，要是黑妈妈进来看到你这副模样，怎么办？”

“她看到我文雅的动作，会一下子惊呆了，感到难以相信，”瑞特一边说着，一边麻利地站起来，“嗨，斯佳丽，你已不是个孩子了，也不是女学生，怎么用什么合适不合适之类的愚蠢借口来搪塞我。说等我回来，嫁给我，要不，上帝在上，我不走了。我会待在附近，每天晚上在你的窗下一边弹吉他一边扯着嗓门唱歌，以此来损害你的名声，这样为了挽救你的名声，你就只得嫁给我了。”

“瑞特，你得讲道理呀。我不想再嫁人了。”

“不想？你没有跟我说实话。那不可能是女孩子的腼腆。到底是什么原因？”

她突然想起了阿希礼，眼前浮现出他清晰的面容，好像他就站在瑞特身旁似的，金灿灿的头发，睡眼惺忪的眼睛，一副高贵的气

他虽自在地、大大咧咧地坐着，可是却在机警地注视着她，好像一只猫注视着一个耗子洞一样。

派，跟瑞特完全不一样。他就是她不想再嫁人的真正理由，尽管她并不讨厌瑞特，有时候还真心喜欢他。但她属于阿希礼，永远，永远。她从来没有真正属于过查尔斯或弗兰克，也决不可能真正属于瑞特。她的每一部分，几乎她干的每一件事，包括她所追求的、所得到的，都属于阿希礼。她所干的一切都是因为爱他。她属于阿希礼和塔拉庄园。她给查尔斯和弗兰克的微笑、欢笑和吻，是阿希礼的，尽管他从来没有提出过这种要求，也永远不会提出这种要求。在内心深处，她藏着把自已留给他的心愿，尽管她知道他永远都不会接受。

她不知道自已脸色变了，也不知道自已想得出了神，脸上显出一种瑞特以前从来没有见过的温柔。他望着那双稍稍上翘、虽大大地睁着却神情朦胧的绿眼睛；他望着她柔和的嘴唇曲线，有一刹那，她甚至停住了呼吸。他死劲地撇了撇嘴，带着暴躁的、不耐烦的神态诅咒道。

“斯佳丽·奥哈拉，你是个傻瓜！”

还没等她从遥远的沉思中定过神来，他的两条胳膊已经把她搂住，搂得又紧又结实，就像那次在那条通往塔拉的黑沉沉的公路上那样。她心中又一次涌起了那种无可奈何的激动感、那种不能自拔的屈服感、那种使她浑身发软的像波涛起伏似的温暖感。阿希礼·韦尔克斯那张平静的脸变得模糊了，消褪了，无影无踪了。他让靠在他胳膊上的她的头往后仰，吻她，开始挺温柔，很快地越来越热烈。她紧紧地抓住他，好像他是这个让人头昏眼花的摇晃的世界上唯一靠得住的东西。他的嘴坚持在分开她哆嗦的嘴唇，使她的神经发狂似的颤抖，让她产生了一种感觉，这是一种她以前从来没经历过也不知道她自己可能产生的感觉。这是一种使人眩晕的旋转的感觉，这感觉不断地使她眩晕，这种感觉一开始，她知道自己在回吻他了。

“别——请别，我要晕过去了！”她低声说，无力地把头从他身前转开。他紧紧地把她的头贴在他的肩膀上往后仰，她头昏眼花地看了他一眼。他睁得大大的眼睛发出古怪的光芒，他瑟瑟发抖的胳膊使她害怕。

“我要使你晕过去。我就是要使你晕过去。你经过了几年才尝到了这滋味。没有一个你认识的蠢家伙这样吻过你吧？你亲爱的查尔斯或弗兰克，或是你那愚蠢的阿希礼——”

“请别——”

“我说你那愚蠢的阿希礼，他们都是绅士——可他们对女人了解些什么呢？他们对你又了解些什么呢？只有我了解你。”

他的嘴又贴在她的嘴上了。她毫不挣扎地投降了，身子弱得连头也不转动了，甚至转动的愿望都没有，她的心怦怦直跳，浑身直哆嗦，对他的力气和自己的软弱无力感到害怕。他要干什么？他要是不停住的话，她会晕过去的。但愿他停住——但愿他永远别停住。

“说同意！”他的嘴停留在她的嘴上方，眼睛凑得近近的，瞪得大大的，仿佛里面装了整个世界似的，“说同意，你这该死的，要不——”

她甚至想都没来得及想，就低声说：“同意。”好像说这话是出于他的意愿，而并不是自己的意志。但是就在她说这话的时候，她的心情突然平静下来了，头也不再晕了，甚至白兰地造成的眼花缭乱的感觉也减弱了。她在不打算答应的时候，竟然答应嫁给他了。她简直不知道是怎么回事，可是她并不后悔。在这会儿，同意看来是非常自然的——几乎可以说是上帝的安排，一种比她强大的力量在处理她的事情，在为她解决问题。

她说这话的时候，他很快又吸了一口气，弯下腰，好像又要吻她似的。她闭上眼睛，头往后仰。但是他缩了回去。她稍微有点失望。这样接吻使她感到非常陌生，却有点令人兴奋。

他把她的头贴在自己肩膀上，一动也不动。过了一会儿好像经过一番克制，他的胳膊不再哆嗦了。他抬起身，俯视着她。她睁开眼，看到刚才他脸上显露出的那种吓人的激情已经消失了。但是不知为什么，她没法正视他盯着她看的眼神，激动得心慌意乱，眼睛直往下看。

他又说话了，声音很平静。

“你刚才说的话是算数的吧？你不会收回吧？”

“不会。”

“不是因为我——该怎么说呢？——用我的——嗯——热情弄得你心慌意乱，让你没了主意吧？”

她没法回答，因为她不知说什么才好，她也没法正视他的眼光。他伸出一只手，托住她的下巴，将她的脸抬起来。

“我以前说过，不管你干什么，我都受得了，只有撒谎除外。现在我要你说真话。你为什么会说同意？”

她仍然不说话，但作出了一些反应，她眼光拘谨地看着地面，嘴角一动，露出了一丝笑意。

“看着我。为了我的钱？”

“嗨，瑞特！你怎么问这样的问题！”

“抬起头，看着我，别跟我来花言巧语这一套。我不是查尔斯和弗兰克，或是县里哪个会被你忽闪忽闪的眼睛迷昏了头的小伙子。是为了我的钱？”

“好吧——是的，但不全是。”

“不全是？”

他看来并不恼火。他大吸了一口气，刚才她说话时引起的急切神情从他眼睛里消失了。她心里太乱，没有看到这种情绪的变化。

“算了吧，”她无可奈何地、慌慌张张地说，“钱的用处确实很大，你知道，瑞特，弗兰克没有留下多少钱。可是另一方面——是的，瑞特，我们的确合得来，你知道。你是我遇到过的男人中唯一接受女人说真话的人；再说，有个并不把我当成傻乎乎的蠢货、不指望我说谎话的丈夫，总归是件好事——而且——好吧，我喜欢你。”

“喜欢我？”

“得了，”她不耐烦地说，“要是我说我爱你爱得发疯，那就是撒谎了，何况你也会知道的。”

“有时候，我想你说真话说得太过分了，宝贝儿。难道你不认为，哪怕是撒谎吧，你也应该说一句‘我爱你，瑞特’才得体，哪怕你说的不是心里话！”

她拿不准他说这话是什么意思，心里更乱了。他显得古里古怪，一副满心渴望、受到伤害和冷嘲热讽的神情。他把扶着她的双手撤回去，深深地插进裤兜。她看到他的手捏成了拳头。

“如果说真话会失掉一个丈夫的话，我也照样会说的。”她心里冷冷地想着，血直往上涌，每当瑞特捉弄她的时候，她就会这样。

“瑞特，那就是撒谎，我们为什么要干那种蠢事呢？我喜欢你，我说过的。这你是知道的。你以前跟我说过，你不爱我，可是我们有许多共同点。两人都是无赖，你是这么——”

“啊，上帝！”他很快地低声说，把头扭向一边，“掉进我自己设下的陷阱里了！”

“你说什么？”

“没什么，”他看着她，哈哈大笑，不过这不是那种开心的笑，“说个日子吧，亲爱的。”接着他又笑了，弯下腰去吻她的双手。看到他情绪好转，又恢复了往常的神态，她心里宽松了许多，所以也露出了微笑。

他抚弄了一会儿她的手，抬起头来，嬉皮笑脸地望着她。

“你在小说中有没有读过原本没有爱情的妻子最终爱上了自己的丈夫那种老掉牙的情节？”

“你知道我不读小说，”她说，接着为了要跟他比一比揶揄的心情，继续说，“再说，你以前说过的，夫妻相爱是最最有失体统的。”

“妈的，我以前怎么说过那么多话。”他突然反唇相讥，站起身来。

“别骂人呀。”

“你会不得不习惯而且也学会骂人的。你必须得习惯我的一切坏习惯。这是你——喜欢我并用你漂亮的双手抓住我的钱所应付的部分代价。”

“得了，别因为我说了实话，伤了你的面子，就这么大发脾气。你并不爱我，是不是？那我干吗要爱你呢？”

“对，亲爱的。我不爱你，就跟你不爱我一样。即使我爱你，也决不会告诉你的。愿上帝保佑那个真正爱过你的人吧。你让他的心都碎了。你这可爱、狠心而富于破坏性的小猫，你是那么满不在乎和充满了自信，甚至懒得遮盖你的爪子。”

他猛地一把将她拉起来，又吻她了，不过这一次跟刚才吻得不一样，因为他似乎并不在乎是不是把她弄痛了——似乎是有意要弄痛她，折磨她。他的嘴唇往下滑到她的脖颈，最后贴在她胸前的塔夫绸上，贴得那么紧、那么久，他呼出的气使她的皮肤都发烫了。她挣扎着挥动双手，摆出一副端庄而气愤的模样把他推开。

“你不该这么胡来！你怎么敢这么胡来！”

“你的心像兔子一样怦怦乱跳，”他讥讽地说，“我要是骄傲自大的话，就会以为你的心跳得太快了，看来不仅仅是喜欢嘛。收起你这副横眉竖眼的凶相吧。你不过是装出一副纯洁处女的派头罢了。告诉我，我该从英国给你带什么回来。一枚戒指？你喜欢什么样的？”

她踌躇了一下，不知怎么回答才好，因为他最后的那些话引起了她的兴趣，同时作为女人，她又想装模作样地生气愤怒，以延长这个场面。

“啊——一枚钻石戒指——瑞特，一定要买一个很大很大的。”

“这样，你就可以在你那些穷朋友面前炫耀说：‘瞧，我得了什么！’很好，你会有一个大戒指的，大得你那些运气不好的朋友只能私下里用说戴这么大的钻石戒指真俗气之类的话来自我安慰了。”

他突然穿过房间，朝关着的房门走去，她跟在后面，弄不清他要干什么。

“你怎么了？你要上哪儿去？”

“回去收拾行李。”

“啊，可是——”

“可是什么？”

“没什么。希望你旅途愉快。”

“谢谢。”

他打开门，走到过道里。斯佳丽跟在他后面，有点困惑，对这种出人意料的近乎虎头蛇尾的行为颇有点失望。他穿上大衣，戴上手套和帽子。

“我会给你写信的。让我知道你是否改变主意。”

“你就不——”

“什么？”他好像急着要离开。

“你就不跟我吻别吗?”她低声说着，生怕房子里其他人听见。

“难道一个晚上接了那么多的吻还不够吗?”他回嘴说，嬉皮笑脸地低头看着她，“想想看，一个举止端庄的、有教养的年轻女人——噢，刚才我跟你说过，这会有乐趣的，不是吗?”

“啊，你真让人讨厌!”她愤怒地喊道，也不管黑妈妈是不是听到，“你哪怕永远不回来，我都不在乎。”

她转过身，猛地向楼梯走去，本以为他温暖的手会抓住她的胳膊，不让她走开。但是他自顾自打开前门。一阵冷风吹了进来。

“可是我会回来的。”说罢，他大步走了出去，只留下她站在最底一级的楼梯上，望着关着的门。

瑞特从英国带回来的那枚戒指确实很大，大得斯佳丽都不好意思戴了。她喜欢华丽昂贵的珠宝，可是戴上它有一种不自在的感觉，人人都会说，而且说的是事实，这个戒指太俗气了。戒指正中是一颗四克拉的钻石，周围镶着许多绿宝石。戒指大得连指关节都盖住了，使她的手有被压得抬不起来的感觉。斯佳丽怀疑，瑞特一定费尽了心思才镶成这个戒指，而且完全是由于不怀好意，才吩咐把戒指镶得尽可能的炫耀。

在瑞特回到亚特兰大、让她的手指戴上那枚戒指以前，她没有把她的意图告诉任何人，甚至她的家里人。她刚一宣布她的婚约，便流言四起，闹得沸沸扬扬。自从发生那个三 K 党事件以来，除了北方佬和提包客以外，瑞特和斯佳丽成了城里最不受欢迎的居民。很久以前，她因不为查尔斯·汉密顿穿丧服而遭众人非议。对她的非议越来越强烈，因为她开锯木厂不合妇道，怀孕的时候不注意礼节而抛头露面，还有许多其他的事。当她给弗兰克和汤米招来了杀身之祸，并使其他十几个人的性命遭到危险后，人们在极度的愤怒中，对她的厌恶一下子变成公开的谴责了。

至于瑞特，他在战争期间搞投机买卖，因而就一直遭到全城人的憎恨，并且从那以后，他就跟共和党人一鼻孔出气，也就越发没法讨他的老乡们的喜爱了。但是说来也怪，他救了亚特兰大部分最显赫的居民性命这个事实，反而激起了亚特兰大的太太小姐们最强烈的憎恨。

并不是她们对自己的男人仍然活着感到懊恼。而是对自己的男人居然欠了瑞特那种人的救命之恩而深感恼怒，再说他要的又是那么让人尴尬的花招。几个月来，她们在北方佬的嘲笑和蔑视下，受尽了煎熬。那些太太小姐们认为并纷纷说，瑞特要是真正把三 K 党干的好事放在心上的话，就会用比较得体的方式来处理这件事。她们说，他故意把贝尔·沃特林拉进去，使城里那些正派的男人都陷入丢丑的境地。所以人们不该因他救了那些人而感谢他，也不该饶恕他过去为非作歹的行为。

女人的心最容易打动，一遇到伤心的事，心就会软，但在时势艰难的时候，又是那么不屈不挠，因而任何叛徒违背了她们那部不成文的法典中哪怕是一条小小的法规，她们都会像泼妇那样咬牙切齿，绝不饶恕。这部法典很简单。崇敬南部邦联，尊重老战士，忠于古老的生活方式，贫穷却有傲骨，对朋友慷慨，对北方佬刻骨仇恨。而斯佳丽和瑞特两人却违反了这部法典中的所有条款。

那些受过瑞特救命之恩的男人们出于礼貌和感激，劝他们的女人不要说长道短，但他们的劝阻收效甚微。在他们宣布即将结婚以前，尽管他们相当不受欢迎，可人们还能按照正规的礼节对待他们。现在，甚至那冷冰冰的礼貌也不可能再保持了。他们订婚的消息像一枚重磅炸弹爆炸开来，出人意料，惊天动地，把整个城市震得摇摇晃晃，甚至最温和的女人也气呼呼地大加谴责。弗兰克去世才一年就要结婚了，而且还是她害死的！偏偏嫁的又是那个巴特勒，他有一家妓院，还跟北方佬和提包客勾结在一起，干着种种骗钱的勾当！如果他们两人不勾搭在一起，倒还可以容忍，可是他们俩竟然厚着脸皮要结合了，真让人受不了！卑劣而下流，他们俩是一丘之貉！应该把他们撵出这个城市。

订婚的消息传出来的时候，正好是瑞特的那些老朋友提包客和叛贼在亚特兰大体面的居民看来，比以往任何时候都更令人讨厌的时候。否则的话，亚特兰大也许对这两个人还能容忍些。这个城市知道他们订婚的时候，正赶上公众对北方佬和跟他们沆瀣一气的人的恶感达到了白热化的程度，因为佐治亚州抵抗北方佬统治的最后一个堡垒陷落了。四年前，当谢尔曼从多尔顿南下时，这场漫长的斗争就开始了，现在终于达到了顶点，这个州遭受了莫大的耻辱。

三年重建时期过去了，三年中他们遭受的是恐怖统治。人人都认为情况已经坏得不能再坏了。然而现在佐治亚州才发现重建时期最坏的情况才刚刚开始。

三年来，联邦一直想方设法把另一种想法和另一种统治强加给佐治亚州，而且用一支部队强迫实行，并在很大程度上获得了成功。不过新政权的统治靠的只是军事力量。这个州在北方佬的统治下，但是并没有得到州里人们的认可。佐治亚州的领导阶层一直在斗争，力争取得这个州能按照自己意愿来治理的权力。他们不断地抵制迫使他们屈服、并把华盛顿的命令当作他们州的法律的一切手段。

尽管佐治亚州政府从来没有正式停止过抵抗，但是它进行的是一场徒劳无功的战斗，一场永远吃败仗的战斗。虽说这是一场不可能获胜的战斗，可是至少迟滞了那些不可避免的事情。其他许多南方的州已经有没有受过教育的黑人在政府机关中担任高级职位，州议会也被黑人和提包客控制了。但是佐治亚州由于顽强地抵制，迄今还没有落到一败涂地的地步。这三年中的大部分时间，州议会始终掌握在白人和民主党人手里。但由于处处都被北军控制着，州里的官员除了抗议和抵制外，无事可干。他们的权力有名无实，但是他们至少可以让州政府仍然掌握在土生土长的佐治亚人手中。而现在，最后一个堡垒也陷落了。

就像四年前约翰斯顿和他的部队节节败退被迫从多尔顿退到亚特兰大那样，从 1865 年起，佐治亚州的民主党人也被迫节节败退。联邦政府处理州事务和决定州里公民生死的权力却稳步上升，越来越大。压力越来越多，越来越多的军管法令使文职官员变得越来越不起作用。最后，佐治亚州变成了一个军事管制区，不管州里的法律是否允许，对黑人的投票权已经奉命取消限制了。

斯佳丽和瑞特宣布订婚的一个星期前，举行过一次州长选举。南方民主党人推举约翰·布·戈登将军作他们的候选人，他是佐治亚州最受爱戴、最受尊敬的公民之一。同他对抗的是共和党人布洛克。选举持续了三天，而不是一天。一列列火车满载着黑人，把他们从一座城市匆匆送到另一座城市，在沿途的每一个选举区投票。不用说，布洛克获胜了。

如果说谢尔曼占领了佐治亚州是让人痛苦的，那么提包客、北方佬和黑人占领州议会给人的强烈痛苦则是这个州以前从来没有尝过的。亚特兰大和佐治亚闹得沸沸扬扬，大家个个怒气冲天。

而瑞特·巴特勒却是那个可恶的布洛克的朋友！

斯佳丽跟往常一样，对一切不是她目睹的事情漠不关心，几乎不知道在举行选举。瑞特并没有参加选举，他跟北方佬的关系与以前一样没有什么变化。不过，事实总归是事实，瑞特是个叛贼，是布洛克的朋友。要是举行了婚礼，那斯佳丽也要变成叛贼了。亚特兰大人的心境坏极了，对敌人阵营里的任何人都绝不能容忍和宽恕。订婚的消息一传出，城里的人能记得起来的是这对男女的一切坏的方面，好的方面却一点也记不得了。

斯佳丽知道城市受到了震动，却没有察觉到公众的愤怒已经到了什么程度，直到梅里韦瑟太太经不住教堂里的那伙朋友的一再鼓动，同意为了她好去跟她谈谈这件事。

“既然你亲爱的母亲已不在人世，而佩蒂小姐又没有结过婚，没有资格——只好由我跟你谈这件事情了。我觉得我应该提醒你，斯佳丽。任何好人家出身的女人都不该嫁给巴特勒船长那种人。他是个——”

“他可是设法救过梅里韦瑟爷爷的命，还有你侄儿的命。”

梅里韦瑟太太生气了。一个小时前，她跟爷爷有过一场令人恼火的谈话。那个老人说，她要是对瑞特·巴特勒没有一点儿感激之情，哪怕瑞特是叛贼和恶棍，那她就一定不怎么看重他那条老命。

“他只是和我们开了一个下流的玩笑，斯佳丽，让我们在北方佬面前感到窘迫，”梅里韦瑟太太接着说，“你我都知道，他是个无赖。他一向如此，现在坏得就更没法说了。他是正派人没法接受的那种男人。”

“不见得吧？这倒奇怪了，梅里韦瑟太太。战争期间，他可是经常出现在你家客厅的。梅贝尔那件白缎子结婚礼服就是他送的，对不对？要不，是我记错了？”

“战争期间，情况大不一样。好人跟许多不怎么——的人联合起来。那是为了事业，是很正常的。你当然不可能想嫁一个没有当过兵的男人，一个讥笑应征入伍的人的男人吧？”

“他也当过兵。他在部队待了八个月。他在富兰克林参加了最后的战役，是跟约翰斯顿将军一起投降的。”

“这些我以前没听说过，”梅里韦瑟太太说，那样子表示她也不相信这话，“可是他没负过伤。”她得意扬扬地加了一句。

“许多人都没负过伤。”

“所有的人，凡是好样的，都负过伤。我认识的人中没有一个没负过伤。”

斯佳丽被惹火了。

“那么我想你认识的男人肯定都是地道的蠢货，他们不知道什么时候该进屋去躲避阵雨——或者步枪子弹。听着，我可以肯定地告诉你，梅里韦瑟太太，你可以把我的话带回去，告诉你那些爱管闲事的朋友。我就要跟巴特勒船长结婚了，哪怕他站在北方佬一边跟我们打过仗，我也不在乎。”

那位德高望重的老太太怒气冲冲地走出屋去，气得连戴着的帽子也跟着一晃一晃的。斯佳丽知道她多了一个公开的敌人，少了一个对她不满的朋友。不过，她不在乎。梅里韦瑟太太的言语和行动对她丝毫无损。什么人说三道四她都不在乎——任何人，只有黑妈妈除外。

斯佳丽忍受了佩蒂听到这个消息后的昏厥，硬着心肠面对了阿希礼突然现出的一副老态，他避开她的眼光，祝她幸福。她收到了宝莲姨妈和尤拉莉姨妈从查尔斯顿寄来的信，读后既感到有趣，又恼火，她们被这个消息吓坏了，反对这门亲事。她们说她那样不但会毁掉她的社会地位，而且还会对她们造成危害。玫兰妮担心地紧皱眉头，真心实意地说：“当然，巴特勒船长比大多数人了解的要好得多。他想出那套办法救了阿希礼，说明他心地好，人聪明。再说，他毕竟为邦联打过仗。可是斯佳丽，你不认为你还是别这么仓促就决定的好吗？”她听了，甚至忍不住笑出声来了。

不错，除了黑妈妈，不管谁说，她都不在乎。黑妈妈的话使她最恼火，最伤心。

“我看你干了一大堆使埃伦小姐伤心的事，要是她知道的话。这使我很难受。其中，这件事是你干得最糟的。嫁给一个下三滥！是的，小姐，我说他是下三滥！别跟我说他是好人家出身的。那也一样。上等人家出身的下三滥，跟低三下四的人家出身的没什么两样，他就是个下三滥。是的，小姐，斯佳丽小姐，你从哈妮小姐那儿抢走查尔斯先生，可是你压根儿不爱他。你又从亲妹妹那儿抢走弗兰克先生。你干了一大堆坏事，我可一直闭着嘴，什么也没说，还有什么卖坏木料挣钱啊、欺骗其他木料商啊、独自一人坐着马车到处转悠，把自己暴露在那些到处流浪的黑人面前，害得弗兰克被枪打死啊、不给那些可怜的囚犯吃饱饭，饿得他们浑身没力气啊。我一直闭着嘴，什么也没说，哪怕埃伦小姐在天堂说：‘黑妈妈，黑妈妈！你没有把我的孩子照顾好！’可不是嘛，小姐，我忍受了这一切，可是这一次我可忍受不了了，斯佳丽小姐。你不能跟那个下三滥结婚。只要我还有一口气就不行。”

“我爱跟谁结婚就跟谁结婚，”斯佳丽冷冰冰地说，“我想你是忘了自己的身份了。”

“还忘了现在是什么时候！如果我不跟你说这些，那还有谁跟你说呢？”

“我已经想好了，黑妈妈，我已经决定了，对你来说，回塔拉庄园去是最好的。我会给你一些钱和——”

黑妈妈庄重严肃地挺了挺身子。

“我是自由的，斯佳丽小姐。你不能打发我去我不愿意去的地方。要我回塔拉庄园，你就得跟我一起走。我不会撇下埃伦小姐的孩子，不管用什么办法，也别想把我撵走。我也不会撇下埃伦小姐的外孙女，去让一个下三滥的后爸养的。我哪儿也不去，我就要待在这儿！”

“我不会让你待在我家里，对巴特勒船长粗暴无礼的，我要嫁给他，这没什么可谈的了。”

“可谈的多着哩。”黑妈妈不紧不慢、针锋相对地说，她那双昏花的老眼闪烁着战斗的光芒。

“我过去从来没有想到过会跟埃伦小姐的亲骨肉讲这种话。可是，斯佳丽小姐，听我说。你无非是头套着马嚼子的骡子罢了。你可以把一头骡子的腿擦亮，把它的毛皮擦得油亮放光，在它的嚼子上嵌满铜饰，给它套上一辆漂亮的马车。但骡子就是骡子。它骗不了任何人。你就是这个样子。你穿着绫罗绸缎，拥有锯木厂、店铺和钱，把自己装扮成一匹好马，可你照样还是一头骡子。你也骗不了任何人。还有那个家伙巴特勒，他是好人家出身，打扮得体体面面的，像一匹赛马。可是他跟你一样，是匹套着马嚼子的骡子。”

黑妈妈用锐利的眼光看着眼前的女主人。斯佳丽默不作声，受到了这样的侮辱，气得浑身发抖。

“你要是想嫁给他的话，那就嫁吧，因为你跟你爸一样固执。不过，记住我的话，斯佳丽小姐，我不会撇下你不管的。我会待在这儿，看看这件事到底会落得个什么结局。”

黑妈妈不等回答就转过身去，撇下斯佳丽走了，仿佛她刚才说的是“等着瞧吧，我不会放过你的！”她的声调再明显不过地表示了一种不祥的征兆。

在新奥尔良度蜜月期间，斯佳丽把黑妈妈说的那些话告诉了瑞特。让她惊奇和气愤的是，听完黑妈妈那个骡子套着马嚼子的比喻，他却哈哈大笑。

“我从来没有听到过用这么简明的方式如此深刻地描述了一个事实，”他说，“黑妈妈是个聪明的老人。我很想得到几个人的尊敬和好感，她就是其中一个。不过，既然她认为我是头骡子，那我从她那儿是什么也得不到了。举行完婚礼时，由于正陶醉在做新郎的狂热中，我拿出十块金币送给她做礼物，她都不肯收。我见得多了，很少有人见了钱不软下来的。可是她盯着我的眼睛，谢谢我，说她不是一个刚刚才获得自由的黑人，所以不需要我的钱。”

“她干吗这么气人呢？干吗人人都要像一群小鸡那样冲着我叽叽喳喳地叫呢？我跟谁结婚，我为什么老是要结婚，这都是我自己的事。我从来不爱管闲事。干吗别人不能不管闲事呢？”

“我的宝贝儿，世界上几乎什么事情都能得到宽恕，只有不管闲事的人除外。可是你干吗要像只被烫痛的猫似的尖叫。你不是常说不管别人说你什么，你都不放在心上吗？干吗不用事实证明你的话？你知道，你一直毫无戒心地让自己在一些小事上遭人批评，在这件大事情上你就更别指望能逃过别人的说三道四。你也知道，嫁给我这样一个无赖，是免不了会有闲话的。若我是个出身低微、穷得叮当响的恶棍，人们反而不会这么气得像发了疯似的。可是你却嫁给了一个富有的、越来越发达的无赖——那当然是不可饶恕的了。”

“我希望有时候你说话正经点。”

“我是正经的。歪门邪道的人倒像棵青枝绿叶的月桂树那样越来越兴盛，怎么能不叫正儿八经的人恼火。你要的是心情好嘛。斯佳丽，你从前不是跟我说过你要许多钱的主要原因是那样你就可以跟每个人说见鬼去吧？现在你可以这样说了。”

“不过，我主要是要跟你说见鬼去吧。”斯佳丽说着哈哈大笑起来。

“你还要跟我说见鬼去吧？”

“噢，不像过去那么经常想说了。”

“什么时候想说就说吧，只要那能让你高兴。”

“那并不特别让我高兴。”斯佳丽说着弯下身去，漫不经心地吻他。他的黑眼睛在她的脸上很快地搜寻着，想从她的眼睛里寻找什么，但什么也没找到。他一下子笑了起来。

“忘了亚特兰大。忘了那些恶言恶语的老太婆们吧。我带你到新奥尔良是来玩的，我要让你玩得开开心心。”

48

她确实过得很开心，自战前那年春天以来她还从没像现在这么开心过。新奥尔良真是个光怪陆离、纸醉金迷的地方，而斯佳丽就像个被判无期徒刑的囚犯一下子获得了释放一样，恣意消受着此间的种种乐趣。提包客在城里巧取豪夺，许多老实人流离失所、衣食无着。一个黑人竟然坐上了副州长的宝座。然而瑞特让她看到的这个新奥尔良，却是她有生以来见到过的最繁华的欢乐之乡。她在这里遇到的人，似乎兜里都揣着用不完的钱，快乐逍遥，什么心也不用操。瑞特介绍她认识的几十位妇人个个都打扮得很漂亮，长得也很美。一双双白白嫩嫩的手，没有半点操劳干粗活的痕迹，什么事情在她们都能一笑置之，从不谈及严肃的话题，更不说“时世艰难”之类的傻话。还有她遇到的那些男人——那才叫够刺激呢！和亚特兰大的男子截然不同。他们都争着与她跳舞，天花乱坠地恭维她，仿佛她是位艳压群芳的妙龄少女似的。

这些男人也与瑞特一样，一副曾经沧海、无所顾忌的神情。他们那一双双眼睛却始终警觉得很，就像成年累月和危险打交道的人那样，心存戒意已成了习惯。这些人似乎既无过去，也无将来。每逢斯佳丽为了寻找话题，随口问起他们来新奥尔良之前都是做什么的时，他们总是彬彬有礼地把话题岔开，让她觉得还真有点蹊跷，在亚特兰大，新来乍到的体面人士，无不急于亮出自己的身份，颇为自豪地交代自己的身世和出身，细细描述自己家族如何源远流长、亲属关系在整个南方如何盘根错节。

然而眼前这些人大都不愿意多开口，说起话来也是字斟句酌的。有时瑞特和他们单独在一起，斯佳丽留在隔壁房间里，不时听到他们哄然大笑，偶尔还能捕捉到他们谈话的只言片语，中间夹杂着一些令她不知所以然的人名和地名：什么封锁时期的古巴和拿骚啊，淘金热和非法强占啊，偷运枪支和在国外煽动叛乱啊，尼加拉瓜的威廉·沃克以及此人如何在特鲁希略被枪决，等等，这些在她听起来全是毫无意义的废话。有一次他们正在谈论康特里尔和他手下的游击队员出了些什么事，斯佳丽突然闯了进去，谈话随即戛然而止。无意中她听到了弗兰克·詹姆士和杰西·詹姆士的名字。

但他们全都彬彬有礼，穿着漂亮入时。他们显然都很崇拜她，所以就算他们只顾着自己眼前的事，斯佳丽也不怎么在乎。他们是瑞特的朋友，拥有宽大的住宅和精致的马车，经常带她和瑞特乘车兜风，请他俩去吃饭，还专为他俩举行晚会，这些才是最重要的。斯佳丽很喜欢他们。当她把自己的想法一五一十说出来时，瑞特听了觉得很有趣。

“我猜到你会喜欢他们的。”他哈哈大笑说。

“我干吗不喜欢他们？”每次他哈哈大笑，她心里就这样犯嘀咕。

“他们全是些二流货色、害群之马、流氓。他们又全是冒险家、提包客里的贵族。他们这些人要么是像你的宝贝丈夫那样靠倒卖粮食发了大财，要么是通过同政府签订暧昧的合同而中饱了私囊，再不就是专干一些见不得人的勾当暗中足足大捞了一笔。”

“我才不信呢。你在逗我。他们都是些最出色的人物……”

“本城最出色的人物全在饿肚子，”瑞特说，“而且非常斯文地住在那种小棚里。我怀疑他们是否愿意在小棚子里接待像我这样的人。你知道，亲爱的，战争期间我在这儿参与过好几起罪恶阴谋，这些人记性好，才不会忘掉呢！斯佳丽，你总让我感到有趣。让你中意的，偏偏是些不该看中的人、不该中意的事，而且无一例外。”

“可他们都是你的朋友啊！”

“哦，我喜欢与流氓为伍。年轻时我就在内河小船上靠赌博混日子，所以对那号人很了解。对他们的真实面目，我是看得很清楚的。而你呢——”他又哈哈一笑，“天生就不具备识别人的能力，分不清小人物和大人物的界限。有时候我在想，你生平接触的杰出女性，不外乎你的母亲和兰妮小姐，而她俩似乎都没在你心中留下很深刻的印象。”

“玫兰妮！嗨，她像只旧靴子那样不起眼，穿的衣服老是一副寒酸相，对任何事没有自己的观点！”

“收起你的嫉妒心吧，太太。貌美未必是淑女；锦衣也造就不出杰出的女性！”

“哦，是吗？等着瞧吧，瑞特·巴特勒，我就是要让你看看，既然我现在，不，我们现在有了钱，我一定要做个你平生所见过的最杰出的女人。”

“那我就拭目以待。”他说。

与结识这些新人相比，更让斯佳丽感到兴奋的是瑞特为她添置的那些衣服。从颜色到衣料以至式样，全是瑞特亲自为她选定的。裙箍已经过时了，时下流行的新款式是把裙面从前身围至后身，在后腰的裙撑上重叠，式样挺迷人，后腰的裙撑上还饰有花瓣、蝴蝶结和纹状花边等玩意儿。想起战争年代穿的那种朴实无华的撑有藤箍的裙子，再看看眼前这种新式裙子，穿到身上便轮廓分明显露出小肚子来，还真有点难为情。还有那种小巧玲珑的软帽，其实那根本算不上什么软帽，就那么扁扁的一块小玩意儿，斜搭在一只眼睛上，上面插满了装饰品，漂亮的花草啊，翩翩起舞的羽毛啊，还有随风飘拂的绸带！（瑞特简直愚蠢透了，竟把她买来用以打扮自己直发的假发卷全烧了，否则，现在一绺绺假发卷就会从小软帽后沿偷偷向外张望，那该多美呀！）还有那些修女们手工缝制的精致内衣！很漂亮，一套又一套，数不胜数，全是她的！便衣、睡衣、衬裙，全都是用上等亚麻布料制作的，上面镶有考究的刺绣和玲珑剔透的饰纱。瑞特还给她买了些缎子便鞋，后跟足足有三英寸高，人造宝石鞋扣又大又亮。还有成打的真丝长袜，连袜头都是用真丝织的！多阔气呀！

她毫不吝惜地花钱给家里人购置礼物。给韦德的是只毛茸茸的圣伯纳德小狗，他早就想要一条这样的小狗了；给小博的是只波斯猫；给小埃拉的是枚珊瑚手镯；给佩蒂姑妈的是串沉甸甸的、镶有宝石坠子的项链；给玫兰妮和阿希礼的是一套莎士比亚全集；给彼得大叔的是一副精致马具，还有一顶专供马车夫戴的丝质大礼帽，上面插着根刷子；给迪尔西和厨娘的是一匹布料。她差不多给塔拉庄园的每个人都准备了一份像样的礼物。

“可是你给黑妈妈买了什么？”瑞特一边望着摊放在旅馆房间大床上的一堆堆礼物，一边问道。他把小狗和小猫都挪到更衣室里去了。

“什么也没买。她太可恨了。她把我们比作骡子，我干吗还要给她买礼物？”

“我的宝贝，你干吗一听到别人说了真话就火冒三丈？你一定得给黑妈妈备件礼物。如果你不给她备一份礼物，她会非常伤心——像她那样心地高贵的人不应该受到伤害。”

“说什么我都不会给她买的。她不配有礼物。”

“那就让我给她准备一份吧。我记得黑妈妈经常唠叨，说她升天的时候要穿件塔夫绸的衬裙，衣料一定要挺括，不走样，而且还要窸窣作响，好让上帝以为那是用天使的翅膀做成的。我要给黑妈妈买段红塔夫绸，让裁缝给她做件漂漂亮亮的衬裙。”

“她才不会要你送的衬裙呢！她宁死也不会往身上穿的。”

“这我一点也不怀疑。可我总得表示一下心意呀。”

新奥尔良的商店里，商品琳琅满目，让人眼花缭乱，真够刺激的。跟瑞特一起逛商店，算得上是一种身历奇境的探险。和他上馆子吃饭，也是种异趣横生的出游，比逛商店购物更刺激：他知道要些什么菜，每个菜又该是怎么个吃法。新奥尔良的各种葡萄酒、佐餐酒和香槟酒，她以前也从没品尝过。以前喝的，无非是家酿的草莓酒、佳酿酒，还有佩蒂姑妈调制出来治“头晕”的白兰地，现在喝着这些美酒，让人心荡神摇，兴奋不已。嗨，瑞特点的那些食物，真是好极了。新奥尔良本来就数食品最为出色。想起在塔拉庄园忍饥挨饿的苦日子，还有前一阵子捉襟见肘的窘迫境地，面对眼前的丰盛佳肴，斯佳丽觉得怎么吃也吃不够。秋葵荚烧克里奥尔虾、醉鸽子、奶油牡蛎馅饼、蘑菇拌牛杂碎烩鸡肝、用油纸和石灰熏烤的嫩鱼等。她的食欲始终很旺盛，因为只要一想到过去在塔拉庄园一天到晚吃花生、干豆子和红薯，她就顿时食欲大增，恨不得把克里奥尔法式名菜一口全都吞到肚子里去。

“瞧你这副馋相，好像吃了这顿饭就再也没有下顿似的，”瑞特说，“别刮盘子，斯佳丽。厨房里肯定有的是。你只要叫侍者送来就是了。你要是再这么狼吞虎咽，肯定会胖得像古巴婆娘，到那时我可得跟你离婚了。”

但她只是冲着他伸伸舌头，转身又要了份蛋白馅饼，上面涂了厚厚一层巧克力。

能像现在这样随心所欲地花钱，不用锱铢必较以便省下几个子儿来付税或添置骡子，真是人生一大快事。能和眼前这些既快活又阔绰的人士为伍，又有多么痛快！他们可不像亚特兰大那儿的人，既穷又酸，还硬要充什么绅士。能穿着窸窣作响、袒胸露背、充分展现婀娜腰肢的绸缎衣裙，心里想着周围的男子都愿拜倒在你的裙下，是多么惬意！想吃什么就吃什么，不必顾忌爱挑剔的人在一旁指责你有失淑女风度，是多么自在！还有香槟酒，只要喜欢，喝多少都可以，又是多么顺心！记得她第一次开怀痛饮，喝了那么多酒，第二天醒来头痛欲裂，偏偏又记起了前一晚回旅馆途中的情景，倒还真有点无地自容：自己乘在敞篷马车上，一路高唱《美丽的蓝旗》，招摇地穿过新奥尔良大街。她生平从没见过哪位大家闺秀因贪杯而忘形，哪怕只是微带醉意。她只是在亚特兰大沦入北军之手的当天才第一次见到喝醉酒的女人，那人就是那个滥女人沃特林。斯佳丽觉得自己这次可丢尽了丑，再也无颜面对瑞特了，可在瑞特眼里，似乎只是觉得这件事有趣而已。她做的每件事，似乎都让他觉得有趣，在他眼里，她仿佛只是只调皮的小猫。

哪怕只是和他一块儿出去走走，也让人兴奋不已，因为他长得很帅。不知以前她怎么会压根儿没注意到过他的相貌。在亚特兰大，大家只注意他的种种毛病，没工夫谈论他的长相。但是在新奥尔良，她注意到别的女人不住地拿眼睛瞟他。而在他弯下身吻她们的手的时候，她们的身子竟然紧张得簌簌颤动。一旦意识到别的女人被自己的丈夫吸引住了——说不定她们还在暗暗嫉妒自己——而自己却能形影不离地守在他身边，斯佳丽心中顿时涌起一股自豪感。

“嗨，我们可算一对俊男靓女哩!”斯佳丽心中美滋滋地想道。

是呀，正如瑞特当初预言的那样，结婚可以有不少乐趣。其实又何止是乐趣，她还长了不少见识。说来还真有点怪，斯佳丽本认为自己涉世很深，生活已不能再让她感到新奇了。而现在她却觉得自己还是个少不更事的孩子，每天都有新的发现。

首先，她发现和瑞特结婚与她以前和查尔斯或弗兰克结婚的感觉大不相同。查尔斯和弗兰克都很尊重她，生怕她发脾气。他俩都尽量讨她欢心，而她呢，高兴的时候也常迁就他们。瑞特可一点不怕她，而且她经常在想，他甚至对她并不那么尊重。他想做什么就做什么，要是她表示不高兴，他就拿她打哈哈。她并不爱他，但是跟他这样的人一起过日子，无疑不会感到单调。最有意思的是，即使在热情迸发的时候——有时还带有几分虐人之意，有时则让人觉得既可恼又好笑——他似乎也始终能克制住自己，并始终能控制住自己的感情。

“我想，这是因为他并不真正爱我的缘故吧，”她这样想着，觉得这种状态正合她的心意，“如果他在我面前真的完全放纵自己的感情，那我可就恨死他了。”不过，她还是想到了这种可能性，于是她的好奇心又被激发起来了，开始浮想联翩。

在和瑞特一起生活的过程中，她又了解了他的许多新情况，而她原以为对他已了若指掌了呢。她发现他说话时，这会儿幽着嗓音，像猫皮一样柔滑如丝，可转眼间却会拉大嗓门，恶声恶气，呵斥夹着咒骂。他可以用明显的真诚、赞同的口吻，描述他个人的奇特经历，对勇气、荣誉、美德和爱情推崇备至，但紧接着，又会用最玩世不恭的冷酷言辞讲述淫秽下流的故事。她知道没有哪个丈夫会对妻子讲这类故事，而这些故事恰恰迎合了她性格中某些粗俗的成分，倒也让她听得津津有味。有时他也会热诚、几乎竭尽温柔之能事地爱她，可一转眼，却又会变成个冷嘲热讽的恶棍，挑起她那炮筒子似的脾气，惹她发作，借此取乐。她知道他的每句恭维往往是话里有话，即使是最真挚温柔的言辞，一由他的口中说出，也颇值得怀疑。事实上，在新奥尔良小住的这两个星期里，她已洞悉了他的各种脾性，可就是摸不透他到底是个什么样的人。

有几个早晨，他支开女佣，亲自给她端来早餐盘，像喂孩子似的喂她吃；他还从她手里拿过梳子，耐心地为她梳理那一头又长又黑的秀发，直到最后把梳子给梳裂了。还有几天早晨，他掀掉她身上的被子，搔弄她的脚板心，硬是把她从酣睡中弄醒。有时她跟他讲自己的生意经，他兴味盎然、毕恭毕敬地听着，不时还点头称赞她精明能干；而有时，却对她有点奸诈的经商手段大加挖苦，骂她是“吃死人肉”“拦路抢劫”和“敲诈勒索”。他带她去看戏，却在她耳边唠叨上帝大概不会赞同这种娱乐之类的话，故意逗她发火；他还带她上教堂，在她耳边悄悄说些滑稽可笑的下流话，随之又责备她不该笑出声来。他怂恿她有话直说，诱使她轻薄孟浪。从他那儿她学到了说话刻薄、挖苦他人的本事，也学会了伶牙俐齿地伤害他人而从中取乐。然而，她却缺少他那份善于缓和恶毒口吻的幽默感，也不会露出那种在嘲弄别人的同时也讥讽自己的笑意。

他和她一起做游戏，而她却早已忘掉如何玩游戏取乐了。多年来，她一直过着既严肃又辛酸的生活。他知道如何做游戏，并且也硬拉她做伴。但是他决不像小孩子那样玩耍嬉戏，他的一举一动都时刻让她感觉到他是个成年男子。有些男人童心未泯，他们玩的滑稽游戏免不了要引得在一旁的妇女们发笑。让她们觉得女性自胜男性一筹，可斯佳丽却没法这么看瑞特，也没法露出那种表现女性优越感的微笑。

每当想到这一点，她就总觉得有点气恼。要是能找到胜于瑞特一筹的感觉，那该有多痛快。她对所认识的其他男子，都能带点鄙夷的神气说声“真是小孩子气!”而把他们打发掉。包括她自己的父亲，塔尔顿家那两个顽皮的、总是挖空心思捉弄人的孪生兄弟，方丹家那些粗鲁的、爱赌气的小伙子，还有查尔斯和弗兰克，以及那些在战争期间向她献过殷勤的男子，事实上，她能用这种态度对待几乎所有的男子。只有阿希礼除外。阿希礼和瑞特高深莫测，让她没法理解，也没法驾御，因为他俩是成年人，他们身上缺乏童心和稚气。

她不了解瑞特，也不想费神去了解，尽管他有些地方实在让她不胜困惑。例如，瑞特有时会在一旁偷偷打量她，以为她没发现。她一下子转过脸去，他来不及躲开，和他的眼光撞个正着，会发现他正用一种既警觉又热切的期待眼神打量着她呢。

“你干吗要那样看着我?”有一次她气恼地问，“就像馋猫盯着耗子洞似的。”

但他早已迅速恢复了正常的表情，笑而不答。没多久，她就把这事儿忘了，不再枉费心思去解开疑团，也不再劳神费力去思考任何有关瑞特的事。他这人太高深莫测了，不值得为他费那么大心思，反正日子过得挺顺心——只是有时还惦记着阿希礼。

瑞特也让她忙得够呛，常常没时间去想念阿希礼。白天，有关阿希礼的念头很少钻进她的脑海，可等到了晚上，跳舞跳累了，或是由于灌了过量的香槟酒，脑子直打转时，她就会暗暗思念起阿希礼来。她似睡非睡地躺在瑞特怀里，月光流水般泻到床上，脑海里往往会闪出这样的念头，如果是阿希礼这么紧紧地把她搂在怀里，如果是阿希礼把她的乌发贴住他自己的面孔并用它裹住自己的颈项，那生活就十全十美了。

有一次她这么想着想着，竟情不自禁地叹了口气，把脸转向了窗口，没过多久，她突然觉得脖子下的那条胳膊，变得像铁棍一样坚硬，寂静的夜色中响起瑞特的声音：“愿上帝惩罚你那爱欺骗的小心灵，让它永远堕入地狱吧!”

说罢，他就起床穿上衣服，径自离开了卧室，对她那一连串出于惊恐的抗议和质问不予理睬。第二天她正在自己房里吃早餐时，他出现了，蓬头垢面，醉醺醺的，满脸挖苦鄙夷的神情，心情坏透了，既不辩解，也不说明夜里到哪儿去了。

斯佳丽也不发问，板着面孔，俨然一副受了冤枉的妻子的架势。吃完早饭，任凭瑞特在一旁瞪着充血的眼睛，她径自穿好衣服，上街买东西去了。等她回到住处，他也出去了，直到吃晚饭时才回来。

吃晚饭时，他俩谁也不吭声，斯佳丽尽量克制住自己，因为这将是她在新奥尔良的最后一顿晚餐，她得充分享受一下龙虾的风味。可他在一旁瞪眼盯着，自己又怎能好好享受呢?不管怎么说，她还是吃了一只大龙虾，还喝了不少香槟。或许正是因为在这种气氛下又吃又喝，结果那天晚上她做起了以前常做的那个噩梦，她醒来时浑身冷汗，伤心地低声啜泣。她梦见自己又回到了塔拉庄园，庄园里满目荒凉。母亲撒手去了，带走了她人世间的力量和智慧。在这茫茫的大千世界，她举目无亲，无依无靠。同时又有个可怕的怪物在身后追逐着，她跑呀跑呀，跑得肺都炸裂了，最后跑进了飘浮游动的浓雾。她大声呼喊着，在周围漫天大雾里盲目地搜寻那个既不知名又不为人知晓的栖身之所。

醒过来时瑞特正俯身望着她。他一声不吭地把她像孩子似的抱起来，搂进怀里。他那结实的肌肉让她感到了宽慰，他那无言的呢喃也起到了安痛抚慰的效果，她终于止住了抽泣。

“哦，瑞特，我又冷又饿，疲惫极了，可就是没法找到，我在雾中跑呀跑呀，可就是找不着。”

“你要找什么呢，宝贝？”

“我也不知道。我要是知道就好了。”

“这是你以前常做的噩梦？”

“哦，是的！”

他轻轻地把她放回床上，摸着黑点了根蜡烛。烛光下，他眼睛里布满血丝，那张线条粗犷、轮廓冷峻的脸庞像石雕似的不露半丝情感。他衬衫上的扣子没扣上，腰部以上全敞开着，露出了满是胸毛的棕色胸膛。斯佳丽仍惊魂未定，浑身筛糠似的发着抖，觉得他那黑乎乎的胸膛是那么坚强壮实，她轻声说：“抱住我，瑞特。”

“亲爱的！”他急忙应了一声，抱起她，坐在一张大靠椅上，就像抱孩子似的把她的身子紧贴着自己。

“哦，瑞特，挨饿的滋味真不好受。”

“包括那只硕大无比的龙虾在内，一顿晚餐吃了七道菜，还做挨饿的梦，这滋味想必也是不好受。”他嘴上挂着微笑，但目光很柔和。

“哦，瑞特，我一个劲儿地跑呀，四下寻找，就是不知道要寻找的究竟是什么。那东西确实一直隐藏在浓雾里。我知道只要能找到它，我就永远安全了，再也不会挨饿受冻了。”

“你要找的是人还是物？”

“不知道。我也从没想过。瑞特，你觉得我总有一天会在梦里找到那个安全之处吗？”

“不会，”他一面用手拢着她蓬松的头发，一面说，“我想不行。那种梦是没法做的。不过我倒觉得，如果你在安全的日常生活里过惯了，穿得暖吃得饱，就不会再做那种噩梦了。再说斯佳丽，我一定会让你很安全地生活的。”

“瑞特，你真好。”

“富婆，谢谢你饭桌上剩下的面包屑。斯佳丽，我要让你天天早上一醒来就对自己说：‘我再也不会挨饿了，只要有瑞特在，只要有合众国政府在，什么也动不了我一根毫毛。’”

“合众国政府？”斯佳丽大声问道，吃惊地直起身子，腮帮子上还挂着泪珠。

“以前从南部邦联政府那儿弄来的钱，现在总算用在正道上了。我把大部分钱都买了政府公债。”

“真见鬼！”斯佳丽大声叫道，一骨碌在他的膝上坐直身子，忘记了刚才的恐惧，“你是告诉我，你把钱借给北方佬了？”

“利息很不错的。”

“哪怕是百分之百的利息，我也不在乎！你必须马上把公债卖了。让北方佬用你的钱，亏你想得出！”

“那我拿这些钱干什么呢？”他笑着反问了一句，注意到她的眼睛不再因惊恐而瞪得大大的了。

“用——用这钱去五角场买地皮呀。凭你手里这些钱，包你能买下五角场那儿所有的地皮。”

“谢谢，我可不想买下五角场。现在提包客和政府实际上已经控制了佐治亚，谁也说不准今后会怎么样。现在有一大群贪婪成性的秃鹫，从四面八方向佐治亚扑来。我对付不了那种势头。你知道我得像叛徒那样同他们四下周旋，疲于应付。但是我信不过他们。我不会拿钱去购置房地产。我宁愿买公债。债券可以藏起来，房地产却不容易躲过他人的耳目。”

“你认为——”这使她想到自己的锯木厂和店铺，她的脸唰地煞白了。

“我不能确定。不过别吓成这个样子，斯佳丽。我们那位风度翩翩的新州长，可是我的好朋友哩。只是眼下时局太不稳定，我不想把太多的钱财套死在房地产上。”

他把斯佳丽挪到另一只腿上，身子往后靠了靠，拿了支雪茄，随手点上。她坐在瑞特的腿上，晃荡着一双光着的脚，注视着他那棕色胸膛上一起一伏的肌肉，种种恐惧全都置之脑后了。

“既然提到了房地产，斯佳丽，”他说，“那我想告诉你，我要造幢房子。你可以吓唬弗兰克，逼着他住进佩蒂小姐家里去，我可不吃你那一套。那老小姐一天要吹三次牛，我可受不了。再说，彼得大叔见我要入住汉密顿家的圣殿，不悄悄把我宰了才怪呢。至于佩蒂小姐嘛，可以让印第亚·韦尔克斯小姐陪她住，魔鬼就不会找上门来了。回亚特兰大后，我们可以先住在国民饭店的新婚套房里，等我们自己的房子造好后再搬进去。离开亚特兰大的时候，我已经打算把桃树街的那一大块地皮买下来，就是靠莱登宅院的那块。你知道那块地吗？”

“哦，瑞特，太好了。我确实想要一幢自己的房子，一幢了不起的大房子。”

“我们总算有一件事看法一致了。造幢白灰泥的，栏杆什么的一律用熟铁制品，就像这里的克里奥尔式住房一样，你意下如何？”

“哦，不，瑞特。不能按这种格局来造，新奥尔良这里的房子太老式了。我知道要造什么样的。要造就造最新式的，我在什么杂志里曾见过一张照片——让我想想——哦，是在《哈泼氏周报》里见过的。那是按瑞士农庄风格建造的别墅。”

“按什么风格？”

“瑞士农庄。”

“瑞士农庄？”

“对。”

“噢，”他一边说一边捻着唇上的小胡子。

“可漂亮了。上面是高高的斜式屋顶，顶部围有一圈尖桩栅栏，两端竖有塔楼，全是用最上等的木瓦砌盖的。塔楼窗户用的是红蓝两色玻璃。看上去挺时髦的。”

“我想门廊的栏杆是呈锯齿状的吧。”

“没错。”

“门廊屋顶还挂有一行木质涡形饰物，是吧？”

“对呀，想必你也看到过这种房子。”

“见过，不过不是在瑞士。瑞士人是个聪明绝顶的民族，对建筑的设计别具慧眼。你真的想要建幢这样的房子？”

“哦，那还用问。”

“我本指望你同我过了一段日子，趣味爱好会有所长进的。干吗不要幢克里奥尔式的房子？要不，就造一幢竖有六根白柱子的殖民地式房子？”

“告诉你吧，凡是样子难看、款式过时的东西我一概不要。我们还要在房子的内墙壁上贴上红色墙纸，在所有折门上挂上红天鹅绒门帘。哦，还要摆上很多很多豪华的胡桃木家具，铺上华丽的厚地毯。哦，我要让任何看了我们住宅的人嫉妒得脸发青！”

“有必要让所有的人都嫉妒吗？好吧，要是你喜欢，就让他们嫉妒得脸发青吧。不过，斯佳丽，不知你可曾想过，时下人人都一贫如洗，而你却大讲排场，把家里搞得这么富丽堂皇，是否有点不太妥？”

“我就要那样，”她固执地说，“我就是要让那些过去说我坏话的人，个个心里不好受。我们要举行大型宴会，把全城的人都请来，让他们为当初说的那些难听的话而懊悔。”

“可谁会来参加我们的宴会呢？”

“还用问！当然所有的人都会来的。”

“我可不信。顽固派宁死不屈。”

“嗨，瑞特，瞧你说哪儿去了。只要你有钱，大家就会来巴结你的。”

“南方人才不呢。投机商人的钱财想进入上流人士的客厅，就好比让骆驼穿过针眼，那是不可能的。至于你我这种叛贼嘛，我的宝贝儿——他们没朝你脸上吐唾沫，就已经万幸了。如果你真想试一下的话，我一定为你撑腰。亲爱的，我相信，我一定会从你即将展开的攻势中获取莫大的乐趣。既然谈到钱，不妨让我把情况给你说清楚。造房子、穿着打扮，你想花多少钱，尽可以向我要。你喜欢珠宝首饰，也可以买，不过得由我来替你挑选。你的欣赏眼光糟得很，我的宝贝。要想给韦德或埃拉买东西，买什么都行。如果威尔·本蒂恩棉花种得不顺利，我也乐意助他一臂之力，帮他在克莱顿县把那批大而无用、却被你视为至宝的货物推销掉。你觉得这么做是不是很公平？”

“当然，你很慷慨。”

“不过，你可听好了。你的那个店铺，还有你的锯木厂，别想让我花一个子儿。”

“哦。”斯佳丽板着面孔应了一声。整个蜜月期间，她都一直在想怎么才能提起这个话题来。她需要一千元钱来买五十英尺的地皮以扩大她的堆木场。

“我本以为你胸襟开阔，不在乎人们对我做生意开工厂说闲话，看来你和其他人一样——也害怕人家说三道四，说是我在当家呢。”

“巴特勒家谁说了算，没人会产生什么疑问的，”瑞特慢吞吞地说，“我不在乎那些傻瓜们说什么。事实上，我这人谈不上什么有教养，家里有个精明的老婆，我还颇引以为荣呢。我要求你继续维持好店铺和厂子。这些是你孩子的产业。等韦德长大了，要是还由继父供养，他会感到不自在的；他可以把店铺和厂子接过去经营。不过在这宗产业上，我不会投一个子儿。”

“为什么？”

“因为我不想出钱供养阿希礼·韦尔克斯。”

“你是有意要重提旧事了？”

“不。是你在问我，我就得讲清楚。还有一点，你别想在我面前报假账，虚报买衣服、维持家用的开销，以便给阿希礼多添几头骡子，或是盘下别的什么厂子。我要亲自过问，还要仔细查看账目。我知道各种物品的价格。哦，别以为我是有意在侮辱你。你会那么干的。我决不会放手不管。说明了，凡是涉及到塔拉庄园或阿希礼的事儿，我是决不会给你任何松动余地的。塔拉庄园说不定还可以通融。但是对阿希礼，必须泾渭分明，不能有半点含糊。你现在由我驾御着，我手里的缰绳不会勒得很紧的，但宝贝儿，可别忘了，我还可以动用马鞭和马刺来个双管齐下呢。”

49

艾尔辛太太竖起耳朵在听过道里的动静。她听到玫兰妮的脚步声渐渐远去，紧接着厨房里响起了盆碟的噼啪声和银器的叮咚声，知道马上要上点心了。她转过脸，压低声音同客厅里的女士们交谈起来。女士们在客厅里围坐成一圈，各人腿上都放着一只针线筐。

“就我个人而言，不管现在还是将来，是决不会去拜访斯佳丽的。”她说话时，高雅的神情显得比往常更为冷峻。

这些女士们都是妇女缝纫协会的会员，该会是为赈济南部邦联阵亡士兵家属成立的。听到艾尔辛太太开腔了，她们赶紧放下手里的针线活，急切地摇动身下的摇椅围拢过来。在场的女士们早就迫不及待地想谈论斯佳丽和瑞特的事儿，只是碍于玫兰妮在场不便开口。昨天，这对夫妇从新奥尔良回来了，眼下正住在国民饭店的新婚套房里。

“可是休对我说，看在巴特勒船长曾搭救过他性命的分上，让我去拜访一下，”艾尔辛太太继续说，“可怜的芳妮站在休一边，也说要去看他们。我就对她说：‘芳妮，要不是斯佳丽，说不定汤米现在还活在世上呢。你现在要去看他们，岂不有辱汤米的亡灵！’而芳妮像鬼迷了心窍，竟然说：‘妈，我不是去看斯佳丽，是去拜访巴特勒船长。他为搭救汤米尽了全力，最后没救成，这不是他的过错。’”

“现在的年轻人真是蠢透了！”梅里韦瑟太太说，“去拜访他们！

说得出口！”当初她好意劝斯佳丽别嫁给瑞特，结果反被抢白了一顿。现在想起这事，还忍不住气得胸口直发胀。“我们家的梅贝尔和你女儿芳妮一样，也傻乎乎地说她和勒内要一起去拜访，因为勒内没被吊死，也多亏巴特勒船长营救。我说，若不是斯佳丽自己招摇过市，勒内根本不会有什么危险。还有我们家那位梅里韦瑟爷爷也说要去。他大概是老糊涂了，竟然说如果我不感激那个恶棍，他可感激得很。我敢说，梅里韦瑟爷爷打从去了一趟沃特林那个婊子家，就开始变得不正经了，言行举止也开始有失检点。去拜访他们，真说得出口！我说什么也不去。斯佳丽嫁了这么个男人，简直是存心糟践自己。战争期间他昧着良心搞投机，靠囤积粮食发了横财，已经够坏的了，现在又变本加厉，勾结北方佬提包客，跟叛贼狼狈为奸，而且还是那个臭名昭著的混蛋州长布洛克的朋友——地地道道的朋友。去拜访他们，真说得出口！”

邦尼尔太太叹了口气。她是个富态女人，一脸和气，简直就像个胖鼓鼓的棕色鹪鹩。

“他们无非是出于礼节偶尔拜访一次，多莉。我想用不着责怪他们。我听说，凡是参与了那天晚上行动的人都打算上门去拜访一下。我也觉得他们该去。说到斯佳丽嘛，不知怎么的，我很难想象她母亲竟会有这么个女儿。当年在萨凡纳，我和埃伦·罗比亚尔是同窗好友，再没有比她更可爱的女孩子了，我们俩情同姐妹。要是当初她父亲不竭力反对她嫁给堂兄菲利普·罗比亚尔就好了。其实那孩子也没什么大不了的问题——年轻人总难免要寻欢作乐放荡一下的嘛。结果倒好，埃伦离家远走，嫁给了奥哈拉这么个老头，生下了斯佳丽这么个女儿。话又说回来，出于对埃伦的怀念，我觉得也该去看望他们一下。”

“哼，完全是一通没用的废话！”梅里韦瑟太太用力哼着鼻子说。“基蒂·邦尼尔，丈夫死了还不到一年就又改嫁，这样的女人你也打算去看望？一个这样的贱——”

“她还是杀死肯尼迪先生的真凶！”印第亚插嘴说。她的声音冰冷尖酸。每当她想到斯佳丽，就总会联想起斯图特·塔尔顿，因而说话也就很难顾及分寸。“我一直认为在肯尼迪先生被打死之前她和巴特勒那家伙就勾搭上了，他俩之间的关系要比大多数人怀疑的还密切。”

一个老处女竟然说出这样的话，不禁叫那些老太太们大为震惊，还没等她们从震惊中恢复过来，玫兰妮悄然出现在客厅门口。她们只顾一个劲儿地议论斯佳丽，竟然没注意到女主人轻盈的脚步声，她的突然出现弄得她们就像说悄悄话的女学生被老师一头撞着那样尴尬。再加上看到玫兰妮脸色大变，仓惶之余又横生几分惊恐。玫兰妮双颊绯红，原来挺温和的一双眸子现在冒着怒火，鼻孔一张一翕地不停地颤动着。以前谁也没见过她这般盛怒。在场的女士根本就没想到她竟会发这么大的火。大家都疼爱她，认为在年轻的妇女中数她最温和、最柔顺，对长辈也既尊重又顺从，从没表示过什么不同的看法。

“你怎么敢这样信口雌黄，印第亚？”她用低沉而颤抖的声调质问道，“你的嫉妒心把你引到哪儿去了？我真为你害臊！”

印第亚脸色苍白，但仍然傲然昂首。

“我不想收回我说过的话。”她简单地回了一句，但脑子里却思潮起伏。

“我真的是嫉妒了吗？”她这么想道。对斯图特·塔尔顿的事，还有哈妮和查尔斯的事，她仍记忆犹新，难道她没有充分的理由记恨斯佳丽吗？特别是眼下她怀疑斯佳丽正在设圈套试图勾引阿希礼呢！她暗自思忖道：“关于阿希礼和你那宝贝斯佳丽，我可以向你提供好多好多情况呢。”印第亚心情矛盾，两种愿望相互冲突着：既想把话憋在肚子里，以维护阿希礼的名声，又想把自己的种种怀疑向玫兰妮和世人吐露出来以免阿希礼落入圈套。如果她真的把这些捅出来的话，斯佳丽就不得不有所收敛，不敢再对阿希礼有什么非分之想。但是时机还没成熟。她还没抓住确切的把柄，只是怀疑而已。

“我不想收回我说过的话。”她又重复了一句。

“幸亏你现在没再住在我家。”玫兰妮冷冰冰地说。

印第亚蓦地跳了起来，一张黄脸涨得通红。

“玫兰妮，你——你是我嫂子——为了那个骚货，你要和我翻脸吗？”

“斯佳丽也是我嫂子，”玫兰妮说，同印第亚怒目相视，形同陌路，“她待我，胜过亲生姐妹。她对我的情义你可以不记得，我却不能忘恩负义。北军围城期间，她本可以回家去的，连佩蒂姑妈都逃到梅肯去了，但她却守在我身边。在北方佬就要打进亚特兰大城里的时候，她还在为我照顾孩子。后来，她要回塔拉庄园，当时她完全可以把我丢在医院里，听任北方佬摆布，可她却不顾风险，不顾一路劳累颠簸，带着我和小博一起走。她自己操劳挨饿，却悉心照料我、帮助我。我体弱多病，她就把塔拉庄园最好的一张床垫让我享用。我能起床走动时，她把家里唯一的一双鞋拿给我穿。她做的这些，你可以不放在心上，我可没法忘掉。阿希礼回来时，身体不好，心情沮丧，失去了家，又身无分文，可她像亲妹妹一样接待了他。后来，我们考虑去北边谋生，可又舍不得离开佐治亚州，这时又是斯佳丽挺身而出，让他去照管锯木厂。还有巴特勒船长，他救阿希礼的命，完全是出于热心肠，他又不欠阿希礼什么情意。我很感激斯佳丽，也感激巴特勒船长。可是你印第亚！你怎么可以把斯佳丽对我和阿希礼的这番深情厚义都忘掉呢？你就把你哥哥的命看得那么不值钱，硬要往他救命恩人的脸上抹黑？你就是跪在巴特勒船长和斯佳丽面前，也不足以还清他们的情。”

“好了，好了，兰妮，”梅里韦瑟太太以一种轻快的口吻说，她已经恢复了镇静，“别对印第亚这么冲嘛。”

“你刚才说斯佳丽的话我也听到了，”玫兰妮立刻冲着那位身材敦实的老太太厉声说。她说话时那副神情就像是在同人决斗似的，刚把一个对手击倒，又拔剑扑向另一个，“还有你，艾尔辛太太。你那个小心眼对斯佳丽怎么看，那本是你的事，我管不着。可你是在我家里说她的闲话，又偏偏让我听见了，我就不能不管。你脑子里怎么能存有那种可怕的念头，竟然还亲口讲了出来？你家男人的命，你就那么不当回事，难道他们活着你不愿意，宁愿眼睁睁看着他们死？对冒着生命危险救他们性命的恩人，竟毫无感激之情？以后一旦真相暴露了，北方佬很容易把他也看成三K党的成员，将他吊死。为了救你家那些人他是冒了生命危险的。他救了你梅里韦瑟太太的公公、女婿，还有两个侄儿；救了你邦尼尔太太的兄弟；还有你艾尔辛太太的儿子和女婿。忘恩负义的家伙，这就是你们的本色。我要你们大家都为自己说过的话道歉。”

艾尔辛太太抿起嘴，站起身，把针线活儿往筐子里一塞。

“你怎么也竟会如此缺乏教养，兰妮——哦，不，我决不会道歉的。印第亚说得对，斯佳丽是个轻浮的、喜欢耍手腕的骚货。我不会忘了她在战争期间的所作所为，也不会忘了她现在的所作所为。自打她手里稍微有了点钱，就仗势欺人，成了叛贼——”

“你耿耿于怀的，”玫兰妮打断了艾尔辛太太的话，两个小拳头紧紧握起贴在身子的两侧，“是斯佳丽降了休的职。其实这只能怪休没本事，管不了那厂子。”

“哦，兰妮！”在场的人异口同声地悲叹道。

艾尔辛太太把头一扬，迈步朝门口走去。她的手已触到了前门的门把，却又站住身子回过头来。

“兰妮，”她说，口气已缓和多了，“亲爱的，你真太让我伤心了。我是你母亲最要好的朋友，是我帮米德大夫把你接到这世界上来的，我把你当亲生女儿来爱。要真是为了什么重要的事，你说这样的话，我也不会难过。可只是为了斯佳丽·奥哈拉这样一个女人，要知道，她最想伤害的首先是你，我们倒还在其次——”

玫兰妮听到艾尔辛太太开头那几句话，禁不住流出了眼泪，可等这位老太太把话说完，她的脸又沉了下来。

“我要你们都把话听清楚了，”她说，“你们当中要是有谁不去看望斯佳丽，以后也就不必再上门来看我了。”

客厅里立即响起了一阵喊喊喳喳声，女士们轰地全站了起来，屋里顿时乱作了一团。艾尔辛太太的针线筐也掉到了地板上，她又回到屋里来，头上的假发套也歪了。

“我不接受这条件！”她嚷道，“我不接受这条件！你一定是疯了，兰妮，我不会把你的话当真的。你永远是我的朋友，我也永远是你的朋友。我决不愿因为这件事而使我们之间产生隔阂。”

说罢，她放声大哭，不知怎么地，玫兰妮也倒在她怀里哭了起来，可是她一面呜咽着一面声称，她说的每个字都是算数的。其他好几位太太也都泪流满面，梅里韦瑟太太一面用手绢捂着脸号啕大哭，一面抱住艾尔辛太太和玫兰妮。佩蒂姑妈一直呆呆地看着这一幕，这时突然一下子瘫倒在地，昏了过去，这是她有生以来为数不多的一次不掺假的阵发性昏厥。于是，哭的哭，亲的亲，找嗅盐的找嗅盐，寻白兰地的寻白兰地。而在这开了锅似的屋子里，只有一张脸始终保持着镇静，惟有一双眼睛没流一点眼泪，那就是印第亚·韦尔克斯，她趁着忙乱，悄然离开了。

几个小时后，梅里韦瑟爷爷在现代女郎酒馆遇到亨利·汉密顿伯伯，把早上发生的事原原本本地对他说了，他是从梅里韦瑟太太那儿听来的。他津津乐道，心里确实高兴，自己的儿媳妇算是厉害的了，可竟然有人把她给制服了，说实在的，他自己可没这胆量。

“哦，这帮傻婆娘到底打算怎么办？”亨利伯伯不无气恼地问。

“这个我还不太清楚，”爷爷说，“但看那情形，这一次似乎兰妮占了上风。我敢说她们肯定会去的，至少去一次。大家都很买你侄女的帐呢，亨利。”

“兰妮是个傻瓜。太太们说得没错，斯佳丽是个狡诈的骚货，我真弄不懂当初查尔斯怎么会娶她的，”亨利伯伯忧郁地说，“不过，兰妮的话也有点道理。巴特勒船长救过他们的命，按理他们的家眷也的确该去拜访一次。确切地说，我也说不上来巴特勒船长有什么不好。他那天晚上救了我们大家的命，说明他是个好人。倒是斯佳丽像根粘在尾巴上的芒刺，让人感到不舒服。这小妞聪明过头了，反而害了自己。好吧，不管他们是不是叛贼，反正我得去拜访他们。说起来斯佳丽毕竟算是我侄媳妇。我打算今天下午就去。”

“那我和你一起去，亨利。要是多莉听说我也去了，不大发脾气才怪呢。稍等一下，让我喝两口再走。”

“别喝了，到巴特勒船长那儿，有的是你喝的。到时候我会开口要的，他那儿总备着各种好酒。”

瑞特说顽固派决不会举手投降，这话果然没错。他心里明白，他们虽上门拜访了一两次，实际上根本没多大意义，并且他也知道他们为什么要上门拜访。果然，三 K 党那次倒霉袭击事件参加者的女眷们先是一一来访，以后来访的次数就明显减少了，并且也从不请瑞特·巴特勒夫妇去他们家作客。

瑞特说，他们要不是慑于玫兰妮说的要与她们绝交的话，是压根儿不会来的。他是从哪儿打听到这些的，斯佳丽不知道，也不屑理会，她才不在乎她们呢。玫兰妮怎么会有力量左右像艾尔辛太太、梅里韦瑟太太这样的人呢？打那后她们再也没来过，她也没有因此而感到不安。事实上，她们来没来，她压根儿就没注意到。她的新婚套间里终日高朋满座。只不过那是另一类人，按亚特兰大当地人较为委婉的说法，他们是些“外来人”。

在国民饭店里住着很多这种“外来人”，他们也跟瑞特和斯佳丽一样在等新宅落成。他们也像瑞特在新奥尔良结交的那些朋友一样，腰缠万贯，穿着衣饰极为讲究，用起钱来大手大脚，花天酒地，至于他们的家庭出身，那就很暧昧了。这些人全是共和党人，在亚特兰大从事“与州政府有关的公务”。至于他们从事的究竟是什么样的“公务”，斯佳丽不甚了了，也不想费心去弄明白。

如果她当真追问一下，瑞特是会向她和盘托出的——他们干着鹰隼对付死尸的勾当。他们老远就能嗅到死尸的气息，而且能准确无误地扑来，以便饱餐一顿。由当地公民推举出来的佐治亚州政府，已经死亡，佐治亚州已无自立能力，于是各方冒险家们便蜂拥而至。

瑞特那帮提包客和叛贼朋友的女眷，成群结队地来看望他们，来访的还有斯佳丽在兜售木料时结识的那些“外来人”。瑞特说，既然和他们做生意，就得接待他们，而一经接待之后，就发现同他们结伴为伍也不无乐趣。他们穿着漂亮的服装，从不谈战争或抱怨时世艰难，谈话所涉及的内容不外乎时尚、丑闻以及惠斯特牌经。斯佳丽以前从不打纸牌，现在却打得津津有味，没多久就成了好手。

只要她在饭店，她的房间里就会聚集着一帮惠斯特牌牌友。不过近来她并不常在饭店里待，因为她正忙于建新宅，无暇顾及那些客人。所以这些天来她并不操心是否有客人上门。她想暂停一切社交活动，等新宅落成，她会以亚特兰大第一大公馆女主人的身份，用最讲究的方式款待本城客人。

这段日子，白昼长，气候也暖和，她眼看着自己那红墙灰瓦的新宅拔地而起，高耸于桃树街一带的住房之上。她忘记了店铺和木料厂，一门心思扑在工地上，整天和木匠争执，同石工还价，不让承包商有太平日子可过。随着基墙快速升高，她心里暗暗得意，等房子竣工后，这将是全城最大、最出色的宅第。甚至比旁边的詹姆斯府邸更气派。这府邸刚被政府买下当布洛克州长的官邸。

州长官邸的栏杆和屋檐镶嵌着华丽的锯齿形装饰物，但是与斯佳丽宅第的栏杆和屋檐上的涡形装饰物一比，则大为逊色。官邸内有个舞厅，面积似乎只有台球台面那么大，哪能和斯佳丽宅第的舞厅相比？她把新宅三楼的整个楼面都辟作了舞池。事实上，她房子里的各类装饰、各种设施，全都胜过州长官邸，超过城里任何一家公馆。圆顶、角塔、塔楼、阳台、避雷针，都比别人家的多，至于彩色玻璃窗，那更是多上好几倍。

整幢宅子四周建有回廊，房子四面筑有四层台阶，通向回廊。庭院宽大，郁郁葱葱，四处散放着铁制长椅，竖有一座铁柱凉亭，按时髦的说法叫“爽心阁”，斯佳丽认为那是纯粹哥特式风格的凉亭。还有两尊铁铸动物。一尊牡鹿，一尊雪特兰马驹大小的猛犬。对韦德和埃拉来说，这么一幢洋洋大观、气势辉煌、扑朔迷离的时髦宅第，只让他们迷惑不解，只有这两尊铁铸动物，才为整幢宅第增添了几分欢快的气氛。

房子内部完全是按斯佳丽的心愿装饰和摆设的，极尽铺张奢华之能事。地上严严实实铺着大红厚地毯，门上挂着红天鹅绒门帘；涂着清漆的黑胡桃木家具油光铮亮，凡是可供雕凿的地方全都雕上了花纹；座椅上都铺了滑溜溜的马鬃垫子，女士们坐在上面得格外当心，要不身子就会滑下来。墙上到处都挂着镀着金框的大镜子和落地穿衣镜，其数量之多，瑞特曾讥讽地评论说，能与贝尔·沃特林的窑子相媲美。镜子与镜子之间，还挂有框架厚实的钢板画，其中几幅长达八英尺，全是斯佳丽写信专门从纽约定购的。墙壁上裱有深色的华丽墙纸，天花板很高，房间里光线幽暗，因为窗户上都严严实实地挂着玫瑰红色的长毛绒窗帘，遮住了大部分的阳光。

总之，这幢府第，谁看了都会叹为观止的。斯佳丽站在柔软的地毯上，躺在厚厚的鸭绒床褥中，情不自禁地回想起昔日塔拉庄园冷冰冰的地板和塞满干草的床垫。她心满意足，踌躇满志，觉得这是她生平见到过的最漂亮、最讲究的住宅，可瑞特却说是场噩梦。噩梦就噩梦吧，只要能让她感到快乐，噩梦她也欢迎。

“如果来了陌生人，即使只字不提我们的情况，人家也能一眼看出这幢房子是用不义之财建造起来的，”他说，“要知道，斯佳丽，有句格言：不是正道上得来的钱财，决不会用在正道上。这幢房子就是证明。只有暴发户才会建这样的房子。”

但是，斯佳丽心里是又自豪又高兴，一心筹划着如何大摆筵席款待各方宾客，所以只是亲密地拧了一下他的耳朵，说：“信口开河！看你说到哪儿去了！”

现在她已经摸透了瑞特的脾气，他是专门以驳她的面子为乐事。如果注意听他信口胡诌，他就会想尽办法让她扫兴。而要是拿他的话当真，又非得跟他发生争吵不可。她可不想跟他唇枪舌剑地斗嘴，因为到头来总是她占下风。所以对他的胡诌她现在根本不予理睬，假如非听不可，就拿它当笑话听。这个对策，至少在某些时候还是管用的。

蜜月期间，以及后来在国民饭店下榻的那段日子，他们客客气气，大体上还算和和睦睦。但是搬进新居之后，斯佳丽常邀请那些新朋友到家里来，他俩动不动就会争吵起来。争吵的时间并不会太长，因为和瑞特吵架，要吵也吵不长：她火发得再大，话讲得再难听，瑞特总能耐着性子冷眼相待，随后瞅准机会，冷不防朝她的痛处猛刺上一句。所以真正吵架的是斯佳丽，而不是瑞特。他只是对她本人、她的举动、她的房子以及她的新朋友，发表自己观点明确的见解。而他的有些见解，性质极其恶劣，逼得她无法再装聋作哑地把它当作一般笑话看待。

例如有一次，她决定给“肯氏杂货铺”换个气派点的新店名，就请瑞特给想一个，最好用上“Emptorium”（商场）这个字。于是瑞特建议用“Caveat Emptorium”，并说这店名和店内出售的货物完全匹配。她觉得这个店名响亮，颇有点气势，就决定采用，甚至还让人油漆好了招牌，等到阿希礼·韦尔克斯面有难色地告诉她，这两个字凑在一起的意思是“本商场购物，出门不认”，她顿时暴跳如雷，火冒三丈，可瑞特却在一旁乐个不停。

还有他对黑妈妈的百般迁就，也让她恼火。黑妈妈从来就没改变自己的立场，认定瑞特是头配马嚼子的骡子。她对瑞特虽然客气，却始终冷冰冰的，她始终称他为“巴特勒船长”，从不改口叫“瑞特先生”。瑞特送她那件红衬裙，她连谢都没谢一声，也从没穿过。尽管韦德很崇拜瑞特叔叔，瑞特也疼爱这个孩子，但是黑妈妈却尽量不让韦德、埃拉同瑞特多接触。瑞特非但不辞退黑妈妈，不对她发脾气板面孔，反而对她毕恭毕敬，要比对斯佳丽最近结交的那些女士尊敬得多。事实上，他对黑妈妈的尊敬程度超过了对斯佳丽本人。他带韦德去遛马，总要事先征得黑妈妈的同意；给埃拉买洋娃娃，也要事先得到她的允许。然而黑妈妈却始终不给他面子。

斯佳丽觉得瑞特对黑妈妈应该硬气一些，这样才能显出一家之主的威严，但瑞特听了只是哈哈一笑，说真正的一家之主应该是黑妈妈。

还有一次，瑞特冷静地对斯佳丽说，他很为她几年后的前途担忧，到那时，共和党人在佐治亚州失势了，民主党人会重新上台。这番话也使斯佳丽大为恼火。

“等民主党人选出自己的州长和州议会，你新结交的那帮俗不可耐的共和党人朋友就会统统从棋盘上拿下，仍旧回去干他们管酒吧、下厨房的下贱老本行。到那时候，你既没有民主党的朋友，也没有共和党的朋友，只剩下你一个孤家寡人。不过嘛，又何必为明天操心呢。”

斯佳丽听了哈哈大笑，当然她笑得也不无道理，因为时下，布洛克正稳稳地坐在州长的宝座上，有二十七名黑人议员在州议会里，而在佐治亚州，成千上万的民主党人连选民资格都被取消了。

“民主党人无法东山再起了。他们现在干的，只能让北方佬更加疯狂，更加推迟他们重新上台的日子。他们现在只会说大话，晚上出来搞些三 K 党的恐怖活动。”

“他们会东山再起的。我了解南方人，了解佐治亚人。他们都是脾气倔犟的硬汉。如果必须打一仗才能重新上台，那么他们就会再打一仗。如果不得不像北方佬那样收买黑人选票，那么他们也会来这一手。如果必须像北方佬那样把成千上万的死人列入选民册，那么他们就会把佐治亚州所有公墓里的所有尸体都抬到选民站来的。

在我们那位好朋友鲁弗斯·布洛克的仁政之下，情况是越来越糟，总有一天他会被佐治亚州人唾弃的。”

“瑞特，别跟我说这种庸俗的事！”斯佳丽大声嚷嚷着，“听你这话的口气，好像我不愿意看到民主党人重新当政似的！你知道我没这样的心思！我巴不得他们重新上台。你以为我喜欢这些大兵在这里四下逛荡，碍我的眼——你以为我喜欢这样？嗨，别忘了我也是佐治亚人！我非常想看到民主党人重新上台，可他们上不了，永远都上不了台。退一步说，即使他们重新上台了，对我的那些朋友又有什么妨碍？他们的钱还是他们的，不是吗？”

“要是他们能守住自己的钱财就好了。但是我怀疑他们没人有这份能耐。照他们现在这种花法，没一个能维持得了五年。来得快，去得快。他们的钱不会给他们带来什么好处。就拿你来说吧，我漂亮的骡太太，钱肯定也没能让你变成匹马，是吗？”

他最后这句话，又惹起了一场争吵，并且一连几天双方都在怄气。一直到第四天，斯佳丽还是满脸怒气，一声不吭，分明是要瑞特向她赔不是。可瑞特不顾黑妈妈的连声抗议，带着韦德径自去了新奥尔良，一直到斯佳丽气消了才回来。她终究没能杀杀瑞特的威风，一解心头之恨。

他从新奥尔良回来时态度冷静，和颜悦色，她也只好强忍着咽下那口怒气，暂且把这事搁在一边，日后再想法治他。现在，她不愿费神去考虑让人扫兴的事。她正一门心思地考虑如何首次在新居举行晚会，不想败自己的兴。那将是一次盛况空前的晚会，宴会厅里摆上盆栽的棕榈树，请一支管弦乐队奏乐助兴，用帆布蒙上整个回廊。至于招待客人的点心，连她自己想着都直流口水。凡是她在亚特兰大认识的人，不管是老朋友，还是蜜月旅行回来后结识的那些迷人的新朋友，她要一个不漏地全都请来。筹办晚会的兴奋使她无意追究瑞特那些带刺的话。她在张罗这次宴会的时候，心里异常痛快，多少年都没像现在这么痛快过了。

哦，有钱就是痛快！举办宴会根本不必考虑花费，添置豪华的家具和服饰、购买美味可口的食品，用不着考虑账单！拿起笔来，信手签上一张张数额可观的支票，寄给查尔斯顿的宝莲姨妈和尤拉莉姨妈，寄给塔拉庄园的威尔，那种感觉简直妙极了！哦，那些只知嫉妒的傻瓜，竟然胡说什么金钱不是万能的！瑞特竟还说什么金钱没给她带来什么好处，纯粹是颠倒黑白！

斯佳丽不但给所有的新朋老友，就连那些她不喜欢的人，也都一一发送了请帖。甚至上次来国民饭店看她时近乎于粗暴无礼的梅里韦瑟太太、冷若冰霜的艾尔辛太太，也在邀请之列。她还给米德太太和惠丁太太发了请帖，尽管明知这两位太太不喜欢自己，也清楚她俩收到请帖后会左右为难，因为即使她俩想参加如此高雅的盛会也没合适的衣服可穿。斯佳丽这次庆祝乔迁之喜的典礼，或者按现在时髦的说法这次"社交盛会"，既是宴会，又是舞会，其场面之奢华，安排之巧妙，都堪称亚特兰大社交史上的一绝。

那天晚上，屋里屋外，以及帆布遮挡的回廊里，到处都挤满了宾客，他们喝着她精心调制的香槟混合饮料，吃着她亲手订制的小馅饼和奶油牡蛎，在乐队的伴奏下翩翩起舞（她特地用一道由棕榈和橡胶树拼成的屏风墙，将乐队和宾客们隔开）。但是出席宴会的宾客中，除了玫兰妮、阿希礼夫妇，佩蒂姑妈、亨利伯伯、米德大夫夫妇和梅里韦瑟爷爷外，瑞特所说的那些顽固分子一个也没来。

那些顽固分子尽管不太情愿，本来还是决定来参加这次"社交盛会"的。有的是慑于玫兰妮的压力，有的是觉得欠着瑞特的情，因为他救过他们自己或亲属的命。但是就在举行庆典的前两天，亚特兰大城里纷纷谣传，说布洛克州长也收到了邀请。于是这些老顽固便回了一叠明信片以示不满，纷纷婉言谢绝了斯佳丽的盛情邀请。而应邀前来赴宴的几个不多的老朋友，当州长在斯佳丽的宅第一出现，尽管有些为难，但还是坚决地退场了。

对于这些表示蔑视的举动，斯佳丽感到既惶惑，又恼火，不管怎么说，她举办这次聚会的雅兴全让他们毁了。"多么高雅的社交盛会！"这次聚会，是她精心操办的，办得如此别致动人。然而看到这种豪华场面的，却只有为数不多的几个老朋友，而她的死对头却一个也没来。到第二天早上最后一个客人离去时，她真恨不得大哭大闹一场，可她怕瑞特哈哈大笑，他嘴里虽然可能不说，但那双眨巴着的黑眼珠里却会冒出“我早就对你说过了”的表情，所以她只好强压满腔怒火，勉强装出一副洒脱自如、毫不在乎的神态来。

直到第二天上午，她才有机会冲着玫兰妮痛痛快快地发泄她那一肚子的怨气。

“你有意侮辱我，玫兰妮·韦尔克斯，还让阿希礼和其他人一起来侮辱我！你心里清楚，要不是你硬把他们拉走，他们是决不会那么早就回家的。我亲眼看见的。我领着布洛克州长过来介绍给你的时候，你像野兔子似的溜走了！”

“我一直不相信——我简直不敢相信，他真的会来参加宴会，”玫兰妮不太高兴地说，“尽管所有人都说——”

“所有人？这么说，所有的人都在背后嘀嘀咕咕地说我的坏话啰？”斯佳丽怒气冲冲地大声说，“你是想告诉我，如果你早知道州长要来参加晚会，你也不来了。”

“是的，”玫兰妮眼睛望着地板低声说，“亲爱的，我实在是不能来的呀。”

“真见鬼！所以你也要跟所有的人一样来欺侮我了！”

“哦，天哪！”玫兰妮万分苦恼地喊道，“我不是有意要伤害你。你我情同手足，亲爱的，你是我的亲嫂子，我——”

她哆哆嗦嗦把手搁在斯佳丽的胳膊上，但斯佳丽用力把它甩开了，她恨不得像父亲杰拉尔德那样由着性子大吼大叫一通。但是玫兰妮面对大发雷霆的斯佳丽，毫不畏缩。她紧盯着斯佳丽那双直冒怒火的绿眼珠，瘦弱的双肩直直地挺着，一副凛然不可冒犯的神态，这和她那带点稚气的脸庞和身材挺不相称的。

“亲爱的，伤了你的心，我很难过。但是我不能结识布洛克州长，也不能结识共和党人和那些卖身投靠他们的南方人。不管是在你家里还是在别人家里，我都不想结识他们。不行，即使我不得不——不得不——”玫兰妮左顾右盼，想搜寻出一个最不堪忍受的词儿来。“即使我不得不表现得极其粗暴无礼，我也不想结识他们。”

“你是在批评我的朋友？”

“不，亲爱的。他们是你的朋友，但不是我的朋友。”

“你是在批评我不该请州长来我家做客？”

玫兰妮这一下给问住了，但是仍毫不退缩地迎着斯佳丽的目光。

“亲爱的，你做什么，总是有充分的理由的。我爱你，信任你，我不会批评你的。而且，我决不允许任何人当着我的面说你的坏话。但是，哦，斯佳丽！”说到这里，她的话语突然如滔滔江水一泻而出，言辞也锋利而激烈，虽然声音不高，却饱含着刻骨铭心的仇恨。“这些人对我们干了些什么，你能忘吗？亲爱的查尔斯是怎么死的，阿希礼的健康是谁给毁掉的，十二棵橡树庄园的房屋和田野是谁烧光的，这一切你会忘记吗？哦，斯佳丽，你不会忘记那个手里拿着你母亲的针线盒而被你开枪打死的可怕歹徒！你不会忘记谢尔曼手下的人在塔拉庄园的所作所为。他们甚至连我们的内衣都偷！甚至还想把那地方烧个精光，而实际上他们已经在舞弄我父亲的那把军刀了！哦，斯佳丽，正是你请来做客的这些人，抢劫过我们，折磨过我们，让我们忍饥挨饿！正是这伙人，煽动黑人起来，让他们骑在我们头上作威作福。这伙人现在还在洗劫我们，不让我们的人参加投票！我没法忘掉这些。我也不会忘掉。我也不让我的小博忘掉，我要教会我的孙儿孙女们去恨他们，如果上帝允许我长生不老，我还要教导我的子孙万代去恨他们！斯佳丽，你怎么能把这一切都忘了呢？”

玫兰妮停下来，歇了口气。斯佳丽这时正直愣愣地看着玫兰妮，玫兰妮说话时那种颤抖但愤恨有力的声调把她吓了一跳，也把她那一肚子怒气吓跑了。

“我是傻瓜呀？”她不耐烦地反问了一句，“我当然没忘记！但是这一切都过去了，兰妮。我们应顺应逆境，随遇而安，我现在就在尽量这样做。只要我们应付得当，布洛克州长和共和党里的好人会尽量帮助我们的。”

“共和党里没一个好人，”玫兰妮断然绝然地说，“我不需要他们的帮助，我也不打算顺应逆境，顺应北方佬设置的逆境。”

“我的天哪，兰妮，干吗发那么大的火？”

“哦！”玫兰妮颇感内疚地应了一声，“瞧我说到哪儿去了！斯佳丽，我并不是有意要伤害你，也不是有意要批评你。各人有各人的想法，各人也都有保留自己意见的权利。听我说，亲爱的，我爱你，这你是知道的，无论你做什么，都不会改变我对你的爱。你也是爱我的，不是吗？我没惹你恨我，是吧？斯佳丽，要是你我之间有了什么隔阂，那我可真受不了——我们毕竟患难与共过的！现在你说：好了，一切照旧。”

“乱弹琴，兰妮，你这是在小题大作。”斯佳丽不无勉强地说，但是当玫兰妮悄悄伸手挽住她的腰肢时，她并没把玫兰妮的手推开。

“好了，我们言归于好了，”玫兰妮高兴地说，但是又委婉地加了一句，“亲爱的，我希望我们还像以前那样彼此经常往来。你不妨先告诉我一声，一般哪些日子共和党人和叛贼要来看你，逢到那些日子，我就呆在家里。”

“你是否来看我，我一点不在乎。”说着，斯佳丽戴上软帽，怒气冲冲地回家了，看到玫兰妮一副伤心委屈的表情，她自己那受伤的虚荣心似乎得到了某种程度的满足。

在以后的几周里，她很难再故作镇静、对公众舆论装出全然无所谓的样子。除了玫兰妮、佩蒂姑妈、亨利伯伯和阿希礼外，别的老朋友一概都不来看望她了，她也没再收到请她去参加他们小型家宴的邀请。这时候，她真正感到困惑和痛心了。尽管他们这些人在她背后说三道四，说长道短，她不是已作出努力愿化干戈为玉帛，表示自己对他们不存恶意了吗？他们当然也应该知道，她和他们一样，对布洛克州长没有好感，对他表示亲善，无非是一种不得已的权宜之计！这些白痴！要是大家都对共和党人作出亲善的姿态，那么佐治亚州会很快摆脱目前的困境的。

她当时还没意识到她和往日的情分、和老朋友之间那条脆弱的纽带，已被她这一招，永远地割断了。甚至动用玫兰妮的影响，也无法修复那条游丝般的断线，再说，彷徨、伤心，但仍忠心耿耿的玫兰妮，也不想设法去修复这层破裂的关系。即使斯佳丽想回心转意，再回到老路上来，回到老朋友身边，也绝无回旋余地了。全城花岗石似的冷漠无情。那股包裹布洛克政权的仇恨，同样也把她围在其中。这种仇恨虽既不冒火星，也不含愤怒，但却冷峻肃杀，难以平息。斯佳丽已经把自己的命运与敌人绑在了一起，不管她有什么样的身世，有什么样的家庭关系，她现在已被归在了变节分子、亲黑人分子、叛徒、共和党人那类人里——一个叛贼！

这种苦恼的日子过了一段后，斯佳丽不再一味强作泰然，而开始认真面对现实。对她来说，如果某种行动方针不管用，她决不会长时间地为人类行为的反复无常而苦恼，也不会因此而一蹶不振。所以没过多久，她便不再考虑人们怎么看她了。梅里韦瑟家、艾尔辛家、惠丁家、邦尼尔家，还有米德家，等等，他们怎么想，她才不在乎呢，至少，玫兰妮还常来看她，而且还带着阿希礼来，阿希礼才是她最在乎的人。再说，亚特兰大还另有其他人，他们会来参加她的晚会的。他们比那些刻板的老母鸡更合她的意。任何时候她想宾客盈门，都能如愿以偿。与那些一味和她作对、拘谨、古板、束围腰的老傻瓜相比，这些客人要有趣得多，衣饰也漂亮得多。

这些人是最近才移居亚特兰大的。其中有些是瑞特的老熟人，有的以前还和他合伙干过那些神秘的营生（按瑞特的说法，“就是一般的生意，宝贝”）。还有一些人是住国民饭店时认识的，和布洛克州长任命的一些下属。

现在终日与她为伍的，三教九流什么人都有。例如其中有这么些人——格勒特夫妇：曾在十几个州混过，而每个州都是在他们设下的骗局快暴露之前而匆匆离开的；康宁顿夫妇：原住在某个偏远的州，凭着与解放了的黑人事务局的关系，通过拼命盘剥那些该属他们保护的无知黑人而发了大财；迪尔夫妇：卖“纸板”糊的假靴子给南部邦联政府从中牟利，后来不得不逃到欧洲去避了一年的风头；亨顿夫妇：许多城市的警察局里都留有他们的档案，不过他们在投标承包政府工程时，往往能稳操胜券；卡拉汉夫妇：靠赌博起家，现在又在用公家的钱修建子虚乌有的铁路方面投下了更大的赌注；弗拉赫蒂夫妇：1861 年以每磅一美分的价格囤积了大量食盐，而到了 1863 年盐价涨至五十美分，自然发了大财；巴特夫妇：内战期间在北方某都会开设了一家规模最大的妓院，现在他们又迁徙南下，混入一流提包客的社交圈子中。

这些人就是斯佳丽目前的挚友，不过，去参加她家大型宴会的，也还有一些有教养的人士，其中不乏出身名门者。除了提包客中的上层人物外，还有相当一部分人是从北边涌至亚特兰大的，因为这个城市正处于重建开发时期，百废待兴的局面对他们颇有吸引力。一些富有的北方佬家庭，派年轻的儿子到南方来开辟新天地，而北方佬军官退役后，就在他们曾激战过并占领了的城市里永久定居下来。陌生人刚到一座城市，人生地不熟，当然很乐意应邀出席由富有而又好客的巴特勒太太举行的豪华家宴，但是他们很快就不愿与她那一伙人为伍了。他们是些规矩人，无须同提包客及其政权打太久的交道就像当地的佐治亚人一样对他们深恶痛绝了。因而许多人成了民主党人，变得比南方人更南方人。

也有一些与斯佳丽社交圈子格格不入的人，他们之所以要暂时留在这个圈子里，只是因为他们在别的地方得不到人们的欢迎。他们更喜欢顽固派家中静谧无声的客厅，但是顽固派却不愿接纳他们。这些人里有些是北方的女教师，她们到南方来，是为了提高黑人道德与文化水平的；还有些是同北方佬同流合污的人，他们原是好好的民主党人，但投降以后却摇身一变成了共和党人。

谁也不能一下子说清楚，本地市民更痛恨的究竟是那些不切实际的北方女教师，还是那些叛贼。比较而言，可能更痛恨后者。对于那些女教师，只需说一声“唉，对那些支持黑人的北方佬，你能指望他们什么？他们当然认为黑人和他们一样出色啰？”然后就把她们置于脑后。至于那些为了个人私利而投靠共和党的佐治亚人，是没有任何理由可以原谅的。

“挨饿的滋味，既然我们能忍受，那你们也应该能忍受。”这就是顽固派的思维逻辑。许多以前曾在南方军队里当过兵的人，都亲身经历过目睹家人忍饥挨饿的那种极度恐惧心理，因而对那些曾一度是战友的变节者都持宽容的态度，因为他们变换政治旗号，主要是想让家人能有口饭吃。但妇女顽固派可不这么认为；她们是一股不能通融的支撑社会权力的坚定力量。在她们心目中，已告失败的事业，比处于鼎盛时期的事业更有力量、更为珍贵，并成了她们现时崇拜的偶像。凡是与此有关的事物，一概焕发出神圣的光芒：捐躯者的墓地、战斗过的战场、破损的战旗、挂在厅堂里的十字形军刀、已褪色的前线来信，还有退伍的老兵。对于过去的敌人，这些妇人不给予任何帮助和安慰，也不给予任何容身之地，而现在斯佳丽已被划在敌方阵营里了。

在这样一个各类人物混杂、迫于各种政治形势需要而汇集在一起的社会群体里，他们只在一件事上有共同之处，那就是钱。他们中的大部分人，打仗前全部家当加起来也超不过二十五美元，而眼下却一掷千金，挥霍无度，成了亚特兰大闻所未闻的一大奇景。

共和党人执掌大权后，亚特兰大城进入了一个以铺张浪费为荣的时代，而薄薄一层附庸风雅的虚饰，掩盖不了实际的邪恶和庸俗。豪富与赤贫之间的沟壑从没像目前这样分明。上层人物从不考虑底层时运不济的芸芸众生，当然，黑人不在此列。必须给予他们最好的待遇。学校和住处，衣服和娱乐，都必须是第一流的，因为他们能左右政局，每一张黑人选票都至关重要。至于那些最近身陷贫困的亚特兰大市民，他们尽可以饿死在大街上，那些共和党暴发户才不在乎呢。

正是由于处于这股人欲横流的庸俗浪尖，斯佳丽才得意扬扬，锋芒毕露：这位新婚不久的新嫁娘，衣着华丽，光彩照人，仗着瑞特的钱财而有恃无恐。而这个时代也正符合她的口味——粗俗、花哨、卖弄，随处可见过分讲究穿戴的妇人，过分讲究排场的住宅。珠宝首饰、骏马良驹、精馔佳肴、琼浆美酒都太多太多了。偶尔斯佳丽也停下来考虑一下眼前的事，她心里明白，眼前这些新交如果拿母亲埃伦的严格标准来衡量，没有一个可以算得上上等女人。但是，自打她站在塔拉庄园的客厅里决定做瑞特太太的那天起，她已经不知有多少次打破了埃伦定下的规矩，现在她已很少受良心谴责了。

严格说来，也许这些新朋友算不上绅士淑女，但他们也与瑞特在新奥尔良的朋友一样有趣。与她早年在亚特兰大结交的那些温和、虔诚、爱读莎士比亚的朋友相比，现在这些朋友要有趣得多。长期以来，除了短暂的蜜月期间，她还没有过这么痛快的日子，也从没像现在这样有安全感。现在全无冻馁之虑，她要跳舞、娱乐，放纵自己；她要大嚼畅饮，披缎穿绸；她要盖鸭绒被、挂天鹅绒毯。而现在这一切都如愿以偿了。现在既无孩提时代的种种约束，也不用害怕贫困的煎熬，再加上瑞特的宽容和怂恿，她可以尽情享受她经常梦想的那种豪华生活——爱怎么就怎么，谁要是看不惯，就让他见鬼去吧。

那种只有赌徒、骗子、女冒险家们才能感受到的怡然忘情的滋味她开始领略到了。所有这些人都是靠了自己随机应变的本领才获得成功的，他们的生活就是蓄意要给按部就班的社会一记迎头耳光。现在，她是爱怎么说就怎么说，爱怎么干就怎么干，没多久，她就变得飞扬跋扈、目空一切了。

她开始对那帮共和党人和叛贼新朋友，无所顾忌地表现出一股傲气，而对本城卫戍部队的北方佬军官及其家属，则更是蛮横而粗鲁。在这大批涌至亚特兰大的良莠不齐的人群里，唯有军方人士是她不愿接待或容忍的。她甚至还故意在他们面前拿架子、耍态度。蓝军服意味着什么，并非只有玫兰妮一个人难以淡忘。对斯佳丽来说，这种军服以及上面的镀金纽扣，始终意味着围城时的那种恐怖和逃难时的那种仓皇，意味着烧杀掳掠，意味着令人绝望的贫困和塔拉庄园的苦役。现在她阔气了，并有州长和许多共和党头面人物撑腰，她尽可以对眼前的每一套蓝军服嗤之以鼻。实际上她也就是这么做的。

有一次瑞特漫不经心地指出，现在来他们家做客聚会的男子中，十有七八以前曾穿过那种蓝军服。她反驳说，北方佬只有穿上了那套蓝军服才真正像个北方佬。对此高论，瑞特耸耸肩回了一句："始终不渝，你真不愧是个活宝。"

斯佳丽痛恨北方佬军官那身蓝得刺眼的军服。也正是由于北方佬军官们对此茫然不解她就更加冷淡怠慢他们。更加觉得这么做够刺激。因而驻军军官及其家属感到困惑也不无道理。他们性格文静，出身良好，在这充满敌意的他乡异地深感孤寂，同时对自己被迫来扶持这帮社会渣滓也感到有点可耻，恨不得能马上回北方去。就社会地位来说，他们不知比斯佳丽的那帮狐朋狗友强多少倍。军官太太们看到，这位光彩照人的巴特勒太太，有意冷落她们，却将红头发的布丽奇特·弗拉赫蒂这样的平庸女子引为知己，当然要大惑不解了。

事实上，甚至被斯佳丽引为知己的那些太太，也得忍受她的蛮横无理。不过，她们好像挺心甘情愿的。对她们来说，她不仅代表了财富和风雅，而且还代表了旧政权以及她们一门心思想攀附的名门世家和古老的传统。其实她们一心想巴结的那些世家，差不多已把斯佳丽驱逐了出去，只可惜这些女流新贵还蒙在鼓里。他们只知道斯佳丽的父亲是个奴隶主，母亲出自萨凡纳的名门望族罗比亚尔家族，丈夫是查尔斯顿的瑞特·巴特勒。有这些对他们来说已经足够了。她是她们能实现夙愿并跻身上流社会的一个楔子。因为这个社会圈子的人轻视她们，从不登门回访，在教堂里遇到了也只是冷淡地躬一躬身。事实上，斯佳丽还不单单是她们借以打入上流社会的楔子。对这些出身卑贱的新贵来说，她就代表了上流社会。斯佳丽缺少自知之明，不知道自己拿腔作势其实只不过是个冒牌货，而那些冒牌女士们也没有辨别真伪的眼力。她们是按照她的自我评价来看待她的，在她面前曲意奉承。她的装腔作势，她的脾气，她的怠慢，她那赤裸裸的粗鲁，还有她对她们缺点的当面指责，凡此种种，她们全都一一忍受了。

她们都是最近才发迹的，不知如何待人接物，所以在人们面前表现得格外温文尔雅，脾气特好，更不敢顶嘴反驳，唯恐有人说她们缺少上流女士的气派。她们不惜一切代价要使自己成为上流女人。她们竭力装出一副弱不禁风、温顺谦恭、天真无邪的神态。听她们说话，还真以为她们是缺胳膊少腿、机体功能不全、对罪恶的世界茫然无知的人呢。布丽奇特·弗拉赫蒂长着一身不怕太阳曝晒的白皮肤，说一口地道的爱尔兰土腔。谁也不会想到这位红发妇人，当年竟是靠偷了父亲密藏的钱物才偷偷来美国的，先在纽约一家旅店当了好一阵子侍女。看着患忧郁症的西尔维亚·康宁顿（以前叫大美人赛迪）和梅米·巴特，有谁会疑心前者是在纽约鲍里街其父亲的酒吧里长大的，生意忙的时候还帮着招待顾客呢；而后者据说原是她丈夫开设的一家妓院里的姑娘。不！她们现在可都是金屋藏娇的娇贵妇人呢！

男人们虽然都发了财，但要学会新的生活方式却很难，也许是不太愿意恪守新的绅士阶层的那一套繁文缛节吧。他们在斯佳丽的晚会上开怀畅饮，晚会结束时，往往免不了有一两位酩酊大醉的客人不得不留在主人家过夜。以前斯佳丽当姑娘的时候的那些男人喝酒斯文而有节制，可现在这些人，肚子里灌饱了酒，不是呆头呆脑一副傻相，就是丑态百出，脏话连篇。更有甚者，不管她在显眼的地方摆上多少只痰盂，第二天早上地毯上总会有一些烟渍。

她虽瞧不起这些人，但却觉得他们有趣。就是因为觉得他们有趣，所以她家里总是宾客盈门。由于瞧不起他们，所以她感到心烦的时候，就叫他们滚蛋。他们却也能忍受得了。

对瑞特，他们也同样忍受得了，与斯佳丽相比瑞特更难应付，因为他能看透他们是哪号人，对此他们也很清楚。瑞特毫无顾忌地当众揭他们的疮疤，根本不管他们是否是他家的客人，他往往一针见血，说得他们瞠目结舌，无言以对。他毫无愧色地大谈自己的发财经，装作他们也不怕别人知道他们的底细，只要一有机会，总要把一些大家心照不宣、认为还是避而不谈为好的隐私，拿出来横加评论一番。

所以，当他举杯饮用混合甜酒时，谁也不知道他什么时候会忽然来了兴致，满面春风地说：“拉尔夫，想当初我要是有头脑的话，一定不去闯封锁线，而要像你老兄那样向寡妇孤儿兜售金矿股票，以这种方式发财要稳妥多了。”“哎，比尔，我看你又添置了几匹好马。想必你又为那些子虚乌有的铁路工程推销掉了几千股股票了吧？老兄，你干得真出色！”“也恭喜你，阿莫斯，你又弄到了一份州政府包工合同。只是为了打通关节而破费了那么多，有点不合算呢。”

女人们觉得他俗不可耐，令人作呕。男人们则在背后骂他是猪猡、流氓。亚特兰大的外来居民同当地老居民一样不喜欢他，而他仍一如既往，无意于取悦这些新来的人。他依然我行我素，有关他的种种议论，他根本不放在眼里，只是觉得有趣或是不屑一顾；有时他在人们面前表现得极其谦恭，让人觉得他那谦恭的神态本身就是当众对他们的一种侮辱。对斯佳丽来说，他仍是个谜，是个不必费神去解开的谜。她相信以前从没什么事让他高兴过，今后也不会有。要么是他拼命想得到什么可偏偏得不到，要么就是一无所求，对什么都无所谓。对她所干的一切，他都一笑置之。他纵容她目空一切、肆意挥霍，讥讽她人模狗样、装腔作势，但她所有的账单他都照付。

50

即使在他俩最亲昵热乎的时候，瑞特也始终保持着那种平静、沉着的态度。但斯佳丽始终有一种感觉，那就是他一直在暗中观察自己，如果自己突然间转过脸去，准会捕捉到他那深沉而有所期待的目光——那种令斯佳丽无法理解的、显示出极度忍耐的特殊神情。

尽管瑞特有一种怪癖，不允许任何人在他面前撒谎、装疯或是夸夸其谈，不过和他一起生活，有时倒也挺舒心的。斯佳丽和他谈店铺、锯木厂和酒吧里的事，谈雇用囚犯干活以及他们的伙食开销等情况，他一面耐心听着，一面还给她出些精明而又切合实际的点子。她喜欢举办晚会和舞会，他也似乎乐此不疲地帮着应酬。偶尔有几个晚上他俩单独在一起用餐，等桌子收拾干净，摆上白兰地和咖啡，他就会给她讲些粗俗的故事，他肚子里有的是这样的故事。她发现不管什么事，只要自己明确地提出来，瑞特对她总是有求必应、有问必答。如果她拐弯抹角地暗示，不明说，或是用撒娇的办法想得到些什么，他总一口予以回绝。他就喜欢让她难堪，一眼看穿她的心思后，会粗鲁地冷嘲热讽一番。

每当斯佳丽想到他平时待自己的那种文雅而又漠然的态度，心里总不免犯嘀咕——他干吗要娶自己做老婆，不过她对此也不是真的那么好奇。男人结婚嘛，不外乎为了爱情，或是为了成家生子，再不就是看在金钱的分上。而瑞特之所以娶她，她知道，这几条哪

他一跃而起，一把搂住她的腰，神情大变，脸上布满了急切的恐惧。

一条也靠不上。他肯定不爱她。她造了这么漂亮的一幢房子，可他却称之为建筑怪物，说什么宁愿住在饮食起居得当的饭店里，也不愿住在这样的家里。再说，他也不像查尔斯和弗兰克，从没暗示过想要孩子。有一次她故意卖弄风情地问他干吗要娶她，谁知道他竟眯着眼睛调皮地回答："亲爱的，我娶你是为了收养一个宠物！"结果她被气得够呛。

的确，一般男子结婚的理由，一条也安不到瑞特头上。他和她结婚，无非是想要她，而非此是不能把她搞到手的。他那天晚上向她求婚时差不多已供认不讳，他想要她，就像要贝尔·沃特林一样。这个说法并不怎么中听。实际上简直是对她公然的侮辱。但她听了以后只是耸了耸肩。她现在已经学乖了，凡是遇到不愉快的事就耸耸肩把它打发掉。反正他俩算是做成了一笔交易，而就她这一方来说，这笔交易相当划算，并希望他那一方也同样满意才好。至于他是否真的满意，她并不怎么在乎。

可是一天下午，她因肠胃不适去找米德大夫看看，却听到一件让她极不愉快、却又无法耸耸肩便可回避掉的事实。黄昏时分，她满脸怒气、气呼呼地冲进卧室，告诉瑞特她有孩子了。

瑞特正穿着件丝织睡衣，懒洋洋地躺在床上吞云吐雾，她说话时，他只是死死地盯着她的脸，什么也没说。他一言不发地打量着她，带着显得有点紧张的神情，等着她把话说下去，然而她根本没注意到瑞特的神情。她只感到愤怒、绝望，根本顾不上周围的一切了。

"你知道我不想要孩子了！再也不想要孩子了！每次事情稍微顺利些，我就要怀上孩子。喂，你不要坐在那儿只顾傻笑！你也是不想要孩子的。哦，我的天哪！"

瑞特刚才是在等她把话说完，可这些并不是他等着要听的话。他微微沉下脸，眼神有些惘然。

"哼，干吗不去送给兰妮小姐？你不是对我说过，她不听大夫的忠告还想要个孩子吗？"

"哼，我真恨不得杀了你。我是在对你说，我不想要这孩子，就是不要！"

“不要？继续往下说呀！”

“哦，有办法对付的。我已不再是过去那个乡下的傻丫头了。现在我知道，要是女人不要孩子，不一定非生下来不可。有办法把——”

他一跃而起，一把搂住她的腰，神情大变，脸上布满了急切的恐惧。

“斯佳丽，你个傻瓜，跟我说实话！你没有做什么吧？”

“不，还没呢，不过我打算这就去做！你以为我还会再白白毁掉我的身材。我的腰身好不容易才细瘦了些，好日子才刚刚开始，可——”

“你是从哪儿想出这个馊主意的？谁告诉你这些事情的？”

“梅米·巴特——她——”

“只有妓院的鸨母才知道这套把戏。那个婆娘从今以后再也不许跨进这个家门，你听明白了没有？这毕竟是我的家，我是一家之主，你以后甚至不许再跟她说话。”

“我爱怎么着就怎么着。放开我。你干吗要操这份闲心？”

“你养一个还是养二十个孩子，我才不在乎呢。但是如果你死了，我哪能不在乎？”

“死？我？”

“是的，你会死的。女人那样做要冒多大风险，我想梅米·巴特没对你说吧？”

“没有，”斯佳丽不无勉强地说，“她只是说，这个法子挺管用。”

“天哪，我非宰了她不可！”瑞特大声喊道，气得脸都青了。他俯身看着斯佳丽满是泪痕的脸庞，气稍稍消了些，但还是板着脸。他突然一把抱起她，坐到椅子上。他紧紧地搂着她，生怕她逃走似的。

“听我说，小乖乖，我可不想让你拿生命开玩笑。你听见了吗？我的老天，虽说我跟你一样都不想要孩子，但有了孩子我还是负担得起的。我可不想再听到你说这些傻话。要是你胆敢试一下——斯佳丽，有一次我就亲眼看见一个姑娘就那么白白地把命送掉了。她才——嗯，并且人还长得挺漂亮的。这种死法可不舒服。我——”

“你怎么了，瑞特？”听到他话音里充满了柔情，她大吃了一惊，把自己的苦恼都给吓跑了。她从没见他这么动情。“在哪儿？她是谁？”

“那是在新奥尔良——哦，都过去好多年了。那时我还年轻，很容易动感情。”他突然低下头，把脸埋在她头发里，“你得把孩子生下来，斯佳丽，即使今后几个月得用手铐把你铐在我手腕上，我也在所不惜。”

她在他腿上坐直了身子，诧异地盯着他。在她凝视的目光下，那张脸突然变得平静而温和，那一脸的怒气似乎全被人用魔法抹去了。他眉头不再紧锁，嘴角也伸开了。

“我对你真的那么重要？”她垂下眼问道。

他盯了她一眼，似乎在思量这句话里含有多少卖弄风情之意。等他悟出了她这番举止的真实意思，就漫不经心地回答：“可不是。你看，我在你身上下了那么大的本钱，当然不愿白白丢掉啰。”

玫兰妮走出斯佳丽的房间。虽然累坏了，但却为斯佳丽生了个女儿高兴得流出了眼泪。瑞特心情紧张地站在过道里，脚下扔了一圈雪茄烟蒂，精致的地毯上烧出了一个又一个洞。

“你现在可以进去了，巴特勒船长。”她羞涩地说。

瑞特快步从她身边走过，进了房间。玫兰妮朝房里望了一眼，只见他躬下身，去亲那抱在黑妈妈腿上的浑身赤裸的婴儿，随后，米德大夫就把门关上了。

玫兰妮颓然跌坐在椅子上，她无意间目睹了刚才那一幕亲昵场面，窘得满脸绯红。

“啊！”她想，“这下可好了！可怜的巴特勒船长一直在担惊受怕！并且这阵子滴酒不沾！真多亏他了。多少男人没等妻子把孩子生下来，早已喝得酩酊大醉了。我想他现在最需要的是喝口酒。可我怎么敢向他提这样的建议呢？不行，太冒失了。”

玫兰妮惬意地倒靠在椅子里，近来她一直腰酸背痛，觉得自己的脊背好像拦腰被折成了两段似的。斯佳丽真是好福气，在她生孩子的过程中巴特勒船长就这么一直守在门外！想当初小博来到世上时，如果有阿希礼在场，她大概就不会遭那份活罪了！要是那儿扇紧闭的房门里面的小女孩是自己的，而不是斯佳丽的，那该多好！“哦，我心肠太坏了，”她内疚地自责道，“斯佳丽一直待我那么好，而我竟想要她的孩子。主啊，饶恕我吧。我并不是真的想要斯佳丽的孩子，但是——但是我多想自己再生个孩子啊！”

她的背脊在一阵阵酸痛，她把一个小坐垫挪到身背后，如饥似渴地想着自己要是能有个女儿该多好。然而在这个问题上，米德大夫一直坚持自己的意见。虽然她自己甘冒生命危险想再要一个孩子，但阿希礼硬是不同意。一个女儿，唉，要是真有个女儿，阿希礼不知会怎么疼爱她呢！

女儿！天哪！她突然惊骇得坐直了起来。我可没告诉巴特勒船长那是个女孩！他当然是巴望有个小男孩的。哦！太可怕了。

玫兰妮知道，对女人来说，不管生男生女都同样高兴，可对男人来说，特别是对巴特勒船长那种刚愎自用的男人来说，生个女孩无疑是当头一棒，有失他男子汉的体面。啊，真谢天谢地，幸亏她唯一的孩子是个儿子！她想如果自己是那个吓人的巴特勒船长的妻子，头胎生了个女儿，那她宁愿在生产时死去也不敢把孩子交给他。

但是，当看到黑妈妈咧着嘴笑嘻嘻地、一摇一晃地从房里出来，她放心了——同时又暗暗纳闷，巴特勒船长究竟是个什么样的人。

“刚才我在给小婴儿洗澡的时候，”黑妈妈说，“我抱歉地对瑞特先生说，可惜没给你生个小子呢。但是，天哪，兰妮小姐，你知道他怎么说？他说：‘嘘，轻声点，黑妈妈！谁要男孩了呀！男孩没意思，只会惹麻烦。女孩才好玩呢。拿十个男孩来换这个女孩，我也不肯换呢。’说着，就想从我手里把小娃娃抱过去，可小娃娃赤条条的，光着身子，我就拦住他的手，说：‘放规矩些，瑞特先生！等有一天，我告诉你添了个胖小子的时候，看你会不会乐得哇哇大叫。’他笑嘻嘻地摇摇头：‘黑妈妈，你真傻。男孩对谁也没用，我不就是个证明吗？’说真的，兰妮小姐，在这件事上，他的举动倒挺像个上等人的。”黑妈妈颇有雅量地说着。玫兰妮是个细心人，知道瑞特这次的举止极为得体，居然能让黑妈妈对他另眼相看。“也许我以前有点冤枉瑞特先生了。今天对我来说真是个快乐的日子，兰妮小姐。罗比亚尔家三代女孩子的尿布都是我换的。今天真是个快乐的日子。”

“哦，是呀，是个快乐的日子，黑妈妈！凡是有孩子来到世上的日子，都是最最快乐的日子。”

这幢房子里有一个人没觉得今天是个快乐的日子，这个人就是韦德·汉普顿。他一个人可怜巴巴地缩在餐厅里，闷得慌。他先是挨大人骂，随后被撇在一边，几乎整天没人理睬他。那天，黑妈妈一大早就猛地把他叫醒，急急忙忙给他穿好衣服，送他和埃拉去佩蒂姑妈家吃早饭。大人也不给他解释清楚，只说妈妈病了，如果他在屋子里闹出声音来会让妈妈难受的。佩蒂姑妈家乱哄哄的，因为老太太一听说斯佳丽闹病，就躺倒在床上，还得由厨娘在一旁侍候。早饭是彼得大叔替孩子们做的，少得可怜。随着上午的时间一点点过去，韦德渐渐害怕起来。要是妈妈死了怎么办？有的小孩子的妈妈就死了。他看到过柩车从院子里拉出来，还听到小孩子尾随其后低声抽泣。万一妈妈也死了呢？虽然韦德非常害怕妈妈，但是他也是很疼爱妈妈的呀。一想到她也会装在黑乎乎的柩车里，被几匹插着羽毛的黑马拉着就走，他的小胸口就隐隐疼痛起来，痛得几乎没法呼吸了。

中午的时候，彼得正忙着在厨房里做饭，韦德悄悄地从前门溜了出去，然后撒开小腿拼命往家跑，心里的恐惧迫使他不断向前。瑞特叔叔、兰妮姑姑或是黑妈妈，肯定会把实情告诉他的。但是哪儿也找不到瑞特叔叔和兰妮姑姑。黑妈妈和迪尔西，手里拿着毛巾、端着一盆盆热水，沿着后楼梯奔上奔下，根本没注意到他在前屋的过道里。偶尔楼上的房门开了，可以听到米德大夫零星的话音。有一次他听到母亲在呻吟，不由得哽咽起来。他知道母亲快死了，为了安慰自己，只好去逗弄那只躺在过道窗台上晒太阳的浅色猫。但是那猫上了年纪，不喜欢人打扰它，它摆动着尾巴，呜噜呜噜地低声怒叫。

后来，黑妈妈总算从前面的楼梯上走了下来，围裙皱成一团，上面斑斑点点的，头巾也歪了。她一看到韦德，就皱起了眉。黑妈妈一向是韦德的主要靠山，现在见她皱起了眉，韦德不由得哆嗦起来。

“你是我见过的最不乖的孩子，”她说，“我不是送你到佩蒂小姐那儿去了吗？快回去。”

“是不是妈妈快——她会死吗？”

“你是我见过的最让人心烦的孩子！会死？老天呀，才不会呢！天哪，男孩子就是能折磨人。不知道老天爷干吗要把男孩子送到人世间来。喂，赶快离开这儿。”

但韦德没有走开。他躲在过道门帘后，对黑妈妈说的话还是半信半疑。至于说男孩子让人头痛，这可伤害了他，因为他总是尽最大努力在学好。半小时后，兰妮姑姑匆匆下楼来了，脸色苍白，样子很累，但却独自微笑着。她一眼看到了躲在门帘暗影里的那张哭丧着的脸，像遭了雷击似的大吃了一惊。平时，兰妮姑姑总是不惜花好多时间来陪他，从不像妈妈那样冲着他说：“别来烦我，我有急事要干！”或说：“快走开，韦德。我忙着呢！”

可今天兰妮姑姑却说：“韦德，你太淘气了。为什么不待在佩蒂姑婆那儿？”

“是不是妈妈快要死了？”

“天哪，怎么会呢，韦德！别傻了！”随后用温和的口吻接着说，“刚才米德大夫给你妈妈接生了一个很可爱的小娃娃，是个非常可爱的小妹妹，你可以逗她玩呢。如果你乖的话，今天晚上就可以看到她。现在出去玩吧，别在屋里弄出声响来。”

韦德溜进静悄悄的餐厅，他周围那一方本来就不太安全的小天地，现在简直要塌下来了。在这么个阳光明媚的日子里，大人们的举动真是太奇怪了，竟然不让一个忧心忡忡的七岁小男孩有容身之地！他在内室的窗台上坐下，看见阳光下放着一株栽在盆子里的秋海棠，就凑近叶片咬了一口。只觉得一阵火辣，辣得他眼泪都掉下来了，他索性哭了起来。妈妈可能快死了，没人来管他，屋子里上上下下，所有的人都在为一个新来的小孩子，一个女孩子忙个不停。韦德对小孩子不感兴趣，更不用说是女孩子了。和他比较亲近的女孩子，就只有埃拉，然而迄今为止她还没做出过什么值得他尊敬和喜欢的事来。

隔了好大一会儿，米德大夫和瑞特一块儿下楼来了，他们站在过道里低声交谈了几句。瑞特叔叔就送走大夫，关上门，快步走进餐厅，拿起酒瓶给自己斟了满满一杯酒。就在这时他看见了韦德。韦德把身子缩成一团，心想又要怪他淘气不听话了，又会让他回佩蒂姑婆那儿去。不料瑞特叔叔却冲着他微微一笑。韦德还从没见过他那样微笑，也从没见过他这么高兴。于是他壮着胆子，从窗台上一跃而下，朝瑞特叔叔跑来。

“你有妹妹了，”瑞特叔叔一把抓住他说，“我敢说，你还没见过这么漂亮的小娃娃呢！哎，怎么哭鼻子了呀？”

“妈妈——”

“你妈妈正开心地享用丰盛的午餐，有鸡肉、米饭、肉汁和咖啡。再过一会儿我们还要给她吃点冰淇淋。如果你想要，也可以吃上两盘。我还要带你去看妹妹呢。”

韦德放心了，可身子却软得一点劲儿也没有，他想就这位新妹妹说几句客气话，可就是说不出来。大家都对这个女孩子感兴趣。他的事儿，再也没谁管了，甚至连兰妮姑姑、瑞特叔叔也不例外。

“瑞特叔叔，”他开腔说，“比起男孩子来，大家更喜欢女孩子，对吗？”

瑞特把手里的酒杯放下，端详了一会儿他那张小脸蛋，立刻流露出领悟的神色。

“我看不见得吧，”他一脸严肃地回答说，好像在认真思考似的，“这无非是因为女孩子比男孩子给人添的麻烦要多些。对那些给人惹麻烦的孩子，大家往往操心要多些。”

“黑妈妈刚才说，男孩子就爱惹麻烦。”

“哦，黑妈妈心情不好，那话只是随口说说的。”

“瑞特叔叔，你是想要小女孩，不想要小男孩的吧？”他用期待的口吻问道。

“是呀，”瑞特不假思索地回答道，看到小男孩脸色沉了下来，他赶紧改口说，“哎，我已经有了一个男孩，干吗还要一个呢？”

“已经有了一个？”韦德叫了起来，听到这消息他吃惊地张大了嘴，“他在哪儿呀？”

“就在眼前呀，”瑞特将他一把抱起，放在自己腿上，“有你这么个小男孩，已经足够了，儿子。”

顿时，韦德的心头涌上那种还有人要的安全感和幸福感，他几乎又要哭了。他转过身子，硬把眼泪止住，一头栽进瑞特怀里。

“你是我的孩子，是吗？”

“一个人能——嗯，能同时做两个人的孩子吗？”韦德问。两种感情在他心里冲突着：一边是对那位从没见过的亲生父亲的忠诚，另一边是对眼前这个如此体贴他的继父的爱。

“能，”瑞特语气肯定地说，“就像你既是妈妈的孩子，同时又是兰妮姑姑的孩子一样。”

韦德仔细体会着这句话的意思。他悟出了其中的含义，于是微微一笑，不安地在瑞特怀里扭动着身子。

“你很了解小孩子，是吗，瑞特叔叔？”

瑞特黝黑的脸沉了下来，又现出那一道道年深日久的深粗皱纹，嘴歪扭了起来。

“是啊，”他沉痛地说，“我很了解小孩子。”

韦德有点害怕起来，害怕之中又夹杂着几分突如其来的妒意。瑞特叔叔此刻心里想的肯定不是韦德，而是别的什么孩子。

“你还有别的孩子吗？”

瑞特把他放到了地板上。

“我想喝点酒，你也喝点吧，韦德，这是你第一次喝酒，为你的新妹妹干杯。”

“你还有别的——”韦德想问下去，可看到瑞特伸手去拿装有葡萄酒的长颈瓶，想到自己也能像大人那样举杯庆贺，一时兴奋得无心再发问了。

“哦，我不能喝，瑞特叔叔！我答应过兰妮姑姑，大学毕业之前决不喝酒，如果我真的做到了，她会奖给我一块表呢。”

“那我再给你配上一根表链，如果你要的话，就把我现在挂在表上的这根给你。”瑞特说话时脸上带着微笑，“兰妮姑姑的话很对。但是她说的是白酒，而不是葡萄酒。你得像上等人那样喝葡萄酒，儿子，现在就是学着喝的最好时机。”

他拿起玻璃瓶，非常熟练地往红葡萄酒里掺水稀释，等到酒液呈现淡淡的粉红色时，才把酒杯递给韦德。就在这时，黑妈妈走进了餐厅。她换上了星期日才穿的黑色盛装，连围裙、头巾也焕然一新。她扭动身子，一摇三摆地走着，衣裙里不停地发出窸窸窣窣的丝绸声。她脸上那焦灼不安的神情一扫而光，满脸堆笑地咧着那张牙齿几乎已全部掉光的大嘴。

“来份生日礼物吧，瑞特先生！”她说。

韦德已把酒杯凑到了唇边，这时一下子停住了。他知道黑妈妈向来不喜欢这位继父。她一直称他为“巴特勒船长”，而且在他面前，总是冷冰冰地摆出一副不可侵犯的架势。而现在，她满面春风，忸忸怩怩的，还称他“瑞特先生”！今天一切都乱套了！

“我觉得，你更喜欢来点朗姆酒吧，”瑞特说着，伸手从酒柜里拿出一只胖墩墩的酒瓶来，“是个很漂亮的女孩子，是不，黑妈妈？”

“那还用说，”黑妈妈应和着。她一面端起酒杯一面咂嘴。

“你可曾见过更漂亮的女孩子？”

“哦，当然见过啰，斯佳丽小姐刚生下来时，差不多也是这么漂亮。”

“再来一杯，黑妈妈。我说黑妈妈，”他声调严厉，可眼睛却忽闪忽闪地，“我听到了窸窸窣窣的声音，是什么呀？”

“老天呀，瑞特先生，没什么，是我那件红绸衬裙呀！”黑妈妈格格傻笑着，还不住扭动身子，最后连整个巨大的身体都晃动起来了。

“就只是那件衬裙！我不信。你身上的响声好像是一堆干树叶在那儿沙沙响个不停呢。让我瞧瞧。把衣裙撩起来。”

“瑞特先生，你真坏！哦，天哪！”

黑妈妈微微叫了一声，忙不迭地往后退了几步，然后稍稍将衣裙撩起几英寸，露出了那件红色丝绸衬裙的褶边。

“这衬裙你搁了这么久才穿啊，”瑞特咕哝着说，但他那双黑眼睛却掩饰不住笑意，忽忽地闪动着。

“是呀，是搁得太久了。”

接下来的一句话，韦德可听不懂了。

“不再是套着马嚼子的骡子了?”

“瑞特先生，斯佳丽小姐真坏，竟把这个也告诉你了。你不会因这句话而记恨黑老妈子吧。”

“不会的，我只是随口问问罢了。再来一杯，黑妈妈。把一瓶都喝了。干呀，韦德！为我们干杯。”

“为小妹妹，干杯。”韦德大声说，随后把酒大口地咕嘟咕嘟往下灌。由于喝得太快，呛住了，于是又是咳嗽，又是打呃，另两人看了禁不住哈哈大笑，赶忙替他又抹胸又捶背的。

从女儿出世的那一刻起，瑞特的举止言行让人看了真有点迷惑不解。人们对他的看法已成定论，不仅全城人，而且连斯佳丽也决不会轻易改变的，可现在却开始动摇了。世上做父亲的多的是，可谁会想到他竟会在大庭广众之下公然炫耀父亲的身份，并且一点也不觉得难为情。再说，头胎生的又不是个儿子，只是个女孩子而已，这情况本身就够寒碜的了。

做父亲的新鲜感，对他而言似乎有增无减。这不免使某些妇人心中产生了几分妒意，因为她们的丈夫早在小孩受洗之前，就不把这当回事了。而他走在路上则逢人就拦着，不厌其烦地向他们大谈自己的女儿有了哪些神奇的进步。换了其他人，一上来至少先说上句虽属虚假但却符合礼貌的客套话：“我知道大家都以为自己的孩子很聪明，但——”。然而他却连这句也不说。他认为自己的女儿就是了不起，岂能同别人家那些不起眼的小娃娃相提并论。他也不怕让人知道自己这种想法。一位新来的保姆给婴儿喂了一点点肥肉，结果引起了腹痛，瑞特对这件小事的处置被传为笑谈，更让一些有经验的父母笑痛了肚子。他先把米德大夫和另外两位大夫召来会诊，随后又要用马鞭抽保姆，人们费了九牛二虎之力好不容易才拦住他。保姆被解雇了，接着走马灯似的一连换了几个保姆，其中待得最长的也只有一星期。瑞特太苛刻，没哪个保姆符合他立下的那套规矩。

同样，黑妈妈对那些走马灯似的来来去去的一个又一个保姆，也是怎么看怎么不顺眼。对从外面雇来的黑人保姆，她嫉妒得要命，她不明白干吗不让她在管韦德、埃拉的同时照看小婴儿。其实，黑妈妈已上了年纪，再加上患有风湿，反应迟钝，老态龙钟。瑞特不敢明说这就是要另雇保姆的原因。只是对她说，像他这种地位的人，家里可不能只雇一个保姆。这显得太寒酸了。他要再雇两个下手给她打杂，由她当总管。对于这种想法，黑妈妈表示完全理解，家里仆人多，不但瑞特，而且她自己也觉得脸上有光。但是她语气坚定地说，那些刚解放的黑奴们休想进她的育儿室。最后，瑞特只好派人去塔拉庄园把普莉西找来。他知道她有许多缺点，但毕竟是自家的黑奴。彼得大叔推荐了一个侄孙，名叫洛儿，是佩蒂小姐的表兄伯尔家的一个女黑奴。

还在能下床走动之前，斯佳丽就注意到瑞特的心思全扑到这个孩子身上了。不知怎么的，看到他在客人面前如数家珍地夸耀自己的女儿，她心里总感到不自在，甚至有点气恼。做爸爸的爱自己的孩子固然不错，但像他这样煞有介事地炫耀自己的父爱，未免太缺少男子汉气概了。他应该像其他男人一样，随意些，不把它当回事才是。

“我看你是在装疯卖傻，”她气恼地说，“我真不明白你干吗要这样。”

“不明白？嗯，你不会明白的。干吗要这样，因为她是第一个完全属于我的人。”

“她也属于我呀。”

“不，你还有另两个孩子。她是我的。”

“见鬼！”斯佳丽说，“孩子是我生的，不是吗？再说，亲爱的，我也属于你呀。”

瑞特的目光越过孩子满头乌发，停在斯佳丽身上，脸上露出异样的微笑。

“真的，亲爱的？”

就在这时，玫兰妮走了进来，打断了这场眼看要爆发的争吵，近来他们之间动辄发生类似的争吵。斯佳丽强按住心头的恼怒，看着玫兰妮将小孩抱了过去。本来他俩已商定好给孩子取名叫欧仁妮·维多利亚，可是那天下午玫兰妮无意间说起的一句话，倒就此给孩子定下了名字，就像大家一直用小名称呼佩蒂姑妈一样，现在反而没人记得姑妈的原名叫莎拉·琪恩了。

原来，瑞特在俯身端详孩子的时候随口说了一句："她这双眼睛将来准是蓝青色的。"

"才不会呢，"玫兰妮生气地说，忘了斯佳丽的眼睛差不多也是这种颜色，"将来准是湛蓝的，就像奥哈拉先生的那样，湛蓝湛蓝的——蓝得跟美丽的蓝旗一样。"

"好呀，就叫她美蓝·巴特勒。"瑞特笑着从玫兰妮手里接过孩子，更加仔细地审视那双小眼睛。这孩子就此叫美蓝了，最后，甚至连她的父母也忘了，当初曾一度想用女王的名字给她命名呢。

51

斯佳丽终于能到外面走动了，她让洛儿帮她束腰，让她尽量收紧腰带，然后拿皮尺量了一下自己的腰围。二十英寸！她禁不住哼了一声。唉，这就是生孩子的结果，身材全给毁了。现在她的腰围跟佩蒂姑妈和黑妈妈的一样粗了！

“再收紧些，洛儿，看看能不能收到十八英寸半，否则现在的衣服全穿不上了。”

“再收紧，带子就要崩断了，”洛儿说，“腰身变粗了，斯佳丽小姐，这是谁也没办法的事。”

“总会有办法的，”斯佳丽一边狠狠将线缝撕开，放宽衣裙，一边想着，“我以后再不生孩子了。”

女儿美蓝长得很漂亮，她脸上当然也有光。瑞特则更是喜欢得什么似的，但她以后再也不要孩子了。至于怎样才能做到这一点，她心里可没数，因为她不能用对付弗兰克的办法去对付瑞特。瑞特是一点也不怕她的。尽管瑞特说过要是她生下的是儿子，不把他淹死才怪，但看瑞特现在爱美蓝爱得发痴的样子，没准来年他又想要个儿子了。儿子也罢，女儿也罢，反正以后再也不生了。已经有了三个孩子，够她受的了。

洛儿缝好撕开的缝隙，用熨斗熨平，然后给斯佳丽穿戴整齐。斯佳丽让人准备好马车，自己赶车去了锯木厂。车一上路她的兴致也就来了，完全把腰围的事儿置之脑后了，因为她马上就能在厂子里见到阿希礼，并和他一起核查账目。如果走运的话，说不定还可以同他单独待在一起。美蓝出世以前，她就已经有好长一段时间没见着他了。当时她挺着个大肚子，根本不想与他见面。而在此之前，她差不多每天都能与他接触，虽说总有其他人在场，但这种接触毕竟也是很难得的。想当年，锯木厂在她的生活中占有多么重要的地位，自己整天要照管厂子，忙于应付木材生意，但此间未尝没有让人留恋的乐趣。现在她当然无须再操劳奔波了，她完全可以把厂子盘给别人，为韦德、埃拉搞点别的投资。但这样一来，除了在一些宾朋济济一堂的正式社交场合，她就很少会有其他机会见到阿希礼了。在阿希礼身边工作，对她来说是莫大的乐趣。

马车驶近锯木厂时，她兴致勃勃地看到一堆堆小山般的木料。许多顾客正站在木料堆中同休·艾尔辛谈话。骡子和大车也停在那儿。黑人车夫正往车上装木料。她颇为得意地自言自语道："有六组骡车！这些都是我一手置办起来的呢！"

阿希礼走到办公室的小屋门口，看到斯佳丽又来了，眼里立刻露出喜悦的神情；他上前扶着她走下马车，像迎接皇后似的把她迎进办公室。

但是，在查阅他的账目并同约翰尼·加勒吉尔的账本加以比较时，她心里的喜悦一下子少了许多。阿希礼负责的锯木厂收支勉强相抵，而约翰尼·加勒吉尔负责的厂子却有大宗的盈余。她嘴里虽然没说什么，只是看着两方的账目，但阿希礼却从她脸上的表情看出了她心里的想法。

"真抱歉，斯佳丽。我是想说，希望你能让我把这些犯人辞了，雇些黑人来干活，我相信我能干得好些。"

"黑人！嗨，单就工钱一项，就会把我们压垮的。雇犯人的工钱便宜多了。约翰尼能从他们身上榨出那么多——"

阿希礼的目光越过她的肩膀，茫然地望着她的身后发愣，他眼睛里的喜悦光芒也消失了。

"像约翰尼·加勒吉尔那样逼着犯人干活，我可干不了。我没法强制别人。"

“见鬼！约翰尼干得很出色。阿希礼，你太心慈手软了。你得逼他们多干点活才是。约翰尼告诉我说，每次只要有懒鬼不想干活，到你面前声称他病了，你就会给他一天病假。天哪，阿希礼。这样是赚不了钱的。只要狠狠揍他们两下，他们就什么病也没有了，只要不把他们的腿打断——”

“斯佳丽！斯佳丽！快别说了！我受不了你说话的这种口气，”阿希礼大声说，他的目光又回到了她身上。他那种恶狠狠的眼光使她骤然住了口，“你难道没意识到他们也是人！他们中有的人有病，营养不良，挺可怜的，而且——哦，亲爱的，你一向那么温柔可爱，我真不忍心看到你被教唆成这么一个野蛮——”

“说谁呢，你？”

“这话我得说，虽然我没这个权利，但我还是非说不可。我说的就是你的——你的那位瑞特·巴特勒。不管什么东西只要沾上他，没有不遭受他毒害的。你以前性子虽然野了点，但心地善良，为人慷慨。自从他把你弄到手之后，就对你施加毒害——在他的影响下，你变得这么冷酷，这么野蛮。”

“哦。”斯佳丽气喘吁吁地说，虽然心里有几分内疚，却有一阵阵抵挡不住的喜悦：阿希礼依然对自己如此深情，仍然认为她本性温柔善良。感谢上帝，尽管她锱铢必较，阿希礼却将此归咎于瑞特。当然，瑞特和这些毫无关系，全是她自己的过错。不过，反正瑞特已声名狼藉，再给他脸上抹一层黑，对他也没什么损害。

“要是换个别的什么人，我是决不会这么担心的——可偏偏是瑞特·巴特勒！他对你干了些什么，我看得清清楚楚。还没等你明白过来，他已把你的思想扭曲，把你引到他自己正走的那条邪路上去了。哦，不错，我知道自己不该这么说——他救过我的命，对此我很感激。我暗中向上帝祈祷，但愿你丈夫是别的什么人，而不是他！我知道我实在没权利这样对你说话……”

“哦，阿希礼，你有权利——除了你，还有谁有这权利！”

“告诉你，眼睁睁地看着你的天生丽质任凭他玷污，眼见你的美貌、你的妩媚全然托付给这么一个人，自己却无能为力，我心里实在受不了。每次一想到是他在触摸你，我——”

“他马上就要来亲我了!”斯佳丽欣喜若狂地想,“这可不是我的过错!”她扭动着身子凑向他。可他却猛地往后一缩,似乎意识到自己说得太多了——把一些从没打算要说的话都说了。

“我诚心诚意地向你道歉。我——我一直在向你暗示你的丈夫不是个正人君子,而我说的这番话,恰恰证明我自己不是个正人君子。我没有权利在一个妻子面前批评她的丈夫。我找不出任何理由,除非——除非——”他说得结结巴巴,脸也扭曲了。她凝神屏气地等他把话说完。

“我根本没有任何理由。”

回家的路上,斯佳丽坐在马车里胡思乱想了一路。没有任何理由,除非——除非是因为爱她。阿希礼一想到她斯佳丽躺在瑞特的怀里,心里头竟会激起满腔怒火,这简直不可思议。嗯,这应该是可以理解的嘛。要不是知道他现在和玫兰妮之间只是一种兄妹关系,那她也会觉得现在的生活是一种折磨。瑞特的拥抱是对她的玷污,使她变得冷酷无情!好吧,如果阿希礼有这种想法,那她今后完全可以不要这种拥抱。她想,尽管她和阿希礼在名义上都和别人结了婚,但如果能在肉体上互相忠诚,那该有多美,又多浪漫呀!这个念头使她浮想联翩,让她感到了一种新的乐趣。从另一个方面来说,这种做法也有其实际意义,因为这样一来,她就不会再生儿育女了。

回到家把马车打发走以后,她开始考虑自己面临的现实问题。阿希礼刚才的一番话在她心头激起的无限欢欣顿时消散了许多。首先她得向瑞特提出分居的要求,并说明其中所包含的全部内容。但这很难做到。再说,以后她又怎么启口对阿希礼说,由于考虑到他的愿望她已不再与瑞特同床共枕了呢?自己作出了牺牲,别人却一无所知,这种牺牲又有什么意义呢。庄重与娇弱,真是压在上流女性肩上的一副重担!要是对阿希礼也能像对瑞特那样,心里有什么就直截了当地说什么,那该有多好。嗯,没关系。她总有办法在阿希礼跟前作些暗示,让他知道个中内情的。

她上了楼,推开育儿室的门,看见瑞特正坐在美蓝的小床旁,埃拉坐在他腿上,而韦德正把兜里的东西一一掏出来给他看。瑞特喜欢孩子,关心孩子,这真是件幸事,不像有的继父把前夫的孩子看做眼中钉肉中刺。

“我有话对你说。”她一面说着一面继续径直朝卧室走去。与其迟说不如早说，趁现在心中那股决意不再要孩子的劲头还没冷下来，阿希礼的爱情还在给她鼓舞。

“瑞特，”等他把卧室门掩上她便忙不迭开腔道，“我已决定从此以后再不要孩子了。”

听了这句突如其来的话，瑞特没露一点声色，也不知他是否真感到震惊。他懒洋洋地在椅子上坐了下来，身子往后一靠。

“宝贝，在美蓝出世以前我就对你说过，你是要一个孩子还是要二十个孩子，我都无所谓。”

他这人真鬼，就这么轻轻松松的一句话，巧妙地回避了问题的要害，就好像不要孩子和孩子实际来到世上这两者之间毫无关系似的。

“我想三个孩子足够了。我可不打算一年生一个。”

“三个似乎是很恰当的数目。”

“你心里很明白——”她欲言又止，下面的话实在难以启口，窘得她脸涨得通红，“你明白我说这话的意思吗？”

“明白。不过你是否知道，我也可以提出和你离婚，理由是你无故侵害了我享受婚姻的合法权益。”

“你这个人真是俗，竟然想到那种事儿上去了。”她大声嚷道，见这场谈话完全越出了她原定的轨道，她不觉有些懊恼。

“如果你有点骑士风度，你就会——就会多为别人着想了，就像——嗯，看看人家阿希礼·韦尔克斯。玫兰妮不能再养孩子，他就——”

“阿希礼，那是个微不足道的谦谦君子。”瑞特说这话时一种异样的光彩在眼睛里闪烁着，“请接着往下说。”

斯佳丽一口气憋住了，她的话已经说完了，没什么再要说的了。这会儿她才意识到自己多么蠢，竟然希望能客客气气地解决这样一件至关重要的大事，何况对手又是瑞特这样一个见色忘义的下流货。

“你今天下午去过锯木厂办事处了，是吗？”

“这与我们谈的事有什么关系？”

“你是喜欢狗的吧，斯佳丽？你宁愿让狗待在养狗场还是让狗赖在马槽里占着茅坑不拉屎？”

她内心正激起一腔愤怒和失望，顾不上品味这句比喻的含义。他站起身，轻轻走到她身边，用手托住她的下巴，猛地一转，让她的脸对着自己。

“你真是个少不更事的孩子！前前后后你已经跟三个男子一起生活过，竟然还不知道男人的脾性。你似乎觉得男人都像过了绝经期的老太太吧。”

他好玩似的揪了一下她的下巴，然后把手一放，抬起一条黑眉，冷冷地冲着她的脸凝视了许久。

“斯佳丽，你听明白了。只要你和你那张床对我还有魅力，不管你给门上锁也罢，苦苦哀求也罢，都别想拦得住我。我是什么事都干得出来的，而且决不会因此而感到羞耻，因为我和你已做成了一笔交易，我一直是信守合同的，是你在食言毁约。你就守着你那张贞洁的床吧，亲爱的。”

“你是想告诉我，”斯佳丽嚷道，“你不在乎——”

“你已经对我感到厌烦了，是吗？嗯，比起女人来，男人往往更容易感到厌烦。你就守住你那份贞操吧，斯佳丽。我并不会因此而吃什么苦头。没什么大不了的，”他耸耸肩，咧嘴一笑，“好在这世上有的是床，而大部分床上都睡着女人。”

“你是说，你真会那么——”

“我天真的小宝贝！那还用说！如果在此之前我一直规规矩矩，那才怪呢。我从不认为忠贞不贰是种美德。”

“从此以后每天晚上我都要关门上闩。”

“何必这么费事呢？我果真需要你，什么闩也别想把我拦在门外。”

说罢他一转身径自离开了屋子，仿佛这场讨论已经结束。斯佳丽听到他进了育儿室，孩子们发出一阵欢呼。她颓然坐下。她已如愿以偿。这是她的愿望，也是阿希礼的愿望。但她并没有因此而觉得快活。她的虚荣心受到了伤害。想到瑞特竟然对此事如此满不在乎，还说不再需要她了，并把她与那些淫乱的荡妇相提并论，她不能不感到屈辱。她本希望能想出个巧妙的法子让阿希礼知道她和瑞特的夫妻关系已名存实亡，可现在她知道自己是讲不出口的。事情全弄糟了。她还真有点后悔提这件事。过去她和瑞特躺在床上，聊着说不完的各种有趣话题，雪茄烟头在黑暗中闪闪发光，今后，这种亲热的时刻再不会有了。以前，每当她梦见自己在寒冷的雾中没命奔跑而惊醒过来时，瑞特的胳膊总能给她安慰，今后再也没这个福分了。

她突然有一种无限怅惘的感觉，禁不住扒在椅子扶手上失声痛哭起来。

52

美蓝周岁后不久的一天下午，外面下着雨，韦德闷闷不乐地待在起居室里。他不时走到窗前，把脸紧贴在挂有水珠的玻璃窗上，向外张望。他身体瘦弱，个子细长，今年八岁了，但看上去似乎比实际年龄小些。他文静得近乎羞涩。别人不跟他说话，他是决不会先开口的。此时此刻他闷得发慌，不知该如何消遣才好。埃拉在角落里，不停地摆弄着她的洋娃娃。斯佳丽坐在写字台前，把一长串数字算来算去，嘴里还不时咕哝着。瑞特躺在地板上，晃动着怀表的表链，让美蓝伸手来抓。

韦德拣好了几本书，又让它们砰砰掉到地上，他重重地叹了口气。斯佳丽气恼地转过身冲着他说：

“上帝呀，韦德！快到外边玩去！”

“出不去呀。外面在下雨呢。”

“是吗？我倒没注意。那么找点事做做吧。你在这儿站也不是，坐也不是，搞得人心烦得很。去叫波克套车，送你到小博那儿玩去吧。”

“他不在家，”韦德叹了口气，“他参加拉乌尔·皮卡尔的生日聚会去了。”

拉乌尔是梅贝尔·皮卡尔的小儿子，在斯佳丽眼里他是个很讨嫌的小家伙，三分人形，七分猴相。

“好吧，你想找谁就找谁去吧。快跟波克说去。”

“没有人在家，”韦德回答说，“所有的人都去参加生日聚会了。”

这句“所有的人——就我例外”的言下之意再清楚不过了，可斯佳丽由于心思全扑在账本上，竟没听出来。

瑞特一骨碌坐起来，接口说：“那你干吗不也去参加生日聚会呢，儿子？”

韦德侧着身子，愁眉苦脸地朝他这边挪着步子。

“他们没邀请我呀，先生。”

瑞特把怀表给了美蓝，任她的小手去抓玩。他轻轻站起身来。

“你别再算那该死的账了，斯佳丽。他们这次生日聚会怎么没邀请韦德？”

“看在上帝的分上，瑞特，现在别打扰我。阿希礼记的真是一笔糊涂账——什么这次生日聚会？哦，我想，他们没邀请韦德就没邀请吧，这有什么好大惊小怪的，他们要是邀请了，我还不让他去呢。别忘了，拉乌尔是梅里韦瑟太太的外孙。梅里韦瑟太太是宁可请一个获得自由的黑奴到她家神圣的客厅，也不愿请我们中的任何人去的。”

瑞特带着若有所思的神情看着韦德的脸，看到孩子在不断地往后退。

“上这边来，儿子，”说着，他把孩子拉到自己身边，“你很想参加那个生日聚会吗？”

“不想，先生。”韦德说话的口气很硬，但眼皮却耷拉着。

“嗯。跟我说，韦德，乔·惠丁家的聚会，弗兰克·邦尼尔家的聚会，还有别的小朋友家的聚会，你都参加了吗？”

“没去，没几家愿请我去的。”

“韦德，不要撒谎！”斯佳丽转过身大声说，“你上星期不是参加过三次聚会吗！巴特家的，格勒特家的，还有亨顿家的。”

“你尽可以把各种配上马鞍的骡子当成马拉来凑数，”瑞特不紧不慢地拖着声调说，“你到那些人家里聚会觉得快乐吗？说吧。”

“不快乐，先生。”

“为什么？”

“我——我不知道，先生。黑妈妈——黑妈妈说他们都是白人中的垃圾。”

“待会儿看我不剥了黑妈妈的皮！”斯佳丽一下子跳了起来，“韦德，还有你，竟敢跟妈妈说这种话——”

“孩子讲的是实情，黑妈妈讲的也是实情，”瑞特说，“当然啰，即使把实情明明白白地摆在你面前，你也会只当没看见……别担心，儿子。有些聚会不想去，就别去了。哎，给，”他从口袋里掏出张钞票，“去吧，让波克套车，带你进城去。你自己去买点糖果——想买多少就买多少，放开肚子吃，吃到肚皮发胀为止。”

韦德露出了笑容，将钞票塞进兜里，随后又焦灼不安地朝母亲望了望，想得到她的许可。但是她正紧皱双眉望着瑞特。他伸手从地板上抱起美蓝，把她偎在怀里，让小脸蛋贴在自己的面颊上。她看不清他脸上的表情，但隐隐觉得他眼睛里有种近乎恐惧的异样神情——一种近乎让人恐惧和自责的神情。

继父的慷慨给了韦德极大的鼓舞。他腼腆地走到继父跟前。

“瑞特叔叔，可以问你件事吗？”

“当然可以，”瑞特显得既有点焦灼不安，又有点心不在焉地说，他把美蓝的小脸蛋儿贴得更紧了，“你要问什么，韦德？”

“瑞特叔叔，你以前是不是——你有没有打过仗？”

瑞特回过神来，目光警觉而锐利，但说话的口吻仍是漫不经心的。

“干吗问这个，儿子？”

“因为乔·惠丁说你没打过仗，弗兰克·邦尼尔也这么说。”

韦德一脸的苦恼。

“我——我对他们说我不知道。”然后他又赶忙继续说，“不过我没理他们，我把他们揍了一顿。你到底打过仗没有，瑞特叔叔？”

“打过，”瑞特突然变得激动起来，“我打过仗，我在部队待了八个月，从洛夫乔伊一直打到田纳西州的富兰克林。约翰斯顿投降时我正和他在一起。”

韦德听了，一种骄傲的神情油然而生，斯佳丽却在一旁哈哈大笑。

“我还以为你对自己这段作战经历深感惭愧呢，”她说，“你不是要我别张扬出去吗?”

“嘘，”他没理会她，“这回答你满意了吧，韦德?”

“哦，当然，先生！我早就知道你打过仗的。我知道你不会像他们说的那样是个胆小鬼。不过——你怎么没和其他小朋友的爸爸在一起呢?”

“因为那些小孩的爸爸都是傻瓜，只能被编在步兵连队里。而我在西点军校念过书，所以就进了炮兵部队。正规炮兵部队，韦德，不是自卫队。只有头脑清醒机灵的人才能当炮兵呢，韦德。”

“没错，”韦德神情焕发地说，“你受过伤、挂过彩吗，瑞特叔叔?”

瑞特沉吟不语了。

“把你得疟疾的事说给他听听吧。”斯佳丽在一旁挖苦他说。

瑞特轻轻地把手里的孩子放在地板上，然后把衬衫和内衣从裤腰带里拉出来。

“过来，韦德，我让你看看我身上受伤的地方。”

韦德兴奋地走到他跟前，目不转睛地盯着瑞特指的那个地方。只见他褐色的胸膛上有一条隆起的长长疤痕，一直拖到肌肉发达的小肚子上。那是在加利福尼亚淘金时持刀同人格斗时留下的纪念。韦德当然不知道，他兴奋地大口喘着气。

“瑞特叔叔，我敢说你和我爸爸一样勇敢。”

“差不多，但又不完全一样，”瑞特一边说着，一边又重新把衬衫塞进裤腰里，“好了，现在去把这块钱花掉，要是以后再有哪个孩子敢说我没打过仗，你就给我狠狠揍他一顿。”

韦德高兴地连蹦带跳地跑了出去。他高声喊着波克。瑞特重又将孩子抱在手里。

“嘿，你干吗要编这么个谎话，英勇的军人小伙子?”斯佳丽问。

“小孩总是要以自己的父亲或继父为自豪的。我不能让他在别的孩子面前感到难为情。小孩子们有时是很残酷的。”

“哦，真是乱弹琴！”

“以前我从没想到过这一切对韦德意味着什么，”瑞特不慌不忙地说，“我从没想过会让他那么难受。将来可不能让美蓝也落到这样的境地。”

“什么境地啊？”

“你以为我会甘心情愿地让美蓝因为有我这样的父亲而感到羞愧吗？甘心情愿地让她在八、九岁的时候被人拒于生日聚会之外？他们蒙受羞辱并非他们的过错，完全是你我的过错。”

“哦，就为了那些孩子们的聚会？”

“现在是孩子聚会，日后就会成为少女初入社交界的聚会。你以为我会听任女儿在她成长的过程中完全被排斥于亚特兰大体面人士的生活圈子之外吗？我不想把她送到北边去求学，去游历，就是因为怕她将来在这儿、在查尔斯顿、在萨凡纳，或是在新奥尔良不被当地体面的人士接纳。我可不愿眼睁睁地等到有那么一天，就因为母亲是个糊涂虫、父亲是个恶棍，南方没一个体面人家肯娶她做媳妇，最后只好被迫嫁个北方佬或者外国人。”

这时韦德已返回到门口，对他们俩的谈话听得既津津有味，又觉得迷惑不解。

“美蓝可以嫁给小博啊，瑞特叔叔。”

瑞特转过身面对小韦德时，满脸的怒气已荡然无存。他似乎在认真考虑韦德的话。在同孩子打交道的时候，他总是认真对待孩子们的一言半语。

“韦德，说得一点不错。美蓝可以嫁给博·韦尔克斯，但是你准备娶谁呢？”

“我谁也不娶，”韦德信誓旦旦地说，他觉得能像大人似的跟面前这个人自由交谈简直是种享受。平时，除了兰妮姑姑，就只有这个人从不厉声训斥他，并始终给他安慰和鼓励，“我要去哈佛念书，要像父亲那样当个律师，然后，我也要像他那样做一名勇敢的士兵。”

“但愿兰妮别在孩子面前乱嚼舌头才好，”斯佳丽嚷道，“韦德，不要想去哈佛念书了。那是北方佬办的学校，我决不会让你进北方佬的学校去念书的。你应该上佐治亚大学，毕业后就回来替我照料那家店铺。至于你父亲是个勇敢士兵的说法——"

"嘘，"瑞特打断了斯佳丽的话，因为他看到韦德刚才提到那位从没见过面的生父时兴奋得眼睛发亮，"等你长大了，也做个像你父亲那样勇敢的士兵。你要好好向你父亲学习，因为他是个英雄。如果别人的说法不一样，你就让那人闭上嘴。你父亲娶了你母亲，不是吗？嗯，这就足以证明他的英雄气概。我一定会让你上哈佛、当律师的。现在，快去吧，叫波克带你进城去。"

"如果你能让我管教我的孩子，我会很感激你的。"斯佳丽等韦德顺从地跑出屋子后，立刻大声嚷嚷道。

"你的管教糟透了。你已经把埃拉、韦德所曾有的各种机会全给毁了，我可不想让你再在美蓝身上来这一手。美蓝一定要成为个小公主，让世上所有的人都争着要她。普天之下没有哪个地方是她不能去的。上帝呀，你以为我会听任她自生自灭，同挤满这屋子的社会渣滓打交道吗？"

"对你来说他们够好的了——"

"对你的确是再好不过的了，亲爱的。但是对美蓝，那可不行。终日与你为伍的尽是些来路不明的家伙：爱尔兰人、北方佬、穷白佬、提包客、暴发户，个个野心勃勃。你以为我会把美蓝嫁到那种人家去当儿媳妇？我的美蓝既有巴特勒家族的血统，又有罗比亚尔家族的血统——"

"还有奥哈拉家族的血统——"

"奥哈拉家族也许一度曾是爱尔兰的王室，但你父亲只不过是个精明的、利欲熏心的爱尔兰佬而已。你也不见得高明到哪里去——话得说回来，我也有过失。我像个有眼无珠的蝙蝠似的，什么也不放在眼里，什么也不在乎。但是美蓝对我却至关重要。天哪，我真是好糊涂呀。任我母亲、你的尤拉莉姨妈或宝莲姨妈再有能耐，美蓝也决不会被查尔斯顿的上流社会接纳的——显然，她也不会被这儿的体面人家接纳，除非我赶快采取补救行动——"

"哦，瑞特，你把这事过于当真，实在有点可笑。凭我们手里的钱——"

"让我们的钱见鬼去吧！钱再多，也买不到我想给美蓝的东西。

我宁可让她去皮卡尔那种穷苦人家啃干面包，或是去艾尔辛太太那摇摇欲坠的谷仓里做客，也不愿意她成为共和党要员就职典礼舞会上艳压群芳的大美人儿。斯佳丽，你一直好糊涂啊！早在几年前你就该为儿女打算，让他们将来在社会体制中有个稳妥的立足之地——但是你却没有这么做。你甚至不愿设法保住你已有的社会地位。到现在这个时候即使你想改邪归正，也是痴心妄想。你贪求钱财，一味恃强凌弱，糊弄别人。”

“我觉得你啰啰嗦嗦，纯属小题大做。”斯佳丽冷冷地说。她啪嗒啪嗒地翻弄账页，表示就她来说，这场争论已告结束。

“现在愿意帮我们的，只剩下韦尔克斯太太一个人了，而你却在尽量地疏远她，侮辱她。哦，请你别再在我面前说什么她穷呀，很寒酸呀。她是亚特兰大一切正气的灵魂和核心。谢天谢地，幸亏有她。她会在这方面助我一臂之力的。”

“那你打算干什么？”

“我吗？我要挖空心思，同本城顽固派中的各位母夜叉交往，特别是梅里韦瑟太太、艾尔辛太太、惠丁太太及米德太太。如果那些对我恨之入骨的恶老太婆们非要我跪在她们面前，我也照办不误。对她们的冷淡我要逆来顺受，还要摆出痛改前非的样子。对她们那该死的慈善事业，我要解囊相助，还要到她们那些鬼教堂去做礼拜。我不但要公开承认我曾多方为南部邦联出过力，而且还要在人前背后自我吹嘘。万不得已，我还要参加他们那该死的三K党——不过，我想慈悲的上帝，还不至于会以这种苦行来惩罚我，让我赎罪。我会毫不犹豫地提醒那些我曾搭救过的傻瓜，说他们还欠我一份人情呢。而你，我的夫人，请你高抬贵手，别在我背后捣鬼拆台；对我拼命巴结的那些人，你也要宽宏大量些，不要取消他们抵押品的赎回权，别把烂木料卖给他们，也别用其他方式侮辱他们。从今以后布洛克州长再也别想跨进这所房子。你听明白了吗？你结交的那帮狐朋狗友，谁也别再想跨进我的大门。如果你盗用我的名义请他们来，到时候可别怪我不赏脸，有意让你下不来台。只要他们来，我就去贝尔·沃特林的酒吧消磨时光，如果谁问我为什么不待在家里招待客人，我就老老实实地告诉他们，我不愿意同你那帮狐朋狗友待在一起。”

听他说这番话时，斯佳丽心里像针扎似的难受。等他说完了，她冷笑一声道：

“这么说，你这赌棍和投机商，现在想弃恶从善当正人君子了！哎，依我看，你果真想弃恶从善当正人君子，第一步最好是先把贝尔·沃特林的那幢房子卖掉。”

这纯属试探性的一击。她从没确凿的证据能肯定瑞特是那幢房子的主人。瑞特似乎全然猜透了她的心思，突然大笑着说：

“谢谢你的高见和提醒。”

瑞特算是选择了一个最困难的时刻来实现他弃恶从善、恢复体面人士地位的计划。共和党人和叛贼声名之臭，已达到了空前绝后的程度，因为眼下提包客的政权已腐败到了极点。而自南军投降以来，瑞特的名字已同北方佬、共和党人和叛贼，水乳交融般联系在了一起。

1866年，亚特兰大的居民曾愤怒而又无可奈何地想，大概没有比目前的暴虐军事管制更糟的事了，可此刻在布洛克的统治之下，他们才开始明白什么才是最糟的。由于有了黑人的选票，共和党人及其盟友牢牢地占据了这个州的地盘，作威作福，任意欺凌无权无势却不愿逆来顺受的少数派。他们在黑人中散布谣言，说《圣经》里只提到了两大政治派别：逐出教会者和罪人。是没有哪个黑人愿意加入一个完全由罪人组成的政党的，所以他们便忙不迭地加入了共和党。他们的新主子唆使他们再三重复投票，让一些白人穷光蛋、叛贼，甚至一些黑人，担任了重要职务。这些黑人坐在州议会，大部分时间不是在吃花生，就是把脚上的新鞋脱了穿，穿了脱，因为他们一时还穿不惯皮鞋。他们中的绝大多数人是目不识丁的文盲，都是刚刚离开棉花田和藤蔓丛的人，现在却有权投票决定税金的征收和债券的发行，批准为他们自己及其共和党人朋友提供巨额费用的开支。他们还投票选举共和党人。佐治亚州快被沉重的苛捐杂税压垮了。纳税人怀着满腔怒火交纳了税金，心里明白这些钱财名义上是用于公众服务，而实际上大部分都落入了私人腰包。

大帮推销商、投机商、承包商，以及试图从恣意挥霍中捞取好处的各种各样的人物，把州议院围得水泄不通。他们中很多人通过巧取豪夺发了大财。他们不费吹灰之力就从州政府那儿弄到了大笔资金，去修筑子虚乌有的铁路，去购置永远到不了手的车子和发动机，建造仅仅在发起人头脑中才存在的公共建筑。

公债的发行量数以百万计，而大部分都是用非法欺骗手段发行的，可就是一次次照发不误。州财务主管是共和党人，为人还算诚实，他抗议公债的非法发行，并拒绝在上面签字。虽然他和其他一些人想制止各种滥用职权的现象，但在这股滚滚浊流面前只能自叹无能为力。

州属铁路原是该州收益颇丰的一项资产，如今却成了财政上的一个大包袱，债务达到了百万元的警戒线。铁路也不再成其为铁路，而是一条深不见底的巨大沟壑，青蛙可以在里面纵情戏闹、鸣叫。铁路官员的聘用，大多是政治上的原因，根本不考虑他们对铁路的经营管理是否在行。人浮于事的现象颇为严重，雇员人数超过需要的三倍之多。共和党人可以凭证免费乘车。一车车黑人打着选举的旗号，在州内各处免费旅游、兜风。一次选举中他们可以重复投票数次。

州属铁路的管理不当，让纳税人特别恼火，因为开办公立学校的资金均来自铁路部门的收益，现在非但没有盈利反而背上了债务，所以也谈不上公立学校的开办了。眼下有钱供孩子上学的人很少，整整一代儿童将在没有文化教育的氛围中成长，接下来又会为日后的年代播下不学无术的种子。

但是更让人感到气愤的不是共和党的挥霍浪费、管理不善和贪污受贿，而是州长在北边对南方人士的恶意中伤。正当佐治亚全州上下怒斥州政府的腐败之际，州长匆匆北上到国会告状去了，说什么南方白人对黑人恣意行凶，佐治亚州正酝酿着另一场叛乱，有必要对该州实施更严厉的军事管制。佐治亚人谁也不会自找麻烦，去和黑人闹什么纠纷。谁也不想再打一次内战，谁也不希望也不需要刺刀下的强权统治。佐治亚人只求没人来打扰他们，让他们慢慢恢复元气。但是在这位州长“造谣工厂”的运作下，北方政府看到的乃是一个蓄意谋反的南方州，一个需要用强硬手段加以弹压的州，于是佐治亚州就被置于高压统治之下了。

对那帮紧紧扼住了佐治亚喉管的家伙来说，这正是大显身手的好机会。他们恣意妄为，竭尽巧取豪夺之能事。政府中那些身居要职的高官，更是明目张胆地公开劫掠，其鲜廉寡耻的程度让人不寒而栗。抗议和抵制毫无用处，因为州政府受到合众国陆军部队的保护和扶持。

亚特兰大市民诅咒布洛克，诅咒他手下的共和党人和那些叛贼，诅咒所有与他们有联系的人。而瑞特恰恰与他们有着千丝万缕的联系。人人都说瑞特与他们是一伙的，各种阴谋诡计他瑞特都有份。前不久还在随波逐流，现在却要转身逆流而上，所以，一开始他游得很艰苦。

他慢慢地、不动声色地在进行这场收买人心的攻势，以免引起亚特兰大市民的疑心。因为如果他们看到一头美洲豹一夜之间全身的斑状花纹竟然全改变了，不起疑心才怪呢。他有意避开原先一些形迹可疑的老朋友，不再让人看到他与北方佬军官、叛贼以及共和党人混在一起。他参加民主党人的集会，有意让人看到自己在投民主党候选人的票。他戒掉了一掷千金的豪赌，酒也喝得很有节制了。有时他难免还要去贝尔·沃特林那儿，不过他也像当地体面的市民那样，总是在晚上悄悄去，再也不像过去那样有意招摇，把马大白天地拴在她屋门口，生怕别人不知道他在里面似的。

星期天做礼拜，他要等圣公会教堂里人差不多坐满了，礼拜仪式开始了，这才牵着韦德，踮着脚尖走进去。人们看见韦德到教堂来做礼拜，其惊讶程度不亚于见到瑞特，因为大家都以为这孩子是信天主教的。至少斯佳丽是信天主教的，或者说，她应该算天主教徒。多年来她一向不涉足教堂，宗教对她已没什么影响，就像埃伦的许多训诫对她早已不起作用了一样。大家认为她忽略了孩子的宗教教育，而现在瑞特插手来管这件事了，他没领孩子去天主教堂，而是来了圣公会教堂，是值得嘉许的。

只要瑞特管住自己那条刻薄的舌头，不让那双黑眼珠恶意地转动，就能显出一副庄重、潇洒的绅士气派。多年以前他就有意要这么做，可一直到现在才付诸行动。现在他连马甲也要挑些素净的颜色，以增强他的庄重和魅力。要和那些被自己搭救过的人重新建立友好联系并不难。要不是瑞特骄矜怠慢，没把他们的感激当回事，他们早就会对他有所表示的。现在休·艾尔辛、勒内、西蒙斯兄弟、安迪·邦尼尔，还有其他一些人，都觉得他并不那么令人讨厌：当他们提到不知该如何报答他的救命之恩时，他反而显得有点局促不安，不愿突出自己的作用了。

“这算不上什么，”他总要谦虚一番，“换了你们，也同样会那样做的呀。”

他为装修圣公会教堂捐了一大笔款，还给阵亡将士墓地美化协会捐了一笔款，款数可观，却又不至于给人造成一种有意炫耀的印象。他特意请求艾尔辛太太转交捐款，而且还讷讷地央求她保守秘密，其实他心里明白，越是求她保密，她越会迫不及待地把这件事张扬出去。艾尔辛太太本人当然极不愿接受这笔款项——“投机商的钱”，但是美化协会急需钱用！

“别人捐钱倒也罢了，我不明白你怎么也要来凑热闹。”她尖刻地说。

瑞特用恰如其分的庄重神态对她说，他之所以捐这笔款子，是出于对从前战友的怀念，他们比他更勇敢，却没有他幸运，他们现在默默无闻地躺在墓地里已快被人遗忘了。听了这番解释，艾尔辛太太那富有贵族气概的下颚拉了下来。多莉·梅里韦瑟私下里曾告诉过她：斯佳丽说，巴特勒船长曾参军打过仗。这种说法，她当然不相信，没人会相信。

“你参军打过仗？那你编在哪个连？哪个团？”

瑞特一一报给她听。

“哦，炮兵团！我认识的人不是在骑兵团，就是在步兵团。啊，这就对了——”她猛然打住了，显得有点张皇失措，心想他肯定会投来满含恶意的眼光。谁料他却低头不语，只是摆弄表链。

“我原本打算进步兵团的，”他装作完全没领会她的言外之意，径自说道，“可是他们发现我竟还进过西点军校——由于要孩子脾气，我没在那儿待到毕业——所以他们就把我编在炮兵团了，是正规炮兵部队，不是自卫队。在最后那次战役，他们需要懂点专业知识的人。你知道的，部队损失惨重，好多炮兵都牺牲了。待在炮兵团挺冷清的，又见不到一个熟人。整个服役期间，我想我没见到过来自亚特兰大的人。”

“嗯！”艾尔辛太太一时不知该如何反应。如果他真在军队里待过，那她就错怪他了。她曾说过不少尖刻的话，还骂他是胆小鬼，现在回想起来不免有点内疚。“嗯！那你干吗不把你曾在部队服役的事告诉大家呢？好像这事让你丢脸似的。”

瑞特直愣愣地盯着她的眼睛，脸上一副怅然若失的神情。

“艾尔辛太太，”他热切地说，“请你相信，能为南部邦联效劳，这是我一生中最引以为豪的一段经历。我只是觉得——我只是觉得——”

“嗯，那你干吗要瞒着大家不说呢？”

“鉴于——鉴于我过去的所作所为，我觉得难以启齿。”

艾尔辛太太把捐款的事和这段谈话的内容，原原本本地告诉了梅里韦瑟太太。

“多莉，他说到难以启齿那句话时，眼里竟含着泪珠！是呀，千真万确，是含着泪珠！连我也差不多要流眼泪了。”

“胡说八道！”梅里韦瑟太太不相信地嚷道，“我不相信他那号人会流眼泪，我同样也不相信他曾入伍打过仗。我马上就可以查个水落石出。要是他真在炮兵团待过，我马上可以打听出来，炮兵团的指挥官卡尔登上校是我姑婆的女婿，我要写信给他。”

她真的给卡尔登上校写了信，上校的回信把她惊呆了，来信中他态度鲜明地把瑞特在部队的表现着实赞扬了一番，夸他是天生的炮兵、勇敢的战士、坚韧的绅士，而且说他为人十分谦逊，上级授予他军官军衔，他却不肯接受。

“你看！”梅里韦瑟太太一面让艾尔辛太太看这封信，一面说，“这太让人吃惊了！说这坏蛋没打过仗，或许是冤枉他了。或许我们应该相信玫兰妮和斯佳丽的说法，他是在本城陷落那天报名参军的。但不管怎么说，他毕竟是个叛贼、流氓。我说什么也不喜欢他！”

“不知怎么的，”艾尔辛太太踌躇不决地说，“不知怎么的，我总觉得他不至于那么坏，为南部邦联打过仗的人是不会坏到哪里去的。真正坏的，是斯佳丽。知道吗，多莉，我敢说他现在——嗯，他现在是在为斯佳丽感到害臊了，他之所以没这么说，只是碍于绅士的体面和教养。”

“害臊？呸！他们俩是一丘之貉。你怎么会有这样的傻念头？”

“这可不是傻念头，”艾尔辛太太生气地反驳道，“昨天他冒着大雨，带着那三个小孩，听着，包括那个小娃娃在内，乘着马车在桃树街来回转悠。他还让我搭车回家呢。我说：‘巴特勒船长，你疯了！干吗让三个孩子在外面淋雨？干吗不带他们回家去？’他没吭声，显出一副尴尬相。但黑妈妈在一旁忍不住插嘴说：‘我们家来了一屋子白人垃圾，让孩子在外面淋雨也比待在家里干净！’”

“他是怎么说的？”

“他能说什么呢？他只是瞪了黑妈妈一眼，对她的话不置可否。你知道，昨天下午斯佳丽举行了大型惠斯特牌聚会，把那帮三姑六婆全请到家里去了。我想他是不愿让那些婆娘亲他女儿吧。”

“嗯！”梅里韦瑟太太虽然有些动摇，但仍固执己见。但到了第二个星期，她也缴械投降了。

现在，瑞特在银行里放了一张办公桌。至于他来银行有什么公好办，职员们都感到纳闷。不过由于他是大股东，他们也不敢表示异议赶他走。过了一阵子，他们反而忘掉了他们原来是反对他到这儿来的，因为他文文雅雅地坐在那儿，安安分分的样子，再说他对银行业务和投资还很在行。至少，他整天坐在办公桌旁，看上去勤勤恳恳的。他说本城体面的市民都在兢兢业业地工作，他怎么能养尊处优地吃闲饭。

梅里韦瑟太太想进一步扩充她那家蒸蒸日上的面包房，于是来到这家银行想用自己的房子作抵押贷两千美元的款，结果遭到了拒绝，因为她已用房子作抵押借了两笔款子。就在这位身材敦实的老太太气呼呼地从银行冲出去的时候，瑞特上前拦住了她，知道她碰了钉子，于是就抱歉地说：“这肯定是误会，梅里韦瑟太太，不该有的误会。凭你的身份，还需要什么抵押品！哦，你只需口头说一声，我就会把钱借给你的。像你这样善于经营的太太，实在是世界上最难得的客户。银行就是要给你这样的人发放贷款。现在请你在这儿等一下，就在我的椅子上稍坐片刻，这事由我去替你操办。”

他回来时满面春风、满脸堆笑地连声说，正如他所想的，纯粹是误会。两千美元已拨到她的账户上，她随时可以提取。至于她的房子——“嗯，请在这儿签个字好吗？”

梅里韦瑟太太觉得既愤慨，又羞辱，她竟然不得不接受一个她既不喜欢又不信任的人的帮助，所以她在道谢的时候并没有显示出应有的文雅风度。

瑞特装作没注意的样子。他一面送她到银行门口，一面说：“梅里韦瑟太太，我一向十分钦佩你的见多识广，所以有件事我想向你请教，不知你是否愿意指点我。”

她点头的时候，帽子上的那根羽毛几乎都没抖动一下。

“你女儿梅贝尔小时候大概也常吮吸大拇指吧，你当时是怎么让她改掉这习惯的？”

“你说什么？”

“我的小美蓝常常用嘴吮吸大拇指。我想不出制止她的办法来。”

“你一定得想法制止她，”梅里韦瑟太太坚决地说，“要不然她的嘴形就毁了！”

“我知道！我知道！她的嘴长得很美。但是我不知道该怎么办才好。”

“嗯，斯佳丽应该是知道的，”梅里韦瑟太太冷冷地说，“她已经带过两个孩子了。”

瑞特垂下眼帘望着自己的鞋子，并叹了口气。

“我试着在美蓝的指甲缝里涂了些肥皂。”瑞特这么说道，不理会她对斯佳丽的看法。

“肥皂！呸！肥皂有什么用。我是在梅贝尔的大拇指上涂了奎宁，嘿，让我告诉你，巴特勒船长，她马上就不再吮吸大拇指了。”

“奎宁！你不说，我是怎么也想不到的！真不知该怎么感谢你才好，梅里韦瑟太太。这事让我好操心呀。”

他冲着她微微一笑，笑得那么甜，满含感激之意，这反而使梅里韦瑟太太站在那儿不知所措了。她不愿意在艾尔辛太太面前承认她确实冤枉了这个人，但她毕竟是个诚实的人，所以就说：这么爱女儿的一个人，决不会一无是处。斯佳丽对美蓝这么个可爱的小天使竟然毫不关心，真是太遗憾了！一个大男人要全靠自己养育小女儿，真是有点可怜。瑞特深知这种戏剧性的场面会激起什么样的同情效果，即使要让斯佳丽背黑锅也在所不惜。

自从孩子学会走路以后，他就带她外出，不是一块儿乘马车，就是让她坐在马鞍前。下午他从银行一下班回家，就牵着她的手在桃树街上散步，他放慢步子配合她的小步子，耐心地回答她的各种问题。日落时分，人们总是待在院子或门廊里，看到美蓝这么可爱的孩子，一头乌黑的鬈发，一双明亮的眸子湛蓝湛蓝的，没一个不想和她说上两句。瑞特从不擅自插嘴，而是静静地站立在一边，见女儿这么招人喜爱，做父亲的也不禁流露出既自豪又感激的神色。

亚特兰大市民不容易忘却旧事，并心怀疑虑，一时很难改变成见。大家日子不好过，对与布洛克州长和他手下那帮人有瓜葛的人，都恨得牙痒痒。但美蓝身上，汇集了斯佳丽和瑞特两人身上的迷人之处，所以她便成了瑞特打入亚特兰大那堵冰冷墙壁的一个楔子。

美蓝一天天长大，而且长得越来越像她外公杰拉尔德·奥哈拉了。两条小腿短而结实，一双爱尔兰人特有的圆溜溜的蓝眼睛，小下巴方方正正的，再加上那么一副爱怎么干就怎么干的倔劲儿。脾气也像杰拉尔德，发作起来直嚷嚷，但是只要依了她，火气转眼就会烟消云散。只要父亲在身边，她的愿望总是会很快得到满足。尽管黑妈妈和斯佳丽多方劝阻，但是瑞特仍对她百般宠爱，百依百顺，因为在他眼里，女儿事事都讨人喜欢，只有一件事让他头疼，那就是女儿害怕黑暗。

两周岁前，同韦德和埃拉一起睡在育儿室里，她一上床很快就会睡着。可那以后，不知什么原因，只要黑妈妈提着灯摇摇晃晃一走出屋子，她就会嘤嘤地抽泣。后来，如果半夜里突然醒来，就会由于害怕而哇哇尖叫，不但把育儿室里另外两个孩子吓醒，而且还会惊动全家人。有一次不得不请来了米德大夫，大夫诊断后说是因为做了噩梦，没什么大不了的，瑞特对这个诊断很是不满。不管怎么问美蓝，她只是说：“黑啊！”

斯佳丽对女儿一向很不耐烦，主张揍她一顿屁股。她觉得在育儿室放盏灯，太迁就孩子了，而且搞得韦德和埃拉都睡不好。瑞特心里也很着急，但态度比较温和，不主张蛮干，而是试图进一步从女儿那儿摸些情况。他冷冷地对斯佳丽说，真要打屁股，也得由他亲手打，而且是打她斯佳丽的屁股。

最后的解决办法是把美蓝从育儿室搬到瑞特的房间，现在他已与斯佳丽分开住了。美蓝的小床放在他的大床旁边，桌上通宵达旦点着一盏蒙了灯罩的灯。这事传开后，全城的人议论纷纷：一个小女孩在父亲的卧室里睡，终究有失体统，尽管她才两岁。对斯佳丽的闲话就更多了。首先，她同丈夫分居的说法完全得到了证实，这事本身就骇人听闻。其次，如果孩子怕单独睡，该跟母亲睡一房才是。斯佳丽没法向人解释，说屋里点了灯她没法安睡，或是说瑞特不同意孩子跟她睡。

“你睡得那么死，不到孩子尖声大叫你是不会醒的。等你被吵醒了，说不定会揍她一顿呢。”瑞特冷冷地说。

瑞特把美蓝怕黑的毛病那么当回事，这让斯佳丽心里很不痛快，按她的想法这事迟早会解决的，该把她重新送回育儿室。所有的孩子都怕黑，解决的办法只有一个：态度坚决。瑞特对这件事的处理分明用心险恶，当初她把他赶出卧室，现在他就趁机报复，让大家知道她是个不称职的母亲。

自从那天晚上她扬言不愿再生孩子，瑞特从没再跨进她卧室一步，甚至连她门上的把手也没碰一下。在美蓝怕黑的事件发生之前，他很少待在家里吃晚饭，有时甚至彻夜不归。斯佳丽则躺在房门紧锁的卧室里，睡不着，听到时钟敲一点、两点，心里在嘀咕他究竟上哪儿去了。她想起瑞特说的话：“还有别的床呢，亲爱的！”这想法虽让她苦恼不安，但她也无能为力。要是她当面说他，十有八九要吵起来，他一定会在分房锁门的事上大做文章，说不定还要把阿希礼也牵扯进来。是啊，现在他又装疯卖傻，硬让女儿睡进点着灯的房间——他的房间——分明是卑劣的报复手段。

直到有一天晚上出了点乱子，斯佳丽才明白瑞特对美蓝的荒唐习性是何等重视，他爱女儿爱到了何种痴情的程度。全家上下再也忘不了那个可怕的夜晚。

那天，瑞特遇到了以前一起闯封锁线的伙伴，久别重逢有着叙不完的旧。斯佳丽不知道他俩是在哪儿喝酒聊天的，但她怀疑多半是在贝尔·沃特林那儿。下午他没回来带美蓝散步，也没回家吃晚饭。整整一个下午美蓝便眼巴巴守在窗口，等爸爸回来，急于让他看看自己收集的一大堆断腿少脚的甲虫和蟑螂。最后洛儿不顾她的又叫又闹把她抱上了床。

也不知道是洛儿忘了点灯，还是灯自己灭了。谁也不知道是怎么回事，反正瑞特带着几分醉意、似乎也带了点脾气回到家里时，举宅上下像开了锅似的乱成一团。甚至在马厩那儿也能听到美蓝的尖叫。她半夜醒来，四周一片漆黑，她连声呼唤爸爸，爸爸不在。于是，她那小脑瓜里能够想象出的各种无名恐惧便一齐袭来。不管斯佳丽和仆人怎么哄她，把楼上楼下的灯全点上，也没法让她安静，这时瑞特冲进门，一步三级地奔上楼梯，脸色煞白，像见到了死神似的。

等他把女儿搂到怀里，从她抽抽搭搭的哭喘声中听出“黑啊”这个词，立即怒不可遏地转身冲着斯佳丽和黑仆人喝问：

“是谁把灯熄掉的？是谁把她一个人扔在黑洞洞的屋子里的？普莉西，看我剥了你的皮，你——”

“万能的上帝，瑞特先生！不是我！是洛儿！”

“看在上帝的分上，瑞特先生！我——”

“闭嘴！你知道我定的规矩。天哪，我真恨不得——给我滚出去。别再回来了。斯佳丽，给她点钱，在我下楼前把她打发走。现在，统统都给我出去！统统出去！”

仆人们吓得逃出了屋子，那个倒了大霉的洛儿用裙子捂着脸直号啕。斯佳丽留下了没走。刚才斯佳丽把宝贝女儿抱在手里，她仍可怜巴巴地哭个不停，可现在睡在瑞特怀里却渐渐安静下来，看到这情景，她心里真是不好受。刚才她怎么也没法从女儿嘴里问出点连贯的话来，可现在却看见女儿两条小胳膊搂着父亲的脖子，呜咽着诉说让什么给吓着了，这也让斯佳丽感到不是滋味。

“所以那东西就堵在你胸口上了？”瑞特轻声细气地说，“那东西很大，是吗？”

“哦，可不是嘛！大得很。还长着爪子。”

“呀，还长着爪子。好了，听着。夜里我就守在这儿，要是它来了，我就用枪把它打死。”瑞特的语气满含关切，让人感到慰藉，美蓝的抽泣声渐渐止住了，声音也渐渐恢复了正常，她用只有瑞特才听得懂的语言，细细描述着刚才突然闯进来的那头怪物。而瑞特竟也煞有介事地和她认真讨论了起来，这可把斯佳丽惹火了。

“看在上帝的分上，瑞特——”

但瑞特一举手，做了个别作声的手势。美蓝终于睡着了，他把女儿放到了小床上，给她盖上了被子。

“我要活剥了那黑鬼的皮，”他轻轻地说，“这也是你的不是。为什么不来看看灯是否还亮着？”

“别说傻话了，瑞特，”她压低嗓门说，“就因为你老是顺着她，才把她宠成这个样子的。好多孩子开始都怕黑，后来不都克服了？韦德就怕过，我可没迁就他。如果你就让她哭上一两夜——”

“就让她哭！”瞧他那架势，斯佳丽真觉得他要揍她了，“你如果不是傻瓜，就是我见到过的最没人性的婆娘！”

“我可不想让她长大以后，又神经质又胆小懦弱。”

“胆小懦弱？活见鬼。这孩子身上一块软弱的骨头都找不着！你这个人毫无想象力，当然没法体会那些富有想象力的人所受的折磨——特别是想象力丰富的孩子。要是有个头上长角、脚上有爪子的怪物压在你胸口，你不也会大声嚷嚷着让它滚开吗？你会嚷得震天响的。请别忘了，夫人，我就亲眼见过你醒来时像只烫伤了的猫在哇哇尖叫，就因为梦见自己在雾里奔跑。这不是很久以前的事吧？”

斯佳丽猛地一惊，她决不愿再提从前的噩梦。此外，想到瑞特当年就像安慰美蓝那样安慰自己，不禁窘迫难当。于是她赶紧岔开话题，从另一个角度反击。

“就是因为你对她百依百顺，所以才——”

“我今后还要对她百依百顺。只要我什么事都依着她，她就不会再那么怕黑，就会慢慢把它忘掉的。”

“好吧，”斯佳丽尖刻地说，“如果你真打算当她的奶妈，最好换副德性，晚上尽量待在家里，也别拼命灌酒。”

“我会早早回家来的，至于酒嘛，我还要照喝，只要高兴，我会喝个痛快的。”

从那以后，他果真回来得很早，还没到美蓝上床睡觉的时间就早早守在家里了。他坐在她的身边，握着她的小手，一直等她睡着了才松手，然后踮起脚尖轻轻走到楼下，房间里的灯点得亮亮的。他把房门半开着，万一她醒来害怕，他在楼下也能听得见。他不愿让女儿再受上次那样的惊吓。全家人再不敢对她屋子里的灯掉以轻心，斯佳丽、黑妈妈、普莉西，还有波克，不时踮着脚尖蹑手蹑脚地上楼去，看看灯是否还亮着。

他回来再也不带酒意了，这倒不是斯佳丽的功劳。过去几个月，他一直拼命地喝酒。不过他从没真正喝醉过。一天黄昏，回家时他灌饱了威士忌，酒气熏人。他抱起美蓝，让她贴着自己的肩膀，对她说：“和亲爱的爸爸亲个嘴行吗？”

她皱起小鼻子，拼命扭动着身子要下去。

“不，”她实话实说道，“臭死了。”

“你说什么？”

“有股臭味。阿希礼叔叔就从来没这股臭味。”

“哦，我真该死，”他一面懊丧地说着，一面把女儿放到了地板上，“想不到自己家偏偏冒出个鼓吹戒酒的宣传家。”

从那以后，他大大限制了自己的酒量，晚饭以后就只喝杯葡萄酒。他让美蓝也喝几滴残留在酒杯里的葡萄酒，这样她就不会讨厌葡萄酒的气味了。结果，他那张开始虚胖的脸，渐渐恢复了原先粗犷的轮廓，眼窝下的黑圈也渐渐暗淡柔和了。因为美蓝喜欢骑在他的马鞍前，他就花更多的时间到户外遛马，那张黝黑的脸膛晒得更黑了。他显得更有精神了，笑颜常在。他又恢复了青春和锐气，又像战争初期闯荡封锁线、轰动亚特兰大的那个瑞特·巴特勒了。

以前一直讨厌他的人，现在见他常带着小不点儿女儿骑在马背上，也都冲他微微一笑。以前一直视他为危险人物而唯恐避之不及的妇女，也开始在大街上驻足和他交谈，说几句称赞美蓝的话。甚至连最古板拘谨的老太太也都改变了看法，认为一个能在小孩生病和坏习惯之类问题上和她们交换意见的大男人，决不会坏到一无是处。

53

这天是阿希礼的生日，玫兰妮准备出其不意，晚上为他举行一个生日酒会。酒会的事大家都知道了，只瞒着阿希礼一人。连韦德和小博都知道了，他们俩心里美滋滋的，感到是一种莫大的荣耀，发誓一定严守秘密。亚特兰大所有体面的人都受到了邀请，他们也都答应来参加酒会。戈登将军全家愉快地接受了邀请。亚力山大·史蒂文斯回信说，他近来身体时好时坏，如果健康状况允许，一定前来参加。甚至在南部邦联中享有“暴风雨中的海燕”美誉的鲍勃·图姆斯也将光临。

整个上午，斯佳丽、玫兰妮、印第亚和佩蒂姑妈都在那幢并不宽敞的房子里团团转地忙着，指挥黑人挂上浣洗一新的窗帘、擦拭银器、给地板打蜡，烹饪、配制、品尝各种点心。斯佳丽还是头一次见玫兰妮这样兴高采烈、喜气洋洋的。

“你知道，亲爱的，阿希礼好久没过生日了，自从——自从，你还记得那次在十二棵橡树庄园举行的烧烤野宴吗？就是我们听说林肯先生招募志愿兵消息的那一天？唉，从那以后，他就一直没过过生日。他工作太辛苦了，回到家总是精疲力竭的，根本不会想到今天是他的生日。等吃过晚饭，客人们接踵而至，他准会大吃一惊的！”

“草坪上那些灯笼怎么办？有什么办法让韦尔克斯先生在回家吃

饭时不看到灯笼呢？”阿尔奇粗声粗气地问。

整个上午大家都在忙着准备酒会，他一直坐在一旁观看，完全被眼前的景象给吸引住了，但又不愿承认。他从没见过城里人大宴宾客前的这种准备，这次可真是大开眼界了。尽管他直言不讳地说这些女人为了请几个客人，竟然像家里着了火似的忙得团团转，可真要让他离开，就是用野马也别想把他拖走。他对艾尔辛太太和芳妮为这次宴会特地赶制的几只彩绘纸灯笼特别感兴趣。他以前从没见过“这种奇妙的玩意儿”。灯笼就藏在地下室他的房间里，所以他早就仔仔细细看了个够。

“哎呀！这我怎么就没想到！”玫兰妮嚷道，“阿尔奇，幸亏你提醒了我。哎呀，哎呀！这可怎么办呢？这些灯笼要挂在树枝上，装上蜡烛，客人一到，马上就要点起来啊。斯佳丽你能让波克在我们吃晚饭的时候办妥这件事吗？”

“韦尔克斯太太，你是比大多数女人都有头脑的，可聪明一世糊涂一时，”阿尔奇说，“怎么能让那个黑混小子波克去摆弄那些玩意儿？不被他一下子烧个精光才怪呢。那些灯笼——太漂亮了，”他总算承认了，“让我在你和韦尔克斯先生吃饭时把它挂上吧。”

“哦，阿尔奇，你真好！”玫兰妮孩子气的眼睛里流露出感激和信赖的目光，“没有你我是真不知道该怎么办才好。你能不能现在就去装上蜡烛，这样等会儿就省事多了？”

“这个嘛，我也许能做。”阿尔奇爱理不理地应付了一下，便瘸着腿朝地下室走去了。

“这就叫请将不如激将，”玫兰妮等这位胡子拉碴的老头步履艰难地走下楼梯后吃吃地笑着说，“我本来就是想让阿尔奇去挂那些灯笼的，可他的脾气你们是知道的，你要他做的事，他偏不肯做。现在总算把他打发走了，免得他在这里碍手碍脚的。那些黑人见到他就害怕，一个个缩起脖子来连大气都不敢出，根本出不了什么活。”

“兰妮，换了我根本就不会让这种老混蛋住在家里。”斯佳丽气呼呼地说。她和阿尔奇积怨颇深，几乎从不说话。要不是在玫兰妮的家里，阿尔奇决不会与斯佳丽共处一室的，早就拂袖而去了。即使在玫兰妮家里，他对她也是冷眼相待，侧目而视。“他会给你捅娄子的，不信你就等着瞧吧。”

“哦，他并没什么恶意，只不过是要让人捧几句，装出没他不行的样子，”玫兰妮说，“再说他对阿希礼和小博也是忠心耿耿，所以有他在家我总觉得很放心。”

“你是说他对你忠心耿耿吧，兰妮，”印第亚说。她深情地凝视着自己的嫂子，冷漠的脸上露出一丝淡淡的、暖人心窝的微笑。“我敢说，自从他老婆——嗯——自从他老婆死后，你是他爱上的第一个女人。我想他心里是巴不得有人来侮辱你，这样他就可以杀死他们，以显示对你的敬意了。”

“天哪！看你都胡扯了些什么，印第亚！”玫兰妮的脸涨得通红，“在他心中我是个大傻瓜，这你又不是不知道。”

“我看根本没必要理会这种浑身恶臭的乡巴佬心里是怎么想的。”斯佳丽突然冒出了这么一句。一想起阿尔奇在她雇用囚犯做工的问题上对她的严厉指责，她心里的怒气便不打一处来，“我得走了。我得先吃午饭去，随后去一趟店铺，把给伙计们的工资结清，再去一趟锯木厂，把工资发给车夫和休·艾尔辛。”

“哦，你要去锯木厂？”玫兰妮问，“阿希礼下午晚些时候要去锯木厂找休，你能不能想办法拖住他，把他留到五点钟？如果他在此之前回家，准会撞见我们在做蛋糕什么的，到时候就不会觉得惊奇了。”

斯佳丽一听这话，不由得心花怒放，转怒为喜。

“好吧，我拖住他。”她说。

就在她说这话时，印第亚抬起她那对睫毛稀疏的淡灰色眼睛向她瞥了一眼，正好与她的目光相遇。每次我提到阿希礼，她总这么古怪地看着我，斯佳丽心想。

“嗯，要尽量把他留到五点钟以后，”玫兰妮说，“到时候印第亚会赶马车来接他的……斯佳丽，晚上可一定要早点来。今晚的酒会我可是一分钟也不愿意你耽误的。”

斯佳丽赶车回家的路上一直闷闷不乐，心想：“她真的一分钟也不愿我耽误？那为什么不让我和她、印第亚，还有佩蒂姑妈一起接待客人呢？”

要是平常，兰妮宴请客人，请不请她接待客人，她根本无所谓。可这次是玫兰妮举办的最大的一次宴会，更何况又是阿希礼的生日宴会，斯佳丽多么希望能站在阿希礼的身边，和他一起接待来宾呀。不过，对为什么自己没被邀请去接待客人，即使她不明白，瑞特对此事讲的一番话也够坦率的了。

“以前的邦联分子和民主党所有的名流显要都是要去参加酒会的，让一个叛贼接待客人？你的想法虽然迷人，但却愚蠢透顶。你之所以被邀请，完全是因为兰妮小姐讲义气。”

下午斯佳丽去店铺和锯木厂时，打扮得异乎寻常地讲究。她身着一件崭新的变色塔夫绸上衣，在亮处，衣服的颜色会由苍绿色变成淡紫色。头戴一顶淡绿色的新软帽，周围缀了一圈翠绿色的羽毛。如果瑞特同意她在前额多留些刘海，再卷上几圈，那该多好啊，那样戴上这顶软帽就别提有多漂亮了！可瑞特早就有言在先，如果她敢卷刘海，就把她的头发全剪光。近来他的脾气非常暴躁，说不定真会做出这种事来。

午后的天气令人心旷神怡。阳光洒满大地，微风和煦，气温适中，阳光明媚而不耀眼。暖洋洋的风徐徐吹过桃树街，吹得斯佳丽软帽上的羽毛在空中跳荡。她的心也在跳荡。每次要见阿希礼时，她的心总是这样欢蹦乱跳的。也许，如果她早点把工资给车夫和休，他们就会早点回家，留下她和阿希礼单独在锯木厂中间那间小小的正方形办公室里待着。近来单独见阿希礼的机会真是太少了。这次玫兰妮居然让她把阿希礼拖住！真是太好笑了！

她兴冲冲地来到店铺里，把工资交给了威利和另外几个柜台伙计就走了，甚至都没问一下今天的生意如何。今天是星期六，对店铺来说是一周中最重要的一天，因为这天农民都要进城买东西，可她却什么也没问。

在去锯木厂的途中，她一路停了十几次车，同北方佬暴发户的阔太太们打招呼。她们的穿戴虽说光彩耀人、绚丽多姿，可跟她比却稍逊一筹，这让她心里美滋滋的，颇为得意。她还不时地向那些顶着街上飞扬的红色尘土、手持礼帽站在路边向她致意的男人们还礼。这是个美丽的下午，她快活极了。她显得那么漂亮，一路上还真是气派非凡。这样一来耽误了不少时间，等她到木料厂已经很晚了，休和车夫们正坐在一小堆圆木上等她。

“阿希礼在吗？”

“在，在办公室，”休说。一见到她那双神采飞扬、异常欢乐的眼睛，他那时常挂在脸上的忧郁便一扫而光了。“他正——我是说，他正查账呢。”

“哦，他今天不必操那份心，”她说，接着又压低了嗓门，“兰妮让我来稳住他，等她们把今晚的酒会全准备好了再放他回去。”

休微微一笑，因为今晚的酒会他也要去参加。他喜欢宴请聚会之类的活动，从斯佳丽今天下午的神态看来，他认为她也热衷此道。她发完工资，便撇下车夫和休，径直朝办公室走去，那神态分明是告诉他们，她不愿有人跟着她一起去。阿希礼站在门口迎接她，在午后阳光的照耀下，他的头发熠熠闪光，嘴角漾着一丝微笑。

“哎呀，斯佳丽，这时候你还进城来干吗？怎么不在家里帮兰妮准备酒会？”

“哎呀，阿希礼·韦尔克斯！”她气急败坏地嚷了起来，“这件事你是不应该知道的。要是你不对酒会感到大吃一惊，兰妮可就要大失所望了。”

“哦，我不会露馅的。我一定会成为亚特兰大最最吃惊的男人。”阿希礼说着，两只眼睛都在笑。

“得了，是谁这么缺德，把这件事告诉了你？”

“受兰妮邀请的男人差不多个个都对我说了。第一个告诉我的就是戈登将军。他说根据他自己的经验，女人出其不意地举行酒会，往往会挑男人决定把家里所有的枪支都擦拭干净的夜晚。接着梅里韦瑟爷爷也向我发出了警告。他说有一次梅里韦瑟太太出其不意，悄悄为他举行酒会，结果反倒是梅里韦瑟太太自己大吃一惊，因为爷爷偷着喝了一瓶威士忌治风湿病，结果烂醉如泥，倒在床上爬不起来了——哦，凡是经历过这种酒会的男人都跟我说了。”

“这些人真是太缺德了！”斯佳丽口里嚷着，脸上却笑盈盈的。

阿希礼笑得这么开心，仿佛又是从前十二棵橡树庄园里她认识的那个阿希礼了。他近来难得有这样的笑容。空气这么轻柔，阳光这么明媚，阿希礼谈笑风生，无拘无束，此景此情，让她也高兴得心儿狂跳起来，最后竟觉得胸口隐隐作痛，两眼噙满了欣喜的热泪。蓦地，她仿佛重新又回到了十六岁的豆蔻年华，她欣喜、激动，甚至呼吸都变得急促起来。她真想不顾一切地摘下头上的软帽抛向空中，大叫一声“太棒了！”但转念一想，如果阿希礼见她这么疯疯癫癫的，准会大吃一惊的，于是便突然放声大笑起来，笑得两眼泪水直淌。阿希礼见她这么高兴，还以为斯佳丽是因为客人们善意地泄露了兰妮的秘密，才这么捧腹大笑的，便也跟着扬起脖子纵声大笑起来。

“进来坐一会儿吧，斯佳丽，我还要查账呢。”

她走进洒满阳光的小屋，在一张有活动顶盖的写字台前的椅子上坐了下来。阿希礼跟着走进屋子，坐在毛坯桌子的一只角上，修长的双腿离开地面悠闲地晃荡着。

“哦，今天下午别把大好时光浪费在账目上了，阿希礼！我可没那份心思。我每次戴上一顶新软帽，头脑里的数字就好像跑得无影无踪了。”

“戴了这么漂亮的一顶软帽，脑瓜里当然就容不下数字了，”他说，“斯佳丽，你真是越来越漂亮了！”

他从桌上溜到地下，笑盈盈地握住她的双手，向两边展开，欣赏着她的衣裙。“你真美！我相信你永远也不会变老的！”

两个人的手一接触，不知怎么地她便意识到，这正是她希望的。在这整个幸福的下午里，她都一直在盼望着握住他那双温暖的手，一边望着他那对温情脉脉的眼睛，一边听他说几句知心话。自从那个寒冷的冬日他们俩在塔拉庄园的果园里谈话之后，这还是头一次独处一室。除了在那些正式的社交场合，他们还是第一次握住对方的手。在这漫长的几个月里，她一直渴望着能和他有更亲密的接触。可现在——

他虽握着她的手，但她却并不感到激动，真奇怪！以前他只要一靠近她，她就会浑身颤抖，而现在她只感到了一种奇妙而温馨的友情和满足。他的手掌并没向她传递狂热，她的心里只有一种幸福的宁静感。她感到茫然，甚至有点不安。他还是她的阿希礼，仍是她钟爱的那个人，聪明过人、光彩夺目，她爱他胜过爱自己的生命。那为什么——

但她还是暂时抛开了这一想法。只要能和他在一起，让他握着自己的手，喜笑颜开，亲密无间并且既不紧张，也不狂热，这就足够了。她想起他们之间一直未曾说出口的那些事，现在居然还能这样，真像出现了奇迹。他用清澈、明亮的眸子凝视着她，脸上依然是她喜欢的那种笑容，似乎他们之间除了幸福之外从没发生过什么别的事。现在他们的目光之间已经没有了任何障碍，没有了一丝一毫令人不解的隔膜。于是她笑了。

“哦，阿希礼，我老了。”

“啊，那完全是表面现象！不，斯佳丽，你即使六十岁了，在我的眼里还是老样子。那次野宴，你坐在橡树下，被一群小伙子团团围住，你的风采永远铭刻在我心中。我甚至还记得你当时穿的是什么衣服。你穿着一条白底上有绿色碎花的衣裙，肩上披着一条白色包边的围巾。脚下是一双小巧玲珑的绿色舞鞋，系着黑色的鞋带。头戴一顶意大利大草帽，上面拖着两根长长的翠绿飘带。我之所以记得这么清楚，是因为在监狱里的时候，有时实在挺不住了，我就像翻阅一幅幅照片一样，回忆往事，回想其中的细节——”

他突然收住话头，那种渴望之光从他的脸上悄然褪去。他把她的双手轻轻放下，她在那儿坐着等待着，等待着他的下文。

“那之后，我们俩都走过了一条漫长的道路，是不是，斯佳丽？我们走的道路完全出乎我们的意料，你疾步如飞，径直走着，而我却慢吞吞的，步履艰难。”

他重又坐回到那张桌上，两眼望着她，脸上又悄然浮起一丝笑意。但是这笑容跟刚才迥然不同，不再让她有快乐的感觉。这是一种凄凉的笑。

“是的，你飞奔向前，我则在你车后被你拖着。斯佳丽，有时我会无端产生一种奇想，要是没有你，真不知我会落到什么地步！”

斯佳丽赶忙开口安慰他，她之所以能如此快地作出反应，主要是因为他的话让她突然想起了瑞特在谈到这问题时所说的那番话。

“我可根本没为你做什么，阿希礼。没有我，你还不照样是你。

总有一天，你会成为一个有钱人，成为一个大人物。”

“不会的，斯佳丽，我身上根本就没大人物的细胞。我想，要是没有你，我早就被悄声淹没、销声匿迹了——落到与可怜的凯瑟琳·卡尔弗特以及其他许许多多曾经有过显赫、古老姓氏的人们一样的下场。”

“哦，阿希礼，快别这么说了。这话听起来太伤感了。”

“不，我并不伤感。我再也不会伤感了。以前——以前我曾经伤感过。现在，我只是——”

他停住不说了，她突然明白了他在想些什么。当他那双晶莹清澈、茫然若失的眼睛向她扫视的时候，她第一次领悟到阿希礼在想些什么。当爱的激情撞击着她的心扉时，他的心对她是关闭着的，而现在，他们俩之间只有一种平静的友情，她可以迈步跨进他的心扉，并对他稍微有了一点理解。他不再忧伤了。南方投降后，他曾一度黯然神伤，当她恳求他返回亚特兰大时，他心中苦涩难言。现在他只能听天由命了。

“我不想听你说这些，阿希礼，”她生气地说，“你的话和瑞特的如出一辙。他满嘴尽是‘物竞天择、适者生存’之类的话，老对我唠叨个没完，弄得我厌倦透了，得对着他大声尖叫，他才会住口。”

阿希礼微微笑了一下。

“你有没有平心静气地想过，斯佳丽，从本质上来说我和瑞特是很相似的？”

“哦，不一样。你那么优雅、体面，而他——”她戛然而止，不知怎么说才好。

“我们的确很相似。我们家庭背景相同，生活模式也一样，所受的教育也让我们的想法一致。只是在人生旅途的某个地方我们走上了不同的道路。但是，现在我们还是想到一块了，只是作出的反应各不相同罢了。比如，我们俩都不相信战争，但我应征入了伍，南征北战，而他却直到战争快结束时才入伍。我们俩都明白，这是一场完全错误的战争，必输无疑。我情愿去打一场必输无疑的仗，但他却不愿意。有时候，我觉得他是对的，但话又——”

“哦，阿希礼，你什么时候才能不再患得患失？”她问，说话的口气并不像以前那么不耐烦，“患得患失必然会一事无成的。”

“话是这么说，但——斯佳丽，你到底想得到什么呢？我经常感到纳闷。你也知道的，我根本就不想得到什么。我只是想成为我自己罢了。”

她想得到什么？这个问题真问得愚蠢透了。当然是金钱与保障啊。然而——她心里翻腾开了，她有钱，生活也有保障，这是一个动荡的世界上一个人所能希望得到的最大限度的保障。但现在想来，光有这些是不够的。细细想来，有了金钱和保障固然可以省去不少烦恼，也不必为以后担惊受怕，但这并没有让她觉得特别幸福。“要是除了金钱、保障，还有你，那才叫圆满呢，你才是我一直想得到的。”她想着，一双眼睛如饥似渴地望着他。不过，她并没把话说出来，她担心一开口他们之间的亲密关系就会被打破，担心他的心扉会重新又向她关闭。

“你只想成为你自己？”她略带苦涩地笑着说，“不能成为我自己一直是我最大的烦恼。至于我想得到什么，嗯，我想我已经得到了我想要的东西。我希望富有、安全，还有——”

“可斯佳丽，你有没有想过，我并不在乎自己是不是富有？”

不，她压根儿都没想过有人会不希望自己富有。

“那么，你想要什么呢？”

“我现在不知道，但我以前是知道的，只是差不多都忘记了。大致是这样的：清静、不让我不喜欢的人来打扰我、不必被迫去做我不想做的事情。也许——我希望过去的时代重新回来，但它是一去不复返了。对往日的回忆一直萦绕在我的心头，我耳边一直回荡着旧世界崩溃时的阵阵轰鸣。”

斯佳丽紧抿双唇。她并不是不理解这番话的含义。再没有比他说话时的语调更能激起她对过去的回忆了。她突然感到一阵酸楚，因为她记起了过去的一切。那次她饿倒在十二棵橡树的花园里，孤独一人，无依无靠，她曾说过，“我决不回首往事。”从此她对往昔没有了留恋之情。

“我更喜欢现在的日子，”她说，说这话时她的眼睛并没看着他，“现在常有一些激动人心的事，比如聚会什么的。一切都是那么光彩夺目，而过去那些日子太乏味了。”（哦，那悠悠的岁月，还有温馨而宁静的乡间黄昏！从庄园的楼宇里时高时低地传来阵阵笑声！那时的生活真是金光灿烂，充满温馨。想到明天的一切均在预料之中，心中该多么快慰啊！我怎么能对你否认这一切呢？）

“我更喜欢现在的日子。”她说，可她的声音却在发颤。

他顺着桌边溜下了地，轻轻一笑，显然不相信她的话。他伸手托起她的下巴，让她的脸对着自己。

“哦，斯佳丽，你说谎的本领还没学到家呢！不错，现在的生活确实有它光彩的一面，但是问题恰恰就出在这里。过去的日子没有光彩，却有一种魅力，给人一种美感，一种悠然自得的情趣。”

她双目低垂，思绪万千，心潮起伏。他的声音，他的触摸，把她永远关闭的大门又轻轻地打开了。在这些门的后面展现出的是旧时代的美，让她心中涌起了一种对旧时代凄凉的渴望。但她知道，不管门后的景致多么美妙，它也只能留在那里。任何人都无法背负着令人痛苦的回忆走向未来。

他放下那只托着她下巴的手，把她的一只手抓起来，轻轻握在手中。

“还记得吗。”他说——她的脑海中突然响起了警钟：决不回首往事！决不回首往事！

然而一股幸福的暖流流遍了她的全身，使她很快忘记了这一警钟。她终于理解他了，他们俩的心终于撞击在一起了。这珍贵的时刻是决不能轻易错过的，不管事后会带来怎么样的痛苦。

“还记得吗。”他说，他的话仿佛具有某种魔力，话音所至，狭小的办公室里光秃秃的四壁都悄然隐去了，时光倒流，仿佛又回到了很久很久以前他们俩在乡间小径上并驾齐驱的那个春天。他一边说着，一边紧紧地握着她的手，声音里饱含着那些早已被人忘却的古老歌曲中特有的忧伤魅力。她仿佛又见到了他们在骑马去塔尔顿家野餐的路上，山茱萸树林里玉辔叮当，马蹄声声，听到了自己无忧无虑的欢笑声，看到了他满头秀发在阳光的照耀下熠熠闪光，目睹了他跨在坐骑上那种踌躇满志、怡然自得的英姿。他的声音是如此优美动听，宛如小提琴和班卓琴演奏出的悠扬乐曲，而在这醉人的乐曲中，他们曾在现在已化为乌有的白房子里翩翩起舞。在秋风明月下，黑影绰绰的沼泽地里远远地传来几声狗吠，圣诞节，桌子上摆满了一杯杯香气四溢的美酒，周围冬青环绕，不管白人还是黑人，个个笑容满面，喜笑颜开。亲朋老友接踵而至，欢声笑语不绝于耳，仿佛这些年来他们还活在人世间似的：长着修长的腿、满头红发、喜欢恶作剧的斯图特和布伦特；野马一样桀骜不驯的汤姆和博伊德；有着一双布满血丝的黑眼睛的乔·方丹，以及行动迟钝、做事蔫乎乎的凯德和赖福兄弟俩。还有约翰·韦尔克斯，嗜酒如命、喜好白兰地的杰拉尔德，以及说起话来轻声细气、浑身香气袭人的埃伦。就是这一切给人以一种安全感，让人意识到今天所有的快乐明天也一定不会消失的。

他的声音停止了，接着他们长时间地四目相对，重温着那已失去了的充满阳光的青春年华，当初他们共同享有这段青春年华时是多么的漫不经心啊。

“现在我知道你为什么高兴不起来了，”她黯然神伤地想，“以前我一直不明白其中的道理，就连我自己为什么不快乐也不明白。可是——看，我们说的话简直就像老头老太！”想到这里，惊讶之余不免有些沮丧。“就像在回忆五十年以前往事的老人！其实我们都还没老呢！只是这些年发生的事太多了。一切都变得面目全非，好像真的经过了五十年的时光似的。其实我们并不老！”

然而当她望着阿希礼，却发现他已经不年轻了，失去了往日的光彩。他低着头，心不在焉地看着紧紧握在手中的她的手，她注意到阿希礼那一头原本光泽耀眼的秀发如今已一片灰白，宛如照在一滩死水上的月光，呈现出一片银灰色。蓦地，春光融融的四月的下午一下子失去了光彩，她心中美好的情愫也不知怎么突然烟消云散了，只剩下忧伤和甜蜜的回忆带来的一片苦涩。

“真不该让他勾起我对往事的回忆，”她倍觉悲怆，“我说过决不回首往事，看来是对的。回忆太让人痛苦了，它时时牵扯着你的心，让你什么也做不成，只好靠回忆过日子。阿希礼错就错在这里。他已无力展望未来。他既不能正视现实，又害怕未来，所以只好回忆往事。以前我一直不明白这个道理，也没真正了解阿希礼。哦，阿希礼，我亲爱的，你不该回忆过去！回忆有什么好处呢？我真不该在你的诱导下谈起过去。你的痛苦、悲伤、不满，都是你回忆过去幸福时光带来的后果。”

她站起身来，一只手仍然被阿希礼握着。她必须走了。她不能留在这里回忆过去，看着他那张已经变得疲惫、忧伤、凄苦的脸。

“那些时光已经离开我们很久远了，阿希礼，”说着她心里一酸，声音哽咽了，但她竭力克制住自己，让声音保持平静。“我们有过种种美好愿望，不是吗？”接着她又急忙说，“哦，阿希礼，只是到头来没有一件如愿以偿！”

“事情从来就这样，”他说，“生活没有义务让我们要什么就有什么。我们只有安于现状，只要不变得更糟，就该感激不尽了。”

她一想到自己自那以后所走过的漫长道路，心中便涌起了一种不可名状的惆怅、辛酸与倦怠。她的脑海里又出现了那个喜欢男孩子向她献殷勤、喜爱穿漂亮衣服、幻想着有一天能够像埃伦一样做个贵夫人的斯佳丽·奥哈拉。

泪水不知不觉夺眶而出，顺着脸颊慢慢地流了下来。她直愣愣地站在那儿望着他，就像一个受了委屈不知所措的孩子。阿希礼默默无言地将她轻轻搂到怀里，并把她的头紧紧地靠在自己的肩膀上，又低下头把脸紧紧贴在了她的脸上。她浑身酥软地靠在他身上，双臂将他的身体抱住。在他的怀抱里，她觉得十分舒坦，很快那突如其来的泪水便干了。啊，偎依在他的怀抱里真是太美了，既没有什么激情，也不感到紧张，而是作为一个被人爱的好朋友偎依在他怀里。只有阿希礼能够理解这一切，因为他跟她有着同样的回忆，同样的青春，无论是她的过去还是她的现在他都了如指掌。

她听见屋外传来了脚步声，但并没把它放在心上，还以为是车夫们准备回家呢。她屏住呼吸凝神倾听着阿希礼的心脏一下一下地跳动。突然，阿希礼猛地挣脱开她的搂抱，用力之猛让她困惑不解。她惊讶地抬起头来看着他的脸，可他并没在看她。他的目光越过她的肩膀向门口投去。

她转过身去，只见印第亚正站在门外，脸色铁青，灰白的眼睛里喷射出怒火。她的身边是阿尔奇，虎视眈眈地，活像一只独眼鹦

阿希礼默默无言地将她轻轻搂到怀里，并把她的头紧紧地靠在自己的肩膀上。

鹉。在他俩身后则站着艾尔辛太太。

她究竟是怎么跑出办公室的，连她自己也不记得了。她按照阿希礼的吩咐急急忙忙离开了办公室，阿希礼把自己留在那间小屋里和阿尔奇进行了严肃的谈话，印第亚和艾尔辛太太则背对着她在屋外站着。她又羞又怕，恨不得赶快逃回家。在她的脑海里，留着一大把胡子的阿尔奇突然摇身一变，变成了《旧约》中的复仇天使。

家里现在空无一人，整幢房子寂静地沐浴在四月夕阳的余晖里。仆人们都到一户人家参加葬礼去了，孩子们还在玫兰妮家的后院玩耍。玫兰妮——

玫兰妮！斯佳丽在上楼回房间的路上一想到玫兰妮，便觉得浑身冰凉。玫兰妮会知道这件事的。印第亚刚才说了，她会告诉玫兰妮的。哦，印第亚会得意扬扬地把这事向玫兰妮描述一番的，至于是否会败坏阿希礼的名声，是否会伤害玫兰妮，她才不在乎呢，只要这么做能对斯佳丽造成伤害就行了！艾尔辛太太也是个长舌妇，尽管当时她站在印第亚和阿尔奇背后，什么也没看见，但她照样会到处张扬的。到吃晚饭的时候，这消息就会传得满城风雨。等到明天吃早饭的时候，全城所有人，甚至连黑人都会知道这件事的。今晚的酒会上，妇女们准会聚集在各个角落里，窃窃私语，幸灾乐祸。斯佳丽·巴特勒栽了个大跟头，丢尽了脸！这件事会越传越离谱，即使有天大的本事也没法将它制止住。人们决不会只满足于这么简单的一个事实：她哭了，阿希礼把她搂在了怀里。用不着等到天黑，人们就会沸沸扬扬地说，斯佳丽跟人通奸时被逮着了。其实他们的拥抱是那么纯洁，那么甜蜜！这时斯佳丽突发奇想：要是那年圣诞节他结束休假那会儿我和他吻别时被人发现了该有多好啊！要是在塔拉庄园我求他和我一起私奔时被人发现了又该多好啊！——哦，有几次我们倒真是心中有愧的，倘若其中一次被人发现了，我也决不至于这么伤心！而这一次！这一次！我是作为一个朋友扑向他的怀抱的——

但这话是谁也不会相信的。没有一个朋友肯替她出面，也没有一个人会站出来说：“我不相信她有错。”她早已把那帮老朋友个个都得罪了，再也找不到一个为她仗义执言的斗士。至于那帮新朋友，她们平时吃尽了她盛气凌人、蛮横霸道的苦头，都敢怒而不敢言，巴不得借此机会把她骂个狗血淋头。是的，无论怎么说她，大家都会信以为真的，诚然，他们也许会感到遗憾，像阿希礼·韦尔克斯这样高尚的人居然也会卷入这样肮脏的丑闻中。照例，他们会把一切罪恶都归咎于女人，而对男人的过失一笑置之。更何况，在这件事上他们是对的，是她投入了他的怀抱。

哦，那些攻击、蔑视、嘲笑，还有满城的闲言碎语，她都能忍受，如果不得不忍受的话——而玫兰妮却不行！哦，玫兰妮不行。她不知道为什么自己只单单想到玫兰妮，对她听说这件事后会有什么反应这么关心。负疚感像块巨石沉重地压在了她的心头，使她不愿想出个所以然来。但是一想到印第亚告诉玫兰妮，她目睹阿希礼和斯佳丽在一起卿卿我我，玫兰妮的眼睛里会有什么样的神情时，她便不知不觉潸然泪下。玫兰妮知道后会怎么样？离开阿希礼吗？为了不至于失去尊严，她还会做些什么？要是这样的话，我和阿希礼又该怎么办？她拼命思索着，泪水止不住唰唰地往下淌着。哦，阿希礼肯定会无地自容，怨恨是我害了他。想到这里，她心里突然感到一阵极度的恐惧，泪水竟一下子止住了。还有瑞特呢？他会干出什么事来？

也许他永远也不会知道。有句古老的俏皮话是怎么说的？“做丈夫的总是最后一个才知道。”也许不会有人告诉他。瑞特常常是遇事不问青红皂白，先干上一仗再说，这已是远近闻名、众所周知的事了。有人要想对瑞特透露这种事，还真需要点胆量。上帝啊，千万别让谁有这份胆量。但是她想起了锯木厂办公室里阿尔奇的那张脸，特别是那只冷酷、灰白的独眼，这独眼无情无义，充满了对她和所有女人的仇恨。阿尔奇天不怕，地不怕，谁都不怕，对行为不端的女人深恶痛绝，恨不得将她们杀死才能解心头之恨。他说过要告诉瑞特，不管阿希礼怎么劝阻，他都会这么做的。除非阿希礼把他杀了，否则他是一定会对瑞特说的，他觉得这是一个基督徒应当履行的职责。

她匆匆脱下衣服，一头倒在了床上，思绪万千。要是能把房门锁上，永远待在这个安全的地方，永远永远不再见任何人那该有多好啊！也许瑞特今晚不会知道的，她可以借口头疼不去参加酒会。等到明天早上，她也许就能想出一些理由来，把这件事掩饰过去。

“我现在不去想它了，”她沮丧地自言自语道，并把头深深地埋进了枕头，“现在不去想它。等到我能够忍受时再想吧。”

夜幕降临了，她听见仆人们回来了，正四下走动准备晚餐，然而她觉得他们今天好像特别安静。也许是她疑神疑鬼？黑妈妈上来敲过门，斯佳丽把她打发走了，说她不想吃晚饭。时间在一点点流逝，她终于听到了瑞特上楼的脚步声。他走到二楼过道时，她浑身紧张，鼓起全部的勇气准备摊牌，但他却走了过去，进了自己的房间。她大大松了一口气，看来他还不知道这事。幸好有言在先，不准他再踏进她的房间。感谢上帝，对她提出的这项冷酷无情的要求，他能恪守。不然要是他此刻进屋看见她的话，一定会从她脸上看出破绽来的。她不得不鼓起全部勇气对他说，她病得很厉害，不能去赴宴了。现在好了，总算有足够的时间让自己平静下来了。真的有时间吗？从下午那个可怕的时刻起，生活好像已失去了时间概念。很长一段时间里她听见瑞特在自己的房间里走动着，偶尔还能听见他和波克的说话声。她终于没有勇气把他叫进来。四周一片漆黑，她静静地躺在床上，瑟瑟发抖。

过了很久，他来敲她的门，她竭力控制住自己的声音，说：“进来。”

“你真的是在邀请我进入这个圣殿吗？”他一边问，一边推开了房门。屋里很黑，看不清他的脸。从他的声音里也听不出有什么异样。他进了屋，关上门。

“去参加酒会，你都准备好了吗？”

“真糟糕，我头疼。”真奇怪，她的声音听上去是那么自然！幸亏天黑看不见脸！“看来我去不成了。瑞特，你去吧，代我向玫兰妮表示歉意。”

一阵长久的沉默之后，黑暗中传来了他拖长着调子、咬牙切齿的骂声。

“真没见过你这么胆小如鼠的骚货。”

他知道了！她在床上躺着浑身直抖，无言以对。只听他在黑暗中摸索了一阵，划着了火柴，屋里顿时亮堂了起来。他走到床边，低头看着她。她看见他身上穿着夜礼服。

“起来，”他说，声音里毫无感情色彩，“去参加酒会。你得赶快了。”

“哦，瑞特，我不去。你知道——”

“我知道。起来。”

“瑞特，阿尔奇竟然敢——”

“阿尔奇有胆量。他是个非常勇敢的人，阿尔奇。”

“你应该宰了他，他满嘴胡言——”

“我有个怪脾气，从不杀说实话的人。我现在没时间跟你争，起来吧。”

她从床上坐了起来，将身上的睡衣紧紧裹住，定睛细细观察着他的脸。他黝黑的脸上毫无表情。

“我不去，瑞特。我不去，除非这种——误解得到澄清。”

“如果你今晚不露面，那你今生今世就别想再在这座城市抛头露面了。老婆不守贞操我或许还能容忍，如果老婆是个窝囊废，那我是万万不能容忍的。你今晚非去不可，哪怕从亚力山大·史蒂文斯一直到底下的仆人，全都对你怒目而视，哪怕韦尔克斯太太对我们下逐客令，你也一定得去。”

“瑞特，你要听我解释。”

“我不想听。没时间了。快穿衣服。”

“他们都误会了——印第亚、艾尔辛太太，还有阿尔奇。再说他们都恨我。印第亚更是对我恨之入骨，为了往我脸上抹黑，她竟然不惜把谣造到自己的亲哥哥头上。你能不能听听我解释——”

“哦，上帝呀，”她突然想，“要是他说，‘好，那你就讲吧！’我又能说些什么？我又该怎么解释呢？”

“他们一定会到处宣扬这些谎话的。今晚我不能去。”

“你会去的，”他说，“我会卡着你的脖子，皮靴对准你那十足迷人的臀部，走一步踢一脚，一直把你踢到那儿去的。”

他眼中闪着寒光，一伸手猛地把她从床上拖下来，随后捡起紧身褡扔到了她面前。

“系上。我来替你系扣子。我系扣子可有一手。我可不愿让黑妈妈来帮你，免得让你趁机反锁上房门，像个胆小鬼似的龟缩在这里。”

“我可不是胆小鬼，”她被激怒了，大声叫道，全然没有半点畏惧，“我——”

“得了，别再吹嘘你当年是如何开枪打死北方佬，如何面对谢尔曼的部队面不改色的英雄故事了。别的不用说，你就是个胆小鬼。即使不是为了你自己，看在美蓝的分上，今晚你也一定得去。你怎么能忍心再次断送她的前程？快把紧身褡系上。”

她急忙脱去睡衣，上身只穿了一件紧身胸衣。要是他此时对她穿着胸衣的优美身段看上一眼，也许气势汹汹的样子就会一扫而光。他毕竟已经好久好久没看见她穿胸衣的模样了。但是他没有看她，只顾在壁橱里匆匆为她找裙子。过了一会儿，他从里面找出一条新做的碧玉色波纹绸裙子。低低的领子，巨大的裙撑托着向后高高挽起的裙边，上面缀着一朵硕大无比的粉红色天鹅绒玫瑰花结。

“就穿这件。”他说着一边把裙子扔到床上，一边向她走过来。

“今晚你不能穿鸽子灰或淡紫色的裙子，那颜色太朴素，太庄重了。你的大旗必须牢牢地拉在桅杆上，不然旗帜必倒无疑。还要浓妆艳抹，我敢肯定，同道貌岸然的法利赛人通奸的女人的脸色一定不会这样惨白的。转过身去。”

他把束腰的绳扣使劲一勒，疼得她直叫唤。对他这种粗野的举动，她感到既恐惧、羞辱，又无可奈何。

“觉得疼，是吗？”他冷笑了几声，但她看不见他的脸，“可惜这玩意儿没绕在你的脖子上。”

玫兰妮家所有的房间都灯火通明，街上老远就能听到音乐声。快到门口时，只听见里面飘出阵阵欢声笑语和嘈杂的人声。屋里高朋满座，连门廊上都挤满了人，许多客人只好伴着半明半暗的灯笼，坐到院子里的长椅上。

我不能进去——我不能，坐在马车上的斯佳丽心里不住地在想。她手里紧紧攥着早已揉成一团的手绢。我不能。我不能去。我要从车上跳下逃走，逃到别处去，回老家塔拉庄园去。瑞特为什么一定要逼我到这里来呢？大家会怎么对待我？玫兰妮又会怎么对待我？她会摆出一副什么面孔？哦，我没脸见她。我要逃走。

瑞特好像看穿了她的心事，便伸手牢牢地抓住了她的胳膊，粗暴而蛮横，简直就像一个毫无顾忌的陌生人。她的胳膊上肯定会留下一大块青紫的。

“我还不知道爱尔兰人竟这么窝囊。平时你不是总吹嘘自己如何勇敢吗？现在你的胆量都到哪里去了？”

“瑞特，求求你让我回家解释吧。”

“你想解释，有的是时间，然而到竞技场上去做殉难者可就只有今天晚上。下车吧，亲爱的，让我看看狮子怎样把你吃掉。下车。”

她不知怎么地就走上了石径，她觉得自己挽着的不是手臂而是一块坚硬的花岗岩，这反倒给她增添了一丝勇气。上帝在上，她能正视他们，她会做到的。他们算什么，不就是一窝妒火中烧、只会在一旁聒噪并伸出爪子来挠人的野猫吗？她要给他们点颜色看看。她才不管他们会怎么想呢。她关心的只是玫兰妮——只是玫兰妮。

他们踏上了门廊，瑞特手持礼帽，频频向左右点头招呼，声音冷淡而轻微。他们进屋时，音乐戛然而止，斯佳丽的脑海里顿时一片混沌，她仿佛觉得人群突然变成了阵阵海啸向她涌来，随后又退了回去，呼啸声也随之渐渐消失了。大家不是都要对她侧目而视吗？哼，见鬼，随他们去吧！她高高地昂起头，笑逐颜开，笑得连眼角都皱了起来。

还没等她侧过身子和站得离门边最近的人打招呼，就见人群中挤过来一个人。周围顿时变得异常安静，斯佳丽不由得心里一怔。人群让出一条狭长的通道，玫兰妮挪着一双玲珑的小脚，匆匆挤出人群，到门口来迎接斯佳丽，她要抢在他人前面和斯佳丽说话。她挺直瘦削的肩膀，抿紧两片薄薄的嘴唇，就像眼中没有别的客人，只有斯佳丽似的。她来到她身边，伸手搂住了她的腰。

“这裙子太漂亮了，亲爱的，”她声音虽小，却异常清晰，“你愿意做天使吗？印第亚今晚不能来帮我了。和我一起接待客人好吗？”

54

斯佳丽回到自己的房间后，才有了安全感。她不顾身上仍穿着波纹绸裙子、裙撑上系着玫瑰花结，一头就倒在了床上。有一段时间，她只能一动不动地在那儿躺着，回想着刚才站在玫兰妮和阿希礼之间迎接客人的情景。真是太可怕了！她宁愿再次面对谢尔曼的部队，也不愿再重演这出戏！过了一会儿，她从床上爬起来，紧张不安地在房间里来回走动着，一边走，一边脱身上的衣服。

她浑身哆嗦着，开始出现高度紧张带来的反应。发夹明明拿在手里，却不知不觉地滑落到地板上。她拿起梳子，想像往常那样把头发梳它一百下，不料竟把梳子的背面重重地敲在了太阳穴上，疼痛难忍。她不下十次踮起脚尖走到了门边，想听听楼下有没有动静，但楼下过道里就像一座黑暗的深渊，一片死寂。

酒会结束后，瑞特把她送上了马车，让她独自回家。对上帝赐予的这个缓刑令，她真是感激不尽。瑞特到现在还没回来。感谢上帝，他还没回来。她现在是既羞愧又害怕，身子不住地发抖，今晚决不能见他。可他现在在哪儿呢？大概是又到那个妓女那里去了。斯佳丽第一次为有像贝尔·沃特林这样的人而感到高兴。幸亏除了这个家，瑞特还有一个去处，至少可以让他把那股咬牙切齿、杀气腾腾的怒气慢慢平息下去后再回来。丈夫去找妓女，做妻子的居然感到高兴，岂不是荒谬绝伦，然而此刻她也只能如此。现在即使他死了，她同样也会感到高兴的，只要这意味着她今晚不必见到他就行。

明天——对了，明天就是另一天了。明天她就能想好借口，甚至还可能以攻为守，想办法来编排瑞特的不是。明天再回想起这个令人可怕的夜晚她就不会这么难受并浑身哆嗦了。明天她就不会老想着阿希礼的脸，不会想着他那受到损害的自尊和他的耻辱了。阿希礼的耻辱都是她一手造成的，他自己几乎没一点责任。是她让亲爱的、令人尊敬的阿希礼蒙受了耻辱，现在他会恨她吗？他现在肯定是恨死她了——幸亏玫兰妮挺直了瘦弱的双肩，面对着那些充满好奇、不怀好意甚至怀着敌意的人们，穿过草地向她走来，挽起了她的手臂，声音里饱含着爱和毫不掩饰的信任，从而挽救了她和阿希礼。在这个可怕的晚上，玫兰妮自始至终都让斯佳丽站在自己的身边并极其出色的制止了这场丑闻！参加晚会的客人们稍稍有些神情冷淡，甚至多少还有点迷惑不解，不过大家都还是彬彬有礼。

哦，她最大的耻辱莫过于借助玫兰妮作屏障，躲开了冤家对头的攻击，不然的话他们的几声窃窃私语就足以将她撕得粉碎！用盲目的信任庇护了她的不是别人，偏偏是玫兰妮！

想到这儿，斯佳丽不禁打了个冷战。她一定要去喝杯酒，甚至几杯酒，否则她今晚休想躺下来睡个安稳觉。她在睡袍外面披上了件晨衣，疾步走进了过道，周围寂然无声，她那双便鞋咔嗒咔嗒地特别响。楼梯已经下了一半，她才发现餐室的门是关着的，但门底却透出一道亮光来。她不由得一怔，心脏也仿佛停止了跳动。也许她回来时餐室里这盏灯就一直亮着，只是当时自己心烦意乱没有注意？还是瑞特已经回来了？他可能是从厨房悄悄进来的。要是瑞特已经回来了，她只好再蹑手蹑脚返回自己的房间而不去喝白兰地，尽管她非常需要它。这样她就不必再与他照面了。回到自己的房间，她就安全了，因为她可以把房门锁上。

她正要弯下腰去脱掉脚上的便鞋，以便悄无声息地赶紧退回去，不料餐室的门却突然开了，昏暗的烛光烘托出了瑞特的身影。显出了他魁梧的身材，个子比她平时看惯的还要高大些，活脱一个摇摇晃晃、没鼻子没眼、面目可憎的凶神。

“劳驾进来陪陪我，巴特勒太太。”他说，声音已有些含糊不清。

他喝醉了，而且醉态毕露。以前不管喝多少，从没见他醉过。她犹豫了一下，停住脚步，没吭声。他挥手做了个命令的姿势。

“到这儿来，你这该死的！”他粗声粗气地说。

他一定喝了不少酒。她心头不禁一阵怦怦狂跳。平时他喝得越多，举止越斯文。虽然他会更喜欢嘲笑损人，说的话也会更刻薄，但举止却总是一板一眼的，无可挑剔——无可挑剔到了极点。

“决不能让他知道我怕见到他。”她心里想，于是往脖子处紧了紧披在身上的晨衣，昂首挺胸走下楼梯，并且还故意把脚踩得啪啪直响。

他让到一边，鞠躬低头，一直把她迎进了屋内，脸上还带着一副嘲弄的神情，让她感到有点畏畏缩缩的。他没穿外衣，敞着衬衫领子，脖子边垂着一条领带，露出了黑乎乎、毛茸茸的胸膛。头发乱蓬蓬的像窝杂草。他两眼通红，布满血丝，眯成了一条缝。桌上点着一支蜡烛，微弱的烛光把宽敞的房间照得鬼影憧憧的，餐具柜和餐具架就像一只只蹲在那儿一动不动的巨兽。桌上还有只银盘，盘中放着一只细脖子的酒瓶，瓶子的雕花玻璃盖已经打开，周围都是玻璃酒杯。

“坐下吧。”他跟着她走进屋子，干巴巴地说。

一种新的恐惧这时爬上了她的心头，相形之下，刚才为避免和他见面而感到的惊慌显得微不足道了。瑞特现在的神态、言语、举止都像个陌生人。眼前这个举止粗鲁的瑞特是她从没见过的。以前，即使在他们最亲昵时，他也不苟言笑，从不激动。即使在发怒时，他也显得很文雅，最多说些刻薄的话。几杯威士忌一落肚，他的这些特点往往会更加突出。起先她对此很恼火，曾经想过要改变他这种阴阳怪气的脾气，但不久她就发现，这对她来说倒也是挺方便的，于是就不把它放在心上了。多年来，她一直觉得瑞特对任何事都无所谓。在他看来，生活中所有的一切，包括斯佳丽，都是令人啼笑皆非的玩笑。但是，此时此刻，隔着桌子望着他，她却忐忑不安地意识到，终于有件事让他觉得重要，并且是十分重要了。

“就算我不知趣地回家来了，也不应妨碍你在临睡前喝上一杯吧，”他说，“要我替你斟杯酒吗？”

“我没打算喝酒，”她绷着脸说，“我是听到了动静才下来——”

“你没听到动静。你要是知道我回家了，压根儿就不会下楼来。我一直坐在这儿听着你在楼上来来回回地走动。你一定很想喝一杯。喝吧。”

“我才不——”

他拿起酒瓶，摇摇晃晃地满满倒了一杯，还溢出了很多，弄得里里外外都是酒。

“接着，”他把酒杯塞到了她手里，“你浑身都在哆嗦。哦，别装了。我知道你背着我在偷偷喝酒，也知道你酒量不小。我早就想告诉你，要喝就公开喝，不必费尽心机地躲躲藏藏。你以为我会在乎你喜欢喝白兰地吗？”

她接过湿漉漉的酒杯，并在心里诅咒着他。他完全了解她，对她的心思了如指掌。但在这个世上，她想隐瞒自己真实思想的唯一对象恰恰就是他。

“我说，喝下去吧。”

她举起酒杯，抬起手腕，猛地一饮而尽，动作娴熟自如，和她父亲杰拉尔德当年喝纯威士忌的动作如出一辙，但她没想到，这一举动在她身上是多么有失体统。果然，瑞特把这一切都看在了眼里，嘴角顿时拉了下来。

“坐下，我们来开个家庭讨论会，好好谈谈刚才参加的那个无与伦比的酒会。”

“你醉了，”她冷冷地说，“我也要睡觉去了。”

“我是醉了，但今晚我非得喝个一醉方休。你不能去睡——现在还早。坐下吧。”

尽管他说话时往日那种不急不躁、拖长声调的口吻依稀可辨，但她却感到了弦外之音。那是一种急欲向外喷发的狂暴，其残忍不会亚于噼啪作响的皮鞭。她刚摇摇晃晃地站起来，他已走到了她的身边，一把抓住了她的手臂。他只轻轻一拉，她便痛得哎哟一声坐了下来。她现在可是真的害怕了，比过去任何时候都害怕。当他俯身看她时，她发现他黝黑的脸庞已涨得通红，眼里依然闪烁着令人心悸的寒光，他眼睛深处有某种她既不熟悉也不理解的东西，它比愤怒更深沉，比痛苦更强烈，它紧紧地逼迫着他，直到他的两眼似两块熊熊燃烧的木炭一样喷射出怒火。他低头盯着她看了很久，直看得她双目低垂，败下阵来，他才颓然坐回到她对面的椅子上，并又给自己倒了杯酒。她迅速思考着，竭力想筑起一道防线，可她并不知道他打算怎么指责她，所以在他开口之前，她竟不知该说什么才好了。

他一面慢慢地喝着酒，一面从酒杯上方打量着她。斯佳丽绷紧了全身神经，尽量不让自己哆嗦。他的面部表情一度曾毫无变化，最后他目光仍盯着她，却发出一阵狂笑，听到这笑声，她不由得浑身颤抖起来。

“今晚可真像一出有趣的喜剧，不是吗？”

她一声不吭，只是在宽松的便鞋里把脚趾使劲缩拢了一下，想抑制住全身的颤抖。

“真是一出角色齐全的喜剧啊。全体村民聚集在一起向不守妇道的女人投石块，而戴了绿帽子的丈夫却像个绅士似的维护着妻子的面子，奸夫的妻子本着基督教的精神，仗着自己平日洁白无瑕的名声，展开衣裙把事情遮盖了起来。而那个奸夫——”

“我求求你别说了。”

“我不领情。今晚不行。这出戏太有趣了。那个奸夫像个十足的大傻瓜，恨不得赶快死掉。亲爱的，让一个你痛恨的女人在身边站着替你掩盖罪孽，你心里是一种什么滋味？坐下。”

她坐下了。

“我想你对她的态度未必因此就会改变。你心里在嘀咕，她是否知道你和阿希礼的事——如果知道的话，那她为什么还要这么做——她这么做是不是为了保全自己的面子。你心里其实在想，她这么做简直是个大傻瓜，尽管这使你免遭了声名狼藉的下场，但——”

“我不想听——”

“不，你必须听。我把这一切告诉你，是为了让你宽心。兰妮小姐确实是个大傻瓜，但并不是你想象的那种。显然有人事先已经把这事告诉了她，可她并不相信。即使她亲眼看见了，她也不愿相信的。她洁身自好，自尊自重，根本无法想象她爱的人会干出这等鲜廉寡耻的勾当。我不知道阿希礼拿什么谎话哄了她——但是再拙劣的谎言她都会相信的，因为她爱阿希礼，同时也爱你。我怎么也弄不明白她为什么会爱你。然而她确实爱你。就让这爱成为你的十字架吧。”

“如果你没醉成这个样子，并恶语伤人，我可以把一切向你和盘托出，并向你解释清楚，”斯佳丽说，她稍稍恢复了一点尊严，“可现在——”

“我对你的解释不感兴趣。对事情的真相我了解得比你还清楚。我发誓，要是你再从那张椅子上站起来一次——

“我还发现了一件比今晚的喜剧更有趣的事，那就是你一方面以我犯有种种罪恶为由，正气凛然地拒绝与我同床，另一方面心里却一直在与阿希礼·韦尔克斯奸淫。‘心里动淫念’，这个词挺传神的，不是吗?《圣经》这书确实妙语连珠，对不对?”

“什么书？什么书?”她心乱如麻，满脑子尽是些可笑而不相干的事。她急切地环顾四周，在昏暗的烛光下，眼前那只巨大的银盘子已黯然无光，屋子的各个角落黑黢黢的阴森可怕。

“你之所以把我甩在一边是因为你觉得我粗俗，配不上你的高雅，也因为你不想再要孩子。这太让我难受了，我的心肝！心里就像刀割一样！于是我只好到外面去另寻慰藉，让你守着你的高雅。可你却趁机朝思暮想，追逐起那位历经磨难的韦尔克斯先生来了。该死的混蛋，他到底犯了什么毛病?他既不能在精神上忠于自己的妻子，又不敢在肉体上背叛她。他为什么不下定决心?你大概不会反对为他生儿育女——然后当作我的孩子来蒙混过关吧?”

她大叫了一声，从椅子上跳起来，他也跟着从座位上站起来，轻轻冷笑一声，把她吓得魂飞魄散。他伸出一双褐色的巨掌，用力一按又把她重新按回到了椅子上，然后俯身站在了她面前。

“仔细看看我这双手，亲爱的，”他一边说着，一边在她眼皮下把手攥了几下，“我可以毫不费力地把你撕得粉碎，要是这样做能够把阿希礼从你的脑子里赶走的话，我会这么做的。但这是不可能的。

所以我想换个方式，把他从你脑子里永远清除掉。就用这种方式。你看，我要用两只手夹住你的脑壳，就像夹核桃一样把你的脑壳碾碎，把他给挤出来。”

他双手捧住她鬓角下的脸庞，用力地抚摸着，然后把她的脸扭过来对准自己。她看到的是一张陌生人的脸，一个酩酊大醉、说话拖着长音的陌生人的脸。她从不缺乏困兽犹斗的勇气，在这紧急关头，这种勇气又重新涌入了她的血管，使她挺直了腰板，眯起了眼睛。

“你这醉鬼，”她说，“请把手拿开。”

说也奇怪，他竟真的松开了手。他倚坐在桌子角上，又给自己斟了杯酒。

“我一向敬佩你的勇气，亲爱的。尤其是现在，因为你已走投无路了。”

她裹紧身上的晨衣。哦，她真恨不得现在就能回到自己的房间里去，锁上门，独自待在屋里。无论如何要设法脱身，迫使他就范。她还是头一次见瑞特醉成这个样子。她不慌不忙地站了起来，两腿却止不住地直哆嗦。她裹紧身上的晨衣，把前额的头发往脑后一捋。

“我还没走投无路，”她针锋相对地说，“你永远别想让我走投无路，瑞特，也别想威胁我。你是个嗜酒如命的衣冠禽兽，你就知道寻花问柳，除了邪恶，别的你什么都不懂。你不理解我，也不理解阿希礼。你陷在泥污中太久了，根本不知道世界上还有净土。你嫉妒，因为你根本不能理解。晚安。”

她若无其事地转过身，正要朝门口走去，突然听见身后传来一阵大笑，便又停了下来。她转过身去，只见瑞特摇摇晃晃地从屋子那一头朝她走来。天哪，但愿他别再发出这种可怕的笑声了！究竟有什么值得他这样狂笑？

斯佳丽见他朝自己走来，便一步步向后退去，不料却退到了墙上。他伸出双手，用力抓住她的臂膊，把它们按在了墙上。

“别笑了。”

“我笑是因为我替你感到难过。”

“难过——替我？还是替你自己难过去吧。”

“是的，上帝作证，我是替你难过，亲爱的，我漂亮的小傻瓜。这把你刺痛了，是不是？你是既不能忍受嘲笑，也无法容忍怜悯的，是不是？”

他止住了笑，身体前倾，使劲按住她的双肩，她感到肩膀生疼。他的脸变了形，靠得越来越近，嘴里还喷出一股浓烈的威士忌气味，直冲她的鼻子，熏得她不得不把脸扭过去。

“嫉妒，我？”他说，“哦，是的，我怎么能不嫉妒呢？我是嫉妒阿希礼·韦尔克斯。我怎么能不嫉妒呢？哦，别辩解，也别解释。我知道你肉体上是忠于我的。你想说的不就是这个吗？哦，这个我一向清楚。这些年来我一直都是很清楚的。我怎么知道？哦，因为我了解阿希礼，了解他这种人。我知道他是个非常体面的人，一个上等人。亲爱的，对你，或者对我，就不能这么说了。我们不是上等人，没有廉耻，是不是？只有这样，我们才能像绿色的月桂树那样郁郁葱葱，兴旺发达。”

“放开我。我可不愿意站在这儿受你侮辱。”

“我没有侮辱你。我是在赞美你肉体上的贞洁。但是你别想糊弄我。你以为男人都是十足的傻瓜吗，斯佳丽。低估你对手的力量和智慧，是要吃大亏的。我可不是傻瓜。你躺在我的怀里，心里却把我当成了阿希礼·韦尔克斯，你以为我不知道？”

她张口结舌，又惊又怕，面无血色。

“真是有趣，而且简直神奇之极。一张本该只睡两个人的床，现在却睡了三个人。”他稍微摇晃了一下她的双肩，一边打着饱嗝，一边讥讽地微笑着。

“哦，是啊，你肉体上一直是忠于我的，因为阿希礼不要你。见鬼，如果他要你的肉体我也决不会吝惜的。肉体算得了什么——尤其是女人的肉体。但我可不愿意你把你的心，你那颗可爱、冷酷、无耻而固执的心交给他。可那个大傻瓜不要你的心，而我又不要你的肉体。我可以很廉价地买到女人。我要的是你的情，你的心，但我却永远都得不到，就像你永远得不到阿希礼的心一样。这就是我替你难过的原因。”

斯佳丽虽然既害怕又惶惑，但他的讥讽仍深深地刺痛了她。

“难过——替我?”

“是的，我替你难过，因为你真是个孩子，斯佳丽。一个哭着想把天上的月亮摘下来的孩子。那孩子即使摘到了月亮，又能拿它怎么样呢?你又能对阿希礼怎么样呢?是的，我替你难过——因为我看到你亲手抛弃了现有的幸福，却伸手去捞取永远不会使你幸福的东西。我替你感到难过，因为你确实是个大傻瓜，你连惺惺惜惺惺，乌龟配王八这么简单的道理都不懂。就算我一命呜呼，兰妮小姐也命归黄泉，你得到了你尊贵无比、可亲可敬的情郎，你以为和他在一起就一定会幸福吗?哼，才不会呢!你永远都不会了解他，永远也不会知道他在想什么。对他，你就像对音乐、诗歌、书籍和除了金钱以外的一切一样，一无所知。而我们俩，我可爱的妻子，只要你肯给我们半点机会，就可以幸福美满，因为我们太相似了。我们是一对无赖，斯佳丽，想要什么就有什么，什么也不能把我们难倒。我们本来可以很幸福的，因为我爱你，斯佳丽，我对你了解得非常透彻，这是阿希礼永远都做不到的。一旦他真的了解了你，他会鄙视你的……可是你偏偏要这样一辈子痴心地去想一个你无法理解的男人。而我呢，亲爱的，也只好继续从臭婊子们身上求得慰藉。我敢说，只要你愿意，我们可以比大多数夫妻都生活得好。”

他突然放开了她，转身摇摇晃晃向酒瓶走去。半晌，斯佳丽脚下生了根似的一动不动，思潮起伏，浮想联翩，然而真要想抓住其中一个念头仔细思索一番，却又是枉然。瑞特说爱她。这是真心话，还是酒后胡言?抑或又是在恶作剧，拿她寻开心?阿希礼——月亮——哭着要摘的月亮。她飞也似的朝黑洞洞的过道奔去，仿佛在逃避恶魔的追赶。哦，但愿能马上回到自己的房间里!奔跑中她把脚扭了，便鞋也开了，半只脚露在了外面。她收住脚步，拼命甩着脚想踢掉便鞋。这时，瑞特一个箭步冲到了她身边，动作敏捷得像个印第安人。他气喘吁吁，呼出的气流像一股股热浪，迎面扑来。他把手伸进她的睡衣，摸到了她光滑的肌肤，并粗暴地将她拦腰搂住。

“你为了追求他，把我甩在了一边，逼着我去寻花问柳。上帝，今晚我的床只能容下两个人。”

他凌空将她抱起，朝楼上走去。她的脑袋被紧紧地压在了他的胸口上，她听到他的心脏在坚实有力地怦怦跳动着。她被夹疼了，不由得大声叫了起来，但嘴被堵住了，声音显得沉闷而慌乱。他只管一步一步往楼上走去，走向伸手不见五指的黑暗。斯佳丽惊恐万状，因为他简直就是个发了疯的陌生人，周围的黑暗也是她不熟悉的，好像比地狱还要黑十倍。他像个死神，张开双臂抱着她，把她夹得好疼。她尖叫着，像快要被闷死了。他爬到楼梯拐弯处时，突然收住了脚步，将她迅速翻转过来，低下头狂吻不止。这阵狂吻如此粗野，如此完美，竟使她忘记了一切，只觉得自己正在深深地坠入黑暗，只觉得他的双唇和自己的双唇紧紧地贴在一起。他颤抖着，仿佛置身于狂乱中。他的双唇从斯佳丽的嘴唇开始，沿着渐渐滑落下去的晨衣往下移，亲吻着她柔嫩的肌肤。他喃喃自语着，不知在说些什么，她一句也没听清，只觉得他的狂吻激起了阵阵从未感受过的激情。她在黑暗中，他也在黑暗中，仿佛在此之前从没有过什么，只有茫茫的黑夜，只有他的狂吻。她想张口说点什么，但嘴又被他的嘴堵住了。突然，她感到了一种从未体验过的强烈刺激，仿佛欢乐、恐惧、疯狂与亢奋全都交织在了一起，她终于屈服于那双强健有力的手臂，屈服于不顾一切的狂吻，屈服于瞬息万变的命运了。平生第一次，她遇到了比她更强的人，这人她既不能驾驭也无法打垮，反而被他驾驭，被他打垮了。不知怎么的，她的双手搂住了他的脖子，她的双唇也在他的嘴唇下颤抖了。接着，他们一步步走向楼上的黑暗处，走向那温馨柔美、令人晕眩、笼罩一切的黑暗。

第二天早上醒来时，他已经走了，若不是旁边那只皱巴巴的枕头，她真不敢相信昨晚发生的事，还以为是自己的一场春梦呢。此时此刻回想起来，她不由得羞得满脸通红，忙不迭拉上被子将脖子遮住，让自己沐浴在明媚的阳光中，想把头脑中纷乱的记忆理出个头绪来。

她首先想到了两件事。她与瑞特已经共同生活了许多年，和他同床共枕、同桌吃饭、拌嘴吵架，还为他生过孩子——然而，她却并不了解他。抱着她上楼去的那个男人是个陌生人，她从没想到世上还会有这种人。此时此刻，尽管她想迫使自己恨他，想激起满腔义愤，却怎么也做不到。他羞辱她，伤害她，整整一个疯狂的夜晚，通宵达旦地肆意凌辱她，而她却感到心花怒放。

哦，她应该感到羞耻，不该再去回味黑暗中那些炽热而令人晕眩的情景！在经历了这么一个夜晚之后，一个有身份的女人，一个真正的大家闺秀，恐怕这辈子是再也抬不起头来了。然而，她回味那销魂摄魄的满足，那屈服于强者的狂喜，远远胜过了羞愧的感觉。她生平头一次感受到了自己的活力，感受到了激情的力量。这激情就像她那晚从亚特兰大逃离时心中的恐惧一样，原始而质朴、不可阻挡；这激情又像她开枪打死那个北方佬时心中的憎恨一样，迷惘而甜蜜。

瑞特是爱她的！至少他是亲口这么说的，他爱她，现在还有什么可怀疑的呢？这位同她冷冰冰在一起生活的野蛮的陌生人竟会爱她，这真让人感到奇怪，百思不得其解，真是不可思议！该怎么看待这一新发现，她还没有十分的把握，但是在她的脑海中突然闪过一个念头，她不由得笑出了声。他爱她，这么说她终于得到他了。为了让这颗目空一切、长着黑发的脑袋乖乖听自己的指挥，她以前曾千方百计渴望能诱使他爱上自己，这事她差不多早已忘得一干二净了，现在回想起来，不觉沾沾自喜，颇为得意。昨晚整整一夜，她任凭他摆布，但现在她终于掌握了他的弱点。从现在起，她要把他放在她希望的位置上。长期以来，她吃够了他冷嘲热讽的苦头，现在终于可以任意摆布他了，就像马戏班里的猴子，只要她举起铁圈，他就得跳过去。

想到又要与他见面，光天化日之下与他面对面，她一方面紧张不安、有点难为情，另一方面又感到一种兴奋的快感。

"我紧张得像个新嫁娘，"她想，"而且是为了瑞特！"想到这里，她不由得吃吃傻笑起来。

然而瑞特却没回来吃午饭，晚餐桌上也没见到他的踪影。这天晚上似乎特别漫长，她彻夜未眠，直到天亮仍竖着两只耳朵听着锁孔里是否有钥匙转动的声音。结果什么动静也没有。他没回来。第二天过去了，还是没他的消息，斯佳丽焦急万分，内心充满了失望和恐惧。她去了银行，但瑞特没在那儿。然后她去了店铺，对每个人都发了一通脾气。每当店门打开，走进一位顾客，她都要焦躁不安地抬头看看，希望是瑞特。接着她又到了锯木厂，大声呵斥休，弄得休只好在木堆后躲了起来。但是瑞特并没到锯木厂来找她。

她不愿低声下气地去询问朋友们是否见到过瑞特，更不能向仆人们打听他的下落。但是她隐隐约约地感觉到，有件事她还不知道，而他们却都已经知道了。黑人们一向是无所不知的。这两天，黑妈妈异乎寻常地沉默。她不时向斯佳丽瞥上一眼，但嘴里却一声不吭。第二个晚上过去了，斯佳丽拿定主意要去警方报案。也许他出事了，说不定从马背上摔了下来，此刻正躺在水沟里孤独无援，等待着来人营救。也许——哦，太可怕了——也许他已经死了。

清晨，斯佳丽吃过早饭，回到自己房间，戴上软帽正要出门，突然听到了一阵急促的脚步声走上楼来。她心里稍稍感到了一丝宽慰，一头倒在了床上，这时瑞特走了进来。他刚理过发，修过脸，做过面部按摩，并不像喝醉的样子，但眼睛里却充满血丝，脸因酗酒过度而略显浮肿。他轻松地向她挥了挥手，说：“哦，哈罗。”

一个男人怎么可以一声招呼都不打就离开家，两天两夜不归，回来了竟只有一句“哦，哈罗”？在度过了如此不寻常的夜晚之后，他怎么竟然还这样若无其事？他不该这样——除非——除非——她脑海里突然闪出一个可怕的念头。除非这种不寻常的夜晚对他来说已是司空见惯了。她半天说不出一句话来，原本处心积虑，想好要向他撒娇、卖俏的，这会儿全忘得一干二净了。他甚至都没有上前一步，像往常那样漫不经心地吻她一下，而是远远地站在一边，手里夹着支青烟袅袅的雪茄，咧着嘴笑嘻嘻地看着她。

“你——你上哪儿去了？”

“你竟不知道！我还以为全城的人都知道了呢。也许你是个例外。这真是应了那句老话：‘做老婆的总是最后一个才知道。’”

“你什么意思？”

“我以为警察前天晚上光临贝尔那儿之后——”

“贝尔——就是那——那个女人！你一直和——”

“当然当然。我还能去哪儿？我想你总不至于会为我担心吧。”

"你离开我后就——哦!"

"好了，好了，斯佳丽！别再扮演受骗妻子的角色了。贝尔的事你是早就知道的。"

"你离开我后就去找她，在——在——"

"哦，那件事么，"他做了个满不在乎的手势，"我有时不免会忘了规矩。上次我是有失体统，请你多多原谅。你一定知道，我当时喝醉了，再说你当时又那么楚楚动人，我实在控制不住——要不要我把你的动人之处一一列举出来？"

她突然想哭，想尽情地痛哭一场。他没变，一点都没变。她是个十足的傻瓜，一个无知、自负而愚蠢的大傻瓜，竟一心一意以为他爱她。那只不过是他酩酊大醉后开的又一个令人厌恶的玩笑。他借着酒劲，拿她发泄情欲，就跟对贝尔妓院的那些女人一个样。现在他回来了，对她肆意污辱、满口讥讽，简直不可理喻。她暗暗把眼泪咽进肚子，强打起精神。永远不能让他知道自己的心思。要是让他知道了，他准会大大耻笑她一番的！不！他永远都不会知道的。她迅速向他投去了一瞥，他眼里闪烁着那种常见的难以捉摸、虎视眈眈的目光——热切、渴望，似乎正眼巴巴地盼着她开口，期望着她会说些——他到底在期望什么？期望她装疯卖傻、大吵大闹、授他以笑柄？她才不是那号人呢！她浓眉高挑，怒形于色。

"你和那臭女人的关系我当然早已有所怀疑。"

"只是怀疑？为什么不直接问问我，以满足你的好奇呢？我会向你坦白的。自从你和阿希礼串通一气，要求我与你分房而居，我就和她同居了。"

"你竟敢厚着脸皮在妻子面前吹嘘——"

"得了，别装出一副恼羞成怒的样子了。只要我把家里的账单付清，你才不在乎我干什么呢。你心里明白，近来我并不是个守身如玉的天使。你是我妻子——可自从有了美蓝，你哪点又像个做妻子的？我在你身上的投资太差劲了，斯佳丽。贝尔可强得多。"

"投资？你是说你给了她——？"

"我觉得，正确的说法应该是'资助她开张营业'。贝尔是个精明的女人。我愿意她有所作为。只要有钱买幢房子，她就能发起来。

你应该知道，女人只要有一小笔钱，什么样的奇迹都能创造出来。不信就看看你自己。”

“你拿我比——”

“这个嘛，你们都是精明能干的女生意人，同时也都很成功。不过，贝尔当然要略胜你一筹。她心慈面软，性情温柔——”

“请你离开这个房间行吗？”

他悠然自得地朝门口走去，不无讥讽地扬起半边眉毛。他竟敢这样肆意污辱她，她气得七窍生烟，痛不欲生。他是存心变着法儿伤害她、羞辱她，这些天，她一直眼巴巴地盼他回来，可他倒好，喝得酩酊大醉，在妓院和警察纠缠不清，想到这儿，她真是伤心透了。

“你给我滚出去，以后永远都不许进来。我早有言在先，而你却充耳不闻，你根本就不配做绅士。从今后我可要把门锁上了。”

“用不着劳神。”

“我要锁。那天晚上，你的行为——喝得烂醉，让人恶心——”

“得了，亲爱的！断断不会恶心！”

“滚出去！”

“别急。我会走的，而且保证以后决不会再打搅你。这是最后一次了。我只是想告诉你，如果你觉得我名声太臭，难以忍受，我会跟你离婚的，只要把美蓝给我，我决无异议。”

“我可不愿意离婚，做败坏门风的事。”

“要是兰妮小姐死了，你就顾不得门风了，对不对？想到你到那时会迫不及待地和我离婚，我就头晕目眩。”

“你走不走？”

“我这就走。我回来就是要告诉你这事的。我准备去查尔斯顿、新奥尔良和——哦，嗯，作一次漫长的旅行，今天就要动身。”

“什么？”

“我准备带美蓝一起去。吩咐那个傻乎乎的普莉西把她的衣服收拾一下。普莉西也一起去。”

“你不能带走我的孩子。”

“她也是我的孩子，巴特勒太太。你总不至于反对我带她到查尔斯顿去看望她的祖母吧？”

“看望祖母，你的话鬼才信！你每天喝得烂醉，你以为我会让你把这么个不懂事的孩子带走，好让你把她带到贝尔妓院那种地方——”

他猛地用力扔掉手中的雪茄，雪茄在地毯上嗤嗤地冒着烟，羊毛被烤焦了，发出阵阵刺鼻呛人的气味。他气得满脸铁青，一个箭步冲到了她跟前。

“如果你是个男人，说出这种话，我非拧下你的脑袋不可。念你是个女人，我只能说，把你那张该死的嘴闭上。你以为我不爱美蓝，我会带她去——我的女儿！天哪，你真愚蠢透顶！现在你倒煞有介事地摆起做母亲的架子来了。得了，要说做母亲，连猫都比你强！你都为孩子做了些什么？韦德和埃拉被你吓得半死不活，要不是玫兰妮·韦尔克斯，他们根本就不知道世上还有母爱和体贴。美蓝可是我的孩子！你以为照料美蓝我还不如你？你以为我会让你像对待韦德和埃拉一样，任意呵斥美蓝，弄得她整天死气沉沉、萎靡不振？见鬼，我决不允许。快去给她收拾行装，必须在一小时之内准备停当，不然我警告你，那天晚上发生的事与将要发生的事相比，可是小巫见大巫了。我一直在想，如果用马鞭将你狠狠抽一顿，对你肯定是大有裨益的。”

不容她开口，他便一个急转身大步走出了房间。她听他穿过过道，来到育儿室，推开房门，里面顿时响起三个孩子欢快、清脆、稚嫩的声音。美蓝的声音特别响亮，盖过了埃拉。

“爸爸，你到哪儿去了？”

“爸爸正在找一块兔子皮，好把我的小美蓝包起来。来，亲亲你最最可爱的人，美蓝——还有你，埃拉。”

55

“亲爱的，我不需要、也不愿意听你的解释，”玫兰妮一面斩钉截铁地说着，一面伸出一只小手轻轻捂住斯佳丽噘得老高的嘴，不让她再往下说，“如果你认为我们之间还需要任何解释，那岂不是玷污了你自己，也玷污了我和阿希礼吗。真是的，我们三个人一直——一直就像一起浴血奋战多年的战友，如果你觉得几句流言蜚语就可以离间我们，那我可就真要替你害臊了。你以为我会相信你和我的阿希礼——哎呀，这怎么可能呢！世界上没有人比我更了解你，这你还不知道吗？你对我们一家三口，我、阿希礼还有小博，真是恩重如山，不仅救了我的命，还让我们免受饥饿，你以为我会忘恩负义，把这一切统统忘了？那年，为了我和小博有口饭吃，你几乎是赤着脚跟在那匹北方佬的马后面扶犁，双手布满了血泡，这一切我时刻铭记在心，你以为我会以怨报德，相信那些可怕的谣言？我不想听你作任何解释，斯佳丽·奥哈拉。一句都不想听。”

“可——”斯佳丽讷讷地，欲言又止。

一个小时前，瑞特带着美蓝和普莉西出了城，斯佳丽羞愧与愤恨的心里又平添了一层寂寞。此外，阿希礼和玫兰妮的袒护，让她深感愧疚，无地自容。如果玫兰妮相信了印第亚和阿尔奇的话，并在酒会上故意冷落她，对她视而不见，或者即使打招呼也态度冷淡，那她反而能昂首挺胸，使出浑身解数来奋力反击。可现在，一想到玫兰妮像一把闪光的利剑在她与名誉扫地之间傲然屹立，想到她两眼炯炯有神，斗志昂扬，充满对她的信任，她就觉得唯有忏悔才是自己诚实的举动。是的，从很久以前在塔拉庄园斜阳夕照的门廊里发生的事说起，原原本本地和盘托出。

她的良心受到了谴责。尽管她的良知长期以来受到了压抑，可最终还是萌发了，天主教徒的良知真是充满活力。“忏悔你的罪孽，在悔恨与自责中苦行赎罪吧。”这话埃伦不知对她说过多少遍，在这个紧要关头，埃伦向她灌输的宗教意识又重新被唤起，牢牢地抓住了她的心。她要忏悔——是的，把一切的一切，一笑一颦、一言一语和屈指可数的几次拥抱，都和盘托出——这样上帝就会平息她的痛苦，并给她以安宁。作为惩罚，她将面临一个可怕的景象，看到玫兰妮满脸的慈爱与信任变成恐惧与厌恶。哦，这惩罚太残酷了，她将不得不一辈子铭记玫兰妮脸上这副表情，念念不忘玫兰妮知道了她是一个猥琐、卑鄙、当面一套背后一套的伪君子，想到这一切，她心如刀绞。

曾几何时，一想到有朝一日能当着玫兰妮的面带着嘲笑说出真相，亲眼看见她的天堂坍塌、美梦化为泡影，斯佳丽心里便喜不自禁，即使因此而失去一切也在所不惜。然而现在一夜间一切都变了，这竟成了她最不愿意做的事情。究竟为什么会这样，她自己也不明白。此刻她心乱如麻，无法理出个头绪。但有一点是明白的，就像以前始终渴望母亲把她看成是个谦虚、善良、心地纯洁的人一样，她现在也热切地渴望玫兰妮不要改变对她的好感。她只知道，世人怎么看待她，阿希礼和瑞特怎么看待她，她都可以置之不理，惟独不能让玫兰妮改变对她的好看法。

一方面，她害怕告诉玫兰妮真相，另一方面却无法遏制内心仅存的那点诚实的本能。本能不允许她继续戴着假面具来欺骗这位孤军奋战、竭力袒护她的女人。于是，这天上午，瑞特和美蓝一离开家，她便急急忙忙地赶来找玫兰妮。

谁知她刚开口说了一句：“兰妮，我必须解释那天——”玫兰妮便不容分辩地打断了她。望着她那双闪烁着爱与怒的黑眼睛，斯佳丽只觉得羞愧难当，心情沮丧，她知道，一旦忏悔，和平与安宁就永远与她无缘了。玫兰妮才说了几句话，就把她忏悔的念头一扫而光了。斯佳丽平时很少讲人情世故，此时也动了真感情，她意识到，把自己心中承受的折磨转嫁给他人，无疑是一种十足的自私自利的行为。她这么做分明是为了解脱自己的心理负担而嫁祸于一个洁白无瑕、对自己十分信任的人。玫兰妮的袒护，让她深受其惠，而这种恩惠只能用沉默加以回报。如果对她说，她的丈夫移情别恋，而女方恰恰又是她的挚友，这不受欢迎的消息准会将她的一生毁了，如此以怨报德，岂不是太残忍了！

“我不能说，”她凄惨地想，“不能，即使良心受到再大的谴责也决不能说。”这时她突然想起了瑞特喝醉后讲的那句话：“她根本无法想象她爱的人会干出这等鲜廉寡耻的勾当……就让这爱成为你的十字架吧。”

是的，她将终生背着这个十字架，默默忍受着痛苦的煎熬，羞愧难当。从今往后，玫兰妮每个体贴的眼神，每个温存的表示，都会让她坐立不安，每时每刻都得提防着自己，免得一时冲动会脱口而出：“别对我这么好！别袒护我！我不配！”

“如果你不是这样一个大傻瓜，一个讨人喜欢、轻信别人、头脑简单的大傻瓜，事情就好办多了，”她绝望地想，“我曾挑过许多重担，但从来没哪副担子像现在这么重，这么令人烦恼。”

玫兰妮面对着她坐在一张低椅子上，双脚生了根似的踏在一张垫脚凳上，凳子很高，以致她像个孩子一样双膝高高突起。要不是盛怒之下忘了礼仪，她决不会摆出这种姿势。她正在织一条花边，她手里拿着的那根明晃晃的银针，使劲地上下穿梭着，仿佛那不是针而是一把决斗的利剑似的。

斯佳丽要是气到这种程度，准会跺着双脚，像当年杰拉尔德年轻力壮时那样，扯着嗓门吼叫，让上帝来看看人类这种该诅咒的欺骗和奸诈行径，并咬牙切齿地发誓一定要以牙还牙。但玫兰妮只是用飞针走线和两道眉尖紧锁的细眉来表示内心的愤恨。她说话口气冷静，措辞比平时也更洗练。平时玫兰妮很少直抒己见，从不说一句伤人的话，刚才那番措辞强硬的话更是与她格格不入。斯佳丽突然意识到，韦尔克斯和汉密顿家跟奥哈拉家的人一样，也是挺能发火的，甚至有过之而无不及。

“人们经常对你说三道四，这些话我都听厌了，亲爱的，”玫兰妮说，“这次我可决不能再容忍了，我要采取行动。出现这种情况，完全是因为他们妒嫉你，因为你那么聪明、事业上又很成功。有些事就连男人都做不了，而你却获得了成功。亲爱的，我说这话你可别生气。很多人都说你不像个妇道人家，不男不女的，我可不是这个意思。因为这不是事实。他们根本不了解你，他们不能容忍聪明能干的女人。但他们有什么权利因为你聪明，因为你获得了成功就在一旁风言风语，说你和阿希礼——真是见鬼！”

她最后这句诅咒的口气并不强烈，然而即使是出自一个男人之口，无疑也会被认为是一句毫无情由的粗话。斯佳丽被她这突如其来的诅咒惊得目瞪口呆。

“他们——阿尔奇、印第亚和艾尔辛太太居然在我面前编出了这些无耻的谎言！他们怎么竟如此胆大妄为？当然，艾尔辛太太没来。她没胆量来找我。不过她一直都嫉恨你，亲爱的，因为你比芳妮更讨人喜欢。你把休从工厂管理的岗位上撤了下来，她一直对此耿耿于怀。不过你这样做是对的。休只知道鬼混，是个吃饱了不能干事的饭桶！”玫兰妮一下子就把孩提时代一起玩耍的伙伴以及少年时代的好友抛到了脑后。“阿尔奇的事说来全怪我自己。我真不该收留这个老混蛋。原来大家都劝我别收留他，可我就是不听。亲爱的，就因为租用囚犯做工的事他一直都不喜欢你。不过他有什么资格对你指手画脚呢？他是个杀人犯，而且杀的还是个弱女子！我对他也算是仁至义尽了，可他却跑来告诉我说——即使阿希礼开枪打死他，我也绝无丝毫歉意！我现在可以告诉你，我狠狠地奚落了他一顿，让他卷铺盖滚蛋了！现在他已经不在城里了。

“印第亚，这个下流坯！亲爱的，第一次看到你们俩在一起时，我就注意到她嫉妒你，憎恨你，因为你长得比她漂亮，又有那么多小伙子向你献殷勤。在斯图特·塔尔顿的事情上，她对你更是恨之入骨。她对斯图特是一片痴情，因此——唉，我不愿对阿希礼的妹妹说长道短的，不过我想她是因为朝思暮想，才把脑子想坏了！否则根本无法解释她的行为……我告诉她从此以后再也不许踏进这幢房子，要是再听到她含沙射影、说这些无耻的话，我就要——我就要在大庭广众之下骂她造谣惑众！”

说到这里玫兰妮戛然而止，脸上的怒气蓦地消失了，现出满面愁容。玫兰妮有佐治亚人特有的极其强烈的家族观念，一想到这场家庭纠纷，她就感到自己的心像是要被撕裂了一般。她迟疑了片刻。然而斯佳丽毕竟是她最最亲爱的人，斯佳丽在她心里占着首位，于是她便毅然决然地说了下去：

“我最喜欢你，亲爱的，就因为这个她一直很嫉妒你。她再也不会进这个家门了，不管在什么地方，只要有她在场我就决不踏进大门半步。阿希礼也同意我这么做，尽管他心里很不好受，自己的亲妹妹竟说出这种——”

兰妮一提起阿希礼，斯佳丽绷紧的神经终于断裂了，她禁不住潸然泪下。难道自己就不能不再伤他的心？她一心一意只想让他幸福、安全，可每次似乎都以伤害他而告终。她毁掉了他的生活，破坏了他的自尊，打破了他建立在忠实基础上的内心平静，现在又离间了他和他亲爱的妹妹。为了保全她斯佳丽的名誉和妻子的幸福，他只能让印第亚成为牺牲品，让大家把她看成一个喜欢造谣生事、醋心极重、近似疯狂的老处女——其实印第亚所有的怀疑、指责，字字句句都绝对公正。每当阿希礼正视印第亚的双眸，都会看到真理之光在她眼中闪烁。韦尔克斯家的人都是直言不讳、疾恶如仇、蔑视一切的大师。

斯佳丽知道阿希礼看名誉高于生命，此刻他一定痛不欲生。他也像斯佳丽一样被迫求助于玫兰妮的庇护。尽管斯佳丽知道他这样做也是出于无奈，也知道他蒙受这不白之冤其主要罪责在她，但是——但是——他也太没男子汉气概了，要是阿希礼开枪把阿尔奇打死，向玫兰妮坦白一切，将一切公之于众，只会增加她对他的敬意。她知道自己这样要求阿希礼不公平，但她此刻肝肠寸断，黯然神伤，根本就顾不了这些细节了。她又想起了瑞特说过的一些充满鄙视的讥讽话，对阿希礼在这件事上是否真的表现出了一个男子汉应有的气概开始表示怀疑。自从爱上阿希礼，斯佳丽看阿希礼，总觉得他身上笼罩着一层光环，现在这层光环在不知不觉中开始消退了。她不仅为自己感到羞愧难当，内疚之极，也为他感到羞愧和内疚。她竭力想排除这一念头，但却适得其反，她哭得更伤心了。

“别这样！别这样！”玫兰妮大声说道，放下手中的花边，一下子坐到沙发上，将斯佳丽搂在了怀里，“我真不该说起这件事，看把你伤心得。我知道你心里很不好受，以后我们再也不提这件事了。不仅相互之间不说，也不跟别人说。只当这件事没发生过一样。不过，”她口气平稳而又强硬地补充道，“我要让印第亚和艾尔辛太太知道点厉害，不要以为可以随意在我丈夫和你身上搬弄是非、造谣生事。我要让她们在亚特兰大抬不起头来。谁要是相信她们，拿她们当朋友，谁就是我的敌人。”

想到今后漫长的岁月，斯佳丽不禁忧心忡忡，她明白，在今后几十年里，这座城市和这个家庭将因为她而分裂成长期不和的两大阵营。

玫兰妮言而有信，那以后果然没再对斯佳丽和阿希礼提起这件事，也不愿和别的任何人讨论这件事。对此她显得神情冷淡、漠不关心，但是若有谁敢斗胆稍稍暗示这件事，她便立即勃然作色，摆出一副冷若冰霜、疾言厉色的样子。那次酒会后的几个星期里，由于瑞特的神秘失踪，全城流言四起，群情激动，两派的观点也泾渭分明。玫兰妮对诋毁斯佳丽的人，无论是至爱亲朋，还是本家宗亲，都毫不留情，也决不宽恕。她没有空谈，而是积极行动着。

她像一棵欧龙牙草一样和斯佳丽牢牢地粘在一起，形影不离。她逼着斯佳丽像以前一样，每天上午去店铺、木料厂，而且她也同行。她坚持让斯佳丽下午驱车外出，尽管斯佳丽很不乐意，因为她不愿意让满城的人用一种渴望、好奇的目光盯着自己。玫兰妮和她一起端坐在马车里。下午外出正式拜访朋友时，玫兰妮总是带着她，轻轻推着她走进那些她已经两年多没涉足的客厅。在与惊愕不已的女主人们说话时，玫兰妮的脸上总是带着一种“爱屋及乌”、凛然不可侵犯的神情。

午后外出拜访时，她总是让斯佳丽早早到场，一直等到最后一批客人都走了，她们才离开，让那些太太们没有机会在一起津津乐道地谈论各种传闻和小道消息。这使那些太太们颇感恼怒。对斯佳丽来说，这些拜访无疑是活受罪，但她又不敢拒绝与玫兰妮同行。其实那些女人心里都在暗暗猜测，她是否真的与人偷过情，所以斯佳丽是真不愿意坐在她们中间。她知道，这些女人之所以理睬她，完全是出于对玫兰妮的爱，不想失去与她的友情，一想到这一点，她的心里便不是滋味。但斯佳丽明白，一旦她们招待过她一次，以后就不会再故意冷落她了。

人们在怎么看待斯佳丽的问题上都有一个共同的特点，那就是他们对她的袒护或批评，很少有根据她本人在这件事上的是非行事的。“我可不愿多管闲事。”这就是人们的普遍态度。由于斯佳丽平时树敌太多，拥护她的人寥若晨星。她的言语、行动伤过许多人的心，并且积怨甚深，以致大多数人并不关心这一丑闻是否伤害到她，但大家对玫兰妮或印第亚是否受到了伤害却焦虑不安，因此风暴是围绕着她们俩而不是斯佳丽展开的，核心问题只有一个——“印第亚是否真的在造谣？”

那些坚定不移地站在玫兰妮一边的人得意扬扬地指出，这些天玫兰妮一直都和斯佳丽在一起。像玫兰妮这样一个有着高度道德原则的人难道会支持这样一个有罪的女人，特别是这事还牵涉到自己的丈夫？不，绝对不可能的！印第亚只不过是个疯疯癫癫的老处女，只是出于对斯佳丽的嫉恨才编造出这些谎言，并且诱骗阿尔奇以及艾尔辛太太相信了她的谎言。

但是，印第亚的维护者们则反问道，如果斯佳丽果真清白无辜，那巴特勒船长到哪儿去了？他为什么不留在妻子身边，并助她一臂之力？这是个无法回答的问题。几个星期后，传开了斯佳丽怀孕的消息，这一下，亲印第亚的人们更是摇头晃脑，好不得意。这不可能是巴特勒船长的孩子，她们说。因为他们夫妻俩关系一直不好，这是人人皆知的。他们早已分居，这也早就是人们街谈巷议的话题了。

于是到处传播着流言蜚语，全城陷入了分裂，连汉密顿、韦尔克斯、伯尔、惠特曼和温菲尔德这些原先紧密团结的家族也都陷入了分裂。家庭中的每个成员也都被迫作出了抉择，没有中间道路可走。玫兰妮以她的冷峻尊严，而印第亚则以她的疾恶如仇迫使人们不得不作出抉择。但是这些亲属不管是站在哪一边，心里都异常气愤，因为引起这场家庭纠纷的根源竟然是斯佳丽。他们觉得她根本不配担任这一角色。无论他们站在哪边，都从心底里憎恨这一事实：印第亚公开揭了家丑，将阿希礼卷入了如此有失体面的丑闻。但既然她已经把话说了出来，许多人便只好匆忙替她辩护，站在她一边反对斯佳丽，而另一些喜欢玫兰妮的人则支持玫兰妮和斯佳丽。

亚特兰大有一半的居民与玫兰妮和印第亚沾亲带故，或者自称与她们有着这样或那样的亲戚关系。什么叔伯姐妹、姑表姨表、姻亲连襟，关系真可谓错综复杂，除非是土生土长的佐治亚人，不然就别想弄清他们之间的血缘关系。他们的宗族观念一向很强，在原先时世艰难的岁月里，尽管有的人对同族中个别成员的行为私下里不以为然，但他们总能抱成一团，相互保护，一致对外。佩蒂姑妈会不时和亨利伯伯发生一些小的冲突，这两老的事多年来一直都是大家取乐的笑柄，除此之外，整个家族一向都和和睦睦，从没发生过公开的裂痕。他们个个举止文雅，说话轻声轻气，不苟言笑，甚至连亚特兰大多数家庭常见的那种亲热的小口角都很少听到。

然而这次他们却分裂成势不两立的两大阵营，使全城得以目睹该家族中所有成员在这场亚特兰大最惨痛的丑闻前纷纷表态，就连五服之外的亲属也不例外。这也给城里另一半与她们家不沾亲带故的人带来了极大的麻烦，因为印第亚与玫兰妮之争在几乎所有的社交团体中都引起了不和。女神社、为南部邦联孤儿寡母服务的妇女缝纫会、阵亡将士墓地美化会、周末夜音乐社、妇女考蒂伦舞蹈晚会、青年图书协会等组织都卷入了这场纠纷。甚至连四个教会以及它们下面的妇女赈济会也没能幸免。这些社团在分组活动时必须十分小心，决不能把敌对派别的成员分在同一个小组。

每次下午四点到六点的午后家庭聚会，亚特兰大的主妇们总是万分苦恼，生怕玫兰妮和斯佳丽来时印第亚及其心腹伙伴们还在自己的客厅里。

全家人当中日子最不好过的要数可怜的佩蒂姑妈。佩蒂别无他求，只希望亲人和睦相爱，生活安逸舒适，就心满意足了。所以在这件事上，自然希望两边都不得罪。但是两边都不允许她保持中立。

印第亚和佩蒂姑妈住在一起。佩蒂又希望站在玫兰妮一边，但是如果真的这么做，印第亚就会搬走。如果印第亚真的搬走了，可怜的佩蒂以后可怎么办呢？她不能独立生活，要么找个陌生人来一起住，要么索性把大门关起来，搬到斯佳丽那儿去。佩蒂姑妈隐隐约约觉得，巴特勒船长是不会喜欢的。再不然就只好搬到玫兰妮家，在小博那间鸽笼似的育儿室里搭个床。

佩蒂不喜欢印第亚那种冷冰冰、犟头犟脑的样子，她的狂妄自信让佩蒂感到战战兢兢的。不过，佩蒂之所以能维持住自己安逸的小天地，还多亏了印第亚，况且佩蒂一向是只注重个人安逸，很少考虑道德问题的。于是，印第亚就留下来了。

由于印第亚住在她家里，佩蒂姑妈自然就成了风暴的中心，因为斯佳丽和玫兰妮都认为，这意味着她是站在印第亚一边的。斯佳丽曾直言不讳地说，只要她和印第亚住在一起，就决不再向她捐款。阿希礼每周都派人给印第亚送钱，但每次印第亚总是一言不发、傲慢地将款子原封退还。这使老太太感到既恐慌又遗憾。要不是亨利伯伯雪中送炭，住在这所红砖房里的人经济上肯定会陷入绝境的。但要从亨利伯伯那儿拿钱，佩蒂又感到很丢脸。

在这个世界上，除了她自己，佩蒂最爱的人就是玫兰妮，可现在兰妮却像个态度冷漠、客客气气的陌生人。尽管她的家近在咫尺，几乎就在佩蒂家的后院，可她一次也没穿过冬青树篱到她家来串门，而从前她可是每天都要来回跑上十几次的。佩蒂上她家来哭诉自己对她的爱和忠诚，但玫兰妮拒绝和她谈这些事，也从不到佩蒂家回访。

佩蒂心里很清楚，她欠斯佳丽的实在太多了——就连自己这条老命都是她给的。毫无疑问，在战后那些艰苦的日子里，当佩蒂面临着要么和哥哥亨利住在一起，要么忍饥挨饿的选择时，是斯佳丽收留了她，供她吃，供她穿，让她得以在亚特兰大的社交界抬起头来。斯佳丽结婚后，搬进了自己家，但她对佩蒂还是很慷慨的。还有那位既令人害怕又让人捉摸不透的巴特勒船长，每次他和斯佳丽来访后，她不是在墙边的台子上发现一只鼓鼓囊囊塞满了钞票的崭新钱夹，就是在缝纫盒里找到用花边手帕包起来的几块金币，这都是趁她不注意时偷偷放进去的。瑞特总是一口咬定说，他对这些一无所知，甚至还粗俗地指责她有一个秘密的爱慕者，那通常是指那位长着络腮胡子的梅里韦瑟爷爷。

是啊，玫兰妮给了她爱，斯佳丽给了她安全，可印第亚又给了她什么呢？什么也没有，唯一的好处就是和她住在了一起，使她不必中断目前这种安逸的生活，不必凡事都由自己决定。眼下这件事太让人扫兴，趣味也太低下了，佩蒂一生从没自己做过决定，所以现在也只好顺其自然，因而难免会不时暗自流下伤心的泪水。

最后，终于有一些人真心实意地相信斯佳丽是无辜的，但这决不是因为她个人有什么美德，而是因为玫兰妮相信她是无辜的。有些人尽管思想上还有保留，但对斯佳丽却有礼貌起来，甚至登门去拜访她，这也是因为她们爱玫兰妮，并希望能够保持同她的友情。印第亚的维护者们和她相遇时只是冷冷地点点头，有些人甚至对她视而不见，公然冷落她。这些人确实令人难堪，甚至让人恼火，但斯佳丽意识到，若不是玫兰妮袒护她，并迅速采取了行动，恐怕全城的人都会对她怒目而视，而她也早就被人们所唾弃了。

56

瑞特离开家已经三个月了。在这段日子里，斯佳丽没有收到他的只言片语，既不知道他在什么地方，也不知道他还有多久才会回来。事实上，她对他会不会回来也丝毫没有把握。这三个月，她虽然趾高气扬地处理着各种业务，但内心却很不是滋味。虽说身体不大舒服，但在玫兰妮的督促下，她还是每天到店铺里去，对那几家厂子也装出一副关心的样子。她第一次对店铺开始感到了厌倦，尽管那儿的营业额比头一年增加了两倍，金钱滚滚而来，可她已没了兴趣，到了店里总怒气冲冲的，动不动就跟伙计们发脾气。约翰尼·加勒吉尔经营的那家厂子生意兴隆，产品几乎供不应求，可不管约翰尼做什么，说什么，都不能让她称心如意。约翰尼跟她一样也是个脾气暴躁的爱尔兰人，因无法忍受她那没完没了的唠叨，终于按捺不住而大发了一通脾气，临了还说："我手脚干净，又没多沾你一分一厘，夫人。你会像暴君克伦威尔一样不得好死的。"并威胁要辞职。结果她不得不再三表示道歉才算平息了这场风波。

她再没有去过阿希礼管的那家厂子。即使去锯木厂办公室也专找她认为阿希礼不在的时候。她知道阿希礼在躲着她，也知道由于玫兰妮那不容拒绝的邀请，她经常去他家，对他实在是种折磨。他们俩再也没单独交谈过，她急切地想找他问个究竟。她想知道他现在是不是恨她，他究竟是怎么对玫兰妮说的。但他对她却敬而远之，无声地默默恳求她不要再问。眼看着他因悔恨而苍老、憔悴，她心里十分难受，再加上他的厂子每周都在赔钱，她就更是心烦意乱，却又不能一吐为快。

面对目前的形势阿希礼束手无策，一筹莫展，这使她颇为恼火，然而对他到底应该采取什么行动才能扭转这种局面，她心里也没数，只是觉得他应该有所行动。换了瑞特也许早就有所作为了。瑞特从来不会坐以待毙，即使错了也要干到底，对此她尽管心里很不情愿，但还是甚为钦佩的。

一开始对瑞特，对他那些无礼的行径她是怒不可遏的，但现在气消得差不多了，她反而惦记起他来。随着时间一天天的流逝，他却杳无音信，这种惦念之情越来越强烈了。他走时，只给她留下狂怒、怨恨、心碎以及受到伤害的自尊，而现在，这一切竟都变成了极度的沮丧在蚕食着她的心。她想念他，想念他讲述轶闻趣事时插科打诨把她逗得捧腹大笑，并用揶揄的讥笑让她消除烦恼的情景。她甚至思念起他说的那些惹得她火冒三丈、反唇相讥的刻薄话来。最令她思念的是她少了一个可以说话的人。在这方面瑞特真是太让人满意了。在他面前，斯佳丽可以厚颜无耻，甚至不无自豪地讲述如何神不知鬼不觉地盘剥别人，他听了会拍掌大笑，连声喝彩。要是换了别人，哪怕她只是提一下这些事，他们也会觉得震惊的。

现在少了他和美蓝，她感到寂寞了。她没想到自己竟会这么惦念孩子。她想起了瑞特临行前针对韦德和埃拉对她说过的那番刺耳的话，便想尽量多花一些空闲时间和两个孩子待在一起。但结果毫无用处。瑞特的话和孩子们的反应让她发现了一个触目惊心、令人烦恼的事实。两个孩子还是婴儿时她太忙了，成天只关心钱的事，加之脾气太暴躁，动不动就发火，所以根本就没赢得他们的信任和爱戴。事到如今，一切都太晚了，而且她也没那份耐心，也没那份聪明才智去探寻他们幼小心灵的秘密了。

埃拉！斯佳丽一想到埃拉是个傻孩子就极为烦恼，但她的确是个傻孩子。因为让她较长时间全神贯注于某一件事，就像让一只小鸟在一根树枝上长久站立一样，根本就不可能，甚至在斯佳丽给她讲故事时，她也会一个劲地打岔，提一些与故事毫不相干的问题，而且不等斯佳丽张口解释，她就已经把刚才提的问题忘得一干二净了。至于韦德——瑞特也许是对的。或许他确实怕她。这真有点奇怪，也让她觉得伤心。为什么她的亲生儿子、她的独生子会怕她呢？有时她试图逗他说话，他却瞪着一双和查尔斯一模一样的淡褐色眼睛望着她，尴尬得两脚直动。可跟玫兰妮在一起，他却能滔滔不绝地说个不停，还会把自己的裤兜全翻过来，把里面的蚯蚓啊、烂绳子啊之类的统统都倒出来给她看。

玫兰妮带孩子确实有一套。这一点谁都无法否认。她的儿子小博是亚特兰大最乖、最讨人喜欢的孩子。斯佳丽跟他要比跟自己的儿子好相处得多，因为小博在大人面前从不拘谨。每次小博见到她，总是不等招呼就爬到她的腿上。这真是一个漂亮的金发男孩，长得跟阿希礼一模一样！要是韦德能像小博就好了——当然，玫兰妮只有一个孩子，也用不着像斯佳丽那样工作、操心，所以她能把孩子带好。至少，斯佳丽曾试图用这个替自己辩解，但她诚实的天性又迫使她不得不承认，玫兰妮确实是很疼孩子，哪怕有十几个孩子她也同样欢迎。她在韦德和邻居们的孩子身上也倾注了全部柔情。

斯佳丽永远不会忘记那天她经历的震惊。那天，她驾着马车途经玫兰妮家顺便把韦德接回去。她踏上门前的石径，就听到儿子扯着嗓门在惟妙惟肖地模仿南军的呐喊，而平时韦德在家里总是一声不响，安静得像只耗子。韦德的喊声刚落，又传来了小博的尖叫。当她走进起居室，两个孩子正手持木剑向沙发发起冲锋。一见她进来，两个孩子顿时吓得嘴巴闭紧，这时玫兰妮手握发夹和卷发器，大笑着从沙发后站了起来。

“这里是葛底斯堡，”玫兰妮解释说。“我是北方佬，当然，已经被打得一败涂地。这位是李将军，”她说着用手指了指小博，“他是波克特将军。”说完伸手搂住了韦德的肩膀。

是啊，玫兰妮哄孩子确实有一套斯佳丽永远都学不会、摸不透的办法。

“至少，”她想，“美蓝是爱我的，她喜欢跟我一起玩。”但诚实的本性又迫使她不得不承认，美蓝一向是更喜欢和瑞特而不是和她在一起。也许她再也见不到美蓝了。因为她猜，瑞特或许已经到了波斯或者埃及，并且要在那边一直待着不回来了。

当米德大夫告诉她，她已经怀孕时，她大吃一惊。因为她原以为诊断结果会是肝气不和或神经衰弱。她脑海里立刻闪现出那狂欢之夜的情景，不觉满脸绯红。尽管对那夜狂欢的回忆被后来发生的事蒙上了一层阴影，但这孩子毕竟是那个销魂时刻的结晶。她平生第一次因为自己怀孕而感到高兴。但愿这是个男孩！可别像韦德那样是个整天萎靡不振的小不点儿，但愿是个活泼可爱的大胖小子。她一定会好好抚养他的！她现在有空闲照料孩子，也不愁没钱培养他了，她该是多么幸福啊！她突然想到要给瑞特写封信，由他住在查尔斯顿的母亲转给他，告诉他这个消息。天哪，他必须马上回来！万一他一直到孩子出生后才回来，到那时她就有口难辩，永远也解释不清了！但如果给他写信，他一定会以为她在盼望着他回来，那他就会扬扬得意了。决不能让他觉得她需要他，以为她离不开他。

她终于打消了给他写信的念头。就在她为此感到高兴的时候，她收到了查尔斯顿宝莲姨妈的来信。从信的内容来看，瑞特似乎正住在查尔斯顿他母亲那里。这是她三个月来第一次听到瑞特的消息。尽管她对宝莲姨妈在信中提到的一些事大为不满，但得知瑞特还在美国，她顿时大大地松了一口气。宝莲姨妈在信中说，瑞特曾带着美蓝去看过她和尤拉莉姨妈，信中满是赞誉之词。

“小家伙长得漂亮极了！长大后准是个美人。不过依我看，不管哪个男人想追求她，都必须先过巴特勒船长这一关才行，因为我从没见过哪个做爸爸的像他这么疼爱女儿。亲爱的，现在我要向你忏悔一件事。在见到巴特勒船长前，我一直认为你嫁给他是辱没了家门，因为在查尔斯顿没人说过一句称赞他的话，大家都为他的家庭深感痛心。所以起先我和尤拉莉对是否接待他还犹豫不决。但最后还是接待了他，因为不管怎么说，美蓝毕竟是我们的外孙女。等见到他，我们真是又惊又喜，喜出望外，这才意识到轻信无聊的流言蜚语是多么有悖于基督教教义。他风度翩翩，魅力十足，人英俊，而且举止稳重，礼貌周全。对你和孩子疼爱有加。

“现在，亲爱的，有件事我要跟你说说。这事我们是听别人说的——开始我和尤拉莉还不相信。我们听说有时你亲自管理肯尼迪先生遗留下的那个店铺。这话我们以前就听人说起过。但我们都没理会。我们知道战后初期，日子不好过，也许有必要这样做。但现在已经没这个必要了。据我所知，巴特勒船长的境况相当不错，再说他也完全有能力替你经营你所有的产业。对于这些传闻是否属实我们有必要做进一步的了解，因此不得不直截了当地向巴特勒船长问个究竟。尽管这对我们大家来说都是十分痛苦的事情。

“他很不情愿地告诉我们说，你每天上午都在店铺里忙活，还不许别人插手账目。他还承认，你还拥有一家或几家工厂的股权（由于我们是头一次听说此事，只顾为这事烦恼，便没追问他），你不得不一个人赶车外出，或者让一个流氓替你赶车，而据巴特勒船长说，那人竟还是个杀人犯。这件事让他很伤心，这点我们是看得很清楚的，我们觉得他对你一定是百依百顺、十分溺爱——事实上已过于溺爱了。斯佳丽，这种情况决不能再继续下去了。你母亲已不在人世，不会再告诉你该怎么做了。作为你的姨妈，我必须代她负起责任来。你要为你那些年幼的孩子们想一想，他们长大后知道母亲做过买卖，会怎么想呢！当他们知道你曾抛头露面，开厂经商，终日耳闻那些粗俗不堪的男人们的污言秽语，置身于危险的肆无忌惮的流言蜚语中，他们会感到何等的屈辱呢！这种不守妇道的——”

不等看完斯佳丽便咒骂了一句，并随手将信摔在了地上。她完全能够想象宝莲姨妈和尤拉莉姨妈坐在炮台区那幢摇摇欲坠的房子里对她评头论足的情景。要不是她斯佳丽每月给她们寄钱，她们还不是只有挨饿！不守妇道？天哪，如果她不这样，此时此刻宝莲姨妈和尤拉莉姨妈恐怕早已是上无片瓦下无立锥之地了。还有那该死的瑞特，竟然把店铺、管账，还有工厂的事都告诉她们了！难道他真就那么不情愿？老太太们被他哄得信以为真，把他当成一个举止稳重、礼貌周全、充满魅力的人，一个忠于妻子的丈夫，一个钟爱子女的父亲，这会儿还不知怎么兴高采烈呢。对他这一套，她可是一清二楚。他肯定会津津乐道地向她们讲述她在店铺、工厂和酒馆的种种行为，以折磨她们为乐。他真是个魔鬼！为什么做这种邪恶的事反而会让他觉得开心呢？

但很快，这阵愤怒也变得麻木了。近来那种炽热的激情已经从她的生活中消失了许多。她多么希望自己能够重新燃起这种激情，重新见到阿希礼的脸庞焕发容光——多么希望瑞特能够回家来，把她逗得捧腹大笑！

他们事先也没打个招呼就回来了。他们回来的第一个迹象是行李包放在门厅地板上发出的砰砰声和美蓝的大声叫喊：“妈妈！”

斯佳丽急忙从房间走出来，来到楼梯口，只见女儿迈着一双胖乎乎的腿儿，费劲地一步步往楼上爬，怀里还抱着一只温顺的、呈条纹状毛色的小猫。

“这是姨奶奶送我的。”她一边兴奋地高喊着，一边揪着猫的后颈把它拎了起来。

斯佳丽一把把她抱在怀里，使劲地亲了亲她的脸，暗自庆幸有孩子在场，让她避开了同瑞特久别重逢、单独相见的尴尬。她的目光从美蓝的头顶越过，看见他在楼下的大厅过道里正给马车夫付车钱。他抬起头，看见了她，便动作潇洒地摘下礼帽，向她弯腰致礼。接触到他那双黑眸子，她心儿不禁怦怦直跳。不管他为人如何，也不管他做了什么，毕竟他回家来了，这让她感到高兴。

“黑妈妈呢？”美蓝一边问，一边扭动着身子想挣脱斯佳丽的搂抱，斯佳丽只好放下孩子。

看来事情比她原来料想的要困难，用一种不卑不亢、恰如其分的方式和瑞特打招呼本来就够难的了，更何况还要跟他说自己怀孕的事！他上楼时，她望了一下他的脸，那张黝黑的脸仍那么冷漠严峻、毫无表情。不，她得等些时候再告诉他，不能马上就跟他说。照理，这种消息应该最先让丈夫知道，因为做丈夫的总会高兴听到这种消息的。但她觉得，瑞特对此恐怕不一定会感到高兴。

她站在楼梯顶上，斜靠着扶手。心想他也许会来吻她的。不料他没有这样做，只是说：“你的脸色很苍白，巴特勒太太。难道胭脂都用光了吗？”

竟然没有一句表示思念的话！即使心里不想，嘴里也该有所表示吧。至少他可以当着黑妈妈的面吻她一下以示亲热吧。黑妈妈在给他行了屈膝礼后便领着美蓝到楼下育儿室去了。他和她一起站在楼梯的顶部，他两眼漫不经心地上下审视着她。

“看你这憔悴的样子，是不是一直在想念我?”他问这话时嘴角露出了一丝微笑，但眼睛里却全无笑意。

看来他还是这副德性，还是像以前那样可恶。突然间，她觉得自己怀着的孩子一下子变成了一个令人讨厌的累赘，不会给她带来欢乐的。而眼前站着的这个男人，这个满不在乎地把那顶宽大的巴拿马礼帽放在臀部的男人也一下子变成了她不共戴天的仇人，成了她一切苦难的根源。她回答他时两眼充满了恶狠狠的目光，这恶狠狠是那么显而易见、不容置疑，以至他脸上的那一丝笑容也突然消失了。

“如果我脸色苍白，那也是你的过错，而不是我想念你，不要在那儿自以为是。这是因为——”哦，她根本没打算以这种方式告诉他，但那些让人面红耳赤的话却不由自主地涌到了嘴边，她也顾不得佣人们是否会听到，便劈头盖脸地冲着他吼叫了起来，“这是因为我有了身孕!”

他突然倒吸了一口凉气，两眼迅速在她身上扫了一遍。他一个箭步跨到了她的身边，像是要伸手去挽她的胳膊，但她却一转身躲开了。见她两眼充满了仇恨，他的脸顿时也沉了下来。

“真的?”他冷冷地说，“那么，谁是那位幸福的父亲?阿希礼吗?”

她紧紧抓着扶手，直到扶手上那只雕刻的狮子的耳朵突然把她的手心刺痛了才放开。她对他很了解，可却没料到他居然会说出这种侮辱她的话来。当然，他是在开玩笑，可这玩笑也太恶毒了，简直让人无法忍受。她恨不得伸出尖尖的五指，把他的眼珠子抠出来，把那股阴阳怪气的目光彻底捣毁。

“你这该死的混蛋!”她气得七窍生烟，声音都在颤抖，“你——你明明知道孩子是你的。我并不比你更想要这个孩子。像你这样的无赖，没哪个女人会愿意替你生孩子。我希望——哦，上帝啊，我真希望这不是你的孩子!”

她看见他黝黑的脸颜色突变，愤怒和一种她无法理解的东西让他的面部抽搐起来，就像被蜇了一下似的。

“太好了！”她一时心花怒放，“真是太好了！我终于伤着他了！”

可转眼间，他又恢复了往日那种满不在乎、无动于衷的样子。他伸出手捋了捋一边的小胡子。

“别垂头丧气的，”说着他转过身子准备上楼，“说不定你会流产的。”

她突然感到一阵头晕目眩，生孩子会带来的种种痛苦一齐涌上了她的心头：撕心裂肺的呕吐、漫长而令人厌倦的等待、日渐臃肿的身子、数小时的阵痛，这些都是男人们永远无法体会到的。他倒好，竟然还敢拿她开心。她真想狠狠挠他一把。此刻最能平息她心头之痛的莫过于亲眼见到他黑不溜秋的脸上流出鲜红的血米。于是她像只猫似的敏捷地向他猛扑了过去，瑞特微微吃了一惊，身子往边上一闪，一边伸出一只手臂来抵挡。地板前不久刚打过蜡，她又正好站在楼梯最上一级的边缘，她向他扑过去的时候，整个身子的重量全集中到了那只向前伸出的手臂上，经他这么一挡，身子便失去了平衡。她拼命想去抓楼梯的扶手，结果却扑了个空，于是便一个倒栽葱摔了下去，倒在了楼梯上，只觉得肋骨一阵钻心似的疼痛。她觉得头晕目眩，两眼直冒金星，再也控制不住自己了，便骨碌碌一直滚到了楼梯脚下。

除了那几次生孩子外，斯佳丽还是头一次病倒，再说生孩子也算不上什么大病。那时她并没感到孤独凄凉，也没一点害怕的感觉，但现在她却感到浑身无力，疼痛难熬，脑子里昏沉沉的，一片混沌。她知道自己病得不轻，周围的人都不敢把实情告诉她，她隐隐约约感到自己可能不行了。肋骨摔断了，一呼吸就像刀割似的疼痛难忍。脸上青一块紫一块的，头疼欲裂，浑身上下就像有许多恶魔拿着火热的铁钳烙她的皮，用钝刀子割她的肉似的，把她折磨得精疲力竭，刚刚过去一阵剧痛，还没等她缓过劲来，又会有一阵剧痛向她袭来。不，生孩子也没这么难受。她生下韦德、埃拉和美蓝后两个小时，就能饱餐一顿，而现在不管想到什么吃的都会觉得恶心。

孩子得来全不费功夫，但失去时却要忍受这般痛苦。奇怪的是，当她得知孩子保不住了时，就像剜了心头肉一样，竟顾不得身上的剧痛了。更奇怪的是，她这是头一次真心实意地想要个孩子。她很想弄明白自己究竟为什么一定要要这个孩子，然而她的脑子太累了，除了对死亡的恐惧外竟想不出任何别的东西。死神就在这间屋子里，但她却没有力量与它抗衡，没有力量去击退它，她只感到恐惧。她渴望有个强壮的人在她身边站着，握着她的手，击退死神，直到她恢复健康，自己有足够的力量进行战斗为止。

她心头的怒火已被疼痛淹没了，她希望见到瑞特，但瑞特却不在房里，她又不好意思让人去叫他来。

她还记得最后一次见到他的情景：他从漆黑一团的大厅的楼梯底下把她抱了起来，面如死灰，往日那种满不在乎的神情已荡然无存，只剩下满脸恐惧，扯着嘶哑的嗓子喊着黑妈妈。她依稀记得自己后来被人抬上了楼，以后的事就什么也不知道了。醒来时她只觉得全身一阵紧似一阵地疼，屋子里回荡着嗡嗡的说话声、佩蒂姑妈的抽泣声，还有米德大夫粗声粗气的命令声。时而还传来急急忙忙上楼下楼的脚步声和人们在楼上过道里踮着脚尖走路的声音。这时她突然意识到死亡与恐惧，就像天空中现出了一道令人头晕目眩的闪光一样，她拼命地尖叫着一个人的名字，然而这叫声最后却只是低低的耳语。

但这几乎是无声的耳语却马上得到黑暗中在床边坐着的一个人的响应。她轻声呼唤的那个人用行云流水般轻柔圆润的声音回答道："亲爱的，我在这儿，我一直都在这儿。"

玫兰妮将她的一只手握住，把它轻轻贴在自己冰凉的脸颊上，死亡与恐惧慢慢退却了。斯佳丽想扭过头来看看她的脸，却怎么也转不动。玫兰妮要临产了，北方佬的军队马上就要打进城来。全城已变成一片火海，她必须赶快离开，赶快离开。但是玫兰妮就要临产了，她不能走。她必须和她在一起，直到孩子出生。一定要坚强，因为兰妮需要她的力量。兰妮在忍受着痛苦——一阵接一阵的疼痛，仿佛有许多人拿着通红的铁钳和钝刀在对她施毒刑。她必须握住兰妮的手。

好在米德大夫在，尽管兵营里的士兵需要他，他还是来了，因为她听见他说："神志昏迷。巴特勒船长在哪儿？"

那天晚上她觉得周围忽明忽暗，有时觉得好像是自己在生孩子，有时又好像是玫兰妮在呼喊。这期间，兰妮一直守候在她身边。她双手冰凉，却丝毫没表现出任何于事无补的焦虑，也没像佩蒂姑妈那样一味地抽泣。每当斯佳丽睁开眼睛说，"兰妮？"她都立刻回答。每次她正要开口轻轻说："瑞特——我要瑞特。"就马上会像大梦初醒一样想起瑞特并不需要她，想起瑞特那张阴沉黝黑、和印第安人一模一样的脸，想起他那口总是流露出讥讽的白牙。

有一次她说："兰妮？"回答的却是黑妈妈："她马上就会来的，孩子。"她一面把一块冷毛巾敷在她额头上，一面焦急地喊道："兰妮——玫兰妮。"但玫兰妮过了好久才过来。原来玫兰妮此时正坐在瑞特床边，而瑞特已喝得烂醉，头枕在她膝盖上，瘫倒在地板上，呜呜地哭泣着。

每次走出斯佳丽的房间她都看到他在床边坐着，房门洞开，眼巴巴地望着过道对面的房门。他的屋子里乱糟糟的，到处是雪茄烟蒂和一盘盘没动过的饭菜。床上也凌乱不堪，被子也没叠，而他就在上面坐着，不停地抽着雪茄，他胡子拉碴的，一下消瘦了许多。见到她，他从来不问问题。她总是在门口站一会儿，把情况告诉他："我很难过，她的病情恶化了。"或者是："不，她没问起你。你知道，她现在还神志昏迷呢。"或者是："你千万不能失去希望，巴特勒船长。我给你煮点热咖啡，做点吃的吧。你这样会弄出病来的。"

尽管她又累又困，几乎什么感觉都没了，但看到他这个样子，心里总充满了怜悯、痛苦。她明明亲眼看着他一天天消瘦下去，看见他满面愁容、痛苦不堪，别人怎么还会说那些卑鄙无耻的闲话，说他没心没肺、邪恶狠毒、对斯佳丽不忠呢？尽管她已疲惫不堪，但在传达病房里的情况时总尽力让自己的态度比平时还和蔼几分。他看上去就像一名正等候宣判、即将被打入地狱的死囚，又像一个突然置身于敌人包围之中的孩子。不过在玫兰妮看来，所有的人都是孩子。

当她终于喜气洋洋地来到他的房门口，准备告诉他斯佳丽的病情已经有所好转的时候，她被眼前的情景给惊呆了。床边的桌子上放着一个已经喝掉了一半的威士忌酒瓶，满屋酒气熏天。他抬起头望着她，明亮的眼睛像蒙上了一层薄雾。尽管咬紧牙关，他嘴角的肌肉还是不住地颤抖着。

“她死了？”

“哦，不是。她好多了。”

他说：“啊，我的上帝。”说着便用双手捂住了脸。她看见他宽阔的肩膀抖动着，像在打摆子。她不无怜悯地注视着他，当发现他是在痛哭时，她的怜悯顿时变成了恐惧。玫兰妮从没见过男人哭泣，更万万没想到像瑞特这样温文尔雅、喜爱嘲弄人、能永远把握住自己的男人会抱头痛哭。

听到他嘴里发出绝望的哽咽，她真的被吓了一大跳。起先她还以为他是喝醉了，心中不免有点发慌，因为玫兰妮一向害怕谁喝醉后发酒疯。但他抬起头时，她瞥见了他的眼睛，才知道他并没醉，于是她疾步走进屋子，轻轻关上房门，向他走了过去。她虽说从没见过哪个大男人痛哭流涕，但却哄过许多哭泣的孩子，帮他们抹去过脸上的眼泪。她刚轻轻把一只手搁在他的肩头，他的双臂便突然抓住了她的裙子。还没等她反应过来，她已坐在了床沿上，而他则跪在地板上，把头埋在了她的膝盖上，双手发狂似的把她紧紧抓住，抓得她好痛。

她轻轻抚摸着他满头乌发的脑袋，安慰说：“好了！好了！别这样！她很快就会好的。”

一听到这话，他的手抓得更紧了，接着便气喘吁吁、嗓音嘶哑、喋喋不休地讲了起来，仿佛是对着一座永远不会泄露秘密的坟茔在讲话。他生平第一次掏出了心里话，无情地剖析了自己，并把自己的思想赤裸裸地暴露在了玫兰妮面前。开始时玫兰妮完全不明白他在说什么，只是像个慈母似的静静地听着。他把头深深地埋在她的双膝间，拼命扯着她裙子的皱褶，话说得断断续续、毫不连贯。他的话有时候含糊不清，声音低沉，有时却十分清晰，字字贯入她耳中。这都是些严厉、痛心的忏悔及谦恭之词。他讲到的一些事，就是一个女人都从来没在她面前提到过，这些秘密的事直羞得她满面通红，幸亏他是低着头在讲这些话。

她像对待小博一样拍了拍他的头："别说了，巴特勒船长！你不该对我说起这些事的！现在你不舒服，就别说了！"但他依然滔滔不绝地讲个没完，一边仍抓着她的裙子，仿佛这就是他生命的希望之所在。

他不断地责备自己，然而这些都是她不能理解的。他含糊不清地提到了贝尔·沃特林，接着便拼命摇晃她，并大声嚷道："是我杀了斯佳丽，是我杀了她。你是不会懂的。她本来不想要这个孩子的，是——"

"快别说了！你真是疯了！不想要孩子？哪有女人不想要——"

"不！不！你想要孩子。可她就是不想要。不想要我的孩子——"

"别这样说！"

"你不懂。她本来不想要孩子，是我逼着她有的。这个——这个孩子——全是我的过错。我们已经有好久都没同床——"

"嘘！巴特勒船长！这话不会——"

"那天我喝醉了，昏头昏脑的，一心只想伤害她——因为她伤害了我。我想——我也这样做了——可她并不想要我。她从来就没想要过我。她从来都不要我，我做过努力——我做过很大的努力，可——"

"哦，你别说了！"

"我根本就不知道她怀孕了，直到那天——她从楼上摔下来。她根本不知道我在什么地方，没法写信告诉我——即使她知道我在哪儿，也不会写信给我的。不瞒你说——不瞒你说，事先我要是知道这件事，肯定会马上赶回家来的——不管她要不要我……"

"哦，是啊，我知道你会马上赶回来的！"

"老天哪，这几个星期我都干了些什么蠢事呀！整天神魂颠倒，喝得烂醉！那天她在楼梯上把孩子的事告诉我时，你猜我都干了些什么？说了些什么？我大笑着对她说：'别垂头丧气的。说不定你会流产的。'而她——"

玫兰妮低下了头，见巴特勒满头乌发的脑袋正在她的膝盖上痛苦地扭动着，顿时吓得脸色发白，瞪大了双眼。午后的阳光从敞开的窗子泻入屋内，蓦地，她好像第一次发现，他的那双手是那么大，那么黑，那么结实有力，手背上的黑毛那么浓密。她不由自主地将身子往后一缩。这双手看上去是那么凶狠，那么残忍，然而眼下却死死地抓着她的裙子，显得那么虚弱，那么无力。

难道当初关于斯佳丽和阿希礼的那番荒诞无稽的谣言真的传进了他的耳朵并且被他当了真，因而使他妒火中烧？不错，那些流言蜚语刚传出他便离城出门去了，但是——他，他决不是因为这事而出走的。巴特勒船长向来行色匆匆，说走就走。他是决不会相信那些闲言碎语的。他很聪明。如果问题真是由此而起，那他为什么不设法开枪打死阿希礼呢？至少也该要求阿希礼作一番解释吧？

不，不是这样的。他只是喝醉了，加上极度紧张才生了病，并且满脑子胡思乱想的，像一个神志不清的人，尽说一些不着边际的胡话。男人在极度紧张方面的承受力不如女人。他大概是受了点什么刺激，也许只是和斯佳丽发生了一场小小的口角而已，他把它看得过重了。也许他说的那些可怕的事中有一些是确有其事的，但不可能全部属实。哦，最后那句话决不会是真的，绝对不会的！任何一个像他这样深深地爱着斯佳丽的男人都绝不会对他所爱的女人说出这种话来的。玫兰妮从没见过邪恶的事，也从没见过残忍的事，现在她平生第一次正视它们，觉得这一切根本就无法想象、难以置信。他一定是喝醉了，生病了。而对生了病的孩子只能好言相劝。

"好了！好了！"她委婉地说，"别说了。我都知道。"

他猛地抬起头，瞪着一双布满血丝的眼睛看着她，同时用力把她的双手甩开。

"不，天哪，你不明白！你也不可能明白！你——你的心地太善良了，是不可能明白这些的。你不相信我，可我说的每句话都是真的。我是只狗。你知道我为什么要那么做吗？我疯了，嫉妒得都快发疯了。她对我从来就无情无义。我本以为可以让她回心转意的，可她却依然如故。她不爱我。她从来都没爱过我。她爱的是——"

当他那充满激情、醉意朦胧的目光与她的目光相遇时，他突然收住了话头，虽然嘴巴依然张开着，好像这时候他才刚刚意识到自己是在跟谁说话。她脸色苍白，显得十分紧张，可她的目光却依然那么坦然、亲切，充满了怜悯与决不信邪的神情。她那双温柔的褐色眼睛中闪烁着宁静安详的光芒，目光深处流露出的纯真对他来说不亚于一记响亮的耳光，把他满脑子的酒精一下子打掉了不少，把原来那些就要脱口而出的疯话一下子打了回去。他喃喃地咕哝了几句，便垂下了头，避开了她的目光，同时使劲地眨着眼睛，尽量想让自己清醒过来。

"我是个卑鄙的小人，"他嗫嚅着，脑袋重又颓然倒到了她的膝间，"但我还没卑鄙到不可救药。我刚才跟你讲的那些话，你是不会相信的，是不是？因为你心地太善良了，决不会相信我的话。我从来没见过像你这样真正的好人。你是不会相信我的话的，是不是？"

"是的，我不会相信，"玫兰妮一面安慰他，一面重又开始抚摸他的头发，"她很快就会好的。别哭了，巴特勒船长！别哭了！她很快就会好的。"

57

一个月后，瑞特将斯佳丽送上了开往琼斯博罗的火车。斯佳丽面色苍白，十分虚弱。韦德和埃拉与她同行。面对母亲那张毫无生气、极其苍白的脸，两个孩子局促不安、默默无语。他们都紧紧偎依在普莉西身边，他们人虽小，但在心灵深处已感受到了母亲与继父之间那冷冰冰、毫无感情的气氛中有某种可怕的东西。

斯佳丽不顾身体虚弱，坚持要回塔拉老家去。近来她已心力交瘁，虽明知于事无补，可仍在一遍又一遍地苦苦思索她所深深陷入的困境，她觉得哪怕再在亚特兰大呆上一天，她也会闷死的。她身体羸弱，黯然神伤，宛如一个迷路的孩子孤零零地站在一片只有噩梦中才会出现的荒野上，找不到任何熟悉的路标指引她走出迷津。

就像北方佬攻城时她曾逃离过亚特兰大一样，这一次她又逃离了这座城市，把一切烦恼和忧虑都丢到了脑后，重又用起她惯用的法宝："我现在不去想它了。再想就受不了了。等明天到了塔拉我再想它。明天毕竟是新的一天了。"仿佛只要能回到老家那幽静的环境，置身于绿油油的棉田，一切烦恼就会烟消云散，她就会有办法理顺她支离破碎的思路，找到赖以生存的支柱。

瑞特目送着火车远远地驶去，直至消失。他满面愁容，怏怏不快，心事重重，痛苦不堪。他长叹一声，打发走了马车，然后跨上坐骑，策马沿着常春藤街朝着玫兰妮的家疾驰而去。

这是个温暖和煦的早晨，玫兰妮坐在葡萄藤遮盖的门廊上，身边的针线篓里堆着满满一篓子破袜子。当她看到瑞特下了马，一扬手把缰绳扔给在人行道上站着、像铁塔一般结实的黑人男仆时，心里不禁一阵慌乱，不知该如何是好。那天可真太可怕了，斯佳丽大病不起，他又喝得——喝得烂醉。从那天后，她就再也没有跟他单独见过面。玫兰妮甚至不愿去想“烂醉”这个词。斯佳丽恢复时期，她偶尔见过他几次，也只是随便打个招呼，根本不敢正视他的目光。好在每次见到他，他都是那副和蔼可亲的老样子，谈吐间从没显示出他们间曾发生过那次的事。阿希礼曾对她说过，男人往往记不得他们醉酒后说的话、做的事，所以玫兰妮便暗暗在心中祈祷，希望巴特勒船长也已忘记了那天发生的事。她宁愿死也不愿他还记得他说过的那些流露真实情感的话。当他沿着门前的小路走来，她感到战战兢兢，十分尴尬，两颊不禁泛起了阵阵红晕。也许他只是来叫小博去跟美蓝做伴的吧。他总不至于那么不知趣，亲自跑来为那天的事向她道谢吧！

她站起身来迎接他。见他身材魁梧，走起路来敏捷轻快，又不免像往常一样感到一阵惊讶。

“斯佳丽走了吗?”

“走了。塔拉庄园对她会有好处的，”他笑盈盈地说，“有时候我觉得她就像神话中的巨人安泰，只要一接触到大地母亲就会力量倍增。斯佳丽一离开她眷恋的那片红土地太久就会浑身不自在。对她来说，看一眼茁壮成长的棉花，比吃米德大夫开的种种补药都见效。”

“请坐吧。”玫兰妮说，她的手有点发抖。他身材魁梧高大，极富男子气概，在这样的男人面前，她总感到心绪不宁。因为他们似乎散发出一种力量、一种活力，越发让她感到自己渺小、软弱。他脸色黝黑、威严，宽厚的肩膀把亚麻布白上衣撑得鼓鼓的，那样子让人感到害怕。她曾目睹他的这种威力与目空一切的傲慢消失殆尽，想想真是不可思议。更何况她还曾捧着他那满头乌发的脑袋放在自己的膝间！

“哦，天哪！”她忐忑不安地想道，脸不觉又涨红了。

“兰妮小姐，”他轻轻说，“是不是我来惹得你不高兴了？你是不是希望我走？请坦率地说吧。”

“哦！”她在心里想，“他确实记得！并且连我现在内心感到的不安他也知道！”

她抬起头来看着他，分明是在恳求他，但突然她的窘迫与惶惑消失了。因为他的目光那么安详，那么和蔼，那么宽容，以至于她不明白自己这么慌张是不是太愚蠢了。他神色疲惫不堪，而且让她感到惊讶的是，还显得很悲伤。她怎么竟然会产生这样的念头，认为他会粗鄙不堪，重新提起他们俩都想忘掉的旧事呢？

“可怜的人，他一直在为斯佳丽担心呢，”她想，于是微微一笑说，“你请坐吧，巴特勒船长。”

他重重地坐了下来，看着她重新拿起了缝补的袜子。

“兰妮小姐，我是来请你帮忙的，”他咧咧嘴笑着说，“请帮我设个骗局，不过我知道你不愿意这么做。”

“一个——骗局？”

“是啊。事实上，我是来跟你谈生意的。”

“哦，天哪。你最好还是找韦尔克斯先生谈吧。生意上的事我可一窍不通。我可没斯佳丽那么精明。”

“我觉得斯佳丽太精明了，对她反而不利，”他说，“我正是为此事来跟你商量的。你知道她——病得有多么厉害。从塔拉庄园回来后，她会重新又开始风风火火地大干一场，经营那家店铺和那些工厂。我真的希望哪天晚上，这些工厂、店铺会轰隆被炸个精光。我实在担心她的健康，兰妮小姐。”

“是啊，她确实太劳神了。你一定要说服她让她别干了，让她好好当心自己的身体。”

他哈哈大笑起来。

“你知道她有多固执。我甚至从来不敢与她争辩。她就像个任性的孩子。她不愿让我帮她——也不愿让任何人帮她。我曾试图说服她卖掉工厂的股份，可她就是不听。好了，兰妮小姐，我们来谈谈正经事吧。我知道，除了韦尔克斯先生，斯佳丽是决不会把工厂的剩余股权出售给任何人的，所以我希望韦尔克斯先生能把她的产权全买下来。”

“啊，天哪！若能这样当然太好了，可是——”玫兰妮突然收住了话头，死劲地咬着嘴唇。她可不能对外人谈钱的事。尽管阿希礼在厂子里有薪水，可不知怎么搞的，他们一直都很拮据。而且让人烦恼的是，他们的积蓄也少得可怜。她自己也不知钱都怎么花了。阿希礼交给她的钱足够维持家中的日常开销，可一旦遇到什么额外开支，他们就会捉襟见肘。当然，她请大夫看病的费用是很可观的，阿希礼从纽约定购的书籍和家具也是一大笔开销，另外还要供养那些在他们家地下室住着的流浪汉。除此之外，凡是参加过邦联军的人来借钱，阿希礼从来都不忍拒绝。还有……

“兰妮小姐，我愿意借给你们这笔钱。”瑞特说。

“你真是太好了，可我们也许永远都还不起呢。”

“我不要你们还。别见怪，兰妮小姐！请听我把话说完。只要斯佳丽不必每天赶着马车奔波几英里去工厂劳累，就足以抵这笔钱了。光那家店铺就够她忙活，够让她感到愉快的了……你还不明白？”

“嗯——明白——”玫兰妮犹疑不决地说。

“你不是希望孩子能有一匹小马吗？你不是还希望他能上大学、进哈佛、到欧洲去观光旅游吗？”

“哦，那当然，”玫兰妮顿时神采飞扬地大声说，“我希望他样样都能得到，可是——嗯——眼下大家还都很穷，所以——”

“只要韦尔克斯先生把那些工厂买下，他总有一天会赚到一大笔钱的，”瑞特说，“我真心希望你们的小博能得到他应得的一切机会。”

“啊，巴特勒船长，你可真是诡计多端！”她笑盈盈地大声说，“你知道我为儿子感到骄傲，便来向我进攻。你的用心我可是看透了。”

“不见得，”瑞特说着，眼睛里第一次闪现出喜悦的光芒，“好了，你愿不愿意我借钱给你们？”

“可那骗局又是怎么回事呢？”

“我们必须串通一气，瞒着斯佳丽和韦尔克斯先生。”

“哦，天哪！这我可做不来！”

“要是斯佳丽知道我在背后算计她，哪怕是为了她好——嗯，她的脾气你是知道的！再者，我担心韦尔克斯先生也不会接受我提供的任何资金的。因此，决不能让他们知道这钱是从哪里来的。”

“不过，如果韦尔克斯先生知道事情的真相，我敢肯定他是不会拒绝的。他可喜欢斯佳丽了。”

“是啊，他确实喜欢她，”瑞特心平气和地说，“不过即便如此，他也还是会拒绝的。你知道所有韦尔克斯家的人都是多么高傲。”

“啊，天哪！”玫兰妮痛苦地低声说，“我希望——真的，巴特勒船长，我不能欺骗自己的丈夫。”

“即使是为了帮助斯佳丽也不行吗？”瑞特显得十分伤心，“她真的喜欢你！”

泪水在玫兰妮的眼中转动。

“你知道，为了她，即使是赴汤蹈火我也心甘情愿。她待我的种种好处，我一辈子也报答不了。这你知道。”

“是的，”他淡淡地说，“她为你做的那些事我知道。你能不能对韦尔克斯先生说，钱是你的一个亲戚在遗嘱里给你们留的？”

“哦，巴特勒船长，我亲戚中没哪个拿得出一个子儿给他！”

“那么，如果我把钱通过邮局寄给韦尔克斯先生，并且不让他知道是谁寄的，你能不能保证用这笔钱来买工厂，而不是——嗯，施舍给那些贫困的前邦联分子？”

听到后半句话，起先她还有点不快，觉得这些话好像隐含着对阿希礼的批评，但见他那张笑盈盈的脸上充满了理解，她便报之以微微一笑。

“当然能。”

“那咱们就这么说定了？你可要保守秘密呀！”

“我可从来没向丈夫隐瞒过什么！”

“我相信这一点，兰妮小姐。”

她望着他，心想自己平时对他的看法一点没错，而大家对他的看法却大错而特错了。人们都说他残酷、傲慢、没礼貌，甚至认为他很不诚实。不过，现在许多最体面的人都已经承认，他们当初错了。而她可是从一开始就认为他是个好人的。他对她向来都是和气、体贴、毕恭毕敬的，并且非常理解她！再说，他对斯佳丽爱得那么深！用这种迂回的办法来减轻斯佳丽的负担，也真亏他想得出来！

她心中顿时涌起一股暖流，不禁脱口说："斯佳丽有这么一个体贴的丈夫真是好福气！"

"你这样想？如果她听到，恐怕不会同意。再说，我也希望对你好，兰妮小姐。我给你的要比给斯佳丽的还多。"

"我？"她迷惑不解地问，"哦，你是指小博吧？"

他拿起帽子，站了起来。他站在那儿凝视着她那张朴实的、圆圆的脸庞，她额前的V形发尖长长的，一双黑黑的眼睛端庄、持重。这真是一张不谙世故、对生活毫无戒备的脸。

"不，不是指小博。我要给你一件比小博更珍贵的东西，但愿你能想象得出。"

"不，我想象不出，"她更迷惑不解了，"对我来说，世界上再没有比小博更珍贵的东西了，除了阿希——除了韦尔克斯先生。"

瑞特没吱声，只是低头看着她，他黝黑的脸上一片平静。

"你想为我做些事，真是太感谢你了，巴特勒船长，但是说真的，我已经够幸运的了。一个女人在这个世界上要得到的东西我已经都有了。"

"那很好，"瑞特说着，脸色突然阴沉起来，"我希望你能永远保有它们。"

斯佳丽从塔拉庄园回来时，一改原先面色苍白、病恹恹的样子，两颊也红扑扑地丰满了，那双绿眼睛重又闪现出昔日机警聪明、光彩照人的神韵。当瑞特和美蓝到车站去接她、韦德和埃拉，几个星期来她头一次纵声大笑起来——笑声里既有烦恼也有欢乐。瑞特的帽檐上斜插着两根火鸡羽毛，美蓝身上穿着她最好的一件上衣，竟然已破得不成样子，她的小脸蛋上画着两条靛蓝色的斜线，鬈发上插着一根是她身长一半的孔雀羽毛。显然，他们来车站前正在玩一个印第安游戏。从瑞特躲躲闪闪无可奈何的脸色以及黑妈妈憋着一肚子火的样子来看，不用说，美蓝准是不愿卸妆就来接妈妈了。

"你简直就像个小叫花子！"斯佳丽一面吻着她一面说，然后转过脸去让瑞特在自己的面颊上也亲了一下。车站上人很多，否则的话她是决不会主动做出这种亲热举动的。尽管美蓝这副模样让她很尴尬，但她还是注意到，周围所有的人见了他们父女俩这副打扮都冲他们直笑，这微笑丝毫没有嘲讽的意味，完全是出于真诚的欢乐与善意。瑞特对小女儿百依百顺，这在亚特兰大早已是人人皆知、传为美谈的。他如此疼爱孩子已经大大改观了他在公众心目中的形象。

回家的路上，斯佳丽滔滔不绝地讲述着乡下的新闻。由于气候炎热、干燥，棉花一个劲儿直往上蹿，简直可以听到它们嗞嗞拔节的声音，不过威尔说今年秋天棉花价格可能要跌。苏埃伦又快生孩子了——这句话她是一个字母一个字母拼着说的，这样孩子们就听不懂了。有一次埃拉竟一反常态咬了苏埃伦的大女儿一口。不过，斯佳丽觉得，这是小苏茜自讨苦吃，因为她跟她妈小时候一模一样，蛮不讲理。但这可把苏埃伦给惹火了，又像以前一样，找上门来跟斯佳丽大吵了一架。韦德打死了一条水蛇，是他一个人干的。塔尔顿家的兰德和卡米拉竟在学校里教书，这不是开玩笑吗？从前塔尔顿家的人个个目不识丁，连个"猫"字都不会写！贝特西·塔尔顿嫁给了一个从洛夫乔伊来的独臂胖男人，他们与塔尔顿家的赫蒂还有吉姆都在费尔希尔种棉花，估计收成不错。塔尔顿太太养了一匹母马和一匹小马，日子过得也挺开心，就像拥有万贯家财似的。卡尔弗特家的老房子里住进了黑人！他们有一大帮人，而且真的把房子给霸占了！他们是在镇上大拍卖时将它买下的。现在那地方简直是千疮百孔，谁看了都会掉泪。谁也不知道凯瑟琳和她那个没用的丈夫跑到哪里去了。亚力克也快要和他的寡妇嫂子萨丽结婚了。想想也是好笑，他们俩在一个屋檐下共同生活了这么久，现在居然要结婚了！大家都说这是一门不得不如此的婚姻，因为他们家的老小姐和小小姐都去世了，只剩下他俩，闲言碎语就开始多了起来。迪米蒂·芒罗为这事伤透了心，不过她也是活该。要是她有头脑的话，早该为萨丽另找个男人改嫁，何必要等亚力克攒够了钱再娶她呢。

斯佳丽一路上兴致勃勃，喋喋不休，可乡下还有许多事她却讳莫如深，只字不提，因为一想到这些事她就很伤心。她曾与威尔一起赶着马车在乡下转了一圈，一路上她竭力不去回忆往日这片绵延数千英亩的肥沃棉田里遍地绿油油的情景。现在这些种植园一个个都重新变成了森林，寂静的废墟四周和荒芜的棉田里杂草丛生，就连矮橡树和矮松也悄悄地繁衍起来。以前的棉田，现在大概只剩下了百分之一还在耕种。他们一路走去，就像进入了死人国一般。

“就算这片土地能恢复元气，起码也要五十年，”威尔当时曾这样断言，“多亏了你我的努力，斯佳丽，塔拉庄园现在是全县数一数二的庄园，可它终归只是一座庄园，总共才两头骡子，算不上是种植园。塔拉之后便是方丹家的庄园，再往后是塔尔顿家的庄园。他们虽然挣钱不多，但还能维持，也算会动脑筋想办法的。可其余的人家，其余的庄园——”

不，斯佳丽不愿回想乡下那满目凄凉的景象。现在回到了喧闹、繁华的亚特兰大，再去回想那景象，更会倍感伤心。

“这边情况怎么样？”当他们终于回到家里，在门廊里坐定后，她问道。一路上，她说个没完，话说得又急又快，生怕一停下来会冷场。自从那天从楼梯上摔下来以后，她就没单独跟瑞特说过一句话，她现在根本不急于和瑞特单独在一起。她不知道瑞特心里对她究竟是怎么样的。在她病后调养的那段痛苦的日子里，他对她确实一直很好，但那只不过是一种毫无感情色彩的、陌生人的好意。她需要什么，他都能事先考虑到，安排好，并把孩子管好，不让他们来打搅她，另外，还替她照管店铺和工厂。但他从没说过一声：“对不起。”大概他根本就不认为有什么对她不起的。也许他还以为那个没出生的孩子不是他的。她怎么能猜得着，在那张毫无表情的黑脸后面，他的脑袋里在想些什么呢？但自从结婚以来，他这是第一次表现出彬彬有礼的样子，渴望让生活继续下去，仿佛他们之间从来就没发生过任何不愉快的事——仿佛，斯佳丽快快不快地想，仿佛他们之间从来就没发生过什么事一样。好吧，如果这就是他希望的，那么她也可以把自己的角色继续扮演下去。

“这里的一切都好吗？”她又问了一遍，“店铺里要换的新屋板都买好了吗？骡子换了没有？看在上帝的分上，瑞特，把你帽子上那些羽毛拿下来吧。看你这个傻样，也许等会儿你进城时会忘记把它们拿下来的。”

“不嘛。”美蓝说着，拿过父亲的帽子，用手护着。

“这儿一切都很正常，”瑞特回答道，“美蓝和我过得很开心，我想你走后她就没梳过头。别去吮那些羽毛，乖宝宝，它们可能脏得很。是的，屋板已经换好了，骡子换得也挺合算。说实在的，这里没什么新闻。一切都是那么单调乏味。”

不过，他想了想，又加了一句：“尊敬的阿希礼昨晚到我这儿来过。他想问问我你是否愿意把你的厂子和你在他厂里拥有的那部分股权卖给他。”

斯佳丽正坐在摇椅里，拿着一把火鸡尾毛扇，一边摇一边扇着风，听了这话便突然停住了。

“卖给他？阿希礼的钱是从哪儿来的？你知道，他们穷得一个子儿都没有。他挣的钱，玫兰妮一下就花个精光。”

瑞特耸了耸肩：“我一直以为她是个勤俭持家的人，看来对韦尔克斯家的家底我远不如你了解得清楚。”

这番刺人的话听起来像瑞特又故态复发了，这使斯佳丽有些恼火。

“到旁边去，亲爱的，”她对美蓝说，“妈妈有话要跟你爸谈。”

“不。”美蓝断然拒绝，一下子爬到了瑞特腿上。

斯佳丽朝孩子皱起眉，美蓝也绷起小脸回敬她，那模样活像她外公杰拉尔德·奥哈拉，惹得斯佳丽差一点没笑出声来。

“就让她在这儿待着吧，”瑞特心平气和地说，“说到他的钱是从哪儿来的，好像是一个什么人送给他的。在罗克艾兰时，那人得了天花，是阿希礼护理了他。这件事重新唤起了我对人性的信念，人们的感恩戴德之心毕竟还未泯灭。”

“那人是谁？我们认识吗？”

“信上没署名，是从华盛顿寄来的。阿希礼也想不出是谁寄给他的。话得说回来，阿希礼为人忠厚无私，走过那么多地方，又做了那么多好事，怎么能指望他一一记住所有的人呢？”

斯佳丽若不是为阿希礼的这笔意外之财感到喜出望外，面对瑞特的挑战，她早就奋起反击了，虽然在塔拉庄园时她就早已打定主意，以后凡是涉及阿希礼的事决不和瑞特斗嘴。她对自己在这件事上所处的位置毫无把握，在确确实实弄清楚自己在这两个男人之间处的位置之前，她不想贸然出击。

“他想买下股权？”

“是啊，不过，我告诉他说你是不会卖的。”

“我希望你不要插手我的事。”

“不过，我知道你是不愿意把那些工厂卖掉的。我对他说，他和我一样清楚，你不插手管别人的闲事心里就难受。如果把工厂卖给他，你就不能插手管他的事了。”

“你怎么胆敢当着他的面这样谈论我？”

“为什么不敢？难道这不是事实吗？我相信他是从心底里同意我的看法的，不过他是个地地道道的绅士，决不会直言不讳，实话实说的。”

“你瞎说！我会把整个厂子都卖给他的！”斯佳丽怒气冲冲地扯起嗓门大声说。

在此之前，她还从没有想过要卖掉工厂。她之所以要保留它们原因固然有好几个，但钱的问题却是最次要的。在过去的几年里，如果她想卖掉工厂，随时都能赚上一大笔，然而她拒绝了所有买主的报价。因为这些工厂是她多年来惨淡经营的证据，是她在极为不利的境况下单枪匹马创下的家业，她为这些工厂，也为自己感到骄傲。最重要的是，她之所以不愿卖掉工厂，是因为它们是她接近阿希礼的唯一途径。一旦失去了对这些工厂的控制，就意味着将很少能见到阿希礼，也许从此再也不能和他单独见面了。而她必须单独和他见面。她很想知道现在阿希礼对她的感情到底怎么样了，也很想知道在玫兰妮举行宴会的那个可怕夜晚后，他所有的爱是不是因为羞愧已完全消失了。现在这种蒙在鼓里的状况再也不能继续下去了。在管理厂子的过程中，她可以找到很多适当的机会与他交谈而不至于让人觉得她是有意在找他。并且，她知道，过一段时间，她是一定能收复她在他心中的失地的。可是，如果把工厂卖掉——不，她并不想卖，可一想到瑞特竟在阿希礼面前直言不讳地把她说得这么不堪，她一下子被激怒了。她当即便下了决心。她要把工厂卖给阿希礼，而且会非常便宜，好让他充分意识到她是多么的慷慨大方。

“我卖！”她恼羞成怒地大声喊道，“现在你还有什么想法？”

瑞特眼里闪过一丝微弱的胜利之光，他忙弯下腰去给美蓝把鞋带系好。

“我想你会后悔的哩。”他说。

其实她已经在为刚才的话说得太急而后悔了。如果听到这话的是别人而不是瑞特，她一定会死皮赖脸地将它收回的。她干吗要这么急急忙忙、脱口而出呢？她紧皱眉头，怒气冲冲地看着瑞特。他也在注视着她，依然是一副猫守在耗子洞口的机警神态。见她双眉紧锁，他突然大笑起来，一口洁白的牙齿熠熠闪光。斯佳丽感到了一丝不安，疑心自己上当受骗，掉进他的圈套了。

“你是不是在这里面搞了什么鬼？”她疾言厉色地问。

“我？”他扬起双眉，一副不胜惊讶的样子，“你还不了解我吗？四处奔波行善积德的事，除非是万不得已，我是从不沾边的。”

当天晚上，她便把工厂以及她在其中的全部股份卖给了阿希礼。她并没因此而受任何损失，因为阿希礼不肯接受她一上来就提出的很低的价格，最后是以别人出过的最高价成交的。在契约上签过字后，她便无可挽回地失去了这些工厂。当玫兰妮为阿希礼和瑞特各端来一小杯葡萄酒，庆贺成交时，斯佳丽只觉得心如刀割，仿佛卖掉的是自己的亲骨肉。

工厂一直是她最心爱的宝贝，她的骄傲，是她用自己勤劳的双手创造出来的成果。在那些黑暗的日子里，当亚特兰大还没从战争的废墟和灰烬中挣扎着站立起来的时候，在极其困苦的条件下，她先办起了一家小厂。她不畏艰苦、奋勇拼搏、精心筹划、惨淡经营，在北方佬大肆没收财产、银根奇紧、许多精明之士纷纷破产的艰难时期稳稳地站住了脚跟。现在，亚特兰大正在医治战争创伤，到处都在大兴土木，每天都有无数的外乡人涌入城里，她已经拥有了两家盈利甚丰的工厂，同时还有两家木材厂和十多支骡子车队，雇佣着一批犯人，以很低的成本经营着这些产业。跟这一切告别，就像把她一部分生活的大门永远关闭了，尽管这部分生活饱含着辛酸与苦涩，但回想起来，却有一种依依不舍的满足。

她亲手创建了这份产业，现在又亲手将它卖掉了。她心情沉重，因为她十分清楚，没有她掌舵，阿希礼准会将它们——将她辛辛苦苦创建起来的一切——丧失殆尽的。阿希礼对任何人都深信不疑，并且至今都还分不清各种木材的大小规格。她现在再也不能向他提出有益的建议了，这全都是因为瑞特已对阿希礼说过，她对什么事都爱指手画脚。

“哦，该死的瑞特！”她在心里暗暗诅咒着。她注视着瑞特，越来越坚信，这一切都是他在幕后策划的。至于他是怎么策划的，为什么要这么策划，她还不清楚。这时瑞特正跟阿希礼谈话，他的话又把她的火气给引上来了。

“我想你会马上把那些犯人辞了吧？”他说。

辞退犯人？怎么会想到要辞退犯人？你瑞特明明知道，工厂的巨额利润靠的就是这些廉价的犯人。在谈到阿希礼将来要采取的行动时你的语气为什么这么肯定？你对他到底了解多少？

“是的，马上就让他们走。”阿希礼回答道，竭力躲开斯佳丽惊讶的目光。

“你发昏了？”她大声喊了起来，“这样的话，合同期内的佣金就全完了，再说你还能找什么人来干活？”

“可以找自由黑人。”阿希礼说。

“自由黑人！胡说！你该知道他们的工资有多高吧，而且那些北方佬会时时刻刻盯住你，看你是不是一日三餐给他们鸡吃，晚上是否给他们鸭绒被盖。要是你用鞭子把哪个偷懒的黑人抽两下，让他干活快点的话，从亚特兰大到多尔顿的北方佬会齐声尖叫起来，非把你关进牢房不可。犯人是唯一——”

玫兰妮低下头去，凝视着十指交叉放在膝盖上的双手。阿希礼面有愠色，但显得很固执。他半晌没吱声。过了一会儿，他的目光和瑞特的目光相遇了，仿佛从他的眼神里看到了理解与鼓动——这一切斯佳丽都看在眼里。

“我不愿意用犯人，斯佳丽。”他说得心平气和。

“好吧，先生！”她大吃了一惊，“不过，为什么不愿意？是不是怕别人像议论我一样议论你？”

阿希礼抬起了头。

“只要做得对，我不怕别人怎么说。但我始终认为，用犯人当劳工是不对的。”

“可是为什么——”

“我不能靠强制别人劳动受苦而赚钱。”

“可你从前也养过奴隶！”

“但从前奴隶的生活并不悲惨。而且，即使这场战争没有让他们获得解放，我也会在父亲死后解放他们的。至于用犯人干活，那就是另一码事了，斯佳丽。这种做法弊端太多。也许你不了解，可是我了解。我知道得清清楚楚，约翰尼·加勒吉尔在他的工棚里至少杀死过一个犯人。或许更多——有谁关心过犯人的死活？他说因为那人想逃跑才杀死他的，可据我所知却并不是这么回事。我知道有些人病得很厉害，实在是做不动了，可他还逼着他们干。你也许会说这都是迷信，可我认为，靠别人的痛苦赚来的钱是不会给人带来幸福的。”

“真是活见鬼！你的意思是说——天哪，阿希礼，你是把华莱士牧师关于金钱肮脏的说教全接受了吧？”

“我用不着接受他的说教。在他布道前很久我就相信这一点了。”

“那你一定会觉得我所有的钱都是肮脏的了，”斯佳丽厉声说，“因为我雇佣犯人，开设酒馆，而且我——”她戛然而止。韦尔克斯夫妇满脸尴尬，瑞特在一旁咧着嘴嘻嘻直笑。该死的瑞特，斯佳丽在心里骂道，她又气又恨。他一定是在想，我又在指手画脚管人家的闲事了，阿希礼一定也是这样想的。我真恨不得把他们俩的脑袋砸个粉碎！她强忍怒火，极力装出一副超然的神态，但装得一点也不像。

“当然，这事已经跟我不相干了。”她说。

“斯佳丽，不要觉得我是在批评你！不是的。我们只不过是对事物的看法不同。你认为对的也许我并不认为对。”

她突然希望这里就只有她和阿希礼两个人，希望瑞特和玫兰妮能离他们远远的，这样她就可以大声喊道：“可我希望我对事物的看法能跟你一样！告诉我你到底是什么意思，好让我理解你，跟你的看法保持一致！”

然而玫兰妮就在眼前，正为这场面浑身发抖，感到不安，而瑞特则懒洋洋地冲着她咧着嘴直笑，所以她只能尽量保持冷静，并冠冕堂皇地说："当然，这是你自己的事了，阿希礼，用不着我来告诉你该如何去做。但是，我必须告诉你，我真不明白你的态度，也不明白你的话是什么意思。"

哦，要是他们俩能单独在一起就好了，这样她就不必说这些冷冰冰的话了，这些话一定让他感到不高兴了！

"我惹你生气了，斯佳丽，可我并不是有意的。请你一定要相信我，原谅我。我的话里没什么猜不透的哑谜。我只是觉得，以某些方式赚来的钱是很难带来幸福的。"

"但你这种想法不对！"她大声喊道，因为她再也控制不了自己了，"看着我！你知道我的钱是怎么来的。你也知道我在赚到钱之前的状况！你总还记得那年冬天，在塔拉庄园，天气冷极了，我们把地毯剪开当鞋，粮食也不够吃，我们还常常为小博和韦德受教育的事发愁。你总记得——"

"我都记得，"阿希礼厌倦地说，"可我宁愿忘掉那一切。"

"那你总不能说当时我们中有谁是幸福的吧？可你看看我们现在！现在你有了一个美满的家，有了一个美好的未来。还有谁的房子比我的漂亮，衣服比我的好，马儿比我的骏？谁家的餐桌都不如我家丰盛，谁家的招待会都比不了我家的体面排场。我的孩子要什么有什么。那么，我这些钱都是怎么来的呢？是从天上掉下来的吗？不，先生！是靠犯人、酒馆的租金以及——"

"不要忘记你还杀死过一个北方佬，"瑞特轻声说，"实际上你是在杀了他以后才踏上发家之路的。"

斯佳丽突然转过身去面对着他，满腔怒火正要发作，瑞特又抢先开口了。

"而且你的钱使你觉得非常非常幸福，是不是，亲爱的？"他问道，这话听上去甜丝丝的，实际上恶毒之极。

斯佳丽顿时语塞了。她张着嘴，眼睛飞快地向另外三个人扫了一眼，玫兰妮窘得几乎都要哭出来了，阿希礼面色突然变得苍白了，一声不吭，瑞特叼着雪茄，自得其乐地注视着她。她真想大声喊道："当然，我的钱的确使我感到幸福！"

可不知怎么，她却没喊得出来。

58

刚生病的那段日子，斯佳丽便注意到瑞特身上发生了变化。她并不能完全肯定自己是否喜欢这一变化。他的酒喝得少了，也不那么吵闹了，一天到晚像有什么心事似的。他现在回家来吃晚饭的次数比以前多了，对仆人们也更和气了，对韦德和埃拉也更疼爱了。对他们过去的事，不管是愉快的还是不愉快的，他都没再提起过，而且似乎觉得她也没勇气重提这些话题，虽然这话他并没明说。斯佳丽的确是一声不响，保持着沉默，因为这些事，还是不提为好，所以从表面上看，日子过得倒也还算平稳。她恢复期间，他开始对她表现出一种不带感情色彩的谦恭，现在他仍然保持着这种态度，不再像过去那样对她讽刺挖苦、冷嘲热讽了。她到现在才意识到，过去他用恶言恶语激怒她，惹得她反唇相讥，那是因为关心她。现在她却怀疑他是否还在关心自己所做的任何事。现在他客客气气的，对什么都不闻不问，这反倒让她怀念起过去他那种刚愎任性的关心，怀念起过去那些吵架、斗嘴的日子来了。

在她面前，现在他竟变得文雅起来，好像她是个陌路人。过去他的眼睛曾一刻不离地追随着她，现在这双眼睛一刻不离地追随起美蓝来了，仿佛他生命的激流已经折入到一条狭窄的河道。斯佳丽有时候想，如果瑞特把倾注在美蓝身上的关切和柔情分一半在她身上，生活就会大不一样的。有时候听到人们说："巴特勒船长对这孩子真是疼爱!”她都很难装出一个笑脸来。但如果她不笑，别人会觉得奇怪的。即使是对自己，斯佳丽也极不愿意承认她在嫉妒一个小女孩，特别是这小女孩又是自己的掌上明珠。斯佳丽总希望自己在周围人的心目中能占最主要的位置，而现在，很明显，瑞特和美蓝将永远把对方看做是第一重要的人了。

近来瑞特常常很晚才从外面回来，但回来时却从不醉醺醺的。她常听到他轻轻吹着口哨沿着过道从她关着的房门前走过。有时候深更半夜还有人跟他一起回家，在餐厅里一边喝白兰地一边聊天。这些人已经不是他们婚后第一年里和他一起喝酒的那些人了。他现在再也不邀请那些有钱的提包客、叛贼和共和党人到家里来了。斯佳丽常常踮着脚尖，轻轻走到楼梯的扶手处偷听，让她大吃一惊的是，她听到的竟是勒内·皮卡尔、休·艾尔辛、西蒙斯兄弟以及安迪·邦尼尔等人的声音。而梅里韦瑟爷爷和亨利伯伯则是每次都在的。有一次，竟连米德大夫也在，这真让她大为惊诧。因为这些人过去都以为，即使把瑞特绞死都是便宜了他!

在她心目中，这帮人一直是跟弗兰克的死联系在一起的，而这些天瑞特总是直到半夜才回家，更使她联想起那次三 K 党人袭击事件之前的那些日子，弗兰克就是在那次事件中丧生的。她不无恐惧地想起了瑞特曾经说过的话：虽然他希望上帝不让他承受这么重的苦刑，但为了让人尊敬，他甚至愿意去参加那个该死的三 K 党。如果瑞特真像弗兰克那样——

一天夜里，当他比平时更晚地仍迟迟未归，她再也忍受不了这种极度的紧张了。一听到钥匙在门锁中转动，她便披上晨衣，走进点着煤气灯的前厅，在楼梯口截住了他。见她站在那儿，他原来那副心不在焉、沉思默想的表情突然变成了一脸的惊讶。

“瑞特，我一定要知道！一定要知道你是不是——是不是三 K 党——这是不是你在外面待到这么晚的理由？你是不是属于——”

在闪烁的煤气灯光下，他随便地看了她一眼，然后微微一笑。

“你已大大地落后于时代了，”他说，“现在亚特兰大已经没有三 K 党了，很可能整个佐治亚州都没有了。你听到的有关三 K 党暴行的那些谣言，都是你那帮提包客和叛贼朋友捏造出来的。”

“没有三K党了？你是为了安慰我而撒谎吧！”

“亲爱的，我什么时候想过要安慰你呢？现在真的没有三K党了。我们觉得搞这种活动好处不多，坏处却不少，因为它只会激怒那些北方佬同时也为布洛克州长的造谣工厂提供更多的原料。这位州长大人知道，只要他能让联邦政府和北方佬的报纸相信整个佐治亚州到处都在叛乱，每棵小树的后面都埋伏着三K党人，他就能保住宝座。为了保住宝座，他一直都在无中生有，拼命制造三K党暴行的谣言，说什么忠诚的共和党人捆着双手被吊了起来，正直的黑人因莫须有的强奸罪被私刑处死。不过他自己也知道他是在无的放矢。谢谢你替我担忧，但自从我离开了那帮叛贼成为一名谦恭的民主党人之后不久，这里就没什么三K党人活动了。”

他说的那些关于布洛克州长的话，她大半是一个耳朵进，一个耳朵出，因为她关心的主要是三K党，现在听说三K党已经没有了，便松了口气。瑞特不会像弗兰克那样被杀害了。她也不会失去她的店铺或者他的钱了。但他的话中有一个词引起了她的注意。他刚才说“我们”认为怎么样怎么样，很自然地把他和那些他过去称作“顽固派”的人联系在一起了。

“瑞特，”她突然问，“三K党的解散跟你有什么关系吗？”

他久久地望着她，眼光开始闪烁起来。

“亲爱的，跟我是有关系。因为这事的主要负责人就是我和阿希礼·韦尔克斯。”

“你——你和阿希礼？”

“是啊，政治让陌路人结为同盟，虽说这话是陈词滥调，但却千真万确。我和阿希礼都不太喜欢对方，但——阿希礼一直不相信三K党，因为他反对任何形式的暴力。我呢，也一直不相信三K党，因为我觉得他们的做法是愚蠢透顶的蛮干，决不会达到目的。它只会让北方佬永远骑在我们头上作威作福。我和阿希礼一起说服了那些头脑发热的鲁莽家伙，让他们明白：密切的注视、耐心的等待和积极的工作比穿着蒙头长袍、举着燃烧的十字架更能让我们取得进展。”

“你是说那群年轻人真的接受了你的劝告？像你这样——”

“像我这样一个投机分子？一个叛贼？一个跟北方佬狼狈为奸的家伙？你可别忘了，巴特勒太太，我现在可是一名模范的民主党人，为了从掠夺者手里收回我们可爱的领土，愿意流尽最后一滴鲜血！我的意见都是些很好的意见，所以他们就都接受了。我对其他政治问题发表的意见同样也很好。我们民主党现在已在州议会中占了多数，不是吗？用不了多久，亲爱的，我们就会让我们的一些共和党好朋友尝尝铁窗的滋味了。他们近来贪得无厌得太过分了点，也太明目张胆了。”

“你要帮着把他们关进监狱？哎呀，他们以前可是你的朋友！他们帮你参加了铁路公债那笔交易，让你赚了几千块呢！”

瑞特咧嘴笑了，是他过去表示嘲弄的那种笑法。

“哦，我对他们并没什么恶意。不过我现在站到了另一边，如果我有办法帮自己人把他们关进他们本该被关进的地方，我当然会这样干的。这对提高我的信誉作用可大着呢！对他们有些交易的内幕我了如指掌，如果州议会开始进行调查，那我掌握的这些情况可就非常有价值了——从现有的情况看，开始进行调查已经为时不远了。他们对州长也要着手调查了，如果可能的话，他们还要把他关进监狱。你最好告诉你那些好朋友——诸如格勒特夫妇和亨顿夫妇——让他们随时做好准备，一有风声就马上离开，因为他们如果能逮捕州长，也就能逮捕他们。”

这么多年来共和党人在北军的支持下一直掌管着佐治亚州的大权，所以斯佳丽根本就不相信瑞特这番轻率的话。州长的地位非常牢固，任何州议会都奈何他不得，就更别说把他关进监狱了。

“你可真会胡说八道啊。”她说。

“即使他不被关进监狱，至少也不会再次当选了。下次我们就要有一个民主党的州长了，换换花样嘛！”

“看来这事你又得去出把力了？”她话中带刺地问。

“是啊，宝贝儿，我会的。这些晚上我一直都很晚才回来，原因就在这里。现在我干得很卖力，比我当年拿着铁锹淘金时还要卖力，为的是帮着组织好这次选举。另外，我还给我们的组织捐了很多钱，听了这话我知道你会伤心的，巴特勒太太。不过，你还记得很多年以前，在弗兰克的店铺里，你曾经对我说过，藏着邦联政府的金币是不正当的吗？现在我终于和你的看法一致了，所以邦联政府的金币正被用来让邦联分子重新掌权。”

“你这是在把钱往耗子洞里填！”

“什么！你把民主党叫耗子洞？”他狠狠地瞪着她，接着又平静下来，没了表情，“谁赢得这次选举，对我来说无关紧要。重要的是人人都将知道我为这次选举出过力，出过钱。如果人们记住了这一点，对美蓝的未来是有利的。”

“听了刚才你那番虔诚的话，我还担心你已经换了副心肠呢。现在看来，你对民主党也像对其他任何东西一样，没多少真心实意。”

“心肠丝毫没变，只是换了一层皮。就像一只豹子，也许你可以把它的豹斑刮掉，但它仍是一只豹子。”

他们在过道里讲话的声音把美蓝吵醒了，虽然睡意正浓，但她还是急切地叫了声：“爸爸！”瑞特听到女儿的叫喊，便从斯佳丽身边走过，往房间走去。

“瑞特，等一下。我还有话要说。以后你下午出去参加政治会议时，决不能再把美蓝带在身边了。把一个小女孩带到这种地方去，实在是太不像话了！连你看上去都像个傻瓜。我从没想到你会带她去，亨利伯伯提起这事我才知道，他好像还以为我知道这事似的，而且——”

他突然转过身来脸色阴沉地面对着她。

“你怎么连一个小女孩坐在她爸爸怀里听他跟朋友讲话也觉得不像话？你可以认为这看上去不像样子，但实际上这并没什么不好。很多年以后，人们还会记得，我帮着把共和党人从佐治亚州赶出去的时候，美蓝曾经坐在我的怀里。很多年以后人们还会记得——”这时他脸上阴沉的表情已慢慢消失了，但眼里却闪动着恶毒的目光，“知道吗，人们问她最爱谁，她会说‘最爱爸爸和民主党人’，问她最恨谁，她就会说‘最恨叛贼’。感谢上帝，人们最容易记住这些东西了。”

斯佳丽气急败坏地提高嗓门说：“我看你还会告诉她，我也是个叛贼吧！”

“爸爸！”这次，孩子的声音有点愤怒了。瑞特一边吟吟地笑着，一边沿着过道向女儿走去。

这年十月，布洛克州长果然辞了职，逃离了佐治亚州。他任职期间，滥用公款、挥霍浪费和贪污受贿都已到了登峰造极的地步，所以彻底垮台了。由于公众义愤填膺，甚至连他本党内也已分崩离析。这时，民主党人已在州议会中占了多数，这就意味着他迟早要下台了。他知道自己要受审查，又担心被弹劾，所以没有坐以待毙，而是匆匆忙忙地悄然逃走了。出逃前还作好了安排，要等他安全抵达北方后，再宣布他辞职的消息。

他逃走一周后宣布他辞职消息时，亚特兰大人群情激昂，欢喜若狂。人们纷纷涌向街头，男人们欢笑着相互握手以示庆贺，女士们则欢呼着相互亲吻。家家户户都举办了晚会，喜气洋洋的男孩子们燃起篝火，结果引发了一些火灾，害得消防局一直在忙着救火。

差不多就要渡过难关了！重建时期也差不多快结束了！不错，代理州长仍是共和党人，但十二月就会举行选举的，人们对选举结果丝毫不怀疑。选举的日子来临时，尽管共和党人进行了疯狂的挣扎，但佐治亚还是选出了一名民主党州长。

于是又有了一番欢乐和激动的场面，但其性质与布洛克逃之夭夭时举城的欢腾有所不同。这是一种更为清醒、更为沁人心脾的欢乐，一种发自内心的感激。所有的教堂都挤得满满的，牧师们虔诚地感谢上帝拯救了佐治亚州。人们在兴高采烈和欢欣鼓舞之中，还交织着一种自豪，因为尽管华盛顿的联邦政府设置了重重障碍，尽管有北军在这里驻守，尽管有提包客、叛贼和当地的共和党人从中作梗，佐治亚州还是回到了自己人民的手中。

国会曾七次通过强制性法令来对付佐治亚州，企图让它一直保持被占领区的地位。北军曾三次宣布取消民法。黑人们也曾肆无忌惮地欢聚在州议会。政府中那些贪婪成性的外乡人也曾滥用职权中饱私囊，一些没有担任公职的人也侵吞公款变成了富翁。佐治亚曾无依无靠，受尽折磨、凌辱和欺压。但现在，这一切都过去了，通过人民自己的努力佐治亚终于又属于她自己了。

共和党人的突然被取代并没给所有人带来欢乐。那帮提包客、叛贼和共和党人一片恐慌。布洛克辞职的消息公布之前，格勒特夫妇和亨顿夫妇显然已耳闻了他的出逃，所以他们也突然离城，不知去向了。那些留下来的提包客和叛贼则心神不定，惶惶不可终日。他们常聚在一起以寻求安慰，同时又忧心忡忡，不知道州议会的调查会不会把他们的什么隐私暴露在光天化日之下。他们再也不像以前那样目空一切了。他们被吓得呆若木鸡，手足无措，终日寝食不安。那些来拜访斯佳丽的太太们总是翻来覆去地说：

“谁会想到世道会变成这个样子？我们本来以为州长的权力很大，还以为他会在这儿一直干下去，以为——”

尽管瑞特事先曾就事态的发展趋势向她提出过警告，斯佳丽对时局的变化仍迷惑不解。这倒不是说她对布洛克的下台感到惋惜，而对民主党人的重新上台感到难过。虽然说来没人相信，但其实她对北方佬的统治终于被推翻也是感到很高兴的。对自己在重建初期的拼搏，对因担心北军和提包客会把她的钱拿去充公而受的那份折磨，她都还记忆犹新。她也还记得当时自己是多么无依无靠，多么恐慌，多么恨那些北方佬，正是他们把这一令人恼火的制度强加给了南方。她一直恨着北方佬。但为了事事顺畅，为了获得充分的安全，她又不得不跟那些征服者打得火热。尽管她不喜欢他们，却还是让他们簇拥在自己周围，抛弃了自己的老朋友和原来的生活方式。她把赌注压在了布洛克政权的长久稳定上，结果却输了个精光。现在，征服者的权势已寿终正寝了。

1871 年的圣诞节，是佐治亚人十多年来过得最快乐的一个圣诞节。但环顾四周，斯佳丽却是不胜烦恼。尤其是见瑞特这个当年在亚特兰大最让人讨厌的家伙，现在竟摇身一变，成了最受公众欢迎的人物，她更是耿耿于怀。瑞特走红完全是他低声下气地宣布放弃共和党邪说，把时间、金钱、精力和心思全用来帮助民主党在佐治亚重新掌权的结果。当他抱着身穿一身蓝的美蓝骑马在街上走着，微笑着轻触帽檐向路人致意时，人们也都微笑着作答，热情地跟他搭话并充满爱怜地看着小女孩。然而，她，斯佳丽——

59

尽管人人都觉得，美蓝·巴特勒这孩子最近变得越来越野，必须好好管教管教了，但由于大家都宠着她，所以谁也不忍心去管她。她是在跟着爸爸去外面旅行的那几个月开始变野的。她跟着瑞特住在新奥尔良和查尔斯顿时，晚上可以随心所欲一直玩到很晚才睡，而且跟着瑞特去戏院、餐馆、赌台，困了就偎在他怀里睡。自那以后，要想让她跟听话的埃拉同时上床睡觉，就非得动武不可。她跟着爸爸在外面时，总是愿意穿什么就穿什么，所以自那以后，每当黑妈妈让她穿凸纹条格细布上衣和围裙而不让她穿蓝色塔夫绸衣裙和饰有花边的衣领，她总要大发脾气。

这孩子离家在外时养成的这些坏习惯，在斯佳丽后来生病期间以及回塔拉庄园小住期间更变得根深蒂固了，所以现在想纠正过来看来已毫无办法了。美蓝年纪稍大一点时，斯佳丽曾试图管教她，让她不至于太任性、太娇纵，然而收效甚微。因为不管这孩子的要求多荒诞，行为多蛮横，瑞特总是站在她一边袒护她。他一直鼓励她说话，把她当成一个大人，煞有介事地听她讲述自己的意见，并且还装出一副照着她的意见行事的样子。这样一来，大人说话时，美蓝想插嘴就插嘴，有时还要反驳爸爸，杀杀他的威风。而瑞特对此只是哈哈一笑，连斯佳丽要打美蓝几个手心作为惩罚也不允许。

“好在这孩子还算漂亮、可爱，不然可真让人受不了。”斯佳丽不无悲哀地想。她已经看出女儿跟她一样倔犟任性，“她崇拜瑞特，要是他想管教，还是有办法让她守点规矩的。”

但是瑞特却毫无让美蓝循规蹈矩的意思。她做的事样样都对，哪怕她想要天上的月亮，只要能摘得下来，她也能得到。她那俏丽的容貌、拳曲的头发、惹人喜爱的酒窝以及优美动人的举止都让他无比自豪。他爱她无拘无束的天真、兴致勃勃的劲头还有她向他撒娇时那种奇特而可爱的方式。尽管受到娇惯，很任性，但她太可爱了，他真不忍心管束她。因为他是她的上帝，是她那个小小世界的中心，他在她心中的这一地位对他来说太珍贵了，以至他不敢冒着失去它的危险而去惩戒她。

她像影子一样追随着他。早晨他本想多睡一会儿，她却把他叫醒；吃饭时她总是坐在他身边，轮流着从他的盘子和自己的盘子里夹菜吃；骑马出门她总是坐在他前面；晚上睡觉，只让瑞特替她脱衣服，然后把她放在他床边的小床上哄她入睡。

斯佳丽见小女儿竟把她爸爸这么牢牢地捏在手心里，既觉得有趣，又深受感动。谁会想到，瑞特这么一个轻狂浮躁的家伙，做起父亲来竟会这么认真？但有时候，斯佳丽又会突然生出一阵妒意，因为美蓝仅仅才四岁，对瑞特的了解已超过了她对他多年的了解，对瑞特的控制也远远超过了她以往任何时候对他的控制。

美蓝四岁时，黑妈妈便开始嘟嘟囔囔起来，说什么一个女孩子家“叉开腿骑在马上，坐在爸爸前面，让裙子都飞了起来”实在太不像话。瑞特对黑妈妈说的有关教育小女孩的话一直是认真听取的，这次也不例外。于是，他便去买了一匹棕白两色的雪特兰种小马，鬃毛和马尾长长的，既柔软又光滑，还配了一副小小的、镶银边的侧坐马鞍。这匹小马名义上是为三个孩子共同买的，而且瑞特也为韦德配了一副鞍子。但韦德更喜欢和他那只圣伯纳德狗一起玩，而埃拉又是什么动物都怕的。所以这匹小马就成了美蓝一个人的了，而且取名叫“巴特勒先生”。美蓝得到了这匹小马，自然非常高兴，唯一觉得美中不足的是她不能再像爸爸那样跨马而骑了。但当瑞特告诉她说侧坐而骑更难学以后，她便心满意足，而且很快就学会了。美蓝英姿飒爽地坐在马上，缰绳抓在手里也稳稳当当的，这让瑞特无比自豪。

“等再大几岁她就可以去打猎了，”瑞特夸口说，“任何猎场都没人比得上她。到那个时候我要带她到弗吉尼亚去。那才真正是打猎的地方。还要去肯塔基，只有那里的人才会欣赏好骑手。”

到了要给她做骑装的时候，照例又是她自己挑颜色，而她照例还是挑了蓝色。

“可是，亲爱的，请不要选那种蓝天鹅绒！因为蓝天鹅绒是我做宴会服用的，”斯佳丽笑着说，“黑细平布才是小姑娘们穿的。”她见那对小黑眉毛往上一皱，便忙又说道，“看在上帝的分上，瑞特，请你告诉她蓝天鹅绒不适合她，而且很容易弄脏的。”

“哦，让她做蓝天鹅绒的吧。如果弄脏了，就再替她做一套好了。”瑞特轻松地说。

于是美蓝便做了一套蓝天鹅绒骑装，裙子一直拖到小马的腹部，黑帽子上插着一支红羽饰，这是因为兰妮姑姑曾说起过杰布·斯图亚特的帽子上插有羽饰，她也就想如法炮制。从此，天气晴朗的日子，人们总能看到他们父女俩在桃树街上并驾齐驱，瑞特勒紧缰绳让他的大青马缓缓而行，以便与美蓝那匹膘肥体圆的小马步调一致。有时候，他们在僻静的街道上狂奔，惹得鸡飞狗跳，小孩子四处奔逃。美蓝用她的短柄马鞭抽打着“巴特勒先生”，蓬松的鬈发高高飞起；而瑞特则紧紧勒住自己的马，以便让美蓝觉得是她的“巴特勒先生”一路领先。

当瑞特确信女儿已能自己坐稳，两手已能抓牢缰绳，对骑马已毫无畏惧时，便认为时机已到，可以让她开始练习跳低栏了。于是，他便在后院架起一个低栏，并以每天二角五分的工钱雇佣彼得大叔的一个小侄子沃什来教“巴特勒先生”跳栏。开始时用的栅栏离地只有二英寸，后来便逐渐增高到了一英尺。

但这一安排却引起了有关三方——沃什、“巴特勒先生”和美蓝的不满。沃什本人怕马，只是因为工钱丰厚才揽下这份差使，每天要教那匹倔强的小马从栅栏上跳过去几十次。“巴特勒先生”虽然对小女主人经常拉它的尾巴以便检查它的蹄子处之泰然，但却觉得造物主把它送到这个世界上来，并没要求它挪动膘肥体圆的身躯越过栅栏。而美蓝，她简直就没法容忍别人骑她的小马，所以在“巴特勒先生”练习跳栏时，她总是不耐烦地站在一旁指手画脚地蹦个不停。

当瑞特觉得小马已训练有素，可以放手让女儿骑着去跳栏时，美蓝真是无比兴奋。她第一次试跳就极为成功，打那以后，她便只想跳栏，对跟着爸爸骑马外出也失去了兴趣。斯佳丽见他们父女俩得意扬扬、劲头十足，不禁感到很好笑。不过她觉得，等这股新鲜劲儿一过去，美蓝的兴趣就会转到别的东西上去，街坊邻居们也就可以清静几天了。但这项运动却没让美蓝感到腻味。从院子那边的凉亭到栅栏处已经踩出一条光秃秃的小路，整个上午满院子都回响着激动的呐喊。据曾在1849年穿越北美大陆到过阿帕契部落的梅里韦瑟爷爷说，这种叫喊跟阿帕契人把敌人头上的头皮剥下来时发出的欢呼声一模一样。

第一个星期以后，美蓝便要求加高栅栏，加高到离地面一英尺半。

“这要等到你六岁才行，”瑞特说，“到那时候，你长高了，就可以跳高栏了。我还要给你买一匹大一点的马。巴特勒先生的腿不够长。”

“够长了。兰妮姑姑家的蔷薇树丛我都跳过了。它们可高啦！”

“不，你一定得等。”瑞特说，这次他的口气很坚定。但美蓝一会儿纠缠不休，一会儿不停地发脾气，他的口气便渐渐软了。

“好吧，好吧，”一天早晨他终于笑着同意了，狭长的白色栏杆被提高了一些，“要是摔下来，你可不要哭，也不要怪我。”

“妈妈！”美蓝转过头朝着斯佳丽的卧室尖声喊道，“妈妈！看着我！爸爸说可以了！”

斯佳丽正在梳头，听见美蓝的喊叫便走到窗口，笑盈盈地朝下看着女儿娇小激动的身影，只见她穿着那身沾满泥土的蓝色骑装，显得很可笑。

“真该替她做一套新骑装，”她想，“不过，只有上帝知道，我怎么才能让她扔掉那套旧的。”

“妈妈，看好了！”

“我看着呢，亲爱的，”斯佳丽微笑着说。

当瑞特举起女儿，把她放到小马背上时，斯佳丽见她挺直了腰杆，昂首前视，一副英姿勃勃的样子，心中不由得升起一阵得意，情不自禁地喊道：

“漂亮极了，我的宝贝儿！”

“你也漂亮极了呀。”美蓝大大方方地赞美了妈妈一句，然后用脚后跟对着“巴特勒先生”的两肋使劲一蹬，便向着院子里的凉亭疾驰而去。

“妈妈，看我跳过去！”她一面大声喊着，一面用马鞭抽打着。

看我跳过去！

斯佳丽的记忆深处突然响起了这叫喊声，就像以前在哪儿听到过似的。这句话有一种不祥之兆。什么不祥之兆呢？她怎么一时想不起来了呢？她朝下看了看女儿，只见她轻巧地坐在疾驰的小马上。突然间，她心头掠过一股冷气，皱起了眉头。美蓝急速地飞驰着，黑色的鬈发一甩一甩的，蓝色的眼睛闪闪发亮。

“她的眼睛和爸的一样，”斯佳丽想，“完全是爱尔兰人的蓝眼睛，别的地方也和爸一模一样。”

因为想到了杰拉尔德，她的脑海中突然浮现出刚才一直在搜寻却没有捕捉到的记忆，这记忆来得异常清晰，就像夏夜的闪电一下子把整个田野照得雪亮一样。她仿佛听到一个爱尔兰人在唱歌，听到马蹄在塔拉牧场上飞跑的声音，听到了一个满不在乎的声音在喊叫，就像女儿刚才喊叫的那一声一样：“埃伦，看我跳过去！”

于是她急忙喊道：“不！不！哦，美蓝，你快停下来！”

就在她探身窗外的一刹那，下面突然传来了木头劈裂的可怕声，还有瑞特嘶哑的叫喊，只见地上摊着一团蓝天鹅绒，“巴特勒先生”四脚朝天。接着，那匹小马一翻身站了起来，带着一副空鞍子小跑而去。

美蓝死后的第三天晚上，黑妈妈摇摇晃晃地慢慢走上了玫兰妮家的厨房台阶。她身着丧服，从脚上穿的那双男人的大鞋（为了让脚舒展自由已特意割破）到头上披的头巾全是黑的。模糊不清的老眼里充满血丝，眼皮红肿着，高大的身躯处处显示出痛苦。她的脸因悲伤迷惑而紧紧皱在一起，活像只老猿猴，然而她的下颚却透着坚毅。

她对迪尔西轻轻说了几句话，迪尔西便和蔼地点了点头，仿佛两人已达成默契，过去的积怨都一笔勾销了。迪尔西放下手中的盆子，轻轻穿过餐具室往餐室走去。过了一会儿，玫兰妮来到了厨房，她手里拿着餐巾，脸上带着忧虑。

"斯佳丽小姐没——"

"斯佳丽小姐倒是挺住了，又和往常一样了，"黑妈妈语气沉痛地说，"没想到您在吃饭，打扰您了，兰妮小姐。可我有话要对您说，等不及了。"

"我可以等一会吃饭，"玫兰妮说，"迪尔西，把其他的菜端上去吧。黑妈妈，请跟我来。"

黑妈妈一摇三晃地在她后面跟着，顺着过道走过餐室时，见阿希礼正坐在餐桌上首，旁边是小博，再过去是斯佳丽的两个孩子韦德和埃拉，他们相对而坐，叮叮当当地摆弄着汤匙。整个餐室里都是他俩欢快的声音。对他们来说，到兰妮姑姑家来住这么长时间，就像外出野餐一样开心。兰妮姑姑待他们一向很好，现在尤其如此。妹妹的死并没给他们带来多大的影响。他们只记得美蓝从马上摔下来，妈妈哭了很久，然后兰妮姑姑就把他们带回家，在后院里跟小博一起玩儿，想吃点心随时都可以吃。

玫兰妮将黑妈妈领进了那间四周摆满书的小起居室，关上了门，指指那只沙发让黑妈妈坐。

"我本来打算吃完晚饭就过去的，"她说，"既然巴特勒船长的母亲已经来了，明天上午就要举行葬礼了吧。"

"葬礼！我就是为这事来的，"黑妈妈说，"兰妮小姐，我们都不知道该怎么办才好，所以我才来找你帮忙。现在家里都乱套了，亲爱的，乱套了。"

"是斯佳丽小姐身体垮了吗？"玫兰妮焦急地问，"自从美蓝——这个——我一直就没见过她。她一直把自己关在房里，巴特勒船长又一直不在家，而且——"

突然，黑妈妈开始流泪了。玫兰妮在她身边坐下，轻轻地拍了拍她的手臂。过了一会儿，黑妈妈撩起黑裙子的褶边，擦干眼泪。

“你一定要帮帮我们，兰妮小姐。我想尽了一切办法，可就是一点用也没有。”

“斯佳丽小姐——”

黑妈妈挺直了腰板。

“兰妮小姐，你和我一样了解斯佳丽小姐。那孩子就是那么个命，仁慈的主已给了她忍受的力量。虽说这事让她伤透了心，可她还挺得住。我来是为了瑞特先生。”

“我一直很想见他，可每次去，他不是进城去了就是把自己锁在屋里——斯佳丽就像着了魔似的，一句话也不肯说——快告诉我，黑妈妈。你知道，只要能帮上忙，我是一定会帮的。”

黑妈妈用手背擦了擦鼻子。

“我说过，对主的安排，斯佳丽小姐还能挺得住，因为她受得多了。可瑞特先生——兰妮小姐，他可从来没受过啊，从来没受过。我来看你就是为他。”

“可——”

“兰妮小姐，今天晚上你一定要跟我一起去，”黑妈妈的声音很急迫，“也许瑞特先生会听你的。他一向很敬重你。”

“哦，黑妈妈，到底怎么回事？你到底是什么意思？”

黑妈妈挺了挺胸膛。

“兰妮小姐，瑞特先生他——他精神错乱了。他不肯给小小姐下葬。”

“精神错乱！哦，黑妈妈，他不会的！”

“我可没瞎说。这是千真万确的。他不准我们埋葬那孩子。这话是他亲口对我说的，说了还不到一个小时呢。”

“可是他不会——他不是——”

“所以我才说他精神错乱了呀。”

“可为什么——”

“兰妮小姐，让我都告诉你吧。这种话我是不该对别人说的。不过你是自己人，我可以对你说。我就全都告诉你吧。你知道，他是多么看重那孩子。我可从来没见过哪个男人，不管是黑人还是白人，像他那样那么看重孩子。一听米德大夫说孩子的脖子摔断了，他马上就发起疯来。他抓起枪，跑到外面，把那匹可怜的小马给打死了。看他那样子，我真怕他把自己打死。当时斯佳丽小姐已经晕过去了，所有的街坊邻居都来了，并且里里外外都是人。瑞特先生变得疯疯癫癫的，一直抱着那孩子，连我要给孩子洗洗小脸，揩揩划破的地方流出来的血，他都不让。等斯佳丽小姐醒过来，我想，上帝保佑！现在他们可以互相安慰了。"

说着说着，她的眼泪就又流了出来，可这次黑妈妈连擦都没擦。

"可她一醒过来，马上就走进他抱着美蓝小姐的那个房间，对他说：'是你杀死了我女儿，你还我女儿。'"

"哦，不！她不会这样说的！"

"是的。她就是这么说的。她说：'是你杀死了她。'我真替瑞特先生难过，因此一下子就哭起来了，因为他看上去就像一只被鞭子抽过的猎狗。我就说：'把孩子交给黑妈妈吧，让我去给小小姐料理料理吧。'我从他手里把孩子接过来，抱着她走进她的房间给她洗脸。我听见他俩在争吵，他们说的那些话真让我心寒哪。斯佳丽小姐骂他是凶手，存心让美蓝小姐跳那么高的栏杆；他说斯佳丽小姐从来不关心美蓝小姐，也从来不关心她别的孩子……"

"别说了，黑妈妈！别再说了。你不该对我说这些！"玫兰妮大声说道。她的心因黑妈妈描述的这番景象而一阵阵抽搐。

"我知道不该跟你说这些，可我心里憋着的话太多了，我也弄不清楚哪些话不该说了。后来，瑞特先生自己抱着孩子去了办丧事的人那儿，又抱着她回来放在了自己房间她那张小床上。当斯佳丽小姐说应该把孩子放进棺材停在客厅时，我看瑞特先生那架势就好像要过去打她一样。他冷冰冰地说：'孩子得放在我的房间里。'接着，又转过身来对我说：'黑妈妈，我现在得出去一下，你一定要把她一直放在这儿。'说完他就骑上马出了门，直到太阳落山才回来。他回家时，我看他喝了不少酒，可他却像往常一样，并没醉得东倒西歪。他冲进门，对斯佳丽小姐、佩蒂小姐和来访的太太们一句话都没说，就奔上楼梯，打开了他的房门，然后就大声喊我，我急急忙忙跑了上去，只见他站在床边，可因为百叶窗已经拉上了，房间里黑咕隆咚的，我也看不大清楚他脸上是什么表情。

“他恶狠狠地对我说：‘快把百叶窗打开，这里面太暗了。’我赶紧把百叶窗打开，他瞪着眼睛看着我。天哪，兰妮小姐，我两腿直哆嗦，差一点没吓瘫，因为他看上去太吓人了。接着他说：‘把灯拿来。多拿些灯来，一直点着。不准拉上窗帘，也不准拉上百叶窗。你难道不知道美蓝小姐怕黑吗？’”

玫兰妮惊恐的目光与黑妈妈的目光相遇，黑妈妈伤心地点了点头。

“他就是这么说的。‘美蓝小姐怕黑。’”

黑妈妈哆嗦了一下。

“我拿去了一打蜡烛，他说：‘出去！’然后就锁上了门，一个人坐在里面陪着小小姐。就连斯佳丽小姐去敲门，对着他直喊，他也不开门。他这个样子已经两天了。关于下葬的事他提都不提。一大早他就锁上门，骑马进城，一直到太阳落山才醉醺醺地回来，然后就又把自己锁在屋里，饭也不吃，觉也不睡。现在他母亲，巴特勒老太太，从查尔斯顿赶来参加葬礼，苏埃伦小姐和威尔先生也从塔拉庄园来了，可瑞特先生竟然谁都不理。嗨，兰妮小姐，真是糟透了！而且会越来越糟的，人家也要说三道四、议论纷纷了。

“今天晚上，”黑妈妈停了一下，又用手背擦了擦鼻子，“今天晚上，他回来时，斯佳丽小姐在楼上过道里截住了他，跟着他走进屋子说：‘葬礼定在明天早上。’可他却说：‘你敢下葬我明天就宰了你。’”

“唉，他准是疯了！”

“一点儿没错。后来他们的话就说得低了一些，我没全听见，只听他又说起美蓝小姐怕黑，而坟墓里又黑得厉害。过了一会儿，斯佳丽小姐说：‘你真是可以，自己杀死了孩子还这么趾高气扬，盛气凌人的。’他说：‘你就一点怜悯心都没有吗？’‘我连孩子都没了，还有什么怜悯心？对美蓝死后你的所作所为，我已忍无可忍了。现在全城都在议论你。你整天喝得烂醉，如果你以为我不知道这些天你都在哪里鬼混，那你就是个傻瓜。我知道这几天你一直在贝尔·

沃特林那个婊子家。’”

“哦，黑妈妈，不会的。”

“斯佳丽小姐就是这样说的。而且，兰妮小姐，这事也是真的。很多事，我们黑人比白人知道得要快。我知道瑞特先生到哪里去了，不过我一句话也没漏出去过。他自己也不否认。他说：‘是的，我是在她那儿，你不必激动，因为你一点都不在乎。这边的家里成了地狱，婊子家自然是天堂了。而且，贝尔的心肠也好。她从来不唠唠叨叨的，说我杀死了自己的孩子。’”

“啊！”玫兰妮痛心地喊道。

因为她自己生活得那么愉快，那么风平浪静，周围的人也都对她充满了仁慈和爱，所以听到黑妈妈讲这些话简直无法理解，也无法相信。突然，她想起了一件事，但接着又赶紧把它赶跑，就像她一想到某人的裸体就马上把这想法赶跑一样。原来，那天瑞特把头伏在她的膝盖上痛哭时确实提到过贝尔·沃特林。但他的的确确是爱斯佳丽的呀。她那天是绝对不可能搞错的。当然，斯佳丽也是爱他的。那他们怎么会弄成这个样子呢？夫妻之间怎么会这么剑拔弩张、势不两立呢？

黑妈妈心情沉重地又讲了下去。

“过了一会儿，斯佳丽小姐从房里走了出来。她脸色煞白，下巴颏一动也不动，好像是下定了决心。她看见我在那儿站着就对我说：‘明天下葬，黑妈妈。’说完，她像个鬼魂似的从我身边走了过去。一听这话，我心便怦怦地乱跳起来，因为斯佳丽小姐说话是算数的。可瑞特先生说话也是算数的呀。他说过，要是她把孩子下了葬，他就要宰了她。这一下我心里可就完全乱了套，兰妮小姐，因为我心里一直感到有愧，弄得我心神不宁。兰妮小姐，小小姐怕黑都是我吓出来的。”

“哦，不过，黑妈妈，这没什么关系——现在已经没什么关系了。”

“关系大着哩。糟糕就糟糕在这里。我想我最好还是把这事向瑞特先生说明，哪怕他宰了我都行，因为我心里有愧。于是，我就趁着他还没锁房门，赶紧溜了进去。我说：‘瑞特先生，我是来向你认罪的。’他一下子转过身，像个疯子似的对我喊道：‘滚出去！’天哪，真把我吓了一大跳！可我还是说了：‘瑞特先生，请你听我说。小小姐怕黑是被我吓出来的，你要宰就宰了我吧。’说完，兰妮小姐，我就低下了头，等着他来打我。可他一句话也没说。我又说：‘当时我也没什么恶意。只是，瑞特先生，那孩子的胆子也太大了，什么都不怕。别人都睡着了，她总要从床上爬起来，光着脚丫围着房子乱跑。我很担心，生怕她磕着碰着的。所以我就吓唬她说，那些黑乎乎的地方有鬼，有妖怪。’

“听了我的话——兰妮小姐，你知道他怎么了？他的脸马上和气起来，走到我身边，把手放在我的胳膊上，他对我这么亲热，这还是头一次。他说：‘她非常勇敢，是不是？除了怕黑外她别的什么都不怕。’一听这话我就哭了。他一边拍拍我一边说：‘好了，黑妈妈，好了，黑妈妈，别哭了。你能告诉我这些话，我很高兴。我知道你是爱美蓝小姐的。你是因为爱她才跟她讲那些的，所以不要紧。要紧的是看一个人的心地好不好。’他这么一说，我就高兴了，于是便大着胆子说：‘瑞特先生，下葬的事怎么办呢？’谁知他一下子就又翻脸了，像个疯子似的，两只眼睛忽闪忽闪地看着我说：‘天哪，我本来还以为，别人不理解我，你总会理解的吧！既然我的孩子那么怕黑，你以为我还会把她下葬吗？我现在就好像听见了她在黑暗里醒来时发出的尖叫。我决不会让她吓着的。’兰妮小姐，听他这么一说，我才知道他真的是疯了。他只喝酒，觉也不睡，饭也不吃，这还不够。他简直是疯了。他一把把我推到门外，一边嚷嚷道：‘给我滚出去！’

“我只好下了楼，心里一边还在想：他说不能下葬，斯佳丽小姐却说明天上午一定要下葬，可他又说要是下了葬就宰了她。家里的那些亲戚和街坊邻居们都已经像珍珠鸡那样叽叽咕咕地乱了套，不知道该怎么办才好。我这才想到了你，兰妮小姐。你一定得去帮帮我们。”

“哦，黑妈妈，我可不能插手这事！”

“你要是不能插手，那还有谁能插手呢？”

“可我该怎么办呢，黑妈妈？”

"兰妮小姐，我也不知道。不过你总会有办法的。你可以先跟瑞特先生谈谈，说不定他会听你的。他一向挺敬重你的，兰妮小姐。也许你自己不知道，但他的确是挺敬重你的。我就听他说过不知多少次，说在他认识的那么些小姐太太中，就数你最最贤惠了。"

"可——"

玫兰妮心慌意乱地站了起来，因为想到要面对面地跟瑞特打交道，她不禁一阵胆怯。一想到要去劝说一个像黑妈妈描述的那样因悲伤而发了狂的人她就不寒而栗；再想到要走进那间烛火通明，放着她那么喜爱的那个女孩子的尸体的房间，她更是心如刀绞。她能做些什么？她能对瑞特说些什么来减轻他的悲痛，让他恢复理智呢？她站在那儿，犹豫了片刻，就在这时，从关着门的餐室里传来了小博的笑声。犹如一把冰冷的尖刀插入她心窝，她突然想到她的小博死了。假如她的小博冰冷僵硬地躺在楼上，再也发不出欢快的笑声，那她会怎么想呢??

"哦!"一惊之下，她不禁大声喊了出来，在想象中，她已经把小博紧紧地搂在了怀里。她突然理解了瑞特。如果她的小博死了，她怎么会舍得把他埋掉，让他一个人孤零零地在黑暗中听任狂风暴雨的肆虐侵扰呢?

"哦，可怜的，可怜的巴特勒船长!"她喊道，"好吧，我现在就去他那儿，马上就去。"

她急忙回到餐室，跟阿希礼轻轻说了几句话，然后紧紧搂住小博，动情地吻着他那拳曲的头发，倒把那孩子给吓了一大跳。

她帽子也没戴，餐巾仍抓在手里就匆匆离开了家，速度之快，把年迈的黑妈妈远远地甩在了后面。走进斯佳丽家的前厅，她只向聚集在藏书室里的那群人，还有受到惊吓的佩蒂帕特小姐、仪容威严的巴特勒老太太以及威尔和苏埃伦微微点了点头，便快步向楼梯走去，后面跟着气喘吁吁的黑妈妈。她在斯佳丽关着的房门外停了一会儿，但黑妈妈喘着粗气嘶哑地说："别，别进去。"

兰妮沿着过道走下去，这时她已放慢了步子。到了瑞特的房门口，她停了下来，犹豫了一会儿，仿佛是在想回头逃跑。然后，她下定了决心，就像一名投入了战斗的年轻新兵，敲了敲门，轻声叫道："请让我进去，巴特勒船长。我是韦尔克斯太太。我想看看美蓝。"

很快门就打开了，黑妈妈赶忙躲进过道的暗处，只见瑞特巨大的身影从满屋明亮的灯光中走了出来。他摇摇晃晃，站都站不稳了，黑妈妈能闻到他嘴里威士忌的气味。他低下头看了一会儿兰妮，然后抓住她的手，把她拉进房间，关上了门。

黑妈妈偷偷蹭到门边一把椅子旁，疲倦地坐了进去，肥壮的身躯将椅子塞得满满的。她一动不动地坐在那儿，一边默默地流着眼泪，一边祈祷着，不时地撩起裙子褶边来擦眼睛。尽管她紧张地竖起耳朵，但屋里说的话她一句也没听见，只听到一种轻轻的、断断续续的嗡嗡声。

很久很久之后，房门开了一条缝，露出了兰妮苍白而紧张的脸。

"快拿壶咖啡来，还要些三明治。"

碰上紧急的事，黑妈妈的动作可以像个十六岁的小姑娘那样灵敏，现在她又非常想进瑞特的房间去看看，所以动作就更快了。但是，兰妮只把房门开了一小条缝，把托盘接了进去，这就使黑妈妈的希望一下变成了失望。尽管她竖起灵敏的耳朵，紧张地听了很久，但除了银刀叉与瓷盘的碰撞声和玫兰妮压低了嗓门的柔和声音之外，她什么也分辨不出。过了一会儿，她听见一个沉重的身躯砰的一声倒在了床上，床被弄得吱嘎作响，接着是靴子嘭嘭落在地板上的声音。又过了一会儿，玫兰妮在门口出现了。黑妈妈虽然很想从她身边往里看看，但门却堵得严严的，她什么也没看见。玫兰妮看上去很疲倦，睫毛上闪动着泪珠，脸上重又显出了安详的神色。

"去告诉斯佳丽小姐，就说巴特勒船长已经同意明天早上举行葬礼了。"她轻声说。

"感谢上帝！"黑妈妈突然喊道，"你究竟是怎么——"

"轻点声，他快睡着了。还有，黑妈妈，告诉斯佳丽小姐，今晚我就留在这儿不回去了，请你给我拿点咖啡，送到这儿来。"

"送到这间房里？"

"是啊，我已经答应了巴特勒船长，如果他肯睡觉的话，我就在这儿坐一晚上给小小姐守夜。你去告诉斯佳丽小姐，免得她再担心。”

黑妈妈沿着过道向前走去，地板被踩得直响。她的忧愁已经消除了，于是心里唱起了“哈利路亚！哈利路亚！”走到斯佳丽的房门外，她停下来想了一会儿，心里充满了感激和好奇。

“真不知道兰妮小姐是用什么办法说服瑞特先生的。我猜准是天使们站在了她的一边帮了她的忙。明天下葬的事我要告诉斯佳丽小姐，但兰妮小姐为小小姐守夜的事，我看最好还是瞒着她。斯佳丽小姐才不会喜欢这事呢。”

60

整个世界都出了毛病。这是一种令人忧郁、让人恐怖的毛病，它好像一阵阴森森四处弥漫的浓雾，悄悄地把斯佳丽团团围住。这毛病甚至比美蓝的死还让她难受，因为最初无法忍受的丧女之痛现在正在慢慢消失，变成了对命运无可奈何的屈从。但现在，这种灾难将临的奇异感觉却一直困扰着她，仿佛有个黑乎乎、戴头罩的怪物站在她身边，又仿佛她脚下的地面，只要用力一踩就会变成流沙把她吞没一样。

过去她从没经历过这种恐惧。这辈子她一直牢牢地立足于切合实际的判断能力，她恐惧的仅限于她能看到的东西，如伤害、饥饿、贫穷、失去阿希礼的爱，等等。她从来不善于分析，现在却也试图做些分析了，但却毫无结果。虽然失去了最亲爱的女儿，但她还是能经受得住这一打击的，正如她曾经受住了别的沉重打击一样。她身体很健康，钱也多得不必发愁，而且她还有阿希礼，虽然近来见到他的机会越来越少。即使是玫兰妮为阿希礼举行那次倒霉的生日酒会以来他们间一直存在着的那种紧张关系也不再使她烦恼，因为她知道这一切都会过去的。不，她的恐惧并不是因为悲痛、饥饿或失去爱。这些恐惧从来没像现在这样让她焦虑不安、忧心忡忡。奇怪的是，现在这种折磨人的恐惧竟像以前她在噩梦中感到的那恐惧一样。那是一种四处弥漫的浓雾，她胆战心惊地在浓雾中奔跑，就像个迷路的孩子想找个安全的地方，却哪儿也找不到。

她想起从前瑞特只需哈哈一笑就能把她的恐惧给驱散。她想起他宽阔的褐色胸膛和强壮的胳臂常能给她带来安慰。于是她又转向了瑞特，用几个星期以来从没用过的目光仔细审视他。谁知这一审视竟使她大吃一惊，原来，瑞特已经完全变成了另外一个人。这个人再也不会笑，再也不会给她带来安慰了。

美蓝死后的一段时间里，她一直在生他的气，并且一直陷在自己的悲痛中，所以对瑞特，她只是当着仆人的面才客气地说几句话。她一直在回忆美蓝两脚飞奔时发出的嗒嗒声以及她开心时发出的格格笑声，根本没想到瑞特可能也在回忆，而且回忆时的痛苦比她的还要大。在那几个星期里，他们相见或交谈，就像两个陌路人在旅馆里相见交谈时一样客气。他们同住在一幢房子里，同在一张餐桌上进餐，却从来不交流思想。

她现在感到恐惧和孤独，所以只要能冲破这道障碍，她是很想这样做的。然而她发现瑞特始终对她敬而远之，似乎不想和她说一句知心话。她现在已经不再生他的气了，所以很想告诉他，她觉得他对美蓝的死是没有罪的。她很想扑在他的怀里痛哭一场，告诉他，对女儿的骑马技术她也是很自豪的，对女儿博取欢心的鬼花招她也是纵容的。她现在很愿意低声下气地承认，她当时之所以恶语相向，骂他杀死了女儿，是因为痛苦之极，希望以刺痛他来减轻自己的痛苦。然而她始终找不到机会。他始终用一种毫无表情的目光看着她，让她没有开口的机会。而赔礼道歉这种事，一旦拖下来就会变得越来越困难，到最后就会变得完全不可能了。

事情竟然变成了这样，连她自己都感到奇怪。瑞特是她的丈夫，他们曾同床多年，生过一个可爱的女儿，并且一起埋葬了这个夭折了的孩子，他们之间按说应该存在着一种牢不可破的关系。她也唯有在孩子父亲的怀抱里才能找到安慰，唯有和他一起才能回忆往事，相互倾诉内心的悲哀。虽然也许这些回忆和倾诉开始时是令人伤痛的，但最终却有助于创伤的愈合。但从现在的情况来看，他们竟像完全不相识的路人。

他现在很少在家。偶尔坐在一起吃晚饭，他也总是喝得烂醉。

他现在喝酒已经不像以前那样了。过去他喝醉了，举止会越来越文雅，说话也会越来越尖刻，总说些逗趣的、恶毒的话，惹得她不由自主地笑。而现在，他喝醉了，竟愁眉苦脸，一声不吭，到最后甚至会变得呆头呆脑。有时候，后半夜三、四点钟，她会听到他骑着马进后院，砰砰地敲仆人房的门，把波克叫起来，扶他上后台阶，服侍他睡觉。现在瑞特竟要让人服侍着上床睡觉！过去他总是不费吹灰之力就能把别人灌醉，然后再送他们上床去睡觉。

他变得衣冠不整，邋里邋遢了。而以前他总是修饰得整整齐齐的。为了让他晚饭前换件衬衫，波克甚至也要说半天。威士忌的影响已经在他脸上显现出来，不健康的浮肿、两只充血的眼睛下的肿块正在使他下颚坚实的轮廓变得模糊不清。原先肌肉结实的身躯现在看上去已松弛不堪，腰围也变粗了。

他常常不回家过夜，甚至也不派人回来说一声。当然，他也许是在哪家酒店里喝得烂醉，就在楼上找了个房间打着呼噜睡着了。可斯佳丽总觉得他是在贝尔·沃特林那里。一次，她在一家商店里碰到了贝尔，她已成了一个粗俗臃肿的女人，昔日的美貌风韵早已不复存在了。尽管浓妆艳抹，衣着华丽，但身体已经发胖，看上去再也不是妙龄女郎了。一般轻浮的女人见到了贵妇人，要么垂下眼皮，要么就挑衅似的怒目而视，可贝尔见到斯佳丽时却目不转睛地与她对视着，以一种近乎怜悯的目光察看着她的脸色，竟使斯佳丽脸红了起来。

然而现在她已不能责备他，不能对他发脾气，不能要求他的忠实或者想办法羞辱他了，正像她不能因错怪他杀死了女儿而向他道歉一样。她只感到了一种莫名其妙的冷漠，一种无法理解的愁苦，一种从未体验过的、深深的愁苦。她感到孤独，一种从未有过的孤独。也许在此之前她从没时间去感到孤独吧。她是既孤独又害怕，而且除了玫兰妮之外，再也没有人可以安慰她了。就连她的老靠山黑妈妈也回塔拉庄园去了，并且是再也不回来了。

黑妈妈走的时候连个理由都没说。她来要回家的路费时，只是用一双疲惫的老眼凄惨地看着斯佳丽。斯佳丽流着泪求她留下来，但黑妈妈只说："我好像听到了埃伦小姐对我说：'黑妈妈，回家来吧。你的活已经干完了。’所以我要回家了。”

瑞特一直在一旁听着她们说话，听黑妈妈这么说，就把车费给了她，还拍了拍她的手臂。

“你说得对，黑妈妈，埃伦小姐也说得对，这儿的工作已经做完了。回家吧。如果还需要什么，尽管对我说好了。”当斯佳丽突然又气呼呼地发号施令时，他大喝一声：“住嘴！你这个蠢货！让她走！现在还有谁愿意待在这所房子里？”

他说这话时，眼里闪着凶光，吓得斯佳丽直往后缩。

“米德大夫，你看他会不会——会不会真的是精神错乱了？”后来她不知如何是好，只有到米德大夫那儿去求教。

“我看不会，”大夫说，“只是他现在这么拼命地喝酒太让人担心了。这样喝下去，会把命送掉的。他太爱那孩子了，斯佳丽，我看他是想用喝醉酒来忘掉她。所以我劝你，小姐，尽快再给他生个孩子吧。”

“唉！”斯佳丽离开诊所时不胜辛酸地想。这事说起来容易，做起来可就难了。只要有人能去掉瑞特眼中那种神色，把她自己心中的伤痛填平，她是愿意再生个孩子的，甚至再多生几个也心甘情愿。她可以生个像瑞特一样英俊潇洒的男孩，还要再生个女孩。哦，再生个漂亮的、快乐的、任性的、不住地笑的女孩，决不像埃拉那样没头脑。既然上帝非要夺走她一个孩子，为什么，啊，为什么不是埃拉？美蓝死后，埃拉不能带给她一点安慰。瑞特似乎并不想再要孩子了。至少他一直都没到她卧室来过，虽然她现在从来不锁房门，而且通常还故意半开着想引他进来，但他似乎毫不在意。现在，除了威士忌和那个红头发的邋遢女人，他似乎对一切都毫不在意了。

以前他虽然喜欢嘲弄人、刺痛人，但那嘲笑往往能让对方发笑，那刺人刻薄的话中也带着幽默。现在他变得冷酷无情、蛮横凶狠了。过去他宠爱女儿的迷人风度曾赢得四邻那些好心的太太们对他备加赞赏，美蓝死后，她们很多人都很想对他表示友好。她们在街上喊住他并向他表示同情，隔着树篱跟他说话，说她们理解他的心情。然而美蓝已经死了，他没必要再那么彬彬有礼了，他的礼貌也就随之而去了。太太们为哀悼美蓝的死向他表示慰问，他不等人家说完便粗暴地打断人家。

但奇怪的是，这些太太们并不生气。她们理解他，或者自以为理解他。每当他伴着晨曦骑马回家，并因为喝得烂醉在马鞍上坐都坐不稳，对和他说话的人板着脸怒目而视时，这些好心的太太们便摇着头叹息说："可怜的人！"并倍加努力地对他表现出仁慈和宽容。她们替他感到难过，知道他心里很难受，回家也得不到斯佳丽的安慰。

大家都知道斯佳丽是多么冷酷无情。大家见她在美蓝死后不久就表现出若无其事的样子都甚为惊讶，其实她们并没意识到或者根本也没想意识到，她那若无其事的背后是何等的痛苦。瑞特得到了全城人最深切的同情，然而他既不知道，也不在乎。斯佳丽遭到了全城人的厌恶，但这一次她却极想得到老朋友们的同情。

现在，除了佩蒂姑妈、玫兰妮和阿希礼，她的老朋友们没一个到她家里来了。只有那些新朋友们坐着锃亮的四轮马车来拜访她。她们急于向她表示同情，并很想讲些其他新朋友的闲话来排遣她的寂寞和烦恼。然而她对这些新朋友却毫无兴趣。所有这些"外来人"统统都是局外人，没一个不是的！她们并不了解她。她们永远也不可能了解她。她们对她在桃树街的宅第中过上平安显赫的生活之前所经历的那一切一无所知。她们不愿意谈论，在得到价格昂贵的绫罗绸缎和由一组骏马拉着的双座四轮敞篷马车之前，她们曾经怎样生活过。她们不知道她以前曾经历过怎样的拼搏，经历过何等的困苦，才拥有了这座大宅第，才有了这些漂亮的衣服、银器，才能像这样招待宾客。对这些她们一概不知，而且也不在乎。她们这些不知从哪儿冒出来的人好像一直都生活在事物的表面。她们和她没有对战争、饥饿和战斗的共同回忆，没有深植于佐治亚这一片红土中的共同的根。

因为孤独，她真希望能跟梅贝尔、芳妮、艾尔辛太太、惠丁太太一起聊聊天以打发漫长的下午，甚至那个凶神恶煞般的梅里韦瑟太太也行。或者是邦尼尔太太，再不就是——随便哪个老朋友或老邻居都行。因为她们了解她的过去。她们也经历过战争、恐怖和大火，也经历过失去亲人的悲痛，也曾挨过饿，也曾衣衫褴褛过，过极其艰苦的生活。而且她们也都在废墟上重新建起了家业。

跟梅贝尔坐在一起会让她有一种安慰，因为她记得梅贝尔也曾埋葬过一个婴儿，那孩子是在谢尔曼率北军进攻亚特兰大之前的仓皇逃难中死去的。跟芳妮在一起也会得到安慰，因为她与芳妮都是在实施军事管制法那些黑暗的日子里失去丈夫的。跟艾尔辛太太一起回忆亚特兰大陷落那天，老太太用鞭子抽着马穿过五角场时的面部表情，描述她从军粮库抢来的食品从马车上撒落下来的情景而放声大笑，也会有一种悲凉的乐趣。跟梅里韦瑟太太一起比比谁讲的故事更有趣也是很开心的。梅里韦瑟太太现在靠面包房的收入，日子过得挺安稳的。她会说："还记得刚投降那阵儿，日子有多难吗？还记得那时候，鞋穿破了还不知道下一双鞋在哪里吗？看看我们现在！"

是的，跟她们在一起会让她感到愉快。现在她明白了，为什么以前的邦联分子碰到一起，总是那么津津有味、满是自豪、怀恋地谈论起那场战争。因为那些战争岁月考验了他们内心的感情，而他们也熬过来了。他们是身经百战的老兵。她也是一名老兵，然而却没有老朋友跟她一起重温过去的战斗经历。哦！如果能跟和她一样的人，跟那些与她有着同样经历，知道这些经历是多么艰苦然而又是他们生活中多么了不起的一部分的人欢聚在一起，那该多开心啊！

然而，不知怎么的，这些人都悄悄地离开了她。她也知道这都怪自己不好。过去她是从来不在乎这些的，现在后悔都来不及了。现在美蓝死了，她是既孤独又害怕，坐在锃亮的餐桌前，对面坐着的是一位皮肤黝黑，因饮酒过度而呆头呆脑、毫无表情的陌生人，这人在她眼皮底下一天天垮下去了。

61

斯佳丽正在玛丽埃塔时，突然接到瑞特拍来的一份急电。十分钟后就有一班开往亚特兰大的火车，为了赶这班车，她什么行李也没带，只拎了只手提包，把韦德和埃拉都留在旅馆里托给普莉西照看。

虽说亚特兰大离玛丽埃塔只有二十英里，但在这个潮湿的、初秋的下午，火车却一直慢吞吞地爬行着，每个小站都要停下来上下旅客。斯佳丽被瑞特的电报搅得心慌意乱，急着要赶回去，所以每次火车停下来，她差不多都会高声尖叫。火车轰隆隆地穿过一片片色彩暗淡的树林，从一座座仍留有蜿蜒的断墙残垣的红土坡经过，从一个个废弃的炮兵掩体和杂草丛生的弹坑驶过。当年，约翰斯顿手下的士兵曾顺着这条铁路一路苦战着撤退。列车员喊到的每个站名、每个十字路口都是一场战役的名字或一次小规模战斗的场所。如果是在过去，这些地方都会让斯佳丽回忆起许多可怕的往事，但现在她却没心思去想这些了。

瑞特的电报上写的是：

“韦尔克斯太太病危。速归。”

火车开进亚特兰大车站时，暮色已经降临；整座城市被雾蒙蒙的细雨笼罩着。煤气街灯透出暗淡的光亮，在雾中变成了一个个黄点。瑞特乘了一辆马车来车站接她。一见到他的脸，她就吓了一跳，比接到电报时还惊慌。她以前可从没见过他的脸像现在这样呆板。

“她还没——”她大声问道。

“没有。她还活着。”瑞特把她搀进马车坐下，接着命令车夫，“去韦尔克斯太太家，快！”

“她怎么了？我不知道她病了呀。上个星期她看上去还好好的呀。出了什么意外吗？啊，瑞特，不会像你说的那么厉害——”

“她要死了，”瑞特说着，语气也像他的脸一样呆板，“她想见你。”

“不，兰妮不会死的！哦，兰妮不会死的！她到底怎么了？”

“她小产了。”

“小——小产——可，瑞特，她——”斯佳丽语无伦次。瑞特说的这个可怕的消息惊得她连话都说不出来。

“你不知道她要生孩子？”

她甚至连摇头的力气都没有了。

“啊，是啊。我想你是不知道的。她一定是对谁也没说过。她想出其不意地让大家高兴高兴。不过我知道。”

“你知道？可她肯定没告诉过你！”

“用不着告诉。是我自己看出来的。这两个月她一直这么——开心，我就知道决不可能是为了别的事。”

“可是瑞特，大夫说过如果她要再生孩子就会送命的呀！”

“真的要送了她的命了，”瑞特说，接着又对车夫喊道，“哎呀，上帝！你就不能再快点吗？”

“可是瑞特，她不会死的！我——我就没死，而我——”

“她没有你那么充沛的精力。她身体一直就不怎么健壮。她只有一颗善良的心。”

马车摇晃了一下，停在了一幢平顶房门前。瑞特把她搀下车。她惊魂未定，浑身发抖，突然感到一阵凄凉袭上心头，于是一把抓住了他的胳膊。

“你也进去吗，瑞特？”

“不。”他说着，重又坐进了马车。

她匆匆奔上台阶，穿过门厅，突然推开房门，昏黄的灯光下坐着阿希礼、佩蒂姑妈和印第亚。斯佳丽想："印第亚怎么也来了？玫兰妮说过不许她再进这个家门的呀。"里面三个人一看见她都站了起来。佩蒂姑妈咬着嘴唇，想让它们不再颤抖，印第亚盯着她，目光中充满了悲伤却毫无敌意。阿希礼神情呆滞，像在梦游，当他走到她身边把手放到她手臂上时，说起话来也像在梦游。

"她说想见你，"他说，"她说想见你。"

"我现在能见她吗？"她转过身对着玫兰妮的房门问，门是关着的。

"不。米德大夫现在在里面。我很高兴你来了，斯佳丽。"

"我是尽快赶来的，"斯佳丽一边脱掉帽子和斗篷，一边说，"火车——这不是真的——告诉我，她好些了，是不是，阿希礼？快告诉我呀！别这么愣着！她不是真的——"

"她一直说要见你。"阿希礼盯着她的眼睛说。从他的眼神里她已经看到了问题的答案。刹那间，她的心跳停止了，接着便是一种奇异的恐惧，一种比焦虑和悲哀都更强烈的恐惧在她的胸中跳动着。这不可能是真的，她一边拼命压下这恐惧，一边激动地暗自想道。大夫也常常会弄错的。我决不相信这是真的。我也决不能让自己相信。如果我相信这是真的，我就会尖叫起来的。我一定要想点别的。

"我不相信！"她一边大声喊着，一边盯着那三张拉长的脸，仿佛是在向他们挑战，看他们敢不敢反驳她的话，"为什么玫兰妮不早告诉我？要是我早知道，就决不会到玛丽埃塔去了！"

阿希礼好像清醒过来了。眼里流露出痛苦的神情。

"她谁都没告诉，斯佳丽，特别是不会告诉你。她怕你知道了会责骂她。她本想等上三个月，到胎儿稳定了，肯定没事了，然后再出其不意地让大家高兴高兴，这样她就可以哈哈大笑着说大夫的话有多么不正确了。那阵子她可真是开心呀。你知道她是多么爱孩子——她非常想要个小女孩。开始两个月都挺顺利的，可突然就——真是毫无道理。"

这时玫兰妮的房门轻轻地开了，米德大夫走了出来，随手又关上了门。他低着头，灰白的胡子埋在胸前，站了一会儿，然后抬起头看了看那四个突然愣住的人，最后把目光停在了斯佳丽身上。他走近她时，她看到他眼中满含悲伤，同时又带着厌恶和蔑视，她慌乱的心中涌起一阵愧疚。

“你总算是来了。”他说。

没等斯佳丽回答，阿希礼已向玫兰妮关着的房门走去。

“你先别去，”大夫说，“她想跟斯佳丽说话。”

“大夫，”印第亚把一只手放在他的衣袖上说。她的声音虽平和，但却比言辞更恳切，“让我去见她一会儿吧。我一早就来了，一直等到现在，可她——让我见她一面吧。我要告诉她——我一定要告诉她——有件事——是我错了。”

她说话时，既没看阿希礼，也没看斯佳丽，但米德大夫却冷冷地看着斯佳丽。

“等一会儿再去吧，印第亚小姐，”他简单地说，“不过你必须答应我，不要让她因听你认错而耗费体力。她知道是你错了，再听你道歉只会让她心烦。”

佩蒂也战战兢兢地开口说：“求求你了，米德大夫——”

“佩蒂小姐，你知道自己会大声尖叫，甚至会昏过去的。”

佩蒂挺起她那矮胖的身躯，迎着大夫那盯着她的目光。她的眼睛是干的，全身每一根线条都显示出尊严。

“那好吧，宝贝儿，不过，稍等一会儿，”大夫说，语气和蔼了些，“来吧，斯佳丽。”

他们踮着脚走过过道，来到关着的门前，大夫用手紧紧抓住了斯佳丽的肩膀。

“你听我说，小姐，”他简单地悄声说，“不准歇斯底里地大喊，不准对她作什么临终忏悔，否则的话，我拧断你的脖子！不要这么装傻盯着我。你知道我是什么意思。兰妮小姐应该平静地死去。你决不能为了让自己的良心过得去而对她讲任何有关阿希礼的事。到现在我还从来没伤害过一个女人，可如果你在那儿说了什么——我会跟你算账的。”

她还没来得及回答，他已打开房门，把她推了进去，然后随手又关上了门。小小的房间里只有一些不值钱的黑胡桃木家具，灯用报纸罩着，房间显得半明半暗的。这房间像女学生的宿舍一样，既小又古板。那床头板很低的狭窄小床，那用绳环系起来的素色网眼窗帘，那洁净而褪了色的碎毡小地毯与斯佳丽那间豪华卧室里那些精致美观的雕花家具、桃红色的锦缎帷幕和绣花地毯真是天壤之别。

玫兰妮躺在床上，床罩里的身躯已萎缩扁平得像个小女孩。两条黑辫子在脸的两边披着，闭着的双眼深深陷在两个紫色的圆圈里。一看到她，斯佳丽便背靠在门上，呆住了。尽管房里很暗，但仍能看出玫兰妮脸色蜡黄，没有一点血色，鼻子也已陷了进去。在这之前，她一直希望是米德大夫弄错了。但她现在明白了。战争期间她曾在医院里见过很多脸上呈现出这种枯槁面容的人，她完全知道这预示着什么不可避免的结局。

玫兰妮要死了，但斯佳丽一时不肯相信这是真的。玫兰妮不会死的。她不可能死。在她斯佳丽这么需要她的时候，上帝是不会让她死的。以前她从没想到过自己需要玫兰妮。但现在，这感觉却像汹涌的潮水一般涌到她面前，一直涌入她心灵的深处。她一直依赖着玫兰妮，正像她依赖自己一样，可她却从没意识到这一点。现在玫兰妮要死了，斯佳丽才意识到自己离了她是没法活下去的。此时，当她踮着脚心慌意乱地穿过房间向玫兰妮安静的身体走去时，这才意识到，玫兰妮一直是她的剑，是她的盾，是她的安慰，是她力量的源泉。

“我一定要抓住她！决不能让她走！”她一边想着，一边在床边坐了下来，慌乱中衣裙竟发出了窸窸窣窣的声音。她急忙抓住床罩上那只软弱无力的手，谁知那只手是冰凉的，把她吓了一大跳。

“是我，兰妮。”她说。

玫兰妮的眼睛睁开了细细一条缝，接着，仿佛因为果真是斯佳丽而感到心满意足似的又重新合上了。停了一会儿，她才吸足了一口气，轻声说：

“你答应我吗？”

“嗯，我什么都答应你！”

“小博——你照料他。”

斯佳丽只觉得喉咙像被什么东西卡住了一样，只能点点头，又轻轻捏了捏握住的那只手，以示同意。

“我把他交给你。”说着她脸上闪过一丝微笑，“以前，我把他给过你——还记得吗？——在他生下来之前。”

还记得吗？她怎么忘得了那个时刻？她记得清清楚楚，仿佛那可怕的一天重又回来了。她能感受到九月里那个中午的酷热，她记起了自己对北方佬怀有的恐惧，她听得见士兵们撤退时的脚步声，她记起了当时玫兰妮曾乞求她，假如她死了，请她带孩子走——她还记得那天自己是怎么地憎恨玫兰妮，还盼着她死。

“是我杀了她，”她因迷信而极度痛苦地想着，“我曾多次盼着她死，上帝听到了，所以现在才来惩罚我。”

“哦，兰妮，别这么说！你知道你的病会好——”

“不。请你答应我。”

斯佳丽一下哽住了。

“你知道我会答应你的。我一定像待自己的孩子那样待他。”

“大学呢？”玫兰妮用微弱而单调的声音问。

“嗯，是的！让他上大学，进哈佛，到欧洲去留学，他要什么就会有什么——还有——还有——一匹小马——我还要给他上音乐课——哦，求求你，兰妮，一定要挺住！一定要尽力挺住！”

又是一阵沉默，玫兰妮脸上显出了拼命想用力说话的样子。

“阿希礼，”她说，“你和阿希礼——”没说完，她的声音又颤抖地哽住了。

玫兰妮一提到阿希礼，斯佳丽的心便突然停住了，只感到全身像花岗岩一样冰凉。原来玫兰妮早知道。斯佳丽把头伏在床罩上，想哭却哭不出来，她的喉咙像被一只冷酷无情的手掐住了。玫兰妮并没被蒙在鼓里！此时斯佳丽已不再感到羞愧，也不再有别的什么感情，有的只是深深的懊悔，懊悔这些年来竟一直在伤害这位温柔善良的女子。玫兰妮早知道——然而她却一直是自己忠实的朋友。啊，如果时光可以倒流，让她重新再过一遍这些年该有多好啊！她将决不允许自己的目光再与阿希礼的目光相遇。

“啊，上帝，”她迅速在内心祈祷着，“恳求你让她活下去吧！我要弥补自己对她的过失。我要对她非常好。我一辈子再也不跟阿希礼说一句话，只求你让她康复吧！”

“阿希礼。”玫兰妮有气无力地说着，伸手摸了摸斯佳丽贴在床罩上的头。她用拇指和食指拉了拉斯佳丽的头发，但却像婴儿似的一点力气也没有。斯佳丽明白了她的意思，知道玫兰妮是想让她抬起头来。但她不敢抬头，不敢与玫兰妮的目光相遇，因为那目光早已把她看透。

“阿希礼。”等玫兰妮轻轻又叫了一声，斯佳丽这才控制住了自己。当她在最后的审判日面对上帝，从他的目光中看出对自己的判决时，也不会比现在更难受。她的灵魂在畏缩，但她还是抬起了头。

然而她看到的，依然是那对可爱的黑眼睛和那张温柔的脸，只是眼睛已凹陷了进去，现出了弥留时的呆滞，而那张嘴正用力地喘息着。脸上并没有一丝非难和谴责，也没有一丝恐惧——只有焦虑，担心自己再也没力气说话了。

这一切大大出乎斯佳丽的意料，她一时竟不知所措，甚至没感到如释重负。过了一会儿，当玫兰妮的手抓得更紧时，一股暖流涌上了心头，这让她对上帝充满了感激，接着便做了平生第一次谦恭而无私的祈祷。

“感谢你，我的上帝。我知道自己不配，但我还是感谢你没让她知道。”

“阿希礼什么，兰妮？”

“你会——也照顾他吗？”

“哦，我会的。”

“他很容易——伤风的。”

接下来是一阵停顿。

“照顾——他的生意——你明白吗？”

“是的，我明白。我会的。”

她使足了力气说：

“阿希礼没有——工作经验。”

如果不是到了临终之际，玫兰妮是决不会这么评论自己的丈夫的。

“照顾他，斯佳丽——可是——别让他知道。”

“我一定会照顾他和他的生意，我也一定不让他知道。我只给他提些建议。”

当玫兰妮的目光再次与斯佳丽的目光相遇时，她使出全身力气露出了一个小小的微笑，这是一个胜利的微笑。她们的目光让她们达成了默契，于是，在这个极其严酷的世界上，保护阿希礼·韦尔克斯的任务便从一个女人手中移交到了另一个女人手中，而此事又决不能让阿希礼知道，以免伤害了他作为一个男人的自尊心。

这时，玫兰妮疲倦的脸上那种竭力挣扎的神情慢慢消失了，仿佛只要斯佳丽一答应，她就完全放心了。

“你这么聪明——这么勇敢——对我一直这么好——”

听到这些话，斯佳丽喉咙口一热，要哭出来了，她连忙用手捂住嘴。此时此刻，她真想像个孩子似的痛哭一场，并大声告诉玫兰妮：“我是个魔鬼！我一直都在欺骗你！我从来没为你做过任何事！那都是为了阿希礼。”

她突然站了起来，牙齿紧紧地咬住大拇指，让自己重新镇定下来。这时，她耳边又响起了瑞特的话：“她是爱你的。就让这爱成为你的十字架吧。”现在，这十字架更沉重了。她曾要弄一切手段想把阿希礼从她手中夺过来。这罪孽已经够深重了。现在，盲目信任了她一辈子的玫兰妮，又在弥留之际，给了她同样的爱和信任，这使得她的罪孽更加深重了。不，她不能说出真相。她甚至不能再说：“你要挺住，要活下去！”她必须让她安安静静、毫不费劲地死去，既没有眼泪也没有悲哀。

这时房门轻轻地开了，米德大夫站在门口，威严地招了招手。斯佳丽强忍住泪水，弯下腰，抓起玫兰妮的一只手，把它贴在自己面颊上。

“晚安——”她说，声音比她自己原来想象的要镇定些。

“答应我——”玫兰妮轻声说，声音已经非常微弱了。

“我都答应，亲爱的。”

“巴特勒船长——你要好好待他。他——是那么爱你。”

“瑞特？”斯佳丽疑惑不解地想道，这些话对她来说毫无意义。

“好吧，我会做到的。”她不假思索地说着，轻轻吻了吻她的手，然后又把它放回到床罩上。

她从房门走过时，大夫轻轻说："告诉两位女士，让她们马上进来。"

透过模糊的泪眼，她看见印第亚和佩蒂撩起衣裙将手搭在腰间，使裙裾不致发出窸窣的声响，跟着大夫走进了房间。房门一关上，整幢房子便静得一点声音都没有了。阿希礼也不知躲到哪儿去了。斯佳丽像个顽皮的孩子被罚面壁似的把头倚在墙上，揉着发疼的喉咙。

在那扇房门后面，玫兰妮正慢慢地死去，随着她的离去而同时消失的，是多年来她在不知不觉中一直依赖着的那股力量。为什么，啊，为什么在此之前她从没意识到自己是多么爱玫兰妮，多么需要玫兰妮呢？但是谁又会想到，这个身材娇小、普普通通的玫兰妮竟会是她危难时可以信赖的支柱呢？平时的玫兰妮在生人面前总是羞得满脸通红，表明自己看法时也是心惊胆战的，不敢提高嗓门，总担心老太太们会说三道四，就连对着鹅"呸"一声的勇气都没有。然而——

斯佳丽又回想起多年前塔拉庄园那个寂静、炎热的中午。当时那具北方佬的尸体上还缭绕着灰烟，玫兰妮手里拿着查尔斯的军刀站在楼梯顶上。斯佳丽记得当时自己曾想："多可笑！兰妮连那把军刀都举不起来！"但现在，斯佳丽知道，如果当时需要的话，玫兰妮定会从楼梯上冲下来把那个北方佬杀死——或者是她自己被杀死。

是的，那天玫兰妮曾用那只小手拖着军刀赶到了现场，准备为她而战。现在，当斯佳丽痛心地回首往事，她明白了，玫兰妮一直手握着军刀，就像她的影子一样，毫不引人注目地守卫在她的身边，爱着她，并怀着无限的、盲目的忠诚在为她战斗，跟北方佬战斗，跟大火战斗，跟饥饿战斗，跟贫困战斗，跟舆论战斗，甚至跟自己心爱的亲骨肉战斗。

当斯佳丽意识到，那把曾在她与这个世界之间闪闪发光的军刀即将永远地插入刀鞘时，觉得自己的勇气和信心也在慢慢地消失。

"兰妮是我唯一有过的女朋友，"她凄凉地想，"她是除了母亲外唯一真正爱过我的女人。她也像母亲，凡是认识她的人都依恋在她的身边不愿离开。"

突然，好像躺在那扇房门后的是埃伦，正第二次离这个世界而去。她突然好像又在乱世之中回到了塔拉庄园，她感到孤单和凄凉。因为她明白，失去了这个身体虚弱、性格温柔、心地善良的女子，没有了她的巨大支持，她将无法面对生活。

她站在过道里，惶然不知所措。起居室里炉火的光亮在她周围的墙上投下了长长的阴影。整幢房子寂静无声，就像一场冰冷的细雨浸透了她全身。阿希礼！阿希礼哪儿去了呢？

她向起居室走去，想在那里找到阿希礼，就像一只冻僵的动物要找火一样。可阿希礼不在那儿。她一定得找到他。她已经发现了玫兰妮身上的力量，发现了自己对这力量的依赖，可刚刚发现就失去了它，不过阿希礼还在。阿希礼身强力壮，有见识，能给人安慰。在阿希礼的身上，在他的爱里，有一种可以支撑她的力量，有一种可以消除她的恐惧的勇气，有一种可以填补她悲伤的舒适感。

他肯定在自己的房间里，她想。于是，她踮起脚轻轻穿过过道，来到他房门前轻轻敲了几下。里面没人答应，于是她便推开了房门。阿希礼站在梳妆台前，正对着一副玫兰妮的补过的手套发呆。他先拿起一只手套看着，那神态就像从没见过那手套似的。然后他轻轻放下它，好像手套是玻璃做的，接着又拿起了另一只。

她颤抖地叫了声："阿希礼！"他慢慢地转过身来看了她一眼。他那双灰眼睛里那副昏昏欲睡的冷漠神态已经消失，此刻它们正睁得大大的，露出了本来的样子。她看到那里也流露出了恐惧、无奈和惶惑。那恐惧与她的不相上下，那无奈比她的还强烈，那惶惑比她的更深切。再看他的面容，她比刚才在过道时更恐惧了。她向他走了过去。

"我吓坏了，"她说，"哦，阿希礼，抱住我，我好害怕！"

他一动没动，只是一边双手紧紧地抓住那只手套一边盯着她看。她把一只手放在了他的手臂上，轻轻说："这是什么？"

他两眼急切地打量着她，拼命想从她身上搜寻到某种东西，但却没找到。最后他才开了口，但那声音已不是他原来的声音了。

"刚才我正需要你，"他说，"我正想像一个需要人安慰的孩子那样跑去找你呢，没想到你也是个孩子，受到的惊吓比我还厉害，反而先来找我了。”

“不，你没受到惊吓，你是不会受惊吓的，”她大声嚷道，“从来就没什么事能把你吓倒。可我——你一向很坚强——”

“如果说我一向很坚强，那都是因为有她在作后盾，”他声音嘶哑地说，说着又低下了头看那只手套，用手把手套上的手指部位抚了抚平，“可现在——现在——我所有的力量都要跟着她一起去了。”

他低沉的声音里带着极度的绝望，吓得她忙把手从他手臂上抽了回来，往后退了一步。在一阵令人抑郁的沉默中，她觉得自己有生以来第一次真正了解了他。

“哦——”她慢慢地说，“我明白了，阿希礼，你是爱她的，对不对？”

他好像费了很大的劲才说出话来。

“我有过许多的梦想，但唯有她留存在我的记忆中，唯有她曾经呼吸存在过，唯有她不曾在现实面前破灭。”

“梦想！”她一边想着一边像过去那样感到了一阵恼怒，“他总是梦想来梦想去的！从来没有一点实际的判断力！”

于是她心情沉重而又略带痛苦地说：“你一直就是个大傻瓜，阿希礼。你为什么一直就没看出她比我要好一千倍一万倍呢？”

“我求求你了，斯佳丽，别说了。但愿你能理解我这几天受的折磨——”

“你受的折磨！难道你以为我——哦，阿希礼，几年前你就应该知道，你爱的是她而不是我！你为什么不早点知道呢？要是你早点知道，所有的一切就会大不一样的，大不——哦，你本该早点意识到这一点，而不该用你那些所谓的名誉和牺牲之类的话把我一直吊在那儿。如果你几年前就对我挑明了，我就——当然我会很伤心的，但我总可以想办法挺过来的。可你却一直等到现在，等到兰妮要死的时候，才如梦初醒，可现在已为时太晚，做什么都来不及了。哦，阿希礼，这种事你们男人应该先知道，而不是我们女人！你早就应该看清楚，你一直爱的是她，而你之所以需要我，只是像——像瑞特需要那个叫沃特林的女人！”

听到她这几句话，他不禁往后退了一步，但他的眼睛仍注视着她，仿佛在恳求她不要再讲下去，恳求她给他一些安慰。他脸上的每一根线条都在承认她的话完全是正确的，他低垂的肩膀也恰恰表明，他内心的自责比她任何时候的责备都更严厉。他默默无言地站在她面前，手里抓着那只手套，仿佛那是一只能理解他的手。在讲完了那番话之后的一阵沉默中，她的怒气慢慢消了，代之而来的是夹杂着几分蔑视的怜悯。她的良心让她极度不安。她在击打一个已被彻底打败而失去了防卫能力的人——而她刚才答应过玫兰妮要照顾他的。

“我刚刚才答应了她，就对他说了这么多惹他伤心的刻薄话。其实根本没必要说这些，谁都没必要说这些。他自己什么都知道了，而且心里也正难受着呢，”她凄凉地想，“他还没长大成人。他跟我一样还只是个孩子，忧心忡忡，生怕失去她。兰妮知道他会这样的——兰妮对他的了解远远超过了我。所以她才要我同时照顾小博和他的。这么大的变故，阿希礼怎么挺得住？我是挺得住的。我什么都挺得住。我遇到过那么多的事，不挺住能行吗？可他不行——离了玫兰妮他是什么也挺不住的。”

“原谅我，亲爱的，”她伸出双臂温柔地说，“我知道你心里很难过。不过你记住，她什么都不知道——她甚至从没起过疑心——上帝对我们实在太仁慈了。”

他迅速走到她身边，猛地抱住了她。她踮起脚尖，把她温暖的面颊温存地贴在了他的面颊上，并用一只手轻轻地抚摸着他的头发。

“亲爱的，不要哭。她希望看到的是你的勇敢。过一会儿她就要见你了，你一定要坚强些。决不能让她看出你哭过。这会让她担心的。”

他紧紧抱住她，她呼吸都感到困难了，耳边只听到他哽咽的声音：

“我可怎么办呢？我——离了她我没法活下去的！”

“我也活不下去的。”她想。想到玫兰妮死后那漫长的岁月，她不由得浑身颤抖起来。但她极力克制住了自己。因为阿希礼正依靠着她，玫兰妮也正依靠着她。正像那次在塔拉庄园的月光下，喝得烂醉如泥、精疲力竭的她曾经想到过的那样："挑重担需要强壮的肩膀才行。"是的，她的肩膀是强壮的，但阿希礼的肩膀是软弱的。于是，她挺了挺肩，强作镇定地吻了吻他满是泪水的面颊，这一吻中既没兴奋、渴望，也没激情，有的只是冷静的温柔。

"会有办法的。"她说。

这时过道里的一扇门猛地被打开了，只听米德大夫急切地喊道：

"阿希礼！快点！"

"我的天哪！她去了！"斯佳丽想，"阿希礼还没来得及去与她话别呢！可是也许——"

"快！"她一边大声喊道，一边用力推了他一把，因为他像发了呆一样，站在那儿发愣，"快！"

她拉开房门，示意他出去。听到她的话，阿希礼浑身像通了电一般，赶忙跑进过道，手里还紧紧攥着那只手套。她听到他的脚步急促地穿过过道，接着又听到关上房门的声音。

她又喊了声："我的天哪！"便慢慢走到床边坐了下去，头埋在手里。她突然觉得非常疲惫，比有生以来任何时候都更疲惫。因为随着那声砰的关门声，刚才一直苦苦挣扎着、支撑着她并给她以力量的那根绷紧的弦突然绷断了。她觉得全身的力气已经用完了，所有的感情也已经枯竭了。现在，她已感觉不到悲伤或懊悔，也感觉不到恐惧或惊慌了。她只觉得精疲力竭，觉得自己的心像壁炉架上那只钟一样，在沉闷地、机械地跳动。

在这种沉闷的气氛中，她心里产生了一个念头。阿希礼并不爱她，而且从来就没真正爱过她，但她得知这一事实并不感到痛心。按说她是应该感到痛心的，应该感到凄凉、伤心，应该对命运大声尖叫。因为长期以来，她一直是依赖着他的爱才活下来的。是他的爱支撑着她熬过了那么多艰难困苦的黑暗岁月。然而，事实明摆在那儿。他并不爱她，她现在也不在意了。她之所以不在意，那是因为她也并不爱他。由于并不爱他，所以无论他做什么，说什么，也就不会让她感到痛心了。

她在床上躺了下来，头埋在枕头里。她觉得没必要去反驳这一想法，也没必要对自己说："可我的确是爱他的。我已经爱了他很多年。爱是不可能一下子变得冷漠的。”

因为它能变得冷漠，而且已经变冷漠了。

“他从来就没真正地存在过，除了在我自己的想象里，”她不无厌倦地想着，“我爱的只是自己虚构的一尊偶像，一尊没有生命的偶像。我自己做了一套漂亮的衣服，然后就爱上它了。阿希礼骑着马走过来时，那么英俊，那么与众不同，我便把那套衣服套在了他身上，也不管他穿上是不是合身，而且我也不愿看清楚他到底是怎样的一个人。我一直爱的是那套漂亮的衣服——根本不是他本人。”

现在她可以回想多年以前的事了。她想起那年在塔拉庄园，自己穿着一件绣花的绿色衣裙，站在阳光下，看到那位满头金发像银盔般熠熠闪亮的年轻骑手便怦然心动，被他迷住了。现在她看清楚了，得到他只是她的一种孩子气的幻想，就跟那年她缠着爸爸让他必须给她买那副蓝晶耳环一样。因为那副耳环一到手，便失去了原有的价值，就像除了金钱，不管什么东西，一旦到了她手中便会失去原来的价值一样。同样，如果当初阿希礼也曾向她求婚而她又拒绝嫁给他，自己的虚荣心得到了满足，那阿希礼早就一钱不值了。如果她能任意摆布阿希礼，看到他像别的男孩子那样，感情越来越炽热，纠缠不休，又是嫉妒，又是烦恼，又是苦苦哀求，那么，只要她新碰上一个别的男人，她对他的那一片痴情就会烟消云散了，就像薄雾一见阳光，或者被轻风一吹就会散去一样。

“我真够傻的！”她不无辛酸地想，“现在只好自作自受了。我一直盼着发生的事现在终于发生了。我一直盼着兰妮死掉，让我可以得到他。现在她死了，我可以得到他了，可我又不想要他了。他死要面子，一定会问我是否愿意和瑞特离婚然后嫁给他。嫁给他？就是用银盘托着他把他送给我，我也不会要的！然而即使是这样，我这后半辈子仍然得把他套在脖子上。只要活一天，就得照顾他，不能让他挨饿，也不能让别人伤害他。他就像我的又一个孩子，事事都得依靠我。我失去了一个爱人，却多了一个孩子。要是刚才没答应兰妮要照顾他，哪怕以后永远不再见到他我也不在乎。”

62

她听见外面有人在叽叽喳喳地低声说话，便走到门口，只见几个受惊的黑人正站在后厅里，迪尔西两臂垂着，吃力地抱着熟睡的小博，彼得大叔在哭，厨娘正用围裙擦着眼泪。三个人都无言地望着她，仿佛在问现在他们该做些什么。她的目光扫过过道，看进起居室，只见印第亚和佩蒂姑妈手拉着手，相对无言地站在那儿，印第亚的脸上已失去了那股倔强的傲气。她们也像那几个黑人一样，用哀求的目光望着她，等着她发号施令。她一走进起居室，她们便围了过来。

“哦，斯佳丽，现在该——”佩蒂姑妈先开口了。她那张孩子似的胖乎乎的嘴哆嗦着。

“别跟我说话，不然我可要尖叫了。”斯佳丽说。由于神经过于紧张，她的声音变得非常刺耳。她两只手紧攥着插在腰间。一想到要谈起玫兰妮，一想到玫兰妮的后事免不了要由她来料理，她便觉得喉咙口绷得紧紧的。“你们俩谁都别开口，我不要听。”

一听到她声音里带着这种命令式的口吻，她们不禁往后一缩，脸上露出百般无奈、自尊心受到了伤害的表情。“我决不能在她们面前哭，”她想，“我现在决不能哭，不然她们俩也会哭，这几个黑人也会跟着一起哭，那样就要乱套了。我必须振作起来。要做的事情太多了。要去找殡仪馆老板，得安排葬礼，要让人把房子打扫干净，还要接待那些前来吊唁的人。这些事阿希礼都不会做的，只好由我来。哦，多么累人的重担啊！我一向是挑这种重担的，而且总是在为别人挑！”

她看了看印第亚和佩蒂那两张茫然不知所措、受到了伤害的脸，心中突然一阵懊悔。玫兰妮是不会希望她这样尖刻地对待爱她的那些人的。

“对不起，我不该发火，”她说，好像很费劲的样子，“这是因为我——哦，实在是对不起，姑妈。我要到外面门厅里待一会儿。我想一个人清静一下。我过一会儿再回来，我们再一起——”

她拍了拍佩蒂姑妈，便快步从她身边经过，走向前门。因为她知道，在房间里再多待一分钟，她就会忍不住哭出来的。她一定得离开她们。她一定得哭一场，不然她的心就要碎了。

她随手带上房门，走进了黑黢黢的门厅，晚上潮湿的空气冷飕飕地迎面扑来。雨已经停了，除了偶尔有几滴雨水从屋檐上滴下来外，四下里静悄悄的，没有一点声息。整个世界都被浓雾笼罩着，略带寒意的迷雾中弥漫着年终的气息。街对面的房子一片漆黑，只有一幢房的窗口射出些微弱的灯光，挣扎着穿过浓雾，洒在街面上，形成一束束金色的光点。整个世界仿佛都被一床静止的灰色雾毯裹住了。整个世界寂静无声。

她把头靠在了门厅的立柱上，准备痛痛快快地大哭一场，然而却一滴眼泪也没有。这场灾难实在是太深重了，眼泪已经不起作用。她浑身都在颤抖着。她生活中两座坚不可摧的堡垒竟同时坍塌了，那巨大的声响仍在她心中震荡，在她耳边轰鸣。她站了一会儿，试图重新用起她的法宝：“这一切等明天再考虑吧，到了明天我就能挺得住了。”然而这法宝也失灵了。现在她必须考虑两件事。一是玫兰妮——为什么她一直没意识到自己是多么的爱她，多么的需要她呢？二是阿希礼——为什么自己一直那么盲目，那么固执，一直没看清他的真面目呢？她知道，不管是到了明天，还是等到以后的哪一天再想这两件事，都会让她深感痛心的。

“现在我决不能再进去和她们说话，”她想，“今晚我决不能再见到阿希礼，也决不能再去安慰他了。今晚绝对不行！明天一早我再过来，把该办的事办好，把该说的安慰话说完。但今晚绝对不行！我顶不住了。我要回家。”

家不算远，只隔着五个街区。她不想等哭哭啼啼的彼得给她套马备车，也不想等米德大夫驾车送她。她受不了彼得的眼泪，也受不了米德大夫无声的谴责。所以她没进去拿外套和帽子就急忙走下了黑黢黢的前台阶，冲进了浓雾笼罩的夜色。她拐过了一道弯，走上了通往桃树街的长斜坡。路面虽然潮湿，但万籁俱寂，连她的脚步也没了一点声音，恍如在梦中。

她顺着斜坡一路走上去，觉得胸中涨满了泪水却又流不出来。她同时又有一种恍恍惚惚的感觉，好像从前也曾置身这样一个又冷又暗的地方，置身于同样的环境——不止一次而是很多次。我真傻，她一边不安地想，一边加快了脚步。这是她的神经质在捉弄她，然而这恍恍惚惚的感觉却缠住她不肯离去，而且慢慢渗透到了她整个心中。她疑惑地看了看周围，那种可怕而熟悉的感觉更强烈了，她突然像一只察觉到危险的动物那样猛地抬起头来。这都是因为我精疲力竭的缘故，她试图安慰自己。今晚真怪，雾这么大。以前从来没见过这么大的雾，除了——除了！

突然，她想起来了，恐惧同时也涌上了心头。她想起来了。在过去无数次噩梦中，她就曾在这样的雾中奔跑，穿过一个没有界标、常有鬼魂出没的地方，冷森森的浓雾在四周笼罩着，到处都是张牙舞爪的幽灵和鬼怪。她现在是又在做梦呢，还是梦正在应验？

突然，她好像离开了现实世界，昏昏然不知到了什么地方。那种噩梦似的感觉重又向她袭来了，而且比以前更强烈，让她的心狂跳不已。她又一次陷入了死亡与寂静的深渊，就像那次在塔拉庄园一样。人世间的一切荣华富贵都不复存在了，生活变成了一片废墟，唯有恐慌像阵阵冷风在她的胸中怒吼。迷雾引起的恐怖死死地抓住了她。她开始奔跑起来。像过去无数次在噩梦中一样，现在她也被一种无名的恐惧驱赶着，没有目标地盲目乱跑着，拼命想在那团迷雾中找到一个安全的地方。

她顺着那条黑黢黢的街道奔跑着，头低垂着，心怦怦直跳，潮湿的夜空气沾在她的嘴唇上，路边耸立的树木好像正向着她威逼过来。在这潮湿寂静的荒野中一定有个藏身之处！她沿着那条长长的斜坡气喘吁吁地奔跑着，湿裙子冰冷地裹住了踝关节，两叶肺像要炸裂似的，紧束的胸衣压迫着肋骨顶在了心脏上。

突然，眼前隐隐约约出现了一点灯光，接着是一排灯光。虽然模模糊糊、摇曳不定，然而却是实实在在的。在过去的噩梦中从来没出现过灯光，有的只是灰蒙蒙的迷雾。她的心一下子被这些灯光抓住了。因为灯光就意味着安全、意味着有人、意味着现实。她突然停了下来，攥紧双拳，极力想赶走心中的恐惧。她两眼紧紧盯着那排煤气灯，因为正是这些煤气灯向她表明了，这里是亚特兰大的桃树街，而不是那个鬼魂萦绕的梦幻世界。

她一边喘着粗气，一边在一个下车台上重重地坐了下来。她紧紧地抓住自己的神经，仿佛它们是些绳索，正从她的手中迅速滑脱似的。

“我刚才一直在跑——一直像个疯子似的在跑！”她想，全身仍在颤抖，只是不那么害怕了，可心仍怦怦直跳，跳得她直想吐。“可我是在往哪儿跑呢？”

她现在的呼吸已经比较平稳，双手叉腰坐在那儿，眼睛望着前面的桃树街。斜坡的尽头就是她的房子。那房子看上去好像每个窗口都亮着灯，而且灯光都很明亮，足以驱散眼前的迷雾。啊，那就是家！实实在在的家！望着远处房子模糊的轮廓，她心中不禁涌起一股感激和渴望，精神上似乎也感到了一种平静。

家！那才是她想要去的地方，才是她拼命跑着要去的地方。回家去找瑞特！

一想到这一点，她便像挣脱了锁链一般，梦中常常感觉到的那种恐惧也消除了。自从那天夜里她一路颠簸着逃回塔拉庄园、发现世界已接近末日以来，这种恐惧便常常在梦中侵扰着她。那晚一到塔拉庄园，她便发现自己已没有了安全、失去了所有的力量、所有的智慧、所有的柔情和所有的理解——所有这些在埃伦身上体现的东西都曾经是她少女时代赖以生存的保障。虽然她后来获得了物质上的安全，但在梦中她仍是一个受惊吓的孩子，仍要四处去寻找那已经失去的安全和那已经失去的世界。

现在她才意识到自己在梦中一直寻觅的那个避难所，那个一直被迷雾遮住的温暖而安全的地方是哪儿。那个温暖而又安全的地方并不是阿希礼——哦，决不是阿希礼！阿希礼像一盏沼气灯，他的身上并没多少温暖，他还像一片流沙，一点也不安全。那个温暖而又安全的地方是瑞特。因为瑞特有可以把她抱在怀里的坚实臂膀，有可以让她把疲倦的头偎依在上面的宽阔胸膛，有让她对一切事物保持清醒头脑的嘲弄的笑声。瑞特还有充分的理解力，因为他也跟她一样，实事求是，不会被名誉、牺牲或高尚信念等不切实际的观念蒙住眼睛。他是爱她的！为什么她一直没注意到，尽管常常对她冷嘲热讽，他却是爱她的呢？倒是玫兰妮早就看出了这一点，临终前还嘱咐她“要好好待他”。

“哦，”她想，“我也跟阿希礼一样，既愚蠢又盲目。我本该早就看出来的。”

这些年来，她一直靠在瑞特这堵爱的墙上，但对他的爱却始终没放在心上，正如她始终没把玫兰妮的爱放在心上一样，自以为自己的力量都来自于自身一人。今晚早些时候，她已经意识到，在她与命运的多次激烈搏斗中，玫兰妮一直和她肩并肩地站在一起。现在她又意识到，瑞特也一直默默地躲在幕后，爱着她，理解着她，随时准备向她伸出援助之手。义卖会上，是瑞特看出了她渴望跳舞的心情，带她跳起了弗吉尼亚舞；是瑞特帮她摆脱了守寡的束缚；亚特兰大沦陷之夜，是瑞特冒着大火和枪林弹雨护送她脱离了危险；是瑞特借钱给她让她开始了自己的事业；每当她深更半夜从噩梦中被吓得哭醒过来，又是瑞特在旁边安慰了她——哦，如果不是爱一个女人爱到发狂的地步，哪个男人会做到这样呢？

树上的露水落在了她身上，但她毫无察觉。浓雾在她四周飞旋着，她也毫不理会。因为，她一想到瑞特，一想到他那黝黑的脸庞、雪白闪亮的牙齿、机灵的黑眼睛，她便浑身颤抖起来。

“我爱他，”她想。像以往一样，她毫不迟疑地接受了这个事实，就像孩子接受一件礼物一样，“我不知道自己爱他已有多久，但我的确是爱他的。要不是阿希礼，我早就能意识到这一点。对这世上的一切，我从来就没看清楚过，因为阿希礼挡住了我的视线。”

她是爱他的，爱这个流氓、恶棍，爱他的毫无顾忌，爱他的不顾名誉——至少是不顾阿希礼心目中的那种名誉。“让阿希礼顾忌的名誉见鬼去吧！”她想，“阿希礼顾忌的名誉总是让我上当受骗。是的，从一开始他常来看我，我就受骗了，因为他明明知道家里让他娶的是玫兰妮。可瑞特就从来没让我上过当。即使是在玫兰妮为阿希礼举行生日宴会的那个可怕的夜晚，他本该拧断我的脖子的，但他还是拉了我一把。即使是在亚特兰大沦陷之夜把我撇在路上，那也是因为他知道我已经脱离了危险，总有办法可以安全到家的。即使是那次在北军的战俘营里，我向他借钱，他让我以身体担保时，那也只是在考验我，他是决不会糟蹋我的。总之，他一直都爱着我，而我对他却那么刻薄。我曾一再地伤害他，而他为了顾全面子才没发作。美蓝死的时候，我竟然——哦，我怎么能那么不近人情？”

她站起身来，望了望斜坡上的房子。半小时前，她曾想除了钱财外，自己已经失去了世上的一切，失去了生活中值得留恋的一切：埃伦、杰拉尔德、美蓝、黑妈妈、玫兰妮和阿希礼。正是由于失去了这一切，才让她认识到，她是爱瑞特的——她爱他，因为他坚强而无所顾忌，炽烈而讲求实际，就像她自己一样。

“我要告诉他一切，”她想，“他会理解的。他从来都是理解的。我要告诉他我一直是多么傻，我要告诉他我是多么的爱他，我一定要补偿他。”

突然间，她觉得自己变得坚强了，快乐了。她不再害怕那些黑暗或迷雾了。她的心在快乐地歌唱，因为她知道自己再也不会害怕了。将来不管遇上多大的浓雾把她团团围住，她都知道可以到哪里去寻求庇护了。她迈着轻快的步伐沿着斜坡向家中走去。她恨不得能马上回家去，她觉得这条街太长了，太长了。她把衣裙撩到齐膝处，轻快地跑了起来。但这一次并不是因为害怕，而是因为急于跑回家扑进瑞特的怀抱。

63

前门是半开着的，斯佳丽气喘吁吁地小跑着进了门厅，在枝形吊灯五彩缤纷的灯光下站了一会儿。房子里尽管灯火辉煌，但却非常寂静。这种寂静并不是入睡的那种宁静，而是带着几分不祥之兆的疲倦而又无法入睡的死寂。她一眼便看出瑞特不在客厅，也没在藏书室，她的心当即便一沉。要是他出去了呢——要是他到贝尔那儿去了，或者是到他过去许多晚上不回来吃晚饭时去的什么地方去了呢？这可是她没料到的。

她正要到楼上去找他，突然发现餐室的门是关着的。看到那扇关着的门，她的心便羞愧地抽搐了一下，因为她想起了今年夏天的好多个夜晚，瑞特都是一个人坐在里面喝酒，一直喝到烂醉如泥，才由波克催着去睡觉。这都是她的错，她决心彻底改正。从现在起，一切都会改变的——但是，求求你上帝，今晚可不能让他喝得烂醉。如果他今晚喝得烂醉，就不会相信我的话，就会嘲笑我，那我的心就会碎了。

她轻轻地把餐室的门推开一条缝，向里张望，只见他坐在餐桌旁，颓然倒在椅子里，面前放着满满一瓶酒，瓶塞还没打开，酒杯也没用过。感谢上帝，他是清醒的！她拉开门，恨不得马上奔向他。可是，当他抬起头来看她时，目光中却有某种东西让她一下子愣在了门边，到了嘴边的话也说不出来了。

他呆呆地望着她，那对黑眼睛眼皮已疲倦得耷拉了下来，里面没有一点光彩。虽然她头发乱蓬蓬地披在肩上，胸口一起一伏地喘着气，衣裙上也溅满了污泥，可他既没露出惊讶的表情，问她出了什么事，也没龇牙咧嘴地嘲笑她。他深深地陷在那把椅子里，衣服皱巴巴地裹在他那正在变粗的腰身上，每根线条都表明他原来那身健美的肌肉已经开始松弛，那张结实的脸庞正在变得粗糙不堪。经常酗酒已经败坏了他原来优美整洁的外形，他现在已不再是新铸金币上那位年轻英俊的异教徒王子，而变成了因长期使用而降低了成色的铜币上那位颓唐疲惫的恺撒大帝。见她一只手捂着胸口在那儿站着，他抬起头来，目光非常平静，甚至非常和蔼，这反而吓了她一跳。

“进来坐吧，”他说，“她死了？”

她点了点头，犹豫不决地走了过去，见到他脸上那副从没见过的表情，她心里反而不踏实了。他没站起来，只是用脚推出一把椅子，她便坐了下去。她真不希望他一开始就提起玫兰妮。现在她不想谈她，不想重温刚才那一个小时里所经历的悲痛。谈论玫兰妮以后有的是时间，此时此刻她急于大声对他说：“我爱你。”她觉得惟有今晚这一时刻可以向瑞特倾诉衷肠。可他脸上那副漠然的神情却让她欲言又止，而且想到玫兰妮尸骨未寒，她就在这儿谈情说爱，自己也突然感到羞愧难当。

“哦，上帝保佑她安息吧，”他心情沉重地说，“她是我所认识的独一无二的最完美的好人。”

“哦，瑞特！”她痛苦地喊道，因为他这句话又使她异常清晰地想起了玫兰妮平日里待她的种种好处，“当时你为什么不跟我一起进去？真可怕——我是多么需要你啊！”

“我会受不了的。”他只说了一句就不吭声了。过了一会儿，他才费力地又轻声说了一句，“真是个非常伟大的女人。”

他那忧郁的目光并没在她身上停留便移了过去，他眼中流露出来的正是亚特兰大沦陷之夜她在火光中看到的那种神情，当时他对她说，他要跟撤退的部队一起走了——这真有点出人意料，因为他这人很有自知之明，却意外地发现自己身上还有忠诚和感情，并为这一发现而感到自己颇有点好笑。

他忧郁的目光从她的肩上看过去，仿佛在目送玫兰妮默默地穿过餐室走向房门。原来他正在想象中为玫兰妮送行，可脸上既没有悲伤，也没有痛苦，有的只是对自己的困惑以及从小已经泯灭的内心情感的强烈震撼，接着他又说了一句："真是个非常伟大的女人。"

见他这副神情，斯佳丽不由得浑身颤抖起来，刚才激励着她飞奔回家的满腔激情以及温暖和灿烂的希望顿时化为了乌有。她只能大致领会到瑞特在向这个世界上他唯一尊敬的人告别时心里在想些什么，因而产生了一种可怕的、不再涉及个人情感的失落，心中不觉又是一阵凄楚。虽然她不能完全明白或推测出他此刻的心情，但她几乎可以肯定，玫兰妮的死深深地感动了他的心灵，因为这个柔声细语的女人最后一次轻轻拥抱她时也深深地打动了她。透过瑞特的双眼，她看到的并不是一个女人的死亡，而是一位传奇式人物的故去——正是有了她这样温柔、谦恭而又坚毅的女人，战争期间南方才保住了家园，南方被打败后，又是这样一些女人向她们归来的亲人们张开了自豪、可爱的双臂。

他的目光重又回到了她身上，但他的声音变了，变得轻松而冷漠。

"她死了。这一下你称心如意了，是不是？"

"哦，你怎么能说这种话？"她被刺痛得大声喊了起来，泪水一下涌上了眼眶，"你知道我是多么爱她呀！"

"不，我很难说知道。鉴于你平日里对穷白佬的态度，如果你终于认识到了她的好处，这可太让我感到意外了，同时也是值得称赞的。"

"你怎么能这样说话？我当然是知道她的好处的。你才不知道呢！你决不会像我那样了解她！你是不会理解她的，不会知道她有多么善良——"

"真的？不见得吧。"

"她时时想着别人，却从不考虑自己——知道吗，她死前最后讲到的是你。"

他猛地转过身，眼里闪着真实的情感。

“她说什么了？”

“哦，瑞特，现在我不想说。”

“告诉我。”

他口气虽然冷淡，但抓着她手腕的那只手却捏得她很痛。她不想说，因为在这种氛围下她没法把话题引向她原先想好的内容，并向他表白自己的爱。但他紧紧地抓住她的手腕，硬要她说。

“她说——她说——‘你要好好待巴特勒船长。他是那么爱你。’”

他瞪着她，放下了她的手腕。他的眼皮垂了下来，脸色阴郁而茫然。突然，他站起身，走到窗口，拉开了窗帘，目不转睛地望着外面，就像外面除了迷雾还可以看到别的什么似的。

“她还说了些什么？”他问道，并没转过身来。

“她让我照料小博，我说我会的，我一定会把他当自己的孩子看待。”

“还有么？”

“她还说到——阿希礼——她还让我照顾好阿希礼。”

他沉默了片刻，然后轻轻地笑了。

“得到了前妻的许可，事情就方便了，是吗？”

“你这是什么意思啊？”

他转过身来，她虽然有些慌乱，但仍惊奇地发现他脸上没有丝毫嘲弄的意味，也没露出多大的兴致，就像在看一出并不怎么有趣的喜剧，看到最后一幕时已兴味索然了。

“我想我的意思是很明白的。兰妮小姐已经死了。你无疑拥有跟我离婚所需要的一切证据，而你的名声也所剩无几，离婚的事对你不会有多大危害。你已经没有什么宗教信仰了，所以对教会方面也可以无所顾忌。这么一来，阿希礼和你多年的梦想就可以在兰妮小姐的祝福下变成现实了。”

“离婚？”她大声喊道，“不！不！”她语无伦次地说道，突然一下子跳起来，跑过去抓住了他的胳膊。“哦，你完全错了！大错而特错了！我不要离婚——我——”她停了下来，因为她找不到话好说。

他一只手托住她的下巴颏，轻轻抬起她的脸，对着灯光，凝视着她的眼睛。她也抬起头看着他，眼中流露出紧张的心情，嘴唇颤抖着想说话，却说不出来，因为她正试图在他脸上发现某种感情的反应，某种闪烁着的希望之光、欢乐之光。她觉得他现在肯定已经理解了！然而，她炽热、锐利的目光发现的，依然只是那张常让她望而生畏的、光洁、阴郁而毫无表情的脸。这时，他放开了她的下巴颏，转身回到了椅子边，疲倦地倒了下去，下巴抵在胸口上，从黑黑的眉毛下抬起眼来漠然地打量着她。

她跟着他回到椅子边，双手交叉地站在他面前。

"你错了，"她重新找了个话题，"瑞特，今天晚上，我一明白过来，便一路跑着回来想告诉你。哦，亲爱的，我——"

"你累了，"他说，仍望着她，"还是去睡吧。"

"可我一定要告诉你！"

"斯佳丽，"他沉重地说，"我不想听——什么都不想听了。"

"可你还不知道我想说什么呢！"

"我的宝贝儿，你要说的话都清清楚楚地写在了你的脸上。也不知道是什么事，或什么人让你明白了，原来你那位不幸的韦尔克斯先生只不过是只死海果子（指虚有其表的人或物。——译者注），大得连你也嚼不碎。它同时又突然把我的魅力呈现在了你面前，使我对你产生了一种新的吸引力，"他轻轻叹了口气，"现在已没必要谈论这些了。"

斯佳丽见他一语道破了自己心中的秘密，不由倒吸了一口凉气。当然，他一向是能毫不费力地看出她的心思的。对此她总是忿恨不已，可现在，虽然一开始还对被他点破感到震惊，但接下来一想，又感到了欣慰。他已经知道了，理解了，那她的任务一下子就变得轻松了。现在已经没必要谈论这些！对她长期的怠慢他当然心有余悸，对她现在的突然转变他当然会将信将疑。但只要以后好好地待他，真心实意地爱他，他还是会相信的。这将会是多么开心的事啊！

"亲爱的，我把一切都告诉你吧，"她一边说着，一边弯下身把手放在他椅子的扶手上，"过去我太不对了，简直是个大傻瓜——"

"别说了，斯佳丽。不要这么低三下四的。我可受不了。少说几句吧，给我们留下一点尊严，也算夫妻一场有个纪念。这最后一幕就免了吧。”

她突然站直了身子。免掉这最后一幕？他这“最后一幕”是什么意思呀？怎么成了最后一幕呢？这是他们的第一幕，该是他们的新开端呀！

“可我还是要告诉你，”她快速地说着，仿佛生怕嘴被他捂住，不能说下去似的，“哦，瑞特，我是多么的爱你啊，亲爱的！我肯定已经爱你很多年了，可我太傻了，竟一直不知道。瑞特，请一定相信我！”

他凝视她良久，一直看到了她内心深处。从他的目光中，她看出他是相信的，只是对她已没多少兴趣了。啊，难道偏偏这个时候他要这么刻薄吝啬？难道他要折磨她，以牙还牙报复她？

“嗯，我相信你，”他终于说话了，“可阿希礼·韦尔克斯怎么办呢？”

“阿希礼？”她一边说，一边做了个不耐烦的手势，“我——我觉得这些年来我对他一直都不怎么关心。那个嘛，只不过是从小就有的习惯。瑞特，如果早知道他是怎样一个人，我甚至想都不会想到要去关心他。尽管他满嘴的真理、名誉，然而他整个是一个软弱无能的懦夫。”

“不，”瑞特说，“如果你一定要看清楚他是怎样一个人，就不能带任何偏见。他倒确实是个正人君子，只是陷入了一个跟他格格不入的世界，他还在用旧世界的那套准则在这个世界上苦苦地挣扎，所以只能到处碰壁。”

“哦，瑞特，我们就别谈他了吧！现在谈他还有什么意思？你难道就不想知道——我是说，既然我——”

当他疲惫的目光与她相遇时，她突然难为情地停了下来，羞答答的，就像初次与情人约会的少女。她真希望他能帮她一下，让她比较容易地就把话说出来。她真希望他能伸出双臂让她扑进他的怀里，把头偎依在他的胸前。如果她的嘴唇能贴上他的嘴唇，那就不需要结结巴巴地说那么多话就可以让他明白她的意思了。但是看了他一眼后，她才意识到，他之所以与她保持一定距离，并不是想让她难堪。他看上去已疲惫不堪，她刚才说的那些话对他好像也没一点触动。

“不想知道？”他说，“如果是在过去，听了你这些话，我会守斋祈祷感谢上帝的。可现在，这些话已无关紧要了。”

“无关紧要？你在说些什么呀？这些话当然很重要。瑞特，你是喜欢我的，对不对？你一定是喜欢的，兰妮说你喜欢的。”

“嗯，就她所了解的情况来说，她是对的。可是，斯佳丽，你想过没有，哪怕是最永恒的爱也会慢慢消磨没了的。”

望着他，她哑口无言，嘴巴变成了一个圆圆的O。

“我的爱已经消磨光了，”他继续说道，“被阿希礼·韦尔克斯消磨光了，被你那愚蠢透顶的固执消磨光了，你固执得就像一只癞皮狗，想要什么就非弄到手不可……我的爱已经消磨光了。”

“可是爱是消磨不光的。”

“你对阿希礼的爱就消磨光了呀！”

“可我从来就没真正爱过阿希礼！”

“这么说来，你的确演得很像——到今天晚上为止。斯佳丽，我并不是在责怪你、训斥你、谴责你。这样的时候已经过去了。所以你不必辩护，也不必解释。如果你能听我讲几分钟，而不打断我，我就可以把我的意思讲清楚了。其实，上帝可以做证，我根本不需要作任何解释。事实明摆着。”

她坐了下来，刺眼的煤气灯光正好落在她苍白迷惑的脸上。她窥视着那双她极其熟悉又极为陌生的眼睛，倾听着他平静的声音说着一些开始时还没什么意义的话。他这一次的讲话一反常态，既没有嘻嘻哈哈的嘲弄，也没有含沙射影的哑谜，就像别的人相互交谈时那样。他用这种态度跟她说话，还是破天荒第一次。

“你有没有想过，我爱你已经到了一个男人爱一个女人的极点？你有没有想过，在得到你之前，我已经爱了你多年？战争期间，我曾多次想远走高飞以忘掉你，可我总是忘不掉，每次都会再回来。战后，我冒着被捕的危险赶回来，也是为了要找你。而你却那么匆忙地就嫁给了弗兰克·肯尼迪。我真是嫉妒死了。倘若那次弗兰克没死，我也会杀死他的。我一直爱着你，可又不能让你知道。你对那些爱你的人实在是太残酷了，斯佳丽。你会抓住他们的爱，把这种爱变成鞭子在他们头上挥舞。”

这番话里，只有他爱她这句话是有意义的。当她听到他的声音里飘荡着一丝微弱的激情时，她心中便重又感到一阵高兴和激动。于是她屏声敛气地坐着，静静地听着，耐心地等待着。

“你嫁给我的时候，我知道你并不爱我。因为我知道你对阿希礼的感情。但我真傻，总以为会有办法让你回心转意的。你要想笑就笑吧。我一直照料你，宠爱你，你要什么我都给你。我想和你结婚，以保护你，让你处处自由、事事称心——就像后来我对美蓝那样。因为你曾经历过一番拼搏，斯佳丽。没有谁比我更清楚地知道你曾受过怎样的磨难，所以我希望你能停止战斗，让我替你战斗下去。我想让你好好地玩耍，像个孩子似的好好玩耍——因为你确实是个孩子，一个受过惊吓但仍然勇敢而倔强的孩子。我觉得现在你仍然是个孩子，因为只有孩子才会这么任性和固执。”

他的声音平静而疲倦，但其中的某种音质却在斯佳丽的心头激起一丝朦胧的回忆。她以前也曾听到过这种声音，而且是在她一生的另一个紧要关头。那是在哪儿？她只记得那也是一个男人的声音，他面对着自己和世界，已经没有了感情、恐惧和希望。

哦——想起来了——是阿希礼的声音。那年冬天，在塔拉庄园的果园里，寒风吹过光秃秃的树枝，阿希礼用疲倦而平静的声音跟她谈论着人生犹如一场任人摆布的皮影戏。当时他的声音虽然平静，但音色中流露出来的命运已定、不可改变的哀愁却超过了任何辛酸、绝望的抱怨。阿希礼当年讲的许多事情虽然她听不懂，但那声音却让她毛骨悚然，不寒而栗，现在瑞特的声音也同样让她的心直往下沉。尤其让她感到心烦意乱的还不是他讲的内容，而是他的那种声音和态度。她也感到，自己刚才那一阵高兴和激动未免也太早了一点。情况有点不对头，很不对头。但是是哪里不对头，她也说不清，所以只好紧紧地盯着那张黝黑的脸，耐着性子听下去，希望能听到一些话以驱散自己的恐惧。

“我们俩真可以说是天生的一对，因为我和你一样，为人冷酷、贪婪而又无所顾忌，在所有你认识的人中，只有我在看清了你的真实面目之后还爱着你。我爱上了你是因为我想碰碰运气。我原以为你会慢慢忘掉阿希礼。但是，”他耸了耸肩，“我用尽一切办法却毫无效果。过去我是那么爱你，斯佳丽，如果你给我一点机会，我本来可以非常温柔、非常体贴地爱你，超过任何一个男人对女人的爱。但我不能让你知道，因为我知道，你会因此而觉得我软弱可欺，会利用我的爱来对付我。你总是在心里——总是在心里想着阿希礼。这简直把我气疯了。晚上我没法在餐桌旁与你面对面地坐着，因为我知道你心里一直盼着阿希礼坐在我的位子上。夜里我也没法把你搂在怀里，因为我知道——好了，现在我无所谓了。现在我真不明白，我当时怎么会那么伤心。所以我才去找贝尔。尽管她是个不识字的妓女，但她真心实意地爱我，尊重我，把我看做一个有教养的好人。和她在一起我可以得到某种安慰，我的虚荣心可以得到某种满足。而你从来没安慰过我，亲爱的。”

“哦，瑞特……”一听到贝尔的名字她便一阵难受，忍不住要插进来讲几句，但他挥了挥手让她住口，又接着说下去。

“后来，那天晚上，我把你抱上了楼——当时我想——我希望——我真是怀着满腔的希望啊，可到了第二天早晨我却不敢看你了，生怕我自己想错了，生怕你其实并不爱我。我真怕你会嘲笑我，所以我就又溜出去喝了个烂醉。我回来的时候，两只脚直发抖，那时你只要走到楼梯口来迎接我一下，稍微给我一点暗示，我就会趴下去吻你的脚的。但你并没来。”

“哦，可是瑞特，那时候我的确是想要你的，可你却那么让人恶心！那时候我的确是想要你的！我想——是的，那一定是我第一次认识到了我是爱你的。阿希礼——自那以后，我就一直没因为阿希礼而高兴过，但你却那么让人恶心，我——”

“哦，好吧，”他说，“看来我们像是彼此误会了，是不是？不过，现在已经无所谓了。我只是想把这一切都告诉你，免得你以后疑惑不解。后来你病了，那都是我不好，所以我就站在你的房门外，希望你能喊我一声，可你没有喊。这时我才明白自己傻得出奇，一切都完了。”

他停了下来，带着阿希礼曾有的那种眼光越过她朝前面望着，仿佛看到了什么她看不到的东西，而她却只能默默无言地盯着他那张沉思的脸。

“但那时候因为美蓝还在，所以我又觉得一切还没有都完。我喜欢把她想成你，想象着你又成了一个没有经过战争磨难和贫困煎熬的小女孩。她是那么像你，任性、勇敢、欢乐、兴致勃勃，所以我总是宠爱她，纵容她——正像我想宠爱你一样。但有一点她不像你——她是爱我的。我能将你不要的爱拿去给她，这也算是我的一点福分吧……可她一死，把一切都带走了。”

突然间，她为他难过起来，难过得甚至都忘记了自己的悲痛和对未来的恐惧。这是她平生第一次在为别人感到难过时没有同时感到蔑视，因为这也是她平生第一次接近于理解了另一个人。瑞特因怕遭到拒绝而不愿承认自己的爱，这种精明的戒备心和顽固的自尊心，她是完全能够理解的，因为她自己也是这样的。

“哦，亲爱的，”她一边说着一边把身子凑了过去，希望他会伸出手来把她搂进怀里，“亲爱的，真是对不起，我以后一定会补偿你的！现在我们已经相互理解了，我们以后完全可以过得非常幸福，并且——瑞特——看着我——瑞特！我们——我们还可以再生个孩子——不像美蓝，而是——”

“谢谢你，不用了，”他说，仿佛是在拒绝别人施舍的一块面包，“我不想拿我的心冒第三次险了。”

“瑞特，别说这种话！哦，我该怎么说才能让你明白呢？我已经说过了我是多么对不起你。”

“亲爱的，你可真是个孩子。你以为只要说声‘对不起’就可以完全纠正这么多年来的错误，一下子抹掉这么多年来的心灵创伤，一下子吸光伤口中的毒液……把手绢拿去吧，斯佳丽，在你生命的任何紧急关头，我都从来没见你用过手绢。”

她接过手绢，擦了擦鼻子，又坐下了。他显然是不会把她搂进怀里了。并且她也开始明白了，他说的那些爱她的话都是没意义的。那只是很久以前的故事了，而他讲述时的神态就好像这故事并不是他亲身经历过的。正是这一点让她感到害怕。他几乎是非常和蔼地看了看她，眼中流露出沉思的目光。

“你今年多大了，亲爱的？以前你总是不愿告诉我。”

“二十八。”她用手绢捂着嘴，闷闷地回答道。

“这还算不上很大。对一个获得了整个世界而失去了灵魂的人来说，这个年纪还年轻着呢，是不是？不要做出一副受惊的样子。我所说的失去灵魂，并不是说你和阿希礼私通就会受到地狱之火的煎熬。这只不过是我的一种比喻。自从我认识你，你一直想得到两样东西。一是阿希礼，二是很多很多钱，那样可以让世上的人统统见鬼去。现在你已经有了很多的钱，对世人说话也够刻薄了。你也可以得到阿希礼了，如果你还要他的话。可现在看来，这一切又都不够了。”

此时，斯佳丽只觉得胆战心惊，但并不是因为想到了地狱之火。她心里在想：“瑞特才是我的灵魂，然而我就要失去他了。如果失去了他，那其他的一切还有什么意义呢？无论是朋友，还是金钱，或者是——一切东西就都没有意义了。只要还能得到他，就是再让我穷困潦倒我也不在乎。是的，即使再让我去受冻挨饿我也心甘情愿。他的这些话不会是当真的吧——哦，不会的！”

她擦了擦眼睛，孤注一掷地说：

“瑞特，如果你过去曾经那么的爱我，那你对我一定还留有一点情意吧。”

“我觉得留下的只有两种感情了，而这两种都是你最痛恨的——一种是怜悯，另一种是一种奇怪的慈悲心肠。”

怜悯！慈悲！“哦，上帝呀！”她绝望地想。她决不需要怜悯和慈悲。因为每当她对谁怀有这两种感情时，她就同时鄙视这个人。难道他也鄙视她吗？再没有比这更糟糕的了。即使是他战争时期那种玩世不恭的冷漠，即使是他那天晚上喝醉后抱她上楼去的那股疯狂，即使是那双把她抓得遍体鳞伤的无情的手，即使是那些阴阳怪气的带刺的话，也都比怜悯和慈悲好，因为她现在已经意识到，这些东西下隐藏着一种充满了痛苦的爱。而此时此刻，瑞特脸上明明白白显露出来的正是那种毫不涉及个人感情的慈悲。

“那么——那么你是说我已经毁灭了你所有的爱——你已经不爱我了？”

“是的。”

“可是，”她仍然固执地说着，就像个孩子，以为只要说出自己的愿望就能如愿以偿，“可是我爱你！”

“那就是你的不幸了。”

她急忙抬起头，想看看他的这句话里是不是带有嘲弄的意味，结果却发现没有。他只是在陈述一个事实。然而她仍不愿相信这一事实——也无法相信。她斜着眼朝他看了一眼，眼里充满了绝望和固执，她的下巴颏突然往上一翘，脸颊上柔和的线条一下子绷得紧紧的，就像她死去的爸爸杰拉尔德一模一样。

“你别傻了，瑞特！我会——”

他突然装出一副吓坏了的样子，举起一只手，并像过去对她冷嘲热讽时那样，黑黑的眉毛往上一耸，做成两个新月的形状。

“别摆出这副坚定的面孔，斯佳丽！你真的把我吓坏了。我看你是想把你暴风雨般的感情从阿希礼身上转移到我的身上来吧，可我却担心自己会失去自由和内心的平静。不，斯佳丽，我是不会像不幸的阿希礼那样被你死死缠住的。再说，很快我就会走的。”

她还没来得及咬紧牙关，下巴颏已经颤抖起来了。走？不，决不能让他走！要是他走了，她还怎么活下去？她身边的人已经走光了，只剩瑞特了。他可不能走。然而她又怎么拦得住他呢？面对着他那颗冷漠的心，面对着他那些失去了热情的话，她已经是无能为力，无计可施了。

“我就要走了。本来我是准备等你从玛丽埃塔回来告诉你的。”

“你想遗弃我吗？”

“请你不要装成戏里那些遭到抛弃的妻子的样子，斯佳丽。这个角色与你不相称。我想你是不想离婚，甚至都不想分居的了！那好吧，我以后常常回来就是了，这样别人也就不会说什么闲话了。”

“让别人的闲话见鬼去吧！”她恶狠狠地说，“我要的是你。那你带我一起走！”

“不行。”他用不容置疑的口吻说。有一刹那，她真想像个孩子似的大哭一场。她本可以躺到地板上，大叫大闹，跺着脚骂个不停的。但她仅剩的一点自尊心和常识使她直挺挺地站在那儿没动。她想，如果我大哭一场，他只会嘲笑我，或者只会看着我。我决不能大哭大闹，我也决不能乞求。我决不能做任何让他看不起的事。即使——即使他不爱我，我也一定要让他尊重我。

她扬起下巴，故作镇静地问：

“你要到哪儿去呢？”

他回答时眼里微微露出一丝钦佩的目光。

“也许是英国——或者是巴黎，也许是回查尔斯顿去跟家人和解。”

“可你恨他们！我常常听你嘲笑他们，而且——”

他耸了耸肩。

“我仍在嘲笑他们——可我的流浪生活已经到了头，斯佳丽。我都已经四十五了，一个人到了这把年纪，就会开始珍惜他年轻时随意抛弃的一些东西了，比如家族观念、名誉、安全、祖先，等等——哦，不！我并不是在公开认错，也不是对我做过的事情感到懊悔。我一直都过得非常开心——开心得都感到腻味了，所以现在想换换口味了。我并不想彻底改变，只是想模仿模仿我过去熟悉的一些东西，比如对体面的深恶痛绝——我是指对别人的体面，而不是对自己的体面；——上流人士那种不动声色的尊严和旧时代那种温文尔雅的风度。年轻时我没有认识到这些东西的从容魅力——”

这使斯佳丽又一次想起了那年冬天塔拉庄园果园里的情景。当时阿希礼的目光跟瑞特现在的目光是一模一样的。她的耳边又清晰地响起了阿希礼的话，仿佛此时说话的不是瑞特而是阿希礼。于是她就把阿希礼说的一些片断鹦鹉学舌般学了出来：“它有无穷的魅力——就像古希腊艺术一样，完美无瑕，匀称和谐。”

瑞特警觉地问：“你怎么也会说这样的话？这正是我要表达的意思。”

“这话是以前——以前阿希礼说过的，关于旧时代。”

他耸了耸肩，眼中的光芒顿时消失了。

“又是阿希礼。”他说道。沉默了一会儿，他才又说：

“斯佳丽，等你四十五岁的时候，或许你会明白我现在的意思。等到了那个时候，或许你也会厌恶那些冒牌的绅士，厌恶他们矫揉造作的举止和虚伪的感情。但对这一点我仍表示怀疑。我看你就是到死也只迷恋漂亮的外表，而不注重实际。反正我是等不到那一天了，而且我也不想再等了。我已经毫无兴趣了。我要到那些旧时代的城镇和乡村去搜寻，寻找某些残存的古时遗风。我现在很伤感。亚特兰大对我来说太粗俗，也太时髦了。”

“别说了。”她突然说道。其实他说的她几乎一句都没听进去。但她知道，自己再也受不了他那种冷冰冰的毫无感情的口气了。

他停了下来，疑惑地看着她。

“这么说，你已经明白了我的意思，是不是？”他一边说一边站了起来。

她以一种古老的哀求方式，掌心向上朝他伸出手去，脸上一片真诚。

“不，”她大声说，“我不明白。我只知道你已经不再爱我了，你要走了！哦，亲爱的，如果你走了，那我怎么办？”

他犹豫了一会儿，仿佛在心里盘算着是对她善意地说个谎好呢，还是实话实说的好。最后他耸了耸肩。

“斯佳丽，我从来没耐心把已经破碎的布拣起来再拼在一起，然后对自己说，这件补好的衣服跟新的一样好。破碎的总是破碎的——我宁愿记住它破碎以前的样子也不愿意补好它后一辈子看那些补丁。如果我年轻一些，或许——”他叹了口气，“可现在我都快老了，再也不会相信‘捐弃前嫌，一切重新开始’之类的说法了，再也无力承受因为一直生活在温文尔雅的幻灭中而一直说谎的负担了。过去跟你生活在一起，我既不能对你说谎，也不能对自己说谎。就算是现在，我也不能对你说谎。对你的未来，我要是能继续关心就好了，可我已经不能了。”

他快速地吸了口气，轻松而柔和地说：

“我才不在乎呢，亲爱的。”

她默默地看着他走上楼梯，只觉得喉咙口一阵阵剧痛，感到憋得难受。随着他的脚步声在楼上的过道里渐渐消失，她的最后一线希望也消失了。这时她才明白，任何感情或理性的呼唤都无法让他那冷静的大脑改变决定了。这时她才明白，虽然刚才有些话他说得很轻松，但句句都是当真的。她之所以明白，是因为她从他身上感受到了一种刚强、不屈、毫不宽容的性格——这正是她一直在阿希礼身上寻找却从没找到过的。

对她爱过的这两个男人，她谁都没有真正了解过，所以才都失去了他们。直到现在她才模模糊糊地意识到，如果她真正了解过阿希礼，她就决不会爱上他；如果她真正了解过瑞特，她也就决不会失去他了。她不禁凄凉地疑惑起来，这世上有哪个人是她真正了解过的呢？

这时她感到自己的头脑一下子变得迟钝起来了，根据她自己长期以来的经验，她知道这种迟钝很快会引起剧痛的，正像我们的肌肉，外科大夫的手术刀刚把它们切开时，先是一阵短暂的麻木，但接下来就是剧痛。

“现在我不去想它，”她重又拿起自己惯用的法宝，狠狠地想，“如果我这时还去想失去他的痛苦，那我就要发疯了。明天再想吧。”

“可是，”她的心却把老法宝丢在了一边，开始疼痛地喊了起来，“我不能让他走！一定会有办法的！”

“现在我不去想它了，”她又大声说，极力想把这不幸置于脑后，极力想找个办法阻挡这汹涌而至的痛苦。“我——对了——明天我可以回塔拉庄园去。”想到这里，她的情绪才稍微好了一点。

过去，她曾因恐惧和失败回过一次塔拉庄园，在那里经过一段时间的休整，果然又身强力壮，为后来夺取胜利做好了准备。上次她能做到的——愿上帝保佑，这次她也一定还能做到！至于怎么才能做到，她现在还不知道。她现在也不愿去想它了。现在她只需要一个可以从容呼吸的空间让她痛定思痛，需要一个安安静静的地方让她舔干净自己的伤口，需要一个安全的避难所让她制订出下一步的作战计划。一想到塔拉庄园，她仿佛感到有一只轻柔凉爽的手在抚慰着她焦灼的心。她仿佛看到了掩映在变红的秋叶里那幢白色的房子在那儿闪烁着欢迎她；她仿佛感到了，在那片静谧的田野中，暮霭正默默祝福她；她仿佛觉得，晶莹的露珠正滴落在几十英亩的绿色灌木丛和雪白的棉桃上；她仿佛看到了，那绵延起伏的山坡上令人思念的红土和那郁郁葱葱蔚为壮观的松树林。

这幅美妙的图画让她模模糊糊地感到了一阵快慰，增强了她的信心，驱散了不少她心灵上的创伤和悔恨。于是她索性站在那儿，怀念起那些可爱的东西来：那条通往塔拉庄园的两边古柏矗立的大道，小河两岸芬芳扑鼻的素馨花，白墙外那片碧绿的草地，还有房间里那些随风飘扬的白色窗帘。而且黑妈妈也在那里！突然间她感到自己迫切地需要黑妈妈，就像小时候那样，需要她那可以把头偎依在上面的宽阔胸膛，需要她那只粗大的黑手抚摸自己的头发。黑妈妈是她与旧时代相连的最后一个人了。

她的祖先们一向都是不怕失败的，即使失败死死地、没完没了地盯着他们，他们也面不改色。正是带着祖先们这种大无畏的精神，斯佳丽终于抬起了头。她一定能够重新得到瑞特的。她知道自己能做到这一点！只要她一心想得到，从来还没有哪个男人她没得到过。

"等明天回到塔拉庄园再考虑这一切吧。到那时候我就能够忍受了。我明天会想出办法来重新得到他的。不管怎么说，明天是新的一天了。"

世界文学名著名译典藏

全译插图本

飘 上

〔美〕玛格丽特·米切尔◎著　范纯海　夏旻◎译

GONE WITH THE WIND

长江出版传媒｜长江文艺出版社

图书在版编目（C I P）数据

飘：全二册 / （美）玛格丽特·米切尔著；范纯海，夏旻译. -- 武汉 ：长江文艺出版社，2018.5
（世界文学名著名译典藏）
ISBN 978-7-5702-0218-8

Ⅰ. ①飘… Ⅱ. ①玛… ②范… ③夏… Ⅲ. ①长篇小说－美国－现代 Ⅳ. ①I712.45

中国版本图书馆 CIP 数据核字(2018)第 031545 号

责任编辑：池　威　　　　责任校对：陈　琪
封面设计：格林图书　　　　责任印制：邱　莉　胡丽平

出版：长江出版传媒 | 长江文艺出版社
地址：武汉市雄楚大街 268 号　　　邮编：430070
发行：长江文艺出版社
电话：027—87679360
http://www.cjlap.com
印刷：湖北新华印务有限公司

开本：880 毫米×1230 毫米　1/32　　印张：35.625　插页：8 页
版次：2018 年 5 月第 1 版　　2018 年 5 月第 1 次印刷
字数：886 千字

定价：78.00 元（全二册）

译序

《飘》（Gone With The Wind）是美国现代著名女作家玛格丽特·米切尔以美国南北战争为背景创作的一部长篇小说。作品通过一幕幕气势恢宏的战争场面以及细腻逼真的人物形象，用诗一般的语言演绎了一个感人至深的爱情故事。

1936年，《飘》的问世轰动了整个美国，名不见经传的玛格丽特·米切尔也因此一夜成名。玛格丽特·米切尔1900年出生于美国南部佐治亚州亚特兰大市。父亲是名律师，曾任亚特兰大历史协会主席。米切尔曾就读于马萨诸塞州的史密斯学院，担任过地方报纸《亚特兰大报》的记者。

由于家庭的熏陶，米切尔对美国历史，特别是南北战争时期美国南方的历史产生了浓厚的兴趣，阅读了大量有关内战的书籍。她自幼听闻了大量有关内战和战后重建时期的种种轶事和传闻，耳濡目染了美国南方的风土人情，亚特兰大丰厚的自然和人文环境蕴育了米切尔喷薄飞扬的文思。1926年，米切尔开始潜心《飘》的创作。10年后，作品问世，引起了强烈反响。《飘》1937年获普利策奖，1939年被拍成电影，并随之风靡世界，至今畅销不衰。1949年，米切尔遇车祸身亡，终年49岁。米切尔一生只出版了《飘》这一部作品，但这足以让她名垂千古！斯佳丽与瑞特、阿希礼爱恨交织的纠葛已成为世界性的经典爱情故事：

塔拉庄园的大小姐斯佳丽魅力非凡，是县里数一数二的大美人，有着无数的追求者，可她偏偏爱上了即将与玫兰妮订婚的阿希礼。在爱的表白遭到拒绝后，斯佳丽一气之下匆忙嫁给了玫兰妮的哥哥查尔斯。

南北战争爆发了，查尔斯、阿希礼相继应征入伍。不久，查尔斯病死军营。寡居的斯佳丽来到亚特兰大与阿希礼的妻子玫兰妮一起生活，再次邂逅封锁线商人瑞特。玩世不恭的瑞特每每对斯佳丽极尽讽刺挖苦之能事，但当斯佳丽需要帮助时，他又总能及时出现在她身边。

战后，为了保全塔拉庄园，斯佳丽嫁给了妹妹苏埃伦的情人弗兰克。为了不再挨冻受饿，斯佳丽开锯木厂、办酒馆，拼命赚钱。

弗兰克死于意外后，腰缠万贯的瑞特娶了斯佳丽，事事满足她、迁就她，可斯佳丽心里一直爱着阿希礼。

直到玫兰妮临终，斯佳丽才明白玫兰妮长久以来给了自己怎样的支持和爱护，才发觉自己对阿希礼的爱只是一种美好的想象，才领悟到瑞特对自己的一片深情，同时也意识到自己是多么地需要瑞特。但当她飞奔回家，瑞特却要离她而去了……

小说在斯佳丽充满希望的期待中戛然而止，留给人们不尽的遐想和希冀。

《飘》之所以让人爱不释手、百读不厌，很大程度是因为斯佳丽身上所散发出的那种难以抵挡的魅力。

精明的她对爱情却无比单纯。看着她那么固执，甚至盲目地爱着自己虚构出的一尊没有生命的偶像，看着她和真爱的瑞特渐行渐远，我们在叹息的同时总会被她对阿希礼的痴迷、傻气所感动，虽然这爱是个错误。

坚韧的她对生活总充满希望。她是一个真正敢于正视现实、勇于面对困难的强者。在那个风云突变的乱世，家园被毁、亲人离散、衣食无着……面对与自己命运相连的旧制度的崩溃，她失望过，但从没绝望！她在变迁的阵痛中坚强地站起来，接受了生活的坎坷与人生的风雨，努力去适应改变了的环境，以永不屈服的姿态承担了一般人难以承受的生活重担，带领家人战胜饥饿、保护家园。

其实，无论从相貌还是性格来说，斯佳丽都绝对称不上完美。小说开篇第一句话就说：“斯佳丽·奥哈拉算不上十分貌美，却有一种让男人着迷的魅力，使人忘了她长相的不足。”同样，斯佳丽性格上冷酷自私、虚荣任性的一面也并没有妨碍我们对整体的她的欣赏甚至赞叹。斯佳丽的魅力在于她个性的复杂和真切，在于她身上那股永不放弃的精神。

不仅仅是斯佳丽，《飘》里的每一个人物都那么鲜活生动、有血有肉，真实得让我们觉得仿佛能听见他们的呼吸和心跳。刚毅坚强的斯佳丽、深沉执着的瑞特、温柔善良的玫兰妮、高雅忧郁的阿希礼……他们并没有随着故事的结束而随风远去，而是深深地烙进了我们的记忆，经岁月的打磨而愈加流光溢彩。

在人生的旅途中，我们也许会像斯佳丽一样遗失很多美好、遭遇许多挫折，我们可以失望，可以失败，但绝不能绝望，不能放弃！一切都可以重新开始，因为明天是新的一天了！

本书采用以目的语文化为归宿的翻译方法，在严格忠实原文的基础上，力争使语句符合汉语文化背景。翻译的最大难点往往在于译文要受原语文化的影响。本书在翻译过程中力争抛弃这种影响，使其更贴近汉语文化，亲近汉语读者，让中国读者在阅读中既能领略到作者的行文风格，又能感受到汉民族语言的魅力。不当之处，恳请海内外方家批评指正。

译者

2007 年 3 月 26 日

1

斯佳丽·奥哈拉算不上十分貌美，却有一种让男人着迷的魅力，使人忘了她长相的不足。现在塔尔顿家的这对孪生兄弟就完全让她给迷住了。她的长相融合了父母的特征：既有法国海滨贵族出身的母亲的高贵娇柔，又有爱尔兰父亲的粗犷豪爽。这是张迷人的脸：下巴尖尖的，腮帮宽宽的，纯绿的眼睛不带一丝褐色，睫毛乌黑而上翘，与眼上那两道粗浓的眉毛正好相衬，使她脸上的皮肤显得那么洁白——这种皮肤，南方女人是极珍惜的，总是要戴上帽子、面纱和手套仔细地加以保护，以防受到佐治亚烈日的暴晒。

1861 年 4 月的一个阳光明媚的下午，斯佳丽坐在父亲的塔拉庄园的门廊阴凉处正和塔尔顿家的孪生兄弟斯图特和布伦特在一起，那模样宛若画中人。她身着绿花布新衣，裙箍将十二码长的裙幅铺展开来，与她父亲刚从亚特兰大给她捎回来的摩洛哥绿羊皮鞋正好相配。她的腰围只有十七英寸，是三个县里腰围最小的。绿花布新衣把她的腰肢衬托得更加纤细。虽只有十六岁，但熨帖的紧身内衣使她成熟的乳房格外突出。尽管她长裙舒展，显得庄重典雅，满头乌发在脑后拢成一个发髻，显得端庄大方，一双洁白的纤手交叉搁在膝上，显得文静温和，但她真正的性情还是难以掩饰。精心地故作温顺的脸上那双绿眼睛里显现的是躁动、任性、生气勃勃，和那份端庄劲儿截然不同。她的举止是母亲谆谆告诫和黑妈妈严厉管教的结果，而她那双眼睛显现出的才是她自己。

那对孪生兄弟悠闲自得，懒懒地靠在她两边的椅子上，眯着眼睛看着从明净铮亮的长玻璃窗里透进来的阳光，有说有笑地聊着。他们随意架着的细长腿儿裹着齐膝长靴，腿肚子由于骑马而肌肉发达，鼓鼓的。他们今年十九岁，身高六英尺二，骨架高大，肌肉发达，脸庞晒得黝黑，头发是茶褐色的，眼睛神采飞扬，傲气十足。他俩穿着一模一样的蓝上衣，一模一样的古铜色裤子，就像两颗一模一样的棉桃。

屋外，夕阳斜照在院子里，一簇簇盛开的饱满的山茱萸白花在一片新绿的衬托下，显得分外妖娆。兄弟俩的坐骑拴在车道上，那是两匹高头大马，毛色像主人的头发一样红。马腿跟前围着一群闹腾的猎狗，个个精瘦不安、跃跃欲试，无论斯图特和布伦特走到哪儿，这群猎狗都会跟着。不远处，躺着一只跟车的黑花狗，它像贵族般神气，鼻子搁在爪子上，耐着性子等着兄弟俩回去吃晚饭。

猎狗、马和兄弟俩之间有一层胜似亲属的亲近关系，这种关系比他们那种长期的伙伴关系更近。主子和牲畜都是身强体健、无忧无虑的年轻家伙，外表油光发亮，体态优雅，精神饱满，兄弟俩就像这两匹马一样精力充沛、难以驯服。不过，对于懂得如何驾驭他们的人来说，他们却温顺有加。

坐在门廊里的这三个人虽然一直过着舒适安逸的庄园生活，生来就有人悉心侍候，但他们脸上既无松散的气色，也非细皮嫩肉。反而像一辈子在野外生活、很少费心看书本的乡下佬那样精力旺盛、行动机敏。佐治亚州北部克莱顿县的生活依然是新奇的，但依奥古斯塔、萨凡纳和查尔斯顿等地的标准来看，却未免有点粗犷。比较稳重正统的南部地区的居民对内地的佐治亚人嗤之以鼻，而在佐治亚北部，不通文墨并不丢脸，只要几件紧要的事在行就行了。会种棉花，精于骑马，枪法准确，舞艺高强，有绅士风度，酒量豪爽等都是紧要事。

这些能耐兄弟俩样样精通，他们在书本知识学习方面的笨拙无能也是同样出众的。全县就数他们家钱多、马多、奴隶多，可他们俩腹中的文墨还不如周围大部分贫穷的白人呢。

正因为这个缘故，斯图特和布伦特两兄弟才在这四月里的下午在塔拉庄园宅前的门廊里闲坐。他们刚被佐治亚大学开除。两年内，这是他们第四次被大学开除了。他们的两个哥哥，汤姆和博伊德也都跟他们一起回家了，因为他们不愿意还待在不欢迎他们弟弟的学校里。斯图特和布伦特把这次被开除看作是件开心的事，斯佳丽自从去年离开费耶特维尔女子学院以来就不愿打开书本，自然跟兄弟俩一样觉得这件事很开心。

“我知道你们俩不在乎被学校开除，汤姆也是，”她说，“可是博伊德呢？他可是想念书的，你们俩把他从弗吉尼亚大学、亚拉巴马大学和南卡罗来纳大学拖了出来，现在又把他从佐治亚大学拖出来。这样下去的话，他可别想毕业了。”

“啊，他可以去费耶特维尔的帕马利法官事务所学法律嘛，”布伦特漫不经心地说，“再说，这也没什么大不了的，反正我们会在学期结束前赶回家的。”

“为什么？”

“打仗呀，笨蛋！这场仗说不准哪天就打起来了，一旦打起仗来，你想我们谁还会待在大学里吗？”

“其实根本就不会打什么仗，”斯佳丽生气地说，“只是说说而已。再说，阿希礼·韦尔克斯和他父亲上星期刚跟我爸说过的，我们驻华盛顿的专员要和林肯先生就南部邦联问题达成一项友好协议。反正，北方佬怕我们，不敢打。什么仗也打不起来的，有关打仗的话我都听腻了。”

“什么仗也不会打！”兄弟俩愤愤地喊道，就像他们上了当似的。

“哎，我的乖乖，仗肯定是要打的，”斯图特说，“北方佬也许怕我们，可是在博勒加尔将军于前天用大炮把他们轰出苏姆特堡后，他们是非打不可了，不然他们就在全世界面前当了懦夫。喂，南部邦联——”

斯佳丽很不耐烦地一撇嘴说：

“如果你们再说一声‘打仗’，我就回屋去，关上门。除了‘脱离联邦’这句话外，我这辈子最讨厌的就是‘打仗’这句话了。我爸早上谈打仗，中午谈打仗，晚上也谈打仗，来看他的男人们也都在嚷嚷什么苏姆特堡啊，州权啊，亚伯拉罕·林肯啊，我听得很烦很烦，都快受不了了！所有的小伙子也都争着谈这个，谈什么骑兵连。今年春天的所有宴会都没一点儿乐趣，因为小伙子们从不谈别的。幸亏佐治亚州是圣诞节后才脱离联邦的，我真高兴极了，不然的话，圣诞节也会大煞风景的。如果你们再说一声'打仗'，我就回屋去。"

她可不是说着玩的，因为她不能容忍别人的谈话不以她为中心话题。可是她说话时还是面带笑容，故意把酒窝显得更深，浓黑的睫毛像蝴蝶翅膀似的扑闪个不停。兄弟俩果然中计，给她迷住了。赶紧向她赔不是，说刚才不该扫她的兴。并说他们丝毫也不因她对战事不感兴趣而看不起她。相反，他们更看重她了。打仗是男人的事，不是女人的事，他们把她这种态度看成是她有女人味。

她哄得他们不再谈论打仗这个讨厌话题后，就又兴趣盎然地谈论起他们当前的境况这个话题来。

"你们的母亲对你们俩又被开除怎么说？"

兄弟俩想起三个月前他们从弗吉尼亚大学被开除回家时母亲的态度，顿时不大好意思起来。

"这个嘛，"斯图特说，"她还没机会说什么呢。今天早上她还没起床我们就跑了，汤姆上方丹家去了，我们就上这儿来了。"

"你们昨晚回家时她没说什么吗？"

"我们昨晚真走运。我们刚到家，就赶上妈上个月在肯塔基州买的那匹新种马运到了，家里闹得像开了锅。那头大畜牲——真是匹高头大马，斯佳丽，你一定得让你爸赶快去看看——这马在运到这儿来的途中啃掉了马夫身上一块肉，还把妈派到琼斯博罗去接火车的两个黑人给踩了。我们还没到家，这马就差点把马厩踢倒，还把妈那匹叫草莓的老种马踢了个半死。我们到家那会儿，妈正在马厩里拿着一袋糖哄它，它居然服服帖帖。几个黑人正抱着椽子吊着，瞪着眼睛，吓得要死。可是妈却把这马当作家里人似的跟它说话，马还让她亲手喂着吃呢。对付马啊，谁也比不上妈。她看见我们就说：'我的天哪，你们四个又回来了？你们真比瘟神还要命！'刚说了这句，那马就喷着鼻息，要蹦起来，她就说：'还不快滚出去！没看见这匹宝贝马受惊了吗？等我明天早上再跟你们算账！’于是我们就上床睡觉去了。今天早上，我们一早就溜了出来，免得给她抓住，留下博伊德一个人去对付她吧。”

“你们看她会打博伊德吗？”斯佳丽和县里其他人一样向来看不惯个子矮小的塔尔顿太太威吓都成年了的儿子的那副德行，听说有时她还用马鞭抽他们的背脊呢。

贝特丽丝·塔尔顿是个勤劳的女人。她不仅有个种植棉花的大庄园，有一百个奴隶和八个儿女，而且还有全州最大的养马场。她脾气暴躁，动不动就被这四个经常惹是生非的儿子烦得够呛，尽管她不让人鞭打奴隶和马，可她觉得时常抽孩子几下对他们倒有好处。

“她当然不会打博伊德。她从来不怎么打博伊德。一是因为他是老大，二是他的个头最矮，”斯图特说，显然对自己身高六英尺二很得意，“正因为如此我们才把他留在家里，让他去跟她解释一下。我的天哪，妈实在不应该再打我们了！我们都十九了，汤姆都二十一了，可她还当我们是六岁小孩。”

“你妈明天会不会骑新马去赴韦尔克斯家的宴会呢？”

“她是想去的，可爸说太危险了。再说，我那几个姐妹也都不肯让她去。她们说，她要去赴宴至少也要有个夫人样子，坐马车去才行。”

“但愿明天别下雨，”斯佳丽说，“天天下雨都快下了一星期了。再下就会把宴会冲了，再也没有比这更扫兴的事了。”

“啊，明天肯定是晴天，热得很，而且像六月，”斯图特说，“瞧那落日。我没见过比这更红的了。看落日就可以知道天气。”

他们都朝着杰拉尔德·奥哈拉那片延伸到天边的新垦棉田望去，一直望到那红彤彤的地平线。太阳落在弗林特河那边的群山后，映得一片深红，暖洋洋的四月天渐渐有点儿淡淡的凉意了。

那年春天来得早，下了几场春雨后，粉红色的桃花、星星点点雪白的山茱萸花一下儿都绽开了，把暗淡的河沼和远处的群山点缀得绚烂多彩。春耕已经快结束了，落日如血的霞光把佐治亚新开犁沟的红土染得更红了。肥沃、湿润的土壤正等着翻土播下棉种，犁沟砂土质的表层呈淡红色，沿沟一带边上随着阴影的深浅，呈现出桃红、浅红和枣红。白粉砖墙的庄园宅院像坐落在茫茫海洋中的孤岛。海洋波涛起伏，变幻无穷，有螺旋形，有曲线形，有月牙形，只有碰到粉红的浪尖碎成浪花时才突然凝住。因为这里没有又长又直的犁沟，而在佐治亚中部平原的黄土地或沿海地区庄园的肥沃黑土地里，那种犁沟是随处可见。在佐治亚北部的丘陵地带，人们为了防止沃土被冲入河底，总是把犁沟开得弯弯曲曲的。

这里是一片原始的红土地，雨后遍地殷红，遇上干旱，便都成了砖屑，是世界上最好的产棉地。这里是一片欢乐的土地，有白色的房屋，有宁静的耕地，有缓缓流动的黄浊河流，但这里也是一片反差强烈的土地，有世界上最灿烂的阳光，也就有世界上最幽暗的阴影，庄园前开垦的土地和一望无际的棉田对着一轮暖洋洋的太阳微笑，心平气和，怡然自得。庄园的四周边缘耸立着原始森林，即便是在炎热的晌午都显得幽暗、阴凉和神秘，还有点阴森恐怖，飒飒作响的松树似乎怀着悠悠的耐心在等待着，低声威胁说："当心！当心！我们曾拥有过你们，现在也可以把你们收回。"

黑人和骡子从田间回来了，坐在门廊里的这三个人耳边传来了蹄声，挽具铁链的叮当声，还有黑人无忧无虑的尖笑声。屋里传来斯佳丽的母亲埃伦·奥哈拉温柔的声音，她正在叫那个替她提钥匙篮的黑奴小女孩。只听见一个尖细的童音在回答"是，太太"，接着便是朝后面熏肉房走去的一阵脚步声，埃伦要在那里给收工回来的黑人准备吃的。然后又听见塔拉庄园的总管波克摆饭桌时传来的瓷器和银器磕磕碰碰的响声。

听到杯盘的声响，兄弟俩知道该回家了。可他们又不愿意回去见母亲，便在塔拉庄园的门廊里磨磨蹭蹭地盼着斯佳丽请他们留下吃饭。

"斯佳丽，咱们谈谈明天的事吧。"布伦特说，"前一阵子我们不在，不知道宴会和舞会的事，明天晚上你一定要和我们多跳几曲。你还没答应我们哩？"

"唉，我答应过了！我怎么知道你们兄弟俩会回家啊？我可不能为专门等你们而甘冒没舞伴的风险啊。"

"你没舞伴！"兄弟俩听了哈哈大笑。

“听我说，宝贝儿。你得和我跳第一支华尔兹，和斯图特跳最后一支华尔兹，你还得与我们一起吃晚饭。再像上次那样坐在楼梯平台上，让金西妈妈给我们算算卦。”

“我不喜欢让金西妈妈算卦。你们知道的，她说过将来我会嫁给一个头发漆黑、胡子又黑又长的男人，我可不喜欢黑头发的男人。”

“那你喜欢红头发的，是吗？”布伦特傻笑着说，“好吧，快答应专门陪我们跳华尔兹和吃晚饭吧。”

“你如果答应的话，我们就告诉你一个秘密。”斯图特说。

“什么？”一听这话，斯佳丽像个孩子似的来了劲，大声叫着说。

“你说的是我们昨天在亚特兰大听到的事吧，斯图特？如果是这件事，要知道我们可答应过不说出去的。”

“这事嘛，是佩蒂小姐告诉我们的。”

“哪位小姐？”

“你知道的，就是阿希礼·韦尔克斯的表亲，住在亚特兰大的佩蒂帕特·汉密顿小姐——查尔斯和玫兰妮的姑妈。”

“我知道这人，她是我这辈子见过的最蠢的老太太了。”

“是这样的，昨天我们在亚特兰大等回来的火车，她正好乘马车路过车站，就停下跟我们说了会儿话，她告诉我们明天晚上韦尔克斯家开舞会时要宣布一桩婚事。”

“哦，这件事我知道，”斯佳丽失望地说，“就是她那个傻侄子查尔斯·汉密顿跟哈妮·韦尔克斯的婚事呗。这事大家都知道好几年了，都说他们终究要成的，尽管汉密顿好像并不太热心。”

“你真的觉得他傻吗？”布伦特责问道，“去年圣诞节你不是让他围着你团团转吗？”

“是他要围着我转，我有什么办法，”斯佳丽不以为然地耸耸肩说，“我觉得他这人女里女气的。”

“再说，明天要宣布的并不是他的婚事，”斯图特得意扬扬地说，“是阿希礼跟查理的妹妹玫兰妮小姐订婚！”

斯佳丽脸色没变，嘴唇却变白了——就像猛然挨了当头一棒，一下子还没反应过来是怎么回事。她镇静地盯着斯图特，斯图特一向不善于分析他人的心理，以为消息来得突然，只不过是让斯佳丽吃了一惊而已。这样一来，他反而来了兴致。

“佩蒂小姐告诉我们，他们原本打算明年再宣布的，因为兰妮小姐身体不大好，可到处都在传说要打仗，两家人都认为还是趁早结婚的好。这就是明天晚宴上要宣布的消息。好了，斯佳丽，我们已经把秘密告诉你了，轮到你答应明天陪我们吃晚饭了吧。”

“那是当然。”斯佳丽不假思索地回答。

“还答应陪我们跳所有的华尔兹？”

“所有的华尔兹。”

“你真好！我敢打赌，别的小伙子一定会气疯的。”

“让他们气疯好了，”布伦特说，“我俩对付得了他们。听我说，斯佳丽，明天上午吃饭你可要和我们坐在一起呀。”

“什么？”

斯图特又说了一遍。

“当然。”

兄弟俩你看看我，我看看你，高兴得要跳起来了。但他们心里还是不免有些诧异。虽然他们自命是斯佳丽宠爱的追求者，可他们从没这么轻易得到过她这样的许诺。她平时总是敷衍他们，不管他们怎么苦苦哀求，她就是不肯说行，也不肯说不行。要是他们恼了，她就笑，他们生气了，她就冷淡。这会儿她竟然答应明天全包给他们了——吃饭时坐在她旁边和陪他们跳所有的华尔兹（他们一定要想办法让明天的舞会只放华尔兹舞曲），还有共进晚餐。这样的话，被大学开除也值得了。

他们的愿望得逞了，就又来劲了，磨磨蹭蹭不想走，不停地谈什么宴会啊、舞会啊、阿希礼·韦尔克斯和玫兰妮·汉密顿啊，还互相嘻嘻哈哈开玩笑，还露骨地暗示她请他们留下吃饭。过了一会儿，他们才发现斯佳丽好像跟他们没话可说。气氛也变了。兄弟俩弄不明白是怎么回事，只是没有了下午那种高兴劲儿。斯佳丽虽然还没有答非所问，但跟他们说话已经心不在焉。兄弟俩觉察到有点不对劲，不免感到没趣，暗自气恼，又挨了一会儿，才看看表，很不情愿地站起身来。

在刚翻整过的土地对面，太阳已经西斜，河对面高高的树林影影绰绰。燕子正迅捷地从院子上空飞过，家禽也陆续从田间回来，左顾右盼的是鸡，摇摇摆摆的是鸭，趾高气扬的是火鸡。

斯图特吆喝了一声："吉姆士！"不一会儿，就见一个跟他们年纪相仿的高个黑奴气喘吁吁地从屋子拐角跑出来，朝拴着的马跑去。吉姆士是他们的贴身仆人，像狗似的到处陪着他们。他是他们小时候一起玩耍的伙伴，在他们十岁生日那天就送给他们使唤了。塔尔顿家的猎狗一见到他，就从红土地上跳起来，站好了等候主人。兄弟俩跟斯佳丽点点头，握了握手，说明天一早他们就到韦尔克斯家等她。说罢就匆匆走向小径，骑上马，吉姆士跟在后面，顺着有两排雪松的林荫道一溜小跑而去，一面挥舞着帽子，一面朝她喊话。

但等拐过弯绕过那条一片尘土的道路，看不见塔拉庄园以后，布伦特才在山茱萸树丛下勒住马。斯图特也让马停了下来，黑仆人也在后面几步路外停了下来。马儿感到缰绳松了，都低下头伸长脖子去啃嫩青草，听话的猎狗一下子趴在松软的红土上，痴迷地仰望在苍茫暮色中盘旋的燕子。布伦特那张老实的脸上露出了困惑和些许愠怒的神色。

"听我说，"他说，"你看，她会留我们吃饭吗？"

"我本以为她会的呢，"斯图特说，"我一直在等她开口，谁知她没开口。你知道是怎么回事吗？"

"我弄不懂。不过就我来看，她本来是要请我们吃饭的。毕竟今天是我们回家的头一天啊，她有好长时间没看见我们了。我们也有好多事要跟她说呢。"

"我觉得，她刚看见我们时还挺高兴的呢。"

"我也觉得是。"

"后来，也就是半小时前，她的话就少了，像是头痛了。"

"我也注意到了，可我当时没在意。你看她是怎么了？"

"我不知道。你说我们说过惹她生气的话吗？"

他俩想了一会儿。

"我想不出来什么地方得罪她了呀。再说，一般情况下斯佳丽生气，大家心里都有数。她可不像有些姑娘有什么话总放在心里。"

"是啊，我就是喜欢她这一点。她生起气来决不会一声不吭、一副讨厌相——她会跟你明说的。准是我们说错了什么话，做错了什么事，得罪了她，她才闭上嘴，脸色难看了。我敢肯定，我们刚来时，她看见我们还是很高兴的，还打算请我们吃饭呢。”

“你看，会不会是我们被开除的缘故呢？”

“才不会呢！别傻了。我们告诉她这事时，把她乐坏了。再说，斯佳丽跟我们也差不离儿，也不看重念书。”

布伦特骑着马回过头去叫那个黑仆人。

“吉姆士！”

“少爷？”

“你听见我们跟斯佳丽小姐谈什么了吗？”

“没有，少爷！我怎么会偷听白人说话呢？”

“偷听，我的天哪！你们黑人什么事不知道。哼，你骗人，我亲眼看见你侧着身子挨着门廊拐角，蹲在墙脚一簇白茉莉树那里。你听见我们说了什么可能惹斯佳丽小姐生气——或伤心的话了吗？”

经这么一求，吉姆士就不再装作没听见谈话了，只是皱了皱眉头。

“没有，少爷。我没听见你们说了什么惹她生气的话。依我看，她看见你们好像挺高兴的，她的确很惦记你们呢，她一直叽叽喳喳，高兴得像小鸟，后来你们告诉她阿希礼先生和玫兰妮·汉密顿小姐要结婚了，她才像小鸟看见了飞翔的老鹰那样安静了下来。”

兄弟俩面面相觑，点点头，不过还是没明白是怎么回事。

“吉姆士说得对。可这究竟是为什么呢？”斯图特说，“我的天哪！阿希礼对她有什么重要的吗，只是个朋友罢了。她又没爱上他。她爱上的是我们俩啊。”

布伦特点头表示同意。

“可能是阿希礼没告诉过她明天晚上要宣布这件事，她觉得阿希礼没先跟她这个老朋友说一声就跟别人说了，就生他的气了？姑娘们把先知道这类事看得很重的。”

“有这种可能。不过没跟她说也说得过去，那又怎么呢？这种事本来就是要保密的，就是想让人们大吃一惊的。做男人的总有权利对自己订婚的事保密吧？要是兰妮小姐的姑妈没透露给我们。我们都还被蒙在鼓里呢。不过斯佳丽一定知道他总有一天要娶兰妮小姐的。嗨，这事我们都知道了好多年了。韦尔克斯家和汉密顿家一直是表亲通婚的。人人都知道他总有一天会娶她的，正像哈妮·韦尔克斯也会嫁给兰妮的哥哥查尔斯一样。”

“得了，别想这事了。可她不请我们吃饭让我不痛快。我实在不愿回家去听妈数落我们被开除的事。这可不是头一回了。”

“说不定这会儿博伊德已经让她的气消了。你知道这家伙能说会道。他总能让她把气消了的。”

“是啊，虽说博伊德办得到，可也得花些时间。他得绕着弯子说，把她绕糊涂了才行，这样她才会让他留点说话的力气去当律师用。可是这会儿他还没时间开个头呢。嗨，我敢打赌，妈到现在可能还都在忙活那匹新马，要到今晚坐下来吃饭，看见博伊德，她才会想起我们又回家来了的事。还不等晚饭吃完，她就会越想越火，气得七窍生烟。要等到十点钟，博伊德才会有机会跟她说，自从校长那样训了你我以后，我们就没脸留在学校里了。要到半夜时分，博伊德才会说得她回心转意，把火气撒到校长身上，问博伊德干吗不一枪把校长毙了。不行，我们要等到半夜过了才能回去。”

兄弟俩快快不乐地你看看我，我看看你。他俩对驯养野马、开枪闹事、邻居发火什么的全都不怕，就怕红头发的母亲没完没了的数落，还怕她毫无顾忌地用马鞭抽他们的屁股。

“算了，这样吧，”布伦特说，“我们上韦尔克斯家去吧。阿希礼兄妹一定愿意留我们吃饭。”

斯图特看上去有点局促不安。

“不，还是别去了。他们家正在准备明天的宴会，一定忙得不可开交，再说——”

“哦，这我倒忘了。”布伦特赶忙说，“好，那我们就别去了。”

他们对着马一声吆喝，默默地骑了一阵，斯图特那张棕色的脸不由得臊红了。原来，去年夏天之前，在双方家人和全县人的一致赞同中，斯图特就一直在追印第亚·韦尔克斯。县里的人都觉得印第亚·韦尔克斯冷静稳重，对他可以起点安定的作用。总而言之，大家都希望他俩能成。斯图特兴许找到了对象，可布伦特却不太满意。布伦特也喜欢印第亚，但他觉得她长得太丑，太温顺，斯图特跟她谈恋爱，他简直无法奉陪，这是兄弟俩头一次趣味不投。布伦特认为这姑娘太不出众了，而他兄弟居然看上了她，不免心里不痛快。

后来，在去年夏天琼斯博罗橡树林举行的一次政治讲演会上，他们俩突然一下子都注意到了斯佳丽·奥哈拉。他们认识她多年了，从小她就是最讨人喜欢的伙伴，因为她会骑马，会爬树，几乎跟他们一样。让他们大吃一惊的是，谁知她竟出落成一个迷人的大姑娘了，而且算得上天下最娇媚的姑娘。

他们头一次注意到那双绿眼睛会说话，一笑一对那么深的酒窝，她的手脚那么纤巧，她的腰肢那么苗条。他们对她大加赞扬，哄得她发出一串串银铃般的笑声，于是他们就以为她把他们看成了一对稀世至宝，越发使出了浑身解数。

这是兄弟俩一生中值得纪念的日子。所以，每当他们谈起这事，就想知道为什么他们以前没注意到斯佳丽的魅力。他们根本找不到正确的答案。原来那一天斯佳丽是存心引他们注意的。她天生就容不得任何男人同别的女人谈恋爱，只许与她谈，一看见印第亚同斯图特说话，她那副强横的脾气就上来了。她看上了斯图特还不算，也看上了布伦特，就干脆把兄弟俩一起拉拢了。

布伦特曾半心半意地追求过洛夫乔伊的一个姑娘——莱蒂·芒罗，现在他俩都同斯佳丽谈上了恋爱，干脆把印第亚和莱蒂都抛到脑后去了。兄弟俩可没想过如果斯佳丽接受他们中的一个，失意的那个怎么办。反正车到山前必有路。目前兄弟俩同时追求一个姑娘很是满足，毫不争风吃醋。邻居们看到这个情况都饶有兴致，他们的母亲却很烦恼，因为她并不喜欢斯佳丽。

“如果你们哪个被相中，哪个就活该，”她说，“也许你们俩都会被相中，那你们就只好搬到犹他州去，当地的摩门教徒（摩门教徒盛行一夫多妻制与一妻多夫制——译者注）肯不肯收留你们——那我可不知道……我伤脑筋的是总有一天你们俩会被那个两面三刀的绿眼珠小妖精弄得神魂颠倒，争风吃醋，到那时就会开枪决斗。不过那样倒也不坏。”

自从那天讲演会后，斯图特见了印第亚就不自在。倒不是印第亚责怪过他突然变了心，也不是从她的眼色或举止中看出他变了心。这位小姐异常贤惠，可是斯图特对她总感到内疚。他知道他已经使印第亚爱上了自己，他也知道她内心还爱着自己，他心里感到自己做的事不太像堂堂正正的男子汉。他依然非常爱她，尊重她有良好的教养，有学问，有种种优良品德。可是，真见鬼，同斯佳丽那活泼善变的魅力相比，她总显得苍白乏力、索然无味，而且老是一成不变。碰到印第亚，你脑子是清醒的，碰到斯佳丽，你就晕头转向、神魂颠倒，可能这就是魅力所在。

“好吧，我们上凯德·卡尔弗特家吃晚饭吧。斯佳丽说凯瑟琳已从查尔斯顿回来了。也许她会谈些我们没听说过的苏姆特堡的消息。”

“凯瑟琳才不知道呢。我敢跟你打赌，两块赌一块，她连港口外是否有炮台都不知道，更别说炮台里的北方佬被我们一顿炮轰跑了这事了。她只知道参加宴会和找情人。”

“好了，听听她胡侃也有趣嘛。总得有个地方躲躲，等妈上床睡觉了再说啊。”

“唉，真是的！我喜欢凯瑟琳，她挺有意思的，我还想听听卡罗·瑞特和查尔斯顿其他一些熟人的消息。只是得跟她那个北方佬后妈同桌吃饭，真让人受不了。”

“斯图特，别对她太苛刻。她人挺好的。”

“我不是为难她，我是可怜她。我不喜欢让我可怜的人。她这人太琐碎，总想把人侍候得好好的，结果不是说错话，就是做错事，吃亏不讨好。她让我感到很不自在！她还把南方人当蛮子。她甚至在妈跟前也这么叫。她怕南方人。只要我们在，她就怕得要死。她那样子真像一只蹲在椅子上的母鸡，瞪着两只惊恐的眼睛，只要一有动静，就拍着翅膀咯咯乱叫。”

“这只能怪你。谁让你开枪打伤了凯德的腿呢。”

“唉，我当时喝醉了，要不才不会开枪呢，”斯图特说，“凯德也从没记仇。凯瑟琳啊、赖福啊、卡尔弗特先生啊，都没记过仇。只有他那个北方后妈咒骂我是个蛮子，说什么文明人家在野蛮的南方人身边不太平。”

“得了，你不能怪她。她是个北方佬，不懂得什么礼貌。再说，毕竟是你开枪打伤了她的继子。”

“嘿，妈的！那也不能成为侮辱我的理由呀！你还是妈的亲生儿子呢，可是那次汤尼·方丹开枪打伤了你的腿，她有没有大发脾气？没有，她只是把方丹大夫请来包扎了伤口，问大夫说汤尼的眼力怎么了，是不是喝了酒枪法才大失水准。记得汤尼当时听了有多气吗？”

说到这儿，兄弟俩不禁哈哈大笑起来。

“妈真是个厉害角色！”布伦特充满爱意地赞许着，“她当着大家的面总是注意体面，决不让你下不来台。”

“确实如此，不过今晚我们回到家，她就要当着父亲和姐妹的面说些让我们下不来台的话了。”斯图特闷闷不乐地说，“我说，布伦特，我想这回我们可去不成欧洲了。妈早说过，要是我们再被一所大学开除，就休想到欧洲去观光旅行。”

“他妈的！没什么了不得的，欧洲有什么好看的？外国人有的东西我们佐治亚州都有。我敢说，他们的马跑得没我们的快，姑娘也没我们这儿的漂亮，裸麦威士忌也没父亲自己酿的够味。”

“可阿希礼说过欧洲风景秀丽、音乐动听。阿希礼喜欢欧洲。他一开口就是欧洲。”

“这，你不太知道，韦尔克斯家的人就那样。他们就喜欢音乐、书本和自然风景什么的。妈说这是因为他们的祖父是弗吉尼亚人的缘故。她说弗吉尼亚人有读书、听音乐的习惯。”

“随他们去吧。我只要有好马骑，有好酒喝，有好姑娘追追，有坏姑娘开开心，就什么也不想了，谁要到欧洲去玩尽管去好了……不去欧洲旅行也没什么可惜的？再说，就要打仗了，要是去了欧洲，就回不了家了。我宁愿去打仗，也不愿去欧洲。”

“我也是，听我说，布伦特！我想起来能上哪儿去吃饭了。我们可以穿过沼泽地到对面的埃伯·温德那儿去，说我们四兄弟又回来了，随时准备接受军训。”

“好主意！”布伦特起劲地说，“我们还可以探听一下骑兵连的消息，弄清楚他们最后决定用什么颜色的军服了。”

“如果是穿法国步兵服，那我说什么也不入伍。穿那种鼓鼓囊囊的红裤子，太女里女气。简直就像女人穿的红绒布衬裤。”

“你们是要到温德先生家去吗？去他家可吃不上晚饭，”吉姆士说，“他家的厨师死了，新厨师还没买。暂时由一个干农活的黑奴做饭，其他的黑人跟我说她是全州最糟的厨娘。”

“天哪！他们干吗不赶紧再买一个？”

“穷白佬怎么买得起黑奴呢？他们家的黑奴总共不过才四个。”

吉姆士一副瞧不起的口气。因为他所在的塔尔顿家有一百个黑奴，他和大庄园里的其他奴隶一样，觉得自己的社会地位牢固，所以并不把蓄奴少的小农场主放在眼里。

“你这么说话我要剥你的皮，”斯图特恶狠狠地说，“不准你叫埃伯·温德穷白佬。他虽有点穷，但不是穷白佬。不管黑人白人，谁都不许说他一句坏话。他可是县里最好的人，要不骑兵连怎么选他当少尉呢？”

“这个我可就不明白了，”虽遭到主子责骂，吉姆士还是若无其事地径自答腔说，“军队里都是从有钱的白人老爷中挑选军官的，穷白佬怎么也当上军官了？”

“他不是穷白佬！他与斯莱特里家这种真正的穷白佬可不同，埃伯只是不算有钱罢了。他毕竟是个小农场主，虽不是大庄园主。大伙儿看重他，推选他当少尉，自有道理，不准你们这些黑人对他说三道四。骑兵连又不是吃素的。”

骑兵连是三个月前佐治亚州脱离联邦那天刚组建的，从此士兵们就一直在盼望战斗。但是这支队伍至今还未命名。大家对连队的命名各执己见，就像对军服颜色和式样一样谁都不愿放弃。有叫“克莱顿野猫”的，有叫“霹雳火”的，有叫“北佐治亚轻骑兵”的，有叫“卓阿夫义勇兵”的，有叫“内地火枪连”的（虽然骑兵连的武器只是手枪、马刀和长猎刀，不用火枪），有叫“克莱顿灰衣连”的，有叫“血雷连”的，还有叫“风暴预备队”的，各种叫法都有人附和。在名字定下来之前，大家都叫这支队伍“骑兵连”，尽管后来终于采用了响亮的名字，但始终还是习惯地称之“骑兵连”。

军官都是选举产生的，全连除了三两个参加过墨西哥战争和塞米诺尔战争的老兵外，没人有打仗经验。再说，老兵当长官，如果没有人缘，没有士兵信赖，在骑兵连里也会被瞧不起。大家都喜欢塔尔顿家四兄弟和方丹家三兄弟，但只是不肯推选他们当官，因为塔尔顿家四兄弟喜欢饮酒作乐，而方丹家三兄弟呢，又暴戾残忍。于是阿希礼·韦尔克斯就被推选为上尉，一来他是全县最善骑术者，二来他头脑冷静，可以指望他来维持一点儿军纪。赖福·卡尔弗特被选为中尉，因为大家都喜欢他。埃伯·温德被选为少尉，他父亲是沼泽地的一个猎人，他自己是小农场主。

埃伯精明能干、严肃认真、身材魁梧、目不识丁、心地善良，比其他哥儿们年纪稍大，在女士面前和大家一样彬彬有礼，也许更有礼貌些。骑兵连里不大讲究势力。其实他们的父辈祖辈大多都是从小农场主发家致富的呢。况且，埃伯又是骑兵连里枪法最好的一个，是名真正的神枪手。可以在七十五码外打中松鼠的眼睛，他还精通野外生活的各种常识，比如在雨中生火啊，追踪动物啊，寻找水源啊，样样都会。骑兵连里对有真本事的人都心服口服。再者因为大家都喜欢他，就请他当了军官。他也名正言顺地当之无愧，并无丝毫骄横霸道。尽管庄园主们对他不是上等人出身能睁只眼闭只眼，庄园主们的女眷和奴隶们却做不到。

最初，骑兵连只招募庄园主的子弟，算是一支乡绅队伍，人人自备马匹、武器、装备、军服和贴身勤务兵。可克莱顿县的历史不长，有钱的庄园主寥寥无几，为了充实兵员，不得不招募小农场主的子弟、偏僻林地的猎户、沼泽地的猎人、佐治亚州的山地居民，甚至连穷苦白人也招，只要不是下等阶层的就行。

一旦开战，这些年轻人同附近有钱人一样，都巴不得去打北方佬。不过经费的问题随之而来。有马的小农场主不多。他们都是用骡子干农活的，而且也没有多余的骡子，往往一户不到四头。骑兵连坚决不收骡子，即使收，也舍不得用来打仗。至于穷苦白人，能有头骡子，就认为自己富裕了。偏僻林地的人家和沼泽地住户，既没马，又没骡子，全靠地里的作物和沼泽地的野物过日子，做生意通常都是以货易货，一年到头也见不到五块钱，当然也出不起马和军服。他们穷虽穷，却很有骨气，就像有钱的庄园主一样，他们不肯接受有钱的邻居们的任何施舍。所以，为了做到既不伤大家的感情，又能保持骑兵连兵员充实，斯佳丽的父亲、约翰·韦尔克斯、布克·芒罗、吉姆·塔尔顿、休·卡尔弗特，实际上是除了安古斯·麦金托什以外，每个大庄园主都捐了一些钱作为连队的装备费用。结果等于每个庄园主都出钱装备了自家子弟和一定数目的人员，不过这种做法倒可以使队里那些不太有钱的人不伤体面地接受人家捐助的马匹和军服。

骑兵连每星期在琼斯博罗集合训练两次，盼望早日开战。一些筹备工作，如马匹的征集虽然还没完成，可是那些有马的人已经在县政府后面那块场地进行模拟的骑兵演习了，他们挥舞着从各家客厅墙上摘下的独立战争时用的军刀，弄得尘土飞扬，声嘶力竭。暂时还没马的人就在布拉德的铺子前沿街坐着，眼睁睁看着有马的战友训练，他们嘴里嚼着烟草，调侃闲聊。要不就参加射击比赛。打枪是不用教的。多数南方人都是生来手不离枪的，打猎生涯把他们个个都磨炼成神枪手了。

从庄园主的府邸和沼泽地的木棚中拼凑出了五花八门的武器。有打松鼠的长枪，当美国第一批移民首次翻越阿勒根尼山脉时，这些枪还是最新式的；有老式滑膛枪，佐治亚州刚成立时，好多印第安人都用这种枪；有马枪，1812 年美英战争、塞米诺尔战争、墨西哥战争，都用过这种枪；还有柄上镶银的决斗手枪、袖珍大口径短筒手枪、双筒猎枪，也有漂亮的英国来复枪，崭新的，枪把都是用光亮的上等木料做的。

操练总是在琼斯博罗的酒馆里收场，到了傍晚打架的事层出不穷，还没开始吃北方佬的苦头，伤亡就发生了。在这些殴斗中，斯图特·塔尔顿开枪打了凯德·卡尔弗特，汤尼·方丹开枪打中了布伦特。骑兵连成立时兄弟俩刚被弗吉尼亚大学开除，在家里闲待着没事干，一时冲动，就入了伍；才两个月就开枪伤了人，于是他们的母亲就匆匆打发他们上了佐治亚州立大学，命令他们老老实实待在那儿。刚又回到大学那阵子，他们非常怀念操练的感觉，只要能跟朋友们一起骑马、冲杀、开枪，他们觉得不上学也行。

“这样吧，我们抄近路穿过田野到埃伯家去。”布伦特建议说，

“穿过奥哈拉先生的河谷和方丹家的牧场，很快就到了。”

“除了负鼠和蔬菜，什么吃的都不会有的。”吉姆士分辩说。

“你本来就什么也吃不着，”斯图特咧嘴笑着说，“因为你得回去禀告妈说我们不回家吃晚饭。”

“不，我不去，”吉姆士惊呼道，“不，我不去！与其让贝特丽丝小姐把我揍扁，还不如让你们揍我一顿。一开始她就会问我怎么又让你们被开除了。接下来又会问我今晚怎么不带你们回去挨揍。问完她就会像螳螂捕蝉似的突然对我扑上来，渐渐地就会把一切罪名统统归在我头上。如果你们不带我上温德先生家，那我宁愿在林子里过夜，让巡逻队把我抓起来，因为贝特丽丝小姐正在火头上，与其让她抓住，还不如让巡逻队抓去呢。”

兄弟俩看着这个铁了心的黑仆人，既为难又气愤。

“这小子太混了，竟想让巡逻队抓了去，要那样妈还不多个话柄谈上几星期。黑人总是惹事。有时候我想废奴主义者的观点倒也有些道理。”

“算了吧，我们自己不愿去挨骂，也就不要勉强吉姆士去了。只好带他一起走了。不过，听着，你这个不要脸的黑傻子，如果你胆敢在温德家的黑人面前摆什么架子，炫耀说我们家一年到头吃炸鸡和火腿，而他们光吃兔子和负鼠，我就告诉妈。我们也用不着你陪我们去打仗。”

“摆架子？我在那些贱黑人面前摆架子？不，少爷，我可是懂规矩的。贝特丽丝小姐教我的规矩不是跟教你们俩的一样吗？”

“我们三个谁都没学好，”斯图特说，“来，我们快走吧。”

他勒住大红马，用靴刺踢踢马肚子，很轻松地就跃过栏杆，落在奥哈拉庄园那片软软的地里。布伦特的马也跟着跳了过去，接着，吉姆士死死抓住鞍头和马鬃也跳了过去。吉姆士不喜欢跳围栏，可为了赶上主子，再高的围栏也得跳。

他们在暮色苍茫中择着路，穿过红色的犁沟，沿着山脚到了河谷，布伦特对他兄弟喊道：

“听我说，斯图特！你看，斯佳丽像是会留我们吃晚饭的吗？”

“我一直以为她会的，”斯图特叫道，“你怎么会以为……”

2

兄弟俩离开塔拉庄园时斯佳丽一直站在门廊中，一直等飞驰的马蹄声消失了，她才像个梦游者似的回到自己的椅子上。她的脸好像痛得发木，这是由于刚才她的嘴巴一直勉强咧着装出笑容，以免被兄弟俩看出破绽，现在酸痛得很。她深感疲倦地坐下，蜷起一条腿，心里痛苦不堪，简直没法忍受了。她的心一阵阵痉挛着。两手冰凉，一种大难临头的感觉压得她喘不过气来。她脸上露出痛苦惶惑的神色。一个一向娇生惯养的孩子，从来都是要怎样就怎样，现在，头一次碰到不顺心的事，神色就是这么惶惑的。

阿希礼竟然要娶玫兰妮·汉密顿！

天哪，这决不是真的！那兄弟俩弄错了。他们肯定又是在拿她开玩笑。阿希礼决不会，决不会爱上玫兰妮。玫兰妮那种小不点，像耗子似的，是没人会爱上的。斯佳丽轻蔑地回想起玫兰妮那副模样：像孩子般瘦小的身材，一本正经的瓜子脸，这种长像很是一般，简直难看。她与阿希礼有好几个月没见面了。自从去年在十二棵橡树庄园举行留客过夜的大宴会以来，他到亚特兰大只去了两次。不对，阿希礼决不会爱上玫兰妮的，因为——她决不会弄错的——因为他爱的是她！她，斯佳丽，才是他爱的人——这一点她知道。

斯佳丽听见黑妈妈的脚步声，她的脚步很重，把过道地板踩得咯咯响。她急忙放下腿，尽量装出比较平静的样子。千万不能让黑妈妈疑心出了什么事。在黑妈妈眼里，奥哈拉一家统统都归她所有，他们的秘密就是她的秘密。只要有一丁点儿蛛丝马迹也足以让她像条猎狗似的穷追不舍。经验告诉斯佳丽，如果她不立刻满足黑妈妈的好奇心，她就会询问埃伦，到那时斯佳丽只好把一切向母亲和盘托出，要不然就得编一套能自圆其说的谎话。

黑妈妈从过道里出来了，她是个身材高大的老太婆，一双机灵的小眼睛长得像大象。她皮肤乌黑油亮，是地道的非洲人。她对奥哈拉家忠心耿耿，是埃伦的左右手。三位千金见了她就头痛，家里的佣人见了她都害怕。她虽是黑人，但行为准则和自尊心却和主人一样高尚，甚至比主人的还高。她从小在埃伦的母亲——索朗热·罗比亚尔的闺房里受教育。索朗热是个优雅、冷淡、高鼻子的法国女人，对自己的孩子或仆人素来管教很严，稍有失礼决不轻饶。她原来是埃伦的奶妈，埃伦出嫁时跟着从萨凡纳来到内地。黑妈妈疼爱谁就管教谁。由于最疼爱斯佳丽，最以她为自豪，所以对她的管教也就最严。

“那两位少爷走了吗？你怎么也不请他们留下来吃晚饭，斯佳丽小姐？我已经叫波克为他们准备饭菜了。你怎么这么没礼貌？”

“哦，他们光谈打仗的事，我都听腻了，我不想吃晚饭时再听了。回头爸再来凑热闹，高声大谈什么林肯先生，那我可就真的受不了了。”

“我和埃伦小姐花了多少心血教你，你就跟个泥腿子一样没教养。你怎么没披围巾呢！晚上的寒气要钻进脖子里去的。我跟你说了多少遍，光着肩膀，不围围巾晚上受了寒气要发烧的。进屋去吧，斯佳丽小姐。”

斯佳丽故意若无其事地转过身，幸亏黑妈妈只顾说围巾的事，没注意到她的脸色。

“不嘛，我要坐在这儿看落日。真好看！请你帮我把围巾拿来吧。黑妈妈，我要坐在这儿等爸回来。”

“听你的嗓音，好像着凉了。”黑妈妈怀疑地说。

“行了，我没着凉，”斯佳丽不耐烦地说，“你去把我的围巾拿来吧。”

黑妈妈摇摇摆摆地回到过道，斯佳丽听见她在楼梯脚下低声叫着楼上的使女。

“喂，罗莎！把斯佳丽小姐的围巾扔给我。”随后，提高了嗓门，“不中用的黑丫头！一点用也没有。看来，只好我自己上楼去拿了。”

斯佳丽听见楼梯嘎吱嘎吱直响，就轻轻站起身来。黑妈妈回来后，又要继续长篇大论地教训她不懂得款待客人了，斯佳丽觉得自己在伤心的时候忍受不了别人唠叨这种小事。她站在那儿，拿不定主意，不知能在哪儿躲躲让心里的痛楚稍稍平静一下。这时她想起一件事，不禁又生了一线希望。父亲下午骑马到十二棵橡树韦尔克斯家的庄园去提要买迪尔西的事，迪尔西是她父亲贴身男仆波克的老婆，在十二棵橡树庄园当女仆头儿和接生婆。六个月前波克跟她结婚后，就日日夜夜缠着主人将迪尔西买回来，让他们两口子好住在一个庄园里。这天下午，杰拉尔德禁不住他的软磨硬泡，就动身去谈迪尔西的身价。

斯佳丽想，爸肯定会知道这个消息的真假。即使今天下午他真的没听到什么，在韦尔克斯家也会看出些苗头，觉察到什么动静。要是在吃晚饭前能私下问问他，也许就可以打听出事情的真相——这只是兄弟俩的恶作剧罢了。

现在是父亲回来的时候，如果想单独见他，那就只有到路口去等。她轻轻地走下台阶，仔细地回头看看黑妈妈有没有在楼上窗户里监督她。从飘动的窗帘缝里并没有看到包着雪白头巾的大黑脸在漫不经心地窥视她，这才大胆撩起绿花裙子，向通往车道的小路上飞奔，她趿着缎带镶边的纤巧舞鞋，能跑多快就跑多快。

碎石铺成的车道两边都是黑黝黝的雪松，在路上空形成拱顶，使这条长长的林荫道变成了一条幽暗的隧道。她一直跑到雪松那些长满节瘤的枝丫下，直到从房屋里看不到她了，才放慢了脚步。她气喘吁吁，因为紧身褡束得太紧，跑不了这么多路，但她还是快步走着。没一会儿就到了路口，上了路，绕过一个弯，到了可挡住屋子的树丛，她才停下来。

她满面通红，上气不接下气，在树桩上坐下来等父亲。已经过了他回家的时间，但她很高兴他能晚些回来。只有这样，她才有时间喘口气，缓缓神儿，免得引起他疑心。她企盼着听见他的马蹄声，盼望看见他像平时那样不顾危险地飞速冲上小山来。但时间一分分过去了，杰拉尔德还没有回来。她放眼向大路那头望去，期盼着，那股痛楚又涌上心头了。

“哦，这事决不会是真的！”她想，“他干吗还不来呢？”

她顺着这条弯弯曲曲的路望过去，由于刚下了场雨，这会儿变成一片殷红的了。她在心里默默让自己顺着这条路走着，下了山坡就是缓缓流动的弗林特河，穿过乱七八糟的沼泽洼地，爬上第二个山坡，就是阿希礼居住的十二棵橡树庄园了。现在这条路是一条通向阿希礼的路，一条通向山顶上那座像希腊神庙一样美丽的白柱子宅邸的路。

“哦，阿希礼！阿希礼！”她心里呼唤着，心跳得更快了。

塔尔顿兄弟告诉她阿希礼要订婚的事以来，一种困惑和大难临头的冷酷感一直压得她喘不过气来，现在这些感觉终于被抛到了脑后，悄悄取代它的是两年来一直萦绕在心头的那股狂热。

现在想想也怪，过去阿希礼从来就没那么让她着迷过。小时候，她看着他走来走去，从来就没把他放在心上。但两年前阿希礼在欧洲旅游了三年后刚回来，来登门拜访，自此她就爱上了他。事情就这么简单。

她当时在前门廊里，他骑着马沿着长长的林荫道一路过来。他身穿灰色细毛料衣服，系着一条宽宽的黑领带，把那件胸前有饰边的衬衫衬托得格外漂亮。即使到现在，他穿着的每个细节仍历历在目：靴子擦得铮亮，领带别针上有个美杜莎的玉石浮雕头像，他一看见她就赶快把那顶宽边巴拿马草帽拿在手里。他下了马，把缰绳扔给一个黑孩子，站在那儿仰望着她，那对睡意蒙眬的眼睛灰灰的、大大的，满含着笑意。太阳把他的金发照得闪闪发亮，就像戴了一顶光灿灿的帽子。他还说，“原来你已经长大了，斯佳丽。”说着轻快地走上台阶，吻了她的手。他那声音啊！她永远也忘不了听见他说话的声音时的感受：一颗心怦怦直跳，这声音仿佛初次听见似的，不慌不忙，洪亮悦耳。

就在那一瞬间，她就想要他了。就像要东西吃，要马骑，要一张软和的床睡觉那样平平常常，不可理喻。

两年来他陪她到县里参加舞会，吃炸鱼野餐，外出郊游，看开庭审案。他虽不像塔尔顿家兄弟俩或者凯德·卡尔弗特来得那么勤，也不像方丹家的几个小伙子那样纠缠不休。可他没有一星期不到塔拉庄园来的。

尽管他从来没向她求过爱，那对清澈的灰眼睛也从来没流露出斯佳丽在别的男人眼睛里常见的那种炽烈眼光。然而——然而——她知道他爱她。这点她确信无疑。她的直觉告诉她他爱她，这种直觉比理智和凭经验得出的认识更有力。她经常会偶尔发现他的眼睛并没睡意蒙眬，也不冷漠无情，而是用一种爱恋和忧伤的眼光望着她，望得她不知如何是好。她知道他爱她。那他为什么不告诉她呢？这点她就不明白了。不过他的很多事她都不明白哩。

他总是彬彬有礼，但态度冷漠，难以接近。谁也不知道他在想些什么，斯佳丽就更不用说了。这一带的人个个都是心里怎么想就怎么说，像阿希礼这种有话藏在肚子里的脾气可真让人恼火。他和其他小伙子一样，对县里通常的消遣样样精通，如打猎、赌钱、跳舞、政治活动等，无一不精，而且骑马功夫最高明；但他和大家的差别就在于他并没把这些寻欢作乐的事当作人生目标。他最感兴趣的是读书和听音乐，对写诗也乐此不疲。

哦，他那一头金发为什么那么俊美？他为什么那么见外、彬彬有礼？他为什么一谈起欧洲、书本、音乐、诗歌以及一些她完全不感兴趣的事总是津津乐道，让她一方面听得烦死，另一方面却那么想要一听呢？每当晚上陪他在半明半暗的前门廊里坐过以后，斯佳丽总是在床上翻来覆去地好几个小时睡不着，只好自我安慰，说下一次他看见她时一定会开口求婚的。但一次次见面，还是毫无结果——什么也没有，只是萦绕在心头的那股狂热越来越高涨，越来越炽烈了。

她爱他，她要他，然而她却并不了解他。她自己就像从塔拉庄园吹过的风，直来直去，像蜿蜒流过塔拉庄园的黄浊河流，纯朴自然，她到死也理解不了那些复杂的事情。现在，她第一次碰到一个具有复杂性格的人。

阿希礼家世代都是那种悠闲度日、光想不干的人，只知编织五彩缤纷、脱离现实的梦。于是阿希礼便躲进一个比佐治亚州更美丽的内心世界，不愿意回到现实中来。不管什么人，对他来说算不上喜欢也算不上讨厌。人生对他而言算不上欢欣鼓舞也算不上悲伤痛苦。他认为天地万物和自己所处的地位本来就是这样，不由得耸耸肩，就此躲到自己的音乐、书本和更美好的世界里去了。

既然斯佳丽不了解他的内心世界，那他怎么又让她着迷了呢。这点她可不知道。正是他那神秘莫测的样子，像扇既没有钥匙也没有锁的门，才激起了她的好奇心。她弄不懂他的心思，这反而使她更爱他，他那种古怪、克制的求爱方式反而更增加了她的决心，要把他据为己有。她从不怀疑他总有一天会开口向她求婚，因为她太年轻气盛，娇生惯养，从未受过挫折。眼下传来这个可怕的消息，无异于晴天霹雳。阿希礼竟要娶玫兰妮！这决不会是真的！

唉，就在上星期，当他们从费尔希尔趁着暮色一起骑马回家时，他还对她说，“斯佳丽，我有件重大事情要告诉你，可就是不知道怎么开口才好。”

她故作镇静地垂下眼帘，心里却一阵狂喜，怦怦乱跳，以为幸福的时刻来到了。后来他却说：“算了，不谈了！我们快到家了，以后再谈吧。唉，斯佳丽，我真是个胆小鬼！”他用靴刺踢了马一脚，就随她疾驰上山到塔拉庄园了。

斯佳丽坐在树桩上，回忆起当时让她心花怒放的这番话，突然觉得这番话另有一层意思，一种可怕的意思。他当时打算告诉她的不会正是他订婚的消息吧！

哦，等爸回家来就好了！这种忧虑她一刻也受不了了。她不耐烦地又望望路的那头，结果还是失望了。

这会儿太阳已经落入地平线下，天边的晚霞渐渐消退成粉红色。碧空也慢慢变为淡淡的青绿色，村野暮色中那股神秘的寂静悄悄来到了她身边。整个乡间渐渐被朦胧所笼罩。红红的犁沟和开裂的红路都失去了神奇的殷红色，变成普普通通的褐土。路对面牧场里的牛、马、骡都静静地站着，头伸出木板围栏外，等着进畜栏去吃食。牲畜不喜欢环绕牧场小河那些灌木丛的黑树荫，所以都对着斯佳丽抽动耳朵，仿佛很感激她与它们做伴。

河滩沼泽地那些高大的松树在阳光下一片碧绿，在奇异的暮色中，衬着淡淡的天空竟发黑了，成了一排铜墙铁壁似的黑金刚，把缓缓流动的黄浊河水隐藏在脚边。在河对面的小山上，韦尔克斯家的白烟囱渐渐隐没在房子周围那片黑暗浓密的橡树丛中，只有远处星星点点的餐厅灯光才知道那儿有幢房子。温馨潮湿的春天的芳香围绕着她，浸润着刚耕过的土地，四周弥漫着刚出土的嫩绿作物的香味。

暮色、春天以及嫩绿的新叶对斯佳丽来说司空见惯。她对这些自然美景已熟视无睹，看得犹如呼吸的空气和喝的水一样平常，因为除了女人的脸、马匹、丝绸衣服和看得见摸得着的东西，她根本就不知道还有什么其他东西是美的。然而塔拉庄园精心照料的土地上这片宁静的暮色，倒也给她烦恼的心境带来了一点儿平静。她非常爱这片土地，连她自己也不知道自己已经爱上了，就像她爱祈祷时母亲在灯下的脸一样。

那条寂静、弯弯曲曲的路上仍不见父亲的踪影。要是她等得太久，黑妈妈一定会来找她，逼她回屋去的。但就在她睁大眼睛盯着那条黑沉沉的大路的时候，忽然听到山脚下响起了嘚嘚的马蹄声。只见牛马都吓得四下散开，父亲正穿过田野，一路飞驰而来。

他骑着那匹膘肥体壮的长腿猎马，一路飞奔上了山坡，远远望去就像小孩子骑在大马上。他一头长长的白发在脑后飘舞，挥着短柄马鞭，大声吆喊着，催马前行。

尽管她忧心忡忡，仍然满怀敬仰、暗暗得意地望着他，因为他是个一流的骑手。

“真弄不懂为什么他一喝酒就老是要去跳围栏，”她想，“去年他就是在这儿摔破膝盖的。本以为他会学乖了。尤其是他还对妈妈起过誓，保证再也不跳了呢。”

斯佳丽对父亲并不畏惧，她觉得比起妹妹来，父亲更像她的同龄人，因为他瞒着妻子跳围栏就感到孩子般的得意、做了坏事的欢欣，这倒是跟她骗过黑妈妈时感到的乐趣如出一辙。她站起身来看着他。

那匹大马跑近围栏，打起精神，身轻如燕，稍一用力就一跃而起，他在马上热烈欢呼着，在空中挥舞着短柄马鞭，拳曲的白发在脑后飘拂着。杰拉尔德并没看见树荫下的女儿，他在路上勒住缰绳，拍拍马脖子表示赞赏。

“县里没一匹马赶得上你，州里也没有。”他自豪地对马说，尽管他在美国已有三十九个年头了，说话仍带有米斯郡的土音。随后他匆匆理了理头发，整了整镶褶边的衬衫，又把滑到耳朵后去的领带打好。斯佳丽知道他在这儿匆匆打扮是为了在妻子面前装出一副斯文样，像是正经八百地骑马从拜访了的邻居处回来。这正好给了她一个极好的机会，用不着流露自己的真正目的，打开话头再说。

她放声大笑。果然不出她所料，这笑声让杰拉尔德吓了一跳。定神一看，认出是她，他红润的脸上才现出虽不好意思但并不服气的神情。他好不容易才下了马，因为他的膝盖已经僵硬了。他一边把缰绳搭在臂上，一边迈着沉重的步子向她走来。

“喂，丫头，”他拧拧她的脸蛋说，“原来你像上星期你妹妹苏埃伦那样在暗中监视我，你要到你妈那儿去告发我吧？”

他那沙哑的男低音虽含着愤怒，但也有点哄骗的口吻。斯佳丽一边伸手去替他整领带，一边开玩笑地啧啧舌头。他喷到她脸上的气息有股浓烈的波旁威士忌夹杂着一丝薄荷的气味。他身上还有嚼烟味、光滑的皮革味和马的气味——这股混合气味老是使她联想到父亲，如果别的男人有这股气味，出于本能她也会喜欢。

“不，爸，我可不像苏埃伦那样喜欢搬弄是非。”她向他保证道，说着站在一边，装出有见识的样子打量着他整理过的穿着打扮。

杰拉尔德个子不高，只有五英尺多一点，但腰圆体壮，脖子也粗，因此他坐着时，陌生人看外表还会以为他是个大高个儿呢。他那极粗壮的身躯下是结实的短腿，老是穿着最上等的皮靴，而且老是两腿叉开站着，像个装模作样的小孩。多数身材矮小的人认真起来都有点荒唐。但在场院里矮脚鸡是受尊敬的，杰拉尔德的情况也是如此。没谁敢冒冒失失地把杰拉尔德当个可笑的小个子看待。

他年已花甲，一头鬈发满是银丝，但那张精明的脸上却没有皱纹。一双严厉的小蓝眼睛还很年轻，无忧无虑，充满青春活力。他除了在打扑克时要考虑拿几张牌外，其他问题是从来不动脑筋的。他的脸是地道的爱尔兰人的脸，这种脸在他离开已久的祖国随处可见——圆溜溜、红通通、短鼻子、大嘴巴，虎虎生威。

杰拉尔德性格虽然火爆，心肠倒很软。他看不得谁打骂奴隶，不管那人多么该打该骂，也听不得小猫叫，听不得孩子哭。但他最怕别人看破他这个弱点。凡是见到他的人要不了五分钟就会发现他是个好心肠的人，这点他并不知道。要是他知道了，那他就会觉得太没面子了。因为他喜欢自己扯起嗓子发号施令时人人都战战兢兢，听从命令。他从来没想到过实际上庄园里大家只听从一个声音——他妻子埃伦那温柔的声音。这秘密他永远都不会知道。因为上自埃伦下到最笨的干农活的黑奴，都暗暗串通一气，出于好意让他相信他的话就是法律。

斯佳丽对他的脾气和吼声是最不在意的。她是家里最大的孩子，他的三个儿子都已经葬在家族墓地里了，他知道今后再也不会有儿子了，所以不知不觉中养成了一个习惯，有话从不瞒她，这点是她最感到高兴的。与妹妹相比她更像父亲。卡丽恩原名卡罗琳·艾琳，生来柔弱、多愁善感，而教名苏珊·埃莉诺的苏埃伦又自命不凡，雍容华贵。

另外，斯佳丽和父亲之间还有一个不成文的协议。如果她不想绕半英里的路走大门，而偏去爬围栏，或者跟男朋友在前面台阶上坐得太晚被父亲撞见，他可以私下里狠狠训斥她，但不会告诉母亲或黑妈妈。如果斯佳丽发现父亲对妻子庄严地起过誓后还骑马跳围栏，或者，又从县里的流言蜚语中听到他打扑克输了多少钱，晚餐时她也会保持沉默，决不像苏埃伦那样故作憨傻。斯佳丽和父亲相互庄严地保证过，决不把这些事告诉母亲，否则只会伤她的心，让她担心罢了。

斯佳丽借着逐渐暗淡的微光望着父亲，不知为什么，她觉得有他在心里就踏实。他身上有种生气勃勃、朴实粗犷的气质吸引着她。她不明白其实这是因为她多少也具有同样的气质，尽管母亲和黑妈妈花了十六年心血想要消除这种气质。

“你总算弄得像模像样了，”她说，“我想没人会怀疑你要过什么花招，除非你自己瞎吹，不过，你去年好像就是跳这一处围栏才摔坏了膝盖的吧。”

“得了，我才用不着亲生女儿教训我什么该跳不该跳呢，”他大声嚷着，一边又在她脸蛋上拧了一下，“反正是我自己的脖子，不是吗？再说，丫头，你没披围巾上这儿来干什么？”

她看出他又在用他那老一套来摆脱不愉快的谈话，就悄悄把胳臂伸进他的胳臂，说：“我在等你呢。我不知道你会回来得这么晚。我只是想知道你是不是买下迪尔西了。”

“买是买下了，只是这身价害得我快倾家荡产了。我把她连同她的女儿普莉西一起买下了。约翰·韦尔克斯本想把她们白送给我，但我不能让人家说杰拉尔德用交情做生意，因此我硬要他收下三千块作为这两个人的身价。”

“天哪，爸，三千块！你用不着把普莉西也买下！”

“难道我自己的女儿也可以指责我了吗？”杰拉尔德大声反问道，“普莉西是个漂亮的小丫头，所以——”

“我认识她。这丫头又鬼又笨。”斯佳丽没有被他的大喊大叫吓倒，镇定地回答说，“你买下她是因为迪尔西求你买。”

杰拉尔德显出一副垂头丧气的窘相。每当他做了好事被人识破时就是这样的。斯佳丽看到他这么容易就被识破了，不由得放声大笑起来。

“难道我不该买吗？如果迪尔西老惦记着这丫头，没精打采，那买下她又有什么用？好吧，我再也不让这儿的黑人跟外面的女人结婚了。太贵了。来吧，小丫头，我们进屋吃晚饭去。”

这会儿夜色更浓了，天边最后一抹绿色也消失殆尽了，阵阵寒意驱走了春天的温暖气息。但斯佳丽却磨磨蹭蹭，不知怎么既把话题转到阿希礼身上，又不引起父亲的怀疑。这可不太容易，因为斯佳丽生来就不会拐弯抹角，这点父亲跟她十分相像。她经常看破他的诡计，他对她那些拙劣的表演也总是能一眼就看穿。而且他还总是直截了当地点破她。

“十二棵橡树庄园的人都还好吧？”

“跟平常一样。凯德·卡尔弗特也在那儿，我办完迪尔西的事以后，大家就在阳台上喝了几杯棕榈酒。凯德刚从亚特兰大来，他们都在那儿谈打仗的事，闹翻了天——”

斯佳丽叹了口气。她知道父亲只要谈到战争和退出联邦的事，那就是谈几个小时也谈不完。她赶紧换了个话题打断了他。

“他们提到明天的宴会了吗？”

“我想起来了，他们提到过的。那位小姐——她叫什么来着——就是去年到这儿来过的那个可爱的小家伙，你知道，阿希礼的表妹——哦，对了，叫玫兰妮·汉密顿，是这个名字——她和她哥哥查理已经从亚特兰大来了，而且——”

“哦，原来她真的来了？”

“是啊，她是个文静可爱的小家伙，很守妇道，从不开口说句话的，走吧，女儿，别磨蹭了。你母亲要找我们了。”

斯佳丽听见这消息心就一沉。本来她希望玫兰妮能有什么事留在她的出生地亚特兰大呢。现在又听到父亲都在称赞玫兰妮的文静可爱，和她的性格大不相同，她只好打开天窗说亮话了。

“阿希礼也在吗？”

“他在，”杰拉尔德甩开女儿的胳臂，回过头来，目光敏锐地打量着她，“要是你特地为这事才出来等我，那干吗转弯抹角，不直说呢？”

斯佳丽一时不知说什么才好，只觉得自己气得脸都红了。

“喂，说话呀。”

她还是什么也不说，恨不得摇摇父亲，让他住口。

“他在家，还好心地问起你，他几个妹妹也问了，还说希望你明天没有事的话就去参加宴会呢。我敢说你绝对不会有什么事，”他精明地说，“行了，女儿，你和阿希礼到底怎么回事？”

“没事，”她马上说，一面使劲拉着他的胳臂，“我们进去吧，爸。”

“这会儿是你又要进去了，”他看看她，“我可要站在这儿弄个明白才行。现在我想起来了，最近你一直有些古怪。是他一直在玩弄你？他向你求过婚吗？”

“没有。”她马上说道。

“他也没向你求婚。”杰拉尔德说。

她火了，但杰拉尔德挥挥手，让她安静。

“别啰嗦了，小姐！今天下午约翰·韦尔克斯悄悄跟我说了，阿希礼要娶玫兰妮，明天就要宣布了。”

斯佳丽的手从他胳臂上滑了下来。原来这事是真的！

她的心顿时像被野兽的尖牙猛地啃了一口，感到了深深的刺痛。这会儿，她感到父亲的眼睛一直在望着她，神情有些怜悯，也有些烦恼，因为他碰到了一个不知怎么解答的难题。他虽然爱斯佳丽，但她硬要他回答些傻里傻气的问题却使他感到不舒服。埃伦知道所有的答案。斯佳丽应该把自己的心事去对她说才是。

“你这不是一直在出自己的丑——也在出全家的丑吗？”他又像往常激动时那样提高嗓门吼道，“县里哪一个花花公子你弄不到手，偏偏去追求一个不爱你的男人！”

她顿时来了气，觉得伤了自尊心，一下子痛苦竟消除了几分。

“我没追求过他。只是——只是感到惊讶。”

“你撒谎！”杰拉尔德说，说罢盯着她那张痛苦不堪的脸，接着又突然和蔼地加了一句，“对不起，女儿。但你毕竟只是个孩子。爱你的人多着呢。”

“母亲嫁给你的时候才十五岁，我都十六了。”斯佳丽压低嗓门说。

“你母亲可不一样，”杰拉尔德说，“她压根儿不像你这么轻浮。得了，女儿，打起精神来，下星期我带你到查尔斯顿去看你尤拉莉姨妈，他们那儿正在庆祝苏姆特堡大捷，不出一星期你就会忘掉阿希礼了。”

“还把我当小孩呢，”斯佳丽想着，既悲痛又愤怒，连话也说不出了，“只要在我面前晃一晃新玩具就行了吗？”

“行了，别犟嘴了，”杰拉尔德警告说，“你要是有点头脑，早就嫁给塔尔顿家的斯图特或布伦特了。好好想想，女儿。嫁给这兄弟俩中的一个，两家庄园就可以并到一起了。我与吉姆·塔尔顿会给你们造一幢好房子，就在两家庄园接界的那片大松林那儿，还有——”

“别把我当小孩了！”斯佳丽嚷道，“我不要到查尔斯顿去，也不要房子，也不要嫁给这兄弟俩。我只要——”她马上住了口，但已经来不及了。

杰拉尔德的声音平静得出奇，说话时不慌不忙，仿佛尽管他平时难得动脑筋，这番话倒都是经过细细斟酌后才说的。

“你只要阿希礼，偏偏又得不到。就算他愿意娶你，凭我和约翰·韦尔克斯的交情，我要答应也放不下心。”看见她神色惊讶，他又接着说，“我要自己的女儿幸福，你跟了他是不会幸福的。”

“哦，我会幸福的！会的！”

“你不会的，女儿。只有情趣相投的人结婚才能有幸福。”

斯佳丽突然忍不住想大声顶撞父亲，“你不也是幸福的吗，可你和母亲没有相同之处啊。”但她忍住了，生怕自己太放肆，他会扇她耳光。

“我们跟韦尔克斯家的人不一样，”他一字一句地慢慢说道，“韦尔克斯家跟我们的邻居们都不一样——跟我认识的哪一家都不一样。他们是怪人，他们还是表亲通婚的好，把这些怪毛病都传给他们自家人吧。”

“喂，爸，阿希礼不是——”

“别闹，丫头！我没说那小子的坏话，因为我喜欢他。我说怪，不是说疯。他不像卡尔弗特家那么怪，把全部家产都拿去赌马，也不像塔尔顿家的人总是烂醉如泥，也不像方丹家，都是些火急火燎的怪物，自以为受到怠慢就随便杀人。这些坏毛病当然容易理解，如果不是上帝保佑，我杰拉尔德也会有这些毛病的！我倒不是说你做了阿希礼的妻子，他会对你不忠，也不是说他会打你。要是他那样你倒会快活些，因为至少你会理解这种怪异。但他怪得与别人不同，让人一点也摸不透。我虽然喜欢他，但他说的话十句倒有八句让我摸不着头脑。得了，丫头，你说实话，他说起书本、诗歌、音乐、油画和那些荒唐的废话，你懂吗？”

“哎，爸，”斯佳丽不耐烦地喊道，“如果我嫁给他，我会改变一切的！”

“呸，你以为你改变得了？”杰拉尔德恼火地说着，一面狠狠地瞪了她一眼，“那你对天下的男人了解得可太少了，更别说阿希礼了。没有哪个做妻子的可以改变丈夫一丝一毫的，这点你要记住。至于说要改变韦尔克斯家的人——那更没门儿，女儿！他们一家人向来都是这样，以前这样，也许将来也一直是这样。我跟你说他们生来就有股怪劲儿。瞧他们那德行，一会儿冲到纽约，一会儿又冲到波士顿，不是听歌剧，就是看油画。还从北方佬那儿订购成箱的法文书、德文书！他们就坐在那儿看啊，幻想啊，不知在干什么。照我说还不如跟常人一样把这些时间用来打打猎、打打牌呢。”

“全县骑马谁也比不上阿希礼，”斯佳丽听他把阿希礼糟蹋成这个样子，不由得火了，就说，“除了他父亲没人比得上他。说到打牌，上星期在琼斯博罗，阿希礼不是还赢过你两百块钱吗？”

“卡尔弗特家的小子又在瞎说了，”杰拉尔德无可奈何地说，“否则你不会知道具体数目。阿希礼骑马能得第一，打牌也能得第一——这是我说的，丫头！我不否认他要是喝起酒来连塔尔顿家的人也喝不过他。这些事他样样都行，但他的心思不在这儿。所以我才说他怪呢。”

斯佳丽沉默了，心里一沉。她想不出什么话为自己辩解，因为她知道父亲是对的。这些寻欢作乐的事阿希礼虽然样样都行，但他的心思确实不在这上头。别人感兴趣的事，他都是出于礼貌才装出感兴趣的样子。

杰拉尔德见到她沉默不语，便拍拍她的胳臂，得意地说：“瞧，斯佳丽！你也承认我说得不错了吧。你要阿希礼这样的丈夫干吗呢？韦尔克斯家的人个个都疯疯癫癫的。”他接着连哄带骗地说：“我刚才提起塔尔顿家并没有把他们推给你的意思，那兄弟俩都不错，不过要是你以后看上了凯德·卡尔弗特，对我也完全一样。卡尔弗特家都是好人，尽管老头儿娶了个北方婆娘。等我死了——乖孩子，听我说！我就把塔拉庄园留给你和凯德——”

“我才不要你把凯德放在银盘上送给我呢，”斯佳丽生气地说，“求你别再把他推给我了！我不要塔拉庄园，什么庄园也不要。庄园有什么了不起，如果——”

她正要说“如果没有你想要的男人”，但杰拉尔德早已气坏了，他把塔拉庄园看成天底下仅次于妻子的心爱之物，他要把它送给她，她竟对这份礼物不屑一顾。他气得吼道：

“斯佳丽·奥哈拉，你竟敢当面对我说塔拉庄园——这片土地没什么了不起？”

斯佳丽倔强地点点头。她痛心极了，顾不上父亲是不是火了。

“天底下只有土地才是最了不起的，”他大声嚷嚷，气得将两条粗短的胳臂乱舞着，“因为天底下只有土地才是经久不变的，你别忘了这一点！只有土地值得你去出力，值得你去战斗——值得你去拼命！”

“哦，爸，”她不耐烦地说，“你这话就像个爱尔兰人！”

“你以为我对此感到羞耻吗？不，我还引以为荣呢。而且别忘了，你也是半个爱尔兰人，小姐！对任何一个有一滴爱尔兰血液的人来说，他们生活的土地就是他们的母亲。此时此刻我倒替你感到羞耻。我把除了故乡米斯郡以外，天底下最美的一块土地送给你，而你，竟然还看不上！”

杰拉尔德越说越来劲，刚要大嚷大叫，见斯佳丽愁容满面就打住了。

“不过，你还年轻。将来你就会对土地有这种爱了。如果你是爱尔兰人，你就摆脱不了这种爱。你还是个孩子，又在操心情人的事。等你大了，你就明白这一切了……好了，你是打定主意要凯德呢，还是要那兄弟俩，还是要埃文·芒罗家的少爷，等着瞧吧，我会把你好好地嫁出去的。”

“哦，爸爸！”

这会儿，杰拉尔德已经不想再谈下去了，他感到腻味了，对这个难题竟落到他身上也烦死了。此外，让他感到委屈的是尽管自己把县里几个最佳人选供她挑，还要把塔拉庄园送给她，她还是一副可怜相。杰拉尔德喜欢的是别人对他的礼物拍手叫好，深表感谢。

“行了，别赌气了，小姐。你嫁给谁都无所谓，只要他和你情投意合，门当户对，人品又体面就行。对女人来说，结了婚以后才有爱情。”

“哦，爸，那都是老掉牙的老观念了。”

“可这观念很好！鬼混啊，恋爱结婚啊，这套都是奴仆、美国北方佬之流干的玩意儿！最美满的婚姻是父母做主的婚姻。因为像你这样的傻瓜怎么分得清好人和坏蛋？得，就瞧瞧韦尔克斯家吧。他们怎么会代代相传、人丁兴旺呢？原因就是跟他们的同类人结婚，跟他们家一向看中的表亲结婚。”

“啊！”斯佳丽叫道，父亲这番话让她深切感到事实终归是事实，这情况也在所难免，不禁又悲伤起来。父亲见她低着头、步履蹒跚。

“你不是在哭吧？”他问道，笨手笨脚地摸摸她的下巴，想托起她的脸蛋，他觉得心疼，不由得也愁容满面了。

“是的。”她扭开身子，拼命叫道。

“你在撒谎，但我倒感到得意。我很高兴你还有自尊心，丫头。而且我要看到你在明天的宴会上有自尊心。你对人家一片痴情，人家除了把你当朋友，根本就没把你放在心上。我可不要县里人因此说你的闲话，取笑你。”

“他心里才有我呢，”斯佳丽想着，心里十分痛苦，“哦，放在心上的时候多着呢。我知道他把我放在心上的。我看得出来。如果时间允许，我知道我能让他开口——只要韦尔克斯家别老认为他们一定得跟表亲结婚就行了。”

杰拉尔德挽起她的胳臂。

“现在我们得进去吃晚饭了，这事你我知道就行了，可别对人说。我不想让你妈为此操心——你就别说出去了。把鼻涕擤擤，女儿。”

斯佳丽用块破手绢擤了擤鼻子，他们手挽着手走上黑黝黝的车道，那匹马在后面慢慢走着。走近屋子时，斯佳丽本想再说什么，却见母亲正站在门廊中朦胧的阴影里。她戴着帽子，披着围巾，还戴着无指手套，黑妈妈站在她身后，紧紧绷着脸，一只手提着个黑皮包，包里是埃伦给奴隶看病常备的绷带和药品。黑妈妈的嘴厚厚的，往下耷拉着。碰到她生气时，那下唇更会比平时拉长一倍。这会儿嘴唇又拉长了，斯佳丽猜想黑妈妈碰到什么不称心的事了，正在火头上呢。

“奥哈拉先生，”埃伦见父女俩从车道上走来就叫道——她这代人讲究规矩，尽管她嫁人已经十七年，生过六个孩子，但仍讲究这一套——“奥哈拉先生，斯莱特里家有人病了。埃米的孩子生了，快死了，一定得受洗礼，我和黑妈妈这就上那儿去，看看能帮着做点什么。”

她询问似的提高了嗓门，仿佛在等待杰拉尔德的意见，尽管这仅仅是个规矩，但杰拉尔德心里还是很看重它的。

“我的天哪！”杰拉尔德咆哮道，“那些穷白佬为什么偏偏在吃晚饭时来叫你，我正想告诉你亚特兰大一带传说的有关打仗的消息呢！去吧，奥哈拉太太。如果外边出了什么事，你不去那儿帮帮忙，晚上也睡不踏实的。”

“她晚上尽忙着护理黑人和那些能照顾自己的穷白佬，哪里睡得踏实啊。”黑妈妈嘟嘟囔囔道，一面走下台阶朝等在车道边的马车走去。

“吃饭时你替我照看一下吧，乖乖。”埃伦说着，手轻轻摸了摸斯佳丽的脸蛋。

斯佳丽强忍住泪水。母亲的这一抚摸使她感到母亲魅力无穷，闻到她窸窸窣窣的绸衣服里隐隐散发出的美人樱香囊的香味，她激动不已。对斯佳丽来说，母亲真是个奇人，奇就奇在跟她同住在一幢房子，既让她害怕，又让她陶醉和抚慰。

杰拉尔德扶妻子上了马车，他让马车夫小心赶车。托比替杰拉尔德照管马匹已有二十年的历史了，听到有人吩咐他怎么干他的老本行，闷闷不乐地噘着嘴。马车上路了，黑妈妈坐在托比身边，两人都板着面孔。非洲人就是这样噘起嘴赌气的。

“要是没有我给斯莱特里家的那些穷鬼这么多帮助，他们就得在别处花很多钱，”杰拉尔德怒气冲冲地说，“他们就会心甘情愿地把他们那可怜的几亩沼泽洼地卖给我，他们也就可以离开这个县了。”说完，他想到可以再来次恶作剧就又快活起来，“来吧，女儿，我们去告诉波克，我们没把迪尔西买下来，而是把他卖给约翰·韦尔克斯了。”

他把缰绳扔给站在路前的一个黑孩子，走上台阶。他早已忘了斯佳丽的伤心事，一心只想捉弄一下他自己的贴身男仆。斯佳丽跟在他身后慢慢走上台阶，脚步沉重。她想，她和阿希礼结为夫妻总不见得比她父母之间的关系更别扭吧。她平时也常在想，父亲这种吵吵闹闹、生性迟钝的人，怎么会娶上母亲这样的女人，因为这两个人无论出身、教养和性格都相差甚远。

3

埃伦·奥哈拉三十二岁，按那时的标准，她得算是个中年妇女了，生了六个孩子，活下来三个。她高高的个子，比烈性子的小个子丈夫还高出一头，可是她走起路来优雅轻盈，裙摆款摇，身材就不那么显了。脖子露在黑色塔夫绸紧身衣领口外，圆圆的，细细的，皮肤白皙。脑后那堆罩在发网里的秀发沉甸甸的，压得她的头似乎老是稍稍向后仰。她母亲是法国人，外祖父母是 1791 年法国革命时逃到海地去的。她母亲给了她一双弯眼梢的黑眼睛，乌黑的睫毛和一头黑发；她父亲是拿破仑手下的一名士兵，给了她挺直的鼻梁和方方的下巴，配上线条柔和的脸蛋倒不乏柔美。不过埃伦脸上那矜持而谦和的神情，以及她的优雅庄重、不苟言笑，是多年生活磨炼出来的。

如果她眼光里有一点热情，笑容里多一点亲切，在家人和仆人听起来美妙动听的声音里带点自然流露的味儿，那她早就算得上是一个绝色美女了。她说话带着佐治亚州沿海一带那种柔和含糊的口音，元音吐得柔和，辅音发得亲切，还带有一点点法语腔调。吩咐仆人或责备孩子时从来不提高嗓门，但在塔拉庄园里，听到这声音无不服从照做。她丈夫又吼又叫，大家听了反而都默不作声，不理不睬。

从斯佳丽记事时起，母亲就一直是这样，不论是夸奖还是责怪，她的声音总是柔和悦耳。尽管乱糟糟的家里每天都有紧急的事情，但她总是不慌不忙，应付自如。她情绪稳定，总挺着胸抬着头，连三个儿子夭折的时候都是这样。除了吃饭、看护病人，或者给庄园记账，斯佳丽从来没看见母亲在椅子上靠过，也从来没看见母亲手里不做针线活儿而闲坐着。如果有客人在场，就干精巧的刺绣活，其他时间就忙着缝杰拉尔德镶褶边的衬衫，缝制女儿的衣服或是奴隶们的衣服。斯佳丽很难想象母亲手上不戴金顶针，绸裙窸窣的身边没有那个小黑女孩的身影会是什么情景。这黑女孩的职责就是替她拆线头，为她拿黄檀木的针线盒。她跟着她从这间屋子走到那间屋子。母亲四处走动，指挥下人做饭、打扫卫生以及组织庄园上下忙大批大批衣服的制作。

她从没看见性情温和的母亲激动过，不论白天黑夜，母亲总是穿着整齐。每逢要去参加舞会、会客，甚至逢开庭日到琼斯博罗去看审理案子，她总要花两小时来打扮，还得由两个使女和黑妈妈侍候着，才称心，但遇有急事她梳妆打扮的速度却快得惊人。

斯佳丽的房间隔着过道对着母亲的房间。在她的记忆中，经常在深更半夜听见这种声音：黑人光着脚轻声在硬木地板上一溜小跑，在母亲门上急匆匆敲几下，然后压低嗓门禀报说下房那溜刷石灰水的小木屋里有人生病，或者生孩子，或者死了。小时候，她常常悄悄爬到门口，从门缝里张望，看见母亲从黑洞洞的房间里出来与黑人走了，而这时房里还响着父亲均匀的鼾声。黑人手里擎着一支蜡烛走在前面，在摇曳的烛光下，她挟着药箱，头发梳得一丝不乱，整整齐齐，紧身上衣颗颗钮扣都扣得好好的。

斯佳丽的母亲踮着脚走过过道，语气坚决而体贴地悄声说："嘘，轻点。你会把奥哈拉先生吵醒的。他们还没病得要死呢。"每次听到母亲这么说，斯佳丽就感到很欣慰。

是啊，回到床上，想到母亲半夜出去了，一切都那么正常，心里真高兴。

当老方丹大夫和小方丹大夫都出去应诊，找不到人帮忙时，接生和救命的事只能埃伦一人忙活了，到了早上，她仍像平常一样，在桌前照料早餐。尽管黑眼睛四周现出疲劳的黑眼圈，但声音举止一点也看不出过度劳累。她表面上稳重温柔，骨子里却坚强如钢。所以全家人都敬畏她，不仅是几个女儿，连杰拉尔德也敬畏她，可是他就是死不承认。

有时，斯佳丽夜里踮起脚去亲母亲的脸蛋，望着母亲的嘴，她发现她上唇太短，又太娇嫩，这张嘴很容易受外界伤害，于是就想不知道这张嘴是不是也像小姑娘那样开心地咧开傻笑过，这张嘴有没有整夜对知心女友悄悄吐露心中的秘密。但想想又不会，那不可能。母亲向来就是这个样子，她是力量的支柱、智慧的源泉，是个无所不知的人。

斯佳丽错了。因为，多年前，她母亲还在萨凡纳那个迷人的沿海城市做小姐的时候，也曾和任何一个十五岁的姑娘一样莫名其妙地咯咯傻笑过，也曾整夜和朋友悄悄互诉衷肠，除了一件心事以外，她与朋友无所不谈。就在那一年，比她大二十八岁的杰拉尔德·奥哈拉先生进入了她的生活，就在那一年，她的青春和那个黑眼睛的堂兄菲利普·罗比亚尔一起从她的生活中消失了。双眼炯炯有神、大胆放荡的菲利普永远离开了萨凡纳，也带走了埃伦心中的热情，留给娶她的罗圈腿小个子爱尔兰人的只是一个温柔的躯壳罢了。

不过杰拉尔德已经心满意足了，他竟然娶她做了老婆，这份飞来的艳福真使他喜出望外。再说即使她身上少了点什么，他也根本不会发觉。他知道自己身为一个爱尔兰人，虽为人精明，但既没门第又没财产，毫无可取之处，居然赢得了沿海地区最富有、最体面的世家的千金的青睐，这无疑是个奇迹。因为杰拉尔德是靠白手起家的。

杰拉尔德是二十一岁那年从爱尔兰来到美国的，他跟前后来到美国的许多良莠不齐的爱尔兰人一样，由于来得匆忙，只有随身衣服和付完船钱剩下的两个先令了，还有的就是要他脑袋的悬赏，他认为自己罪行小，这笔悬赏未免大了些。在这个鬼地方并没有值得英国政府或魔鬼花上一百英镑的秘密会社分子；但如果政府对一个地主的收租人死在外面的事态度如此坚决，那么杰拉尔德就该趁此一走了之，仓皇出逃了。他固然骂过那收租人是“秘密会社分子中的恶棍”，但照他看来，就算骂了，那人也没任何权利用吹口哨《博恩河水》来侮辱他啊。

博恩战役已经是一百多年前的事了，但对奥哈拉一家和他们的邻居来说却恍如昨日。在这个战役中，不仅他们的土地和财产，而且他们的希望和梦想都在一片烟尘中消失了，在这片烟尘中一个惊慌逃亡的斯图亚特王朝的王子，以及爱尔兰那帮斯图亚特王朝的信徒被奥兰治的威廉王和他佩戴橘黄色帽章的可恶军队打得落花流水。

由于种种原因，这次争吵只是被指控应负严重后果而已，奥哈拉家倒没把这事的后果看得十分严重。多年来，奥哈拉一家一直由于有反对政府活动之嫌受到英国警察的注意，杰拉尔德也不是奥哈拉家第一个——大清早就离开爱尔兰的人。他对詹姆斯和安德鲁这两个哥哥的记忆已经很模糊了，只记得有这个沉默寡言的小伙子，偶尔在晚上神神秘秘地干些勾当，有时一去就是几个星期，音讯全无，害得母亲焦虑万分。几年前，埋在他们家猪圈下的一个藏枪的小武器库被发现了，于是他们就去了美国。如今他们都是萨凡纳得意的生意人。每当提起这两个大儿子，他们的母亲总是要添上一句，“只有上帝知道萨凡纳在哪儿。”他这次就是去投靠他们的。

离家时母亲匆匆吻了他的脸，在他耳边按照天主教的礼仪热情为他祝福。父亲临别时则教训说：“记住自己是什么人，别学人家的样子。”五个身材高大的哥哥都深表羡慕地与他告别，尽管脸上都带着神气的微笑。他们个个身强力壮，而他则是家里最小的孩子，个子也小。

他的这五个哥哥和父亲一样身高都在六英尺以上，膀大腰圆，只有他直到二十一岁才知道老天爷只让他长到五英尺四英寸半。他这种人从未因自己个子不高而惋惜过，也从没觉得个子不高对他所追求的东西有什么妨碍。相反，正是由于他矮小结实的个子才有了今天，因为他早就认识到小个子要在大个子当中生存下去，就一定得吃苦耐劳。而杰拉尔德就是个能吃苦耐劳的人。

他几个身材高大的哥哥都是意志坚强、沉默寡言的人，家族过去的光荣传到他们这一辈就永远失去了，心头压抑着说不出的仇恨，只是偶尔流露出痛苦。杰拉尔德如果也身强力壮，他也会走上家里其他人的道路，秘密地参加反对政府的活动。他母亲爱怜地这样说过："他这人就是吵吵嚷嚷，犟头倔脑。"他生来炮筒子脾气，动不动就挥舞拳头，一眼就看得出他好斗的本性。他在高大的奥哈拉一家人中大摇大摆，活像谷场里一群高大的雄鸡中出现的一只神气活现的矮脚鸡。几个哥哥都喜欢捉弄他玩儿，听他吼叫。只是为了叫小弟弟安分些，才不得不举起大拳头捶他几下。

杰拉尔德到美国去之前所受教育不多，知识贫乏，对此他并没意识到。即使意识到了，他也不在乎。他母亲教会他念书写字，字迹也还算清楚。他更善于做算术。他所知的书本知识也仅限于此了。他懂一点儿拉丁语，只限于做弥撒时唱的圣歌；懂一点儿历史知识，只限于爱尔兰受的种种压迫。除了摩尔的诗，他什么诗都不懂，除了多年流传的爱尔兰歌曲，他什么音乐都不会。他对那些比他有学问的人佩服得五体投地，可从来没感到自己这方面的欠缺。在这个新国家里只要身强力壮，不怕干活，大字不识的爱尔兰乡巴佬都可以发大财，要这些学问有什么用？

詹姆斯和安德鲁也没因他受教育少而感到遗憾，他们把他收留在萨凡纳那家店里。他字迹清楚，账目准确，是个精明能干的生意人。他们很器重他，要是他有文学知识，再懂得欣赏音乐，他们反而会嗤之以鼻的。美国十九世纪初对爱尔兰人还是客气的。詹姆斯和安德鲁，最初只是用大篷车从萨凡纳贩货到佐治亚州的内地城镇去，终于发展到自己开店，杰拉尔德也跟他们一起发了迹。

他喜欢南方，不久，他觉得自己成了一个南方人了。他对南方和南方人有好多事根本不了解；但他愿意钻研，他了解当地的观念、风俗习惯，也就把这一套当成自己的了。什么打扑克，赛马，激烈的政治活动，决斗规则，州权，痛骂北方佬，维护奴隶制和崇尚棉花，看不起穷白佬，对女人大献殷勤，这些他都学会了。他甚至还学会了嚼烟草。至于喝威士忌什么的就用不着学了，因为他天生就会喝。

不过杰拉尔德仍是杰拉尔德。他的生活习惯和观念虽然变了，但举止风度没变，即使他想变也变不了。他羡慕那些富有的粮棉种植庄园主温文尔雅、慢条斯理的样子，那些人从古老的领地来到萨凡纳，骑着纯种马，后面的四轮马车上坐着举止优雅的太太，敞篷的大车上坐着奴隶。但杰拉尔德永远也优雅不起来。他觉得他们那种懒散、模糊不清的声音很好听，可他自己那口干脆利落的爱尔兰土腔却怎么也改不过来。他喜欢他们对天大的事都满不在乎的优雅风度。哪怕把一笔财产、一个庄园或一个奴隶押在一张牌上，输了也满不在乎，高高兴兴当场付清，就像撒几个小钱给黑小子一样干脆。但杰拉尔德尝过贫穷的滋味，要他输得大大方方、高高兴兴，他可永远也学不会。佐治亚州这些沿海居民倒是挺可爱的，他们声音柔和，但火气较大，自相矛盾得可爱，杰拉尔德就喜欢他们。但这个年轻的爱尔兰人精力旺盛，生龙活虎，他来自另一个国家，那儿的风吹在身上又湿又冷，那儿雾蒙蒙的沼泽不会滋生鼠疫，这使得他跟生活在亚热带气候中瘴气弥漫的沼泽地带的那些懒散成性的上流人显得大不相同。

凡是他认为有用的东西他就学，其他的一概不予考虑。他发现所有这些南方风俗中最有用的就是打扑克，除了打扑克就是喝威士忌。他有三件宝，其中两件正是靠了他打牌和喝酒的天赋赢来的，一件是他的贴身男仆，另一件是他的庄园。他的第三件宝是他的妻子，而他认为得到这第三件宝全归功于上帝仁慈。

他的贴身男仆叫波克。乌黑油亮的皮肤，长得仪表堂堂。他还学有一手做工讲究的裁缝手艺。这个男仆是他跟圣西蒙岛一个庄园主通宵打扑克赢来的，那人打牌时虚张声势的架势倒不下于他，只是酒量不行，喝不惯新奥尔良红酒。尽管波克的原主人事后愿意出双倍价钱把他赎回去，杰拉尔德却死活不肯，因为他有了第一个奴隶正是他实现愿望迈出的第一步，再说这个奴隶还是“沿海一带最好的贴身男仆”呢。他一心想要当奴隶主和地主老爷。

他打定主意决不像詹姆斯和安德鲁那样，白天做生意，晚上还要在烛光下对着一串串账目。他深深地感到“生意人”在社会上总是名声不好，两个哥哥对此却感觉不到。杰拉尔德要做一个庄园主。当初在爱尔兰，在自己同胞一度拥有和苦苦寻求的土地上他曾当过佃农，如今他怀着深深的渴望，想要看见自己的土地在眼前绿油油地连绵不断。他一心一意地想有自己的房子、自己的庄园、自己的马匹和自己的奴隶。在他离弃的爱尔兰，要置田产，有两重风险，一是苛捐杂税可以让人倾家荡产，二是随时都会被突然没收，而在这个新国家里就不存在这两重风险。但久而久之，他又看出雄心勃勃和将之付诸实现是两码事。佐治亚州沿海地区牢牢掌握在一个根深蒂固的贵族阶层手里，想获得自己想要的地皮简直是妄想。

后来，多亏天从人愿，加上他打牌的手气好，得到了一个庄园，他就把这庄园命名为塔拉庄园，并趁此机会离开了沿海地区，来到佐治亚州北部的高原。

那年春天的一个晚上，天气炎热，他在萨凡纳一个酒吧里，听到邻座一个陌生人在谈话，他不由得侧耳细听。这个陌生人是萨凡纳当地人，到内地去了十二年刚刚回来。杰拉尔德来美国的前一年，印第安人把佐治亚州中部的一大片土地割让给了美国，州政府就发行了土地彩票，打算把这些土地分配给中彩票的人，这个人正巧中了奖，就到那儿办了一个庄园，但如今庄园房子烧了，他也厌倦了那个“倒霉的地方”，想把它脱手。

杰拉尔德一心想置办庄园，就托人介绍洽谈。当听到这人说佐治亚州北部挤满了南北卡罗来纳两州和弗吉尼亚州新来的人，他不由动了心。杰拉尔德在萨凡纳住久了，深知沿海地区的人的想法——总认为州的内地都是边远地区，林子里到处潜藏着印第安人。他在奥哈拉兄弟商店办事时曾去过奥古斯塔，那地方在萨凡纳河上游一百英里处，他还深入过其西面的一些古镇。他知道那儿和沿海一样，局势都很稳定。但照这陌生人的说法，他的庄园却在萨凡纳西北二百五十英里的内地，就在查塔霍奇河以南不远处。杰拉尔德知道那条河以北的土地还在印第安人柴罗基族手里。因此当听到陌生人嘲笑外界有关印第安人骚扰的传说，大谈这片新地方的城镇如何欣欣向荣，庄园如何兴旺时，他竟大为惊讶。

一小时后，话语慢慢少了。杰拉尔德心怀叵测，本来炯炯有神的蓝眼睛故意装出一副傻相，提出打牌。夜深了，酒过数巡后，很多人都歇手了，只有杰拉尔德和陌生人两人还在打。陌生人押上全部筹码，又加上庄园的地契。杰拉尔德也押上所有的筹码，再把钱包放在筹码上头。到这时即便钱包里的钱是奥哈拉兄弟商店的，他也不会因此良心不安在第二天一早做弥撒前去认罪。他知道自己要什么，要得到他想要的，他就用最直截了当的办法去拿。再说，他对自己的命运和手里四张两点的牌信心十足，根本就没想到万一对方摊出来的牌比他大，这笔钱该怎么还。

“你没占到便宜，我倒乐得不必再为这块地付税了。”对方手里握着一副幺点，叹了口气，叫人去取笔墨。“庄园的那幢大房子一年前就烧掉了，田地荒芜了，长起了矮树和松树苗。不过它就归你了。”

当天晚上波克服侍杰拉尔德睡觉时，他一本正经地对波克说：“如果你没戒酒，可千万别一边打牌一边喝酒。”这个贴身男仆出于对新主人的爱戴，已经开始学着用爱尔兰土腔来回答他，其中既有吉契口音又有米斯郡口音，这种话除了他们俩，没人听得懂。

混浊的弗林河静静地从两排松树和藤蔓缠绕着的黑栎间环绕着杰拉尔德的新土地流过，像弯着的胳臂从两边拥抱着这块土地。杰拉尔德站在房子废墟的小土墩上，这片苍翠高大的屏障对他来说就是最满意的地权证明，就像他亲手筑起的一道标明自己地界的围篱。他站在被焚毁的房子那发黑的基石上，俯视通向大路的那条长长的林荫道，嘴里拼命说着脏话，心里高兴得连感谢上苍都顾不上了。这两排阴森的树木是他的了，这片荒芜的草坪也是他的了，木兰花树上星星点点地开着白色花朵，树下的野草都齐腰高了。那些未开垦的土地里密布着小松树和矮树丛。绵延起伏的红土一直延伸到杰拉尔德·奥哈拉土地的地边——这些都是他的。这全靠他有副清醒不醉的爱尔兰头脑，另加孤注一掷的勇气。

杰拉尔德在这片寂静的荒野里闭上了眼睛，感到自己已经到家了。他脚下这块地方就要建起一幢白粉砖墙的房子。大路对面就要建起新栅栏，把肥牛和纯种马圈起来，而这片从山麓伸向富饶的红土洼地就会盛开大片棉花，大片大片的棉花，在阳光下像鸭绒般耀眼发白，奥哈拉家又要发大财了。

他凭着自己那笔小小的赌本，从两个态度冷淡的哥哥那儿借到一笔钱，再加上把这块地抵押出去拿到一笔钱，先买了一批干农活的黑奴，就来到塔拉庄园，在仅有的四间房的监工宿舍里过起了单身汉的寂寞生活，直到塔拉庄园的白房子造好为止。

他清除了田里的杂草，种上了棉花，又向詹姆斯和安德鲁借了些钱再买了些奴隶。奥哈拉家是一个大宗族，大家不仅患难与共，而且安乐同享，这倒不是出于什么伟大的亲情，而是因为他们在无情的岁月里懂得了一个家族要生存下去就得牢牢抱成团，一致对外。再说他们借钱给杰拉尔德，过不了几年他就会连本带利都还给他们。杰拉尔德把邻近的土地一块块都买了下来，庄园就此逐步扩大，那幢白房子也终于不再是个梦而成为现实了。

房子是奴隶建的，造得笨头笨脑，没有格局。房子盖在高地顶上，俯视着通向河边的那片牧场的绿坡。房子尽管是新建的，看上去却像多年古宅，杰拉尔德十分满意。那些当年曾见证过印第安人的老橡树，其巨大的枝干紧紧环抱在房子周围，枝叶在屋顶上形成稠密的树荫。除去了野草的草坪长出密密麻麻的三叶草和鸭茅草，杰拉尔德很注意把草坪保养得好好的。从两旁栽着雪松的林荫道到奴隶住的下房——一排白色小木屋，塔拉庄园处处看起来都是既结实又牢固又耐用，每当杰拉尔德策马从大路拐出来，看到他自己的屋顶掩映在绿荫中，心里就不免大为得意，就像是第一眼看到这房子似的。

这一切都是他的成就，是他矮小精悍、火烈性子的杰拉尔德的成就。

除两家外，他跟县里四邻八舍都相处得很好，这两家一家是左边跟他接壤的麦金托什家，还有一家是右边的斯莱特里家，这家只有区区三英亩薄地，都是弗林特河和约翰·韦尔克斯庄园之间的沼泽洼地。

麦金托什家是苏格兰—爱尔兰后裔，又是爱尔兰秘密组织奥兰治会成员。即使他们有天主教历书上载明的所有高尚品德，在杰拉尔德眼中，就凭他们的血统也会永世不得超生。不错，他们是已在佐治亚州住了七十年，而且在此之前，还有一代人在南、北卡罗来纳州住过，不过这家人最初到美国来落脚的都来自奥兰治会发源地厄尔斯特，对杰拉尔德来说这就够了。

麦金托什一家个个沉默寡言、生性倔强，他们不跟他人来往，只跟卡罗来纳的亲戚通婚。由于县里的人都和睦相处，喜欢交往，所以根本不能容忍哪个缺乏这种美德，因此不喜欢他们的也不仅是杰拉尔德一个人。谣传麦金托什家同情废奴主义者，但也并未因此而多结些人缘。其实老安古斯从来就没解放过一个农奴，反而是罪不容赦，竟违法乱纪，把家里几个农奴卖给了路过的奴隶贩子，带到路易斯安那的甘蔗地去。尽管如此那种谣言照样流传。

“错不了，他准是个废奴主义者，”杰拉尔德对约翰·韦尔克斯说，“不过对一个奥兰治会分子而言，一旦原则和苏格兰人的吝啬发生矛盾，原则就不管用了。”

斯莱特里家情况则不同。他们是穷苦白人，对安古斯·麦金托什那种顽强的独立性邻居勉强还表示点尊重，而他们连这都得不到。老斯莱特里谋生无路，怨声不绝，尽管杰拉尔德和韦尔克斯一再提出要买他的地，他还是死死守着那几英亩地不放。他老婆头发蓬乱，姿色消退，满面病容。尽管她生了一群孩子，个个都愁眉苦脸，但她仍像生兔崽子似的，一年添一个。汤姆·斯莱特里没有农奴，他和两个大儿子隔一阵子就到那几英亩棉花地里干活，老婆和几个小点的孩子就去照料所谓的菜园子。但不知为什么，棉花老是歉收，由于老婆不断大肚子，菜园子种出来的也总不够喂孩子的。

汤姆·斯莱特里常在邻居的门廊里磨磨蹭蹭，讨一些棉籽，或是讨一块腌肉“对付一顿”。斯莱特里觉察到邻居们面子上客客气气，心里却瞧不起他。他自己虽精力不济，偏偏痛恨人家，尤其痛恨那些“富家豪奴”。连县里那些黑人家奴也自以为比穷白佬高出一等，公然不把他放在眼里。他心里很不痛快，看到那些黑奴的状况都比他更有保障，他也不胜嫉妒。眼看他们有吃有穿，病了有人管，老了有人养，相形之下，自己的日子未免过得太苦了。那些黑人为主人的声望感到荣耀，通常都以碰上个有身份的主人为荣。而他呢，偏偏人人都瞧不起。

汤姆·斯莱特里本可以把他的田以三倍的价格卖给县里任何一个庄园主的。他们觉得花钱去除这地区的眼中钉还是划算的，但他不想离开这儿，只求靠每年一包棉花的收入和邻居的施舍，勉强过过苦日子就心满意足了。

杰拉尔德跟县里其他人家都相处得很好，有的还很亲密。像韦尔克斯家、卡尔弗特家、塔尔顿家、方丹家。每当这小个子骑着大白马飞驰而来，到了他们家的车道上时，大家个个都笑脸相迎，拿出高脚酒杯来，请他喝一杯波旁威士忌，再加上一匙糖和一枝碾碎的薄荷。杰拉尔德人缘好，就是孩子、黑奴和狗都一眼能看出。他嗓门虽大，脾气虽坏，心地却很善良，耳朵软，随时不忘掏腰包帮衬人家，这一点时间长了四邻八舍也清楚了。

他每回一来总是热闹得很，猎狗嗷嗷叫，黑孩子哇哇喊，大家纷纷奔上前去接他，争着为他牵马，让他好意骂上几句，被骂者忸怩不安，咧着嘴直笑。白人的孩子则吵吵嚷嚷地坐到他腿上，骑在上面让他颠着，这时候他就开始对孩子的长辈指责北方佬政客的丑行。他这些朋友的女儿们也把自己的恋爱好事向他和盘托出。邻居的青年欠了赌债，生怕说出来要挨父亲骂，于是就告诉他，都觉得他这人倒是个患难之交。

“原来你已经欠了一个月债了，你这小家伙，”他会乍乍呼呼地说，“天哪，你干吗不早来向我借呢？”

大家都深知他说话粗鲁，不放在心上，那青年听了只是不好意思地咧开嘴笑着说：“这个嘛，我不敢麻烦您老，可我老爸——”

“不用说，你父亲是个好人，就是太严厉了些，所以这钱你就拿去用吧，这事就别再提了。”

那些庄园主的太太原本最难打交道。杰拉尔德曾把韦尔克斯太太称为“沉默寡言极具天赋的贵夫人”。谁知，有一天晚上杰拉尔德骑着马离开她家车道后，她竟对丈夫说：“他这人说话虽粗鲁，但人倒是个正派人。”这个杰拉尔德才算明确地达到目的了。

他并不知道自己是花了近十年的工夫才达到目的。因为他根本没想到初来乍到时，四邻八舍也都斜眼看他。他自认为，从他一踏进塔拉庄园起，就无疑跟这儿的人打成一片了。

杰拉尔德四十三岁时，身体矮胖健壮，脸色红润，看上去活像狩猎图中打猎的乡绅。他禁不住地想，塔拉庄园虽然可爱，县里的人也真诚待他，可总嫌美中不足。那是因为他少一个妻子啊。

塔拉庄园急需一个主妇。那个胖厨子原来是在场院干活的黑奴，不得已才将她升到厨房里的，可她开饭从来就不准时。收拾房间的女仆以前也是在地里干活的，她竟听任家具堆满灰尘，也从来不备现成的干净被单，因此来了客人总是忙乱不堪。波克是唯一受过训练的黑奴，总管别的仆人，可惜他跟杰拉尔德过了几年逍遥自在的生活后也变得懒懒散散，粗心大意了。作为贴身男仆，他替杰拉尔德收拾卧室，作为管家，他伺候进餐，倒也令他有气派和排场，不过其他的事就听之任之，从来不管。

黑奴凭着非洲人那种绝对判断正确的本能，都看出杰拉尔德有口无心，就大着胆子欺他。他老是危言耸听，扬言要把奴隶卖到南方去，要用鞭子好好抽他们一顿，可是塔拉庄园从来没卖过一个奴隶，抽鞭子的事也只有一次，那是因为杰拉尔德骑着心爱的马打了一整天猎，竟没人来给马洗刷。

杰拉尔德那双蓝眼睛可尖啦，看到邻居屋里都弄得井井有条，那些把头发梳得光溜齐整的太太穿着窸窸窣窣响的裙子，毫不费事地管理仆人。他哪里知道这些女人从早忙到晚，做饭，看孩子，缝缝洗洗，事事都得亲自过问，忙得不可开交呢。他只看到表面成效，并只对那些成效印象颇深。

一天早上，他正穿衣服，打算骑马到城里去看开庭审案。波克拿来了他最喜欢的那件镶有褶边的衬衫。这衬衫经女仆胡乱缝补后，面目全非，只有他的贴身男仆才穿得出去。这时他才明白迫切需要娶位太太了。

“杰拉尔德先生，”波克见他发火了，赶紧讨好地卷起衬衫说，“你需要的是位太太，并给你带来好多干家里活的黑奴做陪嫁。”

杰拉尔德嘴里虽骂他放肆，心里却在想他说得有理。他是得要个太太为他生儿育女，如果现在不马上办，就太晚了。不过他不准备随便找个人结婚，别像卡尔弗特先生那样，竟娶了个北方女教师做太太，她本是教几个没娘的孩子念书的。他的太太必须是一位小姐，出身名门的小姐，有韦尔克斯太太的派头，还要有韦尔克斯太太持家的本事才能管理好塔拉庄园。

不过要跟县里这些人家结亲有两大难处。第一难是这儿已到婚嫁年龄的姑娘太少。第二就更不用说了。尽管杰拉尔德在这儿住了将近十年，但他还是个“新来的外乡人”，而且是个外国人。没人知道他的家庭情况。虽说佐治亚州内地不像沿海地区的贵族社会那样壁垒森严，但谁家也不愿把女儿嫁给一个不明祖宗三代底细的人啊。

杰拉尔德知道县里人虽然跟他真的意气相投，大家一起打猎、喝酒、谈论政治，可就是没人愿把女儿嫁给他。他也不想让人家在茶余饭后说三道四，说某某婉言谢绝杰拉尔德向他女儿求婚。杰拉尔德虽明白这点但并不觉得自己低人一等。什么都不能使杰拉尔德觉得自己在哪方面低人一等。只不过因为县里有一种古怪的风俗，那就是有女儿的只嫁给在南方住了二十二年以上的人家，并且这人家还要有土地，有奴隶，而且还沾染过当时恶习。

“收拾收拾。我们到萨凡纳去，”他对波克说，“要是我再听你说‘嘘’或‘啐’，我就把你卖了，因为这些话我自己都不大说。”

詹姆斯和安德鲁在结婚问题上也许会有什么建议，他们的老朋友当中也许有女儿符合他的要求，并愿嫁给他。詹姆斯和安德鲁耐心地听了他说这件事，但并没给他多大帮助。他们在萨凡纳没亲戚，没人可帮忙，因为他们到美国的时候早已结了婚。而他们那些老朋友的女儿也早嫁了人，有了自己的儿女。

“你一没钱，二没出生在大户人家。”詹姆斯说。

“钱我已经赚了，我也能成个大户人家。我可不想随随便便找个人结婚。”

“你这人野心还挺大的。”安德鲁冷冰冰地说。

但他们还是为杰拉尔德尽了最大努力，他们都是年长的人，在萨凡纳颇有声望。他们有很多朋友。整整一个月，杰拉尔德被从这家带到那家，不是去吃晚饭，就是去跳舞，要么就是去野餐。

“只有一个人让我中意，”杰拉尔德终于说，“我来这儿落脚的时候她还没出生呢。”

“你看上谁了？”

“埃伦·罗比亚尔小姐，”杰拉尔德故意装作漫不经心的样子说，因为埃伦那对稍稍翘起的黑眼睛早已让他心醉神迷了。尽管她的样子无精打采，神秘莫测，一个十五岁的姑娘就这样是够让人奇怪的，但他还是迷上了她。再说，她还有种让人忘不了的失魂落魄的神情，叫他看了心疼，不禁对她格外温柔，他对天下任何人都没这么温柔过。

“你都可以做她父亲了！”

“我正当年呢。”杰拉尔德气得叫了起来。

詹姆斯平静地说话了。

“杰拉尔德，你要娶萨凡纳的哪位姑娘都行，要娶她可没门。她父亲属于罗比亚尔家族，那些法国人目空一切。还有她母亲——愿上帝让她灵魂安息——也是一位名门闺秀。”

“我才不管呢，”杰拉尔德激动地说，“再说，她母亲已经死了，而且罗比亚尔老头也喜欢我。”

“他喜欢你的人品，可并不等于喜欢你当他的女婿。”

“那姑娘怎么地也不会要你的，”安德鲁插话道，“她爱上了她的堂兄菲利普·罗比亚尔，是个花花公子，尽管她家里日夜劝她跟他断绝关系，她就是不听，至今已有一年了。”

“他已于本月去路易斯安那州了。”杰拉尔德说。

“你怎么知道？”

“我知道。”杰拉尔德答道。他不愿说出这条消息是从波克那儿得知的，也不愿说出菲利普动身去西部是他自己家里人的意思。“我倒并不认为她对他会爱得难舍难分。十五岁的姑娘还太年轻，不懂得什么是爱情。”

“他们宁可把她嫁给那个为人十分危险的堂兄，也不会嫁给你的。”

因此，当后来传来消息，说比埃尔·罗比亚尔的女儿要嫁给内地来的一个小个儿爱尔兰人时，詹姆斯和安德鲁与其他人一样都震惊不已。萨凡纳居民都在私下议论，猜测菲利普·罗比亚尔到西部去的原因，但谈来谈去也没谈出什么结果来。为什么罗比亚尔家千娇百媚的女儿偏偏要嫁给一个大嗓门、红脸膛、个头只到她耳朵根的小个儿，这对大家永远是个谜。

杰拉尔德本人也根本没弄清楚是怎么回事。他只知道这是个奇迹。因此，当看到埃伦脸色虽很苍白，但态度却很坚定地一只手轻轻放在他胳臂上说“我愿意嫁给你，奥哈拉先生”时，他竟然平生头一回觉得自己完全高攀了。

大吃一惊的罗比亚尔家虽然略知一点内情，但关于那天晚上的事只有埃伦和黑妈妈知道。当时埃伦像个伤透了心的孩子似的一直哭到天亮，早上起来时已成了个拿定主意的大人了。

那天，黑妈妈心事重重，拿了从新奥尔良寄来的一个小包给小姐，预感到有什么事。包上字迹陌生，里面有一幅埃伦的微型画像，埃伦喊了一声就把画像扔在了地上，包里装有四封她亲笔写给菲利普·罗比亚尔的信，另外还有一封新奥尔良的一个牧师写的短信，信中告诉她她的堂兄在酒吧斗殴中丧命。

“是他们把他赶走了，是父亲、宝莲和尤拉莉把他赶走的。他们把他赶走了。我恨他们。我恨他们这些人。我再也不想看见他们了。我要离开这儿，走到永远也见不到他们的地方，我再也不想看见这个城市，永远不再想见任何让我想起——他的人。”

天快亮的时候，跟小姐抱头痛哭的黑妈妈劝诫说：“不过，宝贝，你可不能这样做。”

“我偏要这么做。他是个好人。要不然我就到查尔斯顿的修道院去当修女。”

她父亲被她弄得晕头转向，不知怎么办才好。痛心之余，听她扬言要进修道院，才只好依了她。他们家虽然信奉天主教，他本人却是个忠诚的长老会教徒。想到与其让女儿当修女，还不如让她嫁给杰拉尔德·奥哈拉。说白了，这人除了门第够不上外，别的可没什么不好的。

因此，埃伦就从罗比亚尔家嫁出来，离开了萨凡纳，从此告别了这个地方，跟着已是中年的丈夫，带上黑妈妈和二十个“干屋里活的黑奴”动身到塔拉庄园去了。

第二年，他们的第一个孩子便出世了，于是便以杰拉尔德母亲的名字给她取名为凯蒂·斯佳丽。杰拉尔德不免有些失望，因为他要的是一个儿子。不过有了一个满头乌发的女儿，他心里还是很高兴的，为此他还请塔拉庄园的全体黑奴喝红酒，自己也纵情狂欢，喝了个一醉方休。

即使埃伦有过自己不该贸然决定嫁给他的念头，那也从来没人知道，杰拉尔德当然也不知道。每当看见她，他心里总是美滋滋的。她一离开萨凡纳那座高贵典雅的海滨城市，就把那里的一切往事统统忘了。从来到佐治亚州北部这个县的那一刻起，这里就是她的家了。

她永远离开了父亲的家，离开了那个外形美丽、飘逸，似女人的身体、像扬帆前行的大船的家。那是幢按法国殖民地格式建造的房子，刷上粉红色灰泥的房子巍然耸立、结构精致，螺旋形的楼梯，铁栏杆精工细雕，饰有花边。那是幢色调暗淡、富丽堂皇的房子，给人以雅致脱俗之感。

她脱离的不仅是那座高雅的住宅，而且是住宅建筑后面的整个文明世界，竟来到一个迥然不同的陌生世界，仿佛另一个天地。

佐治亚州北部是崎岖的山区，住在这里的人们都吃苦耐劳。从蓝岭山脚下的高原向四周瞭望，到处是起伏的红色山丘和裸露的花岗岩层以及黯然兀立的枯松。她生在海边，看惯了那种遍地苍苔、青藤缠结的寂静的海岛密林美景，看惯了一片白茫茫的海滩在亚热带阳光下热浪滚滚，看惯了平坦无垠的沙地点缀着棵棵棕榈树的远景，眼前所见未免显得荒凉粗犷。

这一带不仅夏天酷热难耐，而且冬天严寒刺骨，可人们浑身是劲，她觉得很奇怪。他们亲昵友好，彬彬有礼，慷慨大方，和善至极，但也刚毅坚强，脾气火暴。她离弃的沿海地区的人对自己的风流韵事，甚至对决斗和世仇都满不在乎，并以此为荣耀，但佐治亚州北部的这些人却有点儿蛮横。在沿海，生活已日臻完美，而这儿的生活却是朝气蓬勃，生机盎然，焕然一新。

埃伦在萨凡纳认识的人好像都是一个模子里刻出来的，他们的观点和习惯都那么相似，但这儿的人是各种各样的都有。佐治亚州北部的移民来自各个不同的地方，有的从佐治亚州别处来，有的从南、北卡罗来纳两州和弗吉尼亚州来，有的从欧洲和北美来。有些人，如杰拉尔德这样的，是刚到这儿碰运气的。有些人，如埃伦这样的，虽出身世家，但因为在老家实在待不下去了，远道来此寻找一份心中的安宁。还有好多人搬到这儿来根本就没有什么理由，只是与他们祖辈一样好动罢了。

这些来自不同地方、出身各不相同的人使县里的整个生活变得不拘礼仪，对此埃伦感到很新奇，一点也不习惯。沿海地区的人在什么情况下做什么，她凭本能就知道。可佐治亚州北部的人会怎么做她根本就说不上来。

再说，这地区一切都富有朝气，正是整个南方兴旺发达的高潮。全世界都急需棉花，而县里这片新地地力丰厚，土质肥沃，盛产棉花。棉花就是这个地区的脉搏，种棉花和收棉花就是红土地的心脏在舒展和收缩。弯弯曲曲的棉田垄沟成了财源，当地人就凭着大片大片绿油油的棉田和朵朵雪白的棉花神气了起来。要是棉花使他们这一代人发了大财，到下一代还不知有多富呢。

县里的人对未来充满信心，因此对生活也充满热情和干劲。他们尽情享受人生乐趣，这是埃伦根本不能理解的热情。他们有的是钱，有的是奴隶，有的是玩的时间，而且他们也喜欢玩。他们看起来根本不忙，随时都可以扔下活儿去参加炸鱼野餐、打猎和赛马，而且难得有一个星期不举行宴会和舞会的。

埃伦在萨凡纳向来清静惯了，因此与他们根本没法打成一片，也不会打成一片。可是她尊重他们，过了段日子才知道这些人性格真诚坦率，说话心直口快。而且看人不重外表，她不由得喜欢上了他们。

她成了县里最受尊重的邻居。她是个俭朴而善良的主妇，是位贤妻良母。她原想把悲痛心情和忘我精神奉献给教会，如今却献给了孩子，献给了家务，献给了那个男人，是他带她离开萨凡纳，帮她抹去对往事的回忆，而且从来没问过任何问题。

斯佳丽长到周岁时，在黑妈妈眼里她已经比一般女孩更健康、更活泼了。这时埃伦生了第二个孩子，取名苏珊·埃莉诺，不过大家一直叫她苏埃伦，隔了一段时间后又生了卡丽恩，在家用《圣经》上登记的名字是卡罗琳·艾琳。此后接连生了三个小男孩，可惜每个都没学会走路就夭折了，如今都葬在离宅邸一百码远的墓地里，枝叶缠绕的雪松下，三块墓碑上都写着“杰拉尔德·奥哈拉之子之墓”。

自从埃伦来到塔拉庄园，这个地方就变了样。虽然她只有十五岁，可已准备好要挑起庄园主妇的担子。女孩子结婚前，最重要的是一定要可爱、温柔、漂亮和会打扮，但结婚后，就得管好一个百来口人的家，其中有白人也有黑人。她们都受过这方面的训练。

埃伦和任何受过良好教育的小姐一样，也受过这种婚前准备教育。再说她还有黑妈妈，黑妈妈对付那种最偷懒的黑奴都有一套办法。她很快把杰拉尔德的家治理得井井有条、体面风光，而且给塔拉庄园一种前所未有的美。

这幢房子原来建造时就没有任何建筑规划，只要需要就随时加盖几个房间，但经埃伦精心料理后，竟有了一种魅力，弥补了未经设计的缺陷。佐治亚州的庄园住宅有一条从大路通往住宅的雪松林荫道，没有这种林荫道，就算不上完美。这种大道有一片阴暗凉爽的树荫，有了这种树荫，其他树木的青枝绿叶就显得更苍翠可爱了。阳台上乱蓬蓬的紫藤在粉白的砖墙衬托下也显得更加鲜艳，门口栽着一丛丛粉红的百日红，院子里还种了白色的木兰花，总算替屋子遮了几分丑。

春夏时节，草坪上的鸭茅草和三叶草一片翠绿，甚是诱人，养在屋后的成群火鸡和白鹅见了都不由得跃跃欲试。一些关久了的家禽见了翠绿的草茵、芬芳的栀子花苞和百日红花坛，禁不住诱惑，不断偷偷闯进前院。为了防止这些家禽蹂躏草坪，特地派了一个黑孩子在前门廊放哨。这个黑孩子坐在台阶上，手里拿块破毛巾做武器，也算是塔拉庄园的一景了吧。不过这事也未免大煞风景，因为他不可冲到家禽中去，只准挥动毛巾把它们赶走。

埃伦派了好多黑孩子干这个差事，因此它就成了塔拉庄园男奴的第一项重任。等他们满了十岁，就送他们去学手艺。不是到庄园的补鞋匠老爹那儿去，就是到车轮匠兼木匠的阿莫斯那儿去，或者到放牛的菲利普那儿去，或者到赶骡的柯非那儿去。如果他们哪一项都干不好，就只有到田里去干农活，在黑奴看来，他们也就此完全失去了取得社会地位的权利。

埃伦的生活既不安逸，也不幸福，但她并没指望有安逸的生活。再说，生活不幸福，那也是女人的命。这世界是男人的，她只能认命。男人拥有产业，女人管理产业。管理得好是男人的功劳，女人还得夸他聪明能干。男人手上扎了一根刺就大吼大叫像狮子，女人生孩子哼哼呀呀还要压低嗓门，生怕打扰了他。男人说话粗鲁，经常喝得烂醉。女人不但不能计较，还得毫无怨言地扶醉鬼上床去。男人粗暴无礼、直言不讳，女人却总要温顺、文雅、宽恕为怀。

她受的是大家闺秀的传统教育，她知道如何既挑起主妇的重担，又依然保持魅力。她希望自己的三个女儿也能成为大家闺秀。在两个小女儿身上，她已获得成功。苏埃伦一心只求出落得妩媚动人，对母亲的教导言听计从，卡丽恩害羞，好管教。只有斯佳丽活像她父亲，让她做个小姐难上加难。

让黑妈妈气愤的是，她不愿跟自己两个娴静的妹妹玩，也不愿跟素有教养的韦尔克斯家的姐妹们玩，偏偏要跟庄园里的黑孩子和邻居的男孩子们玩。她跟男孩子一样，爬树，扔石头。黑妈妈眼看埃伦的女儿居然冒出这种性格来，不由深感焦虑，常常责令她要“像个小姐的样儿”。但埃伦对这事倒是目光深远，看得比较开。她知道青梅竹马的伙伴日后总是变成情人，女孩子首要的本分就是嫁人。她暗自说这孩子只不过是精力过剩，要教她学会迷住男人的技巧和风度还来得及。

因此埃伦和黑妈妈都尽心尽力地教她，等她稍长大了些，虽然在别的方面长进不大，在这方面居然一点就通。尽管家里接连请了几位家庭女教师，又送她到附近的费耶特维尔女子学院念了两年书，可她受的教育还是很肤浅。不过论跳舞，县里哪个女孩子都比不上她。她知道怎么微笑才能显出两个酒窝，怎么用内八字的步子才能让大摆裙款款摆动令人神魂颠倒，怎么抬眼看一下男人的脸，再马上垂下眼帘，睫毛急忙眨巴几下，才能显出让人怦然心动的样子。尤其是她学会了在男人面前装出一副天真可爱的娃娃像，从而掩盖其狡黠的一面。

埃伦靠的是好声好气的开导，黑妈妈靠的是不断的指责挑剔，两人拼命向她灌输各种美德以使她将来成为一个真正令人满意的妻子。

“你应当温柔些，乖孩子，文静些，”埃伦吩咐女儿说，“男人讲话时，千万不能插嘴，即使你觉得自己比他们更高明。男人可不喜欢说话太冲的女孩子。”

“做小姐的如果总是皱着眉头，翘起下巴，尽说什么‘我要’‘我不要’的，往往多半找不到丈夫，”黑妈妈带着悲伤的调子说，“做小姐的应该眼睛朝下说，‘好的，先生，我一定照办’，要不就该说‘听你吩咐，先生’。”

她们同心协力，把凡是淑女应该知道的都教给了她，但她只学会了外表的优雅姿态。至于这种姿态理应迸发出的内心美她可从来没学会过，也不明白有什么学的必要。光有外表就够了，因为有了淑女的外表就大受欢迎，而这也正是她想要的。杰拉尔德夸口说她是方圆五县的大美人儿，这话倒也有几分真实，因为几乎所有邻近的小伙子都向她求过婚，还有好多人大老远从亚特兰大和萨凡纳赶来向她求婚。

多亏黑妈妈和母亲的教导，到了十六岁她出落得娇媚迷人，但举止轻浮，骨子里任性、固执、爱慕虚荣。她秉承了爱尔兰父亲那种容易激动的性格，丝毫没有母亲那种无私和宽容的天性，至多不过有一层薄薄的外表罢了。埃伦根本就没看出她的伪装，因为斯佳丽在母亲面前总是摆出一副乖巧的模样，隐瞒自己的越轨行为，克制自己的脾气，做性情温柔状，因为母亲只要用责备的眼光看看她，她就会羞愧得哭起来。

不过黑妈妈对她可不抱任何幻想，黑妈妈时刻留神着她本性暴露。黑妈妈比母亲眼睛厉害，斯佳丽可想不起这辈子有什么事能瞒得过黑妈妈。

斯佳丽兴高采烈、活泼妩媚，这两个慈爱的良师对此倒并不担忧。这些性格正是南方妇女引以为荣的。她们只是担心杰拉尔德把那种固执而急躁的性格传给了她。有时她们生怕她的这些坏品质瞒不到她找到如意郎君的那一天。没成想斯佳丽竟打算结婚——而且是跟阿希礼结婚——如果娴静、温顺、不拿主张的品质能吸引男人的话，那么她是情愿装作这样的。不过男人为什么偏偏喜欢这样，她可不知道。她只知道这种办法管用。对于其中的原因不感兴趣，因为她不善于研究人的心理，她连自己的心理活动都搞不清楚呢。她只知道如果自己这么做，或如此这般地一说，男人准会如此这般回答她。这就像数学公式一样，并不难。因为数学是斯佳丽在学校时觉得最容易学的一门功课。

如果说她对男人的心理所知不多，那她对女人的心理就知道得更少，因为她对女人更没兴趣。她从来就没有一个女朋友，也从没因此感到有什么缺憾。对她来说，所有的女人，包括她两个妹妹，在追逐同一种猎物——男人时都是她的天敌。

除了母亲以外，所有的女人都是她的敌人。

母亲可不同，斯佳丽把她看作神圣的人，其他凡人无法与之相比。斯佳丽小时候，曾把母亲和圣母玛丽亚混为一谈，如今大了，她仍然认为没理由改变自己的看法。对她来说，埃伦就是靠山，只有老天和做母亲的才能让人这么感到放心。她知道母亲体现了公正、忠诚、慈爱和睿智，是个了不起的女人。

斯佳丽很想学母亲的样儿。但让她为难的是，要做到公正、忠诚、温柔和无私，就会错过人生的很多乐趣，也会错过好多情人。人生苦短，千万不能错过这些乐趣啊。等她哪天嫁给了阿希礼，人老了，等她哪天有了闲工夫，她就准备学母亲的样儿。不过，到那时……

4

那天吃晚饭，母亲不在，斯佳丽便主持了开饭的大小事宜，但阿希礼和玫兰妮订婚的可怕消息却在她心里翻腾不已。她急切地盼着母亲从斯莱特里家回来，因为没有母亲在身边，她就觉得迷茫和孤独。斯莱特里家的人总是生病，在她急需母亲在身边的时候，他们凭什么把母亲叫出去？

这顿饭始终吃得索然寡味，杰拉尔德的喋喋不休的低沉声音在她耳边响着，说得她都受不了了。他已经完全忘记了下午跟她说过的那番话，又在自言自语地说着苏姆特堡的最新消息，没说几句就拍一下桌子，并挥舞胳臂。杰拉尔德有个习惯，喜欢在饭桌上自顾自地说话，平时斯佳丽总是一心想着自己的心思，基本上没听到他说什么，谁知今天不管她怎么留神听母亲回家的车轮声，耳朵里还是免不了灌进他的说话声。

当然，她并不打算把重重心事告诉母亲，因为要是母亲知道自己的女儿看中了别人的未婚夫，准会震惊和伤心的。但她平生还是头一次遭遇这种悲剧，她需要母亲在身边安慰她。只要母亲在身边她就觉得很放心，因为只要有母亲在就能逢凶化吉。

她听见车道上有咯吱咯吱的车轮声，一下子站了起来，可又听见车子绕过屋子到后院去了，就又坐下来。这不会是母亲，因为她应在前面台阶那儿下车。接着就听见黑人在院子暗处叽里呱啦地说话，还尖声尖气地笑。斯佳丽往窗外一看，只见刚刚离开房间的波克高举着亮堂堂的松子火把，有几个人影从大车上下来，看不清是什么人。夜空中传来阵阵欢声笑语，愉快亲切，无忧无虑，有的柔和，带着喉音；有的尖厉，音调动听。随后听到有人拖着脚步，走上后面门廊的阶梯，走进通往大宅子的过道，在饭厅外的过道里停了下来，嘁嘁喳喳说了一会儿，就见波克进来了。他没像平常那样一本正经，眼睛滴溜溜直转，咧着嘴露出一口白牙。

“杰拉尔德先生，”他禀报说，气喘吁吁的，满面春风，就像当了新郎一样，“新女奴来了。”

“新女奴？我没买过什么新女奴呀。”杰拉尔德假装狠狠地瞪着眼睛说。

“没错，老爷，你买了！是的，老爷！她现在就等在外头，要跟你说话呢。”波克一边回答，一边咯咯直笑，双手还一边激动地搓着。

“好吧，把新娘带进来。”杰拉尔德说，于是波克就转过身，向过道里的妻子招了招手。她刚从韦尔克斯庄园来，成为塔拉庄园的人了。她进了门，背后还有个十二岁的女儿，躲在她印花布大裙子旁，局促不安地紧挨着她的腿。

迪尔西个子高大，挺直地站着。年龄大概在三十岁到六十岁之间，古铜色的脸不动声色，看不到一丝皱纹。相貌中很明显带有印第安人的血统，黑人的特征倒不突出。红彤彤的皮肤，又窄又高的前额，突出的颧骨，鹰钩鼻，两片黑人特有的厚嘴唇，鼻尖却很扁平，处处都显出她是黑种和红种的混血儿。她态度沉着，走起路来比黑妈妈还神气，因为黑妈妈那份神气是学来的，迪尔西却是与生俱来的。

迪尔西说话的声音不像多数黑人那样含糊不清，而是更注意字斟句酌。

“晚上好，各位小姐。杰拉尔德先生，打扰你们了，很抱歉，但我必须到这儿来再次向您表示感谢，感谢您把我和小丫头都买下了。虽然有很多老爷愿意买我，但他们决不会把我的普莉西也买下，免得我牵肠挂肚，所以我感谢您。我要尽力为您效劳，以表示不忘您的恩德。”

“唔——呃唔。”杰拉尔德做的好事被人当面说穿，不禁窘得直清嗓子。

迪尔西转身面对斯佳丽，皱起眼角，面带微笑地说：“斯佳丽小姐，波克跟我说过你曾劝杰拉尔德先生买下我。因此我准备把我的普莉西给你做贴身丫头。”

她把手伸到后面拉那个小丫头到前面来。那是一个棕色皮肤的小家伙，像小鸟一样长着两条皮包骨似的瘦腿，头上无数小辫子用头绳仔细扎紧，直挺挺朝天翘着。那双锐利、老练的眼睛，把什么都看在眼里，脸上却故意装出一副傻样儿。

“谢谢你，迪尔西，”斯佳丽回答说，“不过恐怕黑妈妈要有意见了。自打我出生起她就一直是我的贴身女仆。”

“黑妈妈老了。”迪尔西很沉着地说。黑妈妈听见了准会发火。“她是个好保姆，不过你现在是一位小姐，需要一个好丫头侍候，普莉西给印第亚小姐当过一年丫头。她和大人一样，会做针线活，还会梳头。”

普莉西在她母亲的怂恿下，突然行了个屈膝礼，还朝斯佳丽咧嘴一笑，斯佳丽也不由得还了她一笑。

“好个机灵的小丫头，”斯佳丽想道，嘴里却大声说，“谢谢你，迪尔西，等母亲回来再说吧。”

“谢谢你，小姐，我给你道晚安了。”迪尔西说着转身带女儿出去了，波克则在一旁大献殷勤。

饭桌收拾干净了，杰拉尔德仍接着夸夸其谈，不过连他自己都不大满意，听的人更是毫无兴致。他声音洪亮，预言说战争就在眼前，还反问别人南方人对北方佬的侮辱是否还受得了，听的人只是有点不耐烦地回答说“是，爸爸”或“不，爸爸”。卡丽恩坐在大灯下的坐垫上，正埋头看一个少女的恋爱故事。少女在情人死后当了修女，她看得如醉如痴，竟默默流下了眼泪。她还津津有味地想象着自己戴上一顶修女白帽子的情景。苏埃伦正在绣她憨笑着称为“嫁妆箱”的东西，心里盘算着明天野宴上怎么才能把斯图特·塔尔顿从姐姐身边吸引开，用唯她独有而姐姐欠缺的女性美去迷住他。

而斯佳丽呢，正被阿希礼的事搅得心烦意乱。

爸明知她正伤心，怎么还大谈特谈苏姆特堡和北方佬的事呢？正如年轻人通常的想法一样，她心里纳闷，人们怎么会这么自私，对她的痛苦竟不以为然，不管她多么伤心，大家仍我行我素。

她的心中仿佛刚刮过了一场旋风，可他们坐着的这间饭厅却如此平静，依然如故，这似乎太奇怪了。那沉重的红木餐桌、餐具柜、实心的银器、光亮的地板上那些鲜艳的碎毡小地毯都一动不动，像什么也没发生似的。这间屋子又亲切又舒服，平时，斯佳丽就喜欢一家人吃完晚饭在这儿待着时的那种安静。但今晚一看见这种情景心里就很不舒适，要不是怕父亲大声责问，她早就溜走了，穿过黑暗的过道，走到母亲的小账房里，在那张旧沙发上放声痛哭。

整幢房子里斯佳丽最喜欢的就是这间账房。埃伦每天早上都坐在屋里一张高高的写字台前记庄园的账目，听监工乔纳斯·威尔克森的汇报。埃伦握着鹅毛笔在账簿上记账时，家里人个个都闲着，杰拉尔德坐在旧摇椅上，三个女儿就坐在那张破旧不堪、坐垫都凹进去了、只能放在这间房里的沙发上。此时此刻斯佳丽就特别想到那儿去，在那儿只有她和母亲两个人，这样她就能把头伏在母亲膝上，安心地哭一场了。母亲难道不回来了吗？

就在这时，传来车轮在碎石子车道上碾过的刺耳的声音，并听到埃伦打发车夫的那柔和的低语声。她急急忙忙走进屋子，全家人都热切地望着她，她的裙子款款摆动，脸色疲惫，带着悲伤。一股美人樱香囊的微香随着她飘进屋内，这香味似乎总是从她衣服的褶层里散发出来，斯佳丽只要一闻到这股香味就不由得联想起母亲。黑妈妈手里提着皮包，在身后跟着，她噘着下唇，眉毛竖着。黑妈妈摇摇摆摆、嘟嘟囔囔地走着，一面压低话音，让人听不清，但又要有意响得能表示其心里的大不以为然。

“对不起，回来晚了。”埃伦说着从低垂的肩头解下那条方格呢披肩交给斯佳丽，并顺便摸了摸她的脸蛋。

杰拉尔德一看见埃伦进来，就不可思议地变得满面春风起来。

“小东西受洗了吗？”他问道。

“受过洗了，可惜死了，太可怜了。”埃伦说，“我本担心埃米也会死的，不过她大概会活下来的。”

三个女儿都把脸朝着母亲，露出惊讶的神色，杰拉尔德却豁达地摇摇头。

“得，小东西还是死了好。没爹的孩子多可怜——”

“不早了。我们还是祷告吧。”埃伦自然地打断了他，要不是斯佳丽深知母亲的脾气，也就不会在意这句插话的用意了。

打听一下谁是埃米·斯莱特里这孩子的父亲倒也是件很有趣的事，但斯佳丽知道要是想等母亲亲口告诉她，就决不可能弄清真相。斯佳丽怀疑会是乔纳斯·威尔克森，因为她常看见他和埃米黄昏时分一起在路上散步。乔纳斯是个北方佬又是个光棍，由于当了监工，所以跟县里社交生活很少沾边。除了斯莱特里家那种低贱的人之外，任何有身份的人家都不会跟他结亲，没人会跟他来往。由于在受教育方面他比斯莱特里家还高出几筹，因此不管他怎么常跟埃米在黄昏一起散步，他不愿娶埃米也是很自然的事。

斯佳丽叹了口气，因为她就爱打听人家的闲事。事情往往就出在母亲眼皮底下，可她竟毫无知觉，就像没这回事似的。凡是她认为不正当的事她都不闻不问，并且总是教导斯佳丽也这么做，可惜收效甚微。

埃伦走到壁炉架边去拿放在嵌花的小盒子里的念珠，这时黑妈妈口气强硬地说：

“埃伦小姐，做祷告前你得吃点东西。”

“谢谢，黑妈妈，可我不饿。”

“我这就亲自替你做晚饭去，做好了你就吃。”黑妈妈说着气鼓鼓地动身顺着过道到厨房去了。

“波克，”她叫道，“叫厨娘捅捅火。埃伦小姐回来了。”

地板被她的身子压得咯吱咯吱直响，她在前面过道里自言自语的嘀咕声也越来越响，饭厅里的人都听得清清楚楚的。

“我说过多少次了，帮助那些穷白佬没什么好处。他们都是没出息的懒骨头，不知好歹，埃伦小姐犯不着自己累死累活去帮他们，他们要是配的话就买些黑奴侍候自己好了。我说过——”

她顺着到厨房去的那条只有顶棚的露天长廊走远了，声音也就听不见了。黑妈妈自有一套让主人明白她对事情的看法的办法。她知道黑人自言自语发牢骚，白人要保持身份是不能偷听的。她知道白人要维持这种尊严，就必须装聋作哑，哪怕她就站在隔壁房间大喊大叫也无妨。利用这一点，她可以不挨骂，而且可以让人家心里明白她对事情的确切看法。

波克拿着盘子、银器和一块餐巾走了进来。后面紧跟着一个十岁的黑孩子杰克，杰克一只手在急急忙忙扣上那件白麻布上衣，另一只手拿着一根灰尘掸子，那是用一根比他人还高的芦秆缠上纸条做成的。埃伦有一根美丽的孔雀毛掸子，但只有碰到特殊场合才用，再说波克、厨娘和黑妈妈都迷信，认为孔雀毛不吉利，所以只有在家里发生争执后才使用。

杰拉尔德替埃伦拉出一张椅子，她刚坐下来，四个声音一齐向她进攻了。

“妈，我那件新舞裙上的花边脱了，明晚我到十二棵橡树庄园要穿的。请替我缝上好吗？”

“妈，斯佳丽的新衣服比我的漂亮，我穿粉红色的衣服像丑八怪。干吗不让她穿我那件粉红衣服，让我穿她那件绿的呢？她就配穿粉红的嘛。”

“妈，明晚我能玩到舞会散场吗？我都十三岁了——”

“奥哈拉太太，信不信——别吵了，丫头们，我可要用鞭子抽你们了！凯德·卡尔弗特今天早上到亚特兰大去过了，他说——你们安静点好吗，连我说话的声音都听不见了——他说那儿乱糟糟，大家都在谈打仗啊、军训啊、组织军队啊。他还说查尔斯顿那边有消息了，说是他们再也受不了北方佬的侮辱了。”

面对着这片吵闹声，埃伦疲惫的嘴角露出了笑容。她这才尽做妻子的本分，先对丈夫说话。

“如果查尔斯顿的正派人家都那么想，我相信我们大家不久也都会那样想的。”她说。因为她有个根深蒂固的观念，认为除了萨凡纳之外，全美洲的名门望族多半在查尔斯顿那个海港小城，这个信念查尔斯顿人也普遍都有。

“不行，卡丽恩，明年吧，宝贝儿。明年你就可以玩到舞会散场了，还可以穿大人的衣服，到那时我这个长着红红小脸蛋的宝贝儿就可以玩个痛快了，别噘着嘴，宝贝儿。这一点必须记住，你可以参加烤肉宴会，还可以留在那儿吃晚饭，但不到十四岁就不能参加舞会。”

“把你的衣服给我，斯佳丽。做完祷告后我就帮你把花边缝上。”

“苏埃伦，我不喜欢你这副腔调。你那件粉红衣服很漂亮，与你的肤色也配。斯佳丽的衣服配她的肤色。不过明晚你可以戴我的石榴石项链去。”

苏埃伦站在母亲身后，得意地向斯佳丽皱皱鼻子。原来斯佳丽早就打算向母亲借这串项链了。斯佳丽也对苏埃伦伸伸舌头。苏埃伦爱嘀咕，又自私，真是个讨人嫌的妹妹，要不是有埃伦管着，斯佳丽早就时不时地打她耳光了。

“好了，奥哈拉先生，跟我说说有关查尔斯顿的情况，卡尔弗特先生还说了些什么？”埃伦说。

斯佳丽知道母亲对战争和政治一点也不关心，在她看来这些都是男人的事，女人还没聪明到能亲自过问。但这一问正好凑了杰拉尔德的兴，他就此发表高见，埃伦总是处处考虑丈夫的兴致。

在杰拉尔德开讲听来的消息时，黑妈妈把一盘盘饭菜端到了女主人面前：一盘烤得金黄的热松饼，一盘油炸鸡胸脯肉，还有一盘切成块的冒着热气的黄澄澄的红薯，上面淌着融化的黄油。黑妈妈拧了小杰克一下，他就赶紧到埃伦背后，慢慢把那根纸条掸子挥来挥去。黑妈妈侍立在桌旁，看着埃伦一口口把菜从盘子里送到嘴里，仿佛一看到她有什么倒胃口的迹象，就打算把饭菜硬塞进她喉咙里去似的。埃伦不停地吃着，但斯佳丽看得出她太累了，真是食不知味。只是看到黑妈妈那不肯罢休的脸色才无可奈何地吃着。

等盘子吃空了，杰拉尔德的话才讲了一半。他刚在议论北方佬偷偷摸摸地既想解放黑奴，又舍不得花一个子儿给黑奴赎身，这时埃伦站了起来。

“我们这就开始做祷告吗？”他老大不情愿地问。

“是啊。很晚了——咦，都十点了，”正巧那只钟有气无力地咯咯报着时，“卡丽恩早就该睡了。波克，掌灯。黑妈妈，我的祷告书。”

黑妈妈压着嗓子悄悄吩咐了几句，杰克就赶紧把灰尘掸子放在角落里，收拾掉盘子。黑妈妈到餐具柜抽屉里去掏埃伦那本破旧的祷告书。波克踮起脚尖，抓住灯链上的环，把灯慢慢放了下来，放到灯光把桌面照得通亮，天花板隐没在阴影里才罢。埃伦整整裙子，跪在地板上，翻开祷告书，把它放在面前的桌上，十指交叉，两手搁在书上。杰拉尔德在她身边跪下，斯佳丽和苏埃伦在桌子对面平时的位子上跪下来，跪之前她们把宽大的衬裙叠起来垫在膝盖下，免得被硬邦邦的地板磕痛。卡丽恩年纪还小，不能舒舒服服地跪在桌边，就面对一张椅子跪下，胳膊肘搁在座上。她喜欢这个姿势，因为做祷告时她很少不打瞌睡，用这种姿势母亲就不注意了。

屋里的奴仆都拖拖拉拉、窸窸窣窣走进过道，跪在门口。黑妈妈跪下去时大声地哼哼着，波克跪得直挺挺的，女仆罗莎和蒂娜展开鲜艳的印花布裙子，姿态优美地跪着，厨娘头上扎了块雪白的头布，脸色又瘦又黄，杰克一副困倦的傻样，因怕黑妈妈拧他，尽量躲得远远的。他们的黑眼睛里都闪烁着期待，因为跟白人一起祷告也是一天里的一件大事。《启应祷文》上那些古老而生动的语句以及东方色彩很浓的比喻对他们来说没多大意义，但这给了他们几分满足感，因此他们一面嘴里吟诵着应答祷文：“主啊，怜悯我们吧。”“基督啊，怜悯我们吧。”身子一面跟着摇晃。

埃伦闭上眼睛开始祈祷，她的声音时起时伏，令人感到一种宁静和抚慰。在埃伦感谢上帝给全家和黑奴带来健康和幸福时，人人都在那圈发黄的灯光下低着头。

她为塔拉庄园的亲人、她父亲、母亲、姐妹、三个夭折的婴儿和“炼狱里所有可怜的灵魂”做完祷告后，那细长的手指就捻着白色念珠，开始诵《玫瑰经》。白人和黑人嘴里顿时响起一片嗡嗡的附和声，就像突然吹来了一阵和风似的。

“圣母玛丽亚，圣母啊，无论是现在，还是在我们临终的时刻，为我们这些罪人祈祷吧。”

尽管斯佳丽既伤心又痛苦，但还是强忍眼泪，跟平时一样，深深感到平静和安宁。白天的一些失望心情和对明天的忧虑都消失了，留下的只有一线希望。并非是她一心向往上帝才给她带来这种安慰，因为宗教对她只不过是挂在嘴上的东西。只不过是由于看到母亲安详地仰起脸望着上帝和列位圣徒、天使的宝座，祈祷他们赐福给她所爱的那些人罢了。埃伦跟上天打交道时，斯佳丽深信上天一定会听到的。

埃伦念完后，就轮到杰拉尔德，他做祷告时由于老找不到念珠，所以只好偷偷扳着手指计数。听到他声音嗡嗡直响，斯佳丽的思想不由得就开了小差。她知道自己应该反省反省了。埃伦教导过她，一天过完了，她的本分就是彻底反省，承认自己有许多过错，祈求上帝宽恕并且给她力量，永不再犯。不过斯佳丽是在反省。

她低下头，伏在十指交叉的双手上，为的是不让母亲看见她的脸，心里就不由得又悲伤地想到阿希礼身上去了。既然他真心爱她，那他怎么能打算娶玫兰妮呢？既然他知道她深爱着他，怎么能故意伤她的心呢？

这时，突然，一个崭新的念头像彗星一样从她脑海里掠过。

“咦，阿希礼根本不知道我爱上了他呀！”

这念头来得突兀，吓得她几乎喘不过气了。她思维停住了，像是麻痹了似的，好久才回过神来，继续信马由缰地想下去。

“他怎么会知道呢？我在他面前一向装得拘拘谨谨、温文尔雅，碰都不让他碰一下，他大概认为我只是把他当作一个朋友，心里对他一点意思也没有。是啊，所以他才从来没开过口！他以为自己的爱毫无希望，所以看上去才那么——”

她飞快地回想起有几次看到他怪怪地瞧着她自己的那副样儿，那双平时不流露一丝真情的灰眼睛，竟然睁得大大的，明显地饱含着一种苦恼而绝望的神情。

“因为他以为我爱上了布伦特，或者爱上了斯图特，或者爱上了凯德，所以很伤心。或许他认为既然不能娶我，不如就讨好家里人，娶了玫兰妮吧。可如果他知道我真的爱他——”

她心情起伏变化着，一会儿垂头丧气，一会儿又兴高采烈。原来这就是阿希礼沉默寡言、举止古怪的原因。原来他是不知道！她的虚荣心促使她越发一厢情愿，竟然信以为真。要是他知道她对他的爱，就会马上到她这边来的。她只要——

“哦，”她一面狂喜地想着，一面用手指按着低垂的额头，“我多么傻呀，都到这会儿了才明白这一点！我一定得想个办法让他知道。倘若他知道我爱他，就不会娶她了。他怎么能娶她呢？”

她猛然一惊回过神来，这才发现父亲已祷告完了，母亲正两眼盯着她呢。她赶紧开始念她的《圣母十遍颂》，念一遍就数一粒念珠，不过声音中饱含激情，连黑妈妈都听得睁开了眼，目光锐利地扫了她一眼。她做完祷告后，就该轮到苏埃伦，之后再轮到卡丽恩来念《圣母十遍颂》，她脑子里却仍然飞快地转着她那个极具诱惑力的新念头。

即使到了这个地步，也还不算太晚。男方或女方最后跟第三者结婚这种私奔的事在县里屡有传闻。再说阿希礼订婚的消息甚至还没宣布呢！是啊，时间还来得及！

要是阿希礼和玫兰妮之间没有爱情，只是老早订了婚约，那么他违约而娶斯佳丽又有何不可呢？要是他知道斯佳丽爱着他，他肯定会这样做的。她一定得想办法让他知道。她肯定会找到办法的！到那时——

斯佳丽冷不防从陶醉的梦境中惊醒，原来她忘了应答祷文。母亲正用责备的眼光看着她。她一面继续祷告着，一面睁开眼睛飞快地朝屋里扫了一眼。这些跪着的人的身影，柔和的灯光，还有那些黑奴摇晃身体的朦胧身影，甚至一小时前她觉得看上去那么可恨的那些熟悉的物品，顷刻间都跟着她披上了感情的色彩，这间屋子似乎又成了一个可爱的地方。此时此景让她永世难忘！

“圣母玛丽亚至诚。”母亲吟诵道。开始念《圣母玛丽亚启应祷文》了。埃伦用柔和的女低音赞美圣母的品质，斯佳丽乖乖地应答道：“请为我们祈祷吧。”

自童年时代起，这个时刻就向来是斯佳丽崇拜埃伦的时刻，而不是崇拜圣母玛丽亚的时刻。虽说这念头亵渎神灵，但每次听到“病人的健康”“智慧的源泉”“罪人的庇护”“神秘的玫瑰”那些古老的词句，闭上眼睛的斯佳丽总是看到埃伦仰起的脸，而不是看到圣母玛丽亚。那些很美的词句，简直句句都是描写埃伦的形容词。

不过今晚，由于斯佳丽自己心境的好转，她觉得在整个仪式中，那些语调柔和的句子和喃喃的应答声，有一种她以前从未感受过的非凡的美。她心中对上帝充满了真诚的感激之情，感谢上帝为她指出了一条生路，让她脱离苦海，一直投向阿希礼的怀抱。

等到最后念过一声“阿门”后，大家才全都站了起来。觉得身子都有点僵硬了，黑妈妈由罗莎和蒂娜一起搀扶起来，波克在壁炉架上拿了根长长的纸捻，在灯火上点燃了，走到过道里，螺旋楼梯对面是一只胡桃木的餐具柜，因大而无用就没放在饭厅里，大柜顶上搁着几盏灯和一长排插在烛台上的蜡烛。波克用纸捻点上一盏灯和三支蜡烛，俨然一副王家寝宫内侍的傲慢气派，照着国王和王后到寝宫去。他将灯火高擎着，带领着这队人走上楼梯。埃伦挽着杰拉尔德的胳臂走着，三个女儿各自拿着烛台，尾随上楼。

斯佳丽走进自己房间，把蜡烛搁在高高的五斗柜上，然后在黑洞洞的壁橱里摸那件要缝的舞衣。她把衣服搭在胳膊上，悄悄走过过道。父母卧室的门虚掩着，她刚要敲门，就听见埃伦低沉而严厉的说话声。

“奥哈拉先生，你一定得把乔纳斯·威尔克森辞退了。”

杰拉尔德发作了：“那我上哪儿去再找一个不会对我撒谎的监工呢？”

“一定得立刻辞了他，明天早上就辞。大个子山姆是个好工头，可以先顶一下，等你雇到新监工再说。”

“啊哈！”杰拉尔德说，“我明白了！原来是乔纳斯这家伙的——”

“一定要辞了他。”

“原来他就是埃米·斯莱特里孩子的爸爸，”斯佳丽想道，“哦，原来如此。想想，一个北方佬和一个穷白佬的姑娘还干得出什么好事？”

她特意多等了一会儿，给父亲一点时间让他唾沫四溅地把话说完，然后才敲敲门，把衣服递给母亲。

等卸完妆，吹灭了蜡烛，斯佳丽已经把明天的计划详详细细地制订好了。这个计划很简单，因为她和父亲一样只有一个心眼，她的眼睛只盯着目标，只想一蹴而就。

首先，她要照父亲吩咐的那样“傲气十足”。从到十二棵橡树庄园那一刻起，她就要显得心情愉快、精神饱满。不要让人疑心她曾为了阿希礼和玫兰妮的事闷闷不乐过。她要跟那儿所有的男人调情。让阿希礼看了很痛苦，这一来他就会更加想她。凡是到了结婚年龄的男人，从年纪大的苏埃伦的情人——黄胡子的老弗兰克·肯尼迪，到年纪小的玫兰妮的弟弟——害羞、文静、爱脸红的查尔斯·汉密顿，她全都不放过。他们都会像蜜蜂围着蜂巢一样围着她转，阿希礼肯定也会从玫兰妮身边被吸引过来，加入到这个圈子，拜倒在她的脚下。到那时她就会想办法躲开大家，跟他单独在一起待几分钟。她希望一切都能按计划顺利进行，不然的话事情就要难办多了。不过要是阿希礼不先主动，她就只好自己先主动了。

等到最后他们两个人在一起时，他脑子里一定对刚才其他男人围在她身边的情景还记忆犹新，就会重新牢记每个人都想要她这个事实，于是眼睛里就又会流露出那种伤心绝望的神情。这时她就会让他明白，尽管人人都爱她，但天底下的男人就数他最让她中意，他听了就会转忧为喜。等她不卑不亢地让他明白这一点之后，她在他心目中的地位就会显得无比珍贵了。当然，这一切都要做得不失小姐身份。她做梦也不会冒昧地说她爱他——这是万万不可的。至于怎么让他明白，那倒是小事，根本用不着担心。她以前曾多次应付这种事，再来一次也无妨。

她躺在床上，朦胧的月光洒在她身上，她在脑子里想象着整个过程。她仿佛看见了他明白了她真正爱着的是他时，脸上那又惊又喜的表情，她听见了他说的话，求她做他的妻子。

自然，到那个时候她得说既然他已经跟别的姑娘订了婚，她根本不能考虑嫁给他。他就会执意相求，求到最后她就让他说动了心。于是他们就会决定下午一起逃到琼斯博罗去——

嘿，明晚这时候她兴许就是阿希礼·韦尔克斯太太了！

她从床上坐起来，抱着腿，想到自己竟成了阿希礼·韦尔克斯太太——阿希礼的新娘，心里好一阵快活。接着心里又陡然凉了半截。要是结果不是这样呢？如果阿希礼并没求她跟他私奔呢？她断然排除了这个想法。

“我现在什么也不想了，”她毅然说，“要是再想下去，心里就乱了套了。如果他爱我，事情就没理由不按我的心意进行。再说我知道他是爱我的。”

她仰着脸，那双黑睫毛下的淡绿色眼睛在月光下闪闪发光。母亲从来没告诉过她愿望和如愿是两回事，生活也没教过她捷足未必先登这个道理。她躺在银色的阴影中，鼓起勇气，制订着计划，那是一个十六岁少女的计划。处于这个年龄的女孩，生活是那么愉快，失败是不可能的事，漂亮的衣服和清秀的面容就是她征服命运的武器。

5

尽管还只是四月，早上十点钟，天气就很暖和了。金色的阳光从宽敞的窗子透过蓝窗帘，把斯佳丽的房间照得明晃晃的。奶油色的墙壁被映得雪亮，红木家具的表面也闪着醇酒一般的深红色光芒，地板像玻璃一样晶晶亮，只有铺着碎毡小地毯的地方斑斑点点，色彩鲜艳。

酷暑将至，春天的气息却迟迟不愿离去，空气中已是一片夏意，暗示佐治亚的初夏快到了。一股芳香、温暖的气流涌进屋内，飘溢着种种柔美、浓郁的香味，有百花的芬芳，有新长成的树木香，还有刚翻过的潮湿的红土香。斯佳丽透过窗户向外望去，只见碎石车道两边的两排水仙争芳斗艳，大片金黄色的素馨花像有衬架的大裙似的，把地上铺得花团锦簇、美丽大方。模仿鸟和樫鸟冤家路窄，又在争夺她窗下那棵木兰树，樫鸟的叫声激烈刺耳，模仿鸟的叫声委婉哀怨。

碰到这么一个光辉灿烂的早晨，斯佳丽通常总不由被吸引到窗前，胳膊支在宽阔的窗台上，陶醉于塔拉庄园的香味和声响中，但今天她可没闲工夫去看太阳、观蓝天，心里只匆匆掠过一个念头："谢天谢地，没下雨。"床上放着只大纸板箱，里面整整齐齐摆放着那件上面镶着淡褐色花边的苹果绿波纹绸舞衣。这衣服是准备带到十二棵橡树庄园参加舞会时才穿的，但斯佳丽看看这衣服只是耸耸肩。如果她的计划实施成功，她今晚就不会穿这件衣服了。还不等舞会开始，她和阿希礼早已动身到琼斯博罗结婚去了。伤脑筋的是——她该穿什么衣服去参加这野宴呢？

穿什么衣服才能最显出她的魅力，让阿希礼见了就着迷呢？她从八点钟起就一直在试衣服，穿一件扔一件。现在她只穿着镶花边的长裤，亚麻胸衣，三层波浪形花边的亚麻衬裙，她垂头丧气地站着，心情烦躁。地板上、床上、椅子上，到处都是五颜六色的一堆堆扔掉的衣服和凌乱的缎带。

那件玫瑰红的蝉翼纱衣，配上粉红色长腰带本来挺合适，但去年夏天玫兰妮去十二棵橡树庄园做客时，她穿过这件衣服，人家肯定还记得。说不定还会不怀好意地提起这一点。这件黑色毛葛衣服，泡泡袖，公主式花边领，衬托着她那白皙的皮肤真是没说的，只是有点儿老气。就像生怕看见皱纹和松弛的下巴似的，斯佳丽焦急地盯着镜子里自己那张十六岁花季的脸。当着娇嫩的玫兰妮，千万不能显得稳重老气。这件淡紫色的条纹细布料衣服，边上镶着阔花边，美虽美，但跟她这种类型的长相根本不相配。卡丽恩穿上这身衣服倒很合适，因为她外形纤丽，神情娇慵，但斯佳丽觉得自己穿看上去简直就像个女学生。玫兰妮生性娴静，在她身边可万万不能显得女学生气。这件绿色格子塔夫绸衣服有好多荷叶边，每条荷叶边还用绿丝绒绲了边，是最合适不过的了，事实上也是她最喜欢的衣服，因为这件衣服能让她眼睛的颜色变深，成为翠绿色。但紧身衣前襟明显有一块油渍，虽然她可以把胸针别在这块油渍上，但也许玫兰妮眼睛尖得很，一下子就会发现。剩下的只有五颜六色的布衣服了，斯佳丽觉得在这种场合显不出喜庆气氛来。还有几件舞裙，以及昨天已经穿过的那件绿色枝叶花纹的细布料衣服。不过那是件下午穿的衣服，不适合在野宴上穿，因为衣服上只有小的泡泡袖，领口又开得很低，当舞裙穿倒是可以。但除了穿这一件外也没别的办法。即使大清早就穿袒胸露臂显脖子的衣服不合适，她终究也不怕这样有什么不好。

她站在镜子前，扭过身子看自己的侧影，觉得自己的身段是绝对不会让她丢脸的。她的脖子虽短，但很圆。胳膊也丰满迷人。乳房让紧身褡托得高高隆起，非常漂亮。大多数十六岁的姑娘都不得不在紧身胸衣衬里缝上一行行细细的绸皱裥，以使身段显得丰满如意，更具曲线美，但她可用不着来这一套。她很高兴自己的手和脚都随母亲，纤细而小巧，虽然身材不能如希望的那样和母亲一样高，但她对自己的身材也十分满意了。她一面撩起衬裙，不无遗憾地望望穿着长裤的两条既丰满又匀称的腿，一面想，可惜不能露出腿来啊。她的腿很好看。当初连费耶特维尔学院的姑娘们都一致公认好看呢。至于她的腰——可以这么说，在费耶特维尔，琼斯博罗，甚至在三个县里，也没谁有这么细的腰呢。

一想到自己的腰，她又不由得想起了实际问题。这件绿色细布料衣服的腰围是十七英寸，可黑妈妈却替她把腰束成十八英寸，让她穿那件毛葛衣服。还得让黑妈妈替她再束紧些。她推开门仔细听着，听见黑妈妈沉重的脚步声在楼下走道里。她知道这时候母亲正在熏肉房里给厨娘分派当天的食物，她尽可以放心地扯开嗓门，于是就大声叫着黑妈妈。

“人家还以为我会飞呢。”黑妈妈嘟囔着爬上楼。进来时喘着粗气，一脸想找人吵架并且要奉陪到底的架势。她那双黑黑的大手端着一个托盘，上面的食物正冒着热气，两大块红薯上涂满了黄油，一摞荞麦饼上流淌着糖浆，还有一大片火腿浸在卤水里。斯佳丽本来就有点生气，这时一看见黑妈妈手里拿着的东西，顿时变得存心要找碴。刚才由于忙着试衣服，兴头上竟把黑妈妈的一条硬性规定给忘了，凡是奥哈拉家的姑娘出去赴宴，一定得先在家里把肚子填饱，以便到宴会上吃不下什么点心。

“用不着。我不吃。你这就拿回厨房去好了。”

黑妈妈把托盘放到桌上，两手叉腰，摆好了架势。

“不吃也得吃！可不能再像去年那次参加野宴那样了，那次由于我生病，临走前没让你先吃东西，结果让人说了闲话。这次你得把这些统统都吃完。”

“我不吃！好吧，过来给我把腰束紧一点，我们已晚了。我听见马车都已经到门外了。”

黑妈妈换了一副哄孩子的口气。

“好了，斯佳丽小姐，乖乖地吃一点吧，卡丽恩小姐和苏埃伦小姐都吃完了呢。”

“她们愿意吃，”斯佳丽带着瞧不起的口吻说，“她们都胆小如鼠。我可不吃！我见了托盘就倒胃口。上次我吃了整整一盘东西后再到卡尔弗特家去，他们特地从萨凡纳带来了冰，做成冰淇淋，可我只吃得下一小匙。今天我要玩个痛快，吃个开心。”

黑妈妈听到她这么大胆地说，气得皱起了眉头。在黑妈妈心中，小姑娘家什么能做，什么不能做，那是界线分明的，决没有折中的余地。苏埃伦和卡丽恩都是她厉害的手掌心里的软面团，对她的教训无不恭恭敬敬、言听计从。但要教导斯佳丽，让她明白那些心血来潮的举止大多有失小姐身份却往往要费一番口舌。黑妈妈一次次要制服斯佳丽可实在不容易，足见她的那一套白人并不能完全理解。

“你可以不管人家怎么议论这个家，可我要管。”她嘟嘟囔囔地说，“我决不能放任不管，让宴会上的人都说你没教养。我跟你说过多少次了，女人家吃得少，准是位小姐，我决不能让你到韦尔克斯先生家去大吃特吃。”

“我妈是夫人，她也吃东西。”斯佳丽回敬了她一句。

“等你结婚了，你也可以吃。”黑妈妈反驳道，“埃伦小姐像你这么大的时候，出去从不吃东西，你宝莲姨妈、尤拉莉姨妈也都不吃。她们现在都嫁人了。姑娘家如果只顾拼命吃，常常会找不到丈夫。”

“我才不信呢。上次野宴你病了，我事先没吃东西，大吃了一次，阿希礼·韦尔克斯还跟我说，他喜欢看到姑娘胃口好呢。”

黑妈妈像有不祥之兆似的摇摇头。

“男人家说的和想的是两回事。再说我也没见阿希礼先生向你求过婚。”

斯佳丽板起面孔，正想数落她几句，却又停住了。黑妈妈说中了她的要害，没什么可争的。见斯佳丽态度坚决，黑妈妈端起托盘，使出黑人那套不动声色的诡计，决定改变策略。她一边叹了口气一边朝门口走。

“得，不吃也罢。厨娘装盘的时候，我就对她说过，‘看一个人的吃相就能清楚地知道她是不是一位小姐，’我还会对厨娘说，‘我从来没见哪位白人小姐比玫兰妮·汉密顿小姐吃得还少，上次她去看阿希礼先生——我是说，去看印第亚小姐时。’”

斯佳丽满腹狐疑地看了她一眼，谁知黑妈妈那张宽脸上只露出一副老实本分的样子，并流露出斯佳丽不如玫兰妮·汉密顿小姐的惋惜神情。

“放下托盘，过来替我再束紧些，”斯佳丽不耐烦地说，“束好我就吃点儿。如果我现在吃，就束不紧了。”

黑妈妈暗暗高兴，放下了托盘。

“我的小宝贝要穿什么呀？”

“那件。”斯佳丽指了指那堆成蓬松一团的绿花细布料衣服说。黑妈妈立刻极力反对。

“不行，不能穿。早上穿这件不合适。下午三点钟前是不能露出胸脯的，而且那件衣服既没领子也没袖子，你一定会生痱子的。上次到萨凡纳去，你在海滩上坐了一下就长了一身痱子，我用奶油给你搽了一个冬天才去掉，我可不想再看到你生痱子。我这就告诉你妈去。”

“我衣服都没穿好，如果你敢告诉她一句，我就一口也不吃，”斯佳丽冷冷地说，“等我穿好了，妈要喊我回来换也来不及了。”

眼看自己这一招输了，黑妈妈无可奈何地叹了口气。她权衡了一下，与其让斯佳丽狼吞虎咽，还不如就让她穿着应下午穿的衣服去参加早上的野宴。

“手抓着一样东西，屏一口气。”她命令道。

斯佳丽照她说的打起精神，使劲抓住一根床柱。黑妈妈用力拉啊带的，眼看鲸须带里的腰围变细了，她不由露出既得意又喜爱的神情。

“谁都没我的小宝贝腰细，”她称赞道，“每次替苏埃伦小姐束到还不到二十英寸多点儿，她就要晕倒了。”

“噗！”斯佳丽喘着气，很费劲地说，“我这辈子还从来没晕过。”

“得，你就是晕个一两次也不要紧，”黑妈妈劝告说，“有时候你要掌握好分寸，斯佳丽小姐。我一直要告诉你，看见蛇啊、耗子啊什么的，你不晕倒倒不好看。我不是叫你在家里晕过去，而是叫你外出做客的时候。我告诉过你——"

"哦，快点吧！别说那么多废话了。我会找到丈夫的。即使我不尖叫、不晕倒，看我找不找得到。天哪。我的紧身褡真够紧的！套上衣服吧。"

黑妈妈仔细地把这件用了十二码布料的绿色枝纹细布衣服套在她那件像山一般的衬裙上，再把低领的紧身衣从后面钩上。

"在烈日下必须一直用披肩，热了也别脱帽子，"她命令道，"否则你回来时就会黑得像斯莱特里家的老太婆了。好了，来吃吧，宝贝，可别吃得太快。否则重新再束就不容易了。"

斯佳丽听话地在托盘前坐下，心里嘀咕着要是吃了东西，不知还能不能呼吸。黑妈妈从脸盆架上取下一块大毛巾，仔细地把一头围住斯佳丽的脖子，另一头折好铺在她的膝盖上。斯佳丽先吃火腿，因为她喜欢火腿，所以勉强咽了下去。

"但愿我结过婚就好了，"斯佳丽老大不情愿地一边吃着红薯，一边愤愤地说，"我就是讨厌老是没完没了地做作，想做的事一件也做不了。我就厌烦装作胃口小，想跑却只能走，明明跳上两天舞也不会觉得累，偏偏说跳一曲华尔兹就会晕倒。我就厌烦说什么'你真了不起'去哄骗那些还不如我有见识的男人。我就厌烦装作什么也不懂，让男人来告诉我，好让他觉得自己很了不起……我再也吃不下了。"

"尝块热饼吧。"黑妈妈毫不留情地说。

"为什么姑娘家要嫁个丈夫就得那么傻？"

"我想那是因为男人并不知道他们自己要什么。他们只知道自以为要什么。如果他们自以为要什么你就能给什么，那你就用不着吃苦，当一辈子老姑娘了。他们自以为要的是胆子小、胃口小、见识少的小丫头。男人可不愿意娶一个比自己有见识的女人做老婆。"

"男人结婚以后发现老婆真有见识，他们会吃惊吗？"

"嗯，到那时就晚了。木已成舟。再说，男人也希望自己的老婆有见识。"

"总有一天我会想干什么就干什么，想说什么就说什么，不管别人喜欢不喜欢。"

"不，那可不行，"黑妈妈严厉地说，"只要我还有口气就不允许你这样。把这些饼吃了。浸在肉汁里吃，宝贝儿。"

"我看北方佬的姑娘就不用这么装傻。去年在萨拉托加，我看到好多姑娘都很有见识，在男人面前也一样有见识。"

黑妈妈鼻子哼了两声。

"北方佬的姑娘！是啊，我看她们的确是心里怎么想就怎么说，但我在萨拉托加可没看见有什么人向她们求婚。"

"可北方佬肯定也得结婚啊，"斯佳丽争辩说，"他们又不是自己长出来的。他们一定也得结婚生孩子。他们的人可多呢。"

"男人娶她们是贪图她们有钱。"黑妈妈固执地说。

斯佳丽把烤面饼在肉汁里一蘸送到嘴里。也许黑妈妈说的有一定的道理。这里头肯定有道理，因为她母亲也说过类似的话，不过说的方式不一样，而且要委婉一些。事实上，她所有的女朋友的母亲都是这样教导女儿的：要装出弱不禁风、小鸟依人、天真无邪的样子。说真的，要培养并保持这种装腔作势的样子见识少了还不行呢。也许她以前性子是太急躁了，有时还跟阿希礼争论，把自己的真实看法说出来。说不定就是这个原因，再加上她有喜欢对健康有益的散步和骑马的爱好，他这才转移目标，去找弱不禁风的玫兰妮了。倘若她改变一下策略——不过她觉得如果阿希礼向女人有预谋的花招屈服，她就不可能像现在这样尊重他了。哪个男人蠢得只要听见一声痴笑，或者一句"哦，你真了不起"就找不着北、上了钩，那才不值得爱呢。不过他们似乎都喜欢这一套。

如果以前她对阿希礼的策略错了——算了，以前的事也没法子了。今天她要换一套策略，一套正确的策略。她要他，并且她只有几个小时的时间了。如果晕倒，或者装作晕倒能打动他，那么她就晕倒。如果痴笑、卖弄风情、装傻能吸引他，她就照此去做，甚至装得比凯瑟琳·卡尔弗特还要傻。如果必须采取更大胆的步骤，她也会的。今天可是时候了。

没人告诉斯佳丽，她的个性虽然很强，充满活力，但比起她可能采用的任何假面具来反而更迷人。要是有人告诉她了，她准会高兴，但不一定会相信。而她所处的这个文明世界也不会相信的，因为当时的文明世界非常不看重女性的纯真，其轻视程度到了空前绝后的地步。

马车载着斯佳丽，顺着红土路朝韦尔克斯家的庄园驶去，虽有一点负疚，但她仍感到一阵欣慰，因为母亲和黑妈妈都不去。野宴上不会有人向她挑剔地抬眉毛，或噘嘴来干涉她的行动计划了。当然，苏埃伦明天肯定会搬弄是非的，不过如果一切都能如斯佳丽所愿的话，她和阿希礼订婚或私奔的事势必会在家里产生轰动，足以抵消他们的不满情绪。是啊，她很高兴母亲有事留在家里。

杰拉尔德早上灌饱了白兰地，已经把乔纳斯·威尔克森辞退了。埃伦留在塔拉庄园是要趁他没走前先仔细检查一下庄园的账目。斯佳丽到小账房去跟母亲告别时，她正坐在高高的写字台前，台上的文件架里塞满了票据。乔纳斯·威尔克森手里拿着帽子，站在旁边。他那张瘦骨嶙峋的黄脸，明显地流露出满腔怒火，因为东家竟然这么随随便便就把他辞了，这份差使可是县里最大的美差。为来为去就为了这么一件玩弄女人的小事。他再三跟杰拉尔德说，跟埃米·斯莱特里来往的有十来个男人，哪一个都跟他一样都有可能是这孩子的父亲。杰拉尔德也同意这看法——不过就埃伦来说，这并不能改变事情的性质。乔纳斯痛恨所有的南方人。恨他们对他那副冷冰冰的礼貌样，恨他们明明心里瞧不起他，但还要勉强装出一脸的礼貌来的虚伪。尤其痛恨埃伦·奥哈拉，因为南方人身上那些他痛恨的德行她都占全了。

黑妈妈是庄园的女仆总管，也留在家里辅助埃伦。因此坐在托比赶车座位旁边的是迪尔西，姑娘们跳舞用的衣裙都装在一个搁在她身上的长盒子里。杰拉尔德跨着他那匹大猎马，在马车边走着。喝了白兰地他浑身劲儿十足，威尔克森那件煞风景的事居然这么快就让他了结了，他感到很高兴。他把担子都推给埃伦，根本不去想她错过野宴，错过跟朋友欢聚的机会，心里会有多失望。这天晴空万里，他的田里一片美景，鸟语花香，他觉得自己实在年轻贪玩，顾不上为别人着想。他不时还张口唱几句《低靠背车上的假腿人》，哼几句其他爱尔兰小调，或者唱比较忧伤的《罗伯特·埃米特哀歌》：“离开她那年轻英雄长眠的土地，她走向远方。”

他满心欢喜，想到今天又可以高谈阔论北方佬和战争了，不由激动得心花怒放，看到三个漂亮女儿穿着有衬裙箍的裙子，裙摆铺展得花团锦簇，打着可笑的花边小阳伞，又不由得意扬扬。他没去想前一天斯佳丽与他的谈话，因为这事他已经完全忘了。他只想到她长得漂亮，让他很有脸面，又看到她今天的眼睛像爱尔兰的青山一样绿。想到看到这些，他不禁对自己刮目相看，这样一来顿时颇有一种诗意，所以就对女儿大声唱起稍稍走调的《绿衣服》。

斯佳丽用母亲对装模作样的小孩子那种亲热的轻蔑眼光看着他，心想到太阳下山时他就会喝得烂醉。摸黑回家时，他又会像往常一样，拼着命想骑着马把十二棵橡树到塔拉庄园之间的每一道围栏都跳一遍。但愿上帝保佑他那匹马眼明腿快，别让他把脖子摔断了才好。他会有桥不过，赶马蹚水过河，哇啦哇啦回家去，让波克把他扶到账房的沙发上睡觉。碰到这种情况，波克总是点上一盏灯待在前面过道等着他。

他会把自己那套新灰色绒面呢衣服弄坏，然后到了早上就会破口大骂，还要详详细细告诉埃伦，他那匹马在黑暗中从桥上摔下来的经过——这套露骨的鬼话其实谁也骗不了，可大家竟然都信，这使他不禁感到自己十分聪明。

爸真是个活宝，又可爱又自私，对什么事都没责任心，斯佳丽心里想着不由对他油然产生一阵爱怜。今天早上她兴奋极了，快乐极了，不仅觉得父亲可爱，而且整个世界都可爱了。她长得漂亮，这点她心里很清楚。不用等到天黑，她就可以把阿希礼据为己有了。太阳和煦宜人，展现在她眼前的是佐治亚明媚的春光。一路上映入眼帘的是点点嫩绿中掩映的黑莓、冬雨冲刷出来的天然红色山沟，红土层中露出光秃秃的花岗岩，岩石上覆盖着朵朵金樱子，周围还生长着淡紫色的野生紫罗兰。河边那些树木茂盛的山丘上，山茱萸盛开着晶莹的白花，宛如绿叶上滞留的残雪。海棠树上的众花朵已经含苞欲放，竞相从嫩白变成紫红，阳光透过树林照在地上的枯松针、野忍冬上，似一张色彩斑斓的地毯，呈现出深红、橘黄和玫瑰红三色。微风吹来一阵淡淡的野花香，天地万物都充满了芬芳。

"我永远都忘不了今天的美景，"斯佳丽心想，"说不定今天还是我结婚的喜日呢！"

她心里热辣辣地想着，今天下午，或者今晚在月色中，她和阿希礼就可以在这片花木竞艳的美景中纵马驰骋，到琼斯博罗去找牧师。当然，以后她还得找个亚特兰大的牧师重新替她主持婚礼，但那是父母操心的事了。一想到母亲听见女儿跟别人的未婚夫私奔而羞愧得脸色煞白的模样，她不免有点畏缩，但她知道只要母亲看到她幸福准会宽恕她。父亲知道了准会大叫大骂，不过，尽管他昨天还说不愿意她嫁给阿希礼，但如果他家跟韦尔克斯家结上亲他准会是说不出的高兴。

"不过这些事等我结了婚以后再操心吧。"她抛开烦恼，暗自想道。

如此明媚的春天，如此温暖的阳光，遥望着十二棵橡树庄园的烟囱从河对面的山上露出头来，她只感到心在怦怦直跳，哪儿还会有别的心情呢。

"我要一辈子住在那儿，在那儿过上五十个这样美的春天，也许还不止五十个呢，我还要跟儿孙们说今年这个春天真是美，比他们将来要过的任何一个春天都可爱。"想到这儿她不由得兴高采烈，竟跟着唱起了《绿衣服》的最后一段，博得了父亲的大声喝彩。

"我不明白你今天早上怎么这么高兴。"苏埃伦生气地说，她仍然耿耿于怀，总觉得自己穿斯佳丽那件绿绸舞裙要比斯佳丽穿好看得多。为什么斯佳丽总是那么自私，不肯把衣帽借给她呢？母亲为什么老是护着斯佳丽，说苏埃伦穿绿的不配呢？"我们都知道今晚就要宣布阿希礼订婚的消息了。爸今天早上说过的。并且我还知道你好几个月前就已经爱上他了。"

"你只知道这些罢了。"斯佳丽说着伸伸舌头，不愿扫自己的兴。明天早晨这时候苏埃伦小姐还不定有多吃惊呢！

"苏埃伦，要知道事情不是这样的，"卡丽恩听了很是震惊，提出异议说，"斯佳丽喜欢的是布伦特。"

斯佳丽用那双带笑意的绿眼睛看着小妹妹，心里嘀咕着，怎么人人都这么可爱。全家人都知道十三岁的卡丽恩心里只爱布伦特·

塔尔顿，而对方却只把她看作是斯佳丽的小妹妹，根本没把她放在心上。平时母亲不在场的时候，全家人总拿他来逗卡丽恩，直到把她逗哭才罢休。

“宝贝儿，我一点也不喜欢布伦特，”斯佳丽乐得大方地说道，“而且他也一点也不喜欢我。他原来是正等着你长大呢！”

卡丽恩圆圆的小脸蛋涨红了，心里既高兴又将信将疑。

“哦，斯佳丽，是真的吗？”

“斯佳丽，你知道妈妈说过卡丽恩年纪还小，不能考虑交男朋友，你还害她胡思乱想。”

“得了吧，你去搬弄是非好了，看我在不在乎，”斯佳丽回答说，“你是想压住小妹妹，因为你知道再过一两年她就要比你漂亮了。”

“你们今天说话都给我留点神，要不，回头我用鞭子抽你们，”杰拉尔德警告说，“别闹了！听见车轮声了吗？大概不是塔尔顿家，就是方丹家来了。”

前面就是通往含羞草庄园和费尔布尔那座树木茂密的小山的一条岔道，驶近这道口，车轮声、马蹄声越来越清晰了，树林后面传来了女人嬉笑争吵的喧闹声。杰拉尔德一马当先，勒住了马，又示意托比把马车在岔道口停下。

“原来是塔尔顿家的女眷，”他向女儿通报说，红润的脸膛顿时喜笑颜开，因为除了埃伦以外，全县就数这位红头发的塔尔顿太太最让他喜欢了，“而且是她亲自驾车。啊，这女人真是驯马好手！身轻如燕，结实如牛，可还是漂亮得让人想吻一下。只可惜你们都没这种本事，”他一面加了一句，一面用慈爱而责备的眼光看了看三个女儿，“卡丽恩见到牲口就害怕，苏埃伦总是笨手笨脚地捏着缰绳，而你，小姑娘——”

“得了，不管怎么说，我可从来没从马上摔下来过，”斯佳丽愤愤地说，“塔尔顿太太倒是每次打猎都摔下来。”

“还像男人一样把锁骨都摔断了，”杰拉尔德说，“但既没晕过去，也没大惊小怪。好了，别多说了，她来了。”

只见塔尔顿家的马车来到眼前，满车姑娘个个穿得花枝招展，打着花哨的阳伞，披着飘拂的面纱。正如杰拉尔德所说，塔尔顿太太果然坐在驾车的座位上，他当即在马镫上欠欠身子并脱帽致意。马车上坐着塔尔顿家四个女儿以及她们的奶妈，跳舞服装在几个长纸盒里，把马车塞得满满当当的，连车夫都没地方坐了。再说，贝特丽丝·塔尔顿只要双手没让吊腕带吊着，是决不肯让任何白人或黑人替她赶车的。尽管她看似脆弱，骨架纤巧，皮肤白嫩，仿佛脸上的血色都让火红的头发吸进那堆生气勃勃的柔丝里去了，然而她身体十分健康，精力也很充沛。她生了八个孩子，个个都像她，全是红头发，精力旺盛。县里人都说，她养育有方，因为她视孩子如同马驹，既有出于慈爱的纵容，又有出于严格的约束。塔尔顿太太的座右铭是“既要严管，又要宽松”。

她爱马，开口闭口离不开马。对马的了解和驾驭本领赶得上县里任何一个男人。山上那座凌乱的屋子被八个孩子挤得满满的，围场里也满是小马驹，连前面的草地上都是。每当她在庄园里走动，后面总是紧跟着一帮儿女啊，小马驹啊，还有猎狗什么的。她深信自己养的马都通灵性，特别是那匹红牝马耐利，她每天都要骑它。如果有时家务事没忙完，她就把糖缸交给一个黑小子，吩咐说，“给耐利吃一把糖，告诉它我一会儿就来。”

她总是穿着骑装，只偶尔一两次不穿，因为不管骑不骑马，她总想骑，有了这个心思，她干脆一起床就穿上骑装。每天早上，不管雨天还是晴天，耐利总是搭上了鞍子，在屋前溜达，等着塔尔顿太太在百忙中抽出一小时来骑一下。但费尔希尔庄园是一个很难管理的庄园，难得有空。耐利往往多半时间都是空身来回溜达，而贝特丽丝·塔尔顿就整天心神不定地撩起骑装的长裙，把它搭在手臂上，下面雪亮的马靴便露出六英寸长的一段来。

今天，她穿着颜色暗淡的黑绸衣服，里面衬着过时的狭裙箍，看上去好像仍穿着骑装似的，因为这身衣服是严格按骑装式样缝制的，那顶小黑帽上，插着一根长长的黑翎，遮住了一只热情、闪亮的棕色眼睛，看上去跟她打猎时戴的那顶破旧帽子一模一样。

她看见杰拉尔德就扬起鞭子，勒住那对欢跃的红马。马车里的四个姑娘都探出身子叽叽喳喳大打招呼，把马都弄惊了。如果有路边的人看到这情形，还以为塔尔顿家和奥哈拉家多年没见面了呢，殊不知他们才两天没见。不过这家人倒喜欢交际，喜欢邻居，特别喜欢奥哈拉家的姑娘。实际上，她们只喜欢苏埃伦和卡丽恩。县里没一个姑娘真正喜欢斯佳丽，只有那个没头脑的凯瑟琳·卡尔弗特例外。

夏天，县里几乎每星期都举行一次野宴和舞会，不过红头发的塔尔顿一家作乐的本事最强，每次野宴和舞会，她们都兴奋得像是第一次参加似的。她们姐妹四个个个长得又漂亮又丰满，一起挤在马车里，裙箍压着裙箍，荷叶边叠着荷叶边，阳伞磕碰着阳伞。阳伞下是宽边意大利太阳帽，帽顶簪着玫瑰花，飘着黑丝绒帽带。这些帽子下面露出各种深浅不同的红头发：赫蒂是纯红的，卡米拉是草莓红的，兰德是紫铜红的，小贝特西是胡萝卜红的。

“这群姑娘真美，夫人，”杰拉尔德献殷勤地说着，一面在马车旁勒住了马，“不过要赶上她们的母亲还差得远呢。”

塔尔顿太太那对棕红色的眼睛骨碌碌一转，咂了咂嘴，做了个鬼脸，表示感谢，四个姑娘都叫了起来：“妈，别眉来眼去的，要不我们就回去告诉爸了！”“奥哈拉先生，我敢说，身边有你这么一位美男子，她根本就不会给我们一次露脸机会的。”

斯佳丽听了这番俏皮话后和其他人一起哈哈大笑起来，但心里对塔尔顿家姑娘这么没大没小总不免感到震惊。她们把塔尔顿太太看作跟自己一样大，还不满十六岁。在斯佳丽眼里，胆敢有对自己母亲说这种话的念头就简直是大逆不道了。然而——然而——塔尔顿家女儿和母亲的关系倒是十分融洽，尽管她们对她又是批评又是责骂，又是取笑，但对她仍然是敬爱的。斯佳丽出于至诚，赶紧对自己说，自己并不是不喜欢自己的母亲，而喜欢塔尔顿太太那样的母亲，不过跟母亲一起闹着玩倒是很有趣。她知道哪怕心里有这个念头也是对母亲的不敬，因此感到很惭愧。她知道马车里那几个火红头发的脑袋瓜里是决不会有这些令人烦恼的念头的，而且每当她觉得自己跟邻居不一样，心里就很不痛快，像团乱麻。

她脑子虽然转得快，却不善分析，不过她隐隐觉得，塔尔顿家的姑娘虽然似野马般难驯，像发情的野兔那么疯狂，却有一副不知烦恼的单纯头脑，这是她们秉承父母的一种特性。她们的父母都是佐治亚人，来自佐治亚州北部，他们的上一代就是在这儿开荒的。她们很自信，对周围环境也有信心。做事一向精明，就像韦尔克斯家一样，然而做事的方式却完全不同。她们心里也没有这种矛盾，斯佳丽就常被这种矛盾心理折磨着。在她身上混合着两种血统，一种是说话温柔、富有教养的沿海贵族血统，另一种是爱尔兰农民精明朴实的血统。斯佳丽既要把母亲当偶像一般顶礼膜拜，又想把母亲的头发弄乱，与她开开玩笑。而且她知道应该想方设法把二者统一起来。正是由于这种矛盾的感情，使她在男孩子面前既想做一个温文尔雅的名门闺秀，又想做一个不怕跟人接几个吻的野女孩。

“怎么没见埃伦？”塔尔顿太太问。

“她辞退了我们的监工，正留在家里跟他一起查账呢。塔尔顿先生和你的几个儿子呢？”

“哦，他们几小时前就已骑马到十二棵橡树庄园去了——去品尝五味酒，看看是否够味，大概不会从现在起一直喝到明天早上吧！否则的话，我倒要请约翰·韦尔克斯把他们留下来过夜，哪怕把他们安顿在马厩里也行。爷儿五个都喝醉了我可真受不了。最多三个，我还勉强可以应付，但——”

杰拉尔德赶紧插嘴改变话题。他能感觉到自己的三个女儿正回忆去年秋天他参加韦尔克斯家野宴回家时那副模样，眼下正在背后偷偷笑呢。

“你今天怎么没骑马，塔尔顿太太？真的，你不骑着耐利看上去就不像你了。你是个斯坦特（Stentor：希腊神话中的传令官——译者注）。”

“斯坦特，好一个无知的男子汉！”塔尔顿太太学着他那爱尔兰口音喊道，“你要说的是森特（Centaur：原意是希腊神话里半人半马之怪兽，在英语中又有马术高明之骑手含义——译者注）吧。斯坦特的意思是嗓门像铜锣的人。”

“管他是斯坦特还是森特，这无关紧要，”杰拉尔德回答说，自己说错了话竟若无其事，“你赶猎狗时，嗓门就很大，夫人。”

“你就是这样的人，妈，”赫蒂说，“我早就说过了，每次你看到狐狸就会像科曼奇人那样大喊大叫。”

“可没有奶妈替你洗耳朵时叫得响，”塔尔顿太太回敬道，“你都十六岁了！得，说起我今天为啥没骑马，因为耐利今天一大早就下马驹了。”

“是吗？”杰拉尔德兴趣浓厚地喊道，双眼闪着爱尔兰人对马的热情。斯佳丽不由得把母亲和塔尔顿太太作了番比较，心里大吃了一惊。对埃伦来说，母马从来不下小马驹，母牛从来不下小牛犊。甚至，母鸡几乎都不生蛋。埃伦绝不会开口提这种事。但塔尔顿太太就没这些顾忌。

“是下了一头小母马吧？”

“不对，一匹漂亮的小公马，腿有两码长。请你有空骑马过来看看，奥哈拉先生。这可真是匹塔尔顿家的马。毛色就像赫蒂的鬈发一样红。”

“样子也像赫蒂。”卡米拉说，说着就尖声叫着钻进一片裙子、宽松裤和上下摇晃的帽子中不见了，本来就拉长了脸的赫蒂一听这话就开始拧她。

“我的这些小母马今天早上情绪可高啦。”塔尔顿太太说，“自从今天早上听到有关阿希礼和他那个亚特兰大的小表妹的喜讯后，她们就都乐得手舞足蹈的。她叫什么来着？玫兰妮？愿上帝保佑这孩子，这小丫头真招人疼，不过她的名字和她的模样我全忘了。我们的厨娘就是韦尔克斯家管家的老婆，他昨晚来报信说是今晚就要宣布订婚，这是今天早上厨娘告诉我们的。这几个丫头一听这消息就都兴奋得不得了，可我不明白这是什么原因。大家几年前就知道阿希礼要娶她了，除非他娶了梅肯伯尔家的一个表妹。哈妮·韦尔克斯不是一样就要嫁给玫兰妮的哥哥查尔斯了吗？哎，奥哈拉先生，你能否告诉我，难道韦尔克斯家不跟亲戚家结婚就不合法吗？因为要是——”

斯佳丽没听见后面那些说笑的话。仅仅一刹那，太阳仿佛已经躲进了阴冷的云层，阴影笼罩着世界，万物一时失去了光彩。嫩绿的树叶看上去蔫蔫的，山茱萸黯然无光，花儿朵朵的海棠树刚才还是一片嫣红，竟也变得凋零残败了。斯佳丽手指抠着马车坐垫，另一只手打着的阳伞一时也摇晃不停。这一方面是听见阿希礼要订婚，另一方面是听见人们竟那么随随便便谈论这事。接着她又重新恢复了勇气。太阳又出来了，景色也重新焕发光彩。她知道阿希礼爱她。这点她确信无疑。她想，如果今晚并没宣布订婚，塔尔顿太太会多么惊讶——如果出现私奔的事，又会多么惊讶，想到这里不禁莞尔一笑，塔尔顿太太以后会跟邻居说，斯佳丽真是个鬼丫头，居然不动声色地坐在那儿听她说玫兰妮的事，而自己早就跟阿希礼——她这样一想，不禁笑得露出了酒窝，赫蒂本来一直在密切注意着她母亲这番话斯佳丽听后的反应，看到这笑容，弄得莫名其妙，皱了皱眉头，倒在座位上。

“不管怎么说，奥哈拉先生，”塔尔顿太太用强调的语气说，“这种表亲通婚完全是错误的。阿希礼娶汉密顿家的女儿真糟糕透了，哈妮要不嫁给那脸色苍白的查尔斯·汉密顿——”

“哈妮要不嫁给查尔斯，就永远找不到婆家，”兰德仗着自己深得男人欢心，说话有恃无恐，不留情面，“除他之外，她就没第二个情人。虽说他们订了婚，他根本就没怎么疼爱过她。斯佳丽，你还记得去年圣诞节他是怎么追求你的——”

“别太刻薄，小姐，”她母亲说，“表兄妹就是不应该结婚，哪怕是远房表亲也不行。这对血统有影响。这与马还不一样。你尽可以让一匹母马同其兄弟交配，也可以让一匹种马和女儿交配，只要你知道血统，就能下出好马驹。但人就不行。也许，你虽有好血统，但没有好精力。你——”

“得，夫人，这一点我倒要跟你争辩一下了！你能告诉我还有谁家比韦尔克斯家更强吗？远从爱尔兰国王布里恩·波鲁小时候起，他们就一直是近亲通婚的。”

“他们该就此打住，因为已经有坏苗头了。哦，阿希礼倒不大明显，因为他长得帅，尽管连他也——可是看看他家那两个面容憔悴的姑娘吧，真是可怜！当然，她们是好姑娘，可就是面容憔悴。再看看小不点的玫兰妮小姐，骨瘦如柴，娇弱得风都吹得动，而且没一点精神。自己也没一点主见。只会说：‘不，夫人！’‘是，夫人！’这两句话。你明白我的意思了吗？那家人需要新生血液，需要像我家几个红发孩子或你家斯佳丽那样生气勃勃的优良血液。哎，别误会。韦尔克斯一家向来是好人，你知道我也喜欢他们一家子。但老实说吧！他们生养得太密了，并且又是近亲结婚！在干燥的、结实的跑道上他们还走得了路，但记住我的话，我不相信韦尔克斯一家在泥泞的跑道上也跑得了。我觉得他们的精力在繁殖过程中都给耗光了，一旦有紧急情况，我相信他们对付不了逆境。他们世代都经不起风雨。我可情愿要一匹不论什么天气都能奔跑的大马！何况，由于他们世代近亲通婚已经使他们跟这一带的人家都不一样了。不是总在摆弄钢琴，就是一头钻进书本里。我的确认为阿希礼是宁可读书，不愿去打猎的人！不错，我真的这么想，奥哈拉先生！看看他们的骨骼吧。简直太细了。他们需要的是强壮有力的种马、种母马——”

“啊——啊——嗯，”杰拉尔德突然心虚地哼哼呀呀地说，意识到这番谈话虽然饶有兴趣，很合适他，但对埃伦似乎大不一样。实际上，他也知道要是让她得知他竟让自己的女儿听到了这么露骨的谈话就休想再安生了。但每当塔尔顿太太聊起她特别喜爱的话题，不管是生儿育女也好，给马配种也好，总是对其他一切意见都充耳不闻的。

“我可没胡说，因为我有几个表兄妹也是这样联姻的，相信我的话吧，他们生出来的孩子个个都是暴眼睛，像牛蛙一样，真可怜。当初我们家要把我嫁给一个远房堂兄，我就像只小马驹似的拼命反抗，我说：‘不行，妈，我才不嫁呢。与堂兄结婚我的孩子都会得跗节内肿和喘息病的。’得，母亲听见我说什么跗节内肿就晕过去了，但我还是坚定不移，而且祖母也为我撑腰。不瞒你说，她其实懂得不少养马知识呢，她就说我有理。而且她还帮我跟塔尔顿先生私奔。看看我的孩子！身材高大，身体结实，他们当中没一个病病歪歪或发育不全，虽说博伊德只有五英尺十英寸。得，韦尔克斯家——”

“我不是有意要改变话题，夫人。”杰拉尔德赶紧打断了她，因为他注意到卡丽恩一脸迷惑不解，苏埃伦急于想探听个究竟，他担心她们回去会问埃伦一些令人尴尬的问题，那样就会露了馅，让埃伦知道他这个陪同多么无能。令人高兴的是他注意到斯佳丽这姑娘倒还守闺训，看来在想别的事情。

幸亏赫蒂·塔尔顿替他解了围。

“上帝呀，我们走吧，妈。”她不耐烦地叫道，“太阳烤死人了，我都听得见脖子上痱子炸出来了。”

“再打扰一下，夫人，”杰拉尔德说，“把马卖给我们骑兵连的事，你是怎么决定的？说不定哪天战争就爆发了，弟兄们都要求把这事赶紧解决了。这是克莱顿县的一支部队，我们要的就是给部队配上克莱顿县的马。可你真是太固执了，到现在还不肯把好马卖给我们。”

“说不定什么战争都打不起来呢。”塔尔顿太太敷衍说，把韦尔克斯家古怪的婚姻习惯早抛到一边去了。

“怎么，夫人，你不——”

“妈，”赫蒂又插嘴了，“你跟奥哈拉先生到了十二棵橡树庄园不也跟在这儿一样可以讨论马的事儿吗？”

“说得对，赫蒂小姐，”杰拉尔德说，“就只耽搁你们一分钟。一会儿我们就到十二棵橡树庄园了，那儿的人无论老少，都想要知道马的事呢。唉，可是像你母亲这样一位漂亮的夫人对买她几匹马却那么小气，真叫我痛心。哎，你的爱国心上哪儿去了，塔尔顿太太？难道邦联对你一点意义也没有吗？”

“妈，”小贝特西叫道，“兰德坐在我衣服上，把我的衣服都弄皱了。”

“好了，把兰德推开，贝特西，别闹。喂，听我说，杰拉尔德·奥哈拉，”她反驳道，气得眼睛直冒火星，“别拿什么邦联来压我！我认为邦联对你我的意义没什么两样，我有四个儿子在骑兵连，你可一个也没有。我的儿子能自己照顾自己，我的马却不能。倘若我知道我的马拨给我认识的小伙子骑，拨给有良好教养的上等人骑，我就心甘情愿把马献出来，白给。我将毫不犹豫。但是如果把我的宝贝马儿让那些骑惯骡子的乡巴佬和穷白佬去摆布，那可没门儿，先生！一想到我的宝贝马儿背上被人骑出鞍伤，又没人好好喂养，我就会做噩梦。你以为我舍得让些愚昧无知的笨蛋骑我娇嫩的宝贝，勒得马嘴一道一道，揍得它们垂头丧气吗？唉，只要一想到这些我就浑身起鸡皮疙瘩！不行，奥哈拉先生，你是出于一片好意才要我的马，不过你最好还是到亚特兰大去买些老马给那些乡巴佬骑吧。他们是根本分不出好坏的。”

“妈，我们可以走了吧？”卡米拉问，她也和大家一样不耐烦起来，“你明明知道，反正到头来你还是得把你的宝贝给他们的。等爸还有几个哥哥说上一通邦联需要马之类的道理后，你就会哭上一场，乖乖放手的。”

塔尔顿太太咧嘴一笑，抖了抖缰绳。

“我决不会做那种事。”她说着轻轻用鞭子在马身上碰了一下。马车就一驶而过了。

“人倒是个好人。”杰拉尔德说着戴上帽子，骑回到自己的马车边，“走吧，托比。我们会跟她磨嘴皮子，直到她把马给我们。当然，她说得也对，也对。要不是上流人就没资格骑马。只配去当步兵。不过县里没那么多庄园主的子弟，可惜凑不成一个骑兵连。你说呢，小丫头？”

“爸，请你在我们后面骑，要不就在前面骑。你扬起那么多尘土，我们都呛死了。”斯佳丽说，她感到自己再也受不了这种谈话。让她不能集中精力好好想想，而她急着要趁到十二棵橡树庄园前，整理一下自己的思路，打扮一下容貌，好弄得动人些。杰拉尔德听话地用靴刺踢了下马，在一片红尘中去追赶塔尔顿家的马车，好继续谈他的马经。

6

过了河，马车就开始爬山。还没看见十二棵橡树庄园，斯佳丽就远远瞧见一缕青烟在高高的树顶上袅袅升起，闻到烧山核桃木以及烤猪肉、烤羊肉的混合香味。

烤肉的火坑从昨晚起就用小火慢慢焐着，如今一个个长槽里都是玫瑰红的余烬，铁叉上的肉在上面翻来翻去，肉汁一滴滴掉下来，掉进炭火里吱吱直响。斯佳丽知道这股有香味的微风是从那幢大房子后的橡树林里吹过来的。约翰·韦尔克斯家总是在通向玫瑰园的缓坡上举行烧烤野宴，因为这是一片舒适的林荫地，比卡尔弗特家举行烧烤野宴的地方可舒服多了。卡尔弗特太太不喜欢烧烤食品，还说那股气味会残留在屋子里好几天，所以她家请客常在离屋子两三百步远的平地上，没遮没盖，客人都被晒得发昏。不过约翰·韦尔克斯的好客是全州闻名的，他对举办烧烤野宴是真正的内行。

野宴用的木板长桌总是摆在最茂密的树荫下，上面铺着韦尔克斯家最精致的桌布，两边放着没有靠背的长条凳，还从屋子里拿来些椅子、膝垫、靠垫散放在林中空地上，给那些不喜欢长条凳的人坐。烤肉的长坑跟客人相隔距离老远，免得烟味熏人。坑上面烤着肉，大铁锅里发出烤肉调味汁和布伦斯维克炖菜的新鲜香味，韦尔克斯先生经常派上至少十二个黑人，托着盘子忙着跑来跑去伺候客人。谷仓后面往往另有一个烤肉坑，供宅内仆人、客人的车夫和使女使用，吃的是玉米饼、红薯和猪肠，猪内脏是黑人最爱吃的一道好菜，再加上时令的西瓜，尽够他们饱餐一顿了。

那股股烤鲜猪肉的香味一传来，斯佳丽就不由甚是喜欢，皱起鼻子闻了闻，心想但愿肉烤好时她会有点胃口。事实上，她吃得那么饱，又勒得那么紧，真怕自己随时都要呕吐呢。那样就糟糕了，因为只有老头儿和老太太呕吐才不用担心人家指责。

他们爬上了山坡，那座白房子就以完美匀称的雄姿展现在她眼前，高高的圆柱，宽宽的阳台，平平的屋顶，美得如同一个自恃魅力无穷、倾国倾城、落落大方的美人儿。斯佳丽爱十二棵橡树甚至胜过爱塔拉，因为这儿有一种庄重的气派，而杰拉尔德的房屋就没这种氛围。

弯曲宽阔的车道上已经停满了马匹和马车，客人纷纷从马上、车上下来，跟朋友打招呼。咧着嘴直笑的黑人遇到宴会老是那么劲头十足，正把牲口牵到谷仓空场上，先卸鞍解辔，解下挽具。成群的孩子，有白人的，也有黑人的，在葱绿的草坪上跑着闹着，一边玩造房子、捉迷藏的游戏，一边夸口说他们要吃多少多少。从屋前通到屋后的那条宽敞的过道里到处都挤满了人，奥哈拉家的马车停在前面台阶上时，斯佳丽看见姑娘们穿着衬着裙架的裙子，个个花枝招展地正从通往二楼的楼梯上上下下，互相搂着腰靠在精巧的栏杆扶手上，笑着与下面过道里的小伙子们打招呼。

透过开着的法式长窗，她看见年纪大些的妇女都坐在客厅里，一身黑绸衣显得十分稳重，她们摇着扇子，谈天说地，谈论最近的婚嫁动态。韦尔克斯家的管家汤姆手托银盘，匆匆走过过道，一面鞠躬微笑，一面给那些穿着淡黄夹灰色的裤子和细麻布镶褶边衬衫的小伙子送上一只只高脚酒杯。

前阳台上阳光明媚，上面挤满了客人。是啊，整个县的人都在这儿了，斯佳丽想。塔尔顿家的四兄弟和他们的父亲靠在高高的圆柱子上。孪生兄弟斯图特和布伦特并排站着，照例形影不离。博伊德和汤姆跟着他们的父亲詹姆斯。卡尔弗特先生在他那个北方婆娘身边站着，那婆娘虽说已在佐治亚州生活了十五年，似乎还是格格不入。大家对她都很有礼貌，也很客气，只因大家都替她惋惜，不过大家谁也没忘记，只怪她投错了胎，走错了路，不该到卡尔弗特家当孩子的女教师。卡尔弗特家两个小伙子赖福和凯德陪着打扮得靓丽时尚的金发妹妹凯瑟琳，正在跟黑脸的乔·方丹和他美丽的未来新娘萨丽·芒罗开玩笑。亚力克·方丹和汤尼·方丹在迪米蒂·芒罗耳边说着悄悄话，惹得她不断地傻笑。那儿还有几家是从十英里外的洛夫乔伊来的，也有从费耶特维尔和琼斯博罗来的，甚至还有从亚特兰大和梅肯来的几家人。屋子里似乎挤得满满的，一片吵吵嚷嚷的说话声、大笑声、咯咯声和女人的尖叫声，此起彼伏。

约翰·韦尔克斯站在门廊的台阶上，一头银发，腰板笔直，流露出一种从容不迫的魅力和殷勤，就像佐治亚夏天的太阳一样温暖不衰。他身边站着哈妮·韦尔克斯，人们叫她哈妮（Honey）是因为她不管对谁，对父亲也好，对田里干活的也好，说起话来都那么亲热。在迎客时她却忸怩不安，只会傻笑。

哈妮那副恨不得让眼前每个男人都为之倾倒的露骨急相，跟她父亲那沉着的神态形成了鲜明的对比，斯佳丽想，或许塔尔顿太太刚才说的话还是颇有道理的。韦尔克斯家男人的容貌确实有家族特征。约翰和阿希礼的灰眼睛都有浓密的橘黄色睫毛，到了哈妮和她姐姐印第亚脸上，睫毛就稀疏色浅了。哈妮没有眼睫毛的怪模样就像只兔子，而印第亚也只能说是姿色平平。

此时哪儿也见不到印第亚，但斯佳丽知道她大概是在厨房里给仆人作临场指导。可怜的印第亚，斯佳丽想，打从她母亲去世后，她管家遇到了那么多麻烦事，忙得她根本没机会找到除了斯图特·塔尔顿以外的别的情人，要是斯图特认为我比她漂亮，那当然不能怪我。

约翰·韦尔克斯走下台阶，伸出手来扶斯佳丽。从马车上下来时她看见苏埃伦在嘻嘻傻笑，就知道妹妹已经从人堆里认出了弗兰克·肯尼迪。

我找不到比那个老处男更好的情人才怪呢！她一面鄙夷地想着，一面踩到地上，含笑向约翰·韦尔克斯道谢。

弗兰克·肯尼迪匆匆赶到马车边来扶苏埃伦，苏埃伦一下子神气起来，斯佳丽看见她那副德行恨不得给她两耳光。弗兰克·肯尼迪在全县可能比任何人的地都多，他可能还有一副好心肠，但这两点都微不足道，因为事实上他都四十岁了，身子瘦弱，神情呆板，嘴上稀稀拉拉几根姜黄色的胡子，性情像老处女，喜欢大惊小怪。不过，想到自己的计划，斯佳丽就按捺住心里的蔑视，对他粲然一笑，算是打了招呼。他突然站住，一只胳臂伸向苏埃伦，而眼睛却骨碌碌地看着斯佳丽，乐得手足无措。

斯佳丽嘴里虽在跟约翰·韦尔克斯聊天，眼睛却在人群里寻找阿希礼，但他不在门廊里。她听到有十来个声音在向她打招呼，斯图特和布伦特也向她迎面走来。芒罗家的姑娘跑过来看着她的衣服连声惊叹，她一下子成了各种声音包围的中心，大家的吵声越来越大，都想盖过这片闹声，让人听清自己的话。可阿希礼在哪儿？还有玫兰妮和查尔斯？她四下看着，还朝过道里那伙高谈阔论的人里寻找着，一面又尽力掩饰着别让人看出来。

她就这么边谈笑着，边朝屋子和院子里的人扫上几眼，无意中眼光落在一个陌生人身上，那人独自站在过道里，带着冷冷的傲慢神气凝视着她，使她顿时心情复杂，一种是因自己让男人着了迷而感到的女性特有的得意，一种是生怕自己这件衣服胸口开得太低了而感到的窘迫。他看上去相当老气，少说也有三十五岁了，个儿高大，身材魁梧。斯佳丽心想她从来没见过哪个男人肩膀这么宽，肌肉这么发达，发达得几乎不像斯文君子了。她眼光与他的眼光相对时，他微微一笑，修得短短的黑胡子底下露出兽齿般的白牙。他长着一张海盗般的黑脸，眼睛乌黑狂放，就像海盗在打量要凿沉的大帆船，或要强奸少女时的眼光。他对她微笑时一副厚颜无耻、满不在乎的神情，嘴边流露出一丝玩世不恭的幽默，斯佳丽不由倒吸了一口气。人家用这种眼光看她，她理应有一种受了侮辱的感觉，可她偏偏没感到受了侮辱，所以不免又生自己的气。她不知道他是何许人，但无可否认，他那张黑脸是世家子弟的长相。丰满的红嘴唇上瘦瘦的鹰钩鼻、高高的额头，还有分得很开的眼睛，都显示出这一点。

她没理会他的笑，只顾往别处看，这时有人在叫："瑞特！瑞特·巴特勒！到这儿来！我要让你见识一下佐治亚心肠最硬的姑娘。”听到这他就将身子转了过去。

“瑞特·巴特勒?”这名字好熟啊，不知怎么的，好像跟什么风流韵事有关，但由于她一门心思在阿希礼身上，也就丢开了这个念头，没再往下想。

“我得到楼上去整理整理头发，”斯图特和布伦特正想法把她从人群里强行拉出来，她跟他们说，“你们兄弟俩可得等着我，可别跟别的姑娘跑开了，不然我可要火了。”

她看得出今天要是跟别人调情的话，斯图特那里大概不大好对付。他一直在喝酒，一脸想找碴的蛮横神气，她凭经验就知道要有麻烦了。她在过道里停了一下，跟几个朋友说了说话，还跟刚才从屋子后面过来的印第亚打了个招呼。印第亚头发蓬乱，额头上冒着汗珠。可怜的印第亚！头发和睫毛长得那么稀淡就够糟的了，加上下巴突出，说明脾气固执，还不到二十岁就活像个老处女。她不知道印第亚是否因她夺走了斯图特而痛恨她。很多人都说印第亚仍然爱着他，不过你永远也摸不准韦尔克斯家的人脑子里在想什么。她就是真的怨恨她，也决不会流露出什么来，对斯佳丽还是和以前一样，若即若离，礼貌周到。

斯佳丽满面春风地跟她说了几句话后，就移步踏上宽阔的楼梯。她正走着，背后有个声音在羞怯地喊她的名字，她回头一看，原来是查尔斯·汉密顿。他是位漂亮的小伙子，白皙的额头上乱蓬蓬地披着一堆柔软的棕色鬈发，眼睛是暗棕色的，清澈温柔，如同长毛牧羊犬的眼睛。他穿着讲究，深黄色的裤子配着黑色上衣，镶褶边的衬衫上系着最阔、最时髦的黑领带。她回过头来，见他的脸上露出一丝红晕，因为他在姑娘面前总难为情。像多数怕羞的男人一样，他非常喜欢斯佳丽这种轻松活泼、一贯无拘无束的姑娘。过去她对他至多只是客客气气敷衍一下，因此当看到她满面春风地与他打招呼，还伸出两只手给他，他几乎激动得喘不过气来了。

“咦，查尔斯·汉密顿，是你这个美男子呀！我敢说你大老远从亚特兰大赶来就是存心让我伤心的吧！”

查尔斯激动得结结巴巴地说不出话来，一味拉着她暖乎乎的小手，盯着她那双飞舞的绿眼睛。人家姑娘对别的小伙子就是这样说话的，可从来就没对他这样说过。他一直没弄懂，姑娘们老是把他当小弟弟看，虽然客气，可从来不屑于跟他开玩笑。他总是希望姑娘们能跟他打情骂俏，她们对那些相貌不如他漂亮、家产不如他的小伙子就是这样的。谁知偶尔真有人跟他这样说话，他偏偏又想不出什么词来回答，只有怪自己笨嘴拙舌活该受罪。事后他又通宵难眠，翻来覆去地想着他本来可以施展的种种献媚手段。然而他很少再有机会，因为姑娘们试过一两次后就不再理他了。

他跟哈妮有过一种默契，等到明年秋天他继承了家产就结婚，可是即使对哈妮，他也是羞怯而寡言。有时，他也有种不够豁达的感觉，认为哈妮那种卖弄风情和特有的做法并不是他的光彩，因为她只要见到小伙子就表现出如痴如醉的样子，他想，任何男人只要给她个机会，她都会使出这一套吧。查尔斯想到不久就要跟她结婚了倒并不兴奋，因为从他爱看的书中他深刻地领悟到，恋爱的人内心必定会激起狂热的浪漫感情，可她一点也没让他感到这种感情。他一直渴望有个美丽、调皮、热情奔放且大胆的姑娘爱上他。

这不是吗，斯佳丽·奥哈拉正在挑逗他，说他是来让她伤心的呢！

他拼命想找些什么话说，就是想不出，他默默地祝福她，因为她一张嘴就说个没完，他也就用不着说话了。天下哪有这么好的事啊！

“好了，你就在这儿等我回来吧，待会儿我要跟你一起吃烤肉。你可别跟其他姑娘一起走开，因为我醋劲大着呢。”瞧她那神态，一边一个酒窝，朱唇一启，竟说出这么令人难以置信的话来。一边说着话绿眼睛上两排活泼的黑睫毛还一本正经地不住闪动呢。

“我不会走开的。”他总算缓过气来了。他做梦也想不到她正把他当作一只等着任人宰割的牛犊看呢。

她用折扇轻轻地拍拍他的胳臂，转身正要上楼，又一次看见那个叫瑞特·巴特勒的人，他正独自站在离查尔斯几步远的地方。显然他已经偷听到了全部谈话，因为他朝她咧嘴直笑，就像猫见了腥那样不怀好意，而且又把她上下打量了一番，眼光里完全没有她常见的那种敬意。

“活见鬼！”斯佳丽气得用父亲常用的一句诅咒，暗自说道，“他那眼光就像——就像他看着我赤身裸体的模样似的。”她把头往后一扬，径自走上楼。

在放着舞衣的卧室里，她看见凯瑟琳·卡尔弗特正对着镜子梳妆，一边还咬着嘴唇，好添上些血色。她肩带上插着几朵和脸蛋相配的鲜玫瑰花，那双矢车菊般的蓝眼睛兴奋地不停转动着。

“凯瑟琳，”斯佳丽说，一面把自己衣服的胸部往上拉了拉，“楼下那个叫巴特勒的讨厌鬼是个什么人？”

“亲爱的，你不知道？”凯瑟琳兴奋地悄悄说，一面注视着隔壁房间，迪尔西正跟韦尔克斯家的奶妈在那儿聊天呢。“我真想象不出来韦尔克斯先生看见他来这儿心里是什么滋味，不过他不是到这里来的，他是去琼斯博罗看肯尼迪先生的——谈有关棉花买卖的事吧——当然，肯尼迪先生只好带他一起来了。他总不能把巴特勒搁在那儿一走了之啊。”

“他怎么了？”

“亲爱的，他不受欢迎！”

“真的！”

“可不是嘛。”

斯佳丽默默地把这话玩味了一下，因为她还从来没跟任何不受欢迎的人在一起待过呢。这真太刺激了。

“他干了什么？”

“哦，斯佳丽，他名声坏极了。他叫瑞特·巴特勒，是查尔斯顿人，他家也是当地名流，但他们家里人连话都不跟他说。卡罗·瑞特去年夏天跟我讲过他的事。他跟她家没什么亲戚关系，不过他的事她全知道，所有的人都知道。他是被西点军校开除的。想想看！起因太不堪了，卡罗也不便去打听。后来又出了他甩掉人家姑娘弃而不娶的事。”

“讲来听听！”

“宝贝，你怎么什么都不知道？去年夏天卡罗就把这事全告诉我了，要是她妈知道这事卡罗都知道的话真会气死的。是这么回事，这位巴特勒先生带了个查尔斯顿姑娘出去乘马车兜风。我不知道那姑娘是谁，可心里总有些怀疑，她也不见得是什么好人，否则就不会在傍晚时独自一人跟他出去。后来，乖乖，他们竟在外面待了几乎一整夜，临了步行回家来，说什么马跑了，马车摔坏了，他们在树林里迷了路。你猜后来怎么着——”

“我猜不出来，告诉我吧。”斯佳丽急切地说，心里尽往坏处想。

“第二天他不肯娶她了！”

“哦。”斯佳丽说，心里的希望落空了。

“他说他不曾——嗯——对她怎么样，他不明白自己为什么应该娶她，姑娘的哥哥少不得提出与他决斗，可巴特勒先生说他宁可被打死也不娶一个蠢货。他们就此来了一场决斗，巴特勒先生一枪打中对方，把他打死了，于是巴特勒先生只好离开查尔斯顿，现在大家都不欢迎他了。”凯瑟琳得意扬扬地刚说完，正巧迪尔西回屋查看由她照管的衣服。

“她有过孩子吗？”斯佳丽在凯瑟琳耳边小声问道。

凯瑟琳摇了摇头。“不过她还是照样给毁了。”她轻声回答。

但愿阿希礼能听我的，斯佳丽突然想到。他是位正人君子，不会不娶我的。但不知怎么的，她情不自禁地对瑞特·巴特勒产生了一种尊敬感，因为他拒绝娶一个傻姑娘。

斯佳丽坐在屋后处于一棵大橡树的树荫中的一只花梨木高脚凳上，衣服上的荷叶边和褶边四周堆得如同起伏的波涛，下面露出两英寸摩洛哥羊皮绿舞鞋，要不失身份大家闺秀只能露出这么点儿。她手里托着个盘子，里面的东西几乎没动过，有七位骑士围在她身边。烧烤野宴已经进入高潮，暖烘烘的空气中充满了欢声笑语、银器跟瓷器的碰撞声，以及烤肉和肉卤的浓烈香味。有时风向一转，烤肉的长火坑那边就会有阵阵烟雾飘到人群里来，那些太太小姐就会立即故作惊慌地尖叫起来，拼命挥动棕榈叶扇。

年轻的小姐多半都跟男伴坐在桌子边的长条凳上，但斯佳丽明白，一个姑娘身边只有两个座位，只能一边坐一个男伴，所以她特意没坐桌边，这样身边就可以尽量多围坐些男人。

结了婚的女人都坐在凉亭里，她们的黑衣服在这缤纷色彩和欢乐气氛中显得端庄大方。妇女们不论年龄大小，总是聚在一起，以躲开那些明眸皓齿的小姐、公子的笑声，因为在南方，结过婚的女人就不算美女了。上自自恃年纪大、公然打起嗝来的方丹家老奶奶，下至因初次怀孕正忍受着不要呕吐的十七岁的爱丽思·芒罗，个个全都在交头接耳，一再讨论家谱和产科方面的事，把这种聚会变成了既有趣又有益的活动。

斯佳丽用蔑视的眼光看着她们，觉得她们活像一群胖老鸦。结过婚的女人从来就没什么乐趣。她没想到如果她嫁给阿希礼，她也会自动到凉亭里或者前客厅里跟穿着暗淡色调绸缎衣服的庄重妇女在一起，也跟她们一样态度严肃、衣着暗淡，就此跟玩笑嬉戏无缘了。和大多数姑娘一样，她的想象力也只到结婚的圣坛为止，仅此而已。再说，眼下她心里很不高兴，没心思去想那些玄乎的事情。

她垂下眼帘，讲究地抿着一薄片热松饼，一副没胃口的斯文相，黑妈妈见了一定会大加赞许。尽管向她献殷勤的人多不胜数，但她心里可从来没这么痛苦过。她昨晚对阿希礼的计划不知何故竟已经完全失败了。她已经吸引了几十个向她献殷勤的男人，就是没吸引住阿希礼，昨天下午的种种恐惧现在又重新向她袭来。她心跳得快一阵慢一阵，脸蛋也红一阵白一阵。

阿希礼并没打算到她这边来凑热闹，事实上她到这儿后就没单独跟他说过一句话，甚至从他们刚见面打了下招呼之后连一句话也没说过。她到后花园时，他上前来欢迎过她，但那时他一手还挽着玫兰妮，玫兰妮的个头简直还不到他的肩膀呢。

她是个娇小玲珑、弱不禁风的姑娘。从外表看就像个穿着母亲的大裙子的孩子，那双大大的棕色眼睛里流露出羞怯而几乎惊惶的神情，看上去更容易让人把她当作孩子。她有一头拳曲的黑发，却古板地罩在发网里，一丝不乱。再加上前额梳着V形发尖，脸蛋更像颗鸡心了。两边颧骨很宽，下巴颏儿太尖，这张脸虽然娇怯可爱，但是缺乏迷人的魅力，而且她又不会女性那套媚人花招好使人忘记她姿色的不足。她看上去像泥土一样纯朴，像面包一样平凡，像泉水一样清澈。虽然她长相平平、身材矮小，但她的举止端庄稳重、楚楚动人而又老气横秋，看着远远不止十七岁。

她穿着一件灰色蝉翼纱裙，配着樱桃红的缎带，用波浪似的裙摆和褶边来掩饰她还没发育好的身体。那顶饰有樱桃红长飘带的黄帽子把她奶白色的皮肤衬托得红红润润。两个沉甸甸的耳坠，吊着长长的金流苏，垂在用发网整整齐齐兜着的鬓角边，紧挨着那双棕色的眼睛，晃晃悠悠，她的双眸幽幽闪亮，犹如冬天森林里两泓池水中的黄叶在平静的水面上泛着光。

玫兰妮羞怯地笑着跟斯佳丽打招呼，对她说这身绿衣服真漂亮，斯佳丽简直不知如何才能同样不失礼节地回答，她一心只想着跟阿希礼单独说说话啊。从那一刻起，阿希礼就离开其他客人，坐在玫兰妮脚边一张凳子上，跟她说悄悄话，并露出斯佳丽喜欢的那副能催人入眠的笑容。更让人受不了的是，他这么一笑，玫兰妮的眼睛里也出现了一点点光彩，因此连斯佳丽也只好承认她看上去似乎漂亮些了。玫兰妮望着阿希礼时，内心热血沸腾，那张平庸的脸也发亮了，如果说脸上能流露出一颗爱心的话，这会儿从玫兰妮·汉密顿的脸上就能看见。

斯佳丽尽量不朝这两个人看，可是办不到，每往他们那儿看一眼，她就加倍地跟她的骑士们欢闹，嘻嘻哈哈，大着胆子瞎扯，瞎开玩笑。只要有人恭维她，她就扬起头，弄得耳环直晃悠。她说了好多遍“乱弹琴”，宣称他们谁都没一句真话，还发誓说不管男人对她说什么话她都决不相信。但阿希礼似乎一点也没注意她。他只是仰望着玫兰妮，自顾自地谈下去，玫兰妮低头看着他时，那神情就像她属于阿希礼已成事实。

斯佳丽痛苦极了。

在外人眼里，这样一个姑娘是决不会痛苦的。她无疑是烧烤野宴上的一朵花，人们注意的中心。她在男人中引起的轰动，加上其他姑娘心里的妒火，要是换了在平时准会让她非常满意。

查尔斯·汉密顿，由于得到了她的青睐，胆子也壮了，他稳稳地坐在她右面，不管塔尔顿兄弟俩怎么用力推挤他，他也不肯挪动位子。他一手拿着她的扇子，另一只手拿着自己那盘没动过的烤肉，死也不朝哈妮看一眼，哈妮似乎差点就要掉眼泪了。凯德姿态优雅，懒洋洋地靠在她左边，一面拉拉她的裙子引起她的注意，一面两眼冒烟，直盯着斯图特。他跟这对孪生兄弟之间的气氛已经到了一触即发的地步，大家都说了些难听的话。弗兰克·肯尼迪拼命忙活，四处张罗，在橡树树荫下和餐桌之间来回奔跑着，不断取些好吃的来给斯佳丽，仿佛那儿没有十几个仆人专供差遣似的。因此，苏埃伦早已憋了一肚子气，觉得忍无可忍，也顾不得小姐身份，对斯佳丽怒目而视。小卡丽恩也要哭了，因为尽管斯佳丽早上对她说过些令她鼓舞的话，但布伦特却只对她说了声“你好，小妹妹”，又仅拉了拉她头发上的缎带，转过身就一心放在斯佳丽身上了。平时他那么亲切，对她随和而恭顺，使她觉得自己已经是个大人了，还偷偷梦想有朝一日，等她梳拢头发，穿上长裙，就把他当作自己真正的情人呢。但从这儿看来斯佳丽已经把他拉过去了。方丹家两个黑不溜秋的小子汤尼和亚力克也变了心，芒罗家两个姑娘虽然委屈，倒并没流露出来，但他俩竟往圈子里边靠，想挤掉别人，抢占一个靠近斯佳丽的位置，看到这副德行，她们不禁大为恼火。

她们高深莫测地抬起眉毛，向赫蒂·塔尔顿递了个眼色，表示对斯佳丽行为的不以为然。对斯佳丽只能用“放荡”这个词。这三位小姐不约而同地举起带花边的阳伞，推说已经吃饱了，谢谢，便顺便用手指轻轻碰一下身边挨得最近的男人的胳臂，娇嗔着要去看看玫瑰园、泉水和凉亭。这种有条不紊的战略撤退，对当事的女人来说，或就局外的男人看来都不算失败。

斯佳丽看着三个倾倒在她脚下的男人被拖走，去探访那些姑娘从小就熟悉的园林亭台，不由得咯咯直笑。她策略地偷眼看看阿希礼注意到没有。他正抚弄着玫兰妮腰带的两端，仰着头朝她微笑。斯佳丽顿时心如刀绞，恨不得去抓玫兰妮那身象牙般的皮肤，抓出血来才痛快。

她的眼光刚离开玫兰妮，就又碰上了瑞特·巴特勒的目光，他没跟大家混在一起，而是站在一边跟约翰·韦尔克斯聊天。他一直在注视着她，但等她看着他时，他就放声大笑。斯佳丽心里很不安，总觉得在场的人中只有这个不受欢迎的人知道她表面上纵情嬉闹，骨子里实则有心事，并以此来耍弄她。她真恨不得也抓他几下才解气。

“如果我能熬过这场野宴，坚持到下午，”她想，“趁所有的姑娘都上楼去养精蓄锐睡午觉，晚上好玩的时机，待在楼下，找阿希礼谈谈。他肯定已经注意到我是多么受人欢迎了。”她又抱着另一种聊以自慰的希望：“当然，他得关心玫兰妮，因为，她毕竟是他表妹，她根本不讨人喜欢，如果他不照应她，她就要成没舞伴的人了。”

一想到这儿，她的勇气又来了，她在查尔斯身上下了加倍的功夫，他那双渴望得到她的棕色眼睛闪闪发亮。这一天对查尔斯来说真是太妙了，就像在做梦一样，他竟一下子就爱上了斯佳丽。有了新欢，哈妮自然黯然失色。哈妮是只叽叽喳喳的麻雀，斯佳丽却是一只光彩照人的凤凰。她挑逗他，护着他，问他一些话，又自己来回答，因此他一句话也不用说就显得很聪明。其他小伙子看见她明显对查尔斯有意，不禁感到既迷惑又恼火，因为他们知道查尔斯很害羞，连一句连贯的话都说不出来，他们心里越想越窝火，只是出于礼貌才好不容易忍住没发作。大家都憋着一肚子气，要不是阿希礼还没被收服，斯佳丽早就大获全胜了。

等到猪肉、鸡肉和羊肉统统吃完了，斯佳丽就想到了印第亚该起身请女宾都进屋休息的时候了。这时已是下午两点，太阳当头，晒得暖洋洋的。谁知印第亚此时正在跟费耶特维尔一位聋老头大声说话。为张罗这次野宴，她整整忙累了三天，现在乐得坐在凉亭里不动弹。

人们都有了一种懒洋洋的困倦感。黑人也变得吊儿郎当，都在慢腾腾地收拾刚才摆宴的条桌。谈笑声越来越不起劲了，各处人堆都沉默了。大家都在等着女主人发话，宣布上午的野宴结束。芭蕉扇扇得越来越慢，有几位先生由于肚子撑得太饱，竟热得打起瞌睡来了。野宴结束了，大家都乐意趁太阳当顶的时候休息一下。

在上午的野宴和晚上的舞会中间这段时间，大家似乎都很安静。只有小伙子还保留着刚才全体宾客那股充沛精力。他们在人群间串来串去，说话时嗓音柔和，慢吞吞的，就像纯种马一样英姿飒爽、危险可怕。聚会中大家都感到了中午的倦怠，但心中窝着的怒火转眼就会达到极限，一触即发。无论男女，都是外貌漂亮，内心狂热，面子上谈笑风生，骨子里却相当暴烈，温顺只是很少的一点。

又过了一会儿，越来越热了，斯佳丽和大家又朝印第亚看了看。说话声渐渐寂静了。就在这个时候，大家听见杰拉尔德扯起嗓门的狂怒声从林子里传了出来。他站在离餐桌不远的地方，正跟约翰·韦尔克斯起劲地争论着。

“活见鬼，老兄！向北方佬祈求和平解决吗？在我们于苏姆特堡开火打了这些流氓之后再讲和？再息事宁人？南方应该用武力来表示我们是不可侮辱的，而且我们脱离联邦靠的不是他们的仁慈，而是我们自己的实力。”

“哎呀，上帝呀！”斯佳丽心想，“这下可让他搞糟了，得，我们大家都要在这儿坐到半夜了。”

顷刻间，这群懒洋洋的人睡意顿消，气氛立即紧张了起来。人们纷纷从长凳上、椅子上站起身来，挥动胳臂，打着手势，七嘴八舌抬高嗓门争着压倒别人。因为韦尔克斯先生请求大家既莫谈政治也莫谈即将发生的战争，以免太太小姐们听了心烦，因此大家整个早上都绝口不谈。但现在杰拉尔德已经高喊起“苏姆特堡”来，于是在场的男人就都忘了主人的劝告了。

“我们当然要打——”“北方佬贼——”“不出一个月我们就能打败他们——”“嗨，一个南方人就能揍扁二十个北方佬——”“好好教训他们一下，让他们好好记着——”“息事宁人？他们不肯让我们过太平——”“不行，看看林肯先生是怎么侮辱我们的专员的吧！”“是啊，拖住他们几个星期——还发誓说他就要撤出苏姆特堡！”“既然他们要战争；我们就要让他们讨厌战争——”杰拉尔德嗡隆嗡隆的嗓音最大，他喊来喊去，斯佳丽只听清了“千真万确，这是州权呀”这句话。杰拉尔德自己是痛快了，却苦了他的女儿。

什么脱离联邦啊，什么战争啊——这些词儿说来说去，斯佳丽早就听腻了，这会儿她听到这些词儿就更是痛恨，因为一说起这两个词儿那些男人就会一连几小时站在那儿，争相高谈阔论，她就没机会向阿希礼摊牌了。当然仗是打不起来的，这点大家心里都明白。他们只是喜欢谈，喜欢互相发表见解。

查尔斯·汉密顿并没跟其他人一样站起来，他一看自己总算可以单独跟斯佳丽在一起了，就靠近她，借着爱情的力量壮胆悄声作了一番表白。

“奥哈拉小姐——我——我已经决定了，如果仗真的打起来了，我就到南卡罗来纳州去应征入伍。据说韦德·汉普顿先生正在组织一支骑兵部队，我当然想跟他一起去。他这人真了不起，又是我父亲的至交。”

斯佳丽想：“我该怎么办——为他欢呼吗?”查尔斯一副向她剖露心里的秘密的表情。但她想不出什么话可说，只是望着他，心里一边想着男人怎么都这么笨，居然认为女人对这种事感兴趣。他却把她这副表情当成默许，顿时放开胆子接着说——

“如果我去了——你会——会难过吗，奥哈拉小姐?”

“我每天晚上都会趴在枕头上哭的。”斯佳丽说，这话原是一句戏言，不料他竟按字面的意思理解了，乐得脸也红了。她一只手原来藏在衣裙里，他小心翼翼地把自己的手慢慢伸进去，紧紧握着她的手，自己竟这么大胆，她居然也能默许，真让他激动不已。

“你会为我祈祷吗?”

“好个傻瓜!”斯佳丽怨恨地想着，一面偷偷朝四周看了一眼，希望有人来替她解围。

“你会吗?”

“哦——会的，汉密顿先生，真的。每天晚上至少念三遍《玫瑰经》!”

查尔斯赶紧朝自己周围看了看。他屏住呼吸，收紧腹部肌肉。现在几乎就剩下他们俩在这儿了，这可是难得的机会。而且，即使再遇上这种天赐良机，他也可能没这份勇气了。

“奥哈拉小姐——我一定得告诉你一件事。我——我爱你!”

“是吗?”斯佳丽不经意地说，一面不住地朝争论不休的人群中张望，看见阿希礼仍然坐在玫兰妮脚边说话。

“是的!”查尔斯悄声说，他一向以为年轻姑娘碰到这种情况不是又笑又叫，就是昏过去，她却既没笑，也没叫，又没昏，真让他欣喜若狂。“我爱你，你是我认识的姑娘当中最——最——”他平生还是第一次这么大胆。“最美丽、最可爱、最温和、态度最可亲的一个，我一心一意爱着你。我不敢指望你会爱上我，但是，亲爱的奥哈拉小姐，要是你能给我以鼓励，我会不惜去做任何事来讨你欢心。我愿意——”

查尔斯停住了，因为他想不出什么上刀山下火海的难事来真正证明他的深切感情，因此他就干脆说：“我要跟你结婚。”

斯佳丽一听见“结婚”两个字，心里怦然一动，一下子回到现实中来。刚才她一直都在想着结婚，想着阿希礼，这时按捺不住心里的烦恼，朝查尔斯看了一眼。这愣小子干吗非要挑她异常烦恼的日子向她倾吐衷情呢？她仔细看着那双向她求爱的棕色眼睛，根本就看不出害羞的小伙子那种初恋之美，也看不出实现理想后的那种崇敬之情，更看不出有如烈火烧身的那种狂喜和柔情。斯佳丽见惯了向她求婚的男人，见惯了比查尔斯·汉密顿更有魅力更有手腕的男人，这些男人决不会在她心里想着更重要的事的宴会上向她求婚。现在在她面前的是一个二十岁的小伙子，满脸通红，傻里傻气。她恨不得跟他说，他长得傻里傻气。好在母亲平时教过她的两句应急的话自然而然来到嘴边，由于习惯的作用，她垂下眼睛，喃喃地说：“汉密顿先生，承蒙厚爱提出让我做你的妻子，不过这事太突然了，我不知道说什么才好。”

这是个一箭双雕的妙法，既可以保留男人的脸面，又可稳住他，查尔斯果然上了钩，好像从未见识过这种香饵似的，一下子中了她的计。

“我会永远等下去的！除非你同意了，我才会要你跟我结婚。奥哈拉小姐，请你跟我说我还是有希望的。”

“唔。”斯佳丽说。她眼尖，已注意到阿希礼没有站起身参加有关战争的讨论，正抬头对玫兰妮微笑呢。这个抓着她的手的傻瓜只要肯安静一会儿，她也许就能听见他们在说什么了。她一定得听听他们的谈话。玫兰妮究竟对他说了些什么，才让他眼睛里流露出很感兴趣的神情呢？

查尔斯的话把她竭力要听的话搅得什么也听不清。

“哦，别出声！”她对他嘘了一声，连正眼也不看他一下就拧了他一把。

查尔斯听她一声呵斥不由大吃一惊，一开始感到害臊，脸都红了，随后，见她眼睛盯着他妹妹玫兰妮，这才笑了。原来斯佳丽是生怕人家听见他的话呀。她唯恐他们的话被别人听到，自然不免又窘又羞，有苦难言了。想到这里查尔斯不由得产生了一股从未有过的男子气，因为这是他生平头一回使姑娘受窘。这种激动的心情可真让人陶醉。他摆出一种自以为是不在乎的神情，并稍有分寸地回拧了斯佳丽一下，表示他是个见过世面的人，完全懂她的意思，也接受她的责备。

他的拧她根本没感觉到，因为她清清楚楚听见了玫兰妮娇滴滴的声音，那是她一大媚人之处："恐怕我不能同意你对萨克雷的看法。他是个玩世不恭的人。我看他不是狄更斯那样的正人君子。"

对男人说这种话多傻呀，斯佳丽想着不禁松了口气，差点扑哧笑出声来。唉，她只不过是个书呆子。人人都知道男人是怎么看待书呆子的……要让男人感兴趣，并保持兴趣，就是跟他谈他的事，再慢慢把话题绕到你自己身上，就此保持住别再绕开。要是玫兰妮一直在说："你真了不起！"或是"你怎么会想到这种事的？要是让我想，我这小脑袋瓜会胀破的！"斯佳丽听了就会有理由感到惊慌了。可她呢，男人坐在她身边，她竟像在教堂里一样一本正经地说话。看来斯佳丽的前途更乐观了，她乐得眉飞色舞，眼睛转到查尔斯身上，冲着他微笑。他看到她这种亲热的神态不由心花怒放，竟抓住她的扇子拼命摇个不停，把她头发都扇乱了。

"阿希礼，你还没发表高见呢。"汤姆·塔尔顿从吵吵嚷嚷的人堆里转过身来说，阿希礼这才说声抱歉，站起身来。斯佳丽看到他那副慵懒的样子如此文雅，他的金发和小胡子在太阳光下显得如此晶亮，心里暗想，在场的人谁也比不上他英俊。连上了年纪的人也静下来听他说话。

"噢，诸位先生，如果佐治亚州要打的话，我就跟去打仗。要不然我干吗还参加骑兵连呢？"他说。他的灰眼睛睁得大大的，没有了昏昏欲睡的神情，代之以斯佳丽从未见过的激情。"不过，我跟我父亲一样，希望北方佬会让我们过太平日子，不要打仗——"他微笑着举起一只手，因为方丹家和塔尔顿家的几个小伙子七嘴八舌地闹起来了。"是啊，是啊，我知道我们受了侮辱，受了欺骗——但如果我们处在北方佬的地位，换成是他们想脱离联邦，那我们又会怎么办呢？大概也会差不多吧。我们也不会喜欢这种事的。”

“他又来了，”斯佳丽想，“老是站在人家的立场替人家着想。”对她来说，争论中总归只有一面是正确的。有时，阿希礼真让人难以理解。

“我们的头脑别太发热了，还是别打什么仗吧。世界上的痛苦大多是战争造成的。等战争结束了，大家也就明白这究竟是怎么回事了。”

斯佳丽不由嗤之以鼻。幸亏阿希礼素有勇敢无畏的名声，使他无懈可击，否则就要惹麻烦了。她正这么想着，一片愤怒激昂的、吵吵嚷嚷的反对声冲着阿希礼来了。

凉亭里，那个从费耶特维尔来的聋老头捅捅印第亚说：

“怎么回事？他们在说什么？”

“战争！”印第亚用手掌弯成个话筒凑在他耳边，“他们要去跟北方佬打仗！”

“战争，是吗？”他一面叫着，一面摸索着拿起身边的拐杖，使劲从椅子上站起身来。他好多年没显出这么旺盛的精力了。“我要跟他们说说打仗的事。我打过仗。”原来麦克雷先生家的女眷厉害，不准他出声，所以他很少有机会谈论战争。

他迈着僵硬的步伐急忙冲到人群里，挥舞着拐杖，大声嚷嚷起来，因为他听不见别人的声音，不久就独霸全场了。

“你们这些吃了枪药的愣小子，听我说。你们别一天到晚想着打仗。我打过仗，我知道。我参加过塞米诺尔战争之后，还像个大傻瓜似的又去参加了墨西哥战争。你们不知道打仗是什么滋味。在你们看来打仗就是骑上骏马，姑娘们向你扔鲜花，然后凯旋成了英雄。其实，不是这么回事。根本不是！打仗就意味着挨饿，意味着在潮湿的地方睡觉，害麻疹和肺炎。不害麻疹、肺炎就闹肚子。是啊，先生，打仗对肚子有什么害处呢——不就是害痢疾这类毛病呗——”

太太小姐羞得脸都红了，麦克雷先生老爱提起八辈子前的事，那年代正如方丹家老奶奶和她那令人发窘的响嗝一样，大家都想忘掉它。

“快去把你外公拉回来。”老头的一个女儿悄悄对站在身边的一个丫头说。“哎呀，”她对身边那些焦急不安的妇女说，“他是一天比不上一天了。你们信不信，今天早晨他还找玛丽——她才十六岁呢——他竟说：‘喂，姑娘……’”声音低了下去，变成了悄悄话，那个外孙女趁机溜了出去，想劝麦克雷先生回树荫下的座位上去。

在树下转来转去的人很多，姑娘们都在兴奋地嬉笑，男人都在热烈地谈论着，只有一个人似乎很镇定。斯佳丽的眼光转向瑞特·巴特勒，只见他背靠着一棵树，两手深深地插在裤袋里。自韦尔克斯离开他以后，他就一个人站在那儿了，人们的谈话越来越激烈，他却一句话也没说过。留得短短的黑胡子下的那两片红唇朝下撇着，那双黑眼睛里隐隐流露出深感可笑的轻蔑——就像在听孩子们吹牛似的蔑视。一副非常令人讨厌的笑脸，斯佳丽想。斯图特·塔尔顿红发蓬乱，两眼闪光，嘴里一遍遍说着：“嗨，只要一个月我们就能打败他们！上等人总比下层暴民会打仗。一个月——嗨，打一仗就——”

“诸位先生，”瑞特·巴特勒原来是一直在静静听着，听到这里不由说道，一口查尔斯顿口音，没有抑扬顿挫，慢声慢气的，他靠在树上没动，双手仍插在裤袋里没拿出来。“我可以说句话吗？”

他的神态和眼神里都含着轻蔑，他正想方设法模仿这些人自己的态度来嘲弄他们，虽然骨子里轻蔑，外表上还是装得彬彬有礼。

那帮人都回过头来望着他，并仍像平时对待外人那样，对他以礼相待。

“你们有谁想到过梅森-狄克逊分界线以南一带连一家大炮工厂都没有？有谁想到过南方的铸铁厂有多么少吗？有谁想到过毛纺厂、棉纺厂和制革厂有多么少吗？你们是否想到过我们连一艘军舰也没有，而北方佬的舰队只用一个星期就可以封锁住我们的港口，从而使我们的棉花不能向国外销售了？不过——当然——这些事诸位先生都已经想到了。”

“哎，他把这些小伙子当成一群笨蛋了！”斯佳丽愤愤地想着，脸蛋涨得通红。

显然，当时心里这样想的人不止她一个，因为有好几个小伙子都已准备挺身而出了。约翰·韦尔克斯立刻不露痕迹地回到说话人身边，似乎要加深在场人的印象，这个人是他的客人，再说还有太太小姐在场呢。

“我们大多数南方人的毛病是，”瑞特·巴特勒接着说，“我们不是外出旅行得很少，就是从旅行中得益不多。当然诸位先生都是走南闯北的。但你们看见了什么呢？欧洲、纽约、费城，当然啦，夫人小姐们去过萨拉托加，”他对着凉亭里的那些人欠了欠身，“你们看到了旅馆、博物馆、舞厅和赌场。回家来后你们还是以为没有一个地方比得上南方。至于我，虽然出生在查尔斯顿，但最近几年我一直待在北方。”他一笑露出一口白牙，仿佛他明白在场的人都知道他不再住在查尔斯顿似的，并且表露出即使他们都知道，他也毫不在乎。“我见过好多你们大家没见过的事。我见过成千上万的移民只是为了点儿吃的和几块钱，就甘愿为北方佬打仗，我还见过工厂、铸铁厂、造船厂、铁矿和煤矿——这些都是我们没有的东西。唉，我们有的只是奴隶、棉花和傲慢罢了。他们用不了一个月就会把我们打败的。”

气氛一下子紧张起来，四周一片沉寂。瑞特·巴特勒从上衣口袋拿出一块上等的麻纱手帕慢腾腾地掸去袖子上的灰尘。随后人群里传来一阵大势不好的唏嘘声，凉亭里也传来一阵喃喃声，这声音听起来就像一群刚受惊扰的蜜蜂发出的声响。尽管斯佳丽气得直往脸上涌的血尚未消退，但她是个讲求实际的人，不由得暗暗想到这人说的话倒也不错，而且听上去也很有道理。啊呀，她还从来没见过一家工厂呢，也不知道有谁见过工厂。不过，即使这些话是真的，他发表这么一个长篇大论也算不得是上等人——再说又是在宴会上，大家本来正玩得痛快呢。

斯图特·塔尔顿皱着眉，跟布伦特一起走到瑞特身边。当然，塔尔顿家这对孪生兄弟一向很讲礼貌，即使给惹火了，他们也不会在宴会上大闹。然而，这批太太小姐倒都觉得兴奋至极，因为她们难得目睹吵闹拌嘴的场面。通常都是听人家传说的。

“先生，”斯图特用很重的语气说，“你这是什么意思？”

瑞特看着他，眼光虽礼貌，但也含着嘲弄。

“我的意思是，”他回答说，“拿破仑——也许你听说过他吧？曾说过，‘上帝站在最强大的军队一边！’”他向着约翰·韦尔克斯转过身去，以一种真诚的彬彬有礼的态度说。“你答应过让我参观你的藏书室的，先生。是否请你现在就带我去看看？今天下午我恐怕得早点回琼斯博罗去，那儿还有点事要办。”

他转过身，面对大家，脚后跟喀嚓一并，像个舞蹈大师似的鞠了一躬，这一躬，由如此威武的人做出，可算姿态优雅了。这一躬同时又盛气凌人，无异于打了人家一个耳光。鞠完躬，他就跟约翰·韦尔克斯穿过草地而去，只见他昂着乌黑的脑袋，令人不舒服的笑声一阵阵传到桌旁的人群中。

大家先是惊愕得一片肃静，接着嗡嗡声又响起来了。印第亚疲惫地从凉亭里的座位上站起身来，向愤怒的斯图特·塔尔顿走去。斯佳丽听不见她在说什么，但看到她仰望着他那张阴沉的脸时的眼神，倒让斯佳丽觉得有点内疚。这种眼神跟玫兰妮望着阿希礼时的眼神是一样的，只是斯图特看不出来罢了。原来印第亚真的爱上了斯图特。这让斯佳丽一下子想到，若不是自己一年前在那次政治演讲会上公然跟斯图特调情，他也许早就跟印第亚结婚了。不过马上又想，要是姑娘自己笼络不住自己的男人，这可不是她的过错，这一想，那点内疚感顿时消失了。

斯图特终于对印第亚笑了，但笑得很勉强，他还对她点了点头。大概印第亚是在求他别去找巴特勒先生的麻烦吧。随着客人们起身离座，掸掉身上的面包屑，树下出现了一阵彼此间很有分寸的骚动。妇女们招呼着老人和小孩，并把他们聚在一起动身离去。姑娘们三五成群，说说笑笑地往房内走，上楼到卧室里去聊天和午睡了。

除了塔尔顿太太，所有女客都走出了后院，把橡树荫和凉亭让给了男人们。杰拉尔德、卡尔弗特先生和其他几个人缠住了她，要她答应卖马给骑兵连。

阿希礼信步从斯佳丽和查尔斯坐着的地方走过，脸上露出若有所思、暗自高兴的笑容。

“真是太狂妄了，不是吗？”他目送着巴特勒说，“他看上去就像手腕毒辣的政治家鲍奇亚家族的人。”

斯佳丽赶忙想了一下，可想不起县里、亚特兰大或萨凡纳有姓鲍奇亚的人家。

“我倒没听说过这家人家。他跟他们是亲戚吗？他们是什么人？”

查尔斯露出一副怪相，心里有一种既奇怪又羞愧的感觉正在跟爱情搏斗呢。结果还是爱情胜利了，因为他认识到女孩子只要温柔、可爱、漂亮就够了，即使没受过什么教育也无妨，于是他赶紧回答：“鲍奇亚家是意大利人。”

“哦，”斯佳丽听他这么一说兴趣顿减，“原来是外国人啊。”

她对阿希礼甜甜一笑，但不知怎的他的目光没朝着她。他正望着查尔斯，露出既理解又怜悯的神情。

斯佳丽站在楼梯口，小心地从栏杆上朝下面的过道张望。过道里空空荡荡。从楼上的卧室里传来嗡嗡不绝的低语声，时起时伏，还夹杂着叽叽喳喳的笑声。听见有人说，“得，你这话当真!”又有人说，“后来他怎么说来着？”六大间卧室的床和长沙发上躺满了姑娘，大家脱了衣服，解开胸衣，披散开头发，正在休息。乡下本来就有睡午觉的习惯，要参加全天的宴会，从大清早开始，到舞会时才进入高潮，这样一来，午睡更是必不可少的。那些姑娘先花上半个小时说说笑笑，随后仆人就来拉上百叶窗，在温暖朦胧的环境中，说话声就渐渐变成耳语，终于消失在一片寂静中，接着便是柔和而有规律的呼吸声起伏其间。

斯佳丽先证实玫兰妮、哈妮和赫蒂都在床上躺下了，这才溜进过道，走下楼梯。她从楼梯口的窗户可以看见成群的男人坐在凉亭里，正用高脚杯喝酒，她知道他们要一直在那儿待到黄昏。她眼睛在人群中寻找着，但阿希礼不在其中。于是她仔细听着，居然听到了他的声音。果然不出所料，他仍在前面车道上，跟那些先走的太太孩子们告别。

她提心吊胆地一阵风似的跑下楼梯。要是遇见韦尔克斯先生怎么办？其他的姑娘都在睡午觉，而她则偷偷地在屋里跑来跑去，为此她能找什么借口呢？行了，非得冒下险不可了。

当她走到最下面一级楼梯时，听见仆人在管家的命令下正在饭厅里忙活，将桌椅搬开，准备舞会。走过宽敞的过道就是藏书室大开着的门，她毫无声息地溜了进去。她可以在那儿等着，等到阿希礼送完客回来就叫住他。

藏书室里光线暗淡，因为怕太阳照射，百叶窗都拉上了。昏暗的房间里，四壁高高的全堆着黑压压的书，真使她丧气。她才不会把这里选做她希望跟他约会的地方呢。见了一大堆书总是让她感到没情绪，见了喜欢读一大堆书的人也一样。只有阿希礼除外。半明半暗中那些笨重的家具在她眼前耸立着，那些高靠背、阔扶手、深座位的椅子是给韦尔克斯家高个儿男人特制的，丝绒面的矮座软椅，配着丝绒面的膝垫，是给姑娘们坐的。在这间长方形房间的顶头，壁炉前有一只七英尺长的沙发，那是阿希礼最喜欢的专座，沙发靠背高高耸起，就像头熟睡的巨兽。

她把门掩上，只留下一条缝，尽力平静了一下心跳。她拼命回想着昨晚打算跟阿希礼说的话，但现在什么都想不起来了。是她想出了什么话又忘记了呢——还是她只打算让阿希礼对她说点什么？她什么也想不起来了，这不由得让她猛吃一惊。她又一想只要心别在耳边咚咚跳个不停，也许还想得出说点什么。不料听见他送别最后一批客人，走进前面过道时，她的心反而跳得更厉害了。

她只记得一点，就是她爱他——上至他昂然抬起的金发脑袋，下至他那瘦长的黑靴子，从头到脚都是爱，另外她还爱他的笑声，尽管这笑声有时使她莫名其妙，还爱他那让人困惑不安的沉默。哦，只要他现在走进来，一把搂住她，那她就什么也不用说了。他肯定是爱她的——“也许我祷告一下的话——”她双眼紧闭，急急忙忙暗自念叨起来，“仁慈的玛丽亚——”

“咦，斯佳丽！”阿希礼的声音打断了她喃喃的祷告声，她一下子变得慌乱不堪。他站在过道里从门缝里向她张望，脸上带着疑惑的微笑。

“你在躲谁——查尔斯还是塔尔顿兄弟？”

她喘不过气来了。原来男人怎么围着她转他注意到了！他站在那儿，眼睛亮晶晶的，一点也没发觉她的激动，真是说不出的可爱。她说不出话来，只是伸出一只手把他拉进屋。他进来了，虽然糊里糊涂，但也感到有趣。她一副紧张样儿，眼睛瞪得发亮，这是他从没见过的，而且虽然光线暗淡，他也看得出她脸蛋绯红。他不自觉地关上了门，拉起她的手。

“怎么了？”他说，声音轻得像说悄悄话。

他的手一碰到她，她就颤抖起来。现在，事情果然和她梦中完全一样了。她脑子里一下子闪过千百种不连贯的想法，但她一个也抓不住，想不出一句话。她只会哆嗦，抬头仔细地打量他的脸。他干吗不说话呀？

“怎么了？”他重复了一遍，“要告诉我一个秘密吗？”

她突然能说话了，母亲多年来的教导突然统统都被丢在了脑后，父亲那副直截了当的爱尔兰脾气突然从她嘴里显露出来。

“是的——一个秘密。我爱你。”

刹那间，四下一片沉寂，凝重得他们俩都喘不过气来。一阵幸福和自豪一下子涌上心头，她也不再颤抖了。她为什么不早这么做呢？这样岂不比平日所学的那套闺秀手段简单得多？接着她用眼睛探索着他的眼睛。

他眼睛里是惊恐，是怀疑，还不止——是什么呢？对了，有一天父亲心爱的猎马摔断了腿，他只好把马打死，当时他的眼里也是这种神情。为什么她这会儿会想起这件事？多么傻的念头啊。阿希礼怎么看上去那么古怪，一言不发呢？随后他脸上像戴上了一副老练的面具似的，潇洒地笑了。

“今天这儿所有男人的心都被你收服了，还嫌不够吗？”他又用起那种半开玩笑半奉承的老口吻了，“你是要大获全胜吧？那好啊，你知道你一向深得我心，从小就深得我心的。”

事情不对——全错了！她的计划中可没这个情况。她脑子里一时有很多念头在拼命打转，有一个念头已开始形成了。不知怎的——总有什么道理吧——阿希礼这模样是装出来的，他以为她只是在跟他调情。可他心里并不是那么想的。她知道不是的。

“阿希礼——阿希礼——告诉我——你一定要告诉我——哦，别再逗我了！你的心给我了吗？哦，我亲爱的，我爱——”

他赶紧用手捂住她的嘴。露出了真面目。

“千万不能说这种话，斯佳丽！可千万不能说。你是说着玩儿的。将来你就会恨自己说了这些话，也会恨我听了这些话的。”

她扭过头。浑身顿时涌过一股热流。

“我决不会恨你的。我告诉你我爱你，而且我知道你一定也喜欢我，因为——”她住口了。她从没见过这么痛苦的脸色。“阿希礼，你喜欢的——不是吗？”

“是啊，”他木然地说，“我喜欢的。”

即使他说讨厌她，她也不会这么惊慌。她拉住他的袖子，一时无言以对。

“斯佳丽，”他说，“我们还是走吧，忘掉刚才说的这些话好吗？”

“不好，”她悄声说，“我做不到。你是什么意思？你不想——娶我吗？”

他回答说，“我就要与玫兰妮结婚了。”

不知怎么，她发觉自己已坐在一只丝绒面的矮椅子上，阿希礼就坐在她脚边的膝垫子上，紧紧握着她的双手。他不停地说着——说些她没法理解的事。她脑子里完全一片空白，刚才满脑子的想法统统都没了，他的话如雨点打在玻璃上，一点也没在她脑子里留下什么印象。那些话说得很快，充满温柔与同情，就像是父亲在对伤心的孩子说话，只是她一句话都没听进去。

当他提到玫兰妮这个名字时她才清醒起来，她仔细打量着他那双清澈的灰眼睛。看见眼神里有至今仍令她困惑的那种冷漠——还有自怨自艾。

“父亲今晚就要宣布我们订婚的消息了。不久我们就要结婚。我本该早告诉你的，但我以为你知道。我以为大家都知道——都知道好几年了。我根本没想到你会——你有那么多男朋友。我还以为斯图特——”

她感到自己又有了生命、感情和理解力。

“可你刚才还说喜欢我的。”

他那双温暖的手都把她捏痛了。

“亲爱的，你一定要让我说些让你伤心的话吗？”

她一言不发，逼得他只有说下去。

“我怎么才能让你明白这些事呢，亲爱的？你那么年轻，遇事又不假思索，你都不明白结婚是怎么回事。”

“我知道我爱你。”

“像我们俩这样缺乏共同志趣的人，光有爱情，就是结了婚也不会美满。斯佳丽，你要求得到的是整个人，包括他的身体，他的心灵和他的思想。要是得不到，你会痛苦的。可我不能把自己整个人都给你。我也不能把自己整个人给任何人。我也不会要你的整个头脑和心灵。那样一来你就会伤心的，于是你就会恨我——恨得多么厉害！你就会恨我读的书，恨我爱的音乐，因为这些东西把我从你身边抢走，哪怕只是抢走一会儿。而我——也许我——”

“你爱她吗？”

“她像我，我们有部分血统相同，我们彼此了解。斯佳丽！斯佳丽！我说的话还不明白吗？除非两个人志趣相投，否则他们的婚姻怎么也不会和美的。”

有人曾说过：“必须和志趣相投的人结婚，否则就不会幸福。”这是谁说的？这句话她似乎已听说过一百万年了，但还是没法理解。

“但你说过你喜欢我的。”

“我本来不应该说这话。”

她脑子里渐渐冒出一股怒火，狂怒之下一切都顾不得了。

“得了，说这话够混蛋的——”

他脸变白了。

“我说这话是混蛋，因为我就要跟玫兰妮结婚了。我对不起你，更对不起玫兰妮。我本来就不该说，因为我知道你是不会理解的。你对生活充满热情，这正是我缺乏的，叫我怎么能不喜欢你呢？你能大胆地爱，强烈地恨，而我却办不到。为什么你像火、像风、像野生物一样纯真，而我——”

她想起玫兰妮，仿佛猛然间看见她那对娴静的棕色眼睛，那副恍恍惚惚的眼神，那双戴着黑花边长手套的文静的小手，看见她那种脉脉温情。于是她又突然来了无名之火，当初她父亲也是无名之火突起才杀了人，另外一些爱尔兰祖辈同样也是由于无名之火起，干了不法勾当，送了性命。她母亲家世代都有教养，天大的事都能默默忍受，而眼下这种美德在她身上丝毫都没了。

“你干吗不说出来，你这个懦夫！你是怕跟我结婚！你宁可和那个傻丫头一起过日子，除了唯唯诺诺，她别的什么都不会说，将来还要生一窝小仔，都和她一样说话拐弯抹角！为什么——”

“你不该这样说玫兰妮！”

“你混账，我怎么不该说！你算老几，敢来教训我该不该？你这个懦夫，你这个混蛋，你——你让我以为你要娶我——”

“说话要公平，”他央求道，“我何时——”

尽管明白他说的是真的，她也不愿讲什么公平。他与她从来没有越过友谊的界线，她一想到这一点，心头就又升起一股怒火，这是自尊心和女性虚荣心受到伤害后的愤怒。她追求他，可他一点也不稀罕她，宁可要玫兰妮这样脸色苍白的小傻丫头。唉，她后悔没听从母亲和黑妈妈的教诲，千万，千万别流露出她对他的喜欢——那就不会落得自取其辱了！

她一骨碌站起身来，双手紧握拳头。耸立在她面前的他脸上充满了沉默的痛苦，一个人被迫面对苦恼的现实时就是这副模样。

“我到死都恨你，你这混蛋——你这下流——下流——”她该骂什么词儿？她想不出更恶毒的词儿了。

“斯佳丽——我求求你——”

他向她伸过手去，恰在此时，她使足了劲儿打了他一个耳光。啪的一声，在寂静的房间里就像抽了一下鞭子似的，她的怒气突然消了，心里只感到一阵凄凉。

他白皙疲倦的脸上清清楚楚留下了几道红印。他一言不发，只是捧着她那只软弱无力的手到唇边吻了一下。接着没等她说话，就走掉了，还轻轻带上了门。

她非常突然地又坐下了。愤怒之下，她竟感到双膝发软。他走了，他那张挨了一巴掌的脸她到死也忘不了。

她听见他轻柔、低沉的脚步声在长长的过道里消失，她突然意识到自己行为的严重性。她永远失去他了。今后他会讨厌她，他一见到她就会想起她是怎么百般向他献媚的，可他对她根本就没半点意思。

“我跟哈妮·韦尔克斯是一路货了。”她突然想了起来，还想起以前大家怎么轻蔑地取笑哈妮行为放荡，她笑得尤其起劲。她仿佛看见哈妮忸怩作态，挎着小伙子胳臂哧哧痴笑的样子，想到这里，不禁又勃然大怒，生自己的气，生阿希礼的气，生大家的气。她对大家的痛恨来自于她对自己的恨，因为这份花季少女的痴情受了挫折，丢尽了脸面，因此恼羞成怒。她这份痴情只有一小部分是真诚的柔情，大部分则是虚荣心和自恃天生魅力的得意劲。现在她失败了，可心里的恐惧比失败的感觉更大，她害怕的是自己当众出了丑。她有没有哈妮那样露骨？大家都在笑话她了吧？想到这一点她不禁不寒而栗。

她的手落在桌边一张小桌子上，摸到一只小玫瑰瓷钵，钵上两个小天使塑像在对着她傻笑。房间里如此安静，她几乎憋不住要尖叫来打破这片寂静。她一定得做点什么，不然就要发疯了。她一把抓起瓷钵拼命朝屋子那头的壁炉扔去。瓷钵刚好擦过沙发高高的靠背，啪的一声，砸在大理石壁炉架上，成了碎片。

沙发深处传来一个声音：“真是太不像话了。”

她从来没这么惊慌害怕过，她口干舌燥说不出话来。她抓住椅背，腿直发软，只见瑞特·巴特勒从他躺着的沙发上站起身来，彬彬有礼且有些夸张地向她鞠了个躬。

“刚才一番争吵硬灌进我耳朵里，一场午觉就此给搅了，这已经够呛了，你干吗还要害我的命呢？”

他是真人。不是鬼。可是，上帝呀，什么话都让他听去了！她打起精神，摆出一副架势。

“先生，你在这儿也应该让别人知道啊。”

“是吗？”他一口白牙闪闪发光，那双大胆的黑眼睛正嘲笑她，“但闯进来的是你呀。我是在等候肯尼迪先生一起离开，又感到我在后院也许不受欢迎，所以就知趣地把这讨人嫌的身子挪到这儿来避避，以为在这儿总不会有人来打扰我了。谁知，哎呀！”他耸耸肩，低声笑了。

一想到这个粗鲁无礼的家伙听见了一切——听见了她在此时此

刻宁死也不愿再提的事，不禁又气上心头。

“你这躲着偷听的——”她怒气冲天地说。

“躲着偷听的往往能听到很有趣、很有意思的事。”他咧开嘴笑着说，“根据长期偷听的经验，我——”

“先生，”她说，“你不是绅士！”

“好眼力，”他轻佻地答道。“你呢，小姐，也不是淑女。”他似乎觉得她挺逗的，因为他又低声笑了，“一个说了和做了我刚才无意中听到的事的人，还算得上什么淑女？不过话又说回来，淑女对我不大有魅力。我知道她们想什么，可她们缺乏勇气，也没有教养，不敢把心里想的说出来。而且，总有一天会变成令人讨厌的家伙。可是你呢，亲爱的奥哈拉小姐，精神倒是难能可贵；这种精神真令人钦佩，我向你脱帽致意了。我真不明白，这位斯文的韦尔克斯先生有什么吸引人的魅力能把像你这样性子暴烈的姑娘给迷住。他能有你这样一个——他是怎么说来着？——对生活充满热情的姑娘，真应该跪下来感谢上帝才是，可谁知道他竟是个胆小如鼠的可怜虫——”

“你还不配给他擦靴子呢！”她狂怒地吼道。

“你不是要恨他一辈子吗？”他在沙发上坐下说，她听见他在笑。

如果能把他杀了，她早就下手了。没想到她竭力摆出一副无所谓的架势，走出藏书室，砰地带上了那扇沉重的门。

她快步走上楼梯，到了楼梯口，她觉得自己都要晕过去了。她停下来扶住栏杆。生气、委屈，再匆匆这么一跑，她的心怦怦乱跳，像是要从紧身衣里蹦出来了。她拼命深呼吸，但黑妈妈把她的腰束得太紧了。要是她晕过去了，人家发现她晕在楼梯口，会怎么想啊？哦，阿希礼和那个叫巴特勒的讨厌家伙，还有那些妒忌得要死的讨厌姑娘们，他们都会胡思乱想的！她生平头一次希望自己跟其他姑娘一样带着嗅盐，而她甚至连一个嗅盐瓶都没有。她一向是以从来不感到头晕为荣的。她现在不能让自己晕过去。

那股恶心的感觉渐渐消失了。她马上就会好的，等好了就悄悄溜进印第亚隔壁那间小化妆室，解开胸衣，悄悄上床，躺在那些熟睡的姑娘身边。她竭力静下心来，做出一副镇定的样子，因为她知道自己看上去肯定像个疯婆子。要是有哪位姑娘醒着没睡，就会知道有什么事不对头了。千万不能让人知道出了什么事。

从楼梯口那面宽阔的凸窗看出去，她看见那些男人仍懒洋洋地坐在树下和凉亭背阴处的椅子上。她多嫉妒他们啊！做个男人多好啊，根本不用经受她刚刚经历的那种痛苦。她站在那儿，两眼冒火，脑子昏昏沉沉地望着他们。这时只听见前面车道上响起了急骤的马蹄声，石子飞溅声，还有一个激动的声音向一个黑人问着什么。石子又飞溅起来，只见一个人骑着马从她眼前掠过，驰过草坪，直奔树下那群懒洋洋的人。

是迟到的客人吗？但那他为什么骑马穿过印第亚引以为豪的草地呢？她认不出他是谁，但他从马鞍上跳下来，抓住约翰·韦尔克斯的胳臂时，她看得出他的神色是激动的。人们一下子把他团团围住，高脚酒杯和芭蕉扇丢得满桌满地都是。尽管离得很远，她仍听得出喧闹的声音，有发问的，有叫喊的。她能感觉到男人那种极端兴奋又紧张的情绪。接着，混乱的声音中响起了斯图特·塔尔顿的声音，他狂喜地高喊了一声，“咦——哎——咦！”就像是在猎场上打猎似的。这是她第一次听见这个声音，听见南军士兵的吼声，不过她并不知道这是什么意思。

她正看着，只见塔尔顿家四个小伙子从人群里跑了出来，方丹家的小伙子紧随其后，急匆匆地直奔马厩，一面喊着，“吉姆士！听见没有，吉姆士！备马！”

“一定是哪家着火了。”斯佳丽想。但不管着火也好，没着火也好，最要紧的事就是趁大家还没发觉赶快先回卧室去。

她的心这会儿平静多了，她踮着脚上了几级楼梯，走进静悄悄的过道。屋里有股暖烘烘的感觉，仿佛屋子也和姑娘一样安睡了，等睡到晚上就会在音乐声中和烛光下突然焕发出全部丰采。她小心地慢慢打开化妆室的门，溜了进去。一只手还抓着门把手未放，就听见对面通往卧室的门缝里传来了哈妮·韦尔克斯的声音，嗓门压得很低，几乎像在说悄悄话。

“我看斯佳丽今天的举止太放荡了，作为姑娘家真是太过了。”

斯佳丽只觉得自己的心又怦怦狂跳了起来，她不觉一手按住胸口，好像要把这颗心压制住似的。“躲着偷听往往能听到很有意思的事。”她不由想起了这句话。她该溜出去呢？还是走出来，让哈妮发窘？谁知这时又听到一个声音，让她不由得停下了。等她听出是玫兰妮的声音时，就是骡队也拉不走她了。

“哦，哈妮，别！别那么说。她只是性子高傲、活泼罢了。我看她倒是很迷人的。”

“哦，”斯佳丽一边想着，一边指甲一直掐到紧身衣里，“谁稀罕这个说话转弯抹角的傻丫头帮我的腔啊！”

玫兰妮的这番话比哈妮那种明目张胆的恶言恶语还要难听。斯佳丽从来不相信任何女人，也从来不相信哪个女人的行为动机不是自私的，只有自己的母亲是例外。玫兰妮知道她已经把阿希礼牢牢抓住，所以乐得这么大方。斯佳丽觉得这只不过是玫兰妮的一种手段而已，一面炫耀自己的胜利，一面博取大家对她和蔼可亲的称赞。斯佳丽跟男人一起议论别的姑娘时就常用这种花招，这种花招总能哄得那些傻男人相信她是多么和蔼可亲、公正无私，真是百发百中。

“得了，小姐，”哈妮尖刻地说着，嗓门也提高了，“你一定是瞎了眼了。”

“小声点，哈妮，”萨丽·芒罗的嗓音发出嘘声说，“整幢房子都要听见你说话了。”

哈妮压低声音，又接着说：

“嗯，你们瞧瞧对每个勾引得上的男人她是怎么调情的吧——竟连肯尼迪先生也不放过，他还是她亲妹妹的情人呢。真没见过这种人！当然查尔斯也在她追求之列。”哈妮不好意思地咯咯笑了，“你们知道，我和查尔斯——”

“真的？”几个激动的声音悄悄说。

“嗯，千万别告诉任何人，姑娘们——八字还没一撇呢！”

大家又咯咯笑了，不知谁紧紧抱住了哈妮，弄得床垫弹簧也咯啦啦响了。玫兰妮还轻声咕哝着说什么有了哈妮做嫂子，心里多么高兴。

“哦，我可不愿意斯佳丽做我的嫂子，我没见过她这么放荡的货色，”传来的是赫蒂·塔尔顿气恼的声音，“不过实际上她等于是跟斯图特订了婚。虽然布伦特嘴上说她对他没一点意思，不过，布伦特对她却是迷得要命的。”

“依我说呀，”哈妮用一种神秘且郑重口吻说，“她只对一个人有意思。那就是阿希礼！”

一片热闹的低语声七嘴八舌地混在一起，问的问，插话的插话，斯佳丽觉得既害怕又屈辱，不由得浑身发冷。虽说哈妮对男人是个傻瓜、笨蛋、蠢货，但她看别的女人倒有那种女性的本能，这点斯佳丽可是低估了她。刚才在藏书室里她受到阿希礼和瑞特·巴特勒那番羞辱和贬损与这比起来还算小事呢。男人的嘴毕竟封得牢，不会乱说，即使是像巴特勒先生那样的男人也是如此，可哈妮·韦尔克斯，就像田野里的猎狗，到处汪汪乱叫，给她一叫，整个县不到六点钟就全都会知道了。她父亲昨晚还说过不愿让县里人笑话他的女儿呢。如今大家伙会怎么笑啊！她的腋窝开始渗出黏糊糊的冷汗，一直流到肋骨那儿了。

玫兰妮的声音严肃而平静，还有点责备的意思，盖过了其他人。

“哈妮，你明明知道不是这么回事。这样说太过分了。”

“就是这么回事，兰妮。如果你不是老把没半点好的人尽往好处想，你就会看出来的。我真高兴偏偏就是这么回事。她活该。斯佳丽·奥哈拉干的一向就是惹是生非，尽想着怎么抢走别人情人的事。这点你知道得很清楚，她从印第亚手里抢走了斯图特，可她并没要他。今天她还想要抢肯尼迪先生，还有阿希礼，还有查尔斯——”

“我得回家了！”斯佳丽想，“我得回家了！”

要是有魔法把她送回塔拉庄园，送回安全的地方就好了。只要能跟母亲在一起，哪怕只是看着母亲也好。她要拉着母亲的裙子，伏在她身上哭一场，把事情全部告诉母亲。如果再听下去，她就会冲进去，把哈妮披散的淡色头发一大把一大把揪下来，还要唾玫兰妮一口，让玫兰妮知道她对大家的善心是怎么回事。但她今天的举止已经够粗俗的了，简直就像穷白佬那样——她的毛病就在这儿。

她两手紧紧按住裙子，以防裙子窸窣作响，然后像只动物似的偷偷退了出来。她一溜烟穿过过道，穿过一扇扇紧闭的房门、一间间静悄悄的房间，心里想，回家去吧，我一定得回家去。

她已经走到前面的门廊了，这时念头一转，又突然停了下来——不能回家去！不能逃跑！她应该坚持到底，任凭这些姑娘们百般怨恨、自己百般屈辱和伤心都得忍着。逃跑只能给人家更多攻击的口实。

她紧握拳头，捶打着身边那根高耸的白柱子，恨不得自己就是参孙，能拆掉十二棵橡树庄园的一切，把屋里的人统统压死。她要让他们感到灰溜溜，也要给他们点厉害瞧瞧。她自己也不大清楚怎么才能给他们厉害瞧，反正她要这么做就是了。人家伤害了她，她要加倍奉还。

她暂时忘了阿希礼就是阿希礼这个事实。他不再是她爱的那个昏昏欲睡的高个儿小伙子了，而是木县十二棵橡树庄园韦尔克斯家一个重要部分——她恨他们，因为他们取笑她。在十六岁的女孩子心中，虚荣心比爱情更重要，她那颗火热的心里如今什么也没有，只有仇恨。

“我不回去，”她想，“我就是要待在这儿，我要让他们后悔莫及。我也决不告诉妈妈。不，我决不告诉任何人。”她鼓起勇气，准备回屋去，上楼，到别的卧室去。

她刚转身，看见查尔斯从长长的过道另一头走进屋来。他一看见她就连忙朝她走来。他头发蓬松，脸色激动得都快发紫了。

“你知道出了什么事吗？”还没走到她身边他就叫起来了，“听说了吗？保罗·威尔逊刚从琼斯博罗骑马赶来报的信！”

他走到她身边停下，气喘吁吁。她一言不发，只是呆呆地看着他。

“林肯先生正在召集人马，士兵——我是说志愿兵——有七万五千人呢！”

又是林肯先生！男人难道就没有什么正经的大事可想了吗？她的心都碎了，名声眼看也要保不住了，这傻瓜还指望别人对林肯先生那套胡闹感到激动吗？

查尔斯盯着她。她脸色煞白，细长的眼睛像翡翠一样闪闪发光。他从没见过哪个姑娘脸上有这种激情，眼睛这么亮。

“我真笨，”他说，“我应该婉转地告诉你才对。我忘了小姐们是多么娇嫩了。这么惊动你，真对不起。你不会晕过去吧？我给你倒杯水来吧？”

“不用。”她说，勉强挤出一丝苦笑。

“我们到长椅哪儿去坐坐好吗？”他说着挽住她的胳臂。

她点点头，他便小心地扶着她走下台阶，穿过草地，来到前院最大的一棵橡树下的铁椅前。女人是多么脆弱敏感啊，他想，才提了一下战争之类的不痛快的事，她们就要晕过去了。想到这里他不由得感到自己是个十足的男子汉，因而扶她坐下时也就格外温柔。她看上去那么与众不同，白皙的脸上有股野性的美，他的心不由得怦怦乱跳起来。她会不会是为想到他可能去打仗而烦恼呢？不，这未免太异想天开了，让人难以相信。但她为什么那么怪异地看着他？她的两只拨弄花边手绢的手为什么直哆嗦？还有那密密的乌黑睫毛也在不断颤动——就像他在爱情小说里看到的姑娘的那种眼睛一样，这种颤动给人羞羞答答、含情脉脉的感觉。

他一连清了三次嗓子话都没说出来。他垂下眼睛，因为她那双绿眼睛盯着他，如此尖锐，几乎像是把他看穿了。

“他有好多钱，”她思路敏捷地盘算着，这时她脑子里闪过了一个念头，一个计划，“他又没有父母来让我烦心，而且他住在亚特兰大。如果我马上跟他结婚，就会让阿希礼明白我对他并没意思——只是跟他调情而已。这还会要了哈妮的命。她从此再也找不到爱她的人了，大家都会可劲嘲笑她。这也会伤玫兰妮的心，因为她太爱查尔斯了。而且还会伤斯图特和布伦特的心——”她自己也搞不清为什么要伤这兄弟俩的心，或许是他们几个妹妹也都很阴险的缘故吧。“等我有了好多漂亮的衣服，有了自己的房子，并乘着一辆华美的马车回来做客时，她们大家就都会觉得过意不去了。他们就再也不会取笑我了。”

“当然，这就是说要打仗了，”查尔斯越发窘迫地以一种试探的口气说道，“不过别担心，斯佳丽小姐，战争不出一个月就会结束，我们要打得他们鬼哭狼嚎。没错儿！就是鬼哭狼嚎！我说什么也不会错过这次战争的。今晚的舞会恐怕是开不成了，因为骑兵连要到琼斯博罗集合。塔尔顿家的几个兄弟已经去报信了。我知道小姐们会感到扫兴的。”

她“哦”了一声，因为说不出更恰当的词来，不过这一声就够了。

她渐渐冷静下来，脑子也镇定了。她的感情封冻了，结了一层霜，她觉得自己今后对任何事情都不会有热情了。何不就此要了这个满脸通红的漂亮小伙子呢？他跟其他人都一样，她现在已无所谓了。是啊，她今后对任何事情都会觉得无所谓了，即使活到九十岁也一样。

“我现在还没拿定主意，是参加韦德·汉普顿先生的南卡罗来纳军团呢，还是去参加亚特兰大要隘市卫队。”

她“哦”了一声，两人的目光一碰，她那颤动的睫毛顿时让他掉了魂儿。

“你愿意等我吗，斯佳丽小姐？如果知道有你在等我，一直等到把他们揍扁了，那——就太美了！”他大气不敢出地等着倾听她的回答，一面注意看着她嘴角朝上翘起的模样，竟头一次注意到她有两个酒窝，心想亲一亲不知是什么滋味。她把手轻轻放到他的手上，手心黏糊糊的全是冷汗。

“我可不愿等。”她说，她的眼睛全被睫毛遮住了。

他坐在那儿紧紧地抓着她的手，嘴巴张得大大的。斯佳丽从睫毛下窥视他，不由超脱地觉得他看上去活像一只叉在鱼叉上的青蛙。他结结巴巴了好几次，嘴巴张开又闭上，脸也变成了紫红色。

“难道你会爱我吗？”

她默默无语，只是眼睛朝下看着裙摆，查尔斯不由又有了新的心态，一面感到神魂颠倒，一面感到窘迫不安。也许男人不应该向姑娘问这种问题吧。也许她回答这种问题会有失姑娘家的身份吧。查尔斯以前从来没勇气去攻这一关，现在真不知怎么办才好。他想喊叫，想歌唱，想吻她，想在草地上跳跃，然后奔走相告，不管黑人白人，逢人便说她爱上他了。然而他只是紧紧捏着她的手，捏得她的戒指都深深嵌进肉里去了。

“愿意马上嫁给我吗，斯佳丽小姐？”

“嗯。”她抚摸着衣褶说。

“我们就和玫兰妮同时举行婚——”

“不。”她急忙说，有点来势不妙地瞟了他一眼。查尔斯知道自己又犯错误了。姑娘家当然愿意有自己的婚礼——而不是沾人家的光。幸亏她人好，能原谅他的种种过错。只要天一黑，在没人看得见的暗处他就有勇气吻她的手，说出一心想说的话。

“我什么时候可以去跟你父亲说呢?”

“越快越好。”她说，她真希望他赶快松手，免得她叫出声来，因为他捏得她的戒指嵌痛了手。

他一骨碌站起身，她还以为他要不顾身份又跳又蹦呢。他满脸高兴地俯视着她，眼神里流露出天真和纯朴。以前谁也没这么看过她，今后也永远不会另有男人这么看她了。然而在她超然脱俗的眼光里，只觉得他看上去像头小牛犊。

“我现在就去跟你父亲说，”他满面笑容地说，“我实在等不及了。麻烦你等我一下吧——亲爱的?”他好不容易才说出这句爱称，不过说了一遍以后，他就乐得一遍又一遍这么叫了。

“好的，”她说，“我就在这儿等着。这儿既凉快又舒服。”

他穿过草地，拐过屋角就不见了，只留下她一个人待在飒飒作响的橡树下。只见很多人骑着马川流不息地从马房里出来，黑人奴仆骑着马紧紧跟在主人后面。芒罗家的几个小伙子挥舞着帽子飞驰而过，接着是方丹家和卡尔弗特家的小伙子们，他们大喊大叫着骑到大路上去了。塔尔顿家的四兄弟穿过草地，从她身边冲过，布伦特还嚷着：“母亲就要给我们马了！咦——啊——咦!”马蹄踢得草土一阵飞扬，他们就都走了，又剩下她一个人。

这幢白房子在她面前竖起了高高的圆柱子，似乎凛然不可侵犯，离她越来越远了。如今这座房子永远不是她的了。阿希礼永远不会把她当作新娘抱过门槛了。哦，阿希礼啊，阿希礼！我作了什么孽呀?在她内心深处，在受伤的自尊和冷漠的实用性下，一股椎心的痛苦在折磨着她。一种成熟的感情诞生了，这感情胜过她的虚荣心，也胜过了她的任性和自私。她爱阿希礼，而且也知道自己爱他，她从来没有像望着查尔斯拐过弯曲的石子小道消失的背影这一刹那那么忧心忡忡。

7

仅两个星期的工夫，斯佳丽就做了妻子，又不到两个月，竟成了寡妇。当初她如此仓促，如此轻率就套上了的婚姻枷锁，很快就解脱了，可她再也没有未婚时代那种无忧无虑的自由生活了。才结了婚，就当了寡妇，然而，更使她灰心丧气的是，紧接着她又做了母亲。

在后来的岁月里，斯佳丽回忆起1861年4月末那几天的事来，细节都记不大清了。时间和事件全重叠在一起，像一场虚幻而莫名其妙的梦魇一样混乱。那些日子在她记忆中一直是个空白点。尤其是她接受查尔斯求婚到举行婚礼那一段记忆特别模糊。两个星期！在太平盛世订婚期这么短是不行的。按规矩，订婚和结婚总要相隔一年，起码也要半年才行。可是南方遍地烽火，事情的发展犹如劲风疾扫，以往那种慢速度早已不时兴了。当时母亲急得直搓手，劝告缓一缓再说，好让斯佳丽好好考虑考虑。谁知她好说歹说，斯佳丽都板着个脸就是听不进去。她要结婚！还要赶快。两个星期内就办妥。

斯佳丽听说阿希礼的婚期已经从秋天提前到了5月1日，这样，一旦奉命他就可以立即随骑兵连出发了，所以斯佳丽就把婚期定在了他前面。埃伦一再反对，可是查尔斯近来变得能说会道，再三请求，因为他等不及了，要到南卡罗来纳州去加入韦德·汉普顿的军团，杰拉尔德偏偏又站在这对情侣一边。他受了战争狂热的影响，正庆幸斯佳丽嫁得这么个好夫婿，又赶上战争，他在这对情侣中间作梗算老几啊？埃伦本就心烦意乱，终于让了步，当时南方各地做母亲的都这样。她们那悠闲自得的天地早已被弄得乱七八糟了，面临席卷一切的万钧雷霆，任凭她们苦口婆心劝告央求都无济于事。

南方群情激昂，民心振奋。大家都认为只需打上一仗，战争就可以结束了。年轻人个个都趁着战争还没结束，急急忙忙去应征入伍——趁着自己还没赶到弗吉尼亚州去打北方佬，急急忙忙先同心上人结了婚再说。县里有好多人家举行了战时婚礼，也没工夫伤心告别，因为大家都太忙碌了，太兴奋了，哪里顾得上郑重其事地考虑或伤心流泪。妇女们忙着做军服，织袜子，卷绷带，男人们则忙着操练，射击。每天都有装运部队的列车途经琼斯博罗北上亚特兰大和弗吉尼亚。有些分队的士兵穿着上层民团那种色彩鲜艳的军装，有猩红的，有浅蓝的，有草绿的；有几队士兵们穿着土布军装，戴着浣熊皮帽；另外还有些士兵没穿军装，只是穿着绒面呢和细麻布的便装；大家都操练得半生不熟，装备不齐，但个个兴奋若狂，高呼乱喊，仿佛外出野餐似的。县里的小伙子们一看见这些人就都大大恐慌起来，生怕还没等自己赶到弗吉尼亚战争就结束了，因此骑兵连出发的准备工作也加快了。

在这片混乱中，斯佳丽的婚礼也在紧锣密鼓地准备着，几乎是在转眼间她就穿戴上母亲当年的结婚礼服和面纱，挽着父亲的胳臂，走下塔拉庄园宽阔的楼梯来见满堂的宾客了。事后，她回忆起来竟恍若梦境。她只记得四壁亮着几百支蜡烛，母亲那张慈爱的脸略带困惑，嘴唇嚅动着，默默祈祷女儿的幸福，父亲喝了白兰地，满脸通红，得意扬扬，因为女儿竟嫁到了既有钱又有名望的世家——还记得阿希礼同玫兰妮臂挽臂，站在楼梯脚下。

她看见他脸上的表情，心里就想："这不会是真的。不会的。这只是场噩梦。回头我就会醒来，弄清楚这一切都是噩梦。这会儿我千万不能想，不然我会当着在场这些人的面尖叫起来的。这会儿我千万不能想。回头等我能受得了——等我看不见他的眼睛了再想吧。"

一切都犹如在梦中，穿过笑脸相迎的宾客围成的夹道，查尔斯面红耳赤，说话结结巴巴。而她自己的回答，竟如此清晰和异常冷淡。还有婚礼后的道贺、亲吻、祝酒和跳舞——一切的一切都仿佛在梦中。甚至阿希礼在她脸蛋上的亲吻，还有玫兰妮低声的耳语，“哦，我们真成了姑嫂了”，也都不像是真的。甚至查尔斯那个感情脆弱的胖姑妈佩蒂帕特·汉密顿小姐一时昏厥引起的一场骚动，也都像是噩梦一样。

但等跳舞、祝酒终于结束时，天都快亮了，亚特兰大来的客人只要能挤得进塔拉庄园住宅和监工屋子的，都纷纷到床上、沙发上、地铺上睡觉去了，左邻右舍也都回家休息去了，准备参加第二天在十二棵橡树庄园举行的另一场婚礼。于是恍恍惚惚的梦境就在现实面前像水晶似的破碎了。这现实就是面红耳赤的查尔斯。他穿着睡衣从梳妆室出来，不敢正视她那高高拉起被单、神色惊慌地瞧着他的眼光。

当然，她也知道夫妻免不了要同床睡觉的，然而在此之前她从来没想过这事。她父母同床似乎是天经地义的事，可是她根本没把这个道理套在自己身上。自从那次烧烤野宴以来，她还是头一回明白这是自己找罪受。她痛悔结婚的匆忙，痛惜永远失去了阿希礼，正悲痛欲绝。一想到自己原来并不是真心要嫁给这个陌生小伙子然而竟要和他同床，就未免受不了。他踌躇不定地靠近床边，她就用嘶哑的嗓子低声跟他说：

“你敢走近我，我就大声叫喊。我就要喊了！我就要——使劲喊了，你给我走开！你敢碰我！”

于是查尔斯·汉密顿只好在屋角的一把扶手椅上度过了新婚之夜。他心里倒没觉得太别扭，因为他理解，或者自以为理解新娘的那种羞怯和娇嫩。他宁愿等到她消除害怕心理后再说。只是——只是——他在椅子上折腾过来折腾过去，想找个舒服姿势，一边不由得叹了口气，因为眼看他就要打仗去了。

尽管她的婚礼犹如噩梦，阿希礼的婚礼却更加糟糕。斯佳丽穿着那袭苹果绿的“二朝”服，站在点着几百支蜡烛的十二棵橡树庄园的客厅里，被昨晚那批宾客推推搡搡，亲眼看到玫兰妮·汉密顿成了玫兰妮·韦尔克斯。那张长相平平的小脸顿时焕发出几分妩媚。上帝呀，她永远失去阿希礼了。她的阿希礼。不，现在阿希礼不是她的了。他曾经属于过她吗？她心里乱糟糟的，又疲惫，又迷惑。他说过他爱她的，可到底是什么把他们拆散了呢？要是她能想得起来就好了。她嫁给了查尔斯，借此封住了县里那些专爱说三道四人的嘴，可现在那又有什么关系呢？以前这似乎很重要，可现在根本就不重要了。关键在于阿希礼。现在她失去他了，嫁给了自己不仅不爱，而且十分瞧不起的人。

哦，她多后悔啊。她以前常听人说“跟人家赌气，是自己找晦气”，总以为这只是一种比喻而已。现在才明白这话的真正意思。她一心只想摆脱查尔斯，太太平平回塔拉庄园，重新做个未婚的姑娘，心里却清楚这只能怪自己不好。母亲曾想方设法劝阻过她，可她偏不听。

于是在阿希礼婚礼的那天晚上，她恍恍惚惚地跳了一夜舞，无意识地说着话，毫不相干地笑着，大家都以为她是个幸福的新娘，没看出她的心都碎了。看到大家这么愚蠢，她甚感奇怪，也好，谢天谢地，幸亏他们看不出！

那天晚上黑妈妈帮她卸了妆就离开了，查尔斯不好意思地从梳妆室里钻出来，不知自己第二晚是不是还要在马鬃椅上过夜，她不由哇的一声哭了。一直哭到查尔斯爬上床，在她身边躺下，不断地安慰她。她一言不发，只是哭，哭到眼泪干了，最后就躺在他肩头悄悄抽泣。

要是没有战争，新婚夫妇会花一星期的时间在县里四处应酬，大家还要趁这两对新婚夫妇去萨拉托加或白硫磺泉作新婚旅游之前举行舞会和烧烤野宴招待他们。要是没有战争，斯佳丽就可以穿上三朝服、四朝服、五朝服分别出席方丹家、卡尔弗特家和塔尔顿家的宴会。可是如今是一没宴会，二没新婚旅行。婚后一星期查尔斯就出发去投奔韦德·汉普顿上校，两个星期后，阿希礼和骑兵连也出发了，全县人都黯然神伤。

在这两个星期的时间里，斯佳丽根本没单独见过阿希礼，也根本没有跟他私下说一句话的机会。他去赶火车时，顺便到塔拉庄园来了一次。甚至在那个让人伤心的离别时刻，她都没机会跟他私下谈谈。玫兰妮戴着帽子，披着披肩，悠闲地摆出一副新少奶奶的架势，挎着他的胳臂。塔拉庄园所有的人，不论白人黑人，都出来给上前线的阿希礼送行。

玫兰妮说："你应该吻吻斯佳丽，阿希礼。她现在是我的嫂子了。"于是阿希礼弯下腰，毫无表情地用冰凉的嘴唇在她脸颊上挨了一下。斯佳丽简直丝毫没从那个吻中得到乐趣。刚才玫兰妮怂恿他吻她，反而让她生闷气。临别时玫兰妮又跟她拥抱，差点把她闷死。

"到亚特兰大去看看我和佩蒂帕特姑妈好吗？哦，宝贝儿，我们非常欢迎你！我们得跟查尔斯的妻子熟悉熟悉。"

五个星期过去了，这期间，查尔斯从南卡罗来纳州寄来了一封封羞涩、痴心、如醉似狂的情书，诉说他的爱情以及战争结束后对未来的计划；诉说他为了她要争当一名英雄，以及他对司令官韦德·汉普顿的崇敬。到了第七个星期，汉普顿上校亲自发来了一份电报，接着又来了一封信，一封亲切、庄严的慰问信。查尔斯死了。上校本来早就要打电报来的，可查尔斯以为自己得的是小毛病，不愿惊动家属。倒霉的小伙子上了当，不仅让自以为赢得的爱情就此落了空，而且连在战场上立功争光的崇高理想也落了空。他只是到了南卡罗来纳州的兵营，连北方佬的影子都没见到过，就得了麻疹，并患了肺炎，不光彩地一下子送了命。

到了预产期，查尔斯的遗腹子出世了，因为当时正时兴以孩子父亲上级指挥官的名字为男孩子取名，所以这孩子就取名为韦德·汉普顿·汉密顿。原先，当斯佳丽得知自己怀了孕时曾绝望地痛哭了一场，恨不得死了才好。不过她怀孕期间倒始终没感到有多大不舒服，分娩时也没受什么罪，恢复得也很快。黑妈妈私下跟她说生儿育女十分寻常——做女人的理当多吃些苦。尽管可以掩饰自己的内心，但她对这孩子还是不喜欢。她本来就不想要这孩子的，她讨厌他的出世。如今他来到了人间，但看上去无论如何都不像是她的孩子，不像是她的骨肉。

生韦德后，虽然她的身体短期内就复原了，但精神上却一直恍恍惚惚，萎靡不振。尽管庄园上下都尽力想让她振作起来，她还是打不起精神来。母亲愁眉苦脸，忙来忙去。父亲则比平时更爱骂人，每次上琼斯博罗去总要给她带些无用的礼物回来。老方丹大夫给她开了硫黄糖浆加草药的强身剂，但都不能使她提起精神，连他也承认实在是搞不清楚了。他私下跟埃伦说，斯佳丽是由于伤心，才一会儿烦躁不安，一会儿没精打采的。不过，如果斯佳丽愿意开口说的话，本来是可以告诉他们根本不是这么回事，事情要复杂得多。她没有告诉他们实情说那全是因为自己做了母亲百无聊赖、不知所措，尤其是阿希礼走了，这更使她愁容满面。

她无时无刻不深感心烦。自从骑兵连开拔去打仗之后，县里没有了任何娱乐和社交生活。县里所有有趣的年轻人都走了——塔尔顿家四兄弟、卡尔弗特家两兄弟、还有方丹家的、芒罗家的都走了，连琼斯博罗、费耶特维尔、洛夫乔伊等地，凡是看得上眼的年轻人也统统都走了。留下的只是些老弱病残和妇女，大家都忙着为军队做编织，做缝纫。靠种棉、种稻、养猪、养羊、养牛来度时日。平时根本就看不到一个真正的男人。只有苏埃伦那个中年情人弗兰克·肯尼迪带着军需队，按月骑马来这里征收给养。军需队的人也没什么劲儿，而且她一看见弗兰克那副怯生生的巴结样，就气得没法跟他讲客气。要是他和苏埃伦早点结了婚就好了。

就算军需队的人比较有趣，对她也无济于事。她是寡妇，一颗心早死了。至少，人人都认为她的心已死了，因而要求她循规蹈矩。对此她很生气，因为尽管她拼命回忆，也只想得起自己跟查尔斯说愿意嫁给他时，他脸上那呆呆的傻样儿。而且连这点印象也渐渐淡薄了。但她毕竟是个寡妇，得处处检点自己的行为。未婚少女的乐趣与她无关了。她得举止庄重，态度冷漠。有一次母亲看到弗兰克的副官正陪斯佳丽在花园里荡秋千，并且开心得尖声喊叫，就对她絮絮叨叨，再三强调要注意这一点。母亲深感苦恼，告诉她说做寡妇最容易招人议论。做寡妇一举一动都应该比做人家太太加倍谨慎才是。

斯佳丽一边乖乖地听着母亲柔声说话，一边想："真正只有天晓得，做人家的太太本来就已经没有半点儿乐趣了。那做寡妇还不如死了干净呢。"

做寡妇必须穿阴森森的黑衣服，衣服上连点缀的流苏都没有。也不准戴花、扎缎带、用花边，连珠宝饰物都不准佩戴。要戴只能戴缟玛瑙的丧服胸针，要不就是戴用死者发丝编的项圈。帽上蒙的黑绉纱一定得长得拖到膝盖，守寡三年后才能缩短到齐肩。做寡妇决不能再畅怀闲谈，也不能高声大笑。即使要笑，也只能是苦笑、惨笑。而且，最可怕的是，在男人面前，绝对不能露出一点意思来。如果男人没有教养，流露出对她有意思，她就必须赶紧不卑不亢地提起她的亡夫来吓退他。啊，对了，斯佳丽凄凉地想道，有些做寡妇的最后还是又嫁了，不过到那时她们都已人老珠黄了。天知道，在左邻右舍众目睽睽之下，她们怎么还嫁得了人。不过她们往往都是嫁给那些有着大庄园、拖着十来个儿女、穷途末路的老鳏夫。

结婚固然很糟，但守寡呢——唉，一生就此永远完了！大家都说什么查尔斯已经去世了，小韦德·汉普顿对她肯定是一大安慰，这些人真是糊涂啊。他们多么糊涂，竟说什么她如今做人有盼头了！还都说什么她有了亲人留下的骨肉是天大的好事，她自然没有去纠正人们的想法。不过她心里压根儿就没那种想法。她对韦德没兴趣，有时甚至都忘了他居然是她的孩子。

每天早晨醒来，昏昏沉沉中，她仿佛又是斯佳丽·奥哈拉了。窗外木兰花丛中阳光明媚，鸟儿在歌唱，一股煎熏肉的香味钻进鼻孔。她又无忧无虑、恢复青春了。随即听得一阵因饿了而啼哭的声音，她总是猛吃一惊，不由想到："咦，屋里竟有个娃娃！"再一想才想起原来这就是自己的娃娃。这一切都把她搞糊涂了。

还有阿希礼！哦，尤其是阿希礼！她平生还是头一次痛恨塔拉庄园，痛恨山上通往河边那条漫长的红土路，痛恨那片长着绿棉花的红土地。每一块土地，每一棵树，每一条小溪，每一条小路，每一条马路，都使她不由得想起他。他已属于另一个女人了，他出外打仗去了，可是他的灵魂仍然在暮色中出没在路上，仍然在门廊的暗处，眯着惺忪的灰眼睛向她微笑。每当她听到从十二棵橡树庄园到这里河边的路上传来马蹄声，都无时不忘情地想起他——阿希礼！

现在她也痛恨十二棵橡树庄园了，过去她还喜欢过那地方呢。她虽然痛恨那地方，偏偏又被吸引到那儿去，去了就可以听听约翰·韦尔克斯和姑娘们对他的议论——听听他们念他从弗吉尼亚写来的信。听了这些信她不由得伤心，却又禁不住要听。她不喜欢犟头倔脑的印第亚，也不喜欢笨头笨脑、净爱唠叨的哈妮。尽管心里明明知道她们同样不喜欢她，可是偏偏又离不开她们。每次从十二棵橡树庄园回来，她总是闷闷不乐地躺在床上，拒不起来吃晚饭。

最让母亲和黑妈妈担心的是她不肯吃东西。黑妈妈送来一盘盘令人垂涎欲滴的食物，委婉地劝她说现在成了寡妇，可以尽量多吃了，可是斯佳丽却毫无胃口。

方丹大夫严肃地告诉埃伦，女人伤心往往会弄得身体越来越衰弱，最终憔悴而死。听到这，埃伦脸都吓白了，因为她早就有这种顾虑。

“有什么办法吗，大夫?”

“最好的办法就是给她换换环境。”大夫说，他真是巴不得赶快摆脱一个难侍候的病人。

于是斯佳丽就没精打采地带上孩子出门了。她先是到了萨凡纳看望奥哈拉家和罗比亚尔家两处本家亲戚，又到查尔斯顿看望了母亲的两个姐姐宝莲和尤拉莉。谁知她竟比母亲预料的提前一个月回到了塔拉庄园，也没说明回来的理由。萨凡纳的亲戚都待她很好，可是詹姆斯和安德鲁两对夫妇都上了年纪，整天只愿意静静坐着，谈些斯佳丽不感兴趣的往事。罗比亚尔家也一样。而且斯佳丽觉得，查尔斯顿的情况也很可怕。

宝莲姨妈和姨父住在靠河边的一个庄园里，比塔拉庄园偏僻得多。姨父是个小老头儿。他们虽然客气，却显得生分、冷淡，有一种老年人那种心不在焉的神情。离他们最近的邻居也有二十英里的距离，要经过寂静的密林间的一条条黑路。密林里到处是一片片柏树、沼泽和橡树。槲栎披着飘拂的苍苔使斯佳丽不寒而栗，总是不由得想起父亲讲过的在闪闪发光的灰雾中游荡的爱尔兰鬼怪之类的故事。她整天无事可做，只有打毛线，夜里就听凯里姨父朗读布尔沃·利顿先生越往后越精彩的作品。

尤拉莉幽居在查尔斯顿炮台附近一个四周筑着高墙的深宅大院里，日子过得也单调乏味。看惯了蜿蜒起伏的红山冈那种壮阔景色的斯佳丽，觉得自己在这里真像坐牢。这里虽比宝莲姨妈家的社交生活要多，可是斯佳丽看不惯那些上门来的客人的架势，以及这里的习俗和讲究门第的风气。她心里很清楚，他们都认为她父母门不当户不对，不明白罗比亚尔家的人怎么会嫁给一个刚来美国的爱尔兰人。斯佳丽感到尤拉莉姨妈在背后替她辩解。这惹得她很生气。因为她跟父亲一样都不计较什么门第。她为父亲而自豪，因为他是凭自己精明的爱尔兰头脑，赤手空拳挣下这份家业的。

嘿，查尔斯顿人竟把苏姆特堡事件的责任全都揽在自己身上！天哪，难道他们不明白，即使他们没糊涂得先开火挑起战争，别的傻瓜也会那样干的吗？由于听惯了佐治亚山地那种干脆的嗓音，听着平原这种慢声慢气、单调呆板的嗓音似乎影响了她的脾气。她觉得要是再听见这里的人把"巴掌"说成"巴儿掌"，把"屋子"说成"窝儿子"，把"不会"说成"不儿会"，把"爸妈"说成"爸啊妈啊"，她就要尖声叫喊了。她很是恼火，有一次正式拜访客人，她竟学父亲讲了一口土话，害得姨妈暗暗叫苦。后来她就回了塔拉庄园。与其忍受查尔斯顿人口音的折磨，还不如忍受回忆阿希礼的痛苦呢。

埃伦正日夜操劳，要把塔拉庄园的产量翻上一番以支援南部邦联，看见大女儿从查尔斯顿回来，又瘦又白，说话刻薄，不由大惊失色。她自己也有过伤心的体会，所以她虽天天晚上躺在鼾声大作的杰拉尔德身边，心里却老想着用什么法子来减轻斯佳丽的痛苦。查尔斯的姑妈佩蒂帕特小姐多次写信给她，催她让斯佳丽到亚特兰大去住段日子，埃伦这才头一次认真考虑这件事。

佩蒂帕特小姐在信里写道，一幢大房子里只住着她和玫兰妮两个人，"现在亲爱的查尔斯死了，家里也就没有男人保护了。当然，我还有哥哥亨利，可他不跟我们住在一起。不过或许斯佳丽对你说起过亨利。在此我也不便多写。如果斯佳丽来陪我们，那我和兰妮就会感到轻松得多，安全得多了。三个寂寞的女人总比两个强。如果亲爱的斯佳丽能像兰妮这样，到这里的医院去护理我们的勇士，也许可以减轻几分忧愁——啊，当然，我和兰妮都希望能早日见到小乖宝宝……"

于是斯佳丽又在行李箱里装满丧服，带着韦德·汉普顿和保姆普莉西，出门到亚特兰大去了。她脑子里装满了母亲和黑妈妈对她的教诲，口袋里装着父亲给她的一百块南部邦联的钞票。其实她并不特别想到亚特兰大去。她觉得佩蒂帕特姑妈是最愚蠢的老太太，再说一想到要和阿希礼的妻子住在一起，她就厌恶。然而在县里住会触景生情，无法忍受，换一下环境总好吧。

8

1862年5月的一天清晨，斯佳丽乘上了北去的火车。在车上她想，虽说她不太喜欢佩蒂帕特小姐和玫兰妮，但是亚特兰大总不见得像查尔斯顿和萨凡纳那样讨厌吧，上次她去亚特兰大还是开战前一年的冬天，她倒真想看看这阵子那里的情况怎么样了。

她对亚特兰大向来比对其他任何城市都更感兴趣，因为小时候父亲告诉过她，亚特兰大正巧与她同年。等她长大了几岁，才明白这话多少有点儿夸张，原来父亲生就这脾气。只要稍加夸张可以把事情说得活些，他总爱这样。不过亚特兰大才比她大九岁，跟她听说过的其他城市相比，还是年轻得出奇。查尔斯顿和萨凡纳自有那份上了年岁的尊严。这两个城市一个完全进入第二个世纪了，另一个也开始进入第三个世纪了。在她稚嫩的眼里，这两个城市似乎像年迈的奶奶一样在太阳下悠然摇扇。而亚特兰大跟她属同一时代，像毛毛躁躁的年轻人那样粗野，像她本人一样轻率、任性。

杰拉尔德告诉她他那样说的依据是她和亚特兰大都是在同一年命名的。在斯佳丽出生前的九年中，这城市先后叫过塔米努斯和马萨斯维尔，一直到斯佳丽出生那年才改名叫亚特兰大的。

当初杰拉尔德刚搬到佐治亚北部来时，亚特兰大还没出现呢，这个地方连个农村的影子都没有，还只是一片茫茫荒野。可是到了第二年，也就是1836年，州里批准修建一条通往西北的铁路。该铁路经过柴罗基部族新近割让的一块土地。这条计划修建的铁路终点在田纳西州和西部是确定无疑的，不过起点设在佐治亚哪儿还没定下来。直到一年后，有个工程师在红土里打下一根标桩，标定了铁路线的南端起点，这才开始有了起初名叫塔米努斯的亚特兰大。

当时佐治亚北部没有铁路，其他地方也很少。可是就在杰拉尔德跟埃伦结婚前的几年里，塔拉庄园以北二十五英里的这块小小的居住地渐渐变成了个村庄，铁路线才渐渐向北推进了。于是兴建铁路的时代正式开始了。先是从奥古斯塔旧城，修起第二条铁路，横贯全州，向西伸展，同通往田纳西州的新铁路衔接。又从萨凡纳旧城起开始修第三条铁路，起初修到佐治亚的心脏梅肯，后来又往北经过杰拉尔德居住的那个县，通到亚特兰大，跟另外两条铁路衔接，从而为萨凡纳港口开辟了一条通往西部的交通干线。从年轻的亚特兰大这个交通枢纽，又修起了第四条铁路直通西南的蒙哥马利和莫比尔。

亚特兰大靠一条铁路起家，随着一条条铁路的兴建，它也发展了。四条铁路线建成通车以后，亚特兰大就此四通八达，与西部、南部、太平洋海岸相连接，经奥古斯塔，又与北部和东部连接。亚特兰大从此成了东西南北的要冲，小村子一下子充满了生机。

到斯佳丽十七岁时，在短短二十几年里，亚特兰大已经从地里插着的一根标桩发展成一座拥有一万多人口的繁荣小城，竟然成了全州瞩目的中心了。那些古老而幽静的城市往往怀着老母鸡竟然孵出小鸭子的那种感觉来看待闹哄哄的新兴城市。这地方为什么跟佐治亚其他城市大不相同？为什么发展得如此之快？他们想，说到底，毫不足取——无非是靠几条铁路和一帮闯劲十足的人罢了。

这座先后叫作塔米努斯、马萨斯维尔和亚特兰大的城市中的居民都是些闯劲十足的人。在佐治亚州比较古老的地区，以及其他较僻远的几个州里，那些精力充沛、不甘雌伏的人，都被吸引到这个以铁路枢纽为中心、向四周发展的城市来了。他们怀着满腔热情而来。他们在火车站附近五条相互交错的泥泞红土路周围开设店铺。在白厅街和华盛顿街上、在高岗上过去无数代印第安人穿鹿皮靴的脚走惯的一条叫桃树道的路上，他们建起精美的住宅。他们为这地

斯佳丽乖乖地由他抱到车上，还乖乖地忍受着彼得大叔批评她和普莉西的那副专横态度。

方而自豪，为这地方的发展而自豪，为亲手让这地方发展了起来而自豪。就让那些古老的城市随便把亚特兰大叫作什么吧。亚特兰大可不在乎。

斯佳丽一向喜欢亚特兰大，她喜欢的理由正好是萨凡纳、奥古斯塔和梅肯这些地方的人不喜欢亚特兰大的原因。这个城市正如她本人一样是个混合体，是佐治亚新与旧的混合体，在这种混合体中，一旦一意孤行、生气勃勃的新事物和旧事物发生冲突，旧的事物往往屈居下风。此外，她对一座城市与她同年诞生，至少是同年命名，多少感到有点沾亲带故，格外兴奋。

头天晚上还是大雨倾盆，谁知斯佳丽到达亚特兰大那天竟然是烈日炎炎。阳光正毅然猛烈地晒在那些蜿蜒曲折、成了红泥浆河的街道上。车站四周的空地上，车水马龙，川流不息，把软绵绵的路面碾啊压的，搅成一个猪圈似的大泥潭。到处都有车辆深深陷在车辙的泥泞里。络绎不绝的军车和救护车赶到列车边装卸给养、迎送伤员。这些车千辛万苦地挤进挤出，把泥浆搅得更浑，环境搞得更乱。驾车的骂地咒天，骡子前身陷进泥潭，泥浆溅得有几码远。

斯佳丽站在火车踏板的下一层，娇弱纤丽的身子穿着黑色的丧服，黑面纱几乎坠到脚后跟。她犹豫不决，不愿弄脏鞋子和裙子，就在喧闹的大马车、小马车和四轮马车堆里寻找佩蒂帕特小姐，看来看去都没看到那个脸蛋胖嘟嘟、红扑扑的女人的身影。斯佳丽正找得着急，只见一个精瘦的老黑人，留着一把花白的胡须，一副威严的神情，手里拿着帽子，踩着泥浆向她走来。

“这位是斯佳丽小姐吧？我是彼得，佩蒂小姐的车夫。别在烂泥里踩，”斯佳丽撩起裙子，正准备下车，他就严厉地吩咐道，“你跟佩蒂小姐一样不听话，她也像孩子一样爱踩湿脚。让我来抱你吧。”

尽管他看上去年迈体弱，但还是不费什么劲就把斯佳丽抱起来了。这时他看见普莉西怀里抱着小娃娃站在月台上，就停下来问道：“那丫头是你的保姆吗？斯佳丽小姐，她年纪太小，带不了查尔斯少爷的独苗！不过这事我们回头再说。你这丫头，跟着我，可别让娃娃掉地下了。”

斯佳丽乖乖地由他抱到马车上，还乖乖地忍受着彼得大叔批评她和普莉西的那副专横态度。他们经过泥浆地时，普莉西噘着嘴，踏着泥浆，跟在后面。斯佳丽不由得想起查尔斯说的有关彼得大叔的话。

“他跟随父亲参加过墨西哥战争中的大大小小的战役。父亲受伤时是他护理的——实际上是他救了父亲的命。我和玫兰妮基本上就是彼得大叔一手拉扯大的，因为父母去世时我们还很小。当时，佩蒂姑妈和她的哥哥亨利伯伯吵架，因此就过来跟我们住，并照顾我们。她这人最没用——像个可爱的老小孩，彼得大叔也把她当小孩待。她遇事总是犹豫不决，彼得大叔只好都代劳了。是他在我十五岁的时候决定增加我的零用钱，当亨利伯伯要我在大学里取得学位时，是他坚持让我上哈佛大学念高年级。连兰妮长大成人，可以束发参加舞会的事也是他决定的。碰到天气变冷，或是下雨天不能出门，该围围巾，也是他说了算……我见过的黑人中，数他最聪明、忠心。唯一的麻烦就是我们仨从头到脚都归他管着，这点他也明白。”

彼得一登上驾车的位置，拿起马鞭，她才知道查尔斯这番话果然不错。

“佩蒂小姐由于不大舒服，才没来接你。她怕你见怪，我就跟她说她和兰妮小姐来了会溅上泥浆，弄脏新衣服，我会跟你讲情的。斯佳丽小姐，你最好带着娃娃，那个小黑丫头会把娃娃弄掉下去的。”

斯佳丽朝普莉西看了一眼，叹了口气。普莉西并不是个很称职的保姆。这个前不久还穿着短裙、盘着小辫、瘦得皮包骨的黑丫头，新近高升了。竟穿上印花布长裙，戴上了浆硬的白头巾，真把她美死了。要不是战局危急，军需部门要向塔拉庄园征收粮秣，埃伦没法让黑妈妈、迪尔西，甚至罗莎和蒂娜脱身，她决不会这么快就平步青云的。普莉西以前从未走出过十二棵橡树庄园或塔拉庄园一英里以外，这次既坐上了火车，又升做了保姆，她那小黑脑袋瓜几乎有些受不了了。从琼斯博罗到亚特兰大这二十英里的旅程让她兴奋得不得了，一路上斯佳丽只好自己抱着娃娃。这回，眼见这么多房子和人，普莉西更不像话了。她坐在车里，身子转来转去，指手画脚，又蹦又跳，娃娃被弄得号啕大哭。

斯佳丽真怀念黑妈妈那胖墩墩的怀抱。只要黑妈妈抱起孩子，孩子顿时就不哭了。可惜黑妈妈现在在塔拉庄园，斯佳丽也毫无办法。她就是把小韦德从普莉西手里抱过来也没用。她抱着，他还是跟普莉西抱着时一样啼哭。再说，他总想扯她帽子的缎带，这样一来就更会弄皱衣服。所以她装作没听见彼得大叔的话。

"娃娃的事也许我早晚会找到点窍门，"马车在车站近处的那片泥泞的路上颠簸摇晃，艰难地驶出来。她则烦躁不安地想，"可是要我哄他们玩，我决不干。"韦德的脸都哭得发紫了，这时她才没好气地喝道："普莉西，把你兜里的糖奶头给他。只要哄着他别哭怎么着都行。我知道他饿了，可眼下我也没办法。"

于是普莉西拿出当天黑妈妈交给她的糖奶头，娃娃马上就不哭了。车里一下子安静了下来。斯佳丽又看到了新景象，这时精神才又提起来了点。彼得大叔终于将马车赶出了泥坑，驶上了桃树街。好几个月来她头一次有了一种兴趣盎然的感觉。这城市发展得多快啊！上次她到这儿来离现在还不满一年，她熟悉的那个小亚特兰大似乎不可能有这么大的变化。

在过去的一年里，她一直沉浸在自己的悲痛中。一提起战争就头痛，竟不知道战争一开始，亚特兰大就变样了。和平时期这几条铁路曾使这座城市成为商业中心，如今战争期间，这几条铁路又使它成为战略要地了。这城市离前线较远，因而这里的铁路为南部邦联的两支军队提供了联络网，把弗吉尼亚的军队与田纳西和西部的军队联在了一起。亚特兰大还把这两支军队与供应给养的南方腹地衔接了起来。如今，为了适应战争需要，亚特兰大又成了生产中心、救护基地，并成了为战场上的军队征集粮食给养的南方主要兵站之一。

斯佳丽在寻找她记忆犹新的小镇。可是连影子都找不见了。现在出现在她眼前的城市就像一个娃娃一夜之间就长成了个臂长腿壮、异常繁忙的巨人。

亚特兰大的人流川流不息，像个蜂窠。它扬扬得意，自知对南部邦联的重要，正夜以继日，忙于把一个农业区转变为工业区。战前马里兰以南只有寥寥几家棉纺厂、毛纺厂、兵工厂和机械厂——所有的南方人还以此为荣呢。南方出的是政治家、军人、庄园主、医生、律师和诗人，可就是不出工程师和机械师。让北方佬去干这些低贱的行当吧。可是现在南部邦联的港口遭到北方佬炮艇的封锁，只有一些零星货物从欧洲冲破封锁线偷偷运过来，因此南方就拼命加紧生产军用物资。北方可以向全世界请求物资与人力支援，数以万计的爱尔兰人和德国人在北方重金招募的利诱下，纷纷加入了联邦军。南方却只能靠自己。

在亚特兰大，机械厂拖沓地制造出生产军用物资的机器——说拖沓，是因为南方没什么机器可以仿造，几乎每副齿轮、每个轮牙都得根据从英国偷渡封锁线运进来的图纸制造。如今亚特兰大满街都是陌生面孔。一年前市民只要听到西部口音就会竖起耳朵，如今听到偷越封锁线来制造机器、生产南部邦联军需品的欧洲人说外国话，也见怪不怪了。这些人都是技术人员，没有他们，南部邦联很难制造出手枪、步枪、大炮和火药。

工厂加班加点，源源不断地把军用物资沿着铁路干线输送到两条战线上去，你几乎摸得到城市心脏的脉搏。随时都能听到列车轰隆隆地进进出出。新建工厂的煤灰纷纷洒落在雪白的屋顶上。夜间，市民们早已入睡，高炉仍炉火通红，铁锤声当当。一年前的空地现在都成了工厂，源源不断地生产出挽具、马鞍和靴子，制造出步枪和大炮。轧钢厂和铸铁厂生产出铁轨、货车来替换被北方佬炸毁的铁路。还有生产靴刺、马嚼子、带扣、帐篷、纽扣、手枪和刀剑的各种工业部门。铸铁厂已经开始感到生铁原料短缺，因为通过封锁线偷运来的原料很少，可以说没有原料，因为矿工都上了前线，亚拉巴马州的铁矿几乎停工了。亚特兰大的草坪上再也见不到铁栅栏、铁凉亭和大铁门了，连铁塑像也不见了，因为这些物品早就被送到轧钢厂的熔炉里回炉了。

桃树街及其附近的街，全是些五花八门的军事部门，有军需部、通信部、军邮部、铁道运输部、宪兵司令部。每个部门都被穿军装的人挤得满满的。郊外是马匹补给站，那里的大畜栏里全是成群的骡马在打转。小巷一带都是医院。听彼得大叔说的这些情况，斯佳丽就感到亚特兰大一定变成了伤兵城，因为这里有无数综合医院、传染病医院和疗养院。列车每天开到五角场以南就吐出很多的伤病员。

小镇早已不见了，迅速发展的城市里人们干劲冲天，熙熙攘攘，一派生机勃勃的气象。刚离开悠闲、宁静田园的斯佳丽，见到处都是匆匆忙忙，简直有一种透不过气来的感觉，可是她喜欢这儿。这地方有种鼓舞人心的气氛，让她也精神抖擞。她仿佛能感到加速跳动的城市心脏的脉搏和她的脉搏一起跳动。

他们的马车吃力地在城里主要街道的泥坑中慢慢走着，她坐在车上兴致勃勃地观看着新建筑和新面貌。人行道上挤满了穿军装的人，他们佩戴着标志各种军阶和各个服役部门的肩章。狭窄的街道上挤满了车辆——四轮马车、轻便马车、救护车、带篷的军用大车等。骡子在车辙间艰难地前进着，粗俗的马车夫恶声诅咒着；身穿灰色军装的信使在街上横冲直撞、泥浆四溅地在各总部之间传递命令和电讯；康复的伤员拄着拐棍一瘸一拐地走着，通常身边都有一个忧心忡忡的女人搀扶着；操练场上传来了号声、鼓声和口令声，那是招募来的人员在接受训练；有一队垂头丧气、身穿蓝军装的人，正被一班上了刺刀的南部邦联士兵押往车站，准备用火车运到俘虏营去。彼得大叔用马鞭向这队人指了指，斯佳丽头一次见到北方佬的军装，吓得心都跳到嗓子眼里了。

“哦，”斯佳丽想，自从举行烧烤野宴那天以来，她还是头一回真的感到喜悦，“我会喜欢这里的！这里真有生机，真带劲！”

其实城里的生机她还没了解到呢。新开了几十家酒吧。街头挤满了随着军队而来的妓女，妓院里热闹非凡，令教徒们大惊失色。每家旅馆、公寓和私人住宅里都住满了客人，他们都是来看亚特兰大这儿家大医院里的伤员亲属的。每星期都有宴会、舞会和义卖会。还有数不清的战时婚礼，正在休假的新郎穿着漂亮的灰军装，缀着金色穗带，新娘穿着从封锁线偷运进来的华丽时装，礼堂的过道上刀剑交叉，宾主用从封锁线偷运进来的香槟酒表示祝贺，还有一把鼻涕一把泪的告别。每天晚上，沿途树木成行的阴暗街道里都会传来一片舞步声，从各家的客厅里也传来叮叮当当的钢琴声，伴随着女高音和做客士兵的嗓音，唱着《军号吹起停战曲》和《来信虽到惜已迟》等一些动听的伤感歌曲——一向不识真正愁滋味的人听了这些哀怨的民歌都会洒下同情的泪水。

他们的马车顺着大街，穿过坑坑洼洼的街道，一路前行。斯佳丽滔滔不绝地提了好多问题，彼得都一一回答了，还用马鞭指指点点，以炫耀他的学问。

“那是兵工厂。是啊，小姐，厂里专做枪啊炮啊什么的。不，小姐，那不是店铺，那是封锁线办公室。天哪，斯佳丽小姐，难道你不知道封锁线办公室是干什么的吗？那是外国佬的办公室，他们来买我们南部邦联的棉花，从查尔斯顿和威尔明顿装上船出口，回来时再把火药装上船，运给我们。不，小姐，我不清楚是哪国人。佩蒂小姐说是英国人，但谁也听不懂他们说的是什么语。是的，小姐，这浓烟和煤灰把佩蒂小姐的绸车帘都弄脏了。都是从铸铁厂和轧钢厂吹来的。厂里到了晚上噪音可大呢！吵得谁都睡不着。不，小姐，我不能停下来让你各处看看。我向佩蒂小姐保证过要把你一直送回家……斯佳丽小姐，你回个礼啊，梅里韦瑟小姐和艾尔辛小姐都在向你点头打招呼呢。”

斯佳丽隐隐约约地记得有两位从亚特兰大到塔拉庄园去参加她婚礼的太太是这两个姓。她还记得她们是佩蒂帕特小姐的好朋友。所以她赶快朝着彼得指点的方向点了点头。那两位正坐在绸缎店外的一辆马车里。掌柜的和两名伙计站在人行道上，手里正抱着几匹棉布给她们看。梅里韦瑟太太是个高大肥胖的女人，胸衣裹得紧紧的，胸部像拳头一样鼓了出来。她那头铁灰色的头发靠一绺拳曲的假刘海装点着。假刘海是棕色的，挺神气，但同铁灰色的头发极不相称。她圆滚滚的脸蛋，浓妆艳抹，看似和善，却很精明，惯于颐指气使。艾尔辛太太看起来年纪稍轻，人也瘦弱些。看得出当年也是个美人儿，至今风韵犹存，还有一副孤芳自赏的神气。

这两位太太同另一位惠丁太太是亚特兰大的主要角色。她们分别掌管着三个教会，包括牧师、唱诗班和教区居民。她们筹办义卖会，主持妇女义务缝纫会，在舞会和野餐会上是少女的监护者。她们知道谁家婚姻美满，谁家婚姻不幸，谁偷着喝酒，谁要生孩子了，什么时候生。佐治亚、南卡罗来纳和弗吉尼亚这三州重要人物的家谱，她们都了如指掌。别州的人她们就不去操这份心了，因为她们觉得除了这三州，别的州出不了重要人物。她们知道什么是端庄得体的举止，什么不是。她们有意见决不会闷在肚子里——梅里韦瑟太太总是大声疾呼，艾尔辛太太总是斯斯文文，不慌不忙，越说越轻，惠丁太太则神情痛苦地悄声细语，表示她实在不愿意说起这类事。这三位太太彼此心存芥蒂，互相猜忌，完全像古罗马前三执政庞贝、恺撒和克拉苏一样，但她们三位大概出于同样的原因又紧密结成一伙。

“我跟佩蒂说过，我的医院必须请你去帮忙，”梅里韦瑟太太满面笑容地喊道，“你可别答应米德太太或惠丁太太啊！”

“我不会的，”斯佳丽说，她并不知道梅里韦瑟太太在说什么，不过既然受到欢迎，有人需要，心里还是热乎乎的，“希望能很快再见到你。”

马车在泥泞中又跋涉了一阵子，正走着，遇到两位太太抱着两筐绷带，正小心翼翼地踏着垫脚石，穿过危险的泥泞街道。于是马车就暂时停下来让路。就在这时，斯佳丽注意到人行道上有个身影，穿着色彩鲜艳的衣服——在街上穿简直太鲜艳了——外面披着一条拖到脚后跟的有流苏的苏格兰佩斯利披巾。她回头望去，只见一个身材颀长的漂亮女人，一脸旁若无人的样子，一头浓密的红发，太红了，就像是假的。这是她头一次见到准是在“头发上下过功夫”的女人，她留神地看着，不由得着了迷。

“彼得大叔，她是谁？”她悄声问。

“不知道。”

“我敢说，你一定知道的。她是谁？”

“她叫贝尔·沃特林。”彼得大叔说着噘起了下唇。

斯佳丽一下子就听出他只说了姓名，没加上“小姐”或“太太”这类称呼。

“她是什么人？”

“斯佳丽小姐，”彼得略带威胁地一边说，一边用鞭子抽了一下受惊的马，“佩蒂小姐可不喜欢你问这些与你不相干的事。那是城里的贱货，不值一提。”

“天哪！”斯佳丽给训得一声不吭地暗想，“那准是个坏女人！”

她以前从没见过坏女人，她扭头目送那人的背影消失在人群中。

现在离店铺和战时新盖的楼房越来越远了，这中间还隔着一大片一大片的空地。最后商业区落在了后面，映入眼帘的是住宅区。斯佳丽如逢故友，一一辨认。莱登家的住宅气派雄伟庄严；邦尼尔家的住宅有小小的白柱子和绿绿的百叶窗；麦克卢尔家是幽深的佐治亚式红砖房，外面长着矮矮的黄杨树篱。马车越走越慢，因为门廊上、花园里、人行道上，到处都有太太小姐在和她打招呼。有些人她稍微有点认识，有些人她隐约有点印象，但多半她完全不认识。佩蒂帕特肯定把她来这里的消息到处跟人讲了。她只好一次次把小韦德高高举起，让那些敢于走到自家停车台上的泥浆地里的女人对着孩子欢呼。她们都大声嚷着叫她务必加入她们的妇女义务编织缝纫会和医院护理会，不要加入别家的，她都胡乱一一答应了。

马车经过一幢格式凌乱、装有绿色护墙板的房子。一个守在屋前台阶上的小黑丫头叫道：“她来了。”说着米德大夫和他太太，还有十三岁的小菲尔就出来跟她打招呼。斯佳丽记得他们也参加过她的婚礼。米德太太登上自家的停车台，伸长脖子想看看娃娃，可是大夫竟然不顾泥泞，踏着泥浆，走到了马车边。他身材瘦长，留着铁灰色的翘胡子，衣服挂在瘦削的身上，就像是被一阵暴风刮到身上的。全亚特兰大都把他看成是一切力量和智慧的源泉，难怪他总是博得大家的信任。不过尽管他说起话来深奥玄妙，态度也有点自负，但他的为人在城里也算得上是个好好先生。

大夫跟斯佳丽握了手，在韦德肚子上捅了一下，恭维了一番，就声称佩蒂帕特姑妈已经发誓保证让斯佳丽只加入米德太太的医院护理会和卷绷带会，其他的一概不加入。

“啊呀，可一路上我已经答应了不知多少位太太了！”斯佳丽说。

“我敢说，准是梅里韦瑟太太！”米德太太愤愤不平地嚷道，“那鬼婆娘！我相信每次列车一到她都会去接人的！”

“我一点也不知道这是怎么回事，所以才答应的，”斯佳丽老实承认说，“医院护理会到底是怎么回事呀？”

大夫和他太太对她的孤陋寡闻略微有点吃惊。

“不过，你一向在乡下，当然不知道，”米德太太替她打圆场说，“我们在各个医院都有进行时间不等护理的护理会。我们护理伤员，帮助大夫做绷带、做衣服。等到伤员康复出院了，我们就带他们到家里调养，养好了就可以回部队去。我们还照顾部分贫苦伤员的妻儿老小——是啊，他们真是贫苦不堪。米德大夫就在我那个教区的慈善医院里，人人都说他工作出色，而且——”

“得了，得了，米德太太，”大夫爱怜地说，“别在外人面前替我瞎吹了。都是你不肯让我参军，我可以做的工作实在太少了。”

“不肯让！”她愤愤不平地喊道，“我不肯？是全城百姓不肯让你去，这你也知道。唉，斯佳丽，一听说他准备到弗吉尼亚去当军医，所有的妇女都在请愿书上签名要求他留下。当然呀，全城百姓哪里少得了你啊。”

“得了，得了，米德太太，”大夫听了这番吹捧心里舒服极了，“我们有个儿子在前线，暂时也许够了吧。”

“明年我也要去！”小菲尔叫道，一边活蹦乱跳地说，“我要去当个小鼓手。我现在学会打鼓了。你想听听吗？我这就去拿鼓。”

“别，现在别去，”米德太太把他拉到身边，这时脸上突然露出紧张的神色，“明年可不行，宝贝。后年再说吧。”

“等到了那个时候，仗早就打完了！”他从她身边挣脱开，由着性子喊道，“你答应过我的！”

老两口的目光在孩子头上相遇，斯佳丽已看出了他们的神色。由于达西·米德在弗吉尼亚，所以父母对留在身边的这个小儿子更是抓住不放了。

彼得大叔清了清嗓子。

“我出来那会儿佩蒂小姐正感到不舒服，我要是不赶快回去，她就要昏倒了。”

“回头见吧，今天下午我就到你那儿去。”米德太太嚷着说，“你跟佩蒂说，如果不让你加入我那个会，她就会更不舒服了。”

马车顺着泥泞的道路滑行，斯佳丽身子倚着靠垫，莞尔一笑。

她现在感到好多了，有好几个月没这样的感觉了。亚特兰大人头攒动，来去匆匆，蕴藏着一种充满活力的刺激，非常有趣，令人振奋，比远在查尔斯顿郊外寂寞的庄园要漂亮得多，那里只有鳄鱼的吼叫声打破黑夜的沉寂；而且亚特兰大比查尔斯顿本身还漂亮，在那里你只能在高高围墙后面的花园里做梦；也比萨凡纳漂亮，在那里虽有栽着棕榈树的宽阔街道，可街道边却是泥浆河。是啊，尽管塔拉庄园很可爱，但这里一眼看去竟比塔拉庄园还漂亮。

这个城市坐落在连绵起伏的红色山峦间，街道泥泞狭窄，给人一种既兴奋又淳厚朴实的感觉。母亲埃伦和黑妈妈虽然教给她优雅的外表，但她骨子里也是同样淳厚朴实的，所以一拍即合。她一下子感到这里才合她的口味。那种安宁幽静的古城、黄泥河畔的沼地可不是她喜欢的。

马车离居民区越来越远了。斯佳丽探出头去，看见了佩蒂帕特小姐住宅的红砖墙和石板屋顶。这住宅几乎是本城北边最后一幢房子了。在房子那边，桃树街在大树的映衬下变得越来越窄，弯弯曲曲，渐渐消失在浓密幽静的树林里。整齐的木板条栅栏最近刚漆成白色，栅栏里面的前院星星点点地开着当年最后一批黄水仙。前门台阶上站着两个穿黑衣服的女人，她们后面站着一个高大的黄皮肤女人，她两手抄在围裙下，咧着大嘴笑着，露出一口雪白的牙齿。胖墩墩的佩蒂帕特小姐一双小脚正激动地颠动，一只手按着丰满的胸部，想把怦怦乱跳的心按住。看见玫兰妮站在她身边，斯佳丽心里顿时泛起一阵厌恶。她感到在亚特兰大最煞风景的就是看到这个身穿丧服的娇小女人，她那头蓬乱的黑鬈发梳得光溜溜的，俨然一副少妇的气派，那张瓜子脸洋溢出欢迎和高兴的可爱面容。

南方人打点行李不厌其烦，因为即使是出门到二十英里外的地方去做客，往往一住就是个把月，通常时间还要长得多。南方人做客跟做东一样热心，到亲戚家一起过圣诞节，然后一直住到来年七月也不稀奇。新婚夫妇通常外出蜜月旅行，遇上一家相处得好的人，往往要住到第二个孩子出世才回去。上了年纪的姑妈姑父星期天来吃饭，往往一吃就住下了，一直赖到多年后入土为安。这是因为在南方家里来几个客人是不成问题的，屋子宽敞，奴仆成群，在这片物产富饶的土地上，多添几张嘴吃饭真是小事一桩。男女老少都去作客，有度蜜月的新婚夫妇，有炫耀自己新生婴儿的年轻母亲，有康复的伤员，也有丧失了亲人的人们。还有些姑娘，有的是婚姻不顺遂，父母急于让她们出来避避风，有的是到了危险年龄还没有定亲，父母希望她们到别的地方走走亲戚，看能否物色到称心夫婿。南方生活一向优哉游哉，来了客人就增添了兴奋感，多出了些花样，因此他们总是受欢迎的。

所以斯佳丽这次到亚特兰大，自己也不知道要待多久。如果此行同上次在萨凡纳和查尔斯顿一样乏味的话，那她过一个月就回家。如果住得愉快，那她就一直住下去没个底。不过她人刚到，佩蒂姑妈和玫兰妮就开始游说让她永远跟她们住在一起。她们提出种种理由：她们要留下她是为了她好，因为她们爱她。她们寂寞，住在深宅大院里，夜里常常提心吊胆，而她又很勇敢，可以给她们壮壮胆。她很可爱，可以让她们在悲痛中得到些安慰。查尔斯既然死了，她和她儿子就该和他的亲属住在一起。再说，根据查尔斯的遗嘱，这房子有一半现在是属于她的。最后一点，南部邦联正需要人手做缝纫、搞编织、卷绷带和护理伤员。

查尔斯的伯伯亨利·汉密顿，就住在车站附近亚特兰大的旅馆里，过着光棍般的生活，他竟也认真地跟她谈起这事。亨利伯伯是个身材矮胖、大腹便便、性情暴躁的老先生。他脸色红润，满头蓬乱的银丝长发，最见不得女人家胆怯怕事、灰心丧气的样儿。正是由于这原因，他跟妹妹佩蒂帕特关系一直不好。打小时候起，兄妹俩的脾气就很难相容，后来看到她把查尔斯教养成那模样，竟“把一个军人子弟教得娘娘腔十足!”，他就与她越发疏远了。好几年前，他对她肆加羞辱，因此她现在对他绝口不提，要说也是非常小心，悄悄说上两句，而且还讳莫如深，陌生人听了还以为这个诚实的老律师至少是个杀人犯呢。事情的起因是这样的，他是她财产的监护人，有一天佩蒂想从自己名下支取五百美元，投资一个子虚乌有的金矿。他拒不支付，还大发雷霆，声称她毫无见识，而且被她缠上五分钟就叫他烦躁不安。从那天起，她只是在按月由彼得大叔驾车送她到他的事务所领取家用钱时，才正式见他一面。匆匆见面之后，佩蒂总是掉着眼泪，吸着嗅盐，在床上躺上大半天。玫兰妮和查尔斯同这位伯伯的关系一向很好，经常提出要帮佩蒂摆脱这种折磨，可是她总是孩子气，抿着嘴，不答应。亨利是她的磨难，她只能忍受。查尔斯和玫兰妮只能以为她从这种难得的刺激中感到无穷乐趣，这是她寄人篱下的生活中唯一的刺激了。

亨利伯伯一看见斯佳丽就喜欢上她了。他说，这是因为他看得出来尽管她装出一副糊涂相，但她还是有点儿头脑的。他不仅是佩蒂和玫兰妮的财产保管人，而且还是查尔斯留给斯佳丽那部分遗产的保管人。斯佳丽现在已成了富家少奶奶，自然喜出望外。因为查尔斯不仅将佩蒂姑妈的半幢住宅留给了她，还给她留下了农田和城里的地产。再说车站附近沿铁路线一带的商店和仓库也是她继承的遗产的一部分，开战以来，其价值已翻了三倍。亨利伯伯向她报地产的账目时，顺便提出要她在亚特兰大长住的事。

"韦德·汉普顿长大后，他就是一个阔少爷了，"他说，"看亚特兰大的发展趋势，再过二十年这里的地产会翻十倍。应当让这孩子在他的产业所在地长大才对，这样他才能学会照管他的产业——对了，还有佩蒂和玫兰妮的，将来也得由他照管。不久他就是汉密顿家唯一的男人了，因为我可不会长命百岁。"

至于彼得大叔，他也认为斯佳丽理所当然应该住下来。查尔斯的独生子不在他能照料得到的地方长大，对他来说是无法想象的。听了这种种理由斯佳丽只是笑而不答。因为现在还不知道自己在亚特兰大是不是住得惯，能否跟婆家的人处得来，她可不愿意随便许愿。她也知道总还得说服自己的父母，征得他们的同意。再说，如今她离开了塔拉庄园，非常想念他们，想念那红土地，想念吐着绿芽的棉苗，想念薄暮时分那种美妙的沉寂。她这才头一次隐隐体会到父亲说过她生来就热爱土地这番话的意思。

就这样，人家问起做客期限，她会得体地暂时回避不作明确答复。她在桃树街僻静街头那幢红砖墙屋子里不声不响地过起日子来。

跟查尔斯的骨肉至亲一起生活，又亲眼看到他出生的家，斯佳丽对这个瞬间就把她接连变成妻子、寡妇和母亲的小伙子总算比较了解了。也不难理解他当初为何如此腼腆，如此单纯，如此充满理想。如果说查尔斯曾多少继承了父亲那严厉、无畏、暴躁的军人气质，那么由于小时候生长在那种脂粉气中，也早给冲刷掉了。他对孩子气的佩蒂是一片真心，和玫兰妮也一向亲密无间，而这两个女人偏偏又特别温柔娇弱、不懂世故，简直天下难找。

佩蒂姑妈六十年前曾取名莎拉·琪恩·汉密顿，然而没过多久，那位溺爱女儿的父亲看见她那双小脚一刻也不安宁，走起路来步子轻快，噼里啪嗒，就给她取了这个象声的奶名，从此就叫开了，大家不再叫她别的名字。改名已过了多年了，她也经历了不少变化，这个爱称实在也太不相称了。当年那个跳跳蹦蹦、走路飞快的小丫头，如今只有两只小脚还没变，但跟体重已经不相配了，而且变得唠里唠叨，胡编瞎说。她身材矮胖，脸色红润，一头银发，由于花边胸衣绷得过紧，老有点上气不接下气。一双小脚硬是穿上过紧的鞋子，连一个街区也走不了。一碰到什么激动的事，她的心就七上八下。她也不害臊，随意发作，稍有气恼的事就晕过去。人人都知道她的昏厥一般只是娇贵女人的装腔作势而已，不过大家都很喜欢她，没人说她什么。大家都喜欢她，把她当孩子似的惯坏了，都不愿跟她较真——只有她哥哥亨利除外。

她最喜欢的事莫过于闲聊了，甚至超过了吃吃喝喝。她聊起别人的事来，一聊就是好几个钟头，完全是出于好心，丝毫不怀恶意。她记不住人名、地名或日期，常常把亚特兰大一出戏里的演员和另一出戏里的演员搞混，但没人上当，因为谁也没糊涂到把她说的话当真。谁也没跟她讲过那种耸人听闻或惊世骇俗的事，即使年已花甲，她的老处女身份也必须受到保护，她的朋友们出于好心私底下都串通好了，始终把她当成个受人保护、受人疼爱的老小孩。

玫兰妮有很多地方都像她姑妈。她也是这么害羞，这么突然一下子脸红，这么端庄。不过她确实有见识——“我得承认，勉强说得上有点见识。”斯佳丽心里老大不情愿地想道。玫兰妮和佩蒂姑妈一样，生就一张毫无戒心的孩子脸，除了纯朴、仁慈、真实和爱以外，什么都不懂，也从来没见过粗暴和罪恶，即使见到过也认不出。因为她一向快乐，因此她愿意让周围的人都快乐，至少，也要让大家感到满意。因此，她看到的始终是人家的长处，并好心地谈论人家的长处。仆人再笨，她也找得出其忠心和厚道的可取之处；姑娘再丑，再不讨人喜欢，她也看得出其神态优雅、性格高尚的长处；男人再卑鄙，再讨厌，她也不看其现状，而是从其变好的可能性来看。

正因为她的这些美德都是胸怀宽广的真心自然流露，所以人人都围着她转，大家做梦也想不到自己身上有什么优点，倒被她发现了，那谁还抵挡得了她这种魅力啊？城里人谁也没她的女朋友多，也没她的男朋友多，然而向她献殷勤的人很少，因为她缺乏笼络男人心的自私和任性。

说起来，玫兰妮的所作所为只不过是遵循了所有南方姑娘的闺训罢了——即要使自己身边的人感到舒服和满意。南方社会中人与人的关系之所以这么融洽，正是这种和气贤惠的女性的功劳。女人知道，一个地方只要男人感到称心如意、毫无抵触、不伤面子、保住虚荣，那么这个地方大概也是适合女人生活的大好地方。所以，女人从出生到去世都竭力讨好男人，男人心满意足了，对女人也就殷勤备至，爱护有加。其实，天底下的任何东西男人都舍得给女人，就是容不得女人有见识。斯佳丽跟玫兰妮展示的是同样的魅力，不过她手腕更高超，技巧更娴熟。两个人的不同在于玫兰妮说客气话和奉承话纯粹是为了让人高兴，即使高兴一时也好，而斯佳丽则是为了进一步达到自己的目的。

查尔斯并没有从这两个他最心爱的人身上受到过一点影响而坚强起来，他一点也不懂得什么是粗暴、什么是现实，因为他从小就是在这个几乎是安乐窝的家中长大的。同塔拉庄园相比，这里真是一个幽静、文雅的古老家庭。在斯佳丽看来，这屋子里少的就是白兰地、烟草和望加锡发油等这类代表男性的气味；少的就是粗哑的嗓音、不时的咒骂声，枪支、络腮胡子、马鞍、缰辔以及碍手碍脚的猎狗。她真想念那种吵架的声音。只要母亲一转身，塔拉庄园总能听得到有人吵架，黑妈妈同波克拌嘴，罗莎同蒂娜斗嘴，她自己跟苏埃伦吵翻了天，以及父亲的叫骂恫吓。查尔斯出生在这么个家庭，变成娘娘腔的男人也就不足为怪了。在这儿，从来没有让人激动的事，从来没人提高嗓门，人人都温顺地听从他人的意见，到头来，厨房里那个花白胡子的黑霸王就一意孤行了。斯佳丽原指望避开黑妈妈的监督，可以少受些约束，结果竟伤心地发现彼得大叔的那套闺训比黑妈妈的还要严格，对查尔斯少爷的遗孀更是如此。

在这样的家庭里，斯佳丽终于复原了，几乎是在不知不觉中，精神就正常了。她才十七岁，身体健康，精力又充沛，查尔斯家里的人都尽量取悦她。如果他们有点力不从心，那也不是他们的过错，因为每当有人提起阿希礼的名字，她心头就怦怦乱跳，痛苦一阵子，这个痛苦是谁也没法替她消除的。而玫兰妮偏偏经常提起这个名字！不过玫兰妮和佩蒂总以为她是在受着新寡痛苦的折磨，于是就一直不知疲倦地想方设法安慰她。为了替她解闷，她们把自己的烦恼都抛在了一边。对她想吃什么，什么时候午睡，什么时候乘马车出游，她们无不一一亲自过问。对她的勇敢精神，她的身材，她纤巧的手脚、雪白的皮肤，不但大加赞赏，而且经常赞不绝口。一面说着一面还抚摸她，拥抱她，亲吻她，以示亲热。

斯佳丽对这种爱抚已司空见惯，但听到这些恭维，心里倒挺舒服的。在塔拉庄园可没谁对她说过那么多动听的话。事实上，黑妈妈还时常对她的骄气大泼冷水呢。小韦德不再是个累赘了，因为一家子不管白人还是黑人，还有四邻八舍，都把他当宝贝。为了抱他，大家还一直争抢不休。玫兰妮特别疼他。哪怕他尖声叫喊，大发脾气，她仍觉得他非常可爱。她不仅嘴里这么说着，而且还加上那么一句，“唉，心肝宝贝儿啊！你要是我生的就好了！”

有时候斯佳丽觉得实在难以掩饰自己，因为她仍然觉得佩蒂姑妈是最蠢的老小姐，看见她那副神不守舍的丧气样儿就气得不行。她不喜欢玫兰妮，这种醋意的憎恶感一天比一天深。有时玫兰妮谈起阿希礼，或是大声念着他的来信时，不免得意扬扬，眉飞色舞，她就只好突然走出屋子。不过，虽然有这种情况，总的说来，日子也过得够快乐的了。亚特兰大与萨凡纳、查尔斯顿或塔拉庄园相比可有趣得多，这里有这么多新奇的战时工作，她几乎没什么时间去想心事或生闷气。不过，有时，当她吹灭了蜡烛，脑袋枕在枕头上，就不免暗自叹气，心想：“阿希礼要是没结婚该多好啊！要是我用不着在那个要命的医院做看护该多好啊！唉，要是能有几个人向我献殷勤该多好啊！”

她很快就厌倦了护理工作，可她又没法推掉这担子，因为米德太太和梅里韦瑟太太两个人的护理会她都有份。也就是说一星期倒有四天上午要泡在闷热难熬、臭气熏天的医院里，她把头发束起来用块毛巾裹住，用一条热烘烘的围裙从脖子围到脚跟。亚特兰大每个妇女，老老少少都在做看护，而且都是满腔热情地在干，在斯佳丽看来这简直是狂热。她们认为她应该受到她们自己那股爱国热情的感染，要是她们知道她对战争的兴趣多么淡薄，准会大吃一惊的。除了心里老是担心阿希礼可能会送命外，战争和她根本毫不相干，她做看护只是因为不知怎么才能摆脱。

护理工作真的一点都不浪漫。对她来说，无非是跟呻吟、胡话、死亡和臭气打交道。医院里住满了脏乎乎的伤员，他们胡子拉碴，浑身虱子，臭味扑鼻，身上的伤口极其可怕，文明人见了都要恶心。医院里还有一股坏疽的恶臭，还没进门这股恶臭就扑鼻而来，万分难闻的臭味沾在手上和头发上，在她的睡梦里作祟。密密麻麻的苍蝇、蚊子在病房里嗡嗡叫着，盘旋地飞着，把伤员折磨得骂的骂，哭的哭。斯佳丽一边搔着被蚊子叮咬过的痒处，一面替伤员扇着芭蕉扇，扇得两肩酸痛，恨不得这些伤员都死掉才好。

可是，玫兰妮对这些臭气、伤口或赤身露体似乎并不在乎。斯佳丽觉得很纳闷，一个胆子最小、最羞怯的女人竟然对此毫不在乎。有时米德大夫为伤员除去腐肉时，玫兰妮端着盆子和器械，脸色总是煞白。有一次，做过这种手术后，斯佳丽看见她到放床单的小房间里用毛巾偷偷呕吐。但只要在伤员看得见她的地方，她总是态度温和，满怀同情，一脸的高兴相，医院里的伤员都叫她慈悲天使。斯佳丽本来也愿意有这么个称号，可这样一来她势必要接触满身是虱子的伤员，把手指伸进失去知觉的病人喉咙里，看看他们是不是咽下了烟草块而被哽住了，还要包扎断肢，从化脓的腐肉中挖出蛆来。不，她才不喜欢护理工作呢！

如果允许她对康复伤员施展她个人的魅力，那倒还受得了，因为有不少伤员还是挺招人喜欢的，而且出身名门，不过她是寡妇，偏偏不能这么做。城里的小姐是不允许做护理工作的，因为害怕这些处女看见不该看见的东西，于是她们就专门照管康复伤员。斯佳丽忧伤地看着这些既没嫁人，又非寡妇的小姐们无拘无束地对康复伤员大举进攻，甚至连其貌不扬的姑娘都不费吹灰之力就能定了亲。

除了与病危或重伤的男人接触之外，斯佳丽的天地完全是一个女性化的天地，这点使她很苦恼，因为对同性她是既不喜欢又不信任，更糟糕的是，她始终厌恶她们。不过，每个星期倒有三个下午她得去参加玫兰妮的那些朋友的缝纫会和卷绷带会。在这些场合，凡是认识查尔斯的姑娘对她都很客气，很关心，尤其是城里两位富孀的千金芳妮·艾尔辛和梅贝尔·梅里韦瑟。不过她们待她很恭敬，仿佛她已人老珠黄了，她们经常在一起聊舞会啊，情人啊，她听了又妒又恨，妒的是人家过得很快乐，恨的是自己身为寡妇不能参加这些活动！其实，她比芳妮和梅贝尔何止漂亮三倍啊！唉，人生就是这么不公平！大家都当她的心已经死了，其实根本就没死，这多么不公平啊！她的心都在弗吉尼亚的阿希礼身上呢！

然而尽管有这么多不称心的事，她在亚特兰大还是觉得非常满意。在不知不觉中过了一个星期又一个星期，她在这里做客的时间也就越拖越长了。

9

仲夏的一个早晨，斯佳丽坐在卧室窗前，忧伤地望着满载姑娘、士兵和随从的大车和马车兴高采烈地从桃树街驶过，他们是为当晚筹款资助医院的义卖会到林子里寻找装饰品去了。那条红土路上光影交错，阳光洒在树林上，不少马蹄扬起了一小片一小片的红色尘烟。一辆大车载着四个壮实的黑人在前开路，他们拿着斧子去砍冬青树枝、耙藤蔓，大车后面高高地堆着盖有餐巾的有盖提篮和橡木筐，里面装着便餐，还堆着十几个西瓜。有两个黑人汉子随身带着班卓琴和口琴，正演奏着《如果你要逍遥，快加入骑兵队》的改编曲，曲调活泼轻快。这两个人后面浩浩荡荡地走着大队欢天喜地的人马，姑娘们穿着凉爽的印花布衣服，披着薄披肩，戴着保护皮肤的帽子和手套，打着小阳伞遮住脸。沿路一片欢笑。马车和马车之间大家互相叫唤着打趣。连老太太也心平气和、眉开眼笑地夹在当中。医院里的康复伤员夹在矮胖的陪伴人员和苗条的姑娘中间。大家手忙脚乱，对他们进行无微不至的照顾。骑在马上的军官慢条斯理，慢慢腾腾，在马车边随行——车轮吱吱嘎嘎，靴刺叮叮当当，金穗带一闪一闪的，小阳伞不时跳动，扇子簌簌摇动，黑人纵情歌唱。人人都乘坐马车从桃树街驶过，去采绿叶，去野餐，去分吃西瓜。除了我，人人都去了，斯佳丽愁眉苦脸地想。

这一行人路过时都挥手向她打招呼，她也竭力欣然地回礼，可是真难哪。她心里突然感到有一种难以忍受的痛苦慢慢升到喉头哽住了，一下子都化成了眼泪。除了我，人人都去野餐了。除了我，今晚人人都去参加义卖会和舞会了。这里的人人指的是除了她和佩蒂帕特、兰妮，还有城里其他居丧的不幸女人之外的所有人。可是兰妮和佩蒂帕特似乎并不在意。她们连想都没想过要去。但斯佳丽想过。她真的想要去，很想很想。

这真是不公平。为了准备义卖会的货物，她比城里哪位姑娘都卖力。她编织过袜子、娃娃帽、羊毛披肩、围巾，还钩编过好多花边，还在许多瓷器的毛发盘和胡须杯上画过画。她还绣过六个沙发枕套，上面刺有南部邦联旗帜。虽然旗上的星星绣得有点不匀称，有几颗几乎绣成圆的了，其他几颗也有六七个尖儿，可是看上去还是不错的。昨天她还在民兵训练中心一间满是灰尘的旧车棚里，给沿墙摆放的货摊悬挂黄、绿、粉红三色粗纱彩旗，忙得筋疲力尽。工作受着妇女医院护理会的监督，真是件苦差使，而且毫无乐趣可言。成天跟着梅里韦瑟太太、艾尔辛太太和惠丁太太转，被她们当成黑奴似的使唤，真没趣。再说还得听她们吹嘘她们的女儿人缘多么好。最最糟糕的是，她帮佩蒂帕特和厨娘做抽签出售的多层奶油蛋糕时手指还被烫起两个水泡。

谁知像个黑奴似的辛苦了一场之后，刚刚开始有乐趣，就不得不知趣地退避了。唉，死了丈夫，隔壁房里又有个娃娃在啼哭，她就活该不能享受一切乐趣，这真是太不公平了。就在一年多一点以前，她还在跳舞，还穿着花花绿绿的衣裳，而不是这身深色的丧服，实际上与她私订终身的还有三个男孩子。她现在才十七岁，还有好多好多场舞等着她去跳呢。唉，这真不公平！生活就在她眼前过去了，顺着那条夏日里的林荫道过去了——生活随着灰色的军装、叮当响的靴刺、印花蝉翼的纱衣，还有班卓琴的琴声从她眼前过去了。她对熟悉的男人，尤其是自己在医院里护理过的人，尽力别笑得太热情，也别把手招得太欢，可是想不露出酒窝可真难，明明心没死，却要摆出一副心如死水的样子也难啊。

佩蒂帕特爬上楼梯，气喘吁吁地一头闯进屋来，这时她正频频点头招手，冷不防停了下来，并不由分说地被从窗口给拖开了。

“宝贝儿，你昏头了吗，竟在自己卧室窗口向外面的男人招手？斯佳丽，你简直让我大吃一惊！你母亲会怎么说啊？”

“哦，人家可不知道我在卧室啊。”

“可是人家会猜这是你的卧室，那还不是一样坏事吗？宝贝儿，这种事可千万做不得。人人都会议论你，说你放荡——总之，梅里韦瑟太太知道这是你的卧室。”

“我猜她会告诉所有男人的，这个老恶婆。”

“嘘，宝贝儿！多莉·梅里韦瑟是我的好朋友。”

“得了，恶婆就是恶婆——噢，对不起，姑妈，别哭了！我忘了我这是在卧室的窗口了。下次我不这样了——我——我只想看着他们过去。我巴不得自己也能去呢。”

“宝贝儿！”

“得了，我是真的想去。我在屋里都待腻了。”

“斯佳丽，答应我别再说这种话了。大家会议论的。大家会说你不尊重已故的查理。”

“哦，姑妈，别哭了！”

“哦，看，我把你也惹哭了。”佩蒂帕特一面满意地哭着，一面在裙兜里掏手绢。

那一点难以忍受的痛苦终于上升到斯佳丽的喉头，她哇地哭了出来——她不是像佩蒂帕特所想的哭已故的查理，而是在哭终于消失了的车轮声和欢笑声。玫兰妮窸窸窣窣地从自己房间走进来，愁眉苦脸的，手里拿着刷子，平常梳得整整齐齐的乌发没有套发网，波浪似的绺绺鬈发蓬蓬松松，披散在脸上。

“心肝儿！怎么了？”

“查理！”佩蒂帕特哭着说，她完全沉醉在悲痛的乐趣中，一头扑在兰妮肩上。

“哦，”兰妮说，一听提起哥哥的名字，嘴唇都颤动了，“亲爱的，勇敢些，别哭了。斯佳丽呀！”

斯佳丽已经扑到床上，索性放声大哭起来，哭她失去的青春，哭她无缘享受的青春的乐趣。以前她想要什么只消一哭便到手了，如今再哭也没用，她怀着愤怒而失望的孩子般的心情哭着。她把脑袋蒙在枕头里，自顾自地哭着，双脚蹬着有流苏装饰的床罩。

“我索性死了算了！”她由着性子哭着说。佩蒂看着这么悲痛的场面，说来就来的眼泪顿时止住了，兰妮飞步赶到床边安慰嫂子。

“啊呀，别哭了！想想查理有多么疼你，心里就会好受些，多想想你的小宝宝吧。”

见人家误会自己的意思斯佳丽心里有气，又夹杂着种种享受都被剥夺的凄凉心情，憋得一句话也说不上来。也幸亏这样，因为如果她要说就会像父亲那样直率，大声说出真情。玫兰妮拍拍她的肩膀，佩蒂帕特吃力地踮起脚在屋里走动，并拉下百叶窗。

“别拉！”斯佳丽从枕头上抬起红肿的脸，大声喝道，“我还没死呢，你用不着拉上百叶窗——虽然我跟死了没什么两样。唉，走开吧，别管我！”

她又把脸掩在枕头里，那两个站在她身后的人交头接耳了一会儿就踮着脚出去了。两人下楼时她听见玫兰妮低声对佩蒂帕特说：

“佩蒂姑妈，你以后不要对她提起查尔斯了。你知道这话多刺她的心啊。真是太可怜了，她脸色都变了，我知道她尽量忍着不哭。我们千万别让她太难受了。”

斯佳丽有气无处出，踢着床罩，只想找句难听的话骂骂。

“活见鬼！”她终于大声骂了一句，心里多少轻松了些。玫兰妮才十八岁，怎么能甘心守在家里，不去找乐子，还给她哥哥披黑面纱呢？生活随着叮当响的靴刺一路过去，对此玫兰妮似乎不知道，也并不在乎。

“可她那么呆头呆脑的，”斯佳丽捶着枕头想，“她根本不像我这么有人缘，所以让我感到遗憾的事她感觉不到。而且——再说她还有阿希礼，而我——什么人都没有！”一想到这个新烦恼，她不由又放声大哭起来。

她闷闷不乐地在屋里一直待到下午。看见去野餐的人回来了，大车上高高堆着松树枝、藤蔓、凤尾草，她也高兴不起来。大家又一次向她挥手时脸上都露出愉快的倦容，但她只是郁郁寡欢地回礼。做人本来就是件没盼头的事，实在是不值得活下去啊。

她万万没想到午睡时竟来了救兵。梅里韦瑟太太和艾尔辛太太来了，这个时候竟有客人上门，玫兰妮、斯佳丽和佩蒂帕特姑妈都吓了一跳，她们赶紧起来，匆匆束好胸衣，捋平头发，来到楼下客厅。

“邦尼尔太太的孩子出麻疹了。”梅里韦瑟太太一见到她们就说。言下之意分明表示她认为邦尼尔太太允许这种事发生，责任应该自己负。

“麦克卢尔家的姑娘都被叫到弗吉尼亚去了，”艾尔辛太太声音越来越轻地说，一面没精打采地摇着扇子，仿佛这种事没什么不得了的，“达拉斯·麦克卢尔受伤了。”

“多可怕呀！”几个女主人异口同声地说，“可怜的达拉斯是——”

“没有。只是肩膀被打穿了，”梅里韦瑟太太赶紧说，“不过这事真是太不凑巧。那几个姑娘上北方去接他回家了。天哪，我们可没闲工夫坐在这里聊天。我们得赶快回民兵训练中心去，把工作布置好。佩蒂，我们要你和兰妮今晚去顶邦尼尔太太和麦克卢尔家姑娘的班。”

“哦，不过，多莉，我们可不行啊。”

“别说‘不行’，佩蒂帕特·汉密顿，”梅里韦瑟太太颐指气使地说，“我们要你去监视管茶点的黑人。那本来是邦尼尔太太的差使。玫兰妮，你必须替麦克卢尔家姑娘看管货摊。”

“啊呀，我们可不行——可怜的查理才死了——”

“我知道你们的心情，不过为了事业，做出点牺牲算不了什么。”艾尔辛太太柔声插嘴打着圆场。

“哦，我们也很希望能帮上点忙，不过——你为什么不找些漂亮可爱的姑娘去照看货摊呢？”

梅里韦瑟太太鼻子里大声哼了一下。

“不知道现在的年轻人是怎么搞的。她们一点责任心都没有。那些不答应照看货摊的姑娘都有数不清的借口。哦，她们骗不了我！她们无非是想去巴结军官，觉得我们碍手碍脚。她们生怕站在货摊柜台后显露不了新衣服。我真希望那个偷越封锁线的——他叫什么来着？”

“巴特勒船长。”艾尔辛太太补充说。

“希望他多运些医院必需的物资，少运些有裙箍的裙子和花边来。商店里要是有一件衣服，那就有二十件是他走私进来的。巴特勒船长——我听见这名字就讨厌。得，佩蒂，我没工夫跟你多说。你可一定得来。人人都会谅解的。反正在后屋里没人会看见你，兰妮也不引人注目。麦克卢尔家姑娘看管的货摊在尽头，摊子不算漂亮，没人会注意你的。”

“我想我们应该去，”斯佳丽努力克制着自己急迫的心情，做出诚挚天真的神色，“这是我们能为医院所尽的起码责任了。”

两位来客谁也没提到过她的名字，一听这话都转过头去，直瞪瞪地看着她。尽管她们走投无路，也没有想到要一个守寡不到一年的女人在社交场合抛头露面。斯佳丽睁大眼睛，一脸孩子似的神情，忍受着她们的目光。

“我想我们都应该去帮忙把义卖会办好，我们大家都去。我觉得我应该和兰妮一起去照看货摊，因为——嗯，我想，我们两个人都去，不是只去一个人，这样看上去会好一些。你看呢，兰妮？”

“这个。”兰妮一筹莫展地说。守丧期间在社交场合抛头露面，她可是闻所未闻，这想法真让她不知所措。

“斯佳丽说得对。”梅里韦瑟太太见她有点不知如何是好就说。她站起身，拉了拉裙箍。“你们都得去。得了，佩蒂，别再找借口了。想想医院是多么需要钱买新床和药品吧。我知道查理也希望你们对我们的事业有帮助，他就是为此牺牲的呀。”

“这个嘛，”佩蒂说，她遇上比她强蛮的人一向都是这么一筹莫展，“只要你觉得大家会谅解就行。”

“世上竟有这么好的事啊！世上竟有这么好的事啊！”斯佳丽不敢怠慢，溜进原本该由麦克卢尔家姑娘照看的挂着粉红、黄色彩旗的货摊，不由得心花怒放，暗自唱了起来。她竟然参加了集会！披着黑面纱，幽居了一年，大气也不敢出，把她烦得都快发疯了，如今竟然参加了亚特兰大空前盛大的聚会。如今她终于可以见到外人，见到各色灯光，听到音乐，亲眼看看大名鼎鼎的巴特勒船长最近穿过封锁线偷运进来的可爱花边、绉边和衣服了。

她一屁股坐在货摊柜台后面的一张小凳上，巡视了一下长长的会场。下午前这里还是一个空空荡荡、十分难看的操练房呢。那些太太小姐不知费了多少力才把它布置得这么漂亮、好看呢。今晚亚特兰大所有的蜡烛和烛台肯定都集中在这里了，她想，银烛台伸展出十来个亮闪闪的枝架，瓷烛台的底座上环绕着可爱的小雕像，旧的黄铜烛台庄严挺直，上面插着大大小小、五颜六色的蜡烛，散发出月桂果的芳香，有的摆在会场一溜的枪架上，有的摆在花团锦簇的长桌上，有的摆在货摊的柜台上，有的甚至摆在敞开窗户的窗台上，暑天的阵阵热浪把烛光吹得摇曳不定。

会场中心，天花板下的几根生锈的铁链上挂着一座大大的难看的吊灯，吊灯被盘绕的常春藤和野葡萄藤装饰得完全变了样，那些藤蔓已经被烛火熏得枯萎了。墙四壁摆放着一排散发着清香的松枝。屋角变成了漂亮的亭子，供陪伴和老太太休息。到处都悬挂着一长串一长串雅致的常春藤、葡萄藤和牛尾藤，有的做成圆形彩饰，挂在墙壁上，挂在窗子上，有的绕成扇形，遍挂在彩旗飘飘的货摊上。在青枝绿叶中，到处都悬挂着邦联旗和彩旗，红蓝两色的底子，上面南部邦联的明星熠熠生辉。

乐台布置得尤为精美。四面全摆放着青枝绿叶，挂着星星的彩旗，把乐台完全遮得看不见了，斯佳丽知道城里所有的盆花都搬到这儿来了，有锦紫苏、天竺葵、八仙花、夹竹桃、秋海棠——连艾尔辛太太那四盆珍贵的橡胶树都荣耀地摆在台上四角的显要位置上。

乐台对面会场另一头，连太太小姐都黯然失色了。因为在这面墙上挂着戴维斯总统和南部邦联的副总统、佐治亚本州的“小亚力克”史蒂文斯的巨幅肖像。肖像上方是面巨旗，旗子下一张张长桌上摆着从城里各个花园采集来的鲜花，有凤尾草、成排成排的各色玫瑰：深红的、黄的、白的，还有剑兰那神气的叶鞘，大批五颜六色的旱金莲、高高矗立的蜀葵在花丛中探出深紫和奶黄两色花冠。花丛中，蜡烛圣坛香火般燃烧着。肖像上的两张脸俯视着这场面。这两位执掌军政大权的首脑人物的脸截然不同：戴维斯脸型扁平，一双苦行僧的眼睛，目光冷漠，两片高傲的薄嘴唇紧紧抿着；史蒂文斯的脸上则深深嵌着一双发亮的黑眼睛，这张脸只识人间疾苦，不知其他，并且曾经用诙谐和激情战胜了疾苦——这两张脸都深受爱戴。

负责整个义卖会的是委员会的几位老太太。她们长裙窸窣，似鼓满风帆的船队一样浩浩荡荡地进场了。她们把迟到的少妇和咯咯傻笑的少女赶进货摊里，然后大摇大摆地穿过门，走进摆着茶点的后屋。佩蒂姑妈气喘吁吁地跟在她们后面。

黑人乐师咧着嘴笑着登上乐台，胖乎乎的脸上闪着汗珠，并郑重其事地在提琴上调起音来，用琴弓拉啊用手拨啊。梅里韦瑟太太的马车夫老利维敲了敲琴弓，让大家注意。从亚特兰大还叫马萨斯维尔的时代起，每次义卖会、舞会和婚礼的乐队都是由他指挥的。除了经管义卖会的太太们之外，已到场的人还不多，不过在场的人个个眼睛都盯着他。于是小提琴、低音提琴、手风琴、班卓琴和指关节骨一齐演奏起节奏缓慢的《洛蕾娜》了——节奏很慢，不宜跳舞，跳舞要到货摊的货卖完才开始呢。华尔兹舞曲那优美的伤感调子传进了斯佳丽的耳中，她的心不由得怦然一动。

> 时光在慢慢流逝，洛蕾娜！
> 草地上又是白雪皑皑。
> 太阳远在天边，洛蕾娜……

一二三，一二三，身子由高到低——三，转身——二三。多美妙的华尔兹舞曲啊！她稍稍伸出手，闭上眼睛，随着难忘的忧伤节奏舞动着。这凄凉的曲调和洛蕾娜失去的爱情同她心里的兴奋交织在一起，使她的喉咙不由得哽住了。

这时，仿佛在华尔兹乐曲的引导下，下面那条月色朦胧的街上顿时飘来了种种声响：马蹄嘚嘚，车轮辘辘，温暖的芳香空气中荡漾着笑声，还有黑人因争夺拴马的位置从开始低声刻薄的语言发展到高声争吵。楼梯上一阵混乱，传来无忧无虑的嬉笑声，姑娘活泼的嗓音，夹杂着护花使者的浑厚音调。那些姑娘认出了下午刚分手的朋友，轻佻地喊着互相打招呼，并高兴地尖叫着。

会场一下子活跃起来了。场子里到处都是姑娘，她们穿着蝴蝶般的鲜艳长裙，裙摆撑得大大的，里边穿着镶花边的宽松长裤；裙上面露出圆润白皙的纤小肩膀，荷叶花边上隐隐现出一抹柔软娇小的乳房，镂空披巾随意搭在胳臂上，腕上吊着各种各样的缩小丝绒带的扇子，有泥金彩绘扇，有鹅毛扇，有孔雀扇。有的姑娘将溜滑锃亮的乌发绾个沉甸甸的发髻，把脑袋压得往后仰，给人一种很神气的感觉。有的姑娘把密密麻麻的金鬈发堆在脖颈边，带流苏的金耳坠随着飘舞的鬈发晃荡着。花边、丝绸镶边、缎带，全都是通过封锁线偷运进来的，因此穿戴在身上越发显得珍贵且得意。她们格外自豪地炫耀这些华丽的服饰，以示对北方佬的特别侮辱。

其实城里的鲜花并没有全部搬来献给南部邦联的领袖。那些最小最香的花朵都装饰在姑娘们身上。她们有的把香水月季簪在粉红色的耳后，有的把栀子花和玫瑰花苞编成小花环套在波浪形的披肩长发上，有的把鲜花正正规规地插在缎子肩带上，这些花不用过夜就会成为珍贵的纪念品放进灰军装的胸袋中。

人群中有那么多穿军装的——他们中很多人斯佳丽都认识，有些是在医院病床上见到的，有些是在街上，有些则是在训练场上。这些军装真是光彩夺目：闪亮的纽扣，袖口领口镶着耀眼的金穗带。因为军中部门不同，军裤上缀着的有的是红条子，有的是黄条子，有的是蓝条子，把灰色的军装衬托得帅极了。猩红的和金色的绶带晃来晃去，军刀在锃亮的长靴上闪闪发光，互相碰撞发出咔嚓咔嚓的声响，靴刺也发出叮叮当当的响声。

这些军人跟朋友打着招呼，挥着手，弯腰亲着老太太的手。这时斯佳丽心头不禁油然生起一股得意，暗自想，好一表人才啊。即使长着两撇黄胡子，或满脸黑胡子、棕胡子，看上去也个个都那么年轻。尽管胳臂上吊着吊腕带，太阳晒黑的脸上缠着白得刺眼的绷带，却仍那么英俊，那么勇猛。有些人拄着拐杖，姑娘小心地放慢步子，与这些护花使者一瘸一拐的步子配合时是那么自豪。在这些穿军装的人中有一人穿得花里胡哨，竟使得姑娘们那些鲜艳的服装都黯然失色了，他像只热带鸟般矗立在人群中。他是路易斯安那州的一名义勇兵，他穿着一条宽松的蓝白条纹裤，缚着奶白色的绑腿，紧身小红短上衣，一只胳臂吊着黑绸吊腕带，黑黑的皮肤，咧着嘴直笑，像只小猴子。这个人就是梅贝尔·梅里韦瑟特别相中的情郎勒内·皮卡尔。整个医院一定都倾巢而出了，至少凡是能走的都来了，还有在休假的和休病假的也都来了，当地到梅肯之间所有铁路、邮政、医院和军需部门的人也纷纷出动。太太小姐们该多么高兴啊！医院方面今晚一定可以大赚一笔了。

下面街上传来阵阵鼓声和脚步声，还有马车夫的喝彩声。一声号响，一个低嗓音吆喝着队伍解散的命令。刹那间，身着鲜艳军装的自卫队和民团一拥而上，把狭窄的楼梯踩得咯咯直响微微颤动，他们拥进屋就忙着点头、敬礼、握手。自卫队的小伙子对能在战争中显露身手挺得意。他们暗自许愿，如果仗能打到明年这个时候，一定到弗吉尼亚去。银须飘拂的老人穿上沾了前线子弟兵光的军装，也挺得意，恨不得自己能再年轻些。民团里有很多中年人，还有几个年纪大点的，但也有不少适龄的人，他们脸上倒不如年老的或年轻的人那么喜气洋洋。人们已经叽叽喳喳议论开了，探听他们为什么没跟随李将军。

他们怎么能一齐进会场呢！几分钟前，这里看上去还是个很大的地方，现在竟被挤得满满的了。到处洋溢着夏夜的各种香味：香粉味、花露水味、发油味，还有点燃的月桂油蜡烛味和鲜花的芬芳味。这么多双脚踩在操练房的地板上，微微扬起一阵尘土。一片喧喧嚷嚷的声音，闹得几乎什么都听不见了，老利维仿佛感觉到这场合中的欢欣鼓舞气氛，便停止演奏《洛蕾娜》，突然用琴弓笃笃敲着，然后死劲一拉，乐队一下子就奏起了《美丽的蓝旗》。

上百条嗓子应声而起，引吭高歌，就像在欢呼一样。自卫队的号手登上乐台，正好在大合唱开始时合上音乐，一片合唱声中高亢的号角声响彻全场，令人不寒而栗，臂膀都起了鸡皮疙瘩，一股凄凉的深切情绪顿时让人铭心刻骨。

万岁！万岁！南方的权利万岁！
美丽的
一星蓝旗万岁！

大家接着又唱起了第二段，斯佳丽正跟着其他人一起唱着，忽然听见背后响起了玫兰妮那动听的女高音，清澈嘹亮，字正腔圆，惊心动魄，犹如银号。她回过头，只见玫兰妮站立着，十指交叉，贴在胸前，眼睛闭着，泪珠从眼角淌下。曲终时，她古怪地冲斯佳丽一笑，一面用手绢轻轻擦着眼泪，一面做了个告罪的怪脸。

“我太高兴了，”她低声说，“太为这些当兵的骄傲了，竟忍不住哭了。”

她眼里流露出一种强烈而近乎狂热的光芒，片刻间那张姿色平庸的小脸竟容光焕发，显得很美丽。

唱罢这首歌，在场的妇女个个脸上都显露出同样的神情，大家纷纷回头看着自己的亲人。姑娘看着情人，母亲看着儿子，妻子看着丈夫，不管是粉嫩的脸，还是皱纹密布的脸，都流着骄傲的眼泪，嘴角含着笑意，眼里流露出炽烈的光芒。她们都美得炫目，甚至连最丑的女人，一旦完全受到保护，有人疼爱，并且千百倍奉还那份爱，也变得美如天仙。

她们爱自己的亲人，相信他们，信赖他们，至死不渝。有坚强的穿着灰色军装的战斗部队屹立在她们和北方军队之间，灾难怎会降临到她们头上？世界诞生以来，可曾有过如此英勇，如此无畏，如此侠义，如此温柔的男人？这么名正言顺的正义事业，除了取得压倒一切的胜利之外，怎么会有其他的结果呢？她们热爱这个事业就如同爱自己的男人。她们尽心尽力，自己动手，为这个事业出力。她们口里谈的是这个事业，心里想的是这个事业，梦里梦的是这个事业——如果需要，为了这个事业她们愿意牺牲这些男人，并且像这些男人举起战旗那样自傲地承受她们的丧痛。

这是她们心中的信仰和骄傲的高潮，是南部邦联的高潮，因为已经胜利在望。“石壁将军”杰克逊在谢纳杜谷打了几个胜仗，在“七天战役”中北方佬在里士满一带吃了败仗，形势已经一清二楚了。有李和杰克逊这样的领袖取胜还会没把握吗？再打一次胜仗，北方佬就会跪下求饶，她们的男人就会骑着马回家，与她们尽情亲吻、欢笑。再打一次胜仗，战争就会结束了。

当然，家家户户都有椅子空着没人坐，有的孩子永远也见不到父亲了，弗吉尼亚偏僻的小河边和田纳西寂静的群山中出现了无名冢，可是为了事业，这笔代价算得上很大吗？太太小姐们要的绸缎、茶叶、砂糖固然都来之不易，不过那些都是说来可笑的小事。再说，那些勇敢的偷越封锁线的人在北方佬眼皮底下源源不断地把货运进来，她们拿到这些东西时常常格外激动。不久拉斐尔·塞姆斯和南部邦联的海军就会收拾北方佬那些炮舰，港口就可以开放了。英国也会来协助南部邦联打胜仗，英国的棉纺厂因为缺乏南方的棉花做原料已停产了。惺惺相惜，英国的贵族自然同情南部邦联，反对北方那些贪财鬼。

女人们一面把绸裙弄得窸窸窣窣，嘻嘻哈哈地笑着，一面看着自己的男人，心里美滋滋的。她们知道从危险和死亡中夺得的爱情，让人觉得分外刺激，所以备觉甜蜜。

斯佳丽乍一看到这群人，还感到一种久未参加盛会的激动，心不由得怦怦直跳，当看见身边这些女人脸上那种激昂的神情，她似有所悟，一团欢喜顿时消失殆尽。在场的每个女人都燃烧着一股她体会不到的热情。这使她迷惑不解、灰心丧气。不知为什么，会场似乎没那么漂亮了，姑娘们也没那么时髦了，可每张脸上似乎仍然闪烁着忠于事业的炽热情绪——唉，看起来简直荒唐可笑！

她忽然茅塞顿开，不由吃了一惊，张大了嘴。她明白了，自己并没有这些女人这样的强烈的自豪感，也没有心甘情愿为事业牺牲自己和自己所有一切的愿望。她心里明白这事业对她根本算不了什么，她对他人眼里流露出的狂热目光，对事业的谈论都听腻了。这事业对她来说似乎并不神圣。战争似乎并不是神圣的大事，而是无故杀人、耗费金钱、将奢侈品变得更加奢侈的麻烦事。她明白自己讨厌没完没了地编织，没完没了地卷绷带、撕软布，为此她指甲的角质都磨粗了。唉，对医院她真的感到厌倦了！对让人恶心的坏疽臭味和没完没了的呻吟她也感到厌倦，受不了，想呕吐。看到临死的人凹陷的脸上那副神色也很害怕。想到这里，她心里才害怕得感到："不——不！我千万不能有这种想法！这想法不对——这是罪过。"

就在这些大逆不道、亵渎神灵的念头掠过她的脑际时，她偷偷朝四下看了看，生怕有人看出她脸上清清楚楚流露出来的这种想法。唉，她为什么没有其他女人那样的感受呢！她们对事业的信仰真是真心真意，一片至诚。她们的言行确实十分认真。万一有人怀疑她——不，千万不能让人知道！她虽然对事业并不热心和自豪，但也必须装出这种样子，扮演好一个南军军官遗孀的角色，做出毅然忍受悲痛，心如死水，认为只要丈夫的死有利于事业的胜利，对她可算不了什么的样子来。

唉，她跟这些忠诚的女人为什么大相径庭、相去甚远呢？无论对什么人、什么事，她决不会像她们那样无私地去爱。这是种多么孤独的感觉啊——精神上也好，肉体上也好，她以前从没感到过孤独。起初，她还想把这些念头压下去，可是她生性不爱自欺欺人，她不能这样做。因此，在义卖时，她一面和玫兰妮接待光顾她们货摊的顾客，一面忙着开动脑筋，想方设法为自己辩解——这种事她做起来往往不难。

别的女人奢谈什么爱国主义和事业简直是头脑发热，一派胡言，那些男人奢谈什么生死攸关的大事和州权又何尝不是如此。只有她，斯佳丽·奥哈拉·汉密顿一人具有爱尔兰人冷静的头脑。她可不打算出洋相去谈什么事业，也不打算出洋相去承认自己的真实感受。她的头脑甚是冷静，完全能够客观地对付这局面，谁也不会知道她到底是什么心情。在场的人如果知道了她的真实思想，准会不胜诧异！如果她突然登上乐台，声称她认为战争应当结束，人人都可以回家种棉花，重新参加宴会，重新找自己所爱的人，重新有好多淡绿色的衣裙，大家听了准会大为震惊。

她这番自我辩解虽然一时间让她越来越起劲儿，可是她对这个会场还是感到厌倦。麦克卢尔家姑娘的货摊果然像梅里韦瑟太太所说的那样并不显眼，好长时间都没人来她们这个角落了，斯佳丽没事可做，只有眼巴巴地看着这个欢乐的人群。玫兰妮发现她闷闷不乐，只当她是在想念查理，也就没理会。斯佳丽坐着，愁眉苦脸地向四下看着，她就自顾自忙着整理货摊，把货物摆得更加吸引人。斯佳丽看什么都不顺眼，连戴维斯先生和史蒂文斯先生的两幅巨画像下堆着的鲜花看着都不顺眼。

“看上去就像个祭坛，”她不屑一顾地说，“大家都对他们俩这么迷信，简直当他们是圣父圣子了！”她这样想着心里一下子发了慌，生怕自己对神不敬，赶忙画了个十字以示赔罪，总算及时住了口。

“不过，事实确实如此嘛，”她跟自己的良心争辩着，“大家都这么迷信，把他们当成了圣人，可他们只不过是凡人，而且貌不惊人。”

当然，史蒂文斯先生对自己的长相也是无可奈何，因为他是个终身残疾，可是戴维斯先生——她抬头看着那张神气的脸，光洁得像玉石浮雕。最让她恼火的是他留着一撮山羊胡子。男人应该把胡子刮干净，要不就留两撇胡子，再不索性就留络腮胡子。

“那个不起眼的山羊胡子看来就只有这么点能耐了。”她思忖道，对他脸上那种担负新国家重任的冷峻智慧视而不见。

不，她现在的心里并不快乐。刚来到人群中时她还满面春风的。现在光在场是不够的。她虽然人在会场，但没有成为其中的一员。谁也没注意到她，在场的单身年轻女人中就她一个人没有情人。而她这一生习惯于成为舞台中心了。这不公平！她才十七岁，她双脚在地板上轻轻地打着拍子，心里只盼着能翩翩起舞。她才十七岁，可丈夫却长眠于奥克兰公墓。她还有个娃娃睡在佩蒂帕特姑妈家的摇篮里，人人又都认为她应当认命。与在场的任何姑娘比起来，她的胸脯最白，腰肢最细，脚也最纤小，不过尽管这些都很重要，她还是不如索性安睡在查尔斯身边，墓碑上刻上“查尔斯爱妻”呢。

她既不是姑娘，可以与人跳跳舞、调调情，也不是太太，可以陪别的太太坐着对跳舞调情的姑娘品头论足。做寡妇她又太年轻。做寡妇的应当是上了年纪，老得不行了，既不想跳舞、与人调情，也不想受到别人的夸奖了，那才像呢。唉，她才十七岁，就要求她端坐不动，尽力维护寡妇的尊严和礼仪，真不公平。男人，俊俏的男人来到她们货摊前时，她却得低声下气，眼睛端庄地朝下看，这真是太不公平了。

亚特兰大的姑娘个个都有三层男人包围着。连最丑的姑娘都像美人儿似的跟人调情——而且，唉，最气人的是她们都穿得那么漂亮！

她穿着长袖的黑塔夫绸丧服，纽扣一直扣到下巴，衣服上没有一点花边，没有一点饰物，没有一件珠宝，只有埃伦那个黑玛瑙的服丧别针，简直就像只乌鸦似的干坐在这儿，眼巴巴地看着俗不可耐的姑娘吊着漂亮男人的胳膊。都怪查尔斯·汉密顿得了麻疹。他甚至都不是英勇战死在沙场上的，否则她还可以吹嘘吹嘘。

她索性犟到底了，丝毫不顾黑妈妈别撑胳膊肘以免皮肤起皱难看的再三嘱咐，硬是把两胳膊肘撑在柜台上，看着人群。皮肤难看了有什么关系？她大概永远没机会露出胳膊肘来了。她如饥似渴地看着飘动的衣裙：奶黄色的波纹绸印着玫瑰花环；粉红的缎子缝上十八道荷叶边，边上还缀着小小的黑丝绒带；淡蓝色的塔夫绸，裙幅就有十尺，波状花边像泡沫似的蓬松；袒露着胸脯；鲜花诱人。梅贝尔·梅里韦瑟挽着义勇兵的胳臂向隔壁货摊走来，她身穿苹果绿的塔拉丹薄纱长裙，宽大得看不见腰身。浑身上下镶满了奶油色的香蒂叶荷叶花边，那是新近穿越封锁线从查尔斯顿偷运进来的，梅贝尔神气活现地卖弄着这身服饰，仿佛偷越封锁线的是她而不是巴特勒船长。

“我穿上那身衣服该会多漂亮啊，”斯佳丽想道，心里不由得大大嫉妒起来，“她的腰粗得像牛腰。那种绿色正是适合我的颜色，穿了那衣服我的眼睛看上去会——为什么金发女人要穿那种颜色呢？她的肤色看上去绿得像块放久了的奶酪。我竟然永远也穿不成那种颜色的衣服了，即使以后脱了丧服也穿不成了。不，即使将来我好不容易真的又嫁了人也穿不成了。那时我就不得不穿既俗气又老气的灰色、棕黄色和淡紫色衣服了。”

在这短暂的一刹那，她就想到了这么多不公平的事。人生在世，寻欢作乐、穿着漂亮、跳舞调情的时间是多么短暂啊。只有短短几年，太短了！随后就得嫁人，穿上色彩暗淡的服装，生儿育女，腰肥体胖。在舞会上只能同其他稳重的妇女坐在角落里，要跳舞也只能和自己的丈夫跳，或者与只会踩你脚的老先生跳。如果你不这样，其他妇女就会对你说三道四，你的名声就坏了，家里人也没了脸面。你做小姑娘时花了那么多功夫学的怎么才有魅力，怎么才能迷住男人的这套本领其实只能用上一两年，看来真是太浪费了啊。想到当初从母亲和黑妈妈手里学的做人之道，她知道这一套是尽善尽美、一向行之有效的。这里面有一定的规矩，如果你按规矩办，你这番苦心一定不会白费。

对付老太太，你要装作温柔老实，尽量显得天真纯朴，因为老太太为人刻薄，她们对姑娘就像猫盯老鼠那样紧紧地盯着，只要你稍有不检点的样子，她们就随时会扑上来。对付老先生嘛，姑娘就要显得淘气，没大没小，几乎带点轻佻，但也别太轻佻，那样能满足老糊涂们的虚荣心，逗得他们感到自己又年轻了，蠢蠢欲动，就会拧你脸蛋，说你是个疯丫头。当然，碰上这种场合，你就应满脸通红，要不，他们会更不像话，拧个不亦乐乎，拧完了还要跟儿子说你放荡。

对付少女少妇嘛，你要满嘴甜言蜜语，每次见面都要亲吻一下，哪怕一天亲上十回八回也不妨。你还要用两臂搂住她们的腰，同时还要听任她们这样搂住你，不管你心里多厌恶她也得忍着。她们穿的衣裙，她们生的孩子，你一律都要夸上几句，和她的情人开开玩笑，对她的丈夫恭维几句，还要谦虚地痴笑两声，坚持说与她们相比，你根本就没什么魅力。还有一点至关重要，就是在她们说出自己的真实看法之前，你千万别说出自己对任何事的真正看法。

人家的丈夫即使是你过去抛弃的情人，不管他们多么招人喜欢，你也要敬而远之。如果你对人家年轻的丈夫太好，做妻子的就会说你放荡，你就会因此得个坏名声，自己也就再也找不到情人了。

不过，对付年轻的单身汉——啊，那可就是另一回事了！你尽可以温柔地对他们笑笑，等到他们过来问你为什么笑时，你可以拒不回答，反而笑得更欢了。你要让他们老是围着你转，想方设法去猜。你可以跟他们眉来眼去，默许几件吊他们胃口的事，让他们想法把你引开。等到你们单独在一起了，他要吻你的时候，你可以装成非常非常委屈，或者非常非常生气的样子。你还可以让他为自己的卑劣行为赔不是，然后温柔地原谅他，弄得他死缠着你，打算第二次吻你。有时候，你可以真的让他吻一下，但不宜经常。虽说母亲和黑妈妈没有教过她这一招，但她知道这管用。吻过之后，你就哭了，说你不知道自己是怎么回事，说他从此再也不会尊重你了。

于是他就会替你擦干眼泪，通常还会趁此向你求婚，表示他对你多么尊重。接下来呢，噢，对单身汉可以做的事情多着呢，什么递个眼色啊，扇子掩面半带笑啊，扭着腰肢让裙摆飘起来啊，哭啊，笑啊，奉承啊，亲切的同情啊等等，这一套她全懂。真的，这套花招屡试不爽——只是对付不了阿希礼。

不，学会了这全套鬼花招，可以用的时间却这么短，就此永远抛开不用了，似乎很不公平。如果终身不嫁，一直穿着浅绿色的衣服，漂漂亮亮的，永远有美男子来追求，那该有多好啊。不过，如果长此下去，就会变成印第亚·韦尔克斯那样的老小姐，人人见了都是一副沾沾自喜的可恶相，说你是“可怜虫”。不，话说回来，还是嫁了人的好，尽管从此再也没有什么乐趣可言了，但嫁了人可以保持那份自尊。

噢，人生真是世事难料！当初她干吗那么傻，偏偏嫁给了查尔斯，才十六岁就断送了自己的一生！

她心里正愤愤不平，万念俱灰地苦想着，人群忽然纷纷往墙根退让，打断了她的思路，只见太太小姐们纷纷小心地提着裙箍，以免不小心碰撞上把裙箍撞得贴在身上，从而掀起裙摆，露出宽松裤而有失体统。人群中，斯佳丽踮起脚尖，看见民团团长登上乐台。他喊着口令，半队人员顿时整齐排列。他们生龙活虎地操练了一会儿，额头上的汗都练出来了，观众纷纷喝彩鼓掌。斯佳丽也随着大家，礼貌地拍了几下，那队士兵解散后纷纷拥向卖各种酒和柠檬汽水的货摊，斯佳丽觉得自己还是赶快装出关心事业的样子来为好，这才向玫兰妮转过身去。

“他们挺神气的，不是吗？”她说。

玫兰妮正忙着整理柜台上的针织品。

“他们中的大多数人要是穿上灰军装，开拔到弗吉尼亚去，那就会更神气。”她说着竟有意放开嗓门。

几个民团团员的母亲正得意扬扬地站在附近，偶然听到了这句话。吉南太太的脸顿时红一阵白一阵的，因为她有个叫威利的二十五岁的儿子就在民团里。

斯佳丽一听这话竟然出自兰妮之口，不禁吓了一跳。

“哎呀，兰妮！”

“你也知道我说的是实话，斯佳丽。我不是指小孩和老头儿。民团有不少人完全扛得动步枪，此时此刻他们就应当上前线。”

“可是——可是——”斯佳丽开腔道，她以前从没考虑过这事，“总得有人留在后方——”那次威利·吉南是怎么向她解释自己留在亚特兰大的？“总得有人留在后方保卫自己的州免遭侵略啊。”

“谁也没侵略我们，谁也不想侵略我们，”兰妮朝一群民团团员望着，冷冷地说，“赶走侵略者最好的办法就是开到弗吉尼亚去，到那儿去打北方佬。至于说民团团员留在这里是防止黑人起来造反——嘿，我长这么大还从没听过这么荒唐的话。我们的老百姓为什么要起来造反？这无非是胆小鬼为自己找的好听借口罢了。我敢说，如果各州所有的民团都开到弗吉尼亚去，不出一个月就能打败北方佬。就这么回事！”

“哎呀，兰妮！”斯佳丽干瞪着眼，又叫了起来。

兰妮温柔的黑眼睛闪着怒火。“我丈夫可不怕到那里去，你丈夫也不怕。我宁愿他们送命也不愿他们留在后方——噢，宝贝儿，真抱歉。看我多自私，多狠毒啊！”

她哀怜地摸摸斯佳丽的胳臂，斯佳丽看着她。可是这时斯佳丽心里想的不是已死的查尔斯，而是阿希礼。假如他也送了命呢？这时米德大夫向她们的货摊走了过来，她赶紧转过身去，下意识地笑了笑。

“你们好啊，姑娘们，”他向她们打招呼说，“你们能来真是好极了。我知道今晚你们出来一定是作了很大的牺牲。不过这都是为了事业。我正要告诉你们一个秘密。我想出了一个奇妙的办法，可以在今晚为医院多筹一些款子，只怕有些太太小姐听了要大吃一惊。”

他说着住了口，捋着灰色的山羊胡子独自嘻嘻笑着。

“哦，什么啊？快说吧。”

“我想还是让你们猜猜吧。不过，万一教会的人因此而要把我驱逐出境，你们这些姑娘可得支持我啊。不管怎么说，我这也是为了医院呀。过一会儿你们就会明白的。这种事以前从来没人做过。”

他神气活现地朝角落里一帮陪伴儿走去，她们俩刚交头接耳地议论说可能会是什么秘密，就见两个老头儿冲到货摊上，大声嚷着要买十英里长的梭编花边。好吧，有老头儿上门总比根本没人上门要好，斯佳丽想道。她一边量着花边，一边矜持地忍受这两人抚摸她的下巴。两个老不正经的又冲到卖柠檬汽水的货摊上，别的顾客趁机来到柜台前。瞧瞧，梅贝尔·梅里韦瑟正嘻嘻哈哈，芳妮·艾尔辛正咯咯傻笑，惠丁家姑娘正应答如流，欢欢喜喜，招来了不少顾客，她们的货摊就不及人家的顾客多。兰妮像个老板似的从容沉着，把没用的货卖给买去也用不上的男人，斯佳丽也就照着兰妮的样子做。

别人的货摊都是熙熙攘攘的。姑娘们在那儿叽叽喳喳，男人们买这买那。只有她们的货摊冷冷清清的。几个上门来的人中有人谈起跟阿希礼在大学里同学的经过，并夸他是个非常出色的军人，有的则用敬重的口气说起查尔斯，认为他的死是亚特兰大的一大损失。

这时乐队忽然奏起《约翰尼·布克，帮帮黑人!》这支欢快热闹的曲子，斯佳丽听了真想大叫。她想跳舞。她想跳舞啊。她望着场地对面，一双脚和着音乐打着拍子，那对绿眼睛露出渴望的神情，闪闪发亮。场地那头有个人刚来，站在门口，看见了这对眼睛，认出了她，不由得仔细地盯着这张倔强、愠怒的脸上两只乜斜的眼睛。等他认出了这对眼睛里有任何男人一看就明白的挑逗意味时，禁不住暗自咧嘴笑了。

他身穿黑色细毛呢衣服，个儿高高的，鹤立于身边几个军官中。肩膀宽宽的，但越往下越细，形成细细的腰，一双脚却小得可笑，穿着铮亮的皮靴。他那套全黑的衣服，与精美的镶褶边衬衫很相配，长裤潇洒地扎在高帮靴面下，跟他的体格和面容极不相称。他打扮得像个花花公子，气宇轩昂的身材穿着时髦少爷的服装，看上去虽懒散斯文，骨子里可危险着呢。他的头发乌黑发亮，留着一撮修剪得整整齐齐的乌黑的小胡子，这胡子跟身边几个骑兵那种神气的大胡子相比，真有点外国气派。他看上去像个纵情声色的人，而且也确实是这种人。他身上有种狂妄自大、傲慢无礼、令人不快的神情。他盯着斯佳丽时，那对大胆的眼睛里有一种不怀好意的神色，看到最后，斯佳丽感到有人在盯着她，就正眼朝他看了看。

她总觉得这人有些面熟，只是一时想不起是谁。不过他倒是几个月以来头一个对她流露出兴趣的人，她不禁朝他嫣然一笑。他也向她鞠了个躬，她稍稍回了个屈膝礼。于是他就挺直身板，像印第安人那样迈着异常轻快的步伐径直向她走来，这时她才吓得用手蒙住了嘴，因为她知道他是谁了。

他挤过人群过来了。她大吃一惊，像全身瘫痪了似的不能动弹。随后她慌忙转过身去，一心只想逃进餐厅里去，谁知裙子让货摊上一枚钉子给钩住了。她拼命一拉，裙子被撕破了，转眼间他就到了她跟前。

“让我来吧，”他说着弯下腰，替她解开裙子的荷叶边，“我可真没想到你还记得我，奥哈拉小姐。”

他的声音出奇地悦耳，有上流人那种抑扬顿挫，洪亮而兼有查尔斯顿人那种慢吞吞的声调。

她用恳求的目光仰望着他。回想起上次见面的情景，她羞得满面通红，而对面这双黑眼睛正幸灾乐祸地转动着。真是冤家路窄，出现在眼前的偏偏是这个可怕的家伙。他曾目睹她对阿希礼大发脾气，至今回想起来还如同噩梦般。这个讨厌的恶棍糟蹋过姑娘，规矩人都不欢迎他。这个卑鄙的坏蛋还振振有词地说过她不是个淑女。

听见他说话的声音，玫兰妮不由回过头来，幸亏有这个小姑子在，斯佳丽平生还是头一次为此感谢上帝呢。

“哎呀——这位——这位不是瑞特·巴特勒先生吗？”玫兰妮微微一笑，伸出手去，“上次见到你——”

“是在你订婚的大喜日子里，”他说完弯下腰吻她的手，“承蒙你还记得我。”

“你大老远地从查尔斯顿上这儿来干吗，巴特勒先生？”

“为了生意上的一件麻烦事，韦尔克斯太太。今后我可要在你们城里出出进进了。我觉得仅仅把货运进来还不行，还得想法把它们卖掉才是。”

“运进来——”兰妮皱起眉，开口说，突然一下子眉开眼笑起来。“哎呀，你——你准是我们经常听说的那个专闯封锁线的人——大名鼎鼎的巴特勒船长。哎呀，这儿的姑娘个个穿的都是你运进来的衣服。斯佳丽，你听了不激动吗——你怎么了，亲爱的？要晕倒吗？坐下来吧。”

斯佳丽一下子坐到凳子上，呼吸急促，她真担心胸衣的带子会绷断了。唉，竟遇上这么倒霉的事！她从没想到会又见到这个人。他从柜台上拿起她那把黑扇子，关心地替她扇着，过分关心了。虽然脸色很严肃，眼睛却在转动。

“这里真热，”他说，“怪不得奥哈拉小姐要晕倒了。我陪你到窗口去好吗？”

“不。”斯佳丽用很生硬的口气说，兰妮听得目瞪口呆。

“她现在不再是奥哈拉小姐了，”兰妮说，“她是汉密顿太太。是我嫂子了。”兰妮用爱怜的眼光看着她。看到巴特勒那张海盗般的黑脸上的神情，斯佳丽不由得感到透不过气来。

“两位美人儿做了姑嫂一定是如鱼得水啊。”他稍稍鞠了个躬说道。这是一般男人都说的客套话，不过从他口中说出，她听了却觉得是在说反话。

“你们两位的先生今晚一定都在这里参加这盛会吧？能同熟人重叙友情倒是一大乐事。”

“我丈夫在弗吉尼亚，”兰妮骄傲地把头一仰，“不过查尔斯——”

“他死在军营里了。”斯佳丽几乎是咬牙切齿地干脆地说。这畜牲永远不走开了吗？兰妮吃惊地瞧着她，船长做了个自责的手势。

“亲爱的夫人们——我真是太混了！请务必原谅我。不过请容许我一个陌生人奉劝一句，为国捐躯虽死犹生啊。”

玫兰妮眼含泪花，向他一笑，斯佳丽却感到怒火中烧，无法发泄。他居然又说了一句得体的话，在这种情况下，任何上等人都会说出这种恭维话的。可是他的话一句都不能当真。他是在嘲笑她。他知道她并不爱查尔斯。兰妮真是个大傻瓜，居然没听出这话的真意。噢，上帝开恩，但愿别让任何外人听出他这话的真意，她想想突然害怕起来。他会不会把知道的真相说出来呢？他当然不是个上等人，既然不是上等人，谁知道他会干出些什么事来呢。对他们是没有判断标准的。她抬头看着他，只见他往下撇着嘴角，一副假惺惺的样子，连替她扇扇子也是假惺惺的。他的样子有些把她惹火了，她不禁感到一阵厌恶，又有了劲儿。她猛地一把从他手中夺过扇子。

“我没事儿，”她尖刻地说道，“用不着风吹乱我的头发。”

“斯佳丽，亲爱的！巴特勒船长，请你多多包涵。她——一听到人家说起已故的查理的名字就不舒服——说到底，也许我们今晚就不该上这儿来。不瞒你说，我们还戴着孝呢，可怜的丫头，四周这种欢乐的气氛和音乐，也真够她受的。”

“我非常理解。”他刻意装着一本正经地说。谁知回头一看，他那副锐利的眼光看到了玫兰妮那双美丽忧愁的眼睛深处，他那张黑脸顿时换了副表情，勉强显出尊敬和温和的样子。“我想你真是位勇敢的少夫人，韦尔克斯太太。”

“一句话也不提我！”斯佳丽愤愤地想，兰妮在一边手足无措地笑着回答：

“哎呀，别说了，巴特勒船长！医院护理会是实在没办法了才叫我们来管货摊的，因为在最后关头——拿个枕套？这个枕套很好看，上面绣着一面旗。”

她转身去招呼来到柜台前的三个骑兵。一时间，玫兰妮真觉得巴特勒船长是个大好人呢，后来她看到自己的裙子和恰好放在货摊外面的那只痰盂只隔着层粗纱横幅，真恨不得改用更厚实的料子才好，因为那些满嘴琥珀色烟草汁的骑兵的吐痰功夫可赶不上他们放马枪的功夫那样能百发百中。再后来，找她的顾客越来越多，她就把船长、斯佳丽和痰盂统统都忘记了。

斯佳丽悄悄坐在凳子上扇扇子，不敢抬眼，一心只盼望巴特勒船长回他自己那条船的甲板上去。

“你丈夫死了很久了吗？”

“哦，是的，很久了。快一年了。”

“真是千古了。”

斯佳丽可不明白千古是什么意思，但他的声音确实悦耳动听，所以也就没说什么。

“你们结婚多久他去世的？请原谅我这么冒昧，因为我很久没在这一带了。”

“才两个月。”斯佳丽很不情愿地说。

“真是个悲剧。”他从容不迫地继续说。

哎呀，他真是该死，她恨恨地想道。如果换了别人，我早就干脆不理他，叫他滚蛋了。可是他知道阿希礼的事，也知道我并不爱查理。她真是无可奈何，只好一言不发，依然低头看着扇子。

“你这是头一次在社交场合露面吧？”

“我知道这看着让人纳闷，”她急忙解释道，“可是管摊儿的麦克卢尔家姑娘都出门有事了。一时又找不到人，所以我和玫兰妮——”

“为了事业，什么牺牲都不算大。”

哎呀，这可是艾尔辛太太说过的话。但当初她说的时候，听上去可不是这个味儿。火辣辣的话到了嘴边，可她又咽了下去。说起来，她到这儿来并不是为了事业，而是因为在家里待腻了。

“我常想，”他若有所思地说，“女人足不出户，终身披着黑纱，被禁止参加正常的娱乐活动，这一套服丧制度跟印度的殉夫风俗同样野蛮。”

“沙发？”（“殉夫”的英文 suttee 与“沙发”的英文 settee 读音相似——译者注）

他哈哈大笑，她不由得为自己的无知而脸红。她就恨人家用些她听不懂的词儿。

“在印度，男人死了就用火葬，不用土葬，他的妻子就得照规矩爬上火葬柴堆，陪他一起火化。”

“太可怕了！他们干吗要这样啊？警察一点也不管吗？”

“当然不管。做妻子的要不自焚就会遭到社会的唾弃。所有体面的妇女都会指责她的举止不像一个有教养的女人——正如要是你今晚穿上红衣服，带头跳起弗吉尼亚舞，角落里那些体面的妇女也会这样指责你的。我个人认为，殉夫风俗与我们可爱的南方把寡妇活埋的风俗相比可要仁慈得多！”

“你竟敢说活埋我！”

“女性对束缚她们的锁链抓得多牢啊！你认为印度风俗野蛮——可南部邦联今晚如果不用你，你有没有勇气来这儿露面呢？”

这种讨论总是把斯佳丽弄得稀里糊涂。经他这么一说她就更加糊涂了，因为她心里隐隐约约地觉得这话也有些道理。可现在正是可以把他驳斥得哑口无言的好时机。

“我当然不会来。这样未免——嗯，未免不尊重——仿佛我没爱——”

他眼巴巴地等着她把话说完，一副幸灾乐祸的神情，她却说不下去了。他明明知道她不爱查理，他决不会让她装腔作势地发表规规矩矩的看法的。跟小人打交道是多么、多么可怕的事啊。君子即使明知女人在说谎，也要装作相信她说的话。那是南方骑士的精神。君子总是要遵守这套规矩，说话得体，让女人舒舒服服地过日子。可是这人似乎丝毫不管这套规矩，分明专爱谈人家从来不谈的事。

“我正洗耳恭听呢。”

“我看你这人太可恶了。”她只好无可奈何地低垂双眼说。

他趴在柜台上，凑近她耳边，惟妙惟肖地学着偶尔在雅典娜大会堂演出的戏剧中的反派角色的样子，嘶嘶地说：“别怕，美人儿！我向你保证决不说出你那罪恶的秘密！”

“啊，”她气急败坏地低声说，“你怎么能说这种话！”

“我只是想宽宽你的心罢了。你要我说什么呢？说‘跟了我吧，美人儿，不然我就把一切统统说出来’。”

她老大不情愿地回头看了他一眼，只见那双眼睛竟像小孩子一样顽皮。她突然哈哈大笑起来。不管怎么说，这场合可真是可笑。他不由得也大笑起来，笑声洪亮，连角落里的几个陪伴都朝他们这边看了。看到查尔斯·汉密顿的寡妇竟跟一个完全陌生的人这么有说有笑的，她们便不以为然地交头接耳起来。

这时传来一阵鼓声，众人一片“嘘”声，米德大夫登上乐台，伸开双臂叫大家安静，并开始说：

“我们应该衷心感谢这些漂亮的女士们，她们以一种爱国的精神，不知疲倦，作出了贡献。她们不仅使本届义卖会大发利市，而且把这个简陋的会场布置成花团锦簇的庭园，变成一座我们现在所见的可以让这些娇媚的妙龄少女玩乐的花园。”

大家都拍手表示赞同。

“女士们都已尽了心尽了力。她们不仅贡献出时间，而且还付出了辛勤的劳动。货摊上这些美丽的货物，都是我们可爱的南方妇女们用她们的一双双玉手制作的，所以更加美丽。”

大家是又喝彩又助威，瑞特·巴特勒则一直懒懒散散地靠在斯佳丽身边的柜台上。这时他悄声说：“像不像装模作样的山羊？”

斯佳丽听到他对亚特兰大最受公民爱戴的人如此不敬，一开始是很害怕，继而又大吃一惊，不禁用责备的眼光看着他。谁知再看米德大夫，看到他下巴上那把灰白的胡子正飞舞飘拂着，确实像山羊，才好不容易忍住没笑出声来。

“但是光有这些还不够。医院护理会那些善良的女士们知道我们需要什么，她们用沉着冷静的双手抚慰过许多痛苦的心灵，从死神手里夺回了许多在最壮丽的事业中负伤的勇士们的生命。我在这里就不一一列举了。我们一定得有更多的钱来购买英国的医药用品。今晚我们有幸请到勇敢的船长，他一年来屡次成功地闯过封锁线为我们运来所需药品，今后他还将源源不断运来这些药品。他就是瑞特·巴特勒船长！”

虽然非常突然，但这位专闯封锁线的人还是得体地鞠了一躬——太得体了，斯佳丽一面想着，一面在心里猜测他的用意。他似乎太过殷勤了，因为他对在场的人个个都瞧不起。他鞠躬时场内响起了一阵欢呼声，角落里那帮太太都伸长了脖子往这边看。原来就是已故的查尔斯·汉密顿的寡妇刚才正勾搭的人！查理死了还不满周年呢！

“我们需要更多的黄金，我要向你们开口要了，”大夫继续说，“我要你们作出牺牲，不过跟我们穿灰色军服的勇士所作的牺牲相比，这牺牲是很小很小的，几乎小得可笑。女士们，我要你们的珠宝。是我要你们的珠宝吗？不，是南部邦联要你们的珠宝，南部邦联需要珠宝，我知道没人会舍不得的。娇嫩的手腕上戴颗闪闪发亮的宝石该多漂亮啊！我们的爱国妇女胸脯上戴枚灿烂夺目的金饰该会多美啊！但是牺牲比天底下所有的黄金宝石都美丽得多。黄金将回炉熔化，宝石将出售，钱就用来购买药品和其他医疗用品。女士们，回头有两位英勇的伤员，拿着篮子，从你们面前经过——”一片暴风雨般的掌声和欢呼声把他下面的话给淹没了。

斯佳丽的第一个念头就是深感欣慰。幸亏戴孝，她才没佩戴外祖母罗比亚尔家传的那副珍贵的耳坠和沉甸甸的金项链，还有黑珐琅的金手镯、石榴石的饰针。她看见那个小个子义勇兵，用没受伤的那条胳臂挎着一只橡木条篮子，正在场中她这一边的人群中挨个儿募捐。只见老老少少的女人中，有的在笑，有的在急。她们褪下手镯，从耳洞里卸下耳环，装作痛得哇哇直叫；还有的互相帮助解开绷紧的项链扣子，从胸口解下饰针。不断传来金属碰撞的当啷声。还有人喊着，“等一等——等一等！马上就解开了。给！”梅贝尔·梅里韦瑟正从手腕上使劲脱下那对可爱的手镯。芳妮·艾尔辛一面喊着“妈妈，我可以捐吗？”一面从鬈发上扯下祖传的镶有米粒珍珠的粗金钗。每件捐献物放进篮里时都引起大家的欢呼喝彩。

这时那个咧着嘴笑的小个子正向她们的货摊走来，臂上挎着的篮子沉甸甸的。走过瑞特·巴特勒身边时，只见他随手把一只漂亮的金烟盒扔进了篮子。小个子走到斯佳丽跟前，把篮子放在了柜台上。她只好摇摇头，摊开双手表示她没什么好捐的。说起来真窘，全场就只有她一个人捐献不出物品来。这时她看见自己手上那枚粗边的结婚金戒指正闪闪发亮。

慌乱间，她试图回忆起查尔斯的长相——他把戒指套在她手指上时是什么样子来着。可是记忆模糊了，以前每当她回忆起他，总是突然有一股无名之火，记忆因此就模糊了。查尔斯——就是那个断送了她一生，害她变成了个老太婆的祸根。

她攥住戒指，猛地一拧，谁知撸不下来。那义勇兵朝玫兰妮走去了。

“等一等！”斯佳丽喊道，“我有东西给你！”她褪下了戒指。那篮子里已经堆满了挂链、金表、戒指、别针和手镯等物品。她正想把戒指扔进篮里，忽然看到了瑞特·巴特勒的眼睛。他嘴角迸出一丝笑意。她旁若无人地把那枚戒指扔在了那一堆上面。

“哦，我的宝贝儿！”兰妮悄声说，一面抓住她的胳臂，眼睛里闪耀着爱和骄傲的光芒。“你这姑娘真勇敢，真勇敢！等一等——请稍等，皮卡尔中尉！我也有东西给你！”

她褪下了自己的结婚戒指。斯佳丽知道自从阿希礼给她戴上，这枚戒指就从没离开过她的手。除了斯佳丽以外，谁也不知道这戒指对她有多重要。好不容易才把戒指褪下来了，她又在纤细的掌心里紧紧攥了一会儿，这才轻轻放在那堆珠宝上面。姑嫂俩站着，目送着义勇兵慢慢朝角落里那批老太太走去。斯佳丽旁若无人，兰妮的模样则比哭还可怜。她俩的神情没逃过站在身旁的这人的眼睛。

“如果你刚才没勇气这么做，我也决不会有的。”兰妮伸出胳膊搂住斯佳丽的腰，还轻轻捏了她一下。斯佳丽真想一下子把她甩开，像父亲发火时那样大声高喊：“老天爷呀！”可是看到瑞特·巴特勒正盯着她看，就勉强苦笑了一下。真气人，兰妮老是曲解她的用意——不过也许这样比让她怀疑要好得多。

“多么崇高的姿态，”瑞特·巴特勒温柔地说，“正是你们这种牺牲鼓舞了我们穿灰色军装的勇敢小伙子们。”

火辣辣的话涌到了嘴边，好不容易她又忍住了。他的话句句都是挖苦。瞧他懒洋洋地靠在货摊上的样子，真让她打心眼儿里感到厌恶。可是他身上有股撩人心弦的劲头，热乎乎的，充满活力，像股电流。她身上那种爱尔兰脾气不禁发作起来，向他的黑眼睛应战了。她决心要压制他的气焰。他知道她的秘密，占着上风，这点让她很恼火，所以她得扭转局面，想办法让他处于下风。本来她一时冲动，想照实说出自己对他的看法，可还是硬忍住了。黑妈妈常常说，若要多抓苍蝇，用醋不如用糖，她打算抓住这只苍蝇，好好治治他，让他永远不能再摆布她。

“谢谢，”她故意装作听不懂他的嘲弄，甜言蜜语地说，“承蒙巴特勒船长这样的名人夸奖，心领了。”

他仰天大笑起来——简直是狗叫，斯佳丽恶狠狠地想，一张脸不由得又涨得绯红。

“你为什么不实话实说呢？”他压低嗓门问道，在募捐的笑闹声中这话只有她一个人听得见，“你为什么不说我是个该死的流氓、小人，叫我走开，或者请个穿灰军装的勇士把我撵走呢？”

她本来想尖刻地回敬他，话到嘴边，又毅然强咽了下去。“哎呀，巴特勒船长！瞧你扯到哪儿去了！就像大家不知道你多么出名和勇敢似的，你真是一位——真是一位——”

“你真让我失望。”他说。

“失望?”

“是啊。在我们初次见面的那个重大时刻，我心里就在想我终于碰到一个不仅貌美而且颇有胆量的姑娘了。可现在看来你不过是徒有美貌而已。”

“你的意思是骂我胆小鬼吗?”她气得要命。

“一点不错。你缺乏实话实说的胆量。我初次见到你时心里就想：这姑娘可是百里挑一的呢。她可不像这些糊涂的小傻瓜，对奶妈的教导句句深信不疑，也不管自己心里是怎么想的都照做不误。而且还要说尽好话来掩饰自己的心情、愿望和一些伤心事。我原以为：奥哈拉小姐是个有胆有识的姑娘。她知道自己要什么，她不怕说出自己的心里话——也不怕摔花瓶。”

“哦，”她勃然大怒，“那我索性就把心里话都说了吧。如果你还有点儿教养的话，你就决不会到这儿来跟我说话。你明知道我是决不愿意再见到你的！可你不是君子！你只是一个没教养的下流坯！你以为仗着自己几条小破船能比北方佬的船开得快，就有权利到这儿来取笑勇敢的男人和为事业牺牲一切的女人——”

“行了，行了——”他咧嘴笑着央求道，“你开头说的倒很好，想到什么说什么，可别跟我开口谈什么事业。事业这个词我已经听腻了，我相信你也一定听腻了——”

“咦，你怎么——”她开口说道，一时竟给弄得惊慌失措，赶紧忍住不说了，心里火直冒，气的是自己竟上了他的当。

“你还没看见我的时候，我就一直站在门口注视着你，”他说，“我还注意看了下其他姑娘。她们的表情看上去全像一个模子里刻出来的。只有你的不同。你的表情让人一看就知道有心事。你并没把心思放在你做的事上，我敢打赌你心里没在想什么事业或医院。你的神色明摆着想跳舞，想玩个痛快，可偏偏又办不到。所以你气疯了。说实话吧。我说得对不对?”

“我跟你没什么可说的，巴特勒船长，”她尽量一本正经地说，竭力想维持一下早已撕破的面子，“自以为是‘闯封锁线的能人’就有权利来侮辱女人吗?”

“闯封锁线的能人！真是笑话。请允许我再耽误你一点儿宝贵的时间再赶我走吧。我可不愿意让这么迷人的爱国姑娘蒙在鼓里，误解我是在为邦联事业效劳。”

“我可不愿意听你吹牛。”

“我的生意就是偷越封锁线，我靠这赚钱。一旦这一行不赚钱了，我就不干了。你认为这办法如何？”

“我认为你是个唯利是图的流氓——跟北方佬没什么两样。”

“一点也不错，”他咧着嘴笑了，“北方佬还帮我赚钱呢。嘿，上个月我的船就一直开进了纽约港，装了一船货。”

“什么！”斯佳丽不禁兴趣大增，异常激动，失声叫道，“难道他们不用大炮轰你？”

“你天真得可怜！怎么会轰呢。北方有不少坚定的爱国者，只要把货卖给南部邦联能赚钱，真是求之不得呢。我把船开进纽约，从北方佬的公司进货，当然是私下交易，一做完交易我就走。碰到不安全的时候，我就到拿骚去，这些北方的爱国者早已把什么火药啊、炮弹啊、衬着裙箍的长裙啊之类的东西替我运到那儿去了。这比到英国去办货要方便得多。虽然有时要把货偷运到查尔斯顿和威尔明顿有点儿困难——不过你真想不到钱有多大的神通。”

“哦，我知道北方佬很坏，可我还不知道——”

“北方佬靠和外面做买卖可以正正当当赚点钱，干吗要找碴儿呢？即使再过一百年也没关系。将来结果还不是一样。他们知道南部邦联最终是要被打败的，所以何不趁此赚点钱呢？”

“打败——我们？”

“当然。”

“请你走开——否则我就去叫车离开你回家！”

“昏了头的南方丫头。”说着他突然又咧嘴一笑，鞠了个躬就悠闲地走开了，把她气得有火没处发，胸脯一鼓一鼓的。她只觉得失望至极，弄不清是怎么回事，只觉得像个眼看幻想破灭了的孩子那样失望。他竟敢给那些偷越封锁线的人抹黑！还竟敢说南部邦联会失败！真该把他枪毙了——当卖国贼枪毙。她望了望会场四周那些熟悉的脸，张张脸上都流露出必胜的信心。他们那么勇敢，那么忠心，不知怎么，她竟感到一阵寒心。打败？这些人——哪儿的话，当然不会被打败！这个想法要不得，简直大逆不道。

“你们俩在悄悄说些什么呀？”待顾客散开后，玫兰妮才回头向斯佳丽问道，“我看了梅里韦瑟太太一眼，她一直盯着你呢，亲爱的，你知道她那张嘴多会说啊。”

“唉，这人真是讨厌——简直是个没文化的大老粗，”斯佳丽说，“至于那梅里韦瑟老太嘛，让她说去好了。因为她，我已经当够了傻瓜。”

“是嘛，斯佳丽！”玫兰妮大不以为然地喊着说。

“嘘——嘘，”斯佳丽说，“米德大夫又要宣布什么了。”

米德大夫一提高嗓门，全场顿时就静了下来，开头他对心甘情愿捐献珠宝的各位女士表示感谢。

“女士们，先生们，现在我要有一个惊人之举——一个新花样，你们中有人也许会感到震惊，不过请记住，这都是为了医院，为了我们那些在医院里躺着的子弟才这样做的。”

大家都抢着挤上前去，心里都在猜不露声色的大夫会有什么惊人的提议。

“舞会就要开始了。第一支曲子当然是弗吉尼亚舞，接下来是华尔兹，再下来有波尔卡、苏格兰舞、玛祖卡，都由一小段弗吉尼亚舞开头。我对上流人士争着要第一个跳弗吉尼亚舞的竞争很清楚，所以——”大夫擦了擦额头，有点怪怪地朝角落里看了一眼，他太太就坐在那堆陪伴儿当中，“先生们，如果有谁希望由自己挑选一位女士第一个跳弗吉尼亚舞，就得出钱约定。我来当拍卖人，收入全归医院。”

款款扇动的扇子一下子都停了下来，会场立刻响起一阵激动的嗡嗡声。坐在角落里的陪伴儿乱哄哄的，米德太太的处境很不利。她心里虽然很不赞成，但表面上却装作热心支持丈夫这一活动的样子。艾尔辛太太、梅里韦瑟太太、惠丁太太都气得满脸通红。幸亏自卫队这时喝起彩来，其他穿军装的来宾也纷纷响应。年轻的姑娘们则激动地跳着拍手。

“你不觉得这——这太有点——太有点像拍卖奴隶吗？”玫兰妮

悄声说。一边有点吃不透地盯着摆好架势的大夫，以前她还一直把他看成十全十美的呢。

斯佳丽一声不吭，两眼虽闪闪发光，但一颗心却隐隐作痛。如果她不是寡妇就好了。只要她还是当年的斯佳丽·奥哈拉，穿着苹果绿的衣服，胸前飘荡着深绿的丝绒飘带，乌发上插着晚香玉，往场上一站，那最先来跳弗吉尼亚舞的就是她了。绝对错不了。会有十来个男人向大夫出高价，争着要她，唉，如今只好坐在这里，不得已做一个没人邀请的人了，眼看着芳妮或梅贝尔俨然是亚特兰大的头号美人儿，最先来跳第一支弗吉尼亚舞。

在一片喧闹声中，响起了小个子义勇兵的声音，他那克里奥尔口音特别明显，“我可不可以——出二十块请梅贝尔·梅里韦瑟小姐先跳。”

梅贝尔满脸通红，靠在芳妮肩头，两个姑娘各自把脸躲在对方的肩头上，咯咯地笑着。这时又有别的声音叫着别的姑娘的名字并报出别的价钱。米德大夫完全不顾角落里妇女医院委员会的人一片义愤的嘀咕声，又眯眯笑了起来。

开始，梅里韦瑟太太直截了当地大声宣称说她家的梅贝尔决不参加这种活动，但梅贝尔的名字被叫的次数最多，出价也上升到了七十五块，她的抗议声也随之放低了。斯佳丽双肘撑着柜台，两眼都要冒火了。她看着笑得起劲的人群手里握着南部邦联的纸币，拥向台前。

好哇，她们就要跳舞了——唯独她和那些老太太除外。除了她，人人都能玩个痛快。这时她看见瑞特·巴特勒正站在大夫下面，她脸上还没来得及换个表情，他已经看见她了，不由得一撇嘴角，眉毛一抬。她急忙抬起头，转过脸去。忽然间她听见有人叫着自己的姓名——一个明显的查尔斯顿口音。声音响亮，盖过了叫其他名字的喧闹声。

“查尔斯·汉密顿太太——一百五十块——金元。”

一听到这个钱数和这个名字，人群中顿时鸦雀无声了。斯佳丽大吃了一惊，动都动不了了。她依然两手托着下巴坐着，惊讶地睁大了双眼。所有的人都回过头来看她。她看见大夫在台上弯下腰跟瑞特·巴特勒悄声说着什么。大概是在告诉他她在服丧，不能出场吧。她看见瑞特懒洋洋地耸了耸肩。

“我看，还是另挑一位美人儿吧？”大夫问道。

“不行，”瑞特清清楚楚地说，眼光漫不经心地朝人群扫了一下，“汉密顿太太。”

“我跟你说这不可能，”大夫气恼地说，“汉密顿太太不愿——”

斯佳丽听见了一个声音，开头她还不知道这是自己的声音。

“不，我愿意的！”

她一骨碌站起来，心怦怦直跳，跳得她都担心自己站不住了，一是因为她又成了全场注意的中心，二是因为又成了在场最吃香的姑娘。哦，最妙的是眼看又可以跳舞了，心里惊喜交加，心免不了要怦怦直跳了。

“哦，我不在乎！我不在乎别人说什么！”她感到一阵痛快的狂热劲，悄声说了一句。她昂头冲出了货摊，脚跟嘚嘚地踩着，像打竹板似的，一面唰地把黑绸扇完全展开。刹那间她看见了玫兰妮怀疑的表情，那些陪伴儿吃惊的神情，姑娘们别扭的表情，还有士兵们热情赞成的表情。

她下到了场内，瑞特·巴特勒迎面走来，脸上挂着烦人的嘲笑。可是她不在乎——哪怕他是亚伯拉罕·林肯本人她也不在乎。她又要跳舞了。她要第一个跳弗吉尼亚舞了。她弯下身向他嫣然一笑，行了个屈膝礼，他一手按着胸口的衬衫褶边，鞠了一躬。利维吓了一大跳，赶快控制局面，大声喊道：“选好舞伴准备跳弗吉尼亚舞吧！”

于是乐队立即奏起了最精彩的弗吉尼亚舞曲《狄克西》。

“你竟敢让我这么招摇，巴特勒船长！”

“可是，亲爱的汉密顿太太，你不是明摆着很想招摇吗？”

“你怎么能当众叫我的名字？”

“你本来可以拒绝的嘛。”

“可是——我对事业有义务——你出那么多钱，我可不能光考虑自己。别笑，大家都看着我们呢。”

“反正大家总要看我们的。你别想拿事业那套鬼话来骗我。你想跳舞，我就给你个机会。这段进行曲是弗吉尼亚舞的最后一段花步了吧？”

“是啊——说真的，我现在就应当停下来去坐好了。”

“为什么？我踩你的脚了吗？”

“没——不过别人会议论我的。”

“你心里——真的那么怕别人议论吗？”

“这——”

“你又没犯什么罪，是不是？干吗不陪我跳华尔兹啊？”

“可要是母亲——”

“还让奶妈把你管得紧紧的。”

“啊，你这人说话的腔调真讨厌，在你嘴里美德听起来竟那么无聊。”

“可美德本来就是无聊。你怕别人说闲话？”

“不——不过——算了，我们还是别谈这个了吧。谢天谢地，华尔兹总算开始了。弗吉尼亚舞总让我有一种上气不接下气的感觉。”

“别回避我的问题。你计较过别的女人说的闲话吗？”

“哦，你要硬让我说实话——那倒没有！不过姑娘家总该当心吧。不过，今晚，我管不了那么多了。”

“好极了！你现在总算开始自己拿主意，总算开始放聪明了。”

“哦，不过——”

“等到别人对你跟对我一样议论纷纷时，你就会明白这根本无所谓。想想看，在查尔斯顿就没一个人家欢迎我。哪怕我为我们这神圣的正义事业作出了贡献，人家也不会网开一面的。”

“多么可怕啊！”

“啊，一点都不。等到你的名声败坏了，你就知道名声是多大的负担，自由的真正意义是什么了。”

“你说得真难听！”

“虽然难听，却是真话。只要你永远有足够的勇气或者钱——没名声也行。”

“钱买不到一切。”

“这话一定是你听别人说的。你自己根本想不出这种陈词滥调。

有什么东西钱买不到？"

"哦，这个，我不知道——反正，钱既买不到幸福，也买不到爱情吧。"

"一般说来是买得到的。如果买不到的话，可以买最出色的代用品嘛。"

"你有那么多钱吗，巴特勒船长？"

"你这话问得太没礼貌了，汉密顿太太。真出乎我的意料。不过，是啊，我有钱。我年轻的时候穷得身无分文，混到现在这样总算很不错了。我敢说靠封锁线做生意，准能赚上一百万。"

"哦，不见得吧！"

"哦，没错！建设文明能发大财，破坏文明同样也能发大财，这一点大多数人似乎都不明白。"

"你这话是什么意思？"

"你家和我家，还有今晚在场的人，都曾经在将荒野改变成文明世界的过程中发了财。那就是帝国建设。在帝国建设中能发大财。不过，在帝国破坏中则能发更大的财。"

"你说的是什么帝国？"

"我说的就是我们现在生活的——南方——南部邦联——棉花王国——这个帝国正在我们脚下土崩瓦解。大多数傻瓜看不出这一点，也不会趁帝国垮台的时局捞点好处。我就是靠破坏发财的。"

"这么说你真的认为我们就要被打败了？"

"是啊。何苦做鸵鸟呢？"

"哎呀，天哪，这种话我都听腻了。你就不会说些好听的吗，巴特勒船长？"

"要让我说，你两只眼睛就像一对金鱼缸，清澈的绿水满到缸沿，那对鱼儿游到了水面上，真是迷人极了，就像现在这样，你听了满意了吗？"

"哦，我不喜欢这……音乐不是很美吗？哦，我真能没完没了地一直跳下去！我原来并不知道自己这么想跳舞！"

"我这辈子从没搂过像你这么美的舞伴。"

"巴特勒船长，你不该搂这么紧。大家都看着呢。"

“如果没人看着，你在乎吗？”

“巴特勒船长，你忘乎所以了吧。”

“一刻也没有。有你在怀里，我怎么能忘呢？……那是什么曲子？是新的吗？”

“是啊。这曲子不是很美吗？这是我们从北方佬那里照搬过来的。”

“曲名是什么？”

“《无情战火结束后》。”

“歌词是什么？唱给我听听。”

亲人，你是否还记得
上次相见的情景？
你跪在我的脚边，
说你爱我情意长。
身穿灰军装的你啊，
站在面前多威风，
当时你立下誓言，
对国对我心不移。
寂寞伤感有何益，
枉抛泪珠徒叹息！
无情战火结束后，
你我重逢定有期！

“当然，原来的词是‘蓝军装’，可我们把它改成了‘灰军装’……哦，你的华尔兹真是跳得好极了，巴特勒船长。不瞒你说，很多大人物都跳不好。想想这次跳了以后又要有好多好多年跳不上舞了。”

“只要一会儿工夫。到下一支弗吉尼亚舞我还要出价请你——接着还有再下一支，再下一支。”

“哦，别，我不能再跳了！你千万别这样！这样会毁了我的名声。”

“反正名声已经败坏了，再跳一次又有什么关系呢？等我跟你跳了五六次后，也许会让别的小子有个跟你跳的机会，不过最后一个舞还是非跟我跳不可。”

“哦，那好吧。我知道我这是疯了，可我不在乎。别人爱怎么说就怎么说吧，我不在乎了。成天在家里坐着腻透了。我要跳舞，不停地跳啊跳——”

“不穿黑衣服了？我就讨厌戴孝。”

“哦，我可不能不戴孝——巴特勒船长，你千万别把我搂这么紧。你再这样我就要发火了。”

“你发火时真好看。我要再使劲搂一下——我就是要看看你会不会真的发火。上次在十二棵橡树庄园，你发火了，还甩东西，你真不知道当时的你有多迷人呢。”

“哦，求求你了——这事你还没忘呀？”

“对，这是我最珍贵的记忆——一位娇生惯养的南方美人儿，大发爱尔兰脾气——知道吗，你的脾气是十足的爱尔兰式的。”

“哦，天哪，音乐结束了，佩蒂帕特姑妈从屋后走出来了。肯定是梅里韦瑟太太告诉她了。求求你了，我们还是走过去，看看窗外吧。我现在不想让她看到。她两只眼睛睁得大大的呢。”

10

第二天早晨，对着蛋饼，佩蒂帕特眼泪汪汪，玫兰妮一声不响，斯佳丽则一脸的不服气。

“我才不在乎别人怎么议论呢。我敢说我替医院赚到的钱比在场的任何姑娘都多——也比我们卖掉的所有垃圾货的钱还多。”

“哎呀，老天，钱有什么关系？”佩蒂帕特哭着说，一边双手绞扭着，“我简直不敢相信自己的眼睛，可怜的查理去世还不满一年……斯佳丽，那个可恶的巴特勒船长让你那么招摇，真是个坏透顶的人。惠丁太太的表妹，柯尔曼太太，还有她丈夫都是查尔斯顿人，她跟我说起过这个人。说他出身倒是好人家，就他是个败家子——唉，巴特勒家的子孙中怎么会有这么个败类？在查尔斯顿他是不受欢迎的人。他放荡透顶，臭名昭著。也曾跟一个姑娘有过一段不清不白，连柯尔曼太太也弄不清是怎么回事。”

“不过，我就不相信他有这么坏，”兰妮温柔地说，“他看上去是个地道的君子，想想看，他偷越封锁线，那得有多勇敢啊。”

“他并不勇敢，”斯佳丽一面存心找别扭地说，一面把半罐糖浆倒在蛋饼上，“他只是为了钱才干的。他跟我说过。他才不管南部邦联的死活呢，他说我们就要被打败了。不过他的舞倒跳得好极了。”

这两个听她说话的人吓得一句话也说不出来。

“我在家里待腻了，再也不想这样待下去了。如果大家昨晚都那样议论我，那我的名声早就完了，大家再怎么说我也无所谓了。”

她倒没想到这原本是巴特勒的主张，居然跟她心里想的正巧完全吻合。

“哎！你母亲听到这话会怎么说呢？她对我会怎么想呢？”

斯佳丽一想到母亲真要听说了女儿丢人现眼的行为，一定会惊慌失措，就不由得心凉了，感到一阵内疚。她再一想，亚特兰大和塔拉庄园隔着二十五英里，就又打起精神来。佩蒂姑妈肯定不会告诉母亲的。因为这会让她这个做陪伴儿的下不来台。只要佩蒂不乱讲，她就太平无事了。

“我想——”佩蒂说，“对，我想最好还是寄封信给亨利跟他说说这事——尽管我不愿给他写信——可是我们亲属中他是唯一的男人了，要他去向巴特勒船长问罪——唉，天哪，要是查理在世就好了——斯佳丽，你千万千万别再跟那个人说话了。”

玫兰妮一直静静地坐着，双手放在膝盖上，她的一份蛋饼搁在盘里已经凉了。她站起身，来到斯佳丽身后，双手搂住她的脖子。

“亲爱的，”她说，“别自寻烦恼了。我知道，你昨晚做了件很勇敢的事，给医院帮了大忙。要是有人胆敢说你一句闲话，我会对付他们的……佩蒂姑妈，别哭了。斯佳丽哪儿都不能去也未免太难受了。她还是个小姑娘呢。”她用手抚弄着斯佳丽的乌发。“我们如果偶尔去参加一些社交活动，日子也许会好过些。我们待在家里只会伤心，也许非常自私。战时究竟不比平时。我想起城里所有的士兵们，他们远离家园，在这儿晚上又没什么朋友可以去探望——还有医院里的那些士兵，虽说伤势好转能起床了，但还不能返回部队——唉，我们过去真是太自私了。这次我们应该像别人一样，请三个康复伤员来家里调养，每个星期天再请几个士兵来家里吃饭。得了，斯佳丽，别着急。一旦大家理解了就不会议论了。我们知道你是爱查理的。”

其实斯佳丽心里一点也不着急，玫兰妮那双温柔的手抚弄着她的头发才叫人心烦呢。她真想转过头去，说：“哦，乱弹琴！”因为昨晚自卫队和民团，还有医院里的伤兵争相跟她跳舞的情景她还记忆犹新。她恰恰不稀罕兰妮当她的辩护人。谢谢你了，如果那帮三姑六姨要咋呼的话，她可以替自己辩护——得了，没有这帮三姑六姨，她也能过日子。天下漂亮军官多的是，她才不管老太婆说什么闲话呢。

佩蒂帕特听了玫兰妮的劝说就擦着眼泪，这时普莉西拿着一封厚厚的信走了进来。

“你的信，兰妮小姐。一个黑小子送来的。”

“我的？”兰妮边说边拆开信封，心里直纳闷。

斯佳丽只顾吃蛋饼，所以一点没在意，等听见兰妮放声哭了，才抬眼一看，只见佩蒂帕特姑妈正伸手捂着胸口。

“阿希礼死了！”佩蒂帕特尖叫了一声，头往后一仰，两臂就无力地垂下了。

“哦，我的天哪！”斯佳丽也大叫了一声，浑身的血液顿时都凝固了。

“不是的！不是的！”玫兰妮喊道，“快！给她拿嗅盐，斯佳丽！好了，好了，乖乖，好点了吗？深吸一口气。不，不是阿希礼。真对不起，我把你吓着了。我哭是因为太高兴了。”她忽然张开握紧的手掌，把掌心里捏着的东西贴到嘴唇上。“我太高兴了。”说着又哇地一声哭了起来。

斯佳丽眼尖，一下子就看见是只粗边金戒指。

“看吧，”兰妮指指地板上那封信说，“哦，这人多可亲，心肠多好啊！”

斯佳丽莫名其妙，拾起那张信纸，只见上面用又黑又粗的字迹写道：“南部邦联需要的是男人的鲜血，而不是女人的心血。亲爱的夫人，为表示我对你勇气的敬佩，请接受这个纪念品，切莫认为你的牺牲毫无作用，因为这枚戒指是花了十倍的价钱才赎回来的。瑞特·巴特勒船长。”

玫兰妮将戒指套上手指，爱不释手地看着。

“我不是告诉过你他是位君子吗？”她回过头对佩蒂帕特说，脸上泪光莹莹，满是笑容。“除了高尚体贴的君子，谁也不会想到我因此会多伤心——回头我就把金项链捐掉吧。佩蒂帕特姑妈，你应该写张便条给他，请他星期天来吃饭，那我就可以当面向他致谢了。”

“听到你近来的行为，我心中极为不安。”埃伦来信这样说，斯佳丽在桌边看着信，不由得皱起眉头来。

在一片激动中，好像谁也没想到巴特勒船长并没有把斯佳丽的戒指也归还给她。可是她想到了，心里暗暗烦恼。她知道促使巴特勒船长作出这么豪爽姿态的，决不是他有多么高尚。其实他是存心要她们请他上佩蒂帕特家来，而且拿准了他肯定会受到邀请。

“听到你近来的行为，我心中极为不安。”埃伦来信这样说，斯佳丽在桌边看着信，不由得皱起眉头来。真是好事不出门，坏事传千里。她在查尔斯顿和萨凡纳时就常听人说亚特兰大的人比南方其他地方的人更爱搬弄是非，干涉人家的私事，现在她可是信了。义卖会是星期一晚上，今天才星期四呢。哪个三姑六姨擅自写信给她母亲的啊？一时她怀疑是佩蒂帕特，但转眼就又抛开了这念头。可怜的佩蒂帕特一直担心会因斯佳丽的鲁莽行为受到责怪，吓得发抖，她是决不会跟埃伦说起自己这个陪伴儿没尽到责任的。大概是梅里韦瑟太太吧。

“真让我难以相信你竟会如此忘了自己的身份和教养。我知道你想要帮助医院的一片热忱，我也可以宽恕你在服丧期间公开露面的不当行为。可是去跳舞，而且是同巴特勒船长这样的人！我对他的事可听到了不少（谁没听说过呢？），上星期宝莲刚写信给我，说他的名声很坏，连查尔斯顿老家的人都不欢迎他，当然他伤心的母亲除外。他是一个地地道道的坏人，会利用你的年幼无知，让你招摇，当众让你出丑，让你的家人出丑。佩蒂帕特小姐怎么能如此失职不管你呢？”

斯佳丽看了一眼桌子对面的姑妈。老小姐早已认出了是埃伦的笔迹，吓得噘起胖嘟嘟的小嘴，像个小娃娃生怕挨骂似的，只想一哭了之。

“一想到你竟如此快就忘记了教养，我深感伤心。我原想叫你立即回来的，但此事将由你父亲决定。他将于星期五来亚特兰大，同巴特勒船长面谈，并护送你回家。我怕他会不顾我的请求，对你太严厉。但愿你只是年幼无知才做出这等鲁莽的事情。谁也没有我这么希望为事业效劳，但愿我的女儿也有同感，但是要出丑——”

信里类似的字句很多，斯佳丽没看完。这次她可完全吓坏了。

现在她不再感到满不在乎，目中无人了。她只觉得自己年幼理亏，就像十岁那年在餐桌上把一块抹上黄油的饼干扔到苏埃伦身上时的心情一样。想想性情温柔的母亲对她竟如此严加指责，父亲又要到城里同巴特勒船长面谈。她感到事态严重了。父亲要严厉待她了。这一次她知道自己不能再坐在他腿上撒娇胡闹，借此逃脱惩罚了。

“不——不是坏消息吧？”佩蒂帕特颤抖着问。

“爸明天就要来了，他要像饿狼扑食那样扑过来把我痛骂一顿。”斯佳丽忧伤地说。

“普莉西，把嗅盐拿来，”佩蒂帕特放下吃了一半的早餐，把椅子往后一挪，坐立不安，“我——我感到发晕。”

“在你的裙兜里呢。”普莉西说，她一直在斯佳丽身后来回走动着，欣赏这幕精彩的好戏。杰拉尔德老爷发起脾气来可带劲儿了，只要他的脾气不是冲着她的卷毛头来的就行。佩蒂在兜里掏着，把药瓶凑到鼻子跟前。

“你们都应该帮我，一刻都不要离开我，”斯佳丽喊道，“他最喜欢你们俩，要是你们能跟我在一起，他就没法对我唠叨了。”

“我不行，”佩蒂帕特一边有气无力地说着，一边站起身来，“我——我不舒服。我一定得躺着。明天我要躺一整天。你们一定要替我向他解释清楚。”

“胆小鬼！”斯佳丽心里想着，狠狠地瞪了她一眼。

兰妮虽然一想到要对付脾气火暴的杰拉尔德就脸色煞白，吓得要命，但还是挺身而出帮她说话。“我会——我会帮你说明你是为了医院才这么干的。他会理解的。”

“不，他不会的，”斯佳丽说，“天哪，要是像母亲扬言的那样，硬要我丢人现眼地跟他回塔拉庄园，我是死也不去的！”

“哦，你不能回去，”佩蒂帕特哇的一声哭叫着说，“如果你回去了，我就只好——唉，只好去求亨利来陪我们住了，你知道我跟亨利就是没法一起过。城里这么多陌生男人，晚上家里只有兰妮跟我，我真是提心吊胆。你很勇敢，有你在家里即使没男人我也不担心！”

“哦，不能让他带你回塔拉庄园！”兰妮说，她看上去好像就要哭了。“现在这里就是你的家。如果你不在叫我们怎么办啊？”

"你要是知道我对你的真正看法，就巴不得我走了。"斯佳丽别扭地想道，心里希望出头帮她劝父亲息怒的不是玫兰妮，而是别人。让一个你深深厌恶的人来替你辩护未免让人心里不好受。

"或许我们应该取消对巴特勒船长的邀请——"佩蒂帕特开口说。

"哦，那不行！太不像话了！"兰妮喊着说，心里很苦恼。

"快扶我上床吧。我要病倒了，"佩蒂帕特呻吟道，"哦，斯佳丽，你怎么能替我惹这种祸啊？"

第二天下午杰拉尔德到来时，佩蒂帕特果真病倒在床。她房门紧闭，不断传出话来告罪，晚饭时就听任吓破胆的姑嫂俩在饭桌上张罗一切。杰拉尔德虽然吻了女儿，还赞许地捏了捏玫兰妮的脸蛋，叫她"兰妮姑娘"，但是他的沉默令人预感到大势不妙。斯佳丽原本满心希望他破口大骂，数落一顿了事呢。玫兰妮倒也信守诺言，形影不离地跟着斯佳丽。杰拉尔德到底是个有身份的人，不会当着她的面骂女儿。斯佳丽不得不承认玫兰妮确实有一套，应付自如，装得若无其事，等到吃晚饭时，她居然引得他跟大家谈起话来。

"我想了解县里的一切情况，"她满面春风地对他说，"印第亚和哈妮都懒得写信，我知道你对那里的情况一清二楚。就跟我们谈谈乔·方丹的婚礼吧。"

杰拉尔德听了这番奉承话心里很是受用，就说这场婚礼举行得不是很隆重，"不像你们那时候。"因为乔只休两三天假。芒罗家的那个萨丽小姐，看上去很漂亮。不，他记不得她穿的是什么衣服了，但他的确听说她连"二朝"服都没有。

"真的？"姑嫂俩大为震惊，失声叫道。

"没错，因为她没有过新婚第二天。"杰拉尔德解释道。说着径自哈哈大笑起来，忘了这类话是不宜当着女人说的。斯佳丽看到他大笑，不由兴致也上来了，真是多亏了玫兰妮手段高明。

"乔第二天就回弗吉尼亚去了，"杰拉尔德匆匆地补了一句说，"婚后既没有去拜客，也没有举行舞会。塔尔顿家的孪生兄弟回家了呢。"

"这事我们听说了。他们伤好了吗？"

“他们伤势不重。斯图特伤在膝盖上，布伦特肩膀上被一颗来复枪子弹打穿了。他们俩因为作战英勇在特别通报上受到了表彰，这事你们也听说了吧？”

“没有！跟我们说说吧！”

“他们俩——都很鲁莽。我想他们有爱尔兰血统，”杰拉尔德得意地说，“我不记得他们是怎么立功的，不过布伦特现在已升到中尉了。”

斯佳丽听说他们立了功，很是高兴，大有应该归功于她之势。哪个男人一旦做了她情人，她就深信他永远属于她，凡是他的功劳都有她的一份。

“我还有个消息你们俩准会感兴趣，”杰拉尔德说，“有人说斯图特又到十二棵橡树庄园去求婚了。”

“是哈妮还是印第亚？”兰妮激动地问，斯佳丽却几乎气得直瞪眼。

“哦。当然是印第亚小姐。我家这个骚货还没跟他眉来眼去的时候，她不是早抓住他不放了吗？”

“哦。”兰妮说，她对杰拉尔德说话这般口没遮拦，有点儿发窘。

“还有，现在，布伦特这小子也变得喜欢到塔拉庄园来鬼混了。”

斯佳丽说不出话了。她的情人如此负心，简直是对她的侮辱。特别是当她回想起当初她告诉他们说，她要嫁给查尔斯时，兄弟俩多么撒野。斯图特甚至扬言要么用枪打死查尔斯，要么打死斯佳丽，要么打死自己，要么把三个人都打死。当时才叫来劲呢。

“是找苏埃伦吗？”兰妮突然露出欣慰的笑容问道，“可我还以为肯尼迪先生——”

“哦，他吗？”杰拉尔德说，“弗兰克·肯尼迪还是模棱两可，连自己的影子都害怕。如果他不开口，我不久还要问问他到底是什么意思。不对，是找我的小女儿。”

“卡丽恩？”

“她还是个孩子呢。”斯佳丽尖刻地说，她总算说得出话来了。

“她只比你结婚时小一岁，小姐，”杰拉尔德反驳说，“你是舍不得把从前的情人让给你妹妹吧？”

这么直来直去的话，兰妮听不惯，不由脸都红了，示意彼得上红薯饼。她搜肠刮肚，想找些不要太涉及人家私事的话题，只要能把他此行的目的岔开就行。但她想不出什么话题来，而杰拉尔德一说起来就没完没了，只要有人听他说话就成。他把话扯到军需部门贪赃枉法，月月提高要求，扯到杰弗逊·戴维斯奸诈昏庸，还扯到爱尔兰人不要脸，为了几个赏金就投奔了北方佬。

等桌上端来了酒，姑嫂俩就起身准备离开。杰拉尔德皱着眉，对女儿狠狠使了个眼色，命令她单独与他待一会儿。斯佳丽失望地瞟了兰妮一眼，兰妮一筹莫展，拧着手绢儿，走了出去，随手轻轻把门关上了。

“怎么了，小姐！”杰拉尔德自己斟上一杯葡萄酒，大声吼道，“你干的好事！守寡还没几天，就想另找个丈夫了吗？”

“嗓门别那么大，爸，仆人——”

“用不着说他们早就知道了，人人都知道我们家丢尽了脸。你母亲气得病倒在床上，我也抬不起头来了。真丢人。不行，小姑娘，这次你哭鼻子也别想混过去。”看到斯佳丽眼睛眨巴眨巴，嘴唇噘了起来，他就匆匆说，声音不免有点慌张。“我了解你。即使在替丈夫守灵时也会与人调情的。别哭了，得了，今晚我不再说什么了，因为我要去会会这位体面的巴特勒船长，他竟然把我女儿的名声不当一回事。等明天早晨——行了，别哭了。哭对你可一点好处也没有，一点也没有。这次我下定决心明天就把你带回塔拉庄园去，免得你再给全家丢脸。行了，别哭了，宝贝儿。瞧我给你带什么来了！这礼物不是挺漂亮吗？瞧，瞧啊！你怎么能给我找这么多麻烦啊，我忙得很，偏让我这么大老远赶来！别哭了！”

玫兰妮和佩蒂帕特都已睡着了几个小时了，斯佳丽却躺在暖和的暗处睡不着，心里觉得沉甸甸的，忐忑不安。生活才刚刚重新开始，就让她离开亚特兰大，回家去见母亲！她宁死也不愿去见母亲。她真恨不得自己现在就死了才好，死了大家就会后悔不该这么可恶地待她了。她像枕头烫人似的翻来覆去不能入睡。后来听到寂静的街道远处传来个声音。尽管这声音模糊不清，却异常耳熟。她悄悄起床，走到窗口。只见天空中星光若隐若现，绿树成荫的街道一片幽暗。声音越来越近，车轮辘辘，马蹄嗒嗒，还有说话的声音。这时耳边传来了带着浓重的爱尔兰土腔和醉意唱着《低靠背车上的假腿人》的声音。她听出来了，不由得咧嘴一笑。这天虽不是琼斯博罗开庭的日子，但杰拉尔德看审案回来就是这副样子。

她看见一辆双轮轻便马车的黑影在屋前停下，有模糊不清的人影下了车。他有人陪着呢。大门口有两个人影，她听见门闩喀嗒一响，杰拉尔德的声音就清清楚楚传来了。

“我这就唱《罗伯特·埃米特哀歌》给你听。这支歌你应当会唱，老弟。我来教你。”

“我很愿意学，”陪他来的人说，从慢吞吞的平淡声音中听得出其中带有一丝强忍的笑意，“可现在不行，奥哈拉先生。”

“哎呀，天哪，原来是那个可恶的巴特勒！”斯佳丽想道，开始心里还很气恼，随即又打起精神来了。至少他们没有互相开枪。在这个时候，这种情况下，两人一起回来，一定是关系融洽的了。

“我要唱了，你得听着，不然我就一枪崩了你这个奥兰治会分子。”

“我不是奥兰治会分子——是查尔斯顿人。”

“那也好不了多少。反而更糟。我有两个小姨子住在查尔斯顿，那里的事我知道。”

“他要说给四邻八舍听吗？”斯佳丽惊慌失措地暗自思忖，一面伸手去拿晨衣。可她又有什么办法？深更半夜的，她又不能下楼去把父亲从街上拖进来。

杰拉尔德在大门口磨磨蹭蹭，什么也不说，就仰起脖子，用吼叫似的低音唱起那支《哀歌》来。斯佳丽胳膊肘儿撑在窗槛上听着，一面不禁咧开嘴笑了。只要父亲唱时不走调，这歌倒也动听。这歌本来她就喜欢，于是她竟玩味起开头两句歌词中那种细腻的忧郁情感来了。

在哀叹着的亲人簇拥下，
她告别了她那年轻英雄长眠的土地。

这支歌一直唱下去，她听见佩蒂帕特和兰妮两人屋里都有了动静。真可怜，她们肯定被吵得心烦意乱。她们没习惯杰拉尔德这种精力旺盛的男子汉。等到这支歌唱完了，就见两个人影凑在一起，沿着小径走上台阶。接着是一阵谨慎的敲门声。

“我该下楼去了，”斯佳丽想道，“他毕竟是我父亲，再说可怜的佩蒂是死也不会去的。”还有，她也不愿让仆人看见父亲这副模样。如果彼得想侍候他睡觉，他会由着性子胡来的。只有波克知道怎么对付他。

她把晨衣领口扣住，点亮床头的蜡烛，匆匆走下漆黑的楼梯，来到前门厅。她把蜡烛插在烛台上，把门打开了。烛光摇曳中，她看见瑞特·巴特勒不动声色地扶着她矮胖的父亲。那支《哀歌》显然是杰拉尔德唱的最后一首歌了，因为他竟老老实实地靠在了陪他来的人的胳膊上。帽子也丢了，一头拳曲的花白长发乱蓬蓬地散着，领带歪到一边耳朵下，衬衫前襟沾着酒迹。

“我想，这位是你父亲吧？”巴特勒船长说，黝黑的脸上一双眼睛露出幸灾乐祸的神情。他一眼就看出她衣着随便，那目光似乎一直看到了她晨衣的里面。

“把他带进来。”她没好气地说，她感到狼狈的是自己衣冠不整，感到愤怒的是父亲竟害她处在这种境地，让这人趁机取笑她。

瑞特把杰拉尔德推向她。“要我帮你扶他上楼吗？你架不住他的。他沉得很。”

他太放肆了，竟敢提出这种主意，她听了吓得目瞪口呆。想想看，要是让巴特勒船长上楼来，缩在床上的佩蒂帕特和兰妮会怎么想啊！

“天哪，不行！就放在这儿，放在客厅的沙发上吧。”

“你说，殉夫吗？”

“谢谢你，请你说话文明些。就这儿，让他躺下吧。”

“要我脱掉他的靴子吗？”

“不用。他以前这样穿着靴子睡过。”

她真后悔不该这么说，因为他把杰拉尔德双腿架好时轻声笑了。

“好了，请走吧。”

他朝外走到昏暗的门厅，拿起刚才扔在门槛上的帽子。

“星期天吃饭时再见。”他说着随手悄无声息地带上了门，走了出去。

早上五点半，斯佳丽就起来了，她趁仆人还没从后院进屋来做早餐，溜下楼梯，来到寂静的楼下。杰拉尔德已经醒了。他坐在沙发上，双手抓着自己的圆脑袋，仿佛想把脑袋捏碎。她进来时他鬼鬼祟祟地抬眼看着。眼睛一动就异常痛疼，难以忍受，不由得哼哼唧唧起来。

“哎哟哟!”

“你干的好事，爸，”她一开口就低声愤怒地说，“那个钟点才回家，还唱得左邻右舍不得安宁。”

“我唱了吗?”

“唱了！你唱了《哀歌》，唱得震天响。”

“我一点都不记得了。”

“可左邻右舍到死也忘不了，佩蒂帕特小姐和玫兰妮也不会忘的。”

“老天啊，”杰拉尔德伸出舌苔厚厚的舌头，舔了舔干燥的嘴唇，哼哼唧唧地说，“牌局开始以后的事我都记不清了。”

“牌局?”

“巴特勒那个花花公子吹牛说他是玩牌大王——”

“你输了多少?”

“什么话，我当然是赢了。喝下一两杯酒后我就打得顺手了。”

“看看你的钱包吧。”

杰拉尔德动一下仿佛都很痛苦。他好容易才从上衣口袋里掏出钱包，打开一看，里面空空的。他望着钱包，一副可怜兮兮、莫名其妙的样子。

“五百块呢，”他说，“这笔钱原本打算从偷越封锁线的商人那儿给你母亲买东西的，现在连回塔拉庄园的车钱都没了。”

斯佳丽愤愤地看着钱包，心里顿时有了主意。

“我在城里再也抬不起头了，”她开口就说，“你把我们大家的脸都丢尽了。”

"别说了，丫头。你没看见我的脑袋都痛死了吗？"

"喝得醉醺醺的，跟巴特勒船长这种人回家，还扯着嗓子大声唱歌，唱得人人都听见了，还把钱全都输光了。"

"他打牌太精明，不是个上等人。他——"

"如果母亲听说了这事会怎么说啊？"

他突然露出一副痛苦的担忧神情，抬眼看着她。

"你什么都不会告诉你母亲，让她烦恼吧？"

斯佳丽一声不吭，只是噘着嘴。

"你想她听了这事会多伤心啊，她心肠又这么软——"

"想想看吧，爸，昨天晚上你还在说我丢了全家的脸呢。我，只不过为了替士兵赚点钱跳了几曲舞罢了。唉，我真要哭了。"

"哎呀，别哭，"杰拉尔德央求道，"我这可怜的脑袋真受不了了，都要涨破了。"

"你还说我——"

"得了，丫头，得了，丫头，你可怜的老爸说过什么话你都别见怪，他的话都是有口无心，你怎么连这都不明白！说真的，你确实是个好心肠的姑娘。"

"还说什么要把我带回家去丢人现眼。"

"啊，亲爱的，我决不会这么做的。我是逗你玩的。你可别对你母亲提起钱的事啊，她对开支的事本来就已经够着急的了。"

"不说，"斯佳丽坦率地说，"我不会说的，只要你让我留在这里，你去跟母亲说这只不过是三姑六姨搬弄是非就行了。"

杰拉尔德伤心地看着女儿。

"你这简直是敲诈。"

"那昨晚的事简直就是丑闻。"

"得了，"他连哄带骗地说，"我们把这些事统统都忘了吧。你看，像佩蒂帕特这么可爱的小姐家里会有白兰地吗？喝口酒解解醉吧——"

于是斯佳丽转过身去，蹑手蹑脚地穿过静悄悄的过道，走进餐室去拿白兰地。每逢佩蒂帕特那颗七上八下的心跳得她都晕过去——或者看来像要晕了时，她总抿上一口，所以斯佳丽和兰妮私下管这瓶酒叫“头晕酒”。斯佳丽一脸得意扬扬的样子，丝毫没有因对父亲的不孝而感到羞愧。如今她可以拿假话稳住母亲了，即使再有哪个多管闲事的人写信给母亲也不怕了。她现在可以留在亚特兰大了。既然佩蒂帕特是这么个软面糊儿，那她就可以随心所欲了。她打开酒柜，拿出酒瓶和酒杯，把它们紧紧抱在胸口，站了一会儿。

一连串的美景浮现在她眼前：桃树湾潺潺流水边的野餐会，石山上的烧烤野宴、酒会、舞会，午后的茶会，驾着双轮轻型马车兜风，星期天晚上吃便饭等。样样都有她的份，样样都以她为中心，男人堆里也是以她为中心。只需在医院里为这些男人做点小事，他们就会很容易地堕入情网。如今她不再那么讨厌医院了。男人伤病后很容易动心。正像塔拉庄园里熟透的桃子，手段高明的姑娘，只需把树轻轻一摇，桃子就掉到手心里了。

她捧着起死回生的酒回到父亲身边，心里暗自感谢上天。昨晚他酒后发作后，这个出名的脑袋还没清醒过来呢。一时她又突然起了疑心，不知瑞特·巴特勒跟这事是不是有什么关系。

11

第二个星期的一天下午，斯佳丽从医院回来，只觉得是既累又气。累，是因为整整站了一上午；气，则是因为坐在病床边给伤兵包扎胳膊时，被梅里韦瑟太太不客气地抢白了一顿。到了家，只见佩蒂姑妈和玫兰妮早已戴上了她们最好的帽子，带着韦德和普莉西，等候在门廊上，准备一块儿去各亲朋好友家作每周例行的拜访。斯佳丽表示不能奉陪，经自上了楼，回自己房间去了。

等到辘辘的马车轮声消失远去，知道一家子人已经走了，她偷偷来到玫兰妮的房间，打开门锁溜了进去。玫兰妮的房间不大，但整整齐齐、一尘不染。四点钟的太阳已渐西斜，照得满屋一片温馨，一派恬静。地上一片光亮，原来地板没铺地毯，只有一两处地方铺着色泽鲜艳的碎毡小地毯。雪白的四壁也没装点，只有一个角落被玫兰妮布置得像神龛一般。

那里，一面南部邦联旗飘然下垂着，旗下挂着当年玫兰妮的父亲参加墨西哥战争时曾佩带过的那把金柄马刀。这次查理出征，随身佩带的也就是这把马刀。一起挂在那里的还有查理的腰带和手枪带，枪袋里还装着他的左轮手枪。马刀和手枪之间是一张银板相片，相片上是查理。他穿着灰色军装，一副非常矜持而自豪的样子，一双棕色的大眼睛里似乎有两道光芒直射到镜框外，嘴角还含着一丝羞怯的微笑。

斯佳丽压根儿就没有去注意那相片，而是一刻也没耽搁就直奔到那张小巧的床前，伸手到床头柜上一只四四方方的黄檀木文书盒中取出一沓用蓝缎带扎好的信，都是阿希礼亲笔写给玫兰妮的。最上面的一封信是这天早上收到的，她就打开了这封。

斯佳丽偷看这些信时，开始还觉得良心很是不安，又生怕有人看见，所以哆哆嗦嗦，差点儿连信封都打不开了。她的羞耻心本来就不是无懈可击的，如今经过这样一再的侵犯，就越发变得麻木不仁，甚至也不怕有人看见了。她时而也会心里一沉，想到："要是让母亲知道了，真不知会怎么说呢？"她知道照母亲的脾气，是宁可让她死，也不愿意看到她干出这种丑事来的。斯佳丽起初也曾为此有过疙瘩，因为她还是很想处处以母亲为榜样的。但是想要看信的欲望终究难以抗拒，结果就只好轻轻撇开母亲，从此不去想她了。现在斯佳丽碰到不愉快的念头，已经有了轻轻撇开的本领。她已经学会了对自己说："这事太麻烦，现在就不要去想它了。等明天再考虑吧。"可是一到了第二天，往往不是把事情忘得一干二净，就是过了一夜后淡化了，觉得事情已经不那么烦心了。所以她偷看了阿希礼的来信，良心上终于也没有太大的不安。

玫兰妮接到了信一向倒是挺大方的，总要抽几段念出来给佩蒂姑妈和斯佳丽听。然而让斯佳丽放心不下的却是那没有念的部分，因而觉得非把妹夫的来信偷看个明白不可。她要知道阿希礼结婚后会不会真的对妻子产生了爱情。即使是没有，也要知道他是不是装着爱她的样子。他对她的称呼是不是很亲热？字里行间感情如何？亲热到什么程度？

斯佳丽小心地展开信纸。

阿希礼细小匀称的笔迹一下子映入了她的眼帘，开头的称呼是"我亲爱的妻"，一见这，她松了口气。总算还没有叫"心肝""宝贝"什么的。

"我亲爱的妻：你信上说你心中惶惑，唯恐我向你隐瞒真实的思想，你问我近来心里在想些什么——"

"哎呀，妈呀！"斯佳丽突然一阵心虚，慌恐地叫道。"'向你隐瞒真实的思想。'难道兰妮能看透他的心思？还是看透了我的心思呢？难道她疑心我和他——”

她吓得双手发抖，又凑近了一些，这时看到了下面一段，她的心才又定了下来。

“亲爱的妻，如果我对你隐瞒了什么的话，那是因为我不想让你背上沉重的包袱，不想让你既为我的安全操心，还要为我内心的不安担忧。不过我是什么也瞒不过你的，因为你太了解我了。不过，放心吧。我一没有伤，二没有病，有饭吃，有时还有床可睡。当兵的能这样，还说什么呢。不过，玫兰妮，我内心确实有一些琢磨不透的苦恼，我就把心里话向你说一说吧。

“入夏以来我晚上经常失眠，全营的弟兄早已睡着了，我却迟迟不能入眠。我总是仰望着星空，不断地问自己：‘你为什么要到这儿来，阿希礼·韦尔克斯？你到底是为了什么打仗？’

“不用说，一不为荣誉，二不为风光。战争是肮脏的勾当，我见了肮脏的东西就讨厌。我不是一个军人，我也不想冒险到炮口中去寻求虚幻的美名。然而我还是来打仗了——其实我不过天生是一块好学乡绅的料。因为，玫兰妮，军号不能使我热血沸腾，战鼓不能催我向前奋进。我现在算是看透了：我们上当了，上了我们傲慢的南方人自己的当。我们以为一个南方人就可以打败十来个北方佬，以为棉花大王能够主宰世界。还有那些历来被我们看作崇拜对象的地位显赫的大人物，他们说了很多话，喊了不少口号，灌输了不少偏见和仇恨，这些都使我们上了大当——什么‘棉花大王’啊，‘奴隶制度’啊，‘州权’啊，‘该死的北方佬’啊，这些都是他们说的。

“因此，我就躺在毯子上仰望星空，琢磨着自己‘到底是为了什么打仗？’。心里首先想到的是州权，想到了棉花，想到了黑奴，想到了我们从小就觉得可恨的北方佬，可我觉得这些都不是我为什么要来打仗的理由。我倒是又想起了十二棵橡树庄园：想起了那林立的白石柱子，斜照的明月，月下盛开的木兰，令人疑是仙家的奇葩；还想起边门的门廊上爬满的蔷薇藤，即使在大热天的晌午也是一片阴凉。我还想起了在那门廊上做针线活的母亲，那个时候我还是个小孩子。我仿佛又听见劳累了一天的黑奴在苍茫暮色中一路唱着歌从田里归来，准备去吃晚饭了。我仿佛还听见井上的辘轳转动了几下，吊桶噗的一声掉到清凉的井水里。顺着大路，越过大片棉田，可以一直望到老远的河边，朦胧中还可以看见河边的低洼地上升腾的雾气。正是为了这一切，我这个既不想死又不能吃苦、既不图什么荣誉又跟谁都无仇无恨的人，才到这儿来了。故乡情深，大概这就是所谓的爱国之心吧。可是，玫兰妮，问题还有更深一层的内涵。因为，玫兰妮啊，我以上列举的，不过是我拼着性命去捍卫的那个大目标中的几点象征罢了，不过是我所热爱的那种生活中的几点象征罢了。我其实是在为旧的时代而战斗，是为我所恋恋不舍的旧的生活方式而战斗，不过不管战争的结果如何，那种生活方式恐怕已是一去不复返了。将来不管仗是打赢了还是打输了，总之我们的希望都是要落空的。

“即使这场战争我们打赢了，建立起了我们梦寐以求的棉花王国，我们的希望还是要落空的，因为到了那个时候我们的情况跟以前不一样了，别想再过以前那种安逸的生活了。到那时候全世界都会来找我们吵着要棉花，我们可以爱开什么价就开什么价。别看我们现在讥笑北方佬生财有道、利润第一、贪得无厌，到那时候只怕我们也会变得跟他们一样。然而如果我们打败了，玫兰妮，那后果就更不堪设想了！

“我不怕枪林弹雨，不怕受伤被俘，也不怕献出生命，我怕的是这场战争结束后，我们再也回不到以前的时代了。而我是属于那个旧时代的。我不属于这疯狂杀人的现代，即使竭尽全力，恐怕也适应不了未来。你也一样，亲爱的，因为你我有着同样的气质。我不知道未来究竟会怎样，但决不会像过去那么美妙无比、称心如意，这是肯定的。

“我躺着躺着，忍不住瞅了一眼睡在身边的弟兄们，心里暗想：不知道那对双胞胎，还有亚力克、凯德他们，是不是和我一样也这样想。不知道他们是不是明白：他们为之战斗的事业，其实早在第一枪打响的时候就已经宣告失败了，因为我们要捍卫的实质上就是我们自己的生活方式，而这种生活方式实际上早已过时。不过我看他们也想不到这些，所以他们还是幸运的。

“向你求婚时，我并没有想到我们会面临这样的前景。我以为十二棵橡树庄园的生活还会像多少年来我们一直过的那样安宁而悠闲，永远不变。我们俩是一样的，玫兰妮，我们都喜欢安静的生活，我本来以为我们有过不完的太平岁月，可以好好看看书，听听音乐，做做美梦。可是没有想到会是这样！真没想到会这样！真没想到我们会落到今天这个田地：多少年来的生活方式眼看毁于一旦，还得投身这样血腥的仇杀！玫兰妮呀，这代价实在太大了——无论是为了州权，还是为了奴隶、棉花，都犯不上。无论如何都犯不上。我们眼下已经受了这么多苦难，将来还不定要遭受什么苦难呢，因为，如果北方佬把我们打败了，我们将来处境之悲惨是难以想象的。而且依我看，亲爱的，我们恐怕是迟早要被打败的。

“按说我不该写这些话。甚至都不该想。可是你问我心里在想些什么，我就得说实话，我一直在担心战败。你还记不记得宣布我俩订婚的那天，参加我们野宴的有一个叫巴特勒的，听口音像是查尔斯顿人，他说我们南方人无知，为此差点儿就跟人打起来了？你是否还记得他说我们南方什么铸铁厂、制造厂、纺织厂、兵工厂、机器厂、大轮船等样样都缺，那对双胞胎当时就想一枪毙了他？你是否还记得他说北方佬的舰队可以把我们封锁得严严实实，让我们的棉花运不出去？他说得没错。我们是在用独立战争时代的老式滑膛枪抵挡北方佬的新式来复枪，用不了多久，我们就会被封锁得连医药物资都偷运不进来了。我们实在应该多听听像巴特勒这样的冷嘲热讽，他们还是了解情况的。而不应该听信那帮政治家，他们只是凭自己的感想做事。巴特勒的意思实际上就是说，南方根本就没有打仗的本钱，只不过是一靠棉花，二靠狂妄。现在我们的棉花已一文不值，剩下的也就只有狂妄了。不过我倒认为不应把这叫狂妄，而应该说是无与伦比的勇气。如果——”

斯佳丽没再往下看，她把信小心折好，重新放回信封。她感到腻味，不想再看下去了。再说，信上那种论调，那通失败主义的昏话，让她看得心里也似乎有点灰溜溜的。她偷看玫兰妮的信，并不是为了了解阿希礼那套难懂又乏味的想法。他的想法，在他当年坐在塔拉庄园的门廊上时就已大谈特谈过了，斯佳丽早已硬着头皮领教够了。

斯佳丽只想知道他写给妻子的信是不是情意绵绵。到目前为止还没见他写过那样的信。文书盒里的来信斯佳丽封封都看了，信里的语言极像是兄长写给妹妹的。虽说信写得亲热幽默、细致委婉，可总不像是写给爱人的。斯佳丽自己是看惯了热烈的情书的，信里要真有爱情的调子，她不会看不出来。可是现在信里就是没有那种调子。偷看完了信，她总要这样暗暗地感到一阵得意，因为她觉得阿希礼毕竟还是爱自己的。心里总是暗暗冷笑，笑玫兰妮怎么会这么糊涂，竟看不出阿希礼对她的爱只是一种挚友之爱。玫兰妮显然并没有觉得丈夫的来信中少了点什么，这也难怪，玫兰妮本来就从没有收到过别的男人写的情书，所以拿着阿希礼的信也无从比较。

“他的信写得太蠢了，”斯佳丽想，“要是我的丈夫给我写这种连篇的废话，我不骂他一顿才怪呢！真的，这话连查理的信都不如。”

她按着信摆放的顺序，把那些旧信倒着翻了一遍，只要看着上面的日期，她就能想起信里的内容。信里没有什么精彩的文字，既不像达西·米德写给双亲的信，也不像达拉斯·麦克卢尔写给两位老姑娘姐姐费思小姐和霍普小姐的信，他们都把军营的生活、冲锋陷阵的场面描写得有声有色。米德家和麦克卢尔家的人甚是得意，他们把这些信到处向人宣读，引得斯佳丽私下里常常为玫兰妮感到羞愧：玫兰妮就拿不出阿希礼这样的信到义务缝纫会上念给大家听。

阿希礼写给玫兰妮的信中好像有这样一种味道：仿佛阿希礼写信的时候是极力想闭上眼睛无视眼前这场战争，他似乎拼命地想在他们俩的周围画上一个永久性的魔圈，把苏姆特堡成为头条新闻以来所发生的一切都挡在圈外。他几乎是一厢情愿，只当天下太平。信上写的，全是他和玫兰妮一起看过的书、唱过的歌、彼此都认识的老朋友，还有他在各地周游时到过的地方。信里始终贯穿着一个执着的心愿：只想回到十二棵橡树庄园的老家去。常常一写就是好几页，全是回忆当年在深秋的寒星下骑马踏着幽寂的森林小径去老远打猎的情景，还有过去的烧烤野宴、烤鱼野餐，更有老家那静谧的月夜、那一派恬静的景致。

她立即想起刚刚看到过的那封信里的两句话：“可是没想到会这

样！真没想到会这样！”仿佛一颗痛苦的心灵面对他不忍面对而又不得不面对的现实忍不住发出的呼声。这就让她觉得不可理解了，因为他既然不怕负伤，不怕牺牲，那他怕的是什么呢？由于不善于分析，所以她面对这个复杂的问题只好苦思冥想。

“战争扰乱了他的心绪，可他——他就是不喜欢人家扰乱他的心绪。……比方说我吧。……他爱我，可又不敢娶我，因为——他生怕我会影响他那套思维方式，打乱他的生活方式。不，他也不见得就是因为害怕。阿希礼并不是个胆小鬼。战报中都表扬了他，斯隆上校还特地给兰妮写来了信，说他带队冲锋表现得怎么怎么英勇——这样一个人怎么会是胆小鬼呢。他一旦下定了决心，就会比谁都勇敢，比谁都坚决，可是——他这个人简直不像是生活在现实社会，倒像是成天钻在自己的脑袋里，不愿到现实里来，而且——唉，我也实在说不清！要是我前几年理解了他，他一定早跟我结婚了。”

她把信紧紧捧在胸前，心中无比怀念阿希礼，傻傻地想了他好一会儿。她对他的感情，从爱上他的第一天起一直到现在从来都没有改变过。她对他至今仍完全是她十四岁那年的感情。那年的一天她站在塔拉庄园的门廊上，看见阿希礼迎着早霞，头发闪着银光，含笑骑马而来，她心里一下子就涌起了这种感情，一时竟然连话都说不出来。她的爱，到现在仍不外乎是一个小姑娘对她感到难以捉摸的男人的敬慕；她自己并不具备却甚是羡慕的一切优良品质，他身上都有。他至今仍是一个小姑娘梦中的理想骑士。小姑娘没有别的梦想，只要他表示一下爱情，也没有别的期盼，只想得到他一个吻。

看过这些信后，她觉得有一点是没错的，那就是：他虽然跟玫兰妮结了婚，可爱的还是她斯佳丽；这一点她心里有了底，她也可以说是心愿已足了。她依然那么年轻，依然似一块璞玉。如果查理以他拙劣的手腕、不断的殷勤，激发了她心底深处情欲的潜流，那么她对阿希礼的愿望也就决不是一个吻所能满足的了。可是作为夫妻她跟查理相处总共才那么几个月夜，她的情窦并没有因此而全开，姑娘家也并没有因此而成熟。查理并没有让她懂得什么是情欲，什么是温存，什么是肉体和精神的真正结合。

对于什么是情欲，她唯一的体会就是她得屈服于一种莫名其妙的男性疯狂——跟女性截然无关的男性疯狂。这种事不仅痛苦，而且让人害羞，随后还难免带来一件让人更加痛苦的事情——生孩子。结婚就是这么回事，对此她也并不觉得意外。在她跟查理举行婚礼前，她母亲就曾经暗示过她，说妇道人家对婚姻生活，理应以严肃的态度、坚忍的精神去承担；失去丈夫以后她听到一些太太们私下嘁嘁喳喳的议论，就更加证实了母亲那种意思。如今情欲结束了，婚姻结束了，斯佳丽倒也觉得松了口气。

婚姻是从此结束了，但是爱却并没有因此而结束，因为她对阿希礼的爱又是另一回事，这种爱跟情欲、婚姻都毫无关系。那是神圣的，绝美的，是长年累月难以言明而悄悄滋长起来的一种感情，而不时的回味和向往又促进了这种感情。

她叹了口气，把信上的缎带又重新小心扎好，又想起了那个不知问过自己多少次的问题：阿希礼身上到底有什么奥妙，使她这样百思不得其解？她想好好琢磨琢磨，求得一个比较满意的答案，可是她的脑筋实在太简单，结果仍跟往常一样，想了半天还是想不出个所以然。她把信在文书盒里照原样放好，关好了盖子。这时候她却突然皱了下眉，因为她想起了在刚才看过的信里，末尾有一段提到了巴特勒船长。真是怪事！这都是那个无赖一年前说的话了，阿希礼居然还记在心上。没说的，尽管巴特勒船长舞跳得出神入化，但论人品绝对是个无赖。否则的话，他也不会在义卖会上说南部邦联那么多坏话了。

她几步走到镜子前，得意地掠了掠她那一头光滑的秀发。她的精神就来了——只要一看见自己白皙的皮肤和带点乜斜的绿眼珠，她的精神就来了。于是她特意微微一笑，显出两个酒窝。她记得阿希礼一向很喜欢她这两个酒窝，于是就飘飘然地只顾打量镜中自己的身影，把巴特勒船长给忘了。爱了人家的丈夫，偷看了人家的信，并没让她觉得良心有什么不安，倒是美滋滋的，在那里尽情欣赏自己的年轻与美貌，心里又重新信心十足，觉得阿希礼一定是爱她的了。

她心情轻松地打开门，走下那一片朦胧的螺旋楼梯。走到一半，嘴里就不由得唱起了《无情战火结束后》。

12

战事仍在进行，仗好像打得也还算顺利，不过，“只要再打一场胜仗就可以结束战争”之类的话，人们再也不说了，他们也不再说北方佬都是胆小鬼了。现在大家都已经看得很清楚了，北方佬决不是什么胆小鬼，要征服他们也决非是一场胜仗能解决问题的。可是南军的摩根将军和福雷斯特将军毕竟还是在田纳西打了几场胜仗，布尔伦河的第二次战役也取得了大捷，这些都是狠狠揍了北方佬的证明，还是可以得意一番的。只是这几仗虽然揍了北方佬，但也付出了巨大的代价。亚特兰大的医院里和收容所里伤病员人满为患，穿丧服的女人也越来越多。奥克兰公墓里一排排全是阵亡士兵墓，这些墓一天天还在增多。

南部邦联的币值大跌特跌，食品衣物的价格因而暴涨。由于军需部门不断大量征粮，终于连累了亚特兰大居民的餐桌。白面是既少又贵，精白面包和各色糕点都看不到了，餐桌上玉米面饼一统天下。肉店里简直没牛肉卖，连羊肉都很少，就是有也贵得只有有钱人家才吃得起。好在猪肉还有的是，鸡肉和蔬菜也还都不缺。

北方佬进一步加强了对南方港口的封锁，茶叶、咖啡、绸缎、鲸骨箍、香水、时装杂志和书籍之类的奢侈品，无不奇货可居。连本来最便宜的棉织品价格也都扶摇直上，太太们怀着遗憾的心情，只好把旧衣服拿出来再对付着穿一阵。积了多年灰尘的织布机又被从阁楼上搬了下来，几乎家家户户的客厅里都可以看到人们在自己织布。不管是士兵、平民、妇女、孩子还是黑人，大家都穿起土布衣服来了。南军的军服按说是灰色的，现在也名存实亡了，取而代之的是白胡桃色的土布。

医院里早已是药物紧缺：奎宁、甘汞、鸦片、哥罗仿、碘酊，什么都缺。绷带如今已成了珍贵的物品，不论是布的还是纱的，用过了都舍不得扔掉。每一位在医院做看护的太太都要带一篓血污的绷带回家，洗熨过后，再拿回医院去给别的伤员做包扎用。

然而，斯佳丽是刚从孀居的束缚里解脱出来的，她对战争没有什么别的感受，只觉得这一阵子过得既快活又兴奋。美中不足的就是衣食方面有些小小的困难，她也不觉得有什么苦。能够重新抛头露面，她高兴还来不及呢。

一想起过去的一年中日子过得那么乏味，日复一日几乎难分昨天与今天，她就觉得现在的生活节奏真像一下子加快了千百倍。每天天一亮，一场富于刺激的奇遇就开场了：在这一天里她总会遇上几个新结识的男人，他们会提出说要专程来拜访她，会称赞她如何如何漂亮，会向她表示为她而战斗乃至为她而牺牲是很荣幸的事。只要她一息尚存，对阿希礼就不会变心，事实上她的确也没有变心，可是这也并不能使她不去招惹别的男人向她求婚。

战争的阴影一直笼罩在人们的头上，社会上的交往也渐渐变得趋炎附势了。老一辈人看到这种乱了规矩的现象都吓了一跳。做母亲的发现竟然有陌生男子来登门拜访自己的女儿了，来客既没有带上介绍信，也不知其祖先究竟是何等人。特别是看到自己的女儿居然跟这些男人手牵着手，可把这些做母亲的吓坏了。譬如说梅里韦瑟太太吧，她跟丈夫是直到婚礼举行过以后才第一次亲嘴的，如今无意中撞见梅贝尔在跟那小个子义勇兵勒内·皮卡尔接吻，她简直不敢相信自己的眼睛了。梅贝尔居然还不以为羞，这就越发使她慌了手脚。虽说勒内当场向她求了婚，可还是于事无补。梅里韦瑟太太觉得如果这样下去，南方人的道德势必会彻底崩溃。她常常把这话放在嘴上。那些太太们也都深表赞同，并一致认为这都怪打仗。

可是那些小伙子们知道自己恐怕过不了一年半载就有可能送命，

所以他们不能等过了一年再来求中意的姑娘允许他们不称她的家姓而直呼其芳名（当然，“小姐”两字还是不能少的）。他们也不能按照战前通行的礼节去履行那旷日持久的正规的求婚手续。一般不过认识了三四个月，就向姑娘求婚了。做姑娘的呢，虽然明明知道淑女按例应经过一拒、再拒、三拒后才能接受绅士的求婚，现在也只能对方一开口就忙不迭地应允了。

看到这种乱了规矩的现象，斯佳丽觉得打仗也蛮好玩的。就是看护伤员的活儿太脏、卷绷带的事儿太乏味，不然的话，这仗就是永远打下去她也无所谓。事实上，她现在对医院里的一切之所以还能坦然承受，无非是因为医院是个猎取男人的绝妙地方。那些无依无靠、困苦无助的伤员哪里抵挡得住她的魅力，一个个都乖乖地拜倒在她脚下。只要给他们换换绷带，洗洗脸，拍拍枕头，摇摇扇子，他们就都爱上她了。唉，孤伶难受了一年，如今真一步登天了！

斯佳丽又成了出嫁前的那个姑娘斯佳丽了。她仿佛根本就没有嫁给过查尔斯，根本没有受到过失去丈夫的打击，也根本没有生过韦德。战争、结婚、生育，这些都不过像一阵过眼烟云，对她没有半点触动，她还是原来的她。虽然有个孩子，可是在那座红砖宅子里自有人把她的孩子照看得好好的，她甚至连想都用不着去想他。她脑子里有这样的想法、心里有这样的感觉：她又是斯佳丽·奥哈拉了，又是县里的一枝花了。她的想法、活动又和当年一样了，但是她的活动范围却远比当年大得多。她不管佩蒂姑妈的朋友在背后怎么议论，还是我行我素，完全与结婚前没什么两样。她还像以前那样出入宴会，参加舞会，跟当兵的一起去骑马，照样调情卖俏。总之，姑娘时代玩过的花样她什么都干，就差没有脱去丧服了。她知道一旦除去这丧服，好歹已经忍受到现在的佩蒂帕特和玫兰妮就会再也忍受不了了。她虽然还替丈夫戴着孝，却还跟她做姑娘时一样迷人：只要什么都顺着她，她就会满面春风；只要不遇到麻烦，她总是和和气气。总之，一味卖弄她的出众仪态、八面玲珑的风采。

几个星期前她还那么愁眉苦脸，如今却一下子快乐了。乐的是身边又有了许多“护花使者”，又能听到说她如何可爱的恭维话了。阿希礼已经跟玫兰妮结婚了，而且生死难卜。此时此地她所能找到的最大快乐，至多也就是如此了。不过虽然阿希礼已经是他人的人了，毕竟身在远方。这样一想，也就不至于那么难受了。正是由于弗吉尼亚与亚特兰大之间相隔好几百英里，所以她有时候就会觉得，阿希礼既然能算是玫兰妮的，也就能算是她斯佳丽的。

1862 年的秋天就这样匆匆过去了。她成天也不外乎就是当当看护、跳跳舞、赶赶马车、卷卷绷带，此外她还回塔拉庄园去小住过几次。这几次她去的结果却都很失望。因为在亚特兰大时她一心盼着回家去跟母亲好好说说悄悄话，可是到了家里却根本找不到机会。她本打算趁母亲做针线活的时候坐在母亲身边，听听母亲窸窣的裙声，闻闻随声飘来的她那美人樱香囊的阵阵清香，还可以仰起脸去领受她伸过来的轻软的手的亲切爱抚。可是，这个打算根本没法实现。

母亲现在心事重重，人也瘦了，她一清早就开始忙，一直要忙到满庄园的人睡熟很久之后，才能得空坐下来歇歇。南部邦联军需部门的征粮征税一月比一月重，塔拉庄园要生产东西出来应付，担子自然都压在她的肩上。连父亲也多少年来第一次忙起来。由于找不到监工来填补乔纳斯·威尔克森留下的空缺，他每天得亲自骑马到地里去巡查。看母亲忙得只有在临睡前才有空亲她一下，父亲又整天在地里，斯佳丽觉得自己在塔拉庄园住着也很乏味。连两个妹妹都有自己放不下的心事。苏埃伦如今已经跟弗兰克·肯尼迪“谈成”了，连唱起《无情战火结束后》来都有股诡秘的味道，让斯佳丽听了真有点受不了；卡丽恩则成天沉浸在布伦特·塔尔顿为她勾画的美梦里，斯佳丽觉得跟她做伴也很无聊。

虽然斯佳丽每次都是怀着兴奋的心情回到塔拉庄园，但是等到佩蒂和玫兰妮终于来信催她回去时，她也从没感到过难受。倒是母亲总不免要长叹一声，想起大女儿和唯一的外孙就要离自己而去，心情不免非常沉重。

“可既然亚特兰大那边让你去帮忙作看护，我也不能只顾自己，留着你不放，”她说，“只是——只是，我的宝贝，我总觉得我还没抽出空好好跟你说说话儿，好好再疼疼你，你却就要走了。”

“不管到哪儿我都是你的亲闺女。”斯佳丽说着总要把脸紧紧偎在母亲的怀里，她心中有愧，很是不安。因为她没有告诉母亲实话：她之所以想回亚特兰大去，其实只是为了跳跳舞，为了那帮“护花使者”，并不是真的要去报效南部邦联。近来她有许多事情瞒着母亲。特别是有一件事她更是绝口不提：瑞特·巴特勒还常去佩蒂帕特姑妈家。

那次义卖会后瑞特一连几个月每次到城里，总要来看看斯佳丽，用自己的马车接上她，只要哪儿有舞会或者举行义卖，就把她送到哪儿去，要不就等在医院外面，用车送她回家。她本来怕他会把她的秘密捅出去，现在倒已经不担心了，可是她心底深处总隐隐有些不安，总忘不了他见过自己出丑、了解她跟阿希礼还有这段纠葛。正因为有这块心病，所以即使被他惹恼了，想骂也骂不出来。而被他惹恼又偏偏是常事。

他早已三十出头，斯佳丽的男朋友中从来没有这么大年纪的。对年纪跟自己差不多的，斯佳丽是早已摆布惯了的，可是要驾驭他、摆布他，斯佳丽却一点办法也没有。他的样子就像从来不知道吃惊，倒是觉得看什么都好玩。尤其是看到她被自己气得说不出话来时，他那副神态简直就像见到了天下最最好玩的事。他挑衅撩拨无所不能，常常惹得她勃然大怒，大肆发作，因为从表面上看虽然她从母亲那里承袭了一副悦人的外貌，可是骨子里继承的却是父亲的爱尔兰脾气。以前她除了在母亲跟前，一向是想发脾气就发，根本无须克制。如今却唯恐见到他那种看玩意儿似的冷笑，所以受了气不能与他回嘴，这又是多么痛苦！要是他也发发脾气就好了，那样的话她也不至于这样一筹莫展了。

她也跟他斗过气，却总也斗不过他，斗过几次气后她就赌气发誓说，这样没规矩、没教养的下流坯，她从今以后再也不理他了。但是等到他下次又来到亚特兰大，他总会又找上门来（大概说是来拜访佩蒂姑妈的吧），以极其讨好的殷勤，给斯佳丽送上一盒特意从拿骚带来的夹心糖。有时在音乐会上他会抢先在她旁边占个座，或者在舞会上死死盯住她不放。看到他这样厚颜无耻、若无其事的样子，她总是被逗得哈哈大笑，把他过去的无礼都抛到九霄云外去了，直到下一次再斗气。

尽管他有这么多惹人恼火的毛病，斯佳丽却渐渐变得很希望他上门了。她觉得他身上有一种气质让她觉得兴奋。她也说不上这到底是怎么回事，只是觉得她所认识的男人中从没人有这样的气质。他那高大的身材自有一种威严，让人看得惊心动魄。他一进屋，屋里的人就会觉得好像猛然受到一阵冲击。他那双黑眼睛里是一种目中无人、冷漠中带着嘲弄的神气，似乎在那里激她，看她敢不敢来降伏他。

“这么说我好像是爱上他了！”她想，心里也糊涂了，“可我并不爱他呀，这到底是怎么回事？”

可是她那种兴奋的感觉却始终存在着。他一上门，就带来一股十足的阳刚之气，使佩蒂姑妈那个温文尔雅的家立刻显得局促暗淡起来，似乎都能闻得出点霉味。家里的人见他来了，都反应异样，赔笑应酬着。并不独独斯佳丽是这样，佩蒂姑妈见了他也总是心慌意乱、坐立不安的。

佩蒂明明知道，要是埃伦知道了有这样的人来看她的女儿，肯定会不以为然的；也明明清楚，把查尔斯顿上流社会对此人拒而不纳的禁令轻易抛在脑后是不行的；但是，见他这样恭敬备至，优雅地吻手，她的心也就不能不动，正如苍蝇见了蜜罐不能不动心一样。而且，他往往还会送给她几件从拿骚带来的小礼物，并再三声明这是特地为她买的，是他冒着生命危险穿越封锁线弄进来的——整板的别针、缝衣针、纽扣、发夹，以及丝线团之类的东西。这些小商品现在已成为稀罕的贵重物品了——眼下太太们戴的可都是手工削成的木质发夹，用布包橡果做纽扣。对于这样难得的东西，佩蒂实在没有那么坚强的意志加以拒绝。何况，她还有个小孩子性子，最爱拆“有彩糖果袋”，所以对他送的礼物总忍不住想打开看看。一旦打开，就更不好意思拒绝了。接受了他的礼物，也就再也鼓不起勇气来对他说“以先生这样的名声，不宜来看三个没有男性保护的孤身妇女”。每当瑞特·巴特勒找上门来，佩蒂姑妈就觉得自己很需要一个男性做保护。

“我也不知道这个人是怎么回事，”她往往会无可奈何地叹口气说，“可是——唉，我本来也认为他为人和气，讨人喜欢，不过我总觉得有点拿不准——唉，不知道他内心对妇女究竟是不是尊重。”

自从瑞特给玫兰妮赎回了戒指，她就觉得他是个品格高尚、细致入微的上等人，所以一听这话吃了一惊。瑞特对她始终谦恭有礼，而她见了瑞特却总不免有些胆怯，这主要是因为她跟他并非自幼相识，对这样的男人她总是觉得陌生。心里，她倒是暗暗非常为他惋惜——这他当然不会知道，知道了的话他一定又会觉得好玩了。她相信他一定是情场失意，丧失了人生的希望，所以才变得冷漠凶狠，她觉得他缺少的是一个善良女人的爱。她打小一直在庇护下生活，从来没见到过什么坏人或坏事，她简直不能相信世上还有坏人坏事存在，因此当听到人家在背后喊喊喳喳说瑞特跟那个查尔斯顿姑娘的闲话，她便不由得感到一震，心里却并不相信。她并没有因此对他产生反感，倒是在胆怯之余对他更加客气了，因为她总认为他是蒙受了天大的冤枉，这样冤枉人也太岂有此理了！

斯佳丽暗地里跟佩蒂姑妈的看法却是一致的。她也觉得这人对妇女并不尊重，也许只对玫兰妮例外。她至今还觉得只要他眼睛在自己身上骨碌碌一转，自己似乎顿时就有一种一丝不挂之感。这倒不是他说过什么难听的话。要是说了，倒是可以狠狠地臭骂他一顿。可恶就可恶在他那张黑黝黝的脸上那副傲慢的神气让人看了都会冒火。他两只眼睛看起人来肆无忌惮，仿佛天下的女人都是他的私产，只要他高兴就可以随时享用。只有对玫兰妮，才不摆这样的脸色。他看着玫兰妮时，眼里从来就没有那种冷冷的品头评足的神气，也从来没有一丝嘲弄的意思；他对玫兰妮说话时的口气都很特别：彬彬有礼，恭恭敬敬，巴不得能有机会为她效劳似的。

一天下午，玫兰妮和佩蒂去午睡了，留下斯佳丽一个人跟他在一起，她就很气愤地说：“我不明白，为什么你待她那么好，待我就不如她？”

刚才玫兰妮在绕毛线准备织毛衣，瑞特就一直在替她打下手。斯佳丽在一边冷眼旁观地看了足有个把钟头。她注意到，瑞特脸上始终挂着一副高深莫测的漠然表情，在那里听玫兰妮得意地唠叨，讲阿希礼和他的升迁。斯佳丽知道，瑞特对阿希礼并不十分赏识，阿希礼升了少校他也不见得就会高兴。不过他还是很有礼貌地应答着，在该开口的地方还轻轻说上两句，称赞阿希礼的勇敢。

“可只要我一提阿希礼，”斯佳丽当时看得很生气，心里想，“他的眉毛就会往上一横，马上露出那种心照不宣的笑脸，讨厌极了！”

“我长得比她漂亮得多，”她接着又说，“我真不明白你为什么反倒待她好些？”

“我看你是嫉妒了吧？”

“呸，胡说八道！”

“你还是让我失望了。如果说我对韦尔克斯太太‘好些’，那是因为她当之无愧。像她这样厚道、真诚、没有一点私心杂念的人，我见得还真不多。不过这些美德你大概是注意不到的。而且，别看她年轻，她倒是我有幸认识的那么几位极其高贵的夫人之一。”

“你的意思是不是说，依你看我就算不上是位极其高贵的夫人？”

“依我看，我们在初次相会的时候就已经取得一致意见了：你是连高贵都挨不上的。”

“啊呀，你这个可恶的家伙，竟敢如此无礼，又提起那件事！我那时只不过是发了点小孩子脾气，你怎么能老揪住不放，跟我过不去呢？再说那是很久以前的事了，我现在人也成熟多了，要不是你老这样明一句、暗一句地一再提起，我早就忘得干干净净了。”

“我倒并不觉得那是耍小孩子脾气，我也不信你真会有什么长进。你现在跟那时候还不是一样，只要事情不遂意，照样会拿起花瓶来扔。只不过你现在是事事都很顺心罢了。所以也没有扔古董的必要了。”

“好啊，你这个——我只恨自己不是男人！不然我一定要与你决斗，一定要——”

“决斗的话送命的肯定是你。我可以在五十码外把一枚一角的银币打个对穿窟窿。最好还是用用你自己的武器吧——酒窝、花瓶之类才是你的武器。”

“你真是个无赖。”

“你以为骂我一声无赖我就会发火么？很遗憾，我只能让你失望了。你骂得对，再怎么骂我我也不会跳起来的。我的确是个无赖，做无赖有什么不好？这是个自由的国家，谁愿意做无赖就可以做。只有你这样的伪君子，我亲爱的夫人，心虽然与我一样黑，却总遮遮掩掩，一旦被人骂到痛处，就会暴跳如雷。”

他笑得那么坦然，讲话还是那样慢声慢气，斯佳丽拿他简直没一点办法，因为这样既不怕痛也不怕骂的对手，她以前还从来没碰到过。她挖苦、冷漠、谩骂，诸般武器全用上了，结果倒落得刀卷了刃枪裂了口，因为她的话说得再厉害，他的脸也决不会红一下。根据她的经验，说谎的人最怕别人说他不老实，胆小的人最怕别人说他不勇敢，没教养的人最怕别人说他欠高尚，粗鄙的人最怕别人说他没修养。然而瑞特不这样。他什么都认下来，哈哈一笑，反倒要她“再说，再说”。

这几个月，他不断地来来往往，来不通报，去不告辞。斯佳丽始终没弄清他到亚特兰大来有什么事，因为一般偷越封锁线的商人大都没有路远迢迢到内地的必要。他们把货卸在威尔明顿或查尔斯顿，南方各地的商人和投机贩子自会蜂拥而至，聚集在拍卖场上，把货物抢购一空。如果他风尘仆仆地专程来看她，那她倒也可以沾沾自喜一番。可是即使虚荣心膨胀到如此，她也觉得这是不可能的。如果他向她求过爱，或者曾对簇拥在她身边的那帮男人表示过妒忌，或者只要抓过她的手，要过她的照片、手帕作纪念，那她倒也可以得意得意，把他看成是已被自己的风采俘虏了。然而可气的是他却始终没有露出过一点有情的样子，最让她生气的是她用尽一切手段想降伏他，结果都被他一一识破了。

他每次来亚特兰大，那些小姐太太们的心都要怦怦跳上一阵。因为他头上不仅有个“偷越封锁线勇士”的神奇光环，而且还有个“碰不得的大坏蛋”的恶名，让人听着心里痒痒的。他的名声确实太坏了！亚特兰大的那些太太们常聚在一起闲扯，她们每聚会一次，他的名声就又要格外多抹上一层黑，然而在那些年轻的小姐们的眼里，他却越发魅力无穷了。那些年轻小姐大多天真无邪，只听说过他“老跟女人乱搞一气”——至于到底怎么才叫“乱搞一气”，她们可就不得而知了。她们还听见人家窃窃私语，说姑娘家跟他在一起谁也保不了险。尽管他如此臭名昭著，可是说来也怪，自从他在亚特兰大初次露面，甚至连姑娘家的手都没有亲过一次。不过这也帮不了他什么，反倒使他显得更加神秘、更加耐人寻味了。

除了部队里的战斗英雄，亚特兰大人谈论最多的也就数他了。大家都知道得一清二楚：他是因为喝醉了酒，又“犯了男女关系的错误”，才被西点军校开除的。他又坏了一个查尔斯顿姑娘的名声，还打死了姑娘的哥哥：这件骇人听闻的丑事也是家喻户晓的。有人向查尔斯顿的朋友写了封信，又进一步打听出原来他父亲是位可爱的老绅士，性子刚强，很有骨气，他二十岁那年父亲就把他逐出了家门，不但没给他一个子儿，连家用《圣经》上儿子的名字都一笔勾销了。从此以后他就四处流浪。先是随着1849年的淘金热到过加利福尼亚，后又到了南美和古巴。传闻他在这些地方干得也很不体面。据亚特兰大的人说，他不但有过桃色纠纷，枪伤过几个人，还给中美洲的革命党走私过军火，而最糟的是，他一度曾堕落到靠赌博混饭吃。

在佐治亚，赌博本来并不是件稀罕事，家家户户都难免不幸而有男人犯这种毛病，少则一个多则几个，自家没有亲戚中准有，不光有输了钱的，还有连房屋、土地、奴隶都一起输掉的。然而他们的情况不同。他们即使输得倾家荡产，依然不失绅士的地位，可是靠赌博混饭吃的，那就只能是社会渣滓了。

若不是战争打乱了一切，若不是他本人现在对邦联政府有用，瑞特·巴特勒在亚特兰大不到处吃闭门羹才怪呢。可如今，连一些最古板矜持的人也觉得从爱国的角度出发，自己应该放宽些度量了。心肠比较软些的，则认为巴特勒家的不肖子已经痛改前非，正在悔悟，将功补过。所以那些太太们都感到自己责无旁贷地应该通融办理，何况他又是如此奋不顾身地奔波在封锁线上。现在大家心里都很明白，南部邦联的命运不仅系于前方的将士，也有赖于偷运船只躲避北军舰队的高超本领。

据说，巴特勒船长是南方本事最大的船老大之一，干这一行向来是火里来水里去，天不怕地不怕。他打小在查尔斯顿长大，对卡罗来纳沿海很熟悉。他不但对查尔斯顿附近的一切小港小湾、暗礁浅滩了如指掌，而且对威尔明顿一带的海域也同样如数家珍。他从来没有丢过一艘船，也从来没有迫不得已弃过一船货。战争刚开始时，他只是个无名之辈，凭手里的钱买了一艘小快船，可是只要偷渡成功，每船货就有二十倍的利润，所以如今他手里的船已有四条之多了。他出大钱雇用有本事的船老大，趁着无月光的黑夜悄悄驾船驶出查尔斯顿和威尔明顿，把棉花运到拿骚、英国和加拿大。英国的纱厂都已停工待料，工人也都饿得快没命了，所以船只要能够骗过北方佬的舰队，到了利物浦想卖什么价就卖什么价。一方面替南部邦联把棉花运出去，另一方面再把南方急需的军用物资运进来，瑞特的几条船在两方面都一再得手，运气出奇地好。所以，那些太太们觉得，对这样一个勇敢的人，以前再大的恶行也可以饶恕。

他是个出够风头的人物，无论到哪里都会成为人们关注的中心。他花钱大手大脚，骑一匹野性难驯的黑公马，身上的衣着无论样式还是做工，永远都是一流的。光这一身衣着，就足够惹人注目的了，因为现在士兵的军装都已又脏又旧，老百姓就是穿出最好的衣服，也难免有精心织补、缝补过的痕迹。斯佳丽觉得尤其是他的裤子，式样之优美真让她大开眼界：浅黄的颜色，苏格兰牧人呢的料子，格子的图案。他的背心也是气派得难以形容，尤其是那件白波纹绸的，上面还绣着粉红色的小小玫瑰花苞。他虽穿着这么光彩夺目的衣服，但神态中却似乎丝毫也不以为意，所以那风度也就越发潇洒了。

他浑身的魅力一旦施展开来，那帮太太就没几个能招架得住的，所以到最后连梅里韦瑟太太也变得随和起来，请他星期天到家里去吃饭了。

原来梅贝尔·梅里韦瑟跟那个小个子义勇兵已经商量好了，等他下一次休假时就举行婚礼，为此姑娘一想起来就想哭，因为她一心想要一套白缎子的结婚礼服，可是现在跑遍整个南方也别想买到白缎子。借吧，又无处可借，因为各家各户这些年来的缎子结婚礼服都已经捐献出去做军旗了。极具爱国心的梅里韦瑟太太责备女儿，说是在南部邦联的旗帜下做新娘，应该穿土布做的结婚礼服才是正理，可是说也是白说。因为梅贝尔要的就是缎子。她说，为了正义的事业，没有发夹、没有扣子、没有漂亮的鞋子、没有糖果和茶，这些都可以将就，甚至还以此为荣，可是缎子结婚礼服却是非要不可的。

瑞特从玫兰妮那里听说了此事，就从英国带来了一大匹闪光发亮的白缎子，外加一方提花面纱，一起送给了梅贝尔作为结婚礼物。他送礼的手法也很绝，让对方根本就不好意思开口提还钱的事，梅贝尔更是开心得差点儿要上来亲他一下。梅里韦瑟太太知道，这个礼太重了——何况送的又是衣着之类的东西——实在是太不应该接受了，可是她又想不出什么可以推辞的理由，因为瑞特用了最华丽的辞藻向她表示：新郎是我们英勇的英雄，新娘自然应该打扮得越漂亮越好，谈不上什么过分。因此梅里韦瑟太太才请他到家里来吃饭，她自以为作出了这个让步，代价已超过了这份厚礼。

他不但给梅贝尔送了缎子，而且在礼服的裁剪上还出了些极好的主意。时下巴黎流行的式样是稍大的裙箍，稍短的裙摆。裙子已经不打褶裥，只在裙边上做上一圈扇形小褶，露出里面衬裙的镶边。他还说，在巴黎街头女人裙子里看不到有衬长裤的，所以可能已经“不时兴”了。事后梅里韦瑟太太对艾尔辛太太说，当时她要是赞赏他两句，他只怕连巴黎女人时下穿什么样的衬裤都要一股脑儿说出来。

若非他的阳刚之气这么明显，如果光听他把女人的服装样式、帽子样式、头发样式报得如此如数家珍，人家一定会说这个男人真是娘娘气十足。太太们总觉得问他这么多时装方面的问题未免有点太“那个”，不过毕竟还是问了。她们跟时装界已经隔膜得太久了，不下于困在荒岛上的失事的海员，因为通过偷越封锁线带进时装书来到底是偶尔才有的事。谁敢说现在法国妇女不是时行剃光头、戴浣熊皮帽呢，所以瑞特凭记忆说的有关裙子褶边的样式，眼下是大可替代《戈岱氏妇女时装录》了。对一些女性特别关注的细小地方，他都愿意加以留意，并且也都细细留意，所以每次他从海外归来，总会被一群太太团团围住，问这问那，什么今年时行小帽子，高戴，罩住大半个头顶啊，什么时下都不插帽花，改插羽毛啊，什么法兰西皇后的晚装已经不在脑后梳发髻，而改为斜盘在头顶上，把两耳全外露啊，什么晚礼服又流行低领，低得吓人啊，等等。

这几个月，他成了亚特兰大第一位家喻户晓的传奇式人物，尽管他以前的名声那么不好，现在又偶有传闻，说他不仅做封锁线上的买卖，而且还搞粮食投机。不喜欢他的人都说他每到亚特兰大来一次，粮价就要涨五块。但是，即使私下里有这样的流言蜚语在悄悄传播，他要是觉得值得保持自己的红人地位，还是完全可以保持下去的。可是他偏不，他跟那帮死脑筋的爱国公民打了一阵子交道、赢得了他们的尊重和勉强的好感以后，突然脾气大发，好像就是要故意冒犯冒犯他们，让他们知道他以前的所作所为只是一种伪装，现在可不想再伪装下去了。

对南方的每一个人、每一样东西他仿佛都抱着鄙夷的态度，却又绝非出于个人恩怨。他似乎特别瞧不起南部邦联，而且对此也根本不想加以掩饰。正是由于他对南部邦联的一些言论，引得亚特兰大人先是对他瞠目结舌，继而冷眼相看，最后怒不可遏。1862 年还没有过完，男人们对他鞠起躬来已经故意表现出冷淡了，太太们看见他出现在社交场所，也都赶紧把女儿往自己身边拉。

他却似乎乐此不疲，不但敢当面诋毁亚特兰大人的一片赤胆忠心，而且还极力败坏自己的形象，仿佛希望人们把自己看得越不像话越好。有时一些人好心地恭维他偷越封锁线胆量过人，他却偏不领情，回答说他哪次遇到了危险不是怕得要命，害怕的程度也不亚于前线的英勇战士。南军的士兵从来没有怕死的，这个人人都知道，所以对方听他这么说都觉得甚是气愤。他总把南军士兵称作“我们英勇的战士”或者“我们穿灰军装的英雄”，而且总要故意怪腔怪调，极尽轻蔑侮辱之能事。有时一些大胆的年轻小姐有意卖俏，恭维他是保卫她们的英雄，并因此而向他表示谢意，他听罢总是鞠上一躬，声明实情决非如此，说只要赚的钱不少一文，要他为北方佬的女人干这种勾当他也照样会干的。

自从斯佳丽来到亚特兰大第一次在举行义卖会的那天晚上遇到他起，他跟斯佳丽说话就一直是这种腔调。而现在他跟大家说话也都带着挖苦，很少加以掩饰了。倘若有人赞扬他为南部邦联出了大力，他总是回答说偷越封锁线在他只不过是一种买卖。如果他眼睛一溜，看到现场有人是向政府揽了订货合同的，就会接着说：如果搞上几个订货合同也能赚到这么多钱的话，他当然也不会拼着性命去偷越封锁线了，再生布、掺沙糖、霉面粉、烂皮革都可以卖给邦联政府赚钱，何乐而不为呢。

对他的话他们多半也是无可奈何，所以心里就越发痛恨他。社会上对这些专做政府生意的承包商早就颇有些公愤了。前方士兵的来信经常抱怨，说皮鞋一个星期就穿坏，火药就是发不了火，马笼头使劲一拉就断，肉是臭的，面粉里都长了虫。亚特兰大人总往好处想，认为把这种劣质货卖给政府的承包商不是亚拉巴马人就是弗吉尼亚人或田纳西人，佐治亚人是决不会干这种勾当的。因为你看，佐治亚的许多承包商不都是出身于名门望族吗？他们不是带头捐钱捐物兴医办药、赡养烈士遗孤吗？他们不是首先起来为邦联“狄克西”的诞生而欢呼吗？他们慷慨陈词，不是最恨不得要北方佬的命吗？社会上掀起愤怒声讨的巨大浪潮谴责一些人接下了政府的订单从中牟取暴利，那是后来的事。瑞特当时说这些话，不过是给人一个证明：他本人缺乏教养。

他不仅因含沙射影地攻击政府要员贪污受贿、往前方英勇将士脸上抹黑而得罪了全市人民，而且还以戏弄体面的公民为乐，一心要给他们难堪。他只要看到有人自命不凡，假装正经，嘴上挂着爱国两字胡吹一气，就忍不住要拿话去刺刺，就像小孩子忍不住要拿针去刺气球一样。他自有巧法子，对摆臭架子的人大灭其威风，对愚昧无知、冥顽不化的人则让他原形毕露，并且他干起来不露痕迹，表面上殷殷叩问，彬彬有礼，实际是要逗得对方把话一股脑儿都吐出来，等到对方明白过来，那带着几分可笑的夸夸其谈、目空一切的狂妄之态早已暴露无遗了。

斯佳丽则早在亚特兰大人把他奉为上宾时就已对他不抱任何幻想了。她知道，他的百般殷勤、花言巧语，都是虚情假意的。她知道，他之所以要扮演那么一个穿梭于封锁线上的英勇爱国船长角色，不过是因为觉得这个角色有趣。有时候她觉得他也很像跟她从小一起长大的县里的那帮小伙子，比如塔尔顿家那对任性的孪生兄弟，他们就专爱恶作剧。方丹家的那几位也都是满肚子坏主意，一味地淘气、捉弄人。卡尔弗特家的几个兄弟宁可晚上不睡觉，也要算计着怎么弄个圈套让人上当。不过瑞特跟他们也有不同之处：表面看起来漫不经心，而实际上则心怀恶意。他的温文尔雅中含有残忍，简直可以说包藏着祸心。

她虽然明知他并不是诚心诚意，却又巴不得他扮演这个带有传奇色彩的封锁线商人的角色。不说别的，凭他这个身份，自己跟他交往就要少很多麻烦。所以，如今见他摘去了假面具，看来是要故意干一下子，跟原本对他非常友好的亚特兰大人闹翻了，她恼火透了。之所以这样恼火，一方面固然是由于她觉得他这种行为的愚蠢，另一方面也是由于大家对他的严厉指责，有一些落到了她身上。

瑞特自甘彻底见逐于亚特兰大人的事发生在艾尔辛太太为康复伤员募集捐款而举办的银币音乐会上。那天下午艾尔辛太太家宾朋满座，济济一堂，这中间有回来度假的士兵，也有仍在医院疗养的伤员，有自卫队和民团的成员，也有太太小姐和阵亡将士的遗孀。屋里座无虚席，连那长长的螺旋楼梯上都挤满了人。艾尔辛家的男管家捧着个雕花玻璃大酒缸恭候在门口接受来宾捐献的银币，酒缸装满一次就倒一次，前后已经倒过两次了。单凭这一点，今天音乐会的成绩已经不小了，因为现在一块银圆要值六十块南方纸币。

自以为有一点艺术造诣的小姐们都表演过了，有的唱歌，有的弹钢琴，还有的演了“雕塑剧”，这些演出都博得了捧场的掌声。斯佳丽扬扬自得，因为她不仅和玫兰妮一起表演了一曲动人的二重唱《花上露水在》，在观众的要求下加唱了一首较为轻快的《女士们，千万别管斯蒂芬!》，而且还被选中在最后一场雕塑剧中扮演“邦联之魂”的角色。

她在雕塑剧里的形象极其动人。她身穿一件线条朴实的白粗布希腊式长袍，腰里系一条红蓝相间的腰带，一只手拿着邦联旗，另一只手伸向在跟前跪着的亚拉巴马人凯里·阿什伯恩上尉，授给他查尔斯父子两代人佩带过的那把金柄马刀。

雕塑剧表演完后，她情不自禁地就想朝瑞特看一眼，看看他是否欣赏她刚才那动人的形象。往那儿一看她简直气坏了，原来他只顾在那儿跟人争论，恐怕压根一眼都没有看过她。斯佳丽从他周围人的脸色上可以看出，不知他说了些什么，引得群情激愤。

于是她就向他们走去。公共场所有时偶尔也会有安静下来的时候，就在这个一时静寂的间隙里，她听见民团的威利·吉南不客气地在说：“先生，照你这么说，我们的英雄舍命捍卫的正义事业也没什么神圣的喽？”

“万一你被火车压死了，铁路公司该不会因为你的死而变得很神圣吧？”瑞特的口气听起来很谦逊，就像是在向对方讨教似的。

“先生，”威利的声音都发抖了，“若不是此刻我们是在别人家做客——”

“是啊，不然那可就不得了了！”瑞特说，“先生你的勇敢谁人不知谁人不晓啊。”

威利面红耳赤，满屋的人都停止了谈话。大家都很尴尬。威利身强力壮，正是参军的年龄，可他却没去前线。当然，他母亲就他这么个儿子，再说州里民团也总得有人参加，家乡也总得有人保卫吧。不过，当瑞特说到勇敢两字时，几个还在养伤的军官却很是不敬，暗暗扑哧笑了一声。

“哎呀，这个人就是多嘴！”斯佳丽看得火冒三丈，心里想，“今天这个聚会生生地就让他给搅了！”

米德大夫紧皱眉头，脸色阴沉可怕。

“年轻人，在你眼里世界上也许根本就没有什么神圣的东西，”他摆出平日演讲时惯用的腔调说，“可是南方爱国的男男女女却觉得神圣的东西多得很。比如说我们就有神圣的权利把占领我们国土的外来势力从这里赶出去，州就有神圣的州权，还有——”

瑞特却做出一副懒洋洋的样子，话也是随声附和的语气，像是都听厌了似的。

“战争就没有不神圣的，”他说，“对有义务去参加战斗的人来说自然是神圣的。如果发动战争的人不把战争说得无比神圣，哪个傻子肯去打这个仗？但是，不管演说家们把战斗口号向参战的傻子喊得多动听，也不管他们把战争的宗旨标榜得多崇高，实际上战争的动机无非只有一个，那就是钱。一切战争在本质上无不是为了争钱。然而自古以来明白这个道理的人太少了。他们满耳听到的都是战鼓号角，以及安坐后方的演说家们的漂亮话。战斗口号不是‘把基督的坟墓从异教徒手里救出来！'就是'打倒教皇制度！'不是'要自由！'就是'棉花，奴隶制度，州权！'"

"咦，这跟教皇又有什么关系？"斯佳丽心想，"跟基督的坟墓又有什么关系？"

然而就在她向那一群满面怒容的人急步赶去时，却看见瑞特很有风度地向大家鞠了一躬，抬脚穿过人群，向门口走去。她正想追上他，艾尔辛太太却一把抓住她的长袍下摆，拦住了她。

"让他走吧，"艾尔辛太太清晰的声音在这肃静中透着紧张气氛的厅堂显得格外明亮，"让他走吧。他是个叛徒，是个投机分子！这只能怪我们在自己怀里养了条毒蛇！"

这话是有意要让瑞特听见的，瑞特手里拿着帽子，人还没走出过道，正好听见了这句话。他转过身来，把满厅的人细细打量了一遍。两道锐利的目光落在艾尔辛太太平坦的胸脯上，突然咧嘴一笑，又鞠了个躬，走了。

梅里韦瑟太太乘佩蒂姑妈的车回家，娘儿四个刚在车厢里坐定，她就嚷嚷开了。

"你看你看，佩蒂帕特·汉密顿！我想这一下你总该满意了吧！"

"什么满意了呀？"佩蒂急得也直嚷嚷。

"你一味包庇那个十恶不赦的巴特勒小子，他今天这副德行你都看见了吧。"

佩蒂帕特如坐针毡，对方的指责弄得她内心大乱，她一时竟忘了梅里韦瑟太太自己也曾请瑞特·巴特勒到家做过好几次客。斯佳丽和玫兰妮对这一点倒是想到了，不过她们是有教养的，知道对长辈得讲规矩，所以也就忍住了，没把它点破。她们于是故意低下头，只顾看着自己手上的长手套。

"他不仅侮辱了我们大家，也侮辱了南部邦联。"梅里韦瑟太太一说开，她那硕大无比的胸部就一上一下地剧烈起伏着，镶嵌在衣服上的金丝也一闪一闪的。"竟然说我们打仗是为了钱！竟然说我们的领袖哄骗了我们！像这样的人，还不该让他蹲大狱？对，决不能轻饶了他。这事我得去跟米德大夫说说。可惜我家梅里韦瑟先生已经不在了，不然的话他是决不会放过这家伙的！你就听我一句吧，佩蒂·汉密顿。往后你可千万不能再让这个恶棍踏进你的家门!”

“嗯。”佩蒂勉强应了一句。她无话可说，看她那样子真像恨不得死了才好。她用恳求的目光看了看两个姑娘，两个姑娘还是连头都不抬一下，于是就转而把希望的目光投向彼得大叔那笔挺的背影。她知道车厢里说的每一句话大叔都听得清清楚楚，她真希望他会转过头来说上几句，这种情况在过去是常有的。她希望他说：“好了，多莉小姐，你就别再难为佩蒂小姐了。”但是彼得大叔毫无动静。可怜的佩蒂明白，彼得大叔打心眼儿里就不喜欢瑞特·巴特勒。她只好叹了口气，说：“好吧，多莉，如果你真的觉得——”

“那还会有假!”梅里韦瑟太太干脆利落地抢着回答道，“我真不明白你当初是什么魔鬼缠了身，竟会把这么个人待为上宾。今天下午出了这种事，这城里只要是规矩人家，谁也不会再跟他来往了。你得拿出点勇气来，今后绝不能允许他进门。”

她严厉的目光盯住两位姑娘。“我希望你们俩也听仔细了，”她接着又说，“因为你们也有不是，你们对他太殷勤了。你们要客客气气地告诉他，不过意思不能有一点含糊：你们家决不欢迎他那样的人，也别听他那套大逆不道的话。”

斯佳丽心里早已在翻腾了，她仿佛一匹野马，被一只陌生的手粗暴地拉了一下笼头，真想立起来发发威。可是她怎么敢开口呢。弄得不好，梅里韦瑟太太又要写信去向母亲告状了。

“老肥牛!”她心里骂道，由于窝着一腔怒火，所以涨得满面通红。“我真恨不得痛痛快快地当面骂你一顿，你这条霸道的老肥牛!”

“真没想到我这老而不死的人今天竟会听到有人对我们的正义事业说出这种大逆不道的话来，”梅里韦瑟太太越说越激动，此时此刻已是义愤填膺了，“我们的事业是正义而神圣的，谁敢说不是就该死!希望你们两位姑娘今后干脆别再答理他——哎呀，兰妮，你这是怎么了?”

玫兰妮脸色苍白，两眼睁得大大的。

“让我别再答理他办不到，”她低声说道，“我可不能待他无礼。要我从此不让他上门我也办不到。”

梅里韦瑟太太就像重重地挨了一拳，噗的一下泄了气。佩蒂姑妈厚厚的嘴巴一下张开了，彼得大叔回过头来一下子看傻了眼。

“嘿，我怎么就没勇气说这话呢？”斯佳丽又嫉妒又羡慕地想，“这小兔子哪儿来这么大的胆，居然敢顶撞梅里韦瑟老太？”

玫兰妮的手都在发抖了，不过她还是急急忙忙地接着往下说，好像生怕时间一拖久，自己就会失去勇气似的。

“我不能因为他说了这样的话，就不以礼待他，因为——他公然直接说出这种想法固然是冒失了点——太欠考虑了——然而——这跟阿希礼的想法却是一致的。既然他的想法跟我丈夫的想法一致，我也就没有理由不许他上门。不然就未免太做作了。”

梅里韦瑟太太已经缓过气来，于是便又发动了进攻。

“兰妮·汉密顿，我活了一辈子还没有听过这样的一派胡言！韦尔克斯家从来不出胆小鬼——”

“我没说阿希礼是胆小鬼，”玫兰妮的眼睛里渐渐露出了怒火，“我说他的想法跟巴特勒船长是一致的，只是话说得不一样罢了。他也不至于会跑到音乐会上到处乱说自己的想法。不过他在信上都跟我说了。”

斯佳丽一想起那些信，良心上就又觉得一阵不安。她拼命地回想着：阿希礼信上到底写了什么，玫兰妮竟敢说出这样的话来？可是她偷看了那些信，多半看完了就忘了。所以当时就想：玫兰妮准是疯了。

“阿希礼在信上说，我们实在不应该跟北方佬打仗。我们打这个仗是上了政治家和演说家的当了，他们满嘴口号，宣扬的都是偏见，”兰妮说得飞快，“他说，这场战争给我们造成了那么大的损失，真是说什么也不值得。他说，我们打这个仗根本就没有什么值得自豪的——因为我们得到的只是苦难和屈辱。”

“啊，原来是那封信！”斯佳丽想起来了，“信里难道真是这意思？”

“我不信，”梅里韦瑟太太口气仍很强硬，“你准是误解了他的意思。”

“我才不会误解阿希礼的意思呢，”尽管嘴唇在哆嗦，但玫兰妮回这句话时还是沉住了气，“我对他再了解不过了。他的想法跟巴特勒船长完全一样，只是他不会冒冒失失对人乱说罢了。”

“你真不害臊，竟拿阿希礼这样的正人君子去跟巴特勒船长这样的无赖相比！我看大概你也认为我们的正义事业连个屁都不值吧！”

“我——我也不知道自己是怎么想的，”玫兰妮的口气软了下来，她的火气消了，刚才只是图说个痛快，现在心里倒慌了起来。“我——我也和阿希礼一样，为了我们正义的事业死都不怕。不过——我总觉得，要动脑筋的事还是让男人们去想吧，男人的脑筋要管用得多。”

“真是天下奇闻！”梅里韦瑟太太用鼻子哼了一声，“快停下，彼得大叔，我的家过了！”

原来彼得大叔只顾注意听背后的谈话，一时走了神，车子走过了梅里韦瑟家门前的下车坎，于是只好再退回去。梅里韦瑟太太下车时，帽上的缎带抖动着，好像船上的帆遇到风暴一样。

“你要后悔的。”她说。

彼得大叔鞭子一扬，马又继续往前走了。

彼得大叔开始埋怨起来：“两位小姐也真是，你看，把佩蒂小姐急得又晕过去了。”

“我没有晕。”佩蒂应声说道。这倒颇出乎他们的意料，因为她平日里只要受一点点小刺激，就会昏厥。“兰妮我的宝贝，我知道你这样完全是为了保我，说实在的，能有人出来驳驳她的面子，我心里也很高兴。她确实太霸道了。你哪儿来这么大胆子？可你刚才说了有关阿希礼的那么些话，是不是好呢？”

“可这并不是我凭空捏造的呀，”玫兰妮说着，禁不住抽泣起来，“再说，他有那样的想法，我也不觉得有什么可耻的。虽然他认为打这个仗大错特错，可还是愿意去打、去牺牲，这可不像打理直气壮的仗，没有百倍的勇气哪儿行呢。”

“哎呀，兰妮小姐，在这桃树街上哭可不行啊，”彼得大叔一边催马快行，一边哼哼地说着，“人家可要在背后说坏话了。要哭等到了家再哭吧。”

斯佳丽什么也没说。玫兰妮为了寻求安慰，把手搁在她手掌心里，她却连拍都没拍一下。她以前偷看阿希礼的来信，目的只是想寻找根据以证明阿希礼还是爱她的。现在玫兰妮给信中的话赋予了新的含义，而她斯佳丽，简直一点都没看出来。她感到震惊：像阿希礼这样完美无缺的人，居然也会跟瑞特·巴特勒那样的恶棍有着共通的思想。她心想："他们两人虽然都看清了这场战争的真相，但是阿希礼投身战争不怕牺牲，而瑞特就不愿意。这样看来，瑞特倒还真有些见识哩。"想到这里她停顿了一下，觉得自己也太不像话了：怎么可以这样想阿希礼呢。"他们俩都看到了不愉快的真相，但是瑞特敢于正视它，敢于谈论它，就是犯众怒也在所不惜——而阿希礼却一看到就受不了。"

真是弄不明白！

13

在梅里韦瑟太太的鼓动下，米德大夫采取了行动：他给报社写了封信，信里虽没点瑞特的名，但信中的意思却是很清楚的。报社主编预见到这封信必定会引起社会的轰动，便决定在第二版上刊登，这一安排本身就是个破天荒的惊人之举，因为报纸的第一、二两版向来是专用来登广告的：卖奴隶，卖骡子，卖农具，卖棺木，房屋出售或招租，甚至还有专治“难言之隐”的，卖堕胎药和壮阳药的。

大夫的信起了一呼百应的作用，从此，愤怨的指责声便渐渐汇成一片，响彻了整个南方；投机倒把的，发战争财的，还有专与政府做生意的承包商，都成了众矢之的。当时查尔斯顿的港口几乎已被北军的炮舰封锁得水泄不通，所以偷越封锁线的船只出入主要依靠威尔明顿的口岸，那里乌烟瘴气的局面已经到了骇人听闻的地步。投机商多如牛毛，他们备足了现钱，见到来货就整船买下，囤积起来等着涨价。他们从来都不会白等，因为生活必需品越来越少，物价越来越贵。一般居民要么只好干脆不买，要么就得照那帮投机商人的价。那些贫苦人家和家境一般的，日子一天天越来越难过了。物价一涨，南方的货币便开始贬值了，货币一急剧贬值，大家就拼命地抢购奢侈品。穿越封锁线商人的任务本来是把生活必需品运进来，同时附带做一些奢侈品的生意，但是如今他们船上装的却尽是些昂贵的奢侈品，反而把南方急需的必需品全挤掉了。大家都担心明天的物价会更高，钞票会变得更不值钱，所以宁可一股脑儿把手头现有的钱都拿去疯狂抢购这些奢侈品。

尤其糟糕的是，从威尔明顿到里士满总共只有一条铁路线。由于缺乏运输工具，成千桶的面粉、成千箱的咸肉只能堆在路边的仓库里任其腐烂，然而投机商要运销他们的名酒、咖啡、塔夫绸，却似乎总能找到办法，货在威尔明顿上岸后不到两天，就都运到里士满了。

原先只是在私下流传的小道消息如今也成了人们公然谈论的话题，说瑞特·巴特勒不仅有四条船来往运货，高价出售，而且还收购人家船上的货，囤积起来待价而沽。据说他现在是一个垄断集团的首要人物，该集团拥有百万以上的资财，并以威尔明顿为大本营，专门收购穿越封锁线运来的到岸货物。据说他们分别在威尔明顿和里士满有几十处货仓，货仓里堆满了食品和衣料，囤积在那里就是要等卖个好价钱。现在无论军民都已感受到了物资匮乏的苦恼，因而对他和他那些搞投机倒把的同行怨气冲天。

大夫在信末写道："穿越封锁线的船队是邦联海上力量的组成部分之一，其中确实不乏勇敢的爱国志士，将生死置之度外，为邦联的生存不惜豁出自己的身家性命。一切忠于国家的南方人都恭敬地将他们铭记在心，他们冒这样的风险赢得点点微薄的金钱作为回报，谁也不会心怀嫉妒。他们都是忘我的君子，我们对他们只有尊敬。我要说的，并不是这些人。

"不过确实也另有一些无赖之徒，他们借穿越封锁线运送物资之名，行中饱私囊之实，我向正在为最正义的事业而战斗的同仇敌忾的人民发出呼吁，对这些心似枭隼的家伙要给以正义的谴责和严惩。我们的将士因没有奎宁而奄奄一息，而他们运来的却是锦缎花边丝带；我们的英雄因缺少吗啡而忍受着剧痛，而他们运来的却是满船满船的茶叶和葡萄酒。我诅咒这些吸血鬼。他们是在吸罗伯特·李忠实的部下的鲜血，封锁线商人的名誉被他们糟蹋得不成样子，一切爱国人士都觉得这个名字臭不可闻。我们的战士都是光着脚板冲向战场的，我们怎么能容忍我们中间有这样穿着亮光光靴子的敲骨吸髓之徒？我们的士兵只能围着营火哆哆嗦嗦地啃发了霉的咸肉，我们怎么能容忍这帮家伙喝着香槟、吃着法国名产鹅肝酱馅饼？我向一切忠于国家的邦联志士呼吁，是该摈弃这些人的时候了。”

亚特兰大人读了这封信后，知道先知发布了圣谕，于是，作为忠于国家的邦联志士，就赶紧把瑞特“摈弃”了。

1862 年秋天接待过他的人家，到了 1863 年大概就只剩佩蒂帕特小姐一家他还能进去了。就是在她们家，要没有玫兰妮，恐怕他也早吃闭门羹了。只要瑞特在亚特兰大，佩蒂姑妈就忧心忡忡。她明知道让他上门引起了朋友们不少闲话，可又始终没有勇气当面向他下逐客令。每次他到了亚特兰大，佩蒂姑妈就会嘟起她那厚厚的嘴唇，坚决地向两个姑娘表示这次一定要到门口挡驾，不让他进门。可是他每次来，总有小包奉上，嘴上也少不了要恭维一番她的花容月貌，这样一来，她的气就又全消了。

“我真不知道该怎么办，”她总这样叫苦，“他的眼睛只要朝我一看，我——我就怕得要死，我怕对他下了逐客令后，他什么都会干得出来。他的名声实在太坏了。照你们看他会不会打我——或者——或者——唉，要是查尔斯在就好了！斯佳丽，你跟他说说——好好儿跟他说说，让他别再上这儿来了。对了！我看一定是你在背后怂恿他，如今弄得满城的人都在说闲话，这事要是让你母亲知道了，真不知要怎么说我呢？兰妮，你对他也千万不能再这么殷勤了。只要你对他冷淡、疏远，他就会明白了。哎，兰妮，要么我来给亨利写个条子，请他去跟巴特勒船长说说好不好？”

“我看不必了，”玫兰妮说，“我也不想对他不客气。我总觉得，在巴特勒船长这件事上，大家那样的做法简直是发疯。我看他决不会像米德大夫和梅里韦瑟太太说的那样混账。他是不会只顾囤积粮食，眼看着人们挨饿的。还有，他还给了我一百块钱去捐给孤儿呢。我相信他跟我们大家一样忠诚、爱国，只是他为人高傲，不屑为自己辩解罢了。你也知道，男人一发火是非常顽固的。”

发火也罢，不发火也罢，佩蒂姑妈根本就不了解男人，所以她只好摇摇肥厚的小手，表示没什么好办法。斯佳丽呢，她早就看透了：玫兰妮待人只看优点的老毛病已是不可救药了。玫兰妮是个傻瓜，可这事谁也没有办法。

斯佳丽心里明白瑞特实际上并不爱国，爱不爱国她其实也不是很在乎，尽管这话她是到死也不会承认的。在她的心中，最重要的还是他从拿骚给她带来的那些小礼物，作为上等社会的女人她尽可以接受这些无伤大雅的小玩意儿。现在市面上物价这么高，要是不许他上门，这些缝衣针、发夹、糖果之类的东西叫她上哪儿弄去？不过，最好还是把责任都推到佩蒂姑妈身上，她毕竟是一家之长，在旁人看来她应该负监护的责任，应该有判定是非的能力。斯佳丽知道满城的人都在背后议论瑞特到她们家的事，并且她一定也在被议论之列。不过她也知道在亚特兰大人的眼里玫兰妮·韦尔克斯是不会有错的，只要有玫兰妮在前面挡着，瑞特上门来也未必是什么有失体统的事。

不过，如果瑞特能放弃他那套异端邪说，日子可能会好过些吧。她跟他一起在桃树街上走，大家也不至于公然对他不理不睬，她也不至于跟着窘迫不堪了。

她责备他说："即使你心里有这种想法，又何必说出来呢？你只管在心里想就是了，只要把嘴闭得紧紧的，也就没那么些麻烦事了。"

"你就是这样想办法的，是不是，你这个绿眼珠的伪君子？斯佳丽呀，斯佳丽！我本来以为你做事还是很勇敢的。我总以为爱尔兰人心直口快，说话都要抢着说。你跟我说实话，有时候你不是也憋得难受，心里的话直想冲口而出吗？"

"嗯——这倒是有的，"斯佳丽不好意思地承认道，"听到人家一天到晚谈我们所谓正义的事业，我有时候实在觉得腻味透了。可是，唉！瑞特·巴特勒呀，如果我真要直接说出来，那就再也没人跟我说话了，那些小伙子也就不会再来找我跳舞了！"

"啊，对，舞伴倒是千万不能少的。好吧，我佩服你沉得住气，我可没有你那样的能耐。我也不会搞假，给自己披上一件英雄加爱国的外衣，尽管要披一件其实也很容易。糊涂的爱国者还少吗，他们为干这偷越封锁线的营生把全部家当都拼上了，等仗打完了管保他们都变成叫花子。他们也不稀罕多我一个，为国报效的功劳簿上用不着我去添上一分光彩，叫花子的队伍也用不着再增加我一个。

他们头上要戴个光环就让他们戴去吧。他们不配戴光环还有谁配呢——我这可是肺腑之言啊——再说，用不了一两年，他们除了头上的光环，恐怕也就只剩下光棍一条了。"

"我说你这人真是太刁蛮了，故意危言耸听，你明明知道英国和法国马上就要来帮我们打仗了，而且——"

"哈哈，斯佳丽！你一定是看了报纸吧！真没想到你还看报纸。我劝你今后别再看了。报纸只会搅乱女人的脑子。我可以告诉你，约一个月前我才到过英国，所以我要劝劝你：英国是决不会帮着南部邦联打仗的。英国是决不会把赌注押在打输了的狗身上的。这就是英国为什么会是英国了。再说，英国现今在位的那个胖胖的德国女人对上帝非常虔诚，她不赞成奴隶制。她宁愿英国得不到我们的棉花而让纱厂工人挨饿，也万万不愿帮助奴隶制度。至于法国，那个一心想仿效拿破仑的庸才正在墨西哥忙着为法国人谋立足之地，根本顾不上我们。其实他心里巴不得我们跟北方佬打，因为我们只顾打仗，也就没力量把他在墨西哥的军队赶走了。……得了吧，斯佳丽，将有外援之说只是报纸为鼓舞南方士气而制造的幻想罢了。南部邦联的命运早已命中注定。它现在就像骆驼，在靠驼峰维持生命，可是再大的驼峰，也不会耗用不尽。我估计在封锁线上我还可以干六个月左右，以后我就不干了。再干就太危险了。到了那个时候我就找个英国人把船卖出去，自然有傻傻的英国人自认为有本事偷越封锁线的。不管卖得掉卖不掉，我都不在乎。反正我钱已经赚饱了，都在英国的银行里存着呢，而且都已经兑成了金币。我才不要这种不值钱的纸币呢。"

他说起话来，听上去总像颇有道理。要是换了别人，听他这样说也许会斥之为卖国言论，可是斯佳丽听了却总觉得很有见识，句句在理。她也知道自己不应该有这种错误的感觉，应该感到震惊、感到愤怒才对。她实际上既不感到震惊也不觉得愤怒，但是装装样子还是不难的。装成这副模样，自己也觉得似乎更尊严了些、更高尚了些。

"我觉得米德大夫信上说你的那些话还是讲得很对的，巴特勒船长。你改过自新的唯一办法，就是把船卖掉后去参军。你是西点军校出身的，而且——”

“你这话听起来就像牧师在做劝人入会的演讲。要是我不想改过自新呢？都把我‘摈弃’了，我又何必为维护这个制度而战斗呢？看它被砸得稀巴烂，我才高兴呢。”

“什么制度，我没听说过。”她气呼呼地说。

“没听说过？可你就是这个制度中的一员，你跟我原先一样，而且我敢担保，你也跟我一样反感这个制度。知道吗，我是怎么变成巴特勒家的不肖子的？原因就在这儿——就是因为我不适应查尔斯顿的那一套，你也适应不了。而查尔斯顿就是南方的一个缩影。不知道你是不是也深有体会，要顺应那一套实在让人头痛？有好多事，就因为历来都是这样的，所以大家也得照着做。其实好多事情本身并没什么害处，就因为从来没这个规矩，因而被视为禁忌。我就受不了这种种荒唐事。我不娶那位年轻小姐的事——你大概也听说过了吧——不过是引起事情总爆发的导火索罢了。那天因为遇到了一点意外，没能在天黑以前送她回家，为什么就凭这一点我就非得娶那个傻乎乎的讨厌女人不可呢？我既然枪法高出一筹，为什么非要让她那个急红了眼的哥哥一枪把我打死？当然，要是我教养好，也就让他把我一枪打死了，这样我们巴特勒家的名声也就清白了。可是——我想活。所以我就活下来了，并且还快快活活地活着。……有时我也会想起我哥，他至今仍生活在查尔斯顿那帮碰不得的宝贝中间，把他们奉为神明，守着个庸俗不堪的妻子，还有那片永远是那张老面孔的稻田。每次要到圣塞西莉亚节才开个舞会——想起他我就深深体会到自己跟这个制度断绝关系，决非得不偿失。斯佳丽，我们南方人的生活方式也像中世纪的封建制度一样早已过时了。奇怪的是这种生活方式竟然能一直维持到现在。它的崩溃是不可避免的，所以现在终于崩溃了。可是你却还在劝我去听信米德大夫那样的演说家的话，让我相信我们的事业是正义而神圣的，让我在咚咚的战鼓声中热血沸腾，拿起枪冲到弗吉尼亚去为罗伯特老爷流血？你以为我是个傻瓜？被人打了左脸再伸过右脸去，我才不是那号人呢。现在南方和我谁也不欠谁的了。以前南方赶走了我，想要饿死我。然而我不仅没饿死，反而从垂死挣扎的南方赚了一大笔，这足以补偿我被剥夺了的那份继承权了。”

“我看你简直是利欲熏心、无耻至极。”斯佳丽说，不过这是有口无心的话。刚才瑞特说的那些，她多半不甚了了。除非是谈私事，否则别的话题她听起来总有点隔靴搔痒。不过她总觉得瑞特今天的话有一些倒也在理。上等人家的生活中，荒谬可笑的事太多了。她的心明明没有死，却非要装出心如止水的样子。那天义卖会上她跳舞的行为，引得大家那么大惊小怪的。一样的事、一样的话，别的年轻女子都可以做、可以说，而要是她做了、说了，大家就要横挑鼻子竖挑眼、怒不可遏。不过话说回来，哪怕是她最反感的一些传统，让他这样一抨击，听着还是觉得挺刺耳。她在客气礼貌、装模作样的人们中生活久了，如今听到有人一语道出自己心中的想法，总不免有些不安。

“利欲熏心？胡说八道，我只不过是略有远见罢了。不过，所谓有远见，其实恐怕也只是利欲熏心的一个同义词吧。至少，没有我这种远见的人就要说我这是利欲熏心了。任何一个对南部邦联忠心耿耿的英雄志士，只要在1861年那年手里有一千块现金，都可以干出我这番事业的，可惜像我这种利欲熏心的人太少了，现成的机会都抓不住！比方说吧，在苏姆特堡被攻下来以后，海上封锁线建立之前，我以极其便宜的价格买下了几千包棉花，运到了英国。这些棉花至今仍堆在利物浦的货栈里。我一直没把它们卖出去。我要把这批棉花留到英国纱厂停工待料的时候，到那时候卖什么价钱就都得听我的了。哪怕卖一块钱一磅，也不是不可能的。”

“一块钱一磅？除非太阳从西边出来！”

“我想肯定卖得到。现在棉花已经卖到七角二一磅了。等打完这场战争，我就是个大富翁了。斯佳丽，因为我有远见——对不起，应该说是利欲熏心吧。我以前曾对你说过，有两种情况可以发大财，一种是建国之时，一种是国家灭亡之时。国家兴起的时候发财慢，崩溃的时候发财快。好好记住我的话吧。将来不定哪一天，或许会对你有用。”

“万分感谢你的指点，”斯佳丽用极其挖苦的腔调说，“可是我用不着你的指点。你以为我爸爸是穷光蛋？我想向爸爸要多少他就能给我多少，何况我还有查尔斯的产业。”

“依我看，你这想法跟当初法国贵族在还没有被押上囚车送往断头台之前想的一样！”

瑞特常对斯佳丽讲：既然她参加一切社交活动，那么再穿黑色的孝服就未免有点自相矛盾了。瑞特喜欢色泽鲜艳的衣服，看到斯佳丽一身丧服，黑纱从帽子直披到脚跟，心里既觉得好笑，又深感不快。但斯佳丽却说什么也不肯脱下那一身黯然无光的黑衣黑纱。因为她明白，如果自己不能再等上几年而马上换上花花绿绿的衣服，那么已经在窃窃私语的议论就要变成满城风雨了。再说，以后见了母亲又怎么向她交代呢？

瑞特还很不客气地对她说：她披着黑纱像只乌鸦，穿一身丧服看上去足足要大十岁。一听他这句如此不恭敬的话，她就赶快跑到镜子跟前，看看自己的模样是否真的不像是十八岁，而像二十八岁。

“我想你总不至于那么没有志向，甘愿把自己打扮得跟梅里韦瑟太太一样吧，”瑞特挖苦她说，“也不至于那么庸俗，老戴着那个黑纱来炫耀你的悲伤吧。我知道你心里根本就没有一点悲伤。我敢跟你打赌。我可以在两个月之内让你摘下头上那顶帽子和面纱，换上一顶巴黎的时髦货！”

“好了，好了，我们不谈了。”斯佳丽听到他话里有话，还提到了查尔斯，心里很是不高兴。瑞特就要去威尔明顿准备再次出海了，所以也就咧了一下嘴，走了。

几个星期以后，在一个晴朗的夏日的早晨，他又来了。手里还托着一只装潢精美的帽盒。见屋里只有斯佳丽一个人，就把盒子打开来。拆开一层又一层衬纸，里面赫然是一顶式样崭新的帽子。斯佳丽一见，禁不住叫了一声：“哎呀，太漂亮了！”说着就忍不住扑了上去。好多日子都没有看到新装了，更不用说亲手摸一摸，今天看到这顶帽子，她觉得那个漂亮简直是这一辈子从没见过的。墨绿色的塔夫绸面料，浅翡翠色的波纹绸衬里。帽子上的缎带有她一手宽，也是淡淡的绿色。帽檐边上弯弯地插着一支美到极点的绿色鸵鸟毛。

“戴上吧。”瑞特笑眯眯地说。

她飞也似的跑到对面的镜子前，把帽子往头上一戴，往后掠了掠两鬓的头发，好让那一对耳环露出来，然后就在下巴下系好了带子。

“好看吗？”她一边嚷嚷着，一边踮起脚尖转过身子给他看。她把头向后一仰，羽毛都飞舞了起来。其实她心里早就知道自己戴这顶帽子好看，这一点在看见他赞许的目光之前就知道了。戴着这顶帽子她显得那么调皮可爱，翠绿的衬里映衬着她，眼睛有如两颗碧油油的绿宝石，闪闪发亮。

“瑞特，这是谁的帽子？能卖给我吗？我愿意拿出我所有的钱把这帽子买下来。”

“这帽子本来就是你的，”他说，“除了你还有谁配得上这样的绿色？我没记错你眼睛的颜色吧？”

“这真的是特地为我定做的？”

“可不，盒子上有‘和平路’的法文字样，你总不至于没看见吧？”

对此她确实是视而不见，她只顾对着镜子里自己的身影微笑。此时此刻她什么都不顾了，只知道自己两年来头一次戴上了这么漂亮的帽子，真是美极了。戴上这样的帽子，谁还会不拜倒在她的石榴裙下，然而她的笑容转眼就消失了。

“你不喜欢？”

“哎呀，我真是太喜欢了，可——唉，这么可爱的绿却得蒙上黑纱，羽毛也得染黑，实在是可惜啊。”

他急忙来到她身旁，灵巧的手指一下子就解开了她下巴下的大蝴蝶结。不一会儿帽子就又在盒子里装好了。

“你这是干吗？不是说是给我的吗？”

“但可不是给你当孝帽戴的！我再另找一个绿眼睛的美人，总会有人欣赏我的口味的。”

“哎呀，别去别去！不给我，你不是存心要我的命吗！哦，求求你，瑞特，别小气了！就给我吧。”

“拿去改得不堪入目，又像你前几顶帽子那样？那可不行。”

她抓住帽盒不放。多讨人喜欢的帽子，自己刚才戴着显得那么年轻俏丽，他竟要拿去给别人？说什么也不行！可是她又想起了佩蒂和玫兰妮这道难关，又想起了母亲。一想到母亲会怎么说她，她就不寒而栗。然而毕竟还是虚荣心占了上风。

“我不改就是了。我向你保证。你就给了我吧。”

他略带讥讽地微微一笑，把帽盒给了她。看她重又戴上了帽子，整了整帽子。

“要多少钱？”突然她脸一沉问道，“我只有五十块钱，可下个月还得——”

看她一下子变得愁容满面，他笑嘻嘻地说：“按邦联的钞票计算的话，要值到两千块左右。”

“哎呀——那可不可以这么着：我现在先给你五十，等以后我有了——”

“我一个子儿也不要，”他说，“送给你了。”

斯佳丽不觉张大了嘴。接受男人的礼物，可得严格注意分寸，千万不可有一点马虎。

母亲时常对她说：“宝贝儿啊，高贵的小姐只能接受男士送的糖果啊，鲜花啊，或许还有诗集啊，纪念册啊，一小瓶花露水啊，诸如此类的东西。千万千万不能收贵重的礼物，哪怕是未婚夫送的都不行。千万不能收珠宝首饰、衣着用品，连手套、手帕都不能收。你要是收了这些东西，男人就会觉得你低贱，就要对你放肆了。”

“哎呀，这可怎么好，”斯佳丽看看镜中自己的身影，又看看瑞特高深莫测的神情，心里琢磨着，“我绝对不能对他说不要。这样的帽子，太招人爱了。我简直——简直宁愿让他来放肆一下，只要不放肆得太厉害就行了。”想到这里她自己也感到吃惊：自己竟会有这种念头！脸上顿时泛起了一阵红晕。

“我——五十块钱一定要给——”

“你给我我就扔到水沟里去。要不还有个更好的办法，就是拿去替你做几场弥撒。真的，你的灵魂是需要做几场弥撒赎赎罪了。”

她勉强笑了两声，可是看到翠绿帽檐下自己的那个笑影，她马上就下定了决心。

“你到底想让我怎么样？”

“我要用高级的礼物不断诱惑你，把你女孩子家头脑里的那套清规戒律消磨殆尽，最后叫你完全听从我的摆布，”随即他便学着妈妈的口吻说，“‘女儿啊，收受男人的礼物，只能限于糖果和鲜花啊。’”逗得斯佳丽忍不住扑哧笑了。

“瑞特·巴特勒呀，你这个坏蛋心肠虽黑，心眼儿倒挺机灵，你明明知道这么漂亮的帽子我是舍不得的。”

他的眼神里既有对她美貌的赞赏，又有对她的嘲弄。

“那也好办，你不妨对佩蒂小姐说，塔夫绸和波纹绸是你给的，帽子的样式也是你画给我的，为此你还被我敲了五十块钱的竹杠。”

“不，我要说一百块，让她去逢人就说，说得城里人人眼红，说我的手面好大。不过瑞特，你以后千万别再送这么贵重的东西了。谢谢你的好意，但我实在不能再收了。”

“是吗？不过我还是要给你带礼物来的，只要我愿意，只要我看到有什么东西能给你增添风采，我就给你送来。我要送你一段墨绿的波纹绸，你可以做一件跟这顶帽子相配的长上衣。不过我可把话说在前头，我可是不怀好意的。我是拿帽子首饰之类的物品作诱饵，来引你上钩。你要时刻记着，我做事都是有目的的，给人东西都是要有回报的。从来没有我白干的事。”

他的黑眼睛拼命朝她脸上看着，目光落在了她的嘴唇上。斯佳丽垂下眼帘，满心紧张。母亲说得一点没错，这一下他要来放肆了。他要吻她了——至少有这样的企图吧。她心里乱糟糟的，不知该依他还是不依他。不依他吧，他也许会一把抢过她头顶上的帽子，拿去给别的姑娘。反之，如果允许他规矩地略微吻一下，或许他以后还会把招人喜爱的礼物源源不断地献上，以期能再博得一吻。男人对接吻看得可重了，其中的缘故，只有天知道。他们往往只一吻，便会对所吻的姑娘爱得要命，如果姑娘乖巧，一吻之后就不许他们再吻，他们往往还会出洋相，很是有趣。要是瑞特·巴特勒真能爱上她，并能坦白承认这一点，真能来乞求她一吻，或博取她一笑，那就太够劲儿了。好吧，那就让他来吻一下吧。

可是他却没有来吻她的意思。她从睫毛底下瞟了他一眼，有意嘟嘟囔囔挑逗道：

“这么说你是从来不白干事的？那么你想从我这里得到什么呢？”

“那还得等等看。”

“好吧，可如果你以为我为了这顶帽子就愿意嫁给你，那你就想错了。”她把头倔强地一摆大着胆子说，震得羽毛连连抖动。

瑞特胡子底下雪白的牙齿微微一露。

“太太，你也太自作多情了吧，我可不想让你嫁给我，也不想让谁嫁给我。我是不准备结婚的。”

她吃了一惊，现在她主意已定，非要引得他放肆不可了，于是她大着嗓门说：“真是的！别说是嫁给你，连跟你亲嘴我都不愿意呢。”

“那你为什么那么可笑地噘着嘴啊？”

她从镜子里一眼看见了自己的模样，两片红红的嘴唇果然是做着准备亲嘴的姿势，她不觉“哦”的一声叫了起来。她顿时来了火，一边跺着脚一边直嚷嚷道：“哦！我从没见过像你这样可恶透顶的家伙！从今以后我再也不想见到你了！”

“如果你真觉得这么着的话，那就应该在帽子上踩两脚才对。哎呀呀，你发了这么大的脾气，大概也知道在帽子上踩上两脚出气正合适吧。来吧来吧，斯佳丽，使劲踩踩帽子，让我也明白明白，我和我的礼物在你眼里就是这么一文不值。”

“你敢来碰这顶帽子！”她紧紧抓住帽子下的蝴蝶结，一边说着一边朝后直退。瑞特笑嘻嘻地跟上去，一把抓住她的手。

“斯佳丽呀，你太小孩子气了，弄得我心里好难过，”他说，“既然你一直觉得我是想要吻吻你，那好吧，我就吻吻你，”说着便漫不经心地俯下身去，小胡子在她面颊上轻轻一蹭。“好了，现在你看是不是该给我一个耳光，以惩罚我越礼犯规呢？”

她噘起了嘴，抬头盯着他的眼睛，见那两个深不可测的黑洞里尽是闹着玩儿的神气，倒忍不住笑出声来。这家伙就是爱捉弄人，简直太可气了！既然他不想让她做妻子，甚至也不想跟她亲吻，那他图的是什么呢？既然他并不爱她，那又为什么来得这么勤，还给她送东西呢？

“这就好了，”他说，“斯佳丽呀，你跟着我只会学坏的，所以如果你聪明点儿的话，就应该把我赶走——假如你有本事赶我的话。我这个人可是很不容易打发走的。不过我这人对你确实是有害无益。”

“是吗？”

“你还没看出来？自从我在义卖会上遇见你，你干出来的事总是叫人们大摇其头，那责任多半在我。是谁怂恿你跳舞的？是谁逼得你承认了我们光荣的事业其实既不光荣也不神圣？又是谁让你承认为了夸夸其谈的主义而牺牲性命其实都是傻子？是谁不断挑唆，弄得你成了老太婆们说长道短的对象？是谁现在让你提前几年脱去丧服？还有，是谁使出了最绝的一招，引诱你收受了女人一旦收受就会有失身份的礼物？”

“你也太会自卖自夸了，巴特勒船长。我的所作所为还不至于这么糟，你说的那些事我也不是干不了，又何必要你指点。”

“我看未必，”他说这话时，脸色一下子平静、阴沉下来，“要是没有我的话，你还不是仍在做查尔斯·汉密顿的伤心寡妇，你名声还挺好呢，谁不知道你为护理伤兵作出了贡献。可结果——”

但是她却并没在听，她又开始喜滋滋地对着镜子端详自己了，心里盘算着今天下午就戴着这顶帽子到医院去，去给在那里疗养的军官们献花。

她没有想到，瑞特说的这最后一段话其实还是很有道理的。她没有看出来：是瑞特撬开了她寡妇生活的牢笼，让按说早已过了一枝花时代的她解脱出来，跑到那些未婚的姑娘群中去称王。她没有感觉到，在瑞特的影响下，她已经大大背离了母亲的教导。这种演变是点点滴滴细小难察的。今天对这个小小的规矩嗤之以鼻，明天又把那个小小的规矩破而弃之，彼此间似乎并没什么联系，跟瑞特好像也毫不相干。但她没有觉察到，就是在瑞特的鼓动下，她把母亲让她谨守礼法的一些最最严厉的禁令大多都丢在了脑后，把怎么做一位上流妇女的种种艰难的功课都忘了个精光。

她想到的只是：这顶帽子跟她真是再相配不过了，而且又没要她一分钱，可见瑞特一定是爱上了她——管他承认不承认。她自然是巴不得能想个什么办法，让他自己承认。

第二天，斯佳丽拿了把木梳，满嘴衔着发夹，站在镜子跟前，想做一个新发型，梅贝尔最近去里士满探望丈夫回来，在那儿学来了这种风靡首都的发型。这种发型有个名字，叫作“猫抓老鼠带小鼠”，做起来很不容易。要先把头发由中间分开，然后两边各自从大而小，分别卷成三个发卷。最靠近中间的那一卷最大，那就是“猫儿”。“猫儿”和“大鼠”倒还好梳，唯有“小鼠”难梳，发夹总夹不住，弄得她火都上来了。不过她还是决心要做好这个发型，因为瑞特今天要来吃晚饭，她的服饰发式只要有一点变化，瑞特总会看在眼里，还少不了要评论几句。

然而那两绺浓密的头发就是不听话，她正弄得满脑门子汗珠直冒，忽然听见楼下门厅里有轻轻奔跑的脚步声，她知道是玫兰妮从医院里回来了。但是听见玫兰妮两步并作一步飞奔上楼，斯佳丽不觉得一怔，手里拿着只发夹直发愣：她知道一定出事了，因为玫兰妮平日的行为举止稳重得就像上了年纪的贵妇人。她赶快过去打开房门，玫兰妮一头撞了进来，只见她满脸通红，神色惊恐，活像个做了错事的孩子。

她脸上挂着泪水，帽带套在脖子里，帽子倒挂在脑后，裙箍猛烈地晃动着。一只手紧紧攥着个东西，随身还带进来一股浓得刺鼻的廉价香水味。

“哎呀，斯佳丽！”她把房门一关，一屁股坐到床上，嚷嚷起来，“姑妈回来了吗？还没回来？啊，谢天谢地！斯佳丽，我真是没脸见人了！我差点儿晕过去了。斯佳丽，彼得大叔口口声声说要告诉佩蒂姑妈！”

“告诉她什么啊？”

“我跟那个——那个人说了话呀——也不知该叫她小姐呢，还是叫她太太？”玫兰妮拿着手绢直给自己发烫的脸打扇子，“就是那个叫贝尔·沃特林的红头发女人！”

“啊呀，兰妮！”斯佳丽叫了起来，她吃惊得只有两眼发直的份儿了。

贝尔·沃特林，就是那个她来亚特兰大的第一天在街上见到的女人，现在无疑已是本城名声最臭的女人了。自从亚特兰大来了许多大兵以后，大批的娼妓便蜂拥而至，其中最显眼的，就数贝尔了。一则是因为她长着一头火红的头发，二则是因为她总是穿戴得花里胡哨，时髦得过了头。桃树街一带的上等住宅区她平日是很少来的，但一旦真要是来了，规矩人家的妇女见了她都得赶紧穿到街对面，对她避而远之。现在，玫兰妮居然跟她说起话来了。难怪彼得大叔要气坏了。

“要是让佩蒂姑妈知道了，我就只有死路一条了！你是了解的，她一知道就会大哭大叫，说得满城的人都知道的，那我还有什么脸面去见人呢，”玫兰妮抽抽搭搭地说，“这事也不能怪我。我——我怎么能躲开她呢。那样躲太不像话了。斯佳丽，我——我真可怜她。你说我可怜她是不是不对啊？”

但斯佳丽却不想从道德的角度去探讨这个问题。她也和一般好人家出身的天真无邪的年轻小姐一样，对娼妓极其好奇，只想探个究竟。

“她有什么事啊？说起话来是什么样子的？”

“哦，她说起话来连文理都不通，不过看得出，她倒是很想学文雅，可怜的人！我从医院里出来，看彼得大叔没有赶车来接我，就想还是步行回家吧。从埃默森家前院走过时，想不到她竟在篱笆后面躲着哩！真是谢天谢地，幸亏埃默森一家都到梅肯去了！她找上我说：‘韦尔克斯太太，劳驾，跟你说几句话。’我也不知道她是怎么知道我的名字的。我知道自己应该尽快逃开才是，可——可斯佳丽，我看她样子很可怜，而且——而且那神情好像是在求我呢。她身上穿的衣服是黑的，头上戴的帽子也是黑的。脸上没施脂粉，要不是那一头红发惹眼，看上去倒也确实正正派派。我还没来得及答话，她又说：‘我知道我本不应该找你说话，我原打算去找艾尔辛太太说的，可那只老不死的母孔雀不等我说完，就把我从医院里赶出来了。’”

“她真的把艾尔辛太太叫母孔雀？”斯佳丽听了乐不可支。

“哦，你别笑。这事可没什么好笑的。看来这位小姐——哦，这女人，是想到医院去帮忙呢——你能想得到吗？她表示愿意每天早上到医院去看护伤员，不用说，艾尔辛太太准是一听见这话，吓得差点连命都没了，才把她赶出医院的。她还对我说：'我也想出点力呀。我不是跟你们一样也是邦联的一员吗？'斯佳丽，听说她想来帮忙，我心里真是好感动啊。你想啊，她既然愿意为我们的正义的事业出力，这就说明她并不是什么都坏的。你说我这样的想法会不会是不对的？"

"哎呀呀，兰妮，别管对不对。你快说，她还说了些什么？"

"她说，太太们从这儿过到医院去，她看在眼里已经不是一天两天了，她觉得我——嗯——面容比较和善，所以才找上了我。她手头上有几个钱，要我拿着供医院使用，可是千万别把来路告诉别人。她说，艾尔辛太太要是知道了那是什么钱，肯定不会让用这笔钱的。那是什么样的钱啊！当时我一想起来，就差点儿晕了过去。我心烦意乱，一心只想着脱身，所以就赶忙说：'哦，好的好的，你真是太好了。'总之就是这类蠢话吧，她笑了笑说：'你真厚道。'说完就把这块乌糟糟的手绢塞在了我手里。哦，你闻闻这股香水味！"

玫兰妮伸出手来，手里赫然是一块男人的手绢，脏得很，还有一股浓浓的香水味，里边包了些硬币，上面打了个结。

"她正向我道谢，说打算以后每个星期给我送些钱来，没想到偏偏就在这时候彼得大叔赶着车来了，看见了我！"兰妮把头往枕上靠，忍不住号啕大哭了起来。"他一见我旁边的人，他——斯佳丽，他竟对我呵斥起来！长这么大，还从没人这么呵斥过我。他说：'你快点给我上车吧！'我便上了车，一路上他把我数落了个够，半句话也不让我分辩，还说要告诉佩蒂姑妈。斯佳丽，你快下去求求他，让他别告诉姑妈了吧。你的话他也许会听的。哪怕我只是朝那个女人看一眼，要是姑妈知道了也要被活活气死的。你去说说好不好？"

"好吧，我去说说。不过还是让我们先来看看里边有多少钱。还不轻呢。"

她解开手绢，一捧金币滚了出来，掉在了床上。

"斯佳丽，有五十块呢！全是金币！"玫兰妮把亮晃晃的金币一数，吓得叫了起来，"你说说，这种——嗯——这样挣来的钱，用在士兵身上行吗？上帝大概总会理解她是一片好心吧？即便钱不干净大概也不会怪罪吧？一想起医院里缺这缺那的——”

可是斯佳丽这时根本就没在听。她两眼看着那块乌糟糟的手绢，心里涌起一阵阵羞辱和愤怒。手绢角上绣着的姓名标记是三个起首字母“R. K. B.”在她最上边的那只抽屉里，也有跟这一模一样的一块手绢，那是昨天在野外采花时，瑞特·巴特勒借给她系在花梗上的，本想他今天来吃晚饭时，就还给他。

这样看来，瑞特竟还跟沃特林这臭女人有来往，还给了她钱呢。她要捐给医院的钱，敢情就是从这里来的。从封锁线上来的，难怪都是金币。瑞特也真是的，都跟这女人鬼混上了，居然还有脸正眼看规矩人家的女人！自己也真是，竟还以为他爱上了自己！今天的事表明，他是不可能爱上自己的。

斯佳丽总觉得，坏女人以及凡是跟坏女人沾边的事，都是很神秘且见不得人的。她知道，男人“光顾”这些女人的目的，小姐太太们根本就不应该提——即使提了，也要含而不露，绕着弯子，私下悄悄地说。她本来以为只有低三下四的男人才会去找这种女人。以前她从来也没有想过，高尚的男人——确切地说，是她在高尚人家认识的、并且还一起跳过舞的男人——居然也会干这种事。这一下倒打开了她的思路，眼前出现了一个全新的天地，让她觉得毛骨悚然。大概男人全都这样！他们逼着自己的妻子干这种下流事，已经是够丑陋的了，竟然还要找这种下等女人，花钱去买乐子！唉，男人全都是下流坯，男人里尤以瑞特·巴特勒为最坏！

她一定要把这块手绢摔到他的脸上，把他赶出门，今后再也、再也不理他了。可转念一想：不行，这事绝对不能干。她说什么也不能让他知道她也晓得这世上还有坏女人存在，更不用说他去找坏女人这种事了。这种有失小姐太太身份的事是绝对不能干的。

“哼！”她愤愤地想，“要不是我怕有失身份，对这个坏蛋我什么骂不出来！”

她把手绢揉成一团，握在手里，下楼到厨房去找彼得大叔去了。走过炉子时，怒气冲冲而又无可奈何地把手绢往火里一塞，看着手绢化成了一团火。

她两眼看着那块乌糟糟的手绢，心里涌起一阵阵羞辱和愤怒。

14

到了1863年夏天，南方人个个又都满怀希望了。尽管缺衣少粮、备尝艰辛，尽管粮食投机一类的灾祸危害甚烈，尽管现在几乎已无一家没有丧亡、伤病或遭劫之痛，但今天南方终于又敢说“只要再打一场胜仗就可以结束战争”了，而且说起来比去年夏天更起劲、更自信。北方佬果然是一颗扎手的硬核桃，可现在核桃终于要被敲碎了。

对亚特兰大人，对整个南方来说，1862年的圣诞节就已经非常吉祥了。当时，南军在弗雷德里克斯堡打了一个漂亮的大胜仗，北方佬死伤数以千计。这一年的圣诞期间，南方各地无不欢欣鼓舞，庆幸局面终于扭转过来了。身穿白胡桃色土布军装的大批新兵现在都已成为经过了炮火洗礼的老战士，他们的将军也都表现出了非凡的英勇，大家都相信来年春天一旦重开战事，北方佬就该全军覆没，别想再有所作为了。

春天来了，战事重开。到了五月，南军在钱塞勒斯维尔又打了一个大胜仗。南方欢腾了。

在后方，不久前北军有一支骑兵队前来偷袭佐治亚，结果倒变成了一场南方的大捷。至今人们谈起来仍津津乐道，笑声不断，说：“妙啊！老福雷斯特上去一打，就有他们受的了！”那是四月末，北军的斯特赖特上校率领一千八百名骑兵实施奇袭，突入佐治亚境内，目标就是亚特兰大以北六十多英里处的罗姆。他们的计划还真不小，打算先切断亚特兰大和田纳西之间那条举足轻重的铁路线，然后挥师南下，攻入亚特兰大，彻底摧毁集中在这个南方重镇的工厂和军需物资。

这一招的确颇有胆略，南方当时要是没有福雷斯特的话，准得吃大亏。福雷斯特手下的人马只有敌方的三分之一，却个个骁勇善战，行马如飞。他就以这么点兵力赶去堵截，不等对方兵临罗姆，就在中途进行拦截，日夜袭扰，终于把敌人全部俘获！

这个胜利消息差不多是跟钱塞勒斯维尔的捷报同时传到亚特兰大的。消息传来，全城顿时欢声雷动，笑语喧哗。其实论重要，钱塞勒斯维尔之捷的意义也许要更大些，可是斯特赖特的突击队全都当了俘虏，让北方佬落了个大大的话柄儿。

"哼！我们的老福雷斯特可不是好惹的哩。"亚特兰大人把这事翻来覆去讲个没完，而且总是兴高采烈地加上这么一句。

南部邦联现在是时来运转，正处在盛时，人们也受了形势的感染，个个喜气洋洋。话是这样说，但格兰特部下的北军从五月中旬起就把维克斯堡团团围住了。石墙将军杰克逊又在钱塞勒斯维尔受了重伤，南方痛失了一员大将。科布将军在弗雷德里克斯堡又不幸阵亡，佐治亚更是少了一位才华出众、英武过人的人物。但是北方佬毕竟再也吃不起弗雷德里克斯堡和钱塞勒斯维尔那样的大败仗了。再吃一场败仗他们就非得认输不可了，那么这场无情的战争也就可以结束了。

到了七月初，先是传闻，继而又得到了电讯的证实，说李将军已经长驱直入到宾夕法尼亚了。李将军已打进敌人的地盘了！李将军迫使敌人决战了！这是最后一仗了！

亚特兰大人兴奋异常，欢欣之余，只感到复仇心切。现在该让北方佬尝尝仗打在自己土地上的滋味了。该让他们尝尝失去肥沃的土地、牲畜被劫、家园被烧、老的少的拉去坐牢、女人孩子被赶出去挨饿的滋味了。

谁都知道，在密苏里、肯塔基、田纳西、弗吉尼亚等处，北方佬干尽了坏事。他们所到之处无不一片恐怖，那种人间惨剧连孩子都能一一说出，一讲起来都是又恨又怕。亚特兰大早已到处都是从田纳西东部逃来的难民，本地居民都听过他们亲口讲述的苦难经历。在那一带，拥护南部邦联的人属于少数，因而受战争的祸害最重(边界诸州大凡是这种命运)，邻里间相互告发，弟兄反目，什么都有。这些难民嚷嚷得最厉害，恨不得宾夕法尼亚化成一片火海，连平日心肠最软的老太太此刻脸上也浮现出幸灾乐祸的表情。

但是后来传来点点滴滴消息，说是李将军下了命令，严禁部队侵犯宾夕法尼亚的私人财产，抢劫者一律处死，部队征用的物资一概折价付款——这样一来，李将军可就全靠他平日的威望勉强稳住民心了。到了那么一个富饶的州，还不许士兵跑进满登登的仓库里去捞他一把？李将军的脑子里打的是什么主意呀？难道没看见我们的战士都饿成了那样，而且是要鞋没鞋，要衣没衣，要马没马！

达西·米德匆匆写了封信给大夫，整个亚特兰大在七月初收到的第一手消息总共也只有这一封信，所以这封信就被人辗转传阅，人们也越看越气愤。

“爸，你能不能给我弄双靴子？我已经光了两星期的脚板了，看来想再领一双是没什么希望了。要不是脚太大，我也可以像别的弟兄那样从打死的北方佬脚上剥一双下来穿穿，可是像我那么大脚的北方佬我至今还没碰到过一个。如果你给我弄到了，千万别通过邮局寄来。邮寄的话会被人中途偷走的，这种事其实也怪不得别人。还是让菲尔坐火车来一趟，让他给我送来吧。我们下一步在哪儿驻扎，过些时我再写信告诉你，现在我还不知道，只知道我们正在往北开。目前我们在马里兰，大家都说一直要开到宾夕法尼亚。……

“爸，我本来想我们总该对北方佬来个‘以眼还眼，以牙还牙’吧，可将军却说不行。我觉得，为了图个痛快放把火烧掉北方佬的房子而弄到被枪毙，实在有点犯不着。爸，部队今天开过一片玉米地，壮观极了。我们家乡的玉米从来没长得这么茂盛过。不过，实在不瞒你说，在那片玉米地里我们都私下犯了点纪律，因为我们都实在饿极了，反正这事将军又不会知道，不会让他不高兴的。可是那还嫩着的玉米一吃下去反倒坏了事。弟兄们本来都得了痢疾，一吃生玉米就拉得更厉害了。拉肚子行军实在够呛，比腿上带伤还难受。爸，无论如何你要想法替我弄到靴子啊。我现在是上尉了，当了上尉换不上新军装、佩不上肩章倒就不去说它了，可脚上总不能没靴子穿吧。”

但是现在大家满脑子就只想着一件事：部队已经开到宾夕法尼亚了。只要再打胜一场，战争就可以结束了，到那时达西·米德要多少靴子都可以尽他挑，孩子们也就可以凯旋了，家家户户就又可以欢乐如初了。米德太太想到她当兵的儿子终于有了重返家园、不再外出的日子，眼睛都湿润了。

谁知到了七月三日，北边的电报却突然沉寂了，直到七月四日中午，亚特兰大的司令部才零零星星收到了一些报告，但都只是一鳞半爪、含糊不清的。好像在宾夕法尼亚一个叫葛底斯堡的小镇附近爆发了一场激战，战斗规模很大，李将军集中了全部的兵力。消息不但语焉不详，而且又姗姗来迟，因为这仗是在敌方境内打的，战报先要送到马里兰，再转发到里士满，然后才能传送到亚特兰大。

心越来越放不下了，慢慢的，全城的人都不觉忧心忡忡起来。天下最难受的事，莫过于不知道真实情况。有儿子在前线的人家忙不停地祈祷，但愿他们的孩子没在宾夕法尼亚。知道自己的亲人跟达西·米德在一个团的，就只好咬咬牙，说自己的亲人能参加这场大战，出力彻底打垮北方佬，也是一种荣耀。

在佩蒂姑妈家，娘儿仨面面相觑，脸上都显露出忧虑之色。阿希礼就在达西那个团啊。

五日那天传来了坏消息，但不是从北边，而是从西部来的。维克斯堡在长时间的猛烈围攻下终于陷落了，这样一来，从圣路易斯一直到新奥尔良，差不多整个密西西比河都已落入北方佬手中。南部邦联已被断为两截。要是在平日，这样不幸的消息肯定会使亚特兰大人又恐慌又悲痛。可是现在他们已经无心过问维克斯堡的事了。他们只想着李将军在宾夕法尼亚的决战。只要李将军能在东部大获全胜，那么把维克斯堡丢了也就算不上什么大灾难了。东部有费城、纽约、华盛顿。把这些地方拿下来，北方就瘫痪了，这足以抵消密西西比战场的失利了。

时间一点一点挨了过去，灾难的阴影终于黑压压地罩住了全城，似乎连骄阳都被遮得黯淡无光了。人们抬起头来才会猛然吃惊，他们简直不敢相信头上原来还有那么湛蓝的天空，并没有遮天蔽日的滚滚乌云。到处是三五成群的妇女，她们有的聚集在人家的前门廊上，有的在人行道上围成一堆，有的甚至就在街心围着，相互庆幸说没有消息就是好消息，彼此还安慰上几句，极力装出勇敢的样子。但是可怕的传闻还是像东冲西撞的蝙蝠一样在静悄悄的街上到处乱飞，说什么李将军已经阵亡，说仗已经打败，说已经陆续收到大批伤亡人员名单。尽管大家都不愿意相信，可还是按捺不住惶恐的心情，一大群一大群拥往市中心，拥向报馆，拥向司令部，只求快快发布消息，不管什么消息，哪怕是坏消息也要听听。

火车站是人山人海，都希望火车能带来点什么消息。至于电报局里，不堪其扰的司令部门外，拉上了铁门的报馆门前，那就更不用说了。这一簇簇人群都静得出奇，而且不知不觉人越聚越多。谁都不说话。只是时而会有个老头尖着嗓子问一句“有消息了吗”，里面的回答总是“北方战场还没有新的消息，只知道战事仍在进行中”，大家听了并没唧唧咕咕，反而更加沉默了。外围一大圈是妇女，有在那儿站着的，有在马车上坐着的，越围越多。挨挨挤挤的人身上汗气腾腾，蹭蹭擦擦的脚又扬起尘土，混在了一起，憋得人气都喘不过来。妇女们都不吭声，可是她们那绷得紧紧的苍白脸上那副默默祈求的神情却比放声痛哭更感染人。

在亚特兰大，几乎家家户户都有亲人参加了这场战斗，或是儿子，或是兄弟，或是父亲，或是情人，或是丈夫。他们都在等着亲人战死的消息。他们等的是死讯。他们并不是在等败讯。失败两字他们是不考虑的。他们的亲人现在也许正在宾夕法尼亚烈日炎炎、野草枯萎的山冈上咽最后一口气，南军的队伍现在也许正像冰雹下的庄稼那样大片大片地倒下，可是他们通过血战所捍卫的正义事业是决不会倒的。他们纵然成千上万地死去，结果也只会像种下了龙的牙齿（希腊神话中说，卡德摩斯杀了一条龙，种下了龙的牙齿，却长出了许多武士，想要杀他。——译者注），从土地里又会长出成千上万穿灰军装和白胡桃色军装的生力军，高喊着南军的口号，来接替他们。这支队伍会从哪里来呢？他们也说不上。他们只知道李将军是能创造奇迹的，弗吉尼亚的军队是不可战胜的。对此他们深信不疑，正如相信天上有一个正直的不容你不信的上帝一样。

斯佳丽、玫兰妮和佩蒂帕特小姐三人在《明察日报》馆前等着。她们坐在马车上，把车篷推到后边，各自撑起了阳伞。斯佳丽的手抖得厉害，阳伞在头顶直晃荡，佩蒂也是万分紧张，滚圆的脸上那只鼻子就像兔子的鼻子一样不停掀动着，唯有玫兰妮坐在那儿像个石头人一样，只是随着时光的流逝，一双黑眼睛睁得越来越大了。两小时来她只说过一次话，那是在她从手提包里取出一瓶嗅盐递给佩蒂姑妈时说的。玫兰妮对姑妈说话柔和了一辈子，只有这次一反常态。

“拿着吧，姑妈，要晕你就自己闻吧。我可把话说在前头，你要是真的晕过去了就只好由着你晕过去，让彼得大叔送你回家了，我是不听到消息决不离开这里的——听不到消息我说什么也不走。还有斯佳丽，我也决不让她离开我。”

斯佳丽本来就不想走，如果走了一旦有阿希礼的消息她就不能马上知道了。她能不走，哪怕佩蒂姑妈死了她也不离开这里。阿希礼这会儿正在前方打仗，说不定已经战死了，只有从报馆里才能知道确切的消息。

她看了看人群，里面有一些朋友和邻居：米德太太歪戴着帽子，紧紧地挽着她十五岁的小儿子菲尔的胳膊。麦克卢尔家的两姐妹也都拼命往下合着哆哆嗦嗦的上嘴唇，以遮住那几颗龅牙。艾尔辛太太就像斯巴达人的母亲，岿然不动，只有发髻上挂下的几绺散乱的白发透露出她内心的忐忑不安，她女儿芳妮·艾尔辛却面如死灰。(芳妮这么着急总不见得是为了她兄弟休吧。难道她还有个意中人在前线，大家都还蒙在鼓里?) 梅里韦瑟太太坐在自己的马车上，轻轻抚摩着梅贝尔的手。梅贝尔的肚子看上去已经很大了，虽说想得很周到，在身上披了块披巾，可是这样跑到大庭广众之中来，未免有失体面。她何必这么着急呢?谁也没听说宾夕法尼亚有路易斯安那的部队。她那个野人般的小个子义勇兵说不定此刻正安安稳稳留在里士满呢。

人群外忽然有了点动静，只见站着的人群让出了一条路，瑞特·巴特勒骑着马小心地向佩蒂姑妈的马车缓缓而来。斯佳丽心想：这个时候他还敢来，倒还真有点胆量——他没去参军，眼下单凭这一点就足以让在场的这群人把他撕得粉碎了。可到了跟前一看，她恨不得自己先上去撕了他。他怎么敢这么放肆，居然骑了匹那么漂亮的骏马，穿了这么漂亮的夏装，靴子擦得油亮，嘴里叼着昂贵的雪茄，一副红光满面的阔绰样，要知道阿希礼他们跟北方佬打仗，都光着脚板，饿着肚子，热得昏昏沉沉的，还得了拉肚子的毛病呢！

他缓缓穿过人群时，仇恨的目光纷纷投向他。老人们叽叽咕咕，天不怕地不怕的梅里韦瑟太太在马车上微微一抬身子，铿锵有声地说："投机分子！"这几个字经她的口这么一说，就成了一句世间最难听最恶毒的骂人话。他却对谁也没在意，只是向兰妮和佩蒂姑妈举了举帽子，然后来到斯佳丽身边，俯下身来悄声对她说："米德大夫平日不是作惯了演说，说胜利之神有如引吭高歌的雄鹰栖息在我们的旗帜上吗？你说此刻他是不是很应该再来讲上一番？"

斯佳丽浑身的神经紧张得都快绷断了，她的反应快得就像一只发了怒的猫，倏地对他板起脸来，不客气的话已一连串涌到嘴边，可瑞特一摆手，把她的话拦了回去。

"我是特地来告诉你们几位的，"他放开嗓门说，"我刚才去过司令部了，第一批伤亡名单已到了。"

跟前听得见他说话的人，一听见这消息都嗡嗡地交头接耳起来，人群波动起来，大家纷纷拥到街上，打算赶到司令部去。

"不要去，"他在马上站起身来，把手一挥，大呼一声，"名单已经送到了报馆，眼下两家报馆都在赶印。大家就留在原地吧！"

"哎呀，巴特勒船长，"兰妮两眼噙着泪水，看着他大声说，"你真是太好了，还特地来告诉我们！什么时候可以公布名单？"

"大概马上就能印好，太太。报告送来已经有半个小时了。负责的少校一定要等印齐了再发布，怕大家争着来打听，会把屋子都挤破的。啊！你们看！"

报馆的侧窗打开了，从里面伸出了一只手，手里拿着一沓打"小样"用的狭长纸条，上面油墨都还没干，密密麻麻印满了人名。

大家都争着去要，有的一抢就撕成了两半，拿到了的拼命往后退，想挤出人群去细看，后面的人则纷纷向前挤，嚷嚷道："让我过去！"

瑞特翻身下马，把缰绳扔给了彼得大叔，只说了声："把马看好。"便拿出蛮横的劲头一路推推搡搡挤进了人群，只见那宽厚的肩膀高高地凌驾在众人之上。不一会儿，他就拿回来好几份名单。他扔给玫兰妮一份，其余的就散发给了附近几辆车里的几位小姐太太：麦克卢尔家的两位小姐，米德太太，梅里韦瑟太太，还有艾尔辛太太。

斯佳丽的心都快跳到嗓子眼了，她见兰妮两手抖着拿着名单根本没法儿看，心里突然燃起一阵无名之火，便脱口喊道："快拿给我看，兰妮。"

兰妮的声音轻得像耳语："你看吧。"斯佳丽就一把抢了过来。快看"W"开头的。"W"开头的在哪儿？哦，在下边，字都模糊了。"怀特，"她边看边念，声音都发抖了，"威尔肯斯……温恩……泽布伦（这已是"Z"开头的了——译者注）……哎，兰妮，没有他的名字！没有他的名字！哎呀，你怎么了，姑妈！兰妮，快把药瓶捡起来！快来扶扶姑妈呀，兰妮。"

兰妮高兴得当众哭了起来，她扶住了佩蒂小姐歪歪倒倒的脑袋，把嗅盐凑在了她的鼻子底下。斯佳丽在另一边扶着胖老太，心里欢快得都在歌唱了。阿希礼还活着。连伤都没带。感谢上帝，他没事！感谢——

她听见了一声轻微的呻吟，回头一看，只见芳妮·艾尔辛的脑袋倒在了她母亲的胸前，那张伤亡人员的名单飘然落在了车厢的底板上，艾尔辛太太把女儿搂到怀里，轻轻对车夫说："回家，赶快。"两片薄薄的嘴唇却止不住在颤抖着。斯佳丽飞快地朝名单看了一眼。休·艾尔辛没在名单上。这么说芳妮准是有个心上人，可现在战死了。人们怀着同情，默默地闪出一条路，让艾尔辛家的马车通过，随后出去的还有麦克卢尔家两位姑娘乘坐的那辆枝条小马车。持缰的是费思小姐，脸板得像块石头，这回她的两片嘴唇把牙齿遮得纹丝不露。霍普小姐面如死灰，直挺挺地坐在旁边，紧紧抓着姐姐的裙子。姐妹俩一下子都变得像七老八十的老太婆。小弟弟达拉斯是这两个姐姐的心头肉，也是这两位老姑娘在世上仅有的亲人了。然而达拉斯却长眠在他乡了。

“兰妮！兰妮！”梅贝尔在叫，口气兴高采烈的，“勒内没事！阿希礼也没事！啊哟哟，真是谢天谢地！”披巾早已从她肩上滑了下来，便便大腹暴露无遗，现在母女俩是谁也不在意了。“哎，米德太太！勒内——”她的声调突然变了，“兰妮，你看！——对不起，米德太太！达西该没——？”

米德太太垂下了眼帘，死死地瞅着自己的裙兜，叫她的名字她也没有抬起头来，可是只要一看旁边小菲尔的脸色，就什么都明白了。

“妈妈，别这样，别这样。”小菲尔急得手足无措。米德太太这才抬起头来，正好跟玫兰妮四目相对。

“给他弄到的靴子他已经用不着了。”她说。

“哎呀，我的天哪！”兰妮惊叫了一声，倒先哭了起来，她推开佩蒂姑妈，让斯佳丽一个人扶着，自己爬下马车，马上到了医生太太车那边。

“妈，你还有我呢，”菲尔为了安慰身边脸色煞白的妈妈，什么都不顾了，“只要你放我去，我一定去把那帮北方佬斩尽杀绝——”

米德太太死死抓住他的胳膊不放，好容易才吐出了一声“不！”。那嗓音就像喉咙被掐住了，连气都透不过来似的。

“菲尔·米德，快别说了！”玫兰妮一边悄悄对菲尔说，一边爬上车，到米德太太身旁，把她搂在了怀里。“你以为你再去送死就能让你母亲高兴吗？这样的傻话亏你说得出。还是快点送你母亲回家去吧！”

菲尔拿起缰绳，玫兰妮扭头对斯佳丽说：

“你把姑妈一送到家就到米德太太家来。巴特勒船长，你去通知一下大夫好吗？他现在在医院。”

马车穿过渐渐散去的人群，径自去了。人群里那些妇女，有的高兴得直哭，可是多半都是目瞪口呆，像当头挨了一闷棍，一时还没回过神来。斯佳丽又低下头去，把那模糊了的名单匆匆看了一遍，看看是否有熟人的名字。阿希礼平安无事，她也就有心思去过问别人了。啊，好长的名单呀！亚特兰大付出的代价多大啊，整个佐治亚州付出的代价多大啊。

天哪！“赖福·卡尔弗特，中尉。”赖福！她突然想起了很久很久以前的一天，她和赖福曾一起离家出走过，可是到了黄昏，饥饿难熬，加上天黑下来后心里又害怕，只好改变主意又回家了。

“约瑟夫·方丹，列兵。”那个脾气暴躁的小个子！萨丽生了孩子还没满月呢！

“拉斐特·芒罗，上尉。”他和凯瑟琳·卡尔弗特订了婚。可怜的凯瑟琳！她受到了双重打击：失去了哥哥，又失去了未婚夫。可是萨丽受到的打击更大：失去了哥哥，又失去了丈夫。

哎呀，真可怕。她简直不敢再往下看了。佩蒂姑妈还靠在她的肩膀上一阵阵直喘气呢，斯佳丽这时老实不客气地把她推到了车厢角上，自己接着往下看。

不会吧，不会吧——这名单上怎么会有三个“塔尔顿”呢。也许——也许是排字工忙中出错，排重复了。可你看，明明没重复。“布伦特·塔尔顿，中尉。”“斯图特·塔尔顿，下士。”“托马斯·塔尔顿，列兵。”博伊德早在开战第一年就死了，现在也不知葬在弗吉尼亚的什么地方了。塔尔顿家的四兄弟全完了。托马斯和那对懒洋洋的长腿双胞胎最爱闲聊天，闹起恶作剧来简直让人匪夷所思，博伊德风度翩翩像个舞蹈教练，可一张嘴刺起人来却又厉害得像马蜂。

她再也看不下去了。她实在不忍心再看到这名单上还有没有和她从小一起长大、一起跳舞，乃至调过情、亲过嘴的小伙子的名字。她真想放声大哭，这样喉咙也许可以轻快些，不然总觉得像有只铁爪子，在那里抓呀抓的。

“我也很难过，斯佳丽，”瑞特说道。斯佳丽抬头看了他一眼。她忘了瑞特还没走呢。“上面有你很多朋友吧？”

她点了点头，费了好大的劲才开了口：“县里差不多家家都有，也有的——像塔尔顿家，兄弟三个都在上面了。”

瑞特脸色平静，近乎是严肃了。此刻他的眼睛里没有一丝嘲笑的神情。

“可事情还没完呢，”他说，“这不过是第一批名单，而且还不全。明天的名单还要长。”说到这儿他压低了嗓音，免得被附近马车里的人听见。“斯佳丽，李将军肯定吃了败仗了。我在司令部里听说他已经退到马里兰了。”

斯佳丽抬起惊恐的眼睛，和他对看了一眼，不过她之所以感到骇然，倒不是因为听说李将军吃了败仗，而是因为听说明天还有更长的伤亡名单！明天！刚才她看到名单上没有阿希礼的名字，心里高兴都还来不及呢，哪里会想到明天？明天！可不是，此时此刻阿希礼说不定已经死了呢，她却要等到明天才能知道，甚至说不定要等上七八个明天。

“瑞特，你说为什么一定要打仗呢？当初北方佬要是肯出些钱把黑奴赎去该多好——就是我们把黑奴白给他们，也总比打成这样强得多啊。”

“问题并不在于黑奴，斯佳丽。黑奴只是一个借口罢了。打仗，是永远避免不了的，因为男人喜欢打仗。女人是不喜欢，可男人就是喜欢——真的，在男人看来，打仗比女人还重要。”

他嘴巴一咧，又挂起了他老挂在嘴边的那种笑意，严肃的神情早已消失殆尽。他举了举头上的阔边巴拿马草帽。

“再见。我要去找米德大夫了。他儿子的死讯要由我去通知他，这真是个莫大的讽刺，不过我看他目前是想不到这一点的。不过到了将来，想起英雄的死讯竟要一个投机分子来送，他恐怕要感到切齿之恨了。”

斯佳丽调了一杯威士忌，让佩蒂小姐喝了睡下，留下普莉西和厨娘服侍，自己就步行来到位于一条街上的米德家。米德太太由菲尔陪着，正在楼上等大夫回来，玫兰妮则坐在客厅里，正跟一群前来吊唁的街坊小声说话。她手也没闲着，一会儿拿起剪子，一会儿拿起针线，要把艾尔辛太太借给米德太太的一套丧服改一改。屋里早已弥漫着一股刺鼻的染料味，那是在用自制的黑染料煮沸了染衣服，厨娘正在厨房里一边抹眼泪一边把米德太太要穿的衣服放在大洗衣盆里不停搅拌。

“她怎么样?”斯佳丽轻声问。

“还是没一滴眼泪,”玫兰妮说,“女人到了欲哭无泪的地步,那是很难受的。我真不明白男人遇到了伤心事而不哭怎么挺得住。大概是因为男人硬气、勇敢,比女人强吧。她说她要一个人到宾夕法尼亚去运灵柩回来。大夫走不开,医院里少不了他。”

“她一个人去怎么行!为什么不让菲尔去?”

“他妈担心他一不在身边就会参军去。你知道他个子长得特别大,人家都当他已经十六了呢。”

邻居们一个个都溜走了,谁也不想等大夫回家,看到那难受的场面,所以最后就只剩下了斯佳丽和玫兰妮在客厅里做针线。玫兰妮显得很伤心,不过表面上倒还平静,虽然手里的布料上也落了不少眼泪。显然她根本没有想到这仗现在还在打,说不定阿希礼此刻已经死了呢。斯佳丽心里直发慌,不知道是把瑞特的话告诉玫兰妮好呢,还是不告诉她好,告诉了她可以让她难过难过,自己或许反而可以好过些。最后她还是打定了主意不说。万一弄不好让玫兰妮有了想法,嫌她对阿希礼太关心了,那可就糟了。今天早上真是万幸,包括兰妮、佩蒂在内,人人都心事重重,谁也没注意她的一举一动。

默默无语地做了一阵针线之后,她俩听见门外有了响动声,凑着窗帘缝一看,见米德大夫从马上下来了。他背也弯了,脑袋也耷拉下来了,花白的胡子像把扇子搭在胸前。他步履缓慢地走到屋里,放下了帽子和皮包,和两位女客一一亲过,一句话也没说,就疲乏地上楼去了。不一会儿,菲尔下楼来了,一副手长脚长、不知所措的样子。玫兰妮她们朝他看了看,意思是请他一起坐坐,他却自管自地走到前门廊上,在台阶顶上一坐,两手捧着垂得低低的脑袋。

兰妮叹了口气。

“他因为年龄不够,不能去打北方佬,正火得要命呢。他才十五啊!哎,斯佳丽,有这样的儿子真是福气!”

“让他也去送死?”斯佳丽想到了达西,没好气地说。

“有个儿子,哪怕他战死沙场,也总比没儿子强吧,”玫兰妮说到这里哽住了,“斯佳丽,你有小韦德,你是不会理解的,可我——

斯佳丽，我是多么想有个孩子啊。我知道你心里在想，我这样坦率、毫无顾忌，太不像话了，可这是我的心里话，哪个女人没有这样的心愿呢，这你是知道的。”

斯佳丽真想对她嗤之以鼻，不过还是强忍住了。

“万一上帝的旨意是要阿希礼被——被俘，我想我还是能挺得住的，当然，要是他死了的话我也不想活了。不过要是他被俘了的话，我相信上帝会给我力量，让我挺住的。我受不了的是他撒手去了，却又没给我——没给我留下个孩子，也好让我有一点安慰。哦，斯佳丽，你真是太幸运了！虽然查理不在了，毕竟你还有他的儿子在身边。可我呢，要是阿希礼撇下了我，那我就什么都没有了。斯佳丽，有句话你可别见怪：有时候我还真嫉妒你呢——”

“嫉妒——我？”斯佳丽心里一虚，喊了起来。

“因为你有儿子，而我却没有。有时候我就在心里暗暗把韦德当自己的儿子，因为没儿子真是难受啊。”

斯佳丽这才放心了，便说：“乱——弹——琴！”她匆匆瞄了玫兰妮一眼，心想这个涨红了脸、低着头做针线的女子，是这么纤弱。尽管玫兰妮心里想要孩子，可是凭她那种体格，要生孩子根本没门。她的个子不会比十二岁的孩子高，腰身细得就跟小姑娘似的，胸部还是一片平坦。斯佳丽一想起玫兰妮生孩子就会反感。那会引起很多让她无法忍受的联想。万一玫兰妮真要给阿希礼生下个孩子，那就无异于挖了她斯佳丽一块心头肉。

“我刚才说了韦德什么的，你千万别见怪啊。你知道我实在是因为太喜欢他了。你不会生我的气吧？”

“别说傻话了，”斯佳丽干巴巴地说道，“快到门口去劝劝菲尔吧。他在哭呢。”

15

自从葛底斯堡一仗吃了败仗，部队的元气大伤，士兵疲惫不堪。大军被迫退回到了弗吉尼亚，就在拉皮丹河畔安营过冬。快过圣诞节时，阿希礼回家来休假了。斯佳丽跟他一别已两年有余，如今乍一见他，那种激动心情连她自己也吃了一惊。当初她站在十二棵橡树庄园的客厅里看着他跟玫兰妮成婚时，按捺不住对他的爱恋之情，只觉得芳心破碎，以为再也不会有比这痛苦的了。现在她明白了，自己当年那种感情，其实只不过像个宠坏了的孩子得不到想要的玩具而已。现在尝尽了长年累月的相思滋味，她的感情才真是如火如荼，加之又一直强压在心头，不能一吐为快，所以越发如火上浇油了。

回到家来的阿希礼·韦尔克斯，褪色的军装打着补丁，一头金发被炎热的烈日晒得好像漂白了的亚麻丝，这与她战前恋极爱极的那个随和懒散的小伙子完全是两个不同的人了。现在的他，比以前更动人心魄了。以前他皮肤白皙、身材细挑，现在却变得面容清瘦，色如古铜，再配上嘴边那两大撇金黄色的骑兵式小胡子，像个地地道道的军人了。

他军装虽旧，却军容齐整，手枪插在破了的枪套里，伤痕累累的刀鞘和长统靴磕碰着，显得十分气派，生了锈的马刺还隐隐约约闪着亮光。他——阿希礼·韦尔克斯，如今已是南部邦联陆军堂堂的少校了。已经养成了发号施令的习惯，眉宇之间有了一种不太显眼的威严而又自信的神气，嘴边也开始有了冷酷的皱纹。肩膀仍端得方方正正的，眼睛里依然射出两道冷静而明亮的光芒，不过看上去却有了新的异样的特点。原先他懒洋洋的，闲散惯了，如今却像一只觅食的猫那么机灵，那全神贯注的警觉劲儿，就像全身的神经永远如琴弦般根根紧绷着。他的眼神里满含疲劳和困惑，秀气的脸庞上紧包着一张晒得黑黑的皮——总之还是她心里那个俊俏的阿希礼，然而已经与往日大不相同了。

斯佳丽本打算回塔拉庄园过圣诞节的，可是阿希礼的电报一到，她就说什么也不肯离开亚特兰大了，母亲很不高兴，还亲自出面来叫她，却也没能让她动心。其实，如果阿希礼是回十二棵橡树庄园度假的话，她也就会早早到塔拉庄园去，好设法接近他了。但是阿希礼已事先写信回家，叫家里人都到亚特兰大来跟他相会，韦尔克斯先生、哈妮和印第亚姐妹俩都已早早来到了城里。阔别了两年多，难道为了回娘家，就可以放过这个与他相见的机会？她一听他的声音心跳就会加快，难道能不听？他的眼神里一定会流露出对她的思念，难道能不看？不行！母亲虽然好，可也不能为了她就牺牲这一切。

阿希礼是圣诞节前四天回来的，同来的还有县里的一帮小伙子，都是回来度假的。经过了葛底斯堡一仗，县里的小伙子剩下的已寥寥无几了。他们中有现已瘦得皮包骨头并一直咳个不停的凯德·卡尔弗特；有自 1861 年参军以来还是第一次回来休假、兴奋得不得了的芒罗家的两兄弟；还有喝得醉醺醺的、又吵又闹的方丹家的亚力克和汤尼。他们这帮人都在这里转车，还得等两个小时。那几位没喝醉的只好极力周旋，免得方丹两兄弟不是自己打起来，就是去打车站上的陌生人，阿希礼见他们疲于应付，就把他们一起带到佩蒂帕特姑妈家来了。

两个醉汉一见到佩蒂姑妈，便抢着要去亲她，争得毛发倒竖，像斗鸡一样，弄得佩蒂姑妈心里是又不安又得意。凯德在一旁，恨恨地说："你说他们俩在弗吉尼亚总该打够了吧？哼，他们就是嫌打得还不够。喝醉了就找碴儿打架，从里士满一直打到这里。在里士满还让纠察队给抓了起来，要不是阿希礼嘴巧，这个节他们可就不得不在班房里过了。”

他的话斯佳丽一句也没听进去：好容易又跟阿希礼在一起了，她早已高兴得如醉如痴。自己这两年是怎么搞的，看到别的男人竟也会觉得他们相貌好、有风度、看着顺眼？阿希礼还在呢，怎么别的男人来献殷勤，自己听了竟也会觉得可以接受？现在他又回来了，坐在客厅里的沙发上，跟她只隔着一块地毯。每次她看他一眼，幸福的泪水就禁不住要夺眶而出，须尽力克制才能勉强忍住。他一边坐着兰妮，一边坐着印第亚，背后还有个哈妮探着头。她只恨自己没名分，不能坐在他身边用胳膊挽着他！只恨自己不能过去不时摸摸他的袖子，以证明今天的相会不是做梦，也不能去拉着他的手，用他的手绢擦掉自己喜极而泣的眼泪。她见玫兰妮就是这样，一点也没有不好意思的样子。玫兰妮今天可是开心极了，那种腼腆而不失稳重的模样已经不见了，她紧紧钩住丈夫的胳膊，那眼神、那微笑、那热泪，都毫不掩饰地流露出了她的敬慕之情。斯佳丽今天也开心极了，所以看到此情此景并不觉得愤恨，也不觉得嫉妒。怎能不开心呢，阿希礼回来了！

她有时还会举起手来，摸摸刚才被他亲过的面颊，回味一下他嘴唇触到她时的那阵激动，对他笑笑。当然，他第一个亲的不是她。兰妮首先扑到了他的怀里，泣不成声，一把死死搂住了他，大有决不放手的架势。接着是印第亚和哈妮，姐妹俩简直是把哥哥从玫兰妮的怀里给抢过来的。阿希礼又跟父亲亲了亲，父子俩的拥抱庄重而亲切，足见父子情深，只是平日里藏在心里而已。再接下来是佩蒂姑妈，老太太兴奋极了，挪着那双不相称的小脚，一直东奔西忙的。最后阿希礼才来到斯佳丽跟前，这时斯佳丽已经被那帮小伙子们团团围住了，都自作多情地想来亲亲她。随着一声：“哎呀，斯佳丽！我的漂亮乖乖！”阿希礼在她面颊上亲了一下。

经他这一亲，斯佳丽想好要说的一席欢迎的话忘了个一干二净。一直到过了几个小时，她才恍然想起阿希礼亲的可不是她的嘴唇。这时她就痴痴地想：要是刚才只有他们俩在场，他会不会呢？他会不会俯下他那高大的身子，使劲拉起她来亲个嘴，抱着她久久不放呢？她心里想得美滋滋的，认为他是会的。好在还有的是机会，他有整整一个星期的假呀！只要略施小计，总可以找到机会跟他单独相处的，到那时就可以对他说："还记得以前我们常常骑着马去钻的那条林中的秘密小径吗？""还记得那个迷人的月夜吗，我们坐在我家门前的台阶上，你不是还背诵了那首诗吗？"（天哪！那首诗的题目到底叫什么？）"还记得那天下午我扭伤了脚，你在暮色苍茫中抱着我把我送回家去的事吗？"

啊，就凭"还记得吗"这个引子，可以引出多少话题啊！可以唤起多少珍贵的回忆，让他去重温当年他们俩像无忧无虑的孩子一样在县里到处游逛的美好时光；可以重提多少旧事，让他再去回味玫兰妮·汉密顿登场之前的那些岁月。谈着谈着，也许就可以从他眼神里看出他的感情又泛起了一点波澜，也许就可以看到一些迹象，证明他虽然和玫兰妮不失夫妻情分，可内心还是喜欢她的，野宴那天他说出心里话时的那颗由衷爱她的心至今没变。但她并没有想过如果阿希礼真的向她表白爱她，下一步该怎么办。只要知道阿希礼是真爱她，她也就心满意足了。……是的，何必性急呢，玫兰妮这会儿抱住阿希礼的膀子哭哭啼啼的，她要得意就让她得意去吧。以后就得轮到她斯佳丽得意了。哼，玫兰妮这样的丫头，懂得什么叫爱情？

征人归来初见面的激动过去后，玫兰妮说："亲爱的，你看起来简直像个小瘪三。你这军装是谁给补的，怎么用蓝布打补丁呢？"

"我这军容还算是蛮整齐的哩，"阿希礼看了看自己身上说，"只要把我跟前方那帮叫花子兵一比，你就会对我刮目相看了，军装是摩西补的，我看他补得还是挺不错的，你想想，他在战前可是连针线都没摸过的。说到用蓝布打补丁，我们的处境就是这样：要么任身上的裤子七洞八孔，要么去弄一件北方佬的军装，剪下几块凑合着补一补——你看，这实在也是没有办法的事儿啊。至于说我的模样像小瘪三，你还应该感谢上帝哩，你丈夫总算没光着脚板回来。上星期，我原来那双靴子破得连底都掉了，我差点儿没脚上裹了麻袋回来。也算我造化，碰巧打死了两个北方佬侦察兵。其中一个穿的靴子正好跟我的尺码一样。"

他把那双长长的腿伸出来让她们欣赏：一双伤痕累累的高筒靴。

“可惜另一个侦察兵的靴子我穿着不合脚，”凯德说，“足足小了两码，这会儿我的脚正痛得要命呢。痛就痛吧，要回家了，总得像个样子吧。”

“只怪你这混蛋心目中只有自己没别人，不肯把靴子给我们兄弟俩穿，”汤尼说，“我们方丹家高门贵族，子弟们脚小，穿起来倒正合适。嘿嘿，我现在穿着这样笨头笨脑的大鞋，怎么有脸去见母亲大人呢。这要是在战前，这样的鞋子家里的黑奴都不穿。”

“别急，”亚力克盯着凯德的靴子说，“等上了火车，我把他的靴子剥下来不就得了。去见母亲大人倒没啥要紧的，可——嘻嘻，我是说，我这脚指头都露在了外边，若是让迪米蒂·芒罗看见了可不好。”

“什么话，这双靴子本来就应该归我。明明是我先说的嘛。”汤尼顿时对兄弟把脸一板。玫兰妮吓得胆战心惊，生怕又要爆发方丹家有名的手足之争，于是便赶紧出来调停，以平息事态。

“我本来留了一大把胡子，想给你们几个姑娘看看的，”阿希礼说着，遗憾地在脸上摸了摸，他脸上剃刀划破的口子还没完全愈合，“那可真是风度翩翩哪，若是让我说，我看斯图尔特将军和福雷斯特将军的胡子都还比不上我的潇洒呢。可是我们一到里士满，这两个混蛋，”他说着一指方丹家两兄弟，“就出了坏主意，说是他们要剃胡子，所以我的胡子也非得剃掉不可。于是把我按倒就剃，我的脑袋没跟胡子一起被剃掉，也真是奇迹。后来亏得埃文和凯德，我才算保住了这两撇小胡子。”

“你别听他发酒疯，韦尔克斯太太！你还该谢谢我呢。要不然你见了他保管就认不得了，不让他吃闭门羹才怪呢，”亚力克说，“我们这也是对他表示感谢，多亏他会说话，我们才没被纠察队给抓去坐班房。只要你一声令下，我们马上就替你把他的小胡子也一起剃掉。”

“哦，别！别！多谢你们的好意！”玫兰妮一把抓住阿希礼，慌忙说。她吓坏了，因为那两个小黑炭是什么心狠手辣的事都干得出来的。“我看这样就够好看的了。”

“真是夫妻情深啊。”方丹兄弟俩煞有介事地相互一点头，一唱一和地说。

后来阿希礼冒着瑟瑟寒风，用佩蒂姑妈的马车把这几位老朋友送到了车站。他一走，玫兰妮便拉住了斯佳丽的胳膊。

“你看他身上的军装吓人不？一会儿我把请人做的那件上装送给他，你说他想得到吗？哎呀，可惜料子不够，不能给他把裤子也一起做了！”

一提起送件上装给阿希礼的事，斯佳丽就被触到了痛处，因为她心里巴不得玫兰妮别送，要是能由自己来送这件圣诞礼物，该有多好啊。做军装的灰色毛料现在是比红宝石还珍贵，阿希礼身上穿的也只是普通的土布。眼下连白胡桃色的土布也不是很多了，许多士兵就拿缴获到的北方佬军装用胡桃壳做染料染成深褐色穿在身上。不过玫兰妮却交了少有的好运，她弄到了一块灰色的呢料，够做一件上装的——尽管得做得稍短点儿，可到底勉强够了。事情的经过是这样的：她在医院护理了一名查尔斯顿的伤兵，后来这个伤兵死了，她就剪下了死者的一绺头发，连同他口袋里留下的一点东西，给他的母亲寄了去，还附带着捎去了一封信，讲了他临终前的情形。只不过是好言劝慰，不提他死时的痛苦。从此那伤兵的母亲就跟她通起信来，对方知道玫兰妮的丈夫也在前线，就把这块灰色的衣料连同一套铜纽扣一块儿给她寄来了，这是她特地买的，本打算给儿子用。料子极好，又厚实又暖和，还隐隐有层光泽，不用说，一定是穿越封锁线偷运进来的，价格也一定不菲。现在料子已经交给裁缝去做了，玫兰妮一再催促他，务必要在圣诞节早上前交货。有了上装却没有裤子，斯佳丽真想能送他一条相配的军裤，然而在今天的亚特兰大，就是踏破铁鞋也别想找到这样的料子。

她给阿希礼的圣诞礼物也已经备下了，但玫兰妮送他的灰呢上装那么体面，她的礼物就相形见绌，显得微不足道了。那是一只法兰绒的小小针线盒，里面有瑞特从拿骚给她带来的一包珍贵的大大小小一应俱全的缝衣针，有她自己的三块麻纱手绢，那也是瑞特特地给她带来的，还有两个线团、一把小剪刀。可是照她的想法，她倒很希望能送些更贴身的东西，最好是妻子常送给丈夫的那种东西，比方说衬衫、手套、帽子之类。啊，对了，一定要送一顶帽子。阿希礼头上那顶小小的平顶军便帽简直难看死了。斯佳丽一直不喜欢这种帽子。虽说石墙将军杰克逊总是放着软边呢帽不戴而宁愿戴这种帽子，可他爱戴又怎么呢？那也不见得就能使这种帽子显得气派。可惜亚特兰大现在也只有极粗劣的羊毛帽子买，比这种小家子气的军便帽更不堪入目。

想到帽子，她又想起了瑞特·巴特勒。他的帽子可真多，夏天有阔边的巴拿马草帽，在正式的社交场合有大礼帽，打猎有猎帽，软边呢帽更是各色齐备：棕黄的，黑呢的，蓝呢的，一应俱全。他要这么多帽子有什么用？——可她心爱的阿希礼戴着那种帽子，在雨中驰骋，帽后雨水淋淋，往领子里直灌！

“我一定要让瑞特把他那顶新黑毡帽送给我，”她打定了主意，“我要在帽边上镶一条灰色的缎带，再缝上阿希礼纹章上的花环，肯定好看。”

她犹豫了一下，心想：如果说不出理由，帽子恐怕很难到手。但她又决不能跟瑞特说她打算把帽子送给阿希礼。如果那么说，他一定会眉毛一扬，满脸不快——只要她一提起阿希礼的名字，他总是这么面露不悦。帽子是十有八九不会给的。算了，还是编个让人同情的故事，就说医院里有个伤兵想要这么顶帽子，反正瑞特也决不会想到要去查个明白的。

那天她用了一下午的心思，想找个机会跟阿希礼单独相处，哪怕就几分钟也好，但是玫兰妮一直陪着他，寸步不离，印第亚和哈妮也跟着他到处转，姐妹俩那既无睫毛又无神采的眼睛今天破例放出了光彩。连老韦尔克斯都没捞到机会跟儿子从容地谈谈，看得出老头子对这个儿子也是感到很得意的。

吃晚饭的时候，局面还是没有什么改变，大家都拿打仗的问题向他问个不休。打仗！管打仗干什么？斯佳丽看出阿希礼似乎对这个话题也不大感兴趣。他说了很多，常常是连说带笑，斯佳丽从来没见过他这么滔滔不绝地说，但他似乎也并没说出什么名堂来。他给大家讲笑话，讲朋友的逸闻趣事，把没有办法中的办法当笑料讲，把忍饥挨饿和冒雨长途跋涉说得仿佛只是小事一桩，还不厌其烦地将李将军的风度描述了一番，说部队从葛底斯堡撤下来时，有一次李将军骑着马从队伍旁过，对他们说："弟兄们，你们是佐治亚的队伍吧？对，我们到哪儿都少不了你们佐治亚的弟兄们！"

斯佳丽总觉得，阿希礼之所以讲得这么起劲，目的似乎是想让他们顾不上提他不愿回答的问题。在父亲困惑的目光久久凝视下，阿希礼终于沉不住气了，他垂下了眼睛，斯佳丽看在眼里，心里暗暗焦急，猜不透阿希礼到底有什么隐情。不过她这种心情不一会儿就消失了，因为今天她心里根本容不下别的情绪，她满心都是欢欣和喜悦，一心只想跟阿希礼单独相处。

但她这份喜悦不久就到了尽头。由于围着火炉坐久了，大家都打起呵欠来。于是韦尔克斯先生便带着两个女儿告辞回旅馆去了。阿希礼、玫兰妮、佩蒂姑妈和斯佳丽他们也由彼得大叔掌着灯引路，一起上楼去了。就在大家到了楼上、在过道里站住时，斯佳丽一团兴致已扫了个精光。在此以前她还觉得阿希礼是属于她的，即使一下午都始终没机会跟他说句悄悄话，她还是觉得阿希礼是属于她一个人的。可现在要道晚安了，玫兰妮突然脸涨得通红，身子都在哆嗦，眼睛盯着地毯，虽然激动得大有难以自持之势，但仍掩不住亦喜亦羞之态。阿希礼一打开房门，玫兰妮头也不抬，就飞也似的往里一钻。阿希礼匆匆道了一声晚安，自始至终没有看斯佳丽一眼。

门关上了，斯佳丽在门外直发呆，心里顿时一阵凄凉。这一下阿希礼不再属于她了。他属于玫兰妮了。只要玫兰妮还在人世，她就可以和阿希礼双双进房，把门一关——把他俩以外的一切全都关到门外。

一转眼阿希礼就又要走了，又要回弗吉尼亚去了。又要去冒着雨雪长途跋涉了，又要饿着肚子在雪地里宿营了，又要去备尝艰难困苦了，又要把那金光灿然的头发连同那气宇轩昂的头颅和细挑的身材都豁出去了，说不定瞬息之间就会身死命灭，就像一只被人漫不经心一脚踩死的蚂蚁一样。这绚丽多彩、亦真亦幻的一个星期，这心情愉悦、应接不暇的一个星期，就这样过去了。

这一个星期过得真快，就像做了一场梦，一场飘溢着松枝和圣诞树芳香的梦，一场只看见荧荧细烛、闪闪银丝的梦，一场只觉得心儿狂跳、时光荏苒的梦。这一个星期简直过得让人连气都喘不过来，斯佳丽老是觉得心里有个什么东西，在逼着她做一件痛苦与欢乐相交织的事，那就是每时每刻都得围着阿希礼忙个不停，这样在他走后就会有许多事情可以追忆，可以在今后悠悠的岁月中从容回味，从中找到哪怕是一点一滴的安慰。所以就跳舞唱歌，嘻嘻哈哈，替阿希礼取这端那，百般揣摩他的心意，他笑她也笑，他说话她静听，眼睛紧盯着他的一举一动，他直挺挺的身躯改变个姿势，他眉毛扬一下、嘴巴动一下，都会在她心里留下不可磨灭的印象——一个星期很快就过去了，战争却没完没了。

此刻阿希礼正在楼上与玫兰妮话别，斯佳丽就坐在客厅的长沙发上，把准备好的告别礼物捧在怀里，等他下楼。心里暗暗祈祷，但愿他下楼时是一个人，但愿老天爷这一次能让她跟阿希礼单独待上一时半刻。她竖起耳朵，听楼上有什么动静。屋子里静得出奇，连自己的呼吸听起来声音都挺大似的。佩蒂帕特姑妈正在自己的房里抱枕痛哭，因为阿希礼半小时前已先跟她道过别了。玫兰妮房门紧闭，听不到话音也听不到哭泣。斯佳丽觉得阿希礼似乎已经在玫兰妮房里待了好几个小时了。跟妻子话别要耽搁这么久，这真让斯佳丽恼火透了，因为时间过得太快，没多少工夫他就得动身了。

她想起了一个星期来一直放在心里想向他诉说的那些话。那些话她可能始终找不到机会说了，现在看来恐怕是永远也没有机会说了。

有些是纯属废话的琐碎小事，比如：“阿希礼，你自己要多保重，行吗?”“千万当心别把脚弄湿了。你太容易感冒。”“别忘了在衬衫里当胸垫张报纸。那可以挡风。”除此之外她还有别的话要说，还有更重要的话要说，还有些更百倍重要的话要听他说，有些话他就是不说出来，她也要从他的眼神里看出那意思。

有那么多话要说，可现在却已经来不及了！万一玫兰妮一直送他到门外，把他送上车，那她就连这仅剩的几分钟都捞不到了。放着一个星期的工夫，为什么不早点找个机会呢？可谁又能想到玫兰妮会寸步不离地一直守着他，爱慕的眼光总是在他身上扫来扫去，家里来访的亲朋街坊也始终没断过，所以阿希礼从早到晚从来就没有身边没人的时候。到晚上，房门一关，又只有玫兰妮能和他在一起。这整整一个星期，他对斯佳丽从来也没异样地看过一眼，从来也没说过一句异样的话，他表现的自始至终是兄妹之情，朋友之情，生死不渝的朋友之情。她就要与他分别了，也许是永别了，她怎么能不弄明白他是否还爱着她呢？只要他还爱她，哪怕他一去不回，她也可以珍藏起这份悄悄的爱，怀着一片温馨的欣慰而终其余生了。

真不知道过了多长多久，才听见楼上房里他靴子的声音，随后是门一开一关的声音。听见了，他终于下楼来了。是一个人！真是谢天谢地！玫兰妮一定是悲痛欲绝，动弹不了了。她有宝贵的几分钟可以单独和他在一起了。

他下楼的步子缓慢，马刺锵锵有声，还隐隐可以听见军刀擦着高筒靴的咔咔声。不一会儿便眼神黯然地走进了客厅。他很想挤出点笑容，可是脸色发白，愁眉难展，像受了内伤、身体里在出血一样。斯佳丽见他进来，便赶紧站起身，心想他真是自己见过的最英俊的军人，心里泛起我的阿希礼的自豪感。他那长长的枪套和皮带锃亮，银马刺和刀鞘也闪闪发光，这都是彼得大叔不辞劳苦一擦再擦的结果。那件新上装并不十分合身，因为裁缝被催紧了，结果有些地方缝得走了样。灰色上装焕发着簇新的光彩，遗憾的是衣下的土布裤子却破破旧旧地打着补丁，靴子也伤痕累累，未免不协调，不过在斯佳丽看来，即便是银盔银甲的打扮也不能胜过现在的他，此刻的他还不像个辉煌的骑士吗？

“阿希礼，”她突然提出一个请求，“我可以送你上火车吗？”

“不用送了。有父亲和妹妹送我呢。再说，我宁愿你在这儿和我道别，我可不想看你在车站上发抖。忘不了的事已经够多的了。”

她马上放弃了刚才的计划。印第亚和哈妮很不喜欢她，如果她们也去送行，就别想有机会跟阿希礼说悄悄话。

“那我就不去了，”她说，“看，阿希礼！我还有一件东西要送你呢。”

临到要把东西给他了，她反倒有点羞羞答答了。打开包，是用厚厚的缎子做的一条长长的黄腰带，边上镶着密密的流苏。那还是几个月前的事了：瑞特·巴特勒从哈瓦那带回来一块黄色方披肩送给了她，上面花里胡哨地绣满了大红大蓝的花鸟。她用了一个星期，一点点把上面绣的花鸟全拆了，然后从中剪开，缝接起来，拼成了一条腰带。

“太美了，斯佳丽！这是你自己做的吗？我会格外珍惜的。给我系上吧，亲爱的。等我回到部队，又是新上装，又是新腰带，弄得这么漂亮，大家保管看得眼都要红了。”

斯佳丽把这条鲜艳夺目的腰带往他的细腰上一围，罩在皮带外，两头收拢打了个同心结。玫兰妮送了他一件新上装，她也有这条腰带，她心里暗暗想：这是自己的一片心意，让他带着出征，好睹物思人。她往后退了一步，得意地把他上下打量了一番，心想：尽管斯图尔特将军围了腰带，插了羽毛，风头十足，可也比不上她的骑士漂亮。

“太美了，”他摸着边上的流苏，又称赞了一句，“可我看得出来，这是你剪开了一件衣服或者一块披肩做的。你这又是何苦呢，斯佳丽。这年头，好一点的衣服都是要买也买不到的。”

“哦，阿希礼，我——”

她本想说：“只要你愿意，我连心都可以剪开来让你围在身上！”不过还是改口说：“为了你我什么都愿意干！”

“真的？”他脸上黯然神伤的表情顿时消散了许多，“那，斯佳丽，我就请你替我做一件事，要是你能答应，我在前方也就可以安心多了。”

“什么事啊？”她高兴地问，天大的事她也愿意应承下来。

“斯佳丽，请你替我多照看一下玫兰妮，好吗？”

“照看兰妮？”

她大失所望，心噔地沉了下去。她眼巴巴地正想应承一件风流隽永、可歌可泣的大事，谁知他对她最后竟是这么一个要求！她的气都上来了。此刻是该她跟阿希礼相叙的时刻，不允许有第三者。但是，尽管玫兰妮不在跟前，可在他们之间还是淡淡地横着玫兰妮的影子。他们话别的时候他怎么能提她的名字呢？他怎么能对她斯佳丽提这样的要求呢？

阿希礼并没看出她脸上失望的神情。他还和以前一样，目光仿佛透过了她的身子，望着她身后的什么，眼光里根本就没她这个人。

“对，请你多照顾她，多关心她。她体质非常虚弱，可自己还不知道。要做看护，又要做针线，迟早有一天会累倒的。她生来脾气温和、胆小怕事。这世上她除了佩蒂帕特姑妈、亨利伯伯和你以外，就再也没一个至亲了。在梅肯虽然有一家叫伯尔的，但到底是隔了三层的表亲。而佩蒂姑妈呢——你是知道的，斯佳丽，她简直就跟个孩子差不多。亨利伯伯又上了年纪。玫兰妮对你感情极深，这不仅是因为你们本有姑嫂之亲，而且还因为——嗯，还因为你有这样的人品，她把你当亲姐妹一样爱在心里。斯佳丽，我一想起这事来晚上就光做噩梦：万一我战死沙场，她又没个可依靠的人，那可叫她怎么办啊！你能答应我吗？”

斯佳丽听到“万一我战死沙场”这几个不吉利的字，早吓呆了，所以根本就没听见他后面的恳求。

她每天都看伤亡名单，看的时候心都会跳到嗓子眼里，总觉得如果阿希礼有个三长两短，世界末日就到了。但她内心深处又有一个非常非常执着的信念，那就是即使南军被打得全军覆没，阿希礼也会吉人天相。可现在他却自己说出了这句血淋淋的话！斯佳丽起了一身的鸡皮疙瘩，心里一阵恐怖，这种因迷信而引起的恐怖，可不是能用理智克服的。她有爱尔兰人的血统，相信人是有预感的，特别是会对死亡有预感。她从阿希礼那对睁得大大的灰眼睛里看到了深深的悲哀，她觉得只能把这看作阿希礼已经感到死神冰凉的手指搭在肩上了，已经听见彭希的哀号了（在苏格兰、爱尔兰一带的盖尔人传说中，有一位叫彭希的报丧女妖，她到谁家哀号，谁家就会死人。——译者注）。

“这样的话可千万说不得！连想都不能想。无缘无故说死字多晦气！哎呀，快点快点，来做个祷告！”

“你替我做吧，还得点上几支蜡烛。”见她吓得这样气急败坏，他倒笑了。

可是她却接不上话，她早已走了神：她眼前仿佛出现了阿希礼死在千里之外，横尸在弗吉尼亚冰天雪地之中的景象。阿希礼还在往下说，话音有些特别，似乎有种伤感的味道，一种听天由命的味道，这越发让她感到恐怖，再也顾不上气恼和失望了。

“我就是为了这个才来求你的，斯佳丽。我此去吉凶难卜，在前方谁都吉凶难卜。可哪怕将来到了一了百了的时候，即使我还侥幸活着，也是远在天边，照应不到玫兰妮啊。”

“一了百了的时候？”

“对啊，战争结束之日——就是世界末日到来之时。”

“可阿希礼，你总不见得是说北方佬会把我们打败吧？这一个星期你不是一直在说李将军有多厉害吗——”

“不瞒你说，这一星期来我说的全是鬼话，回来度假的人都这样鬼话连篇。还没到这一天，能瞒就先瞒吧，何必让玫兰妮和佩蒂姑妈担惊受怕？你猜对了，斯佳丽，我看我们是被北方佬打败了。葛底斯堡一仗就是我们走向末日的开始。家乡的父老还都蒙在鼓里。他们哪知道我们的处境啊——斯佳丽，我们有些弟兄现在已经连鞋都没穿的了，可弗吉尼亚现在却是冰天雪地。可怜他们脚都冻伤了，只能用破布、旧麻袋包起来，一走就在雪地上留下两排血脚印，我脚上的靴子不破不漏，看到这里，想到这些，唉，我真恨不得把靴子扔了，我宁可也光着脚板。”

“哦，阿希礼，千万不能扔，答应我！”

“我们这边的情况是这样，可再看看北方佬那边——相比之下我就知道什么都完了。哎呀，斯佳丽，北方佬从欧洲成千上万地招兵买马！我们近来抓到的俘虏多半连英语都不会说，有德国人，有波兰人，还有说盖尔语的爱尔兰野人。而我们的人却是死一个少一个。鞋子也是破一双就少一双。斯佳丽，我们可是成了瓮中之鳖了。全世界都来打我们，我们怎么顶得住呢！”

她心里一个劲儿地在胡思乱想：南部邦联要彻底垮台就垮台吧，世界末日要来就来吧，不过你是决不能死的！你一死我也活不下去了！

“这些话希望你不要跟别人说，斯佳丽。我可不想吓着大家。就说你吧，亲爱的，要不是得跟你讲明道理，请你照看玫兰妮，我也真不想说这些话来吓唬你。玫兰妮太柔弱了，不像你秉性刚强，斯佳丽。万一我有什么不测，只要想到你们俩在一起，我也就放心了。你能答应我吗？”

“好的！”她叫了起来。此时看到死神已游荡在阿希礼的身边，她简直是什么都能答应了。“可是阿希礼，阿希礼！我不能让你走！我实在鼓不起这个勇气！”

“你要鼓起勇气来。”他说这话的口气听起来已经发生了微妙的变化。响亮了，也更深沉了，而且出口极快，仿佛心中焦急万分，不禁脱口而出似的。“你一定要鼓起勇气。要不然我可怎么受得了呢？”

她迅速打量了一下他，抑制不住内心的喜悦，心想：他这话的意思会不会是表示舍不得与她分手，心也跟她一样快碎了呢？他脸上依然是一副愁眉苦脸的样子，他告别玫兰妮下楼来就是这个样子了，从他的眼神里也看不出有什么特别。他俯下身，用手捧住了她的脸蛋，在她的前额上轻轻吻了一下。

“斯佳丽！斯佳丽！你既刚强又高尚又善良。你真美，不仅是那可人的脸蛋长得美，亲爱的，你简直一切都美，从外表到心地、到灵魂，无一不美。”

“瞧你说的，阿希礼，”斯佳丽被他亲了一下，又听到了他的这些话，心里一阵激动，快活地悄悄说，“除了你，再也没有一个人——”

“我总觉得自己也许比一般人了解你，其实你有很多深藏不露的美好品质，他人没有细致入微地观察，没发现，可我看出来了。”

他的话停住了，捧着她脸蛋的手放了下来，但两眼依然紧紧盯住了她的眼睛。她屏住了呼吸，等着他说下去，眼巴巴地等着他说出那神妙的三个字。可等了半天还是没听到那三个字。她哆嗦着两片嘴唇，目光在他的脸上拼命搜索着，因为她现在看清楚了，他的话已经全都说完了。

这第二次希望的破灭，把她的心压得再也承受不起了，她像小孩子似的小声赌着气，“哦！”的一声坐了下来，满目的泪水把眼睛都刺痛了。就在这时，她听见窗外车道上响起一种不祥的声音。她闻声心惊，越发痛切地感到生离死别就在眼前。心里顿时一阵冰凉，无异于古希腊人听见了卡隆渡船的桨声（古希腊人认为，冥河中有一位名叫卡隆的渡神，专驾渡船将亡灵渡往冥府。——译者注）。彼得大叔裹着条被子，把马车牵了出来，要送阿希礼到火车站去了。

阿希礼很轻很轻地说了声“再见”，便匆匆从桌上拿起斯佳丽从瑞特那里骗来的阔边呢帽，走进前面黑洞洞的门厅。他手已经搭在门把上了，又回过头来，死死盯着她看了好大一会儿，仿佛要把她的相貌和身段的每一个细节都深深印在心里似的。她泪眼模糊，看不清他的脸；嗓子眼里难受得像脖子被卡住了一样，她现在只好认命：他要去了，要离开这安乐窝了，要离开她，跟她天各一方，甚至是永别了，而她眼巴巴等着他说的那三个字却终于没有说。几天的时间一眨眼就过去了，现在是什么都晚了。她踉踉跄跄地追出客厅，来到门厅里，一把抓住他腰带的结子。

“吻吻我吧，”她小声说道，“临别吻吻我吧。”

他轻轻搂住她，低下头，俯到她的脸上。嘴唇刚接触到她的嘴唇，她的两条胳臂就紧紧抱住了他的脖子不放，压得他连气都喘不过来。他也把她的身子尽量往自己身上贴，不过那只是短暂到无法计算的一刹那的事。斯佳丽只觉得他全身的肌肉突然猛地一紧。紧接着他就扔下手里的帽子，一伸手，把她搂着他脖子的胳膊拉开了。

“别这样，斯佳丽，别这样。”他抓住她的两个手腕，压低嗓音说。斯佳丽双手叉在那儿，让他抓得生疼。

“我爱你，”她哽咽着说，“我一直爱着你。我可从来没有爱过别人。我嫁给查尔斯也只是——只是想气气你罢了。阿希礼，我是真的爱你呀，只要能待在你身边，哪怕是一步一步走到弗吉尼亚去我也愿意！我可以替你去做饭，为你擦靴子，帮你喂马——阿希礼，说一声你爱我吧！要是没有你这句话，我这下半辈子可怎么活啊！”

阿希礼突然弯下身去捡帽子，就在这时她一眼瞟去，看到了他脸上的神色。这样愁苦已极的脸色，她一生也没看到过第二次。他那种毫不动容的神色早已荡然无存，挂在脸上的，是对她的一片爱，是为她所爱的欢乐，然而还有与这两种心理激烈搏斗着的羞愧和绝望。

“再见了。”他压着嗓子说。

叭嗒一声，门开了，一阵冷风冲进屋来，把窗帘吹得乱扑乱翻。斯佳丽打了个寒噤，看着他在碎石道上快步向马车跑去，军刀在冬日淡淡的阳光中闪烁着，腰带上的流苏也在轻快地迎风飘舞。

16

1864年的一、二月份过去了。这两个月始终冷雨凄凄，狂风怒吼，弥漫着一派忧伤和抑郁的气氛。南方不仅在葛底斯堡和维克斯堡吃了两场败仗，连中部战线也缩进去了一大块。经过激烈的战斗，田纳西现在几乎已全部落到了北军的手里。尽管又遭受了这样的失利，但南方的士气却并没有垮。虽然意气风发的乐观态度早已不见，取而代之的是皱眉咬牙以死相拼的决心，但人们在滚滚黑云的间隙里终究还是可以看到一些光亮的。比方说，去年九月，北方佬在田纳西一再得手之后，曾想乘胜攻入佐治亚，结果就被南方坚决击退了。

这一仗，是在佐治亚西北角最边远处的奇卡毛加打的，这是开战以来在佐治亚土地上打的第一场硬仗。北军攻下了查塔努加后，随即穿过山口侵入到佐治亚，但在佐治亚却遭到了迎头痛击，伤亡惨重，只好退了回去。

南方之所以能取得奇卡毛加大捷，亚特兰大及其四通八达的铁路线起了重要作用。朗斯特里特将军的部队当时就是由铁路线从弗吉尼亚运来的，经亚特兰大中转，再北上田纳西，被迅速运到作战地点。当时，这好几百英里铁路线，客运和货运一律让道，东南一带凡是可以利用的车皮，全都调来参加了这场大运兵。

当时亚特兰大人都亲眼看见了一趟又一趟的专列从城里开过，

接连不断，无论客车、棚车，还是平板车，全都装满了振臂高呼的战士。他们一路上既没吃的又没睡的，马不能骑，病了没救护人员，给养也跟不上，然而一到目的地，他们没有休息一下，跳下火车就投入了战斗。结果北军终于被赶出了佐治亚，退回到田纳西去了。

这样的战绩简直称得上是空前的了，亚特兰大人想起这次胜仗多亏了本地的铁路线，不但自豪，连心里都美滋滋的。

南方呢，也正需要奇卡毛加大捷这样的喜讯来振奋士气，好度过眼前的严冬。现在谁也不否认：北方佬是很会打仗的，而且还终于有了很会指挥的将军。格兰特杀人不眨眼，打一场胜仗死多少人对他来说无所谓，只要仗打赢了就行。谢里登是一员让南方人闻风丧胆的猛将。还有一个叫谢尔曼的，现在谈论他越来越多了。他就是在田纳西和西部地区的一系列战役中崭露头角的，据说他打起仗来既坚决又泼辣，名声一天比一天大。

当然，他们这几个人谁也不能跟李将军比。南方人对李将军及其部属还是坚信不移的。夺取最后胜利的信心也从来没有动摇过。可仗毕竟打得太久了。死了那么多人，又有那么多人受了伤，成为终身残废，还有那么多人成了孤儿寡妇。可是眼看长年累月的艰苦斗争还摆在面前，这就意味着还有更多的人会死、会伤、会成为孤儿寡妇。

更糟的是，老百姓对那些当权的头头们已经逐渐有点不信任了。好几家报纸对戴维斯总统本人直言不讳地提出了指责，责怪他在作战问题上措置不当。政府内阁内部也意见分歧，戴维斯总统和他手下的将领也有了争执。货币急剧贬值。军衣军鞋奇缺，军需补给和医药用品就更缺了。铁路上车辆旧了，亟待更新，路轨被北军拆了，也急需更新铁轨加以修复。前线的将军大声疾呼请派生力军来，然而可派的后备部队却越来越少了。尤其糟糕的是，有几个州的州长，包括佐治亚州的布朗州长在内，都不愿把本州的民团部队和地方武装派到州外去。地方部队其实有的是正规军望眼欲穿的壮丁，有成千上万，可政府就是一个救兵也讨不到。

货币再一次的贬值，又引起了物价的飞涨。牛肉、猪肉、黄油，都卖到了三十五块钱一磅，面粉涨到了一千四百块钱一桶，发酵粉每磅卖到了一百块钱，茶叶每磅卖到了五百块钱。保暖的衣服就是有门路可以买到，价格也高得你根本买不起，所以亚特兰大的女士们都只好找些破布，在旧衣服里缝上一层衬里，中间再填些报纸，用来挡风。鞋子的价格每双从两百到八百不等，这得依是“纸皮”的还是真皮的而定。现在妇女们都用旧羊毛围巾，或者把地毯裁开，来做高帮鞋穿。鞋底就用木板做。

多数人还没看出来，其实这时的南方差不多已经处在被北方围困的状态。北军的炮舰在沿海的港口外一收紧网，南方的船就不太有办法偷越封锁线了。

南方向来是靠卖掉了棉花去买自己不生产的物资来维持生计的，可现在东西既卖不出去，也买不进来。杰拉尔德·奥哈拉三年来收的棉花，统统堆在了塔拉庄园轧棉间旁的库房里，可是这东西在他手里等于废物。要是能拿到利物浦去，这些棉花可以卖十五万块钱，但有棉花就是运不到利物浦去。一向做惯了富家翁的杰拉尔德，现在也发起愁来：这一家吃饭的嘴，还有黑奴，靠什么过冬呢？

当时南方各地的棉花种植园主多半都陷入了这样的困境。海上的封锁是越来越紧，南方用来换钱的棉花无法销往英国市场，以前棉花变了钱可以买日用百货回来，现在也买不回来了。以农为本的南方跟工业发达的北方一打仗，这才发现自己缺少的东西太多了，太平年间，谁想到过要买这些东西呢。

这个局面，可是投机倒把大发横财的天赐良机，跳出来利用这个机会的大有人在。食物衣着越来越缺，物价扶摇直上，老百姓谴责奸商的呼声也越来越高，越来越响。在1864年的头几个月，打开报纸来，没有一份没刊过措辞激烈的社论，痛责投机奸商是黑心强盗、吸血鬼，要求政府严加取缔。政府也尽了最大的努力，却始终无济于事，因为政府已是内外交困、焦头烂额了。

瑞特·巴特勒是人们最痛恨的。他一看形势有变，偷越封锁线的危险性增大，便把船卖了，现在竟公然做起粮食投机买卖来了。消息从里士满和威尔明顿传到亚特兰大，从前招待过他的人家都羞愧得无地自容。

尽管日子过得这么艰难辛苦，亚特兰大的一万人口在战争期间却整整翻了一番。海上封锁反而提高了亚特兰大的身价。南方无论是在商业还是在其他方面，自古都是沿海城市势力大。可现在港口被封锁了，港口城市大多不是落入了敌手，就是已被围困，南方要谋出路一切都得靠自己。南方如果要打赢这场战争，现在关键在内地，亚特兰大更成了关键中的关键。亚特兰大的居民也跟南方其他各地的居民一样尝尽了艰难困苦，病的病，死的死，然而作为一个城市，亚特兰大经过这场战争，不是损了，而是发了。亚特兰大这颗南部邦联的心脏，至今仍跳得强劲有力，那四通八达的铁路线就像一条大动脉，士兵、军火、给养，都随着动脉的搏动，源源不断地送往各地。

倘若是在从前，穿得这么破破烂烂，连鞋子都打了补丁，斯佳丽心里一定会怨气冲天的，可现在她根本无所谓，因为在她心中只有一个人才是最重要的，只要他不在眼前，看不见她这副模样就行。两个月来，她心情愉快极了，多少年来她都没这么愉快过了。她扑上去搂住阿希礼脖子时，不是感觉到他的心陡然狂跳起来了么？他脸上那种绝望的神情，不是已经供认不讳，比说更明白么？他是爱她的。对这她现在已深信不疑，心里有了这个底，情绪也就好多了，连平日对待玫兰妮居然也宽厚了起来。她居然也觉得玫兰妮可怜了，可怜之中还隐隐有点蔑视：真是有眼无珠，木头脑袋！

“得先等仗打完！”她心里想，“等仗打完了——那时……”

可有时候她心头又略微闪过一阵忧虑：“到那个时候又能怎么样呢？”不过她抛开了这念头。等仗打完了，一切都会解决的。既然阿希礼爱她，就绝对不可能再跟玫兰妮共同生活下去。

但是话又说回来，离婚也是不可想象的。自己的父母都是一丝不苟的天主教徒，他们决不会允许女儿嫁给一个离了婚的男人。嫁给一个离了婚的男人就得出教！斯佳丽考虑再三，终于横下一条心：要让她在天主教和阿希礼之间作出选择的话，她情愿要阿希礼。可是，唉，那会招来多少沸沸扬扬的闲言碎语啊！离了婚的人不但为天主教所不容，还会被排斥在社交界外。上流社会对离了婚的人是拒而不纳的。不过，为了阿希礼，她也不怕。为了阿希礼她甘愿作出任何牺牲。

反正，等仗打完了，事情总会妥善解决的。既然阿希礼那么爱她，他总会想出办法的。她一定要让他想个办法。所以她的信心一天比一天坚定了：她越来越相信阿希礼是真心爱她的，相信到了北方佬最后被打败的那一天，他总会把事情安排得妥妥帖帖的。不错，他说的是北方佬打败他们。但斯佳丽认为那是地地道道的昏话。他当时一定是精神困乏，心烦意乱，信口胡说的。反正北方佬胜还是败，她也不太在乎。重要的是但愿战争能尽快结束，但愿阿希礼能早些回家。

三月份，雨雪连绵，大家只能闭户不出，就在这时候她遭到了天大的打击。一天玫兰妮双眸闪着喜悦的光芒，暗含得意而又不好意思地低下头告诉斯佳丽说，她有喜了。

“米德大夫说预产期在八月下旬到九月，”她说，“我本来还一直以为——反正直到今天我心里才算踏实了。哎呀，斯佳丽，你说我怎么不开心？看见你有韦德我真是羡慕极了，心里总巴不得能有个孩子。以前我总担心，生怕一个也生不了，可现在，亲爱的，我真想生上十个八个的！”

斯佳丽当时正在梳头，准备去睡觉了，一听玫兰妮这话，不由得一愣，举起的木梳半天也没放下来。

“天哪！”她虽然喊了这么一声，心里一时却还辨不出味儿来。半晌才像触了电似的，猛然想起了玫兰妮卧房那扇紧闭的房门，心头顿时如刀绞一般难受，那种难受到极点的滋味，倒像阿希礼是她的丈夫，做了愧对她的事。孩子！阿希礼的孩子！哦，阿希礼爱的是她，而不是玫兰妮，怎么会跟玫兰妮有孩子呢？

“我知道这出乎你的预料，”玫兰妮只顾急急忙忙地往下说，“可你说这样的事我能不开心么？哎呀，斯佳丽，我还不知道该怎么给阿希礼写信呢！如果直截了当地告诉他挺不好意思的，倒不如对他说，或者——或者——对，干脆什么也别告诉他了，就让他慢慢儿地自己发现吧——”

“天哪！”斯佳丽简直要哭出来了。她怕晕倒了，赶紧放下木梳，用手撑着梳妆台的大理石台面。

“亲爱的，别急成这样！你知道的，生孩子没啥不得了的。你自己不是说过吗！你也不用为我担心，当然你这样疼我我还是领你的情的。米德大夫确实说，说我——说我——”玫兰妮脸都红了，“产门是小了点，不过问题可能不大——可斯佳丽，当初你发现怀上韦德时，是你自己写信告诉查尔斯的，还是由伯母或伯父写的呢？哎呀呀，我要是有母亲能代我写就好了！真不知道这信该怎么写——”

“别说了！”斯佳丽发狠道，“别说了！”

“哦，斯佳丽，只怪我太糊涂！真对不起啊。大概人一高兴，心里就没有别人了。怪我一时糊涂，忘了查尔斯的事——”

斯佳丽又叫道：“别说了！”她拼命克制住自己，按捺住内心的情绪，不让脸上露出一点异样的神色。自己的心事，可千万千万不能让玫兰妮识破了，连一点点蛛丝马迹都不能让她看出来。

玫兰妮是个绝顶乖巧的女子，见自己触到了人家心灵的痛处，也难过得两眼噙着泪水。韦德是可怜的查尔斯去世后才出生的，她怎么能跟斯佳丽重提这么不愉快的事呢？她怎么能这么冒失？

“我帮你宽衣睡觉吧，我最最亲爱的，”她赔笑说，“我来给你按按头。”

“你别管我。”斯佳丽的脸板得像石头。玫兰妮觉得自己闯了大祸，哇的一声哭了并急忙逃了出去。这一夜斯佳丽躺在床上却流不出泪来，只觉得自尊心受到了伤害，一切美梦都破灭了，没有个同床共枕的人，真心如刀绞！

既然这女人怀着阿希礼的孩子，斯佳丽觉得自己再也不能和她在一幢房子里住下去了，心想还是回塔拉去吧，回自己的老家去吧。她只要再看上玫兰妮一眼，心里的秘密不尽显露在脸上才怪呢。第二天早上一起来，她已拿定主意，决定吃罢早饭就马上打点行装。斯佳丽沉着脸不吭一声，玫兰妮满面愁容，佩蒂则觉得莫名其妙，娘儿仨刚坐下吃早饭，不想却来了份电报。

电报是阿希礼的贴身仆人摩西给玫兰妮打来的。电文如下：

“到处都找遍了，可就是找不到他。我是不是回来？”

谁也不懂这份电报是什么意思，娘儿仨吓得瞪大了眼，面面相觑，斯佳丽也早已把打算回家的事忘了个精光。她们连早饭都没吃完就坐车上街，打算去给阿希礼的团长打个电报，人还没进电报局，团长的电报倒先来了。

“韦尔克斯少校于三日前外出执行侦察任务，至今下落不明，特此奉告，深表遗憾。一有情况即当再告。”

回家的路上一片凄切：佩蒂姑妈拿着手绢掩面而泣，玫兰妮脸色煞白，直挺挺地坐着，斯佳丽则瘫在车厢角落里直发呆。一到家，斯佳丽就跌跌撞撞上了楼，一头冲进自己房里，从桌上抓起念珠，扑通一下跪下来，想祷告。可是话却一句也说不出来。她只觉得有无限的恐惧压在心头，模模糊糊意识到上帝已经明察了她的罪孽，今后再也不会保佑她了。她居然爱上了一个有妇之夫，还要把他据为己有，所以上帝就杀了他，作为对她的惩罚。她想祈祷，却抬不起眼来仰望苍天。她想哭，却欲哭无泪。她的眼泪似乎已涨满了胸膛，火辣辣地在胸口翻滚，可就是一滴也流不出来。

门开了，进来的是玫兰妮。她的脸像白纸剪成的一个瓜子图形，背后衬着黑黑的头发。两只眼睛睁得圆圆的，活像一个在黑暗里迷了路、惊恐万状的孩子。

“斯佳丽，”她伸出双手说，“我昨天说的那些话，你可千万别见怪啊，因为你——你现在是我唯一的依靠了。斯佳丽，我看我们家那位准是凶多吉少了！”

也不知怎么的，她就偎到了斯佳丽怀里，抽抽搭搭起来，连两个小乳房都跟着一起一落。又不知怎么的，她们俩就紧紧相拥，一起躺到了床上，斯佳丽也哭了，她的脸紧贴着玫兰妮的脸，泪水交融。哭固然难受，但是比起哭不出的滋味来，终究要好过些。她在心里一个劲儿地念叨：死了，死了，阿希礼死了！我爱他倒害了他！斯佳丽伤心的眼泪一阵阵往外涌，玫兰妮却从她的泪水中得到了安慰，两条胳膊把她的脖子搂得更紧了。

“他总算给我留下了一个孩子。”她悄声说。

“可我呢，”斯佳丽心里想，现在她满怀痛苦，也无心使小性子吃醋了，“他什么也没给我留下——什么也没给我留下——只有临别时他脸上的那副表情，算是留给我的唯一纪念。”

阿希礼最初一直是被当作“下落不明——可能已阵亡”处理的，所以伤亡名单上他的名字下也总是标着“下落不明——可能已阵亡”的字样。玫兰妮一连给斯隆上校打了十多份电报，最后终于来了一封信，信中充满了同情，说阿希礼带领一个骑兵班外出执行侦察任务，没有归来。当时有消息说在北军阵地发生过一场小规模的接触，摩西悲痛欲绝，曾经冒着生命危险去寻找过阿希礼的遗体，但没有找到。现在玫兰妮倒是冷静得出奇，她马上给摩西电汇了一笔钱，叫他回来。

后来伤亡名单上阿希礼的名字下换成了“下落不明——可能已被俘”的字样，全家这才在愁苦中看到了一线希望，重又获得了一点生气。玫兰妮总是守在电报局不肯走，火车她更是班班必候，一心盼着能有信来。她身子虚弱，现在怀了孕又处处行动不便，可是她却说什么也不肯听米德大夫的嘱咐在家卧床休息。她始终处在一种高度亢奋的状态，怎么也安静不下来。晚上，斯佳丽已经上床好半天了，还听见她在隔壁房里踱来踱去。

一天下午，她从街上回来，出现了异样的情况：赶车的彼得大叔惊慌失色，车上还多了个瑞特·巴特勒扶着她。原来她在电报局晕过去了，正巧瑞特路过，看见这乱糟糟的场面，便把她送回家来了，他把她抱上楼，一直送到房里，当时全家惶惶然，忙忙乱乱，都急着去取烫砖、毯子和威士忌了，他拿了几个枕头一垫，扶着她在床上靠着。

“韦尔克斯太太，”他单刀直入地问道，“你有喜了吧？”

玫兰妮要不是头晕眼花、浑身虚弱、满心苦楚的话，听他这么一问肯定是受不住的。平日里小姐妹之间一提到她有喜她都要不好意思，每次去让米德大夫做检查，更是像硬着头皮去受罪。一个男人，特别是瑞特·巴特勒，竟会问这样的话，真是岂有此理。可是眼睁睁躺在床上动弹不得，她只能点点头。点了点头以后，倒也觉得并没什么大不了的，因为看得出来他完全是出于好意，出于关切。

“那你自己得多保重。你成天这样东奔西跑，放不下心事，对自己没好处，说不定还会对孩子有害。如果你不嫌我冒昧，韦尔克斯太太，我倒可以利用我在华盛顿的各种关系，去打听一下韦尔克斯先生的下落。如果他被俘了，北方的俘虏名单上肯定会有他的名字。如果他没被俘——那，有个水落石出终归比干着急强吧。不过有一点我们得说好：你一定要自己保重，不然我对天发誓，决不管你这事。”

“啊，你真是太好了！”玫兰妮热泪盈眶了，“这样的好人，人家怎么都把你说得那么不好呢？”说完后她才发现自己这话说得太不知轻重了，不免有些惶恐，又一想自己有喜的事怎么能跟男人谈呢，心里就越发惊慌，因而轻轻哭了起来。斯佳丽拿了块绒布裹着的烫砖飞步奔上楼来，正好看见瑞特拍了拍玫兰妮的手。

瑞特说到做到。大家始终不知道他走的是什么路子。这事又不太好问，一问就无疑是要他承认他跟北方佬的密切关系。过了个把月，消息来了，刚一得到消息，全家人一片欢欣鼓舞，但是过后却又忧心忡忡，心里像刀割一样。

阿希礼果然没死！他是受伤被俘了，从案卷上看，现在正关在伊利诺斯州的罗克艾兰俘虏营。开始大家都兴高采烈，想到的只是他还活着。可等到心情慢慢平静下来后，大家又面面相觑了，只说声：“罗克艾兰！”那口气仿佛是说：“掉进了地狱！”因为，罗克艾兰在南方的名声之坏，决不下于安德森维尔（安德森维尔在佐治亚州西南部，亚特兰大以南约110英里处。南方政府在该处设俘虏营，关押被俘的北军。——译者注）之于北方，南方凡有亲属被囚禁在那儿的人，一提到这名字就胆战心惊。

林肯认为，南方想解决俘虏的给养和看守问题相当吃力，把被俘的北军作为包袱丢给南方可以加速战争的结束，所以拒绝交换俘虏。在他作出这个决策时，佐治亚安德森维尔俘虏营里关押的北军俘虏已达数千之多了。南军本来口粮就紧缺，连自己的伤病号都差不多已经断了药品绷带。在这种情况下当然不会有什么富余的东西给俘虏了。前方的士兵吃什么，也就给俘虏吃什么，无非是肉膘、干豆子之类，北方佬吃了这样的伙食大批死亡，有时一天就要死上百人。消息传到北方，北方人气坏了，就使出更苛刻的手段来对付被俘的南军，条件最差的就数罗克艾兰的俘虏营了。口粮短缺，毯子三个人才有一条，什么天花、肺炎、伤寒都一齐肆虐，弄得俘虏营成了十足的瘟疫世界。进去的人中四个能有一个活着就不错了。

阿希礼去的就是这样一个可怕的地方！阿希礼虽然还活着，却负了伤，而且又是在罗克艾兰，他被解往那里的时候，伊利诺斯正是冰天雪地。他会不会在瑞特探听到消息之后，又终因伤重而死去了呢？他会不会染上天花？他会不会得了肺炎，烧得神志昏迷却又没毯子可盖呢？

“啊，巴特勒船长，有没有办法——你能不能给想想办法，去把他给换回来？”玫兰妮叫了起来。

“大慈大悲、秉公执法的林肯先生虽然为比克斯比太太的五个孩子洒下了大把的眼泪，可对关押在安德森维尔朝不保夕的几千北军士兵却无泪可流，”瑞特把嘴一撇说，“就是几千人都死光了，他也不会动心的。命令已经发出了：决不交换俘虏。我——我还忘了告诉你，韦尔克斯太太，你先生本来是有机会出来的，可他就是不。”

“哪会有这样的事！”玫兰妮嚷开了，这怎么能让她相信呢。

“不是骗你，真是这样的。北方佬为了打印第安人，正在充实边防部队，兵源就是被俘的南军士兵。凡是被俘的南军士兵只要肯宣誓效忠，到打印第安人的部队去服役两年，就可予以释放，遣送到西部去。韦尔克斯先生拒绝了。”

“哎呀，他怎么能拒绝呢？”斯佳丽也嚷了起来，“宣誓就宣誓呗，等出了俘虏营马上开小差逃回来，不是挺好的吗？”

玫兰妮气得什么似的，两眼朝她一瞪。

“亏你想得出来，让他去干这种事？宣这个誓，本来就可耻，这是背叛自己的南部邦联！这还不算，又要他背叛自己对北方佬的誓言！他要是宣了那个誓，我倒宁肯他死在罗克艾兰。他死在俘虏营里我还可以为他感到自豪呢。可他要是干出那种事，我发誓再也不见他。今生今世再也不见他！他拒绝得好，拒绝得对。”

斯佳丽送瑞特出门时，愤愤地问：“你倒说说，要是换了你，你会不会先投顺北方佬保全了性命，然后再想法逃走？”

“那还用说。”瑞特说着嘴一咧，露出了小胡子底下的牙齿。

“那为什么阿希礼不干？”

“他是个上等人嘛！”瑞特说。斯佳丽觉得很奇怪：如此冠冕堂皇的三个字，怎么经他一说，竟会含着这么轻蔑挖苦的意味呢？

17

1864年的五月，天气又燥又热，枝头的花苞还没来得及绽放就都枯萎了。五月一到，谢尔曼将军统率的北军就又向佐治亚冲来了，这一次冲到了亚特兰大西北一百英里处的多尔顿北部一带。风闻在佐治亚和田纳西之间的州界附近一带即将有一场恶战。北军正在集结兵力，准备进攻西部至大西洋的铁路，即亚特兰大通往田纳西和西部一带的那条铁路线，去年秋天南方正是靠了这条铁路线赶运援军，才获得了奇卡毛加大捷的。

不过一般来说，多尔顿一带即将大打的形势，并没使亚特兰大人感到太大的不安。北方佬集中兵力的地方，就在奇卡毛加战场东南的三五里处。以前他们企图从那一带的山口打进来，就曾被击退过一次，这一次也不会得逞的。

亚特兰大人都知道——其实整个佐治亚没有一个人不知道——佐治亚州对南部邦联来说生死攸关，所以乔·约翰斯顿将军是决不会让北军长期留在佐治亚境内的。老乔和他的部队也决不会让一个北方佬把脚伸到多尔顿以南，因为佐治亚干系甚重，必须充分发挥它的作用，不能受到半点干扰。只要佐治亚能平安无事，它就是南方的天然粮仓、机械工厂、物资中心，一身而兼三职。军队需用的武器弹药很多都是这里制造的，棉毛织物大半也是这里生产的。亚特兰大和多尔顿之间就有多个重要的生产基地：罗姆城有制造大炮的工厂和其他工业，埃托瓦和阿拉托那有里士满以南首屈一指的大钢铁厂。亚特兰大不仅有生产枪支、军火、鞍子、营帐的工厂，还拥有南方规模最大的轧钢厂、一些主要铁路的车辆修理厂和几所大医院。亚特兰大又是南部邦联作为命脉的四条铁路的会合点。

所以谁也没太着急。多尔顿靠近田纳西，到底离这儿还远着哩。田纳西已经打了三年了，大家早就习以为常了，总觉得田纳西是个遥远的战场，简直就跟弗吉尼亚、密西西比河一样遥远。再说，北军和亚特兰大之间还横着老乔和他的部队。大家都知道，自石墙将军杰克逊死后，除李将军外，将领中算下来就数约翰斯顿最优秀了。

就在五月的一个暖洋洋的傍晚，在佩蒂姑妈家的阳台上米德大夫谈到了这个问题，他的意见可以说概括了一般老百姓的看法，认为亚特兰大没什么可担心的，因为约翰斯顿将军凭山踞守，固如铜墙铁壁。听了他这番话，人们的心情各不相同，因为虽然此刻大家都安闲地坐在摇椅里，在这渐浓的暮色中摇呀摇地看着早生的流萤在昏暗中若明若暗，可是各人心头都自有一番沉重的心事。米德太太挽着菲尔的胳膊，巴不得大夫的话能够说中。因为她知道，假如战火再烧近一点儿，菲尔也就得上前线了。小儿子今年十六岁，已经加入了自卫队。自葛底斯堡一役之后一直面色苍白、眼窝深陷的芳妮·艾尔辛，极力按捺住自己的心思，不去想那断肠的一幕，几个月来她想了又想，想得脑袋昏昏沉沉，想得脑膜上连印子都压出来了，就始终想着那一幕——部队长途跋涉，狼狈不堪，冒雨撤退到马里兰，队伍里一辆牛车摇摇晃晃，车上载着奄奄一息的达拉斯·麦克卢尔少尉。

凯里·阿什伯恩上尉那只残臂又疼了，而且他心情也不好，因为他想到自己对斯佳丽的追求近来竟毫无进展。这种局面是阿希礼·韦尔克斯被俘的消息传来以后开始的，不过他倒并没想到这两者之间会有什么联系。斯佳丽和玫兰妮则都在想念阿希礼，她们俩只要没什么要紧的事要办，只要不必跟他人说话应酬，就总是在心里想着阿希礼。斯佳丽是既苦恼又忧伤，她想：他肯定是死了，要不怎么会没消息呢。玫兰妮则在拼命压制内心一阵子一阵子涌起的忧虑，她得没完没了地压制住，不断安慰自己：“他不会死的。他死了的话我决不会毫无感觉——我总会有感应的。”瑞特·巴特勒懒洋洋地斜靠在暗处的沙发上，大大咧咧地把那两条长长的腿一交叉，露出了脚上考究的高筒靴，黑黝黝的脸上毫无表情，高深莫测。他怀里是小韦德，此时睡得正香，小手里抓着一根剔干净了的如愿骨。只要瑞特来访，斯佳丽就允许韦德晚些去睡，因为这个胆小的孩子偏喜欢他，瑞特呢，说来也怪，似乎也挺喜欢这孩子的。平时孩子一闹，总吵得斯佳丽受不了，可是只要让瑞特一抱，孩子就乖乖地不闹了。至于主人佩蒂姑妈，则有些心神不定，老是没完地打嗝，因为今天晚饭吃的是只老公鸡，鸡肉实在太老了。

佩蒂姑妈家原来养着一雄数雌一窝鸡，雌的早就吃光了，只剩下只公的，几天来一直在鸡棚里蔫头耷脑、没精打采、不啼不叫的。眼看这只大公鸡垂垂老矣，又是失群独处，大有一命呜呼的架势，佩蒂姑妈今天早上终于略带遗憾地作出了决定：不如趁早将它宰了。等彼得大叔把鸡脖子都扭断了，佩蒂姑妈又觉得过意不去了：她的许多朋友都已很久没尝过鸡味了，自己怎么好意思关起门来独自享用呢，所以她就提出想请客人来吃饭。玫兰妮已有了近五个月的身孕，都好几个星期没出门、不见客了，一听这话简直吓坏了。但是佩蒂姑妈这一次却毫不让步。吃鸡不请客，也太小家子气了。玫兰妮只要把裙箍挪高点儿，谁还看得出来呢，反正她的胸脯也是瘪塌塌的。

“可姑妈，我哪有心思会客，眼下阿希礼——”

“我包阿希礼还在——包你没事儿。”佩蒂姑妈说道，可是声音却在颤抖，因为她心里其实也觉得阿希礼已生还无望了，“他一定和你一样好好的，你见见客人有好处。我要把芳妮·艾尔辛也一块儿请来。她妈求我给想想办法，让她振作起精神来，让她也见见客人——”

“可姑妈，达拉斯尸骨未寒，你们就这么硬逼着她，未免太残忍了——”

“好了，兰妮，你再跟我争，惹恼了我，我可又要哭了。我好歹是你姑妈，总比你懂得多点儿吧。这客我请定了。”

于是佩蒂姑妈就把客人请来了，想不到就在临要开饭时，却来了一个不速之客，应该说是姑妈今天并不欢迎的客人。正当烤鸡香飘满屋时，刚做了一次神秘旅行归来的瑞特·巴特勒来敲门了。他腋下夹着一大盒包装得极其精美的夹心糖，满嘴语带双关的恭维话。佩蒂姑妈没办法，只好也请他留下来吃饭，她明知道大夫夫妇对他非常反感，芳妮则更是恨透了不穿军装的一切男人。这两家人在街上碰到他是决不会跟他打招呼的，不过今天在朋友家相遇，总算对他留有点儿礼貌。再说，别看玫兰妮这么柔弱，可现在保起瑞特来可比以前什么时候都坚决。自从瑞特设法替她打听到了阿希礼的消息，玫兰妮就公开说：不管别人说瑞特如何如何，她永远欢迎他来自已家做客。

佩蒂姑妈见瑞特今天颇有分寸，一颗不安的心才放了下来。瑞特一片至诚地向芳妮问候，同情中带着深切的敬意，芳妮居然也对他报以微笑，所以席上的气氛倒也还算融洽。今天这顿饭也真称得上是豪华的筵席了。凯里·阿什伯恩带了一点茶叶来，那是他押送一个北军俘虏去安德森维尔途中在那人的烟袋里翻出来的，在座的每人总算可以喝上一杯了，当然茶里不免带有点烟味儿。每人可以分到一小块又老又硬的鸡肉，配以适量的辅料（主料是玉米粉，佐料是洋葱），还有一碗干豆子和一盆相当丰盛的卤汁浇米饭。只是卤汁稀了点，因为没有面粉可添加。甜点心是红薯馅饼，再加上瑞特的夹心糖。最后瑞特还拿出他地道的哈瓦那雪茄来请男宾们享用，他们一边抽烟一边还喝着黑莓酒，大家都说，他们就像在王宫里参加了一次国宴。

后来男宾们也来到女士们所在的前门厅里，于是话就转到战争上去了。现在人们一说话话题总会转到战争上去。一切谈话，话题无不由战争而来，最后又无不回到战争上去——虽有丧气的话题，但毕竟还是愉快的话题居多，反正总离不开战争。什么战争中的风流韵事，战争中的成婚佳话，医院里或者战场上有谁死了，军营生活里有什么奇闻，战斗行军中有什么轶事，谁如何英勇，谁如何怕死等等，等等。有诙谐，有忧伤，有苦恼，也有希望。无论谈什么，希望是不能少的。尽管去年夏天打了几次败仗，人们还是满怀希望，毫不动摇。

阿什伯恩上尉告诉大家，说他已提出了申请，要求把他从亚特兰大调到多尔顿的前线部队去，现在他的申请已经得到批准。一听这话女士们都用爱怜的目光把他那只动不了的胳膊打量了又打量，为了掩盖她们以此为荣的心情，嘴上都说他不能走：他一走谁来照顾她们呢？

米德太太，玫兰妮，佩蒂姑妈，芳妮，都是有地位的太太小姐，年轻的凯里听到这样的话出自她们之口，显得既惶恐又欢喜，不过他更希望斯佳丽不是随声附和，而是出自真心说的这话。

“哎，他很快就会回来的，”大夫搂住凯里的肩膀说，“只需小小的一仗，管保就会把那帮北方佬打得狼狈逃窜，滚回田纳西去的。你们放心，等他们到了前线，福雷斯特将军自然会好好照看他们的。你们女人实在大可不必惊慌，北方佬是绝对打不过来的，因为约翰斯顿将军带领他的部队踞守在山上，固若金汤。是的，固若金汤。”他相当得意这句话，所以连说了两遍，“谢尔曼永远也别想越过这道关。他永远也动不了老乔一根毫毛。”

太太小姐们都面露微笑，表示赞同，因为即使是他极随便的一句话，对她们来说都是颠扑不破的真理。反正在这些问题上男人的见识总要比女人高明得多，所以既然他说约翰斯顿将军的防御固若金汤，那就一定是固若金汤了。这时瑞特开口了。吃过晚饭到现在他还没吭过声，一直抱着熟睡的孩子坐在幽暗的暮色中、撇着嘴在听大家谈打仗的事。

他说：“不是传闻说谢尔曼的援军早已开到，目前他手下的兵力已经超过十万了吗？”

大夫对他没好气，他一进门，见同席的客人里还有这个叫他看着都生气的家伙，心里就很不自在。只是碍于佩蒂帕特小姐的面子，加上自己来这儿毕竟是客人，所以极力忍着，没让内心的反感全露在面上。

“请问那又怎么呢？”大夫扯开喉咙回了一句。

“刚才阿什伯恩上尉好像说，约翰斯顿将军手下只有四万人马，还包括见打了胜仗又重新归队的逃兵在内。”

“先生，你这是什么话，”米德太太气愤地说，“南部邦联的部队里怎么会有逃兵呢。”

“真对不起，”瑞特故意装成惶恐的样子说，“我说的是那好几千回家度假而忘了归队的人，还有许多伤愈已满半年，却仍留在家里不是干着自己原来的本行就是忙着春耕的人。”

他说完两眼笑眯眯的，米德太太则气得直咬嘴唇。斯佳丽见她那副窘样，差点儿笑出了声，因为瑞特一句话就说得她无言以对。当时躲在沼泽和深山里的士兵就有好几百，纠察队又没法把他们一个个拖回来。那些人嚷嚷说，这个仗是“富人要打仗，穷人上战场”，他们实在是受够了。可是还有一种人远比这种人多，他们在花名册上虽然被标着“逃亡”，其实他们并没一走了之的意思。这些人足足等了三年都没捞到探亲假，家里别字连篇的来信连连告急道：“家里反（饭）也吃不包（饱）。”“今年地里收不到庄家（稼）——家里没人更（耕）田。反（饭）也吃不包（饱）。”“小猪都让征良（粮）员抓去了，家里已今（经）几个月没收到你的钱了。除了干豆子外家里已今（经）没吃的了。”

最后总是一片全家大声的哀求：“你媳妇，你孩子，你爹娘都吃不饱。这要到什么时候才完呀？你什么时候可以回家？家里吃不饱，吃不饱啊。”上面见部队急剧减员，干脆一律不给假，这些士兵便索性也不请假，自己跑回家去耕地、种庄稼、修房子、打篱笆。团里的长官对这些情况是了解的，考虑到一场苦战在即，便写信叫这些士兵归队，只要归队就可免予追究。那些当兵的只要家里又可以维持三五个月，暂时不致有挨饿之忧，通常也就归队了。大敌当前，“耕地假”是不当开小差看待的，不过这对部队的战斗力毕竟有所削弱。

大夫赶紧打破了这难堪的僵局，他的声音冷冰冰的：“巴特勒船长，论人数我军虽不如北军，不过这从来就算不得一回事。我们南部邦联的战士，一个可以抵十多个北方佬。”

太太小姐们连连点头。这谁不知道啊。

“这话在战争初期是不错，”瑞特说，“也许到今天仍还是不错的，只是一条：邦联战士的枪里得有子弹，脚上得有鞋子，还得能吃饱肚子。你说呢，阿什伯恩上尉？”

他口气依然很温和，装出一副低声下气的腔调。凯里·阿什伯恩面带不悦，因为对瑞特他显然也十分反感。按他的意思他是巴不得站在大夫一边，可是说假话他是不干的。他一条胳膊已经残废，可还在要求调往前线，原因就是他认识到了局势的严重性，而一般老百姓对此却还浑然不觉。那些跟他差不多的军人，有的装了假腿，有的瞎了一只眼，有的炸掉了手指头，也有的断了只胳膊，本来都已经转到军需、医务、邮政、铁路等部门工作，现在很多又悄悄调回到原来所在的作战部队去了。他们知道老乔兵力不足，多一个人是一个人。

他当时没吭声，米德大夫按捺不住，吼着说："我们的战士以前光着脚板、饿着肚子，仗都打赢了。现在他们照样还能打赢！我敢担保，北方佬绝对动不了约翰斯顿将军一根毫毛！自古以来，凡有外敌入侵，只要能踞山坚守，一定能解救危难，立于不败之地。你想——你想瑟莫比利（瑟莫比利是古希腊东部的一处山隘。公元前480年，斯巴达人曾在这儿抗击来犯的波斯大军。后来由于出了奸细，被波斯人包抄后路，守军全军覆没。——译者注）不就是个例子吗！"

斯佳丽想了半天，还是不明白瑟莫比利是什么。

"可瑟莫比利的守军不是打得不剩一兵一卒了吗，大夫？"瑞特问道。他撇了撇嘴，想笑又忍住了。

"年轻人，你存心要对我无礼吗？"

"哎呀，大夫！请别误会！我可决没有这意思！我是诚心诚意在向你讨教。我以前学的古代史都快丢光了。"

"我们的部队决不会让北方佬深入佐治亚一步，必要的话就是打得不剩一兵一卒也心甘情愿，"大夫厉声说，"但是没有这个必要。只消小小地打上一仗，保管就可以把北方佬赶出佐治亚去。"

佩蒂帕特姑妈赶紧站起身，让斯佳丽去给大家弹奏钢琴曲唱一支歌。她看出这场谈话马上就要惹麻烦了，双方眼看快吵上了。她早就料到请瑞特留下来吃饭准没好事。只要他在，总没好事。她始终弄不懂他到底是怎么搞的。天哪！天哪！斯佳丽在这个人身上看出了什么呢？兰妮这孩子怎么老是护着他？

斯佳丽遵命到客厅里去了，前门厅上顿时悄然无声了，可是在这无声中却能感觉到大家对瑞特的愤愤然。约翰斯顿将军和他的部队是不可战胜的，对此怎么能有一丝一毫的怀疑呢？同心同德，这是每个人神圣的天职。就算你心怀二意，不能同心同德，那至少也应该懂得礼貌，免开尊口吧。

斯佳丽触动琴键，她的歌声一会儿就从客厅里传了出来，嗓音甜美，含着哀怨，她唱的是一支流行歌：

病房四壁一片洁白，
多少壮士在此与人间辞别，
刀伤遍体，弹痕累累，
一天又抬来了姑娘心爱的英雄。
姑娘心爱的英雄啊，那样年轻那样勇敢！
苍白的面容依然清秀可爱，
虽然就要黄土覆面，一去不返，
脸上仍焕发着少年的风采。

斯佳丽那不太高超的女高音正凄然唱到"金黄的鬈发湿又乱"时，不防芳妮欠了欠身子，好像嗓子卡住了似的，柔声细气地说："换首别的歌吧。"

琴声戛然而止：斯佳丽这一惊非同小可，一时窘不可言。心慌意乱，赶紧换《灰军装》唱，可是刚唱了半句，便来了个刺耳的急刹车：她想起来了，这也是一支断肠曲。钢琴半晌没声音，因为她茫然不知所措了。她一时想得起来的歌曲，都脱不了这些生离死别的伤心调。

瑞特赶忙站起身，把韦德交给芳妮抱，自己走进了客厅。

"弹《肯塔基老家》吧。"他彬彬有礼地说道，斯佳丽很感激他的提醒，就赶紧弹了起来。瑞特那优美的男低音也陪着她唱了起来，唱到第二段时，前门厅上的那几位才算舒了口气，其实论内容，这支歌也根本没有一点欢乐的气氛可言。

“弹《肯塔基老家》吧。”他彬彬有礼地说道。斯佳丽很感激他的提醒，就赶紧弹了起来。

累人的重负还得再担几天！

哪怕担子重得把腰压弯！

担到有朝一日趔趔趄趄回家转！

那时我的肯塔基老家啊，我就得跟你说再见！

米德大夫的预言，就其本身来说完全没错。约翰斯顿将军在一百英里以外的多尔顿北部一带依山而守，的确固若金汤。他的阵地坚不可摧，谢尔曼原打算穿越山谷直逼亚特兰大，却怎么也过不了他这一关，结果北军只好收兵，再作打算。看来正面进攻是攻不破南军的防线了，所以北军就趁着黑夜绕山路作半圆形的迂回包抄，想突然扑向约翰斯顿的后方，目的是要在多尔顿以南十五英里处的雷萨卡切断他背后的铁路。

南军一听说自己的铁路命脉有被切断的危险，就撇下死守未失的工事，星夜兼程抄近路直奔雷萨卡。等北军从山里出来，对面的南军早已架起了大炮，亮出了刺刀，深沟高垒，严阵以待，防守之坚固也不下于多尔顿。

多尔顿前线的伤员把老乔撤到雷萨卡的消息带到亚特兰大，未免讲得走了样，亚特兰大人都感到出乎意料，引起了一点惊慌。仿佛夏天西北角天空出现了一团小小的黑云，让人担心雷雨就要来临。将军放北军进入了佐治亚十八英里，打的是什么算盘？米德大夫说得对，高山是天然的屏障。老乔为什么不把北军阻挡在山下啊？

约翰斯顿在雷萨卡拼命苦战，终于又把北军击退了，但是谢尔曼又重施侧面包抄的伎俩，指挥他的部队又来了一个半圆形的大迂回，渡过乌斯坦瑙拉河，再一次直捣南军后方的铁路。南军部队奉命立刻又撇下红土地上的战壕，赶去保卫铁路。他们不是行军就是作战，早就累得精疲力竭，又没有合过一下眼，肚子又吃不饱（他们一直没吃饱过）。尽管如此，他们还是沿着山谷火速南下，抢在北军的前面赶到了雷萨卡以南六英里处的卡尔霍恩小镇。等北军赶到时，他们早已又挖好了壕沟，准备好迎击了。两下一接触，又爆发了一场恶战，北军终于又被打退了。南军士兵累得都捧着枪趴在地上起不来了，心里求天求地：这次可得让他们歇一歇、喘口气了。

然而他们还是想错了。谢尔曼步步进逼，毫不留情，再次挥师作大迂回包抄到他们的后方，逼得他们只好再继续后撤，赶紧去保卫背后的铁路。

南军士兵行军时根本连眼皮都睁不开了，他们早已累得都不用脑子了。就是偶尔用脑子想一想，他们对老乔仍是深信不疑。他们知道队伍在后撤，但他们相信自己没有吃败仗。他们只是吃了兵力不足的亏，既要守住阵地，又要粉碎谢尔曼的包抄进攻，无法兼顾两边。只要跟北方佬打阵地战，就准能把北方佬打得头破血流，哪一次不是这样？至于这样退下去到底是什么结局，他们就不知道了。但老乔心里会有谱的，他们不怕。他部署后撤，指挥得可高明了，部队的伤亡极小，而北方佬战死的、被俘的，数目可就大了。他们没损失一辆车，总共也才只丢了四门炮。背后的铁路也还在手里。谢尔曼尽管这里正面进攻，那里骑兵突击、两翼包抄，把浑身解数都使出来了，还是奈何不了他们的铁路。

啊，铁路还是他们的！穿过阳光灿烂的山谷通往亚特兰大的这两条细细的铁轨仍是他们的！就是躺下来睡，也要找个近些的地方，好一睁眼就能看见铁轨在星光下闪闪发亮。就是倒下来死，迷惘的眼睛也要对烈日下熠熠闪亮、热气升腾的铁轨看上最后的一眼。

他们沿着山谷一路后撤，他们前面还有大批的难民。无论有地没地的，有钱没钱的，黑人还是白人，妇女儿童还是老头老太，甚至瘸了腿的，受了伤的，病体怏怏的，快要生孩子的，都一股脑儿汇入了这支去亚特兰大的人流，有的乘火车，有的徒步走，有的骑马，有的赶车，车上还高高堆着箱笼行李。部队在后面撤，难民在前面逃，相距不过五英里。难民在雷萨卡停了一下，在卡尔霍恩停了一下，在金斯敦又停了一下，每到一处都停一停，总希望能在这里听到北方佬被打退的消息，好转过身回自己的老家去。可是这阳光灿烂的路，就是不让你往回走。南军所到之处，都是宅第空空如也，农田没人耕种，孤零零的小屋连门都没关。偶尔才有个把无亲无友的妇女，带着三五个吓坏了的奴隶，待在家中。只有他们在路旁欢迎大军，提来几桶井水给战士们解渴，见有受伤的就替他们包扎包扎，见有死掉的就在自家的墓地上暂且掩埋。这阳光灿烂的山谷中基本上是人去房空，满目萧条，田地干裂，种下的庄稼早都荒废了。

约翰斯顿在卡尔霍恩又遭到了敌军包抄，于是便撤到了阿代尔斯维尔，在那里打了一场硬仗，就撤到了卡斯维尔，继而又撤到卡特斯维尔以南。从多尔顿算起，到现在已被敌军推进了五十五英里。这之后南军且战且退，又退了十五英里，到了一个叫新希望教堂的地方，便构筑了工事，决心死守了。北军毫不留情，发动了猛攻，犹如一条巨蟒，身子一盘，恶狠狠扑了过来，就是受点伤暂时缩回去，也总是不肯罢休，过一会儿又恶狠狠扑过来。新希望教堂一仗真是一场殊死之战，连续打了十一天，北军的轮番进攻一再被击退，死伤惨重。最后约翰斯顿还是吃了被迂回包抄的亏，只好又后撤了几英里，他的兵力也越来越单薄了。

南军在新希望教堂一仗中的伤亡也很惨重。一列车一列车的伤兵运到亚特兰大，把亚特兰大人都吓坏了。亚特兰大从来没来过这么多伤员，即使是奇卡毛加那一仗，运到后方的伤员也没这么多。医院里已是人满为患，伤兵只好就躺在空店房的地板上，睡在货栈里一包包的棉花上。大旅馆，小客店，以至私人住宅，到处都塞满了伤兵。佩蒂姑妈家自然也派到了接待任务，尽管她对此很有意见，说玫兰妮已经有了身孕，受到惊吓万一小产可不是闹着玩儿的，因此家里住陌生人是非常非常不妥的。可是玫兰妮把上面的裙箍挪高了遮盖住那渐渐隆起的肚子，结果她家的红砖大宅里照样也来了许许多多伤兵。做不完的饭，打不完的扇，有的需要搀扶，有的得帮着翻身。老是得洗绷带，得卷绷带，还得扯去软麻布上的绒毛做新绷带。晚上本来就热，还夜夜有男人在隔壁屋哇啦哇啦说胡话，闹得人别想闭眼。后来，这个挤得连气都透不过来的城市终于再也收容不了更多的伤兵了，进不来的伤兵只好转送到梅肯和奥古斯塔两地的医院。

这批从前线退下来的伤兵带来的消息各不相同，何况本来就已人满为患的城里还不断涌来惶惶不可终日的难民，亚特兰大简直乱成了一锅粥。天边那个小小的云团早已迅速发展成大片黑压压的雷雨云，黑云里似乎还隐隐刮起了一阵风，让人不禁打了个寒战。

南部邦联的军队是不可战胜的，对这一点大家都信心十足，没有动摇，但对约翰斯顿将军大家却都失去了信心，至少老百姓对他已经失去了信心。新希望教堂离亚特兰大才三十五英里！只短短三个星期，将军就让北方佬打得后撤了六十五英里！他为什么不顶住北方佬，而要一个劲儿地往后撤？可见他是个蠢材，是蠢材中的蠢材。连在亚特兰大过安稳日子的自卫队老头们和州民团团丁们都起劲地说，这仗就是让他们来打，也不至于打得这么糟，为了证明他们的观点，他们还在桌布上画起地图来了。约翰斯顿将军越来越感到兵力不足，而且还在被迫继续后撤，便无可奈何地向布朗州长求援，请他把地方部队调去，然而这些州里的民兵们却是有恃无恐。戴维斯总统早打算把他们调去，州长尚且没予理会，更何况约翰斯顿将军来要。州长怎么会答应呢？

打一仗就退一下！打一仗就退一下！前后总共打了二十五天，退了七十英里，南军几乎一天也没歇过。现在新希望教堂也丢了，只留下了一个记忆，而脑子里仍是迷迷糊糊、纷纷乱乱的，尽是些类似的记忆：骄阳似火，尘土飞扬，饥肠辘辘，人困马乏，脚下踩着红泥路上的一路车辙，时而还得踏过红泥路上的遍地泥泞，老是撤一步、挖壕沟、打一仗——再撤一步、挖壕沟、打一仗。新希望教堂之战简直是一场噩梦，回想起来真是恍如隔世；大棚屋之战也这样，这一仗他们干脆豁出去跟北方佬拼了。可是尽管被打得尸横遍野，地下成了一片蓝色，北方佬却总是没完没了，生力军仍源源不断开到。蓝军的队伍不断地使出向东南迂回包抄的毒招，扑向南军的背后，扑向铁路——扑向亚特兰大！

疲惫不堪的南军部队撤离了大棚屋，并顺着大路退到了肯纳索山，在一座名叫玛丽埃塔的小镇附近摆开了十英里长的弧形阵地。陡峭的山坡上挖好了工事，高高的山头上架起了大炮。战士们挥着汗、骂着娘，凭人力把千斤大炮拉上了险峻的山坡，因为这样的坡骡子上不了。信使和伤兵来到亚特兰大，给处在惊惶之中的市民带来了安定人心的消息：肯纳索的山头是怎么也攻不破的。因为附近的松山和隐山都设了防，固若金汤。北方佬想要拔掉老乔的部队，那是休想，这一回再想迂回包抄可没那么容易，因为山顶上的大炮已控制了四方要道，方圆数里都在射程之内。亚特兰大人这才稍稍舒了口气，可——

可肯纳索山离亚特兰大毕竟只有二十二英里啊！

从肯纳索山运来的第一批伤兵到达亚特兰大那天，梅里韦瑟太太的马车一大早七点钟就来到了佩蒂姑妈家门前，来得这样早还从来没有过哩。当时那个黑人利维大叔就把话传了过去，请斯佳丽快穿着好，马上到医院去。芳妮·艾尔辛和邦尼尔家的姑娘都已先在马车的后座上坐好了，因为一大早就被从睡梦中叫醒，都还在打着呵欠。艾尔辛家的黑妈妈老大不高兴地坐在车头的座上，膝盖上放着一篓刚洗过熨过的绷带。斯佳丽去是去了，心里却很是不高兴，因为昨晚她在自卫队的舞会上跳了一通宵的舞，只觉得两腿发软。她去医院帮忙总是穿那件最旧最破的印花布连衣裙，今天她让普莉西帮她扣连衣裙扣子时，心里暗暗把那个精明强干、不知疲倦的梅里韦瑟太太臭骂了一顿，连那帮伤兵，连整个南部邦联，都一股脑儿骂了一遍。现在由于没咖啡，只能拿炒焦的玉米和晒干的红薯一起熬了苦汤当咖啡喝，她只匆匆喝了几口，便出门上车去了。

这种护理伤兵的差使她觉得简直腻味透了。今天一定要对梅里韦瑟太太说，就说母亲来信了，要她回家去住一阵子。她跟她说了，可有个屁用，这位有头有脸的太太，袖管卷得高高的，粗大的腰里紧紧裹着一条大围裙，严厉的目光只冲她看了一眼，说道："别再跟我在这儿胡闹了，斯佳丽·汉密顿。我今天就给你妈写信，告诉她说我们这里很需要你，她肯定会理解并让你住下去的。得了，快围上围裙，到米德大夫那儿去吧。他那儿包扎正缺人手哩。"

"唉，真是的，"斯佳丽闷闷地想，"一句话就说在了我的要害上。母亲是真会让我在这里住下去的，可住下去就得闻这种臭气，再闻下去我非得给逼死不可！只恨我还不是个老太太，不然就可以不至于受人家的欺负，反倒可以摆摆架子欺负年轻人了——碰到梅里韦瑟太太那样的老刁婆，我不骂她一顿才怪！"

是的，她现在见了这医院就讨厌，讨厌这里的臭气，讨厌这里的虱子，讨厌这里这病那痛的无精打采的男人。如果说她对护理工作曾感到过新奇、感到过别有情趣的话，那种感觉也早已在一年前就消失了。而且，这些在撤退中受伤的伤兵可不像以前的伤员那样讨人喜欢。他们对她是一丁点儿兴趣都没有，平时也很少说话，一开口就是："前方打得好吗？老乔又用了什么妙计？老乔真是足智多谋。"斯佳丽却觉得老乔是一点也不足智多谋。听任北军深入佐治亚八十八英里，这就是他干的好事。对，这帮伤兵就是不讨人喜欢。他们陆陆续续死了不少，都死得无声无息的，死得很快，不是死于败血症、坏疽，就是死于伤寒、肺炎。都是在到亚特兰大以前就染上了，却一直没医生给他们看。他们的精力早已消耗殆尽，自然也就顶不住重病的侵蚀了。

那天天气很热，窗口飞进来的苍蝇一群一群的。疼痛没使伤兵们气短，倒是这些圆鼓鼓、懒洋洋的苍蝇扰得他们泄了气。一阵阵臭气冲着她扑鼻而来，她心里只感到一阵阵厌恶。她托着个盆，随着米德大夫转来转去，身上才浆挺的衣服一会儿就被汗水湿透了。

唉，给大夫当助手才叫痛苦哩！看着大夫明晃晃的手术刀把腐肉切开，胃里的东西直往上翻！有时手术室里做截肢手术，那惨叫声能让你汗毛直竖！伤手坏脚的士兵一个个都在等着大夫来给自己看病，个个紧张得脸发白，让你看着觉得于心不忍，却又无可奈何。这些伤兵，耳朵里听见的尽是惨叫声，而能等来的总是那两句让人听得心里发毛的话："真遗憾啊，我的孩子，那只手是没法保住了。对，对，我知道。可你看，那几处肉的颜色都发紫了，看到了吗？实在是没法保住了。"

当前药品奇缺，只有最严重的截肢病例才能用药。鸦片更是成了稀奇的宝贝，不能拿来给活着的减轻痛苦，只能用来送那些活不了的人从容归天。奎宁、碘酊都早已不剩丝毫。凡此种种，无一不使斯佳丽觉得这医院讨厌。今天早起她倒羡慕起玫兰妮来了：自己要是也有这么个有喜的挡箭牌就好了。现在要想不来帮忙当护士，大概也只有这个理由才能被大家接受了。

中午，见梅里韦瑟太太正忙着给一个不识字的瘦高个山地青年代笔写信，她就赶快脱下围裙，悄悄从医院溜了出来。她觉得再也受不了了。这简直变成了个千斤重担。她知道，午班火车一到，马上就又有伤员要来，她就得一直忙到黄昏——说不定连饭都捞不上吃呢。

急忙忙没走上多远，过了两条马路，便来到了桃树街。尽管紧身褡的带子扣得很紧，她还是尽力把衣服敞开，连吸了几大口这里清新的空气。她站在街角上，盘算着下一步到底怎么办：回佩蒂姑妈家里去吧，觉得没这个脸；可医院，她是打定主意决不再去了。就在这时，瑞特·巴特勒正好驾车经过这里。

"你真像个捡破烂的叫花子的女儿。"瑞特一眼就注意到了她那件打了补丁的淡紫色印花布连衣裙。裙上汗渍斑斑，有的地方还沾着几滴盆里溅出来的污水。斯佳丽被他说得火冒三丈，却又窘不堪言。这个人，眼睛怎么老是盯着女人的衣着？他怎么这么无礼，见她衣冠不整，居然拿话来取笑她？

"我不想听你瞎唠叨。快下来搀我上车，把我送到个谁也见不着的地方去。医院我是死也不去的了！真的，这仗又不是我让打的，干吗倒要我累死累活地去干，再说——"

"哈，'我们的伟大事业'出了个叛徒！"

"乌鸦何必骂猪黑呢。把我扶上车吧。我才不管你本来要去哪儿。反正你现在就得替我赶车。"

他转身下车，跳到地上。斯佳丽忽然觉得眼前一亮：她看到了一个完好无缺的人，没缺胳膊少腿，也没少一只眼；既没痛得脸色煞白，也没得了疟疾浑身蜡黄，完全是一副吃得好好的健壮模样。他穿得也讲究。上装、裤子的料子居然还是一样的，而且穿在身上非常合体，既不是宽得直晃荡，也不是紧绷绷的勒得人难以动弹。还是崭新的，根本看不到那种破衣烂衫、露出一身泥垢和两腿黑毛的窘相。他看上去似乎无愁无虑，现在单是这一点便已足够令人吃惊了，因为现在谁不是满面愁容、满腹心事、忧心忡忡？他那张黝黑的脸上是一脸的殷勤，两片显眼得像女人一样红的嘴唇具有露骨的挑逗性，就在扶她上车时，他还放肆地嘻嘻一笑。

他爬上车，在她旁边坐下；从他那袭十分合身的衣服可以看出，他魁梧的身躯一用劲，肌肉便都一团团鼓起来。斯佳丽一看到他这副模样，心头总会猛地一惊，感到他力大无穷。那宽厚的肩膀鼓得高高的顶住了衣服，让她看得不觉入了迷，害得她心里一阵不安，倒真有点害怕了。看来他非但头脑灵活，不易对付，而且体格强壮，也一样不好对付。他一身的力气就隐藏在那潇洒文雅的外表下，不动时懒洋洋的像豹子在晒太阳，动起来便矫捷得犹如豹子跃起扑食。

“好个不老实的丫头片子！”他一边吆喝着马儿起步一边说，“你跟那些大兵跳起舞来可以通宵达旦，不是向他们献花就是给他们挂彩带，还吹嘘为了南方的光荣事业自己可以不惜献身，可现在叫你去包扎几个伤口，捉几只虱子，你就急急忙忙溜号了。”

“你说点儿别的吧，把车子赶快些，好不好？万一撞上梅里韦瑟爷爷正好从店里出来，我又该倒霉了，他看见我会去告诉老太婆的——哦，我是说会去告诉梅里韦瑟太太的。”

瑞特轻轻抽了一鞭，马快步跑了起来，穿过了五角场，很快又穿过了横贯城中的铁路。运伤兵的列车已经到了，抬担架的正在烈日下奔忙，把伤员抬上救护车和搭了篷布的军需车。斯佳丽看了半天，并没有感到良心上受到了什么谴责，倒是觉得松了一大口气：幸亏自己逃出来了。

“那所老古董医院简直让我腻味透了，”她说着整了整被风鼓起的裙幅，把下巴底下的帽带系了系紧，“送来的伤兵一天比一天多。这都怪约翰斯顿将军。如果他在多尔顿就顶住北军，也不至于——”

“你真是小孩子见识，他在多尔顿是顶住了的呀。可要是他再顶下去，谢尔曼就会来个两翼包抄夹击，非把他歼灭了不可。这样一来铁路也就保不住了，要知道约翰斯顿的作战目的就是要保住铁路。”

“哦，是吗？”斯佳丽对军事战略问题一窍不通，“可不管怎么说，反正这事得由他负责任。他怎么不采取些有效措施呢，我看应该把他撤职。谁让他老是后退，不坚决抵抗的？”

“你也和别人一样，净要他办办不到的事，发现他无法办到，便嚷嚷着要‘砍他的脑袋’。他在多尔顿的时候是救世主耶稣，现在到了肯纳索山便变成出卖主子的犹大了，前后总共不过六个星期。可他现在要是能够把北方佬打得倒退二十英里的话，包管他又会变成耶稣的。我的孩子，谢尔曼手下的人马可是要比约翰斯顿多一倍呢，拿两个人来拼一个我们的忠勇之士，他也是赔得起的。可约翰斯顿却损失不起，他是拼一个少一个。他那边急需增援，可能给他派去什么呢？只有‘布朗州长的心肝宝贝’。这帮人，能顶什么用？”

“民团真的要出动了？自卫队也会出动吗？我倒还没听说。你是怎么知道的？”

“到处有这样的传闻。传闻是从今天早晨从米勒奇维尔来的火车上传出来的。据说民团和自卫队都要派去增援约翰斯顿将军了。好啊，布朗州长的那些宝贝大概免不了要去闻闻火药味了，我看他们多数人是根本连做梦也没想到。他们怎么想得到自己还会去打仗呢。州长不是已经向他们打了包票吗，保证他们决不会上前线的。好，这下可跟他们开了个大玩笑。他们自以为保险得很，因为州长把戴维斯总统的命令都顶住了，总统要他们到弗吉尼亚去他就是不放。说是要留着他们保卫本州。谁想得到这仗还真打到了他们自己的后院，他们还真得去保卫本州呢？”

“哎呀，你怎么还笑得出来，你这个没心没肺的！你不想想自卫队里那些老家伙和小孩子！唉，这么一来米德家的小菲尔也得去了，连梅里韦瑟爷爷和汉密顿家的亨利伯伯也难逃脱。”

“我又不是在说这些小孩子和那些参加过墨西哥战争的老兵。我说的是威利·吉南那样的勇敢的年轻人，他平时总喜欢穿上笔挺的军装，舞刀弄枪的——”

“还有你自己哩！”

“哎呀亲爱的，我才不怕呢。我一不穿军装，二不舞刀弄枪，邦联的命运是吉是凶我根本无所谓。并且真的说起来，我就是进了自卫队或者什么部队，也不至于会束手待毙。我在西点军校受过一定的军事训练，那足够我受用一辈子的了。……好吧，但愿老乔能逢凶化吉。李将军是派不出救兵来了，因为他在弗吉尼亚对付北军还自顾不暇呢。所以现在约翰斯顿已经无兵可搬了，也只有佐治亚的这支州属部队能去增援他了。你们实在不应该这么责怪他，其实他倒真的是一位伟大的战略家。他哪一次不是设法赶在了北军前头、抢占了要地？可是为了保护铁路，他又总是不得不往后退。记住我的话：等他被一步步从山区逼退到这一带比较平坦的地方，他也就只有被彻底歼灭的份儿了。”

“退到这一带来？”斯佳丽叫了起来，“你昏头了，北方佬怎么到得了这里！”

“肯纳索离这儿只不过才二十二英里，我敢和你打赌——”

“瑞特，快看那边！来了好大一群人！可又不是兵。怎么回事……哎呀，都是些黑小子！”

只见迎面扬起一团滚滚的红色尘土，尘雾中传来一片纷杂的脚步声，还有一百多条音色深沉的黑人嗓子，在那里乱哄哄地唱着一支圣歌。瑞特把车靠在路边，斯佳丽看得好生奇怪：这群汗水淋漓的黑人，肩上都扛着铁镐铁锹，旁边还有一个军官带着一个班的士兵押着，士兵都佩戴着工兵的肩章。

“这是怎么回事？”她还是大惑不解。

这时她的目光无意中落到了前排一个正唱歌的黑大汉身上。此人身材有两米多高，俨然巨人一般，皮色乌黑，走起路来轻快有力，好似一头劲头十足的野兽，露着两排白晃晃的牙齿在那里领头唱着《去吧，摩西》。除了她家庄园里的工头大个子山姆，这世上哪儿还会有身材如此魁伟、嗓音如此响亮的黑人！可大个子山姆大老远跑到这里来干什么？——何况现在庄园里没了监工，他已经成为父亲的一条臂膀了。

斯佳丽刚探起身，想要看个仔细，那个彪形大汉已经看见了她，黑黑的脸上顿时绽开了认出熟人的快活笑容。他停住脚步，放下肩上的铁锹，向她这边跑来，一边还冲着自己身边的几个黑人喊：“哎呀我的上帝！是斯佳丽小姐！喂，以利亚！使徒！先知！斯佳丽小姐在这儿！”

队伍一下子乱了。大队人马停了下来，大家脸上都挂着莫名其妙的傻笑。大个子山姆在前，另外三个黑大汉在后，一起快步穿过大街跑到了马车前，押队的军官急了，咋咋呼呼地紧随其后。

“归队去！归队去！大家都给我归队去，不然我可要——哎呀是你呀，汉密顿太太。早上好，太太，还有这位先生，早上好！请问二位干吗要煽动他们违抗命令、聚众闹事？你们还不知道，这几个小子今天早上已经让我伤透了脑筋。”

“哦，兰德尔上尉，不要骂他们！这几个人都是我们家庄园的。

这是大个子山姆，是我们家的工头，那三个叫以利亚、使徒、先知，也都是我们塔拉庄园的。他们见了我总得跟我说几句话吧。你们都好吗，孩子们？”

斯佳丽跟他们一一握手，白白的小手落在黑黑的大爪子里，踪影全无。那四个人欢呼雀跃，一方面是大家相见高兴，另一方面也是得意：让同伴看看他们家的小姐有多漂亮！

“你们大老远从塔拉庄园跑到这儿来干吗？肯定是逃出来的吧。难道你们就不怕被巡逻队抓住？”

他们觉得这话很滑稽，快活得哇哇直叫。

“逃出来的？”大个子山姆说，“什么话啊，小姐，我们可不是逃出来的。是他们派人把我们要出来的，因为论个头、论力气，在塔拉庄园就数我们四个最厉害了。”他得意地露出了两排雪白的牙齿。“他们特地要了我，因为我还挺会唱歌。真的，小姐，是弗兰克·肯尼迪老爷去把我们要来的。”

“可要你们来干什么呢，大个子山姆？”

“哎呀，斯佳丽小姐！你还没听说啊？要我们挖壕沟呀，说是北方佬来了，白人们总得有个地方躲躲呀。”

听他把挖战壕说得这样直白有趣，兰德尔上尉和车上的两位都差点儿笑了出来。

“杰拉尔德老爷听说他们想要我，当然不愿意，还差点发了脾气，他说要管理这个庄园没我可不行。可埃伦小姐说：‘把他带去吧，肯尼迪先生。政府需要大个子山姆，总比我们这儿重要。’她还给了我一块钱，让我乖乖地听白人们的话。所以我们就来了。”

“兰德尔上尉，这到底是怎么回事啊？”

“嗨，没什么大不了的。亚特兰大的防御工事需要加固，得再挖上好几里长的战壕。由于前方抽不出人，所以我们就只好在四乡征用最精壮的黑人来干这项差使。”

“可——”

斯佳丽只觉得打了个冷战，心里突突直跳，隐隐有一阵恐惧。还得再挖好几英里长的战壕！为什么还要挖？去年一年，亚特兰大四面八方就筑起了许许多多用大土堡掩护的炮兵阵地，在离市中心一英里外围了一圈。这些巨大的工事都连着战壕，一英里接着一英里的壕沟把整个城都团团围住了。现在却说还要再挖战壕！

“可——我们已经建了那么多工事，还要建工事干什么？就是建筑好的这些工事，其实也根本用不着。将军怎么会——”

“现有的工事离市中心才一英里，”兰德尔上尉不想详谈，“距离太近了，不放心——也不保险。现在的工事要挖在外围。因为你看，部队若再往后退，就要退到亚特兰大里来了。”

这最后一句话，他一说出来就后悔了，因为斯佳丽一听这话吓得眼睛都瞪大了。

“不过话又得说回来，部队是不会再往后退了。”他赶忙又接着说，“肯纳索山一带的阵地是怎么也攻不破的。连半山腰都架满了大炮，控制住了四方的道路，北方佬是别想过得了这一关的。”

可斯佳丽看见瑞特两道锐利的目光懒洋洋地盯了上尉一眼，上尉的眼睛便马上垂了下去，这下斯佳丽可真是害怕了。她想起了瑞特刚说过的那句话：“等他被一步步从山区逼退到比较平坦的地方，他也就只有被彻底歼灭的份儿了。”

“嗯，上尉，你看——”

“不会的！不会的！千万别担心。老乔做事总喜欢防患于未然。我们再挖几条壕沟，无非就是这个道理。……好了，我得走了。今天能跟太太你说会儿话，真是三生有幸。……小子们，快跟你们的小姐说再见，我们得上路了。”

“再见了，孩子们。你们谁要是病了、伤了，或者是遇到了什么麻烦，可以给我送个信来，我就住在桃树街那头，朝那边一直走，一直走到街顶头，几乎就是最后一家。等一等——”她伸手在小手袋里掏了掏，“哎呀，我一个子儿也没带。瑞特，借我点钱吧。给，大个子山姆，拿去给大家买些烟抽抽。可要乖乖听兰德尔上尉的话。”

散乱的队伍又排好队，又扬起了滚滚的红色尘雾，大队人马出发了，大个子山姆又唱起了歌：

去吧，摩西！到那遥远的埃及去吧！

去让那法老
把我的百姓——放掉！

“瑞特，兰德尔上尉是在骗我，男人都爱骗人——都把真实情况向我们女人瞒着，生怕我们知道了会晕过去。难道他这不是在骗人？你说说，瑞特，假如局势并不危急，他们又何必要去挖工事呢？难道部队里真这么短少人员，竟要用黑人吗？”

瑞特在吆喝马起步。

“部队里现在缺人缺得厉害。不然何必把自卫队派上去呢？至于挖壕沟的事嘛，嗯，万一这里被围住，工事大概还是有点用的。看来将军是准备在这里作最后的抵抗了。”

“被围！哎呀，快掉转车头。我得马上回去，回塔拉庄园去。”

“你怎么了？”

“你不是说要被围吗！天哪天哪，要被围了！被围是怎么回事我是听说过的！爸就经历过一次，也可能是我爸爸的爸爸吧，反正爸对我说过——”

“什么地方的事？”

“德罗赫达的事，就是克伦威尔打败了爱尔兰人的那一仗，城里被围得没一点吃的，爸说街上尽是饿死的人，到后来连猫子、耗子，乃至蟑螂那样的东西都被吃光了。爸说他们一直到人吃人了也没投降，不过也不知这话是真是假。后来克伦威尔攻下了那个城市，城里的妇女统统都被——哎呀，真要是被围了城，那还了得！”

“像你这种胸无点墨的小姐我生平倒还是第一次领教。德罗赫达那一仗是一六几几年打的，那时候奥哈拉先生连影子都还没有哩。再说，谢尔曼也不是克伦威尔。”

“是啊，谢尔曼还要坏得多。据说——”

“至于爱尔兰人在被围时吃的那些异味嘛——照我看，与其让我吃旅馆里最近供应的那种膳食，我倒宁愿来一份烧得入味些的浓汤耗子。看来我只好回里士满去了。在那里只要有钱，好饭好菜总还是吃得到的。”看他的眼神，分明是在嘲笑她那一脸的惶恐。

发觉自己惊惶的神情已被人看在了眼里，斯佳丽便嗔声嗔气地大声说："是啊，你何必要一直赖在这儿不走！说来说去，你图的不就是享受，不就是口福，不就是——你图的不就是这一套吗！"

"我觉得人生在世，最大的快乐莫过于享口福，莫过于——莫过于这一套！"他说，"至于说我为什么要待在这儿不走，这也有个道理——是这样的：什么兵临城下呀，困守孤城啊，等等等等，我在书上读得不少，可就是没亲眼见过。所以我就想留在这里看看。我是非战斗人员，是不会有危险的，再说我也真想实地体验体验。可千万不要放过体验从来没有体验过的生活的机会呀，斯佳丽。那是很能长见识的。"

"还要让我长见识？"

"这一点恐怕还是你自己最清楚，不过照我看来——不，这话说出来可能太不恭敬了。另外，留在这儿我或许还可以做件事：一旦城市被围，就可以去救你。搭救落难小佳人，这样的事我平生还没有做过呢。这也可以说是一种从来没有体验过的生活。"

斯佳丽知道他这话是在揶揄她，可又觉得话里的确也有几分认真的意思。她就把头一昂。

"我才用不着你来救。我自己能照顾自己，多谢了。"

"千万别把话说得太绝了，斯佳丽！你有这种想法尽管放在肚子里，可千万别冲男人说这种话。北方佬的姑娘就有这种毛病。她们本来是挺讨人喜欢的，可是非要对人说'自己能照顾自己，多谢了'之类的话，所幸她们一般倒也并不是空口说大话。所以男人也就让她们自己照顾自己了。"

"你还有完没完。"斯佳丽冷冷地说。把她比成北方佬的姑娘，对她真是莫大的侮辱。"什么城被不被围的，我看你完全是胡扯。你明知道北方佬是永远也别想打到亚特兰大的。"

"我们可以打个赌，我说他们不出这个月准到。我输了给你一盒夹心糖，如果你输了——"他乌黑的眼珠一转，目光落到了她的嘴唇上，"你输了就跟我亲个嘴。"

刚才担心北方佬真会打到亚特兰大，她的心不觉一下子揪紧了，可一听到"亲嘴"两字，她把恐惧都抛到九霄云外去了。这种话题她才在行，比谈打仗什么的要有趣多了。她心里喜滋滋的，好容易才忍住了没露出笑容来。自从瑞特那天送了她一顶翠绿的帽子，就始终没对她作过半点可以被看作是求爱的表示。她用尽了心计，也没逗出他一句调情的话，可现在，她没挑没逗，他倒自己提起亲嘴来了。

“我可不想听这种调情的话，”她做出一副眉头紧皱的样子，冷淡地说，“再说，与其跟你亲嘴倒不如去跟一头猪亲嘴。”

“人各有所好，我向来听说爱尔兰人对猪是情有独钟的——甚至还把猪养在自己的床底下。可斯佳丽，我知道你心里其实是很想亲嘴的。你老不顺心，原因就在这里。你的那帮‘护花使者’，不知道是因为太敬重你呢（天知道他们为什么要这么敬重你），还是因为怕你，反正他们奉承你就是奉承不到点子上。结果你就总是嘴噘得高高的，弄得别人受不了。你是应该有个亲嘴的人了，而且对方还必须是个精于此道的人。”

话是越谈越不合她的意了。跟他说话，总这样。总像是一场打得她败下阵来的角斗。

“你大概认为只有你才有资格吧？”她好不容易才按下怒气，用挖苦的口吻问。

“如果不是我怕麻烦，我本来倒很有这意思的，”他若无其事地说，“人家都说我对亲嘴之道还是很有些研究的。”

“哼！”见他对如此花容月貌居然不屑一顾，斯佳丽的火上来了，“好啊，你……”可她的眼睛马上低了下去：她突然被弄糊涂了。因为他虽然在笑，可那乌黑的眼睛深处却分明微光一闪，像是冒出了一朵火苗。

“我知道，你心里大概一直在纳闷：那天我送了你一顶帽子，规规矩矩地略略亲了你一下以后，为什么就没有进一步的行动了呢——”

“我可没——”

“那你就不老实了，你这话我听着也很难过。要真是老实的姑娘，见男人不想跟自己亲嘴，没有不纳闷的。她们知道姑娘家想让男人来亲嘴那是要不得的，她们也知道万一被男人亲了就必须做出受了侮辱的样子，可她们心里其实还是巴不得能有男人来亲亲的。……好吧，亲爱的，别泄气。我总有一天会跟你亲嘴的，保证你满意就是了。但现在还没到时候，所以请你也不要太性急了。”

她知道这都是些玩笑话，可是他的玩笑话照例总会惹得她一肚子气没处出。因为他说的往往也全是事实，没半点胡说。好了，不跟他磨嘴皮子了。万一以后他要无礼，胆敢对她放肆，她就好好地羞辱他一番。

“请你掉头往回赶好不好，巴特勒船长？我想回医院去了。”

“真的，我救死扶伤的天使？这么说，跟虱子污水打交道还是比跟我说话更有意思？好吧，既然人家心甘情愿地为‘我们的光荣事业’效力，我怎么能拉后腿呢。”他掉转马头，车子又向五角场奔去了。

“至于我为何不采取更进一步的行动，”尽管斯佳丽已作出谈话到此为止的表示，他却只当没听见，还是死皮赖脸继续朝下说，“那是因为我想等你再长大一点儿。要知道，现在就跟你亲嘴没多大意思，我自私得很，只管自己快活，不顾别人的。我可不想跟小孩子亲嘴！”

他从眼角瞟见她气鼓鼓地一声不吭，胸脯剧烈起伏着。他想笑却又忍住了。

“还有，”他又轻轻接着说，“我想等那可敬的阿希礼·韦尔克斯从你的记忆里消失。”

一听见他提阿希礼的名字，斯佳丽心里突然感到一阵疼痛，热辣辣的眼泪刺得眼睑生疼。消失？阿希礼的形象才不会从她记忆里消失呢，即使死了一百年也不会。想起阿希礼此刻受了伤，正半死不活地躺在远方一个北军的监狱里，没毛毯盖，也没紧握着他的手的亲人，而自己身边这个人呢，却是一副吃饱喝足的样子，说起话来慢声慢语，带着露骨的嘲讽，她越想越觉得这人可恨。

她气得话都说不出来了，两个人坐在马车上半天没吭一声。

“现在，我对你和阿希礼之间的关系已经了解得八九不离十了，”瑞特后来又开口了，“最初是在十二棵橡树庄园碰巧遇见了你们那有欠高雅的场面，我从此就随时注意观察，居然还真有了不少发现。要问什么发现？哦，比如说吧，我发现你对他依然怀有女学生那样浪漫的情怀，他呢，也礼无不答，只是并不逾越他高尚的人品所允许的限度。又比如说，我发现韦尔克斯太太对此还完全蒙在鼓里，而你呢，却一直在暗地里耍手腕欺骗她。对此我真可谓了若指掌，只是有一件事我还不知道，我倒很想问问。不知道那位可敬的阿希礼有没有跟你亲过嘴，致使这位灵魂高洁的先生终不免有行为不检点之嫌？”

他得到的回答是扭过头去，死不出声。

“啊，好极了，这么说他果然是跟你亲过嘴了。大概是他回来休假那会儿的事吧。很可能他已经不在人世了，所以你就把这段秘密珍藏在心里。不过我相信日子长了你是会忘记的，等你把他的这一吻忘了，我就——”

斯佳丽怒不可遏地回过头。

“你——给我滚，”她憋足了全身力气说，绿莹莹的眼睛里喷射出怒火，“让我下车去——不然的话我可要往外跳了。从今以后我是再也不跟你说话了。”

瑞特停住车，可还没来得及下车去扶她，斯佳丽早已一下子跳了下去。但她的裙箍不小心让车轮挂住了，于是里面的衬裙、裤子，一时就尽露在五角场的睽睽众目之下。瑞特赶快探过身来替她解开。她一言不发，头也没回地转身就走，瑞特只是轻轻一笑，也就赶着马走了。

18

在亚特兰大能听见枪炮声，这可还是开战以来的头一次。清晨，喧嚣的闹市还未苏醒，便听到了肯纳索山依稀的炮声，声音很远、很轻，一阵阵隐隐的隆隆声，让人觉得是夏天的闷雷声。偶尔也会传来一两声轰然巨响，那声响即使在中午，也会盖过车马的喧嚣，直刺耳膜。对此大家都尽量避而不听，只管有说有笑，办着自己的事，只当没有北方佬大兵压境这回事。虽远在二十二英里之外，然而，耳朵却总是不由自主地竖起来听。城里的人都一脸心不在焉的样子，因为不管手里在忙什么，耳朵可总在听，一刻不停地在听。一天里也不知有多少次，心里往往会突然一阵怦怦乱跳。炮声是不是太响了点？还是自己的心理作用呢？约翰斯顿将军这次能否顶得住？到底顶不顶得住？

有说有笑只是表面现象，骨子里的恐慌才是真格的。在部队后撤的日子里一天比一天紧张的神经，如今已到了快崩溃的边缘。谁也不敢说出自己内心的忧虑。这种担忧已经成了个禁忌的话题。不过紧张的神经也自有发泄的办法，那就是猛烈地抨击约翰斯顿将军。群情激奋，已到了狂热的地步。谢尔曼已经打到亚特兰大门口了。若再往后退，邦联的大军就要退到城里来了。

换一个不后退不逃跑的将军吧！换一个能够死守死拼的勇士吧！

在远方的隆隆炮声中，州里的“布朗州长的心肝宝贝”民团，连同当地的自卫队，终于一起开拔出城了，任务是去防守约翰斯顿背后查塔霍奇河上的桥梁和渡口。那天乌云密布，队伍穿过五角场顺着通向玛丽埃塔的大路开去时，天下起了毛毛雨。满城的百姓都出来送行，桃树街两旁铺子门前的遮阳板下密密麻麻站满了人，他们强打起精神来送行。

在医院里帮忙的斯佳丽和梅贝尔·梅里韦瑟·皮卡尔，今天也请了假前来送行。因为亨利伯伯和梅里韦瑟爷爷都在自卫队里。她们俩便跟米德太太一起挤在人群中，踮起脚尖，好看得清楚些。斯佳丽虽说也与一般南方人的心理一样，对战局的发展总是只愿意相信那些最中听、最乐观的说法，可是今天看着这支杂牌军从面前开过，心也不禁凉了半截。这帮乌合之众，老的老，小的小，按说都应该留在后方，如今也奉命出动了。可见局势一定处于万分危急的境地了！队伍中固然也有年富力强之辈，他们一身上层民团组织的漂亮军装，帽上羽毛摇动，腰里彩带飘然。然而更多的却是老的老小的小。斯佳丽见了，既怜悯又忧虑，心都揪紧了。有些白胡子老头的年纪比她父亲还大，却要摆出一副精神抖擞的样子，迎着毛毛细雨，跟着鼓笛的节拍，随队前进。为了挡雨，梅里韦瑟爷爷把梅里韦瑟太太最考究的方格披肩披在肩上。他就在第一排，看见斯佳丽她们时，便咧嘴一笑权当打招呼。斯佳丽她们也挥舞着手绢，装着快活的口气对他高喊再见。不过梅贝尔还是忍不住抓着斯佳丽的胳膊，悄声说："唉，可怜的老爷子呀！如果遇上一场大一点的暴风雨就会要了他的命！他腰痛的老毛病——"

亨利伯伯就在梅里韦瑟爷爷后面一排，他那黑长袄的领子高高地翻起来护着耳朵，腰里别着两把还是跟墨西哥打仗时用过的手枪，手里提着一只小毡包。旁边与他同行的是他的黑人跟班，也有一大把年纪了，撑着一把雨伞为两人打着。跟这些老者并肩走在队伍里的还有许多年纪不大的小伙子，看上去都还不到十六岁。这些人中有不少是逃出学校来从军的。偶尔也还有身穿军校学员制服的，他们这儿一堆那儿一堆地，紧巴巴的灰军帽上黑色的羽毛沾满了雨水。斜挎在胸前的洁白的帆布带子都淋得湿透了。菲尔·米德也在其中。他自豪地佩带上了为国捐躯的兄长的马刀和马枪，帽子的一侧插了支很气派的羽毛。米德太太又是微笑又是挥手，好不容易撑到儿子走过了，便脑袋一歪，靠在了斯佳丽的肩膀上，半天都抬不起来，仿佛浑身的力气一下子全泄完了似的。

队伍里很多人简直就是赤手空拳，因为根本就发不出枪支弹药。这些人只能指望有北方佬被杀被俘，以夺取他们的武器来装备自己。不少人靴统里都插了把长猎刀，手里拿着根装有铁枪头的粗木长棒，号称“布朗枪”。只有部分幸运儿，才肩上挎着把老式的燧发枪，皮带上挂着个牛角的火药筒。

约翰斯顿将军在撤退中损失了近万名士兵。他需要补充一万生力军。可是现在能给他的就是这样的队伍！——斯佳丽想到这里，心都凉了。

炮队隆隆而过，溅起的泥浆纷纷飞向送行的人群，这时，一门大炮旁一个骑骡子的黑人引起了她的注意。那是一个肤色像鞣革的年轻黑人，一本正经的样子。斯佳丽仔细一看，不禁喊了起来：“这不是摩西吗！这不是阿希礼的摩西吗！他到这儿来干什么？”她死命挤出人群，来到路边，高声喊道：“摩西！等一等！”

那年轻黑人看见了她，连忙喜笑颜开地收住缰绳，准备从骡子上跳下来。这时，背后一个浑身湿透的骑马士官喊道：“嗨，小子，不许下，下来我就崩了你！队伍得按要求及时赶到山里。”

摩西一时拿不定主意。他望了望士官，又望了望斯佳丽，于是，斯佳丽踩着泥浆，来到炮车滚滚而过的街心，一把抓住摩西的马镫皮带。

“啊，士官，我只跟他说两句话！你不用下来了，摩西。我问你，你到这儿干什么来了？”

“我又要去打仗了，斯佳丽小姐。上次是跟阿希礼少爷去，这次可是跟约翰老爷去。”

“韦尔克斯先生！”斯佳丽听了一愣。韦尔克斯先生都快七十岁了。“他在哪儿？”

“在炮队末尾，斯佳丽小姐。还在后边哪！”

“对不起，小姐。小子，快走吧！”

斯佳丽踩在齐脚脖子的泥浆里，愣了好一会儿，木然看着一门门炮从眼前摇摇晃晃地驶过。心里想：哎呀，怎么会呢！不可能吧。老爷子都一大把年纪了。再说他和阿希礼一样也是不赞成打仗的！她朝路边退后了几步，对列队而过的人逐个仔细辨认。终于，最后一门大炮由弹药车拖着，一路泥水四溅地嘎吱嘎吱来了，她果然看见了老爷子跟在炮后，单薄的身板挺得笔直，一头长长的银发水淋淋地贴在脖子上，神态自若地骑着一匹枣红小骒马。那马在泥潭里走得十分小心，步态之优美简直就像一位满身绫罗的贵妇人。哎呀——这不就是那叫耐利的马么！真是塔尔顿太太的耐利！这可是贝特丽丝·塔尔顿心爱的宝贝啊！

韦尔克斯先生看见站在烂泥路上的斯佳丽，便乐呵呵地一勒缰绳，下马向她走来。

“我正要找你呢，斯佳丽。府上有好多口信要我带给你。可惜时间来不及了。我们是今天早上才集中的，他们紧接着就急急忙忙地催着我们出发了。”

“哎呀，韦尔克斯先生，”斯佳丽抓着他的手，急得什么似的嚷嚷道，“你就别去了！你有什么必要去呢？”

“啊，这么说你是嫌我太老了！”说着他微微一笑，那样子简直就跟阿希礼的笑一样，只是脸显得老些而已。“我是年纪大了些，行军也许不行了，可骑马打枪还行。而且多亏塔尔顿太太把耐利借给了我，所以我胯下还有良骑。我只希望此去耐利能平安无事，不然万一有点什么闪失，叫我怎么回去向塔尔顿太太交代。老太太也只剩下这匹马了。”为了打消斯佳丽的忧虑，他说到这里故意哈哈一笑。“你爸爸、妈妈、妹妹都很好，他们都托我代问你好呢。你爸爸今天差一点也跟我们一起来了。”

“哎呀，爸怎么能来呢！”斯佳丽吓得一下子叫了起来，“爸怎么能来呢！他该不会去打仗吧？”

“现在是不去了，不过他本来倒是打算去的。他虽然知道有膝关节僵直的毛病，走不了远路，可还是硬要骑着马跟我们一块儿去。你妈同意了，条件是只要他能跳得过牧场的篱笆，说是因为到了部队得骑着马爬高下低，马可不好骑。你爸心想跳一下篱笆还不容易，可是——偏有这样的事你说怪不怪？他的马一到篱笆跟前，就突然驻足不前停了下来，害得你爸一个前翻，当场摔下马来！他居然没有摔断脖子，真是个奇迹！你知道他是个倔脾气。当时就一骨碌爬起来再跳。哎呀，斯佳丽，他是足足摔了三跤才让你妈和波克扶上床去躺着了。为此他恼火极了，说一定是你妈‘私下里指使那畜牲这么干的’。其实就你爸的情况，也确实不够上前线的条件，斯佳丽。所以你也不必有什么不光彩的感觉。反正家里也总得留人种粮食以供应军需。”

斯佳丽根本没有什么不光彩的感觉，倒是大有如释重负之感。

“我把印第亚和哈妮打发到梅肯去了，住在伯尔家。十二棵橡树庄园现在就托你爸劳神代管……我得走了，亲爱的。让我亲亲你漂亮的小脸蛋吧。”

斯佳丽仰起了脸，嗓子眼里一阵难受，一句话也说不出来。她太喜欢韦尔克斯先生了。当初她还一心想做他的儿媳妇呢。

“请务必代我转达：这一下是亲佩蒂帕特的，这一下是亲玫兰妮的。”他说着又轻轻亲了两下她。“玫兰妮好吗？”

“很好。”

“那就好。”他望着她，可是那目光也跟阿希礼的目光一样，似乎穿透了她的身子，看到她的身后去了，一双灰色的眼睛漠然地望着另一个世界。“要是我现在能见到我的第一个孙儿该有多好啊。再见了，亲爱的。”

他翻身上马，缓缓驰去，帽子还在手里拿着，一任满头银发被雨水淋着。斯佳丽回到了梅贝尔和米德太太身边，这时她才突然弄懂了他最后两句话的含意。她有一种不祥之感，心里害怕极了，于是就赶紧在胸前画了个十字，想做个祷告消消灾。老爷子这话是此去必死的意思。当初阿希礼也提到过死，如今阿希礼这不就……死可是万万提不得的！提死，就是自己惹祸招灾。她们三人冒雨默默返回医院的路上，斯佳丽就在心里祈祷：“主啊，不要将他一块儿召去吧。不要将他跟阿希礼一块儿召去吧！”

五月初开始从多尔顿撤退，退到肯纳索山是六月中旬的事，湿热多雨的六月已经过去了，谢尔曼仍没能把踞守在陡峭泥泞的山坡上的南军赶下来，于是希望又悄悄抬头了。大家的心情也都高兴了些，提到约翰斯顿将军时话也说得好听了些。多雨的六月过后便是雨水更多的七月，拼死踞山坚守的南军打得谢尔曼依然难进寸步，这时亚特兰大人可真是有些欣喜若狂了。他们被希望冲昏了头脑，就像喝多了香槟一样。好哇！好哇！终于把他们给顶住了！一时东家设宴，西家跳舞。只要前方来了三五个人员在城里过夜，总会有人设宴款待，宴后又总要跳舞。舞会上女士总是十倍于男宾，现在反而是女的要来奉承男的，抢着跟他们跳舞了。

亚特兰大挤满了外来人员，有探亲的，有逃难的，有受伤住院的士兵家属，也有做妻子的和做母亲的。她们唯恐亲人万一受了伤无人照管，因而也来到了这里。另外，四乡的美丽姑娘也都成群结队进城来了，因为现在乡下剩下的男人要么还不到十六，要么已六十出头。对这些外来的美丽姑娘，佩蒂姑妈是大不以为然的，在她看来这些人到亚特兰大来无非是为了抢个丈夫：这么不要脸的事都干得出来，这个世界真不知道会变成什么样子！斯佳丽也很不以为然。她倒不怕这些黄毛丫头来跟她展开激烈竞争，她们还不都是仗着脸儿嫩、笑容甜，其实看看她们的穿着，衣服都是一改再改的，鞋子都是打了补丁的。她自己则由于有瑞特最后一船货带来的料子，所以穿的衣服比一般人的漂亮，也比一般人新些。不过话要说回来，自己已经十九了，毕竟已不再年轻了，男人家的脾气，就是喜欢追求傻里傻气的年轻姐儿！

她心里有数：一个寡妇又拖带个孩子，跟这些花枝招展的狐媚子比起来是要吃亏的。可是在这段兴高采烈的日子里，她倒并没有像往常那样感到做寡妇、有孩子是压在她身上的沉重包袱。白天在医院上班，晚上要去赴宴跳舞，忙得她整天难得见到韦德一面。有时候甚至会忘了自己还有个孩子，而且一忘就是好几天。

在那些炎热而多雨的夏天的晚上，亚特兰大家家户户都向本城的保卫者——军人敞开了大门。从华盛顿街到桃树街的高门大宅都灯火辉煌，人们在那里款待从战壕来到城里的满身泥污的战士；班卓琴和着小提琴，嚓嚓的舞步夹着轻快的笑声，透过夜色直传到远方。一群群人簇拥在钢琴旁，一个个歌喉起劲地唱着语带伤感的《信虽来到惜已迟》，衣衫褴褛的有情郎情意绵绵地望着手摇羽扇、掩面而笑的姑娘，求她们不要犹疑不决，错过了良缘。那帮姑娘除非是万不得已，谁也不会迟疑。歇斯底里的狂欢和亢奋似浪潮般席卷了全城，有情人都匆匆成了眷属。约翰斯顿把敌军阻挡在肯纳索山下的那个月里，这里结婚的人可多了，新娘无不喜滋滋地羞红了脸，一身漂亮的装束都是匆匆忙忙从十来位亲朋好友那里分头借来的，新郎身上挎着的马刀晃荡着，尽往膝盖处的裤子补丁上撞。那么多的喜宴，热闹非凡！带劲极了！真是太好了！约翰斯顿终于在二十二英里外把北方佬给挡住了！

是的，肯纳索山一带的防线是很难攻破的。经过了二十五天的激战后，连谢尔曼将军对此都深信不疑了。因为这一仗他的伤亡极为惨重。于是他不再从正面进攻，而是用老办法来一个大迂回大包抄，打算把部队一直插到南军阵地和亚特兰大中间。这一着果然又一次奏效了。为了保护后方，约翰斯顿不得不忍痛放弃了坚守未失的山头阵地。这一仗他损失了三分之一的兵力，剩下的队伍已是人疲马乏，只好拖着沉重的步子，冒雨向查塔霍奇河方向转移。南军已无兵可增了，而北方佬则已控制了从田纳西往南一直到前线的铁路，所以谢尔曼天天都有新到的援军，有新补充的给养。就这样，南军的部队终于撤到了泥泞的平原，快撤到亚特兰大跟前来了。

本以为坚不可摧的阵地一下子却都丢掉了，这顿时又在亚特兰大城内引起了一阵恐慌。亚特兰大人欢天喜地过了二十五天，本来互相间一谈起来就把胸脯一拍说：这块阵地一定丢不了。而如今竟然丢了！约翰斯顿将军这一次总该在查塔霍奇河的对岸把北方佬顶住了吧。说起来也真是的，查塔霍奇河就近在眼前。离城只有七英里了！

但是谢尔曼再一次采取迂回包抄的战术，绕到上游去偷渡。疲惫至极的南军士兵只好急急忙忙渡过这条黄水小河，再一次堵住敌军向亚特兰大进犯的去路。他们在城北桃树溪的溪谷里匆匆挖了些浅浅的战壕，修起了防御阵地。亚特兰大人着急了，恐慌了。

每打一仗就退一步！每打一仗就退一步！每退一步北方佬就向前逼近一步。桃树溪离城只有五英里了！这位将军心里到底在打什么主意?

“快换一个甘愿牺牲而死守死拼的勇士吧!”的呼声一阵阵直传到里士满。里士满的首脑们知道亚特兰大一旦失守，这仗肯定是输定了，所以在部队渡过了查塔霍奇河之后，约翰斯顿将军就被解除了指挥权。接任他指挥的是他手下的一位军长，叫胡德将军，亚特兰大人这才算稍稍舒了口气。部队换了胡德就不会后退了。这位留着长须、目光炯炯的高个儿肯塔基人是决不会后退的！他是出名的猛将。他一定能把北方佬赶出桃树溪，对，还要赶过查塔霍奇河，要顺着来路把他们一直往回赶，把他们不折不扣地赶回到多尔顿。然而部队里却响起了另一种呼声：“我们要老翰!”因为将士们从多尔顿一路千辛万苦转战至此，始终跟老翰在一起，部队处境之艰难老百姓不知道，他们可是知道的。

谢尔曼根本不让胡德有部署进攻的时间。就在南军阵前易将的第二天，这位北军将领便神速地一举攻克了距亚特兰大六英里处的小镇迪凯特，切断了那里的铁路线。这条铁路可是亚特兰大连接查尔斯顿、威尔明顿、弗吉尼亚的要道。谢尔曼的这一拳，真把南部邦联给打瘫了。再不反击更待何时！亚特兰大人嚷嚷着要反击!

终于，在七月里一个炎热的下午，亚特兰大人算是遂了心愿。胡德将军不甘死守，他干脆在桃树溪一带向北方佬发起了猛烈的进攻。他把守在战壕里的部队全拉了出来，向兵力超过自己一倍有余的谢尔曼所部狠命扑了过去。

这天亚特兰大人真是胆战心惊，只求胡德进攻得手，把北方佬打退。大家都在留心听着那隆隆的炮声和噼噼啪啪密集的枪声，虽说战场离市中心还有五英里之遥，但声音之响听来简直就像只隔着一条街。不但炮声隆隆清晰可闻，抬头还可见天边滚滚的浓烟像低垂的黑云压在树梢上。可是过去了几个小时，仍没人知道胜负如何。

到了傍晚才传来第一批消息，不过消息都还不太确切，也不尽一致，让人听了毛骨悚然，因为都是在战斗之初就负了伤的伤兵带来的消息。起初伤兵是断断续续来的，有的是单身一人，有的是结伴而行，伤势较轻的搀扶着行走不便的。可是没过多久，便汇成了一股不间断的人流。硝烟的污迹混着尘土和汗水，他们的脸都黑得像黑人；没有绷带包扎，他们的伤口都血污干结，苍蝇汇集——千辛万苦一步步挪到城里，投奔医院的都是这样的伤兵。

佩蒂姑妈家在市的顶头，北来的伤兵进城必先到她那一带。他们一个接一个地打着趔趄来到大门口，身子往绿草坪上一倒，便用沙哑着嗓子乞求道：

“给我点水喝!”

那天下午天热得要命，佩蒂姑妈带领全家忙了整整一个下午，黑人白人一齐出动，打了水，拿来绷带，冒着酷暑，替他们舀水喝，替他们包扎伤口，一直包扎到绷带用完，被单撕光，毛巾也一条不剩为止。佩蒂姑妈本来是见了血就要晕倒的，现在也顾不得了。她亲自动手，一直干到那双小脚都肿起来（她的鞋子本来就嫌小），再也站不住了。连已经大腹便便的玫兰妮，也顾不得害羞，跟着普莉西、厨娘和斯佳丽一起拼着命干了起来。看她神情紧张的样子，决不下于那帮伤兵。到后来她终于晕了过去。即使到了这会儿，也只能把她扶到厨房里，让她躺在长桌上，因为屋里张张床上都是伤兵，连椅子和沙发都没有一只空的了。

在一片忙乱中大家都把小韦德给忘了。小韦德一个人蹲在前门廊的栏杆边，像一只关在笼子里的惊恐的野兔，吓得瞪大了眼睛，直盯着草坪。他大拇指含在嘴里，不住地打着嗝。有一次斯佳丽碰见了，就以母亲的威严厉声喝道：“快到后院玩去，韦德·汉普顿!”可是孩子被眼前这乱糟糟的景象吓坏了，也吓呆了，他蹲在那儿就是不去。

草坪上横七竖八躺满了人，个个筋疲力尽，带着各种伤，不但走不了路，连动弹的力气都没了。彼得大叔把这些人装上马车，往医院送；跑了一趟又一趟，连那匹老马都跑得全身是汗。米德太太和梅里韦瑟太太也把自己的马车派了来，帮着一起运送：满车满车的伤兵，压得马车的板簧直往下沉。

漫长、炎热的夏日黄昏降临了。暮色中路上响起了一阵辘辘的车声，那是前方的救护车来了，还有顶上张着满是泥污的帆布的军需车。再后面是农家的大车、牛车，连私人的自备马车都来了，它们全是被军医队征来的。道路不平，车子颠簸得厉害，车上装满了受伤的和垂危的人，滴滴答答的血一路洒落在红色的尘土里。车队经过佩蒂姑妈家门前时，看见这里有几个女人摆放着水桶，手执水勺，便都停了下来，大声地吆喝、小声地乞求，顿时响成一片，说的都是同一句话：

“给我点水喝！”

伤兵们连头都抬不起来了，斯佳丽只好托起他们的脑袋，让他们干枯的嘴唇能润上几口。他们满身尘土，又发着烧，于是她就提起水桶，把水往他们身上浇，既可以冲冲伤口，也可以让他们稍稍松快上片刻。她还没忘记到赶救护车的车夫那儿，踮起脚来把勺子递上去，见到一个人就心急火燎地问：“情况怎么样？情况怎么样？”

他们的回答都一样：“还不清楚，小姐。现在还很难说。”

天黑了。夜间天气闷热，没有一丝风，加上黑人手里又都打着明晃晃的松枝火把，所以越发让人感到热了。斯佳丽鼻孔黏糊糊的尽是尘土，嘴唇也干巴巴的全是尘土。一身淡紫色的印花布衣裳是今天早起才换上的，原本那么干净挺括，如今却斑驳一片，沾满了血迹和汗渍。阿希礼的信上说战争不是什么光彩的事，而是肮脏、痛苦的事，看来就是这个意思了。

斯佳丽人困力乏，觉得眼前的一切都像在做梦，一场噩梦。人世间怎么会有这样的事呢——要真有这样的事，那准是世上的人都疯了。要说是梦吧，她不明明是站在佩蒂姑妈宁静的前院里？不明明是在摇曳的火光下往气息奄奄的男朋友身上浇水？对，是男朋友，这里那么多人都是她的男朋友，他们见了她还都强装笑脸呢。沿着这条尘土飞扬的昏黑路上车晃马颠送来的，有那么多人是她的熟人，此刻他们血迹满面、饱受蚊叮虫咬、眼看着已变得半死不活，又有许多人是跟她一起跳过舞、逗过乐的人，她给他们弹过琴、唱过歌，还拿俏皮话揶揄过他们、温存话安慰过他们，而且对他们还——不无好感呢。

在一辆牛车上，她发现压在最底下的伤员里就有凯里·阿什伯恩，头上有个枪伤，已奄奄一息了。可是她没法把他弄出来，因为要动他一个就得搬开另外六个人，所以只好由着他被随车送往医院。后来听说他还没来得及等医生来就咽了气，死后也就草草埋了，谁也说不准到底葬在哪儿了。那个月里奥克兰公墓里总共不知埋葬了多少人，墓都掘得很仓促，自然都深不了。玫兰妮心里一直很难过：因为她们始终没能替凯里剪下一绺头发，寄给他在亚拉巴马的妈妈。

炎热的夜晚渐渐深了，她们累得腰酸背痛，膝盖都伸不直了，可斯佳丽和佩蒂还是见人就大声问："情况怎么样了？情况怎么样了？"

一直到后半夜，才打听到了准信。一听到这个消息，两人面面相觑，脸色煞白。

"我们退下来了。""不退不行了。""他们比我们人要多好几千呢。""北方佬把惠勒的骑兵队分割包围在迪凯特附近。我们得派救兵去啊。""我们的部队都快要撤进城里来了。"

斯佳丽和佩蒂吓得腿都软了，赶紧相互扶了一把。

"这么说——这么说北方佬要打进来了？"

"是啊太太，是要打进来了，不过他们成不了多大气候的，太太。""别急，小姐，亚特兰大他们是攻不下来的。""打不下来的，太太，城外的工事坚固着哩。""我亲耳听见老翰说来着：'有我亚特兰大就丢不了。'""可我们现在不是老翰带兵了。现在带兵的是——""别胡说了，你这个傻瓜蛋！你是想吓坏太太们还是怎么着？""北方佬永远也休想占领这个城市，太太。""太太，你们为什么不到梅肯一带去避一避呢？那一带要安全些。你们在那儿没有亲戚吗？""北方佬是占领不了亚特兰大的，不过话要说回来，他们一打，太太们的日子怕就不怎么好过了。""炮打起来可够厉害的。"

第二天下雨，到处热气蒸腾，败军冒雨退入了亚特兰大。成千上万的士兵如潮水涌来，经过七十六天且战且退，连饥带累，他们都已拖得筋疲力尽。他们的马匹都饿得只剩下了骨架，靠那些碎绳子、断皮条，勉强把大炮和弹药车在背后拖着。但是他们败而不溃，退而不乱，依然井然有序，衣衫褴褛却意气风发，破碎的大红战旗在雨中招展着。他们在老翰麾下学会了退兵之道，老翰用兵不仅进攻有术，且退兵有方。这支衣衫褴褛、胡子拉碴的队伍，和着《马里兰！我的马里兰！》的节拍大摇大摆地从桃树街开过，全城百姓闻讯一齐出来欢迎。无论是胜是败，终究这是他们自己的队伍啊。

不久前才开上去的州民团，原本崭新、光鲜的军服，现在也弄得乌七八糟，跟那些正规部队的老兵难分彼此了。他们的眼神里流露出一种从未有过的表情。三年来为自己不上前线百般辩解寻找理由，如今都可以抛在脑后了。他们已经抛弃了后方的安宁，去换取了作战的苦难。其中有不少人还抛弃了生的欢乐，去换取了死的痛苦。现在他们都是经历过了大阵势的军人了，虽然只打了一仗，可还是经历了大阵势的，他们的表现可不含糊。他们在欢迎的人群中发现了熟面孔，便以自豪、挑战般的眼光对着他们直看。他们现在也可以昂起头来走路了。

自卫队的老老少少也走过去了，老的已经累得连腿都快挪不动了，小的苦着脸，仿佛小孩子过早遇上了成年人的问题，感到疲于应付。斯佳丽看见了菲尔·米德，差点儿认不出他来了：黑黑的脸上尽是硝烟和尘垢，他的劳累从那紧皱的眉头可见一斑。亨利伯伯一瘸一拐地走了过去，他没了帽子，拿块旧油布剪了个洞套在脖子里，脑袋却只能在雨中淋着。梅里韦瑟爷爷则坐在一辆炮车上，脚上没穿鞋，用一些拼拼凑凑的布条儿裹着。但是她找来找去，就是不见约翰·韦尔克斯的踪影。

然而约翰斯顿部下的老兵却一律迈着坚韧而豪迈的步伐向前走着，三年来他们始终迈着这样的步伐，他们至今还劲头十足，看见有漂亮的姑娘就咧咧嘴、挥挥手，看见没穿军装的男人就喊上几句粗话挖苦挖苦。他们现在的任务就是去防守环城的工事——这里的工事就不是那么几条匆匆赶挖起来的浅沟了，那可都是齐胸高的土工作业，上堆加固的沙袋，顶上还排着尖木桩。红土沟顶上还垒起了红土墩，绵延不绝的战壕环绕全城，只等着来人守卫。

群众像欢迎凯旋的部队一样欢迎了他们。虽说大家心里都很忧虑，可是既然情况已明摆着，既然形势已坏到了这一步，既然战火已烧到了前院，城里百姓的态度也都发生了变化。那种惶惶之态和歇斯底里之状，如今都已经看不到了。心里是什么滋味，现在都不形于色了。大家都显出一副高兴的样子，尽管这高兴是硬装出来的。大家都想在部队面前表现出信心十足、勇敢无畏的样子。大家纷纷学着老翰临被解职前讲的那句话："有我亚特兰大就丢不了。"

既然胡德还是在往后撤，不少群众也就跟士兵们存有同样的想法，那就是很希望老翰能够复出，不过他们都把话放在肚子里，只是用老翰的话来给自己打气：

“有我亚特兰大就丢不了！”

约翰斯顿将军那种小心谨慎的战术，胡德一概弃而不用。他对北军一会儿东边进攻，一会儿西边出击。谢尔曼就把亚特兰大一点点围住，好比一个摔跤运动员，想伺机再揪住对手。胡德不是守在工事里，等待北军来攻，而是冒冒失失地出击，死命向对方扑去。短短几天工夫，两军在亚特兰大和埃兹拉教堂便接连打了两仗，这两仗都是大仗，相形之下桃树溪之战只能算是小接触了。

然而北方佬总是打退了又来、步步紧逼。他们虽伤亡惨重，却照样承受得起。他们的大炮只管不断地向亚特兰大城里轰击，打死了房内的百姓，掀掉了民房的屋顶，并在街上炸出了一个个大坑。城里的居民都尽可能找地方躲避着，有的躲在地窖里，有的躲在地洞里，也有的躲在铁路道口浅浅的地道里。亚特兰大眼看就要被围攻下了。

胡德将军就任十一天，损失的兵力就几近约翰斯顿且战且退七十四天人员伤亡的总数，而造成的结果，则是亚特兰大三面被围。

亚特兰大通往田纳西方向的铁路现已全部落入谢尔曼手中。往东的铁路线上又都是他的部队，朝西南通向亚拉巴马的铁路也已被切断。只有南去梅肯和萨凡纳的铁路至今还可以通。城里士兵、伤员、难民一大堆，仅凭这么一条铁路如何应付得了这么一个人满为患的城市眼下的急需？不过，只要这条铁路一天不失，亚特兰大总还能坚守一天。

斯佳丽一下子明白了，由于这条铁路现在举足轻重的地位，谢尔曼必将奋力来夺取，胡德也必将拼命死守，她吓坏了。因为这条铁路穿过自己的家乡县，通向琼斯博罗。而塔拉庄园离琼斯博罗只有五英里！比起这人间地狱般的亚特兰大，她觉得塔拉庄园真可以算是个洞天福地了，可惜塔拉庄园离琼斯博罗才五英里！

亚特兰大之战打响的那天，斯佳丽和另外好几位太太起先都还撑着小伞，坐在店铺房子的顶上看打仗。可是没多久街上就落下了第一发炮弹，吓得她们连忙逃进地窖里。也就是从那天晚上起，城里的妇幼老弱开始大批大批地撤离。他们的目的地是梅肯。当夜就搭车走的有许多是老难民了，他们跟着约翰斯顿从多尔顿一路撤下来，已经辗转过五六个地方了。他们的行囊比初到亚特兰大时又轻了许多。多半只带了一只手提包，另外还有一顿用印花大手绢包裹着的极简单的午餐。时而还可以看到有战战兢兢的奴仆手里提着银质的水壶和刀叉，甚至还有捧着一两张老祖宗肖像的，那显然是最初从老家出逃时抢出来的。

梅里韦瑟太太和艾尔辛太太都不愿走。一则是医院里少不了她们，二则是她们也很傲气，说她们不怕，北方佬可别想把她们赶出自己的老家。不过梅贝尔还是带着孩子和芳妮·艾尔辛一起到梅肯去了。米德太太跟大夫过了大半辈子，还是头一次没听丈夫的话，大夫让她搭火车去避一避，她一口回绝了，说什么也不走。说是大夫少不了她。再说，菲尔还守在城外的战壕里，万一有点什么，也可以有个照应，以免……

但是惠丁太太走了，斯佳丽的交际圈里还有好几位太太也都走了。佩蒂姑妈当初头一个起来谴责老输一个劲儿地往后撤，现在打点行装准备逃难她倒打了头阵。她说自己神经脆弱，听不得大的声响。她担心自己一听到炮弹爆炸声就会昏倒，哪还来得及往地窖里躲？不，她决不是害怕。她的娃娃嘴想做出一副勇敢的样子来，可怎么都做不像。她要到梅肯去投奔她的表姐伯尔老太，她让斯佳丽姑嫂俩也跟着一块儿去。

斯佳丽可不想到梅肯去。虽然她害怕炮轰，可是如果要她去梅肯她宁愿留在亚特兰大，因为她恨透了伯尔老太。这事还得从几年前说起，一次韦尔克斯家举行一连几天的宴会，斯佳丽跟老太太的儿子威利亲了个嘴，正好被老太太撞见，为此老太就骂斯佳丽"轻浮"。所以斯佳丽便回答佩蒂姑妈说："不，我要回塔拉去，让兰妮陪你到梅肯去吧。"

玫兰妮一听这话，又害怕又伤心，竟号啕大哭起来。佩蒂姑妈吓得赶快去派人请米德大夫，就趁这工夫，玫兰妮一把抓住斯佳丽的手，央求说：

“亲爱的，你可不能扔下我自己回塔拉！没有你做伴我太冷清了。斯佳丽呀，我临产的时候要是没有你在身边，我倒真还不如死了算了！是啊——是啊，我也知道还有佩蒂姑妈可以帮我，她人也挺好的。可她到底没有生过孩子啊，而且有时候她还真会惹得我心烦，弄得我直想哭。别扔下我吧，我的乖乖。我一直把你当亲姐姐，而且，”说到这里她淡然一笑，“你答应过阿希礼要照顾我。他临走的时候告诉我了，说他会托你照顾我的。”

斯佳丽直直地看着她，心里着实有点大惑不解。她对兰妮一向是极反感的，这种反感有时甚至掩饰不住了，而兰妮怎么会这么爱她呢？兰妮怎么会这么傻，竟然不疑心她心里爱着阿希礼？前几个月阿希礼情况不明，她斯佳丽朝思夜盼，度日如年，也不知有多少次无意间泄露了真情。可是玫兰妮竟什么也没看出来，对自己喜爱的人她就是只见长处，不见短处……是的，她斯佳丽答应过阿希礼要照顾玫兰妮的。阿希礼呀，阿希礼！你是不是已经死了呀，已经死了好几个月了吧！还不是因为我对你有言在先，才弄得我今天添了累赘！

“那好吧，”她直截了当地说，“我是答应过他，我也决不食言。不过我是坚决不会去梅肯投奔伯尔家那个刁老婆子的。见了她，保管不出五分钟我就会把她的眼珠子抠出来。我要回塔拉去，你就跟我一块去吧。你去的话妈一定会很高兴的。”

“这个主意好倒是好，你妈待人可亲切了。可是你也知道，我临产的时候姑妈是一定要在身边的，不然她会不依不饶，要她到塔拉去呢，我知道她是绝对不肯的。因为那儿离火线太近了，姑妈是安全第一。”

米德大夫气喘吁吁地赶来了。他见佩蒂姑妈仓皇派人来请，还以来玫兰妮出了什么大事，怕至少是早产什么的，到这里一看，他生气了，不免埋怨了几句。待问清了争执的缘由，他便斩钉截铁、不容分说地说了几句，把问题解决了。

“你到梅肯去哪儿行呢，兰妮小姐。你要出门的话，我对你就概不负责。火车非常拥挤，而且也靠不住，万一途中被征用，要去运送伤兵、部队，或者给养什么的，乘客随时都可能被赶下车，被困在树林子里进退不得。你是有身孕的——”

“可要是我跟斯佳丽到塔拉去呢——”

“告诉你说我不同意你出门。去塔拉的车就是去梅肯的车，情况是一样的！再说，现在谁也不知道北方佬的部队究竟到了哪儿，反正是到处都有他们的踪迹。你乘火车的话，说不定火车还会给抢了去。就算你平安到达了琼斯博罗，到塔拉庄园还得坐马车，有五英里崎岖的路。怀着胎儿怎么走得了这段路！再说，自从老方丹大夫参加了部队，你们县里已经连个大夫都没有了。”

“接生婆还是有的——”

“我说的是大夫，”大夫毫不客气地岔开了她的话，眼睛不知不觉把她瘦小的身躯上下打量了一番，“反正我不同意你出门。你要是出门的话弄不好要出乱子的。你总不至于想把孩子生在火车上或者马车里吧？”

大夫这顿数落，窘得几位女士都涨红了脸。一句话也说不出来。

“你就好好给我留在家里吧，我也好随时来照料你。你一定要好好卧床休息，不要在楼梯上跑来跑去，往地窖里钻。哪怕炮弹从窗口打进来，也不要去躲。这里的危险毕竟还不是很大。我们很快就可以把北方佬打退的。……好了，佩蒂小姐，你就赶快到梅肯去吧，两位小姐就留在这儿。”

“那怎么行，也没个长辈照应？”佩蒂姑妈吓得叫了起来。

“她们都是太太了，”大夫火都上来了，“再说，相隔不过两户人家，还有我太太在哩。反正兰妮小姐待产在家，又不会有男客上门。佩蒂小姐，你也真是的，现在是战争时期，还讲究这么多规矩干什么？还是多为兰妮小姐考虑考虑才是正经。”

说完他就噔噔地走了出去，到前门廊上等着斯佳丽出来。

“有些话我想跟你坦率地谈一谈，斯佳丽小姐，”斯佳丽一过来，他就捻着花白胡子说开了，“看来你是一位通情达理的小姐，所以听我说这些话你也用不着脸红。让兰妮小姐去避难的事，今后可千万别再提了。恐怕她未必经得起路上的折腾。就是让她待在舒舒服服的环境里，她生产起来也不一定会很顺利——你知道，她产门太窄，分娩时不用钳子钳取恐怕不行，所以我说什么也不能让那帮无知的黑人接生婆来插手。像她这样的妇女，其实根本就不应该生育，可——好了，闲话少说，你快去帮佩蒂小姐收拾行李，让她到梅肯去吧。她那副失魂落魄的样子会把兰妮小姐吓坏的，真是成事不足败事有余。对你我也有句话要说，小姐，”说着他两道锐利的目光盯住了她，“希望你从此别再提回家的事了。你就安心地陪着兰妮小姐，等她生下孩子再说吧。你该不会害怕吧？”

“我才不怕呢！”斯佳丽做出刚强的样子，说了句违心的话。

“真是个勇敢的姑娘。需要人做伴的话，我太太可以效劳；如果佩蒂小姐要把仆人一起带走，我就派老妈子贝特西来替你们做饭。反正也不会等多长时间了。再过五个星期，孩子就该出生了，不过她这是头胎，到处又在打炮，所以话就很难说了。孩子不定哪天就呱呱落地了。”

于是，佩蒂姑妈就眼泪汪汪地带上彼得大叔和厨娘到梅肯去了。临走前她忽然爱国之心大发，把车马捐赠给了医院，可是马上又后悔了，所以哭得也就越发厉害了。现在跟斯佳丽和玫兰妮做伴的便只有韦德和普莉西了，虽然依然整天炮声不断，屋里却似乎一下子安静了许多。

19

北军发动攻城战的头几天对亚特兰大的城防工事进行了炮击，炮弹四处开花，吓得斯佳丽两手掩耳、缩成一团直打哆嗦。她时刻提心吊胆，生怕一炮打来就会要了她的命。只要一听见炮弹飞来前的呼啸她就赶紧冲到玫兰妮的房里，扑到她的床上，两个人紧搂在一起，一边把脑袋拼命往枕头里钻，一边“哎呀！哎呀”地直嚷嚷。普莉西和韦德也急忙往地窖里一钻，就蜷缩在那黑洞洞的蜘蛛网里。普莉西是扯开了嗓门哇哇乱叫，韦德则哭哭啼啼，还一个劲儿地打嗝。

头上是死神呼啸，鼻子底下是羽绒枕堵得透不过气来，急得斯佳丽在心里暗暗直骂玫兰妮：都是她，害得自己不能钻地窖，地窖里总要安全些吧。可是大夫不许玫兰妮走动，而斯佳丽又不能不守在她身边。她不仅怕被炸得粉身碎骨，让她同样担心的是：不定什么时候玫兰妮的孩子就要出生了。只要一想到这一层，斯佳丽身上就会急出一身冷汗来。要是孩子生出来了怎么办？她自己心里清楚：炮弹像春雨一样说来就来，在这种时候自己是宁可让玫兰妮难产死掉，也绝不会出门去找大夫的。她也清楚：普莉西这丫头也一样，你就是把她打死，她也决不肯去冒这个险的。孩子要出来了可怎么办呢？

一天晚上，在替玫兰妮安排晚饭时，她跟普莉西悄悄商量起这件事来，万万没想到普莉西几句话就把她的顾虑打消了：

“我说斯佳丽小姐，兰妮小姐真要是生了，即使没有大夫你也不用发愁。我会。接生的事我全懂。我妈不就是个接生婆吗？她不是也让我学着做接生婆吗？放心吧，这事儿你就交给我得了。”

斯佳丽见有个有经验的在身边，这才松了口气，不过她还是巴不得这场磨难能够早早过去。她心急火燎，只想能尽快离开这个挨炮轰的鬼地方，回到宁静的塔拉庄园去，所以她天天在夜里祈祷，期盼娃娃第二天就能出世，好让她从诺言的束缚中解脱出来，赶快离开亚特兰大。在她看来只要一到塔拉庄园就安全了，就可以摆脱掉这一切苦难了。

斯佳丽这辈子还从没这么想家，她思念老家，想念母亲。只要母亲在身边，就是出了天大的事她也不怕。白天里听了一天炮弹的呼啸声和震耳欲聋的爆炸声，到晚上睡觉的时候哪天她不是铁了心，打算第二天一早就去对玫兰妮说：这亚特兰大的苦日子她算是挨够了，她不得不回家了，玫兰妮只有到米德太太那儿去住了。可是一躺到床上，眼前就会浮现出阿希礼的面容，这是她最后一次见到阿希礼的面容：一脸愁云，足见其内心的痛苦，然而嘴角上却又挂着一丝淡淡的笑容：“请你替我多照看照看玫兰妮，好吗？你为人刚强。……请答应我吧。”她是答应了这个请求的。而如今阿希礼也不知长眠在何处。不管他长眠在何处，他的眼睛反正总在凝视着她，要求她信守诺言。她呢，不管他是生是死，反正也决不能让他失望，不管付出多大的代价。所以结果还是日复一日地留了下来。

母亲一再来信求她回去，她就尽量在回信中少提这里危险的围城生活，多说玫兰妮眼下的处境有多困难，答应等孩子一生下来马上就回家。母亲向来看重亲戚的情谊，对本家、亲家都一样，无奈只好来信表示同意，说斯佳丽自然理应留下，不过韦德和普莉西还是应尽快赶回家。这话普莉西最赞成不过了，她现在只要一听到突然的声响，就会牙齿直打战，呆呆的像个白痴。平时她又老躲在地窖里，要不是米德太太派来了木头木脑的老妈子贝特西，斯佳丽她们简直连顿像模像样的饭都别想吃上。

斯佳丽也跟母亲一样急于要把韦德送出亚特兰大。那不只是为了孩子的安全着想，看着孩子经常这样提心吊胆，她心里实在也烦。只要炮声一响，韦德就吓得成了哑巴，炮声都停了，孩子还是死死抓住她的裙子不放，吓得连哭都哭不出来。晚上他不敢去睡，他害怕那一片漆黑，怕睡着了会让北方佬抓了去。夜里他那失魂落魄的低声呜咽一声声直刺斯佳丽的神经，让她实在受不了。其实她心里也跟孩子一样害怕，可是孩子那紧张得都变了形的脸一直摆在她眼前，使她片刻也驱遣不开恐惧的心理，这惹得她很恼火。对，韦德还是到塔拉庄园去的好。就让普莉西送他去吧，送到即回，以免错过玫兰妮的产期。

然而还没等斯佳丽来得及打发他俩上路，就传来消息，说是北军已经南下，亚特兰大和琼斯博罗之间的铁路沿线已经发生了小接触。要是韦德和普莉西搭火车走的话，万一列车被北方佬截获……想到这里斯佳丽和玫兰妮脸都白了，因为谁都知道北方佬对稚弱的儿童都会下毒手，比他们作践妇女的手段还可怕。所以她就没敢把孩子送回老家，孩子依然留在亚特兰大，成了个畏畏缩缩的小哑巴，一直死死地跟着妈妈噼里啪啦东奔西跑，小手牢牢抓着她的裙子，一刻也不敢放。

攻城战就在炎热的七月里进行着，沉寂的夜晚总是阴森森的，令人心惊肉跳，天一亮照例又是炮声隆隆的一天。对此亚特兰大人也就渐渐适应了。似乎形势既已演变到了这最坏的一步，他们也就再也没有什么可以担心的了。他们本来担心亚特兰大被围，现在既已被围，倒也并不觉得太可怕了。日子大致还可以照常地过，而且也都过来了。虽然他们明知自己是坐在火山口上，可也只能坐等火山爆发，毫无办法。所以又何必过早地去操这份心呢？说不定火山根本就不会爆发呢。你看，在胡德将军的坚守下，北方佬不是还没攻进来么！骑兵队不是很有办法，把通往梅肯的铁路守住了么！谢尔曼休想夺下这条铁路！

然而，尽管他们在这战火纷飞、口粮日缺的形势下表面上还是显得满不在乎，尽管他们对近在半英里外的北方佬装作视而不见，尽管他们对坚守在战壕里的衣衫褴褛的南军战士寄以无限的信任，但在亚特兰大人那层薄薄的表皮底下跳动的其实是六神无主的脉搏：

过了今天，还不知道明天会怎么样？忧虑、焦急、悲伤、饥饿，再加上忽起忽落的希望、一波三折的磨难，把他们那层表皮磨得越来越薄了。

因为看到朋友们都是一副大无畏的神气，加之上天大慈大悲，赐给人自能适应那种无以治之、唯有忍之的环境的本能，所以斯佳丽的胆子便渐渐壮了。她听见爆炸声仍然还要吓一跳，但是已经不再哇哇乱叫地冲到玫兰妮房里去用枕头捂着脑袋。她居然也会倒抽一口冷气，怯生生地说："这一炮打得很近，是不是？"

她心里少了几分恐惧，还有一个原因是因为她觉得这日子简直像做梦，这么可怕的情景，只应在梦境中出现。她斯佳丽·奥哈拉绝不可能身处这样的危难中，弄得时时刻刻都有死于非命的危险。本来平平静静的生活，绝不可能一下子就这么地覆天翻地变了个样。

真像是一场梦，一场荒唐的梦！天刚破晓时还是一碧如洗的晨空，转眼就会漫上一团冲天的硝烟，像夹着雷电的低低的乌云一样将全城笼罩；热气腾腾的中午本来花香四溢、沁人心脾，大片大片的是忍冬；藤藤蔓蔓的是蔷薇。可是冷不防就会来个大煞风景：一阵炮弹夹着呼啸从天而降，天崩地裂般在街上炸开了花，四散的弹片飞蹦出好几百码远，首当其冲的无论是人还是牲畜莫不成为肉酱。

下午再也不能在恬静、倦怠的气氛中歇息了，因为炮火的喧嚣虽也时而沉寂，可是桃树街上那熙熙攘攘的闹声却不绝于耳：一会儿是炮车和救护车的隆隆声；一会儿是撤离火线退进城的伤兵跌跌撞撞的声响；有急行军的部队奉命从城外某一处战壕赶去支援另一处情况吃紧的部队；还有横冲直撞向司令部飞驰而去的传令兵，那着急的样子好像整个南部邦联的命运都系于他一身似的。

炎热的夜晚降临了，带来了一丝安宁，但是这安宁总让人感到很不是味儿。夜深人静时，却又静得过了头——仿佛连雨蛙、纺织娘和睡眼惺忪的模仿鸟都心有余悸，不敢一起放声来唱它们以往夏夜的大合唱似的。不时从最后一道防线上传来的几声噼噼啪啪的枪声，刺耳地打破了沉寂。

夜半三更，灯都熄了，玫兰妮也睡熟了，死一般的寂静笼罩了全城，斯佳丽却难以入眠。她时常会听见外大门门闩响，一会儿宅门口便会响起轻轻的、急促的敲门声。

出去一看，黑沉沉的门廊上总会有一些士兵，不过看不清他们的面容，黑咕隆咚中跟她说话的各种嗓音都有。有时黑影里传来的话音非常斯文："夫人，非常抱歉，打搅你了：能不能请你给我点水喝，让我饮饮马？"有时候喉音很重，是山里人的口音，有时候带有古怪的鼻音，听得出是南部远方草原地带的人，偶尔也有说话慢声慢语的，一副海边人的腔调，斯佳丽一听心都揪紧了：她想起母亲说话的样子。

"小姐，我这儿有个伙伴，本想把他送到医院去，可看来恐怕是到不了了。你就把他收留了吧？"

"太太，给我找点东西吃好吗？如果你还有多的玉米饼，能给我吃一个就太好了。"

"夫人，对不起，恕我冒昧，我想在你家的门廊里过一夜，行吗？我看到这里有蔷薇，还闻到了忍冬的芳香，这儿太像我的老家了，因而我斗胆——"

不，那都是做梦！一定是在做噩梦，那些士兵无非也都是她梦中的幻觉，所以既看不见他们的身形也看不见他们的面容，只听见疲惫的声音在一片漆黑中跟她说话。打水，张罗吃的，在前门廊上铺地铺，包扎伤口，捧起垂死者脏乎乎的脑袋。不，这样的事对她来说是不可能的，这只能是梦！

七月下旬的一天夜里，门口敲门的竟是本家的亨利伯伯。亨利伯伯现在不但没了雨伞和毡包，连他那个大肚子也不见了。原本胖鼓鼓红润润的脸蛋，现在脸皮都松松地垮了下来，好似喇叭狗脖子下坠着的肉团，一头长长的白发脏得让人难以描述。脚上的鞋子也是虽有若无，满身是虱子，肚子又饿，但是那火暴的脾气却依然如故。

尽管他嘴上说："连我这样的老糊涂都去扛枪了，这不是个荒唐的仗么。"但是斯佳丽她们得到的印象是：亨利伯伯心里却是挺高兴的。他跟年轻人一样得到了征召，挑起了年轻人的担子，而且干得一点儿也不比年轻人差。他还乐呵呵地告诉她们，梅里韦瑟爷爷就做不到这一点。老爷子的腰痛病犯得很厉害，连长想要打发他回家。

可是老爷子说什么也不肯回去。他坦白说，他宁愿在这里被连长臭骂和训斥，也不愿回家让儿媳侍候，儿媳老是让他戒掉嚼烟叶的习惯，还非要他每天洗胡子不可，那个唠叨他可受不了。

亨利伯伯不能久留，因为他只请了四个小时的假，从城外的工事到城里来回一趟就得两个小时。

“孩子们，以后我暂时就不能来看你们了。”斯佳丽给他端来了一盆冷水，他就在玫兰妮的房里一坐，一边把起了泡的脚浸在水里痛快地洗起来，一边对她们说，“我们连明天一早就要开拔了。”

“去哪儿？”玫兰妮一把抓住他的胳膊，吃惊地问。

“快别碰我，”亨利伯伯烦躁地说，“我一身的虱子。只可惜打仗要生虱子、得痢疾，不然的话打打仗倒是蛮有趣的。你问我去哪儿？这个嘛，命令还没宣布，不过我倒是已经看准了。要是没有看错的话，那明天一早准是往南开，朝琼斯博罗的方向去。”

“咦，为什么要朝琼斯博罗的方向去呢？”

“因为在那儿难免要打一场大仗，姑娘。北方佬千方百计要夺取那边的铁路。那边的铁路一旦落到他们手里，那我们跟亚特兰大从此也就要再见了！”

“哎呀，亨利伯伯，你看会落到他们手里吗？”

“哪儿的话，姑娘！没事的！有我，哪儿能呢？”亨利伯伯见她们满面惊恐，便故意先咧嘴一笑，然后又正色说，“这一仗可是场硬仗啊，姑娘们。我们是只许胜不许败的。当然你们也知道，除了这条去梅肯的铁路，其他几条铁路都已落到北方佬手中了，可他们还不只是控制了铁路。你们可能还不知道，他们把大大小小所有的道路都控制了，眼下只有去麦克多诺的大路还在我们手中。亚特兰大好比已经被装在了口袋里，琼斯博罗就是这口袋收口的地方。北方佬只要占领了那边的铁路，就可以收紧袋口，瓮中捉鳖，把我们一网打尽了。因此我们决不能让他们占领那条铁路。……我这一去恐怕一时回不来了，姑娘们。所以今天是特地来向你们告别的。看到斯佳丽还在陪着你，我也就可以放心了，兰妮。”

“她怎么会不陪着我呢，”玫兰妮天真地说，“你不用为我们操心，亨利伯伯，你自己可千万要保重啊。”

亨利伯伯把湿淋淋的脚提起来在碎毡地毯上擦干，叹了口气，重又穿上破烂不堪的鞋子。

“我得走了，”他说，“我还要赶五英里的路呢。斯佳丽，给我弄点吃的带上。随便什么都行。”

他吻别了玫兰妮，下楼来到厨房，斯佳丽拿一块餐巾包了块玉米饼和几只苹果。

“亨利伯伯——难道——难道局势真有这么严重吗？”

“严重？哎呀，那还有假！别再糊里糊涂了。我们已到了山穷水尽的地步了。”

“你看会打到塔拉吗？”

“什么——”亨利伯伯生气了：真是妇人之见，大事不问，尽想着自己家的私事。可是看她一脸愁眉苦脸的惊恐样，他就又不忍心了。

“不会，不会。塔拉离铁路线有五英里呢，北方佬要的只是铁路。你这颗小脑袋瓜怎么这么不管用呀，小姐。”说到这里他突然话锋一转，“我今天晚上大老远的特地跑来，可不单单是来向你们告别。我是要来报告兰妮一个不幸的消息，可刚才几次想说，总是张不了口。所以只好托你设法转告了。”

“该不是阿希礼——你是不是听到什么消息了——莫非他——死了？”

“嗨，我一天到晚待在战壕里，泥浆都漫到裤裆了，我怎么会有阿希礼的消息呢？”老先生气呼呼地说，“不是阿希礼。是他父亲：约翰·韦尔克斯死了。”

斯佳丽突然一屁股坐了下来，手里还捧着没包好的食物。

“我是特地来告诉兰妮的——可就是说不出口。你好歹替我说了吧。同时把这些交给她。”

说着他从口袋里掏出了几样东西：一只大号金表，表链上挂着几颗印章；一枚象牙小像，画中人是作古已久的韦尔克斯太太；还有两只奇大的衬衫袖扣。这只金表可是斯佳丽在韦尔克斯先生手里见惯了的，所以此刻一见，便如梦方醒，这才彻底明白过来：阿希礼的父亲真的死了。她怔怔地哭不出来，也说不出话。亨利伯伯站也不是、坐也不是，只好咳嗽几声，避开她的眼光，生怕见了眼泪，自己也受不住。

“他真不愧是个勇敢的人，斯佳丽。你把这话告诉兰妮。让她写信也告诉他家中的女儿。他虽然年迈，可是个优秀的军人。一发炮弹打中了他。恰巧连人带马打了个正着。打得连那马——可怜的畜牲，我只好一枪送它断了气。那匹小骒马可真是匹好马。这事也请你们写信告诉一下塔尔顿太太。她是极其珍爱这匹马的。快替我把吃的包好，孩子。我得走了。好了，亲爱的，不要太难过了。一个老人能挑起年轻人的担子，为此而献出了生命，还有什么死法比这更光荣的呢？”

“哎呀，他根本就不应该死！他根本就不应该去打仗。按理说他应该安享晚年，看着自己的孙儿长大，将来寿终正寝。真的，他又何必要去打仗呢？他本身就不赞成南北分裂，他根本就反对打这个仗，他——”

“我们有这种想法的也不在少数，可是有什么用呢？”亨利伯伯气鼓鼓地擤了擤鼻子，“你以为我这么一大把年纪，让北方佬当枪靶子打是觉得有趣么？可这年头，要不丢掉身份就不能不这么干。亲亲我，跟我说再见吧，孩子，你不用为我担心。等仗打完了我一定能平安归来的。”

斯佳丽跟他吻别后，便听见他走下台阶，听着脚步声渐渐消失在黑暗中，不一会儿便又听见外大门上门闩咔嗒一响。她站在那儿，望着手里这堆遗物直发呆。半晌，才上楼去把消息报告给玫兰妮。

七月底，果然应了亨利伯伯的话，传来了不愉快的消息：北方军又一次采取迂回战术，直扑琼斯博罗。他们曾在琼斯博罗以南四英里处切断了铁路，不过南军的骑兵还是打退了他们，接着工兵顶着烈日，挥汗修复了铁路。

斯佳丽都快急死了。她足足等了三天，是越等心里越害怕。后来接到了父亲的来信，才算放了心，知道敌军并没打到塔拉庄园。庄园上的人虽听到了枪炮声，但是连北方佬的影子都没见到。

父亲在信上谈及侵犯铁路的北军如何被击退一事，着实大吹大擂了一番，让人看了还以为这都是他单枪匹马立下的大功呢。他整整写了三大页部队的英勇事迹，直到结尾才简单地提了一下，说是卡丽恩病了。据母亲说，这症状是伤寒。好在病情不算很严重，叫斯佳丽不必担心，这个时期就是铁路上太平了，也千万不要回家。母亲说从目前的情况来看幸亏斯佳丽和韦德当初没有回家。又千叮咛万嘱咐斯佳丽一定要去做礼拜，多念几遍《玫瑰经》，祝卡丽恩早日康复。

看到这最后一句，斯佳丽心里一阵不安，因为她已经好几个月没有去做礼拜了。要是以前，她会觉得不做礼拜是一项不可饶恕的大罪，可现在不知怎么的，却觉得不上教堂也不见得就那么罪孽深重了。不过她还是遵从母命，到自己房里去匆匆念了一遍《玫瑰经》。念完后便站了起来，内心并没有像以前做完祷告后那样感到宽慰。最近这段时间，她总觉得尽管她们南方人天天都要向上天祈祷多少次，可上天对她，对邦联，对南方，却似乎已经不再有眷顾之意了。

那天晚上她把父亲的信揣在怀里，在前门廊里坐着，不时伸出手来摸摸信，仿佛一摸到信，塔拉庄园和母亲就近在身边似的。客厅的窗口亮着一盏灯，在藤蔓缠绕的黑沉沉的门廊上投下了金色斑驳的光影；嫩黄的蔷薇和忍冬一团团簇成一片，浓浓的花香混合在一起在她身旁荡漾。黑夜里万籁俱寂。太阳下山后连枪声都停息了，她似乎已经远离了世界。斯佳丽坐在摇椅里摇啊摇啊，自从看了家乡的来信，只感到寂寞凄凉，巴不得有个人做伴，什么人都可以，哪怕是梅里韦瑟太太她都不嫌。此时梅里韦瑟太太在医院值夜班，米德太太也在家里招待从前线回来的小儿子菲尔，玫兰妮在睡觉。也别指望有什么不速之客会上门来。最近一个星期以来，上门的客人已经减少到了零，因为凡是还走得了路的，不是守在战壕里，就是在琼斯博罗附近的乡下追击北方佬。

这样一人独处，在她是不常有的，因而她觉得很不是滋味。独自一人，不能不胡思乱想，这年头胡思乱想可不是那么让人愉快的事。她也跟别人一样，养成了缅怀往事、思念故人的习惯。

这天晚上亚特兰大一片沉寂，所以她能够闭上眼睛，权当又飘然回到了塔拉宁静的田园里，依然生活在那里，以后也长此不变。不过她心里很明白县里以前的光景是再也不会出现了。她想起了塔尔顿家的四兄弟——那对红头发的双胞胎，还有汤姆和博伊德——一时只觉得一股悲伤袭来，连嗓子眼儿都发紧了。唉，斯图特和布伦特本来谁都可能做她丈夫。可现在呢，等打完仗她回塔拉庄园却再也听不到他们从杉树道上骑马驰来时的怪叫声了。还有那个舞艺超群的赖福·卡尔弗特，他再也不会来请她跳舞了。还有芒罗家的几个小伙子，还有小个子乔·方丹，还有——

“啊，还有阿希礼!”她捧着脸哭了起来，“我总是忘了你已经不在人世了!”

她听见外大门咔嗒一响，慌忙抬起头来，赶快把眼泪擦干。站起来一看，原来是瑞特·巴特勒手里拿着阔边巴拿马草帽迎面走来。自从那天在五角场不管三七二十一从他车上跳下去，她还不曾跟他见过面。那一次她明白表示过今后再也不想见到他了。可此刻她巴不得有个人来说说话，免得再去思念阿希礼，所以就赶紧把那段往事抛到脑后。瑞特显然已经忘了那件尴尬事，或许是装作已经忘了，反正他来到台阶顶上，在她脚边一坐，只字不提上次冲突的事。

“这么说你还没有逃到梅肯去！我听说佩蒂小姐去避难了，以为你一定也去了。所以刚才见到这里有灯光，就特意进来查看查看。你怎么没走?”

“要留下来陪玫兰妮嘛。你想呀，她——哎，在这节骨眼儿上她怎么能去逃难呢。”

“糟糕!”他眉头紧锁，“这么说韦尔克斯太太也还在这里？这也太糊涂了！她有身孕，多危险啊。”

斯佳丽窘迫得一声不吭：身孕不身孕的，这种事怎么能跟男人说呢？她发窘还有一个原因，就是见瑞特居然也知道玫兰妮危险。一个单身汉，按说不该懂这些的。

“你就没想到我也有可能被伤着，可见你全无侠义之心。”她尖酸地说。

他眼睛眨了两下，觉得好笑。

“哪天要是北方佬来了，我赶来营救就是。”

“难道你这也算是一句恭维话？”她颇有点不以为然。

“我这根本不是恭维话，”他说，“你就爱听男人华而不实的恭维话，这个性要到什么时候才能改改？”

“等我死了再改吧。”说着她微微一笑，心想：就算你瑞特不恭维我，这世上反正永远少不了恭维我的男人。

“太爱虚荣了！太爱虚荣了！”他说，“不过你至少还是直率地说了出来。”

他打开烟盒，取出一支上等雪茄，放在鼻子底下闻了闻，这才用火柴点上了，身子往后一仰，靠在廊柱上，双手抱膝，默默地抽了一会儿烟。斯佳丽自管自地在摇椅上摇了起来，四下一片沉寂的黑暗，夜是炎热的。巢居在蔷薇、忍冬丛中的模仿鸟从睡梦中醒了过来，怯生生且清脆地叫了一声，后来似乎又改变了主意，不再叫了。

门廊的暗处突然传来了瑞特的笑声：低声细语的一笑。

“这么说是你在陪着韦尔克斯太太！这样的怪事我生平还是第一次碰到！”

“我看这没有什么可奇怪的。”她立刻警觉起来，用一种不安的语气答道。

“没有什么可奇怪的？由此可见你看问题还缺乏点客观的眼光。我早就有这么一个印象，就是觉得你向来有点看不惯韦尔克斯太太。你觉得她又傻又蠢，她的爱国观念也让你感到讨厌。你平时总是不放过一切机会，在言谈中总要搭上两句话揶揄揶揄她，简直已经习以为常了。所以看到你现在居然肯不顾自己的安危，陪她留在这战火纷飞的城里，就不免让我感到奇怪了。你倒说说，你这样做到底是为什么？”

“因为她是查理的妹妹——也就是我自己的妹妹。”斯佳丽极力做出一副严肃的神情，尽管觉得脸上渐渐有点发烫了。

“你的意思该不是说因为她是阿希礼·韦尔克斯的遗孀吧。”

斯佳丽怒不可遏地霍地站了起来。

“我本来想宽恕你，准备不再计较你以前的粗鲁行为，可现在不能了。老实说，我本来也决不会让你迈进这个门廊的，只是因为今天我实在没心思——”

“坐下来，安静一下。”他马上换了副口气，说着就伸出手抓住了她的手，拉她重新坐到椅子上。“请问你为什么没心思?”

“哦，我今天收到了塔拉庄园的来信。北方佬的军队已经离我家不远了，偏偏我的小妹妹又染上了伤寒，所以——所以——所以现在即使我有可能实现回家的心愿，母亲也不会让我回去了，她怕病会传染给我。哎呀，真是的！我多想回家啊!”

“得了，这有什么好伤心的呢，”他话是这么说，口气却变得亲切了，“即使北方佬真的来了，你在亚特兰大也要比在塔拉庄园安全多了。北方佬伤害不了你，倒是伤寒不会放过你。”

“北方佬伤害不了我?你怎么能这样造谣惑众?”

“我亲爱的姑娘，北方佬又不是妖魔鬼怪。他们没长着三头六臂，才不是你想象的那样呢。他们跟南方人也差不多——当然在礼仪上要差一些，口音也很难听。”

“哎呀，北方佬可是要——”

“要强奸你是不是?我看不会吧。当然，他们内心里也不一定不想。”

“要是你老说不三不四的话，我可要进去了。”她嚷嚷起来，脸涨得通红。幸亏在黑影里，别人看不见。

“老实说吧。我这话是不是正说中你的心事了?”

“才没那事呢!”

“没那事才怪！心事被我看出了，也犯不上跟我生这么大的气嘛。其实南方所有高雅、贞洁的女士，没有不揣着这样的心事的。她们经常为此而忧心忡忡。我敢保证，就连梅里韦瑟太太这样的长者……”

斯佳丽暗暗倒吸了口凉气，她想起来了：在最近这段度日如年的日子里，太太们只要三三两两碰到一起，就没有不嘁嘁喳喳议论这种事的，所说的事总是发生在弗吉尼亚、田纳西、路易斯安那那些地方，反正就没有发生在附近一带的。什么北方佬强奸妇女啊，用刀捅小孩的肚子啊，放火烧死老人啊等等。虽然大家没有在街头巷尾大肆宣扬这些事，可谁不知道这是真的呢。要是瑞特懂点规矩的话，就应该认为这些都是真的，就应该避而不谈这些。这又不是什么好玩的事。

她听见他抿着嘴在轻轻笑。这个人，有时候真惹人讨厌。不，应该说总是那么让人讨厌！女人心里在想些什么，私下里在谈些什么，让这个男人了解得一清二楚，那还了得！姑娘家碰到这样的事，更是觉得像浑身上下被剥得一丝不挂似的。再说，只要是正派女人是决不会让男人把这些秘密都摸了去的。斯佳丽今天气就气在自己的心事都被他看透了。她希望自己在男人心中永远是个谜，可是她也知道自己在瑞特的眼里就像个透明的玻璃人，一眼就能被看穿。

“既然谈到了太太们的事，”他又接着说，“我倒想问问，有没有哪位太太来你们屋里照应或者陪伴？是可敬佩的梅里韦瑟太太还是米德太太？她们看我的那种目光，总像是拿准了我是来者不善似的。”

“平时米德太太晚上总要过来的，”斯佳丽也乐意换个话题，“不过今天晚上来不了。她的小儿子菲尔在家。”

“算我运气，”他低声说道，“正好今天没人来。”

听出他的声调有些特别，她快活得心跳都加快了，脸也觉得红了起来。男人这种异样的口气她听得多了，她知道这是表露爱的前兆。啊，开心、开心！只要他吐出一个爱字，她就要好好捉弄他一番，三年来她受尽了他的冷嘲热讽，今天可要彻彻底底地报复一下。她一定要把他要个够，连那天被他看见打阿希礼耳光的奇耻大辱都要趁此机会洗雪干净。等要够了，再亲亲昵昵告诉他，说自己跟他只能做兄妹，然后体体面面退兵。她美滋滋地想着，忍不住嘻嘻笑出声来。

“有什么好笑的。”说着他拉住她的手，翻过来把自己的嘴唇往她手心里贴去。手心一接触到他热辣辣的嘴唇，斯佳丽只觉得自己身上像通了电似的，顿时从他身上流来一股强大的力量，使她身体上下一阵激动，像是受了无限的抚慰。他的嘴唇渐渐移到了她的手腕。斯佳丽一想不行，自己那急促的脉搏一定让他感觉到了，所以就使劲想缩回手去。她可真没有想到会这样——会这样稀里糊涂动了感情，差点儿就想伸手去抚摩他的头发，想凑过嘴唇去迎受他的双唇。

她心慌意乱，忙不迭告诫自己：自己爱的并不是他。自己爱的可是阿希礼。但是她手都发抖了，心窝里只觉得一阵冰凉，这种感情又该如何解释？

他却轻轻笑了。

“别逃走。我不会伤害你的。”

“伤害我？我才不会怕你呢，瑞特·巴特勒，这世上什么男人我都不怕！”她气得直叫喊，现在她不但手发抖，连声音都发抖了。

“你有这样的志气固然令人钦佩，可也别那样嚷嚷啊。你这不是要让韦尔克斯太太听见吗。不要激动嘛。”听他的口气，好像见她这样慌张，觉得挺开心似的。

“斯佳丽，你喜欢我，是不是？”

这才像句比较合乎她心意的话了。

“这个嘛，只好说有时候是，”她很谨慎地回答，“你不要流氓腔的时候就是。”

他又笑了，拉起她的手，让手心贴在他结实的面颊上。

“依我看，你之所以喜欢我，倒正是因为我是个流氓。你一向过的是温室里的生活，不大有机会见识十足地道的流氓，所以觉得我有些与众不同，有一种奇妙的魅力。”

这话的味道又不合她的意了，她又使劲想把手挣脱开，却没有成功。

“你胡说！我喜欢有教养的男人——喜欢那种能给人信任感并且永远也不会把绅士风度丢掉的人。”

“也就是永远能由着你欺侮的男人。这不过是下的定义不同。可这也没关系。”

他又亲了亲她的手心，她感到又是一阵肌肤战栗，一时心荡神摇。

“你是喜欢我的。可你能不能爱我呢，斯佳丽？”

她得意扬扬地想：“啊，到底没逃出我的手掌心！”不过表面上还是故意装得很冷淡地答道：“根本不可能。除非——除非你能好好改一改这副没规矩的样子。”

“可我不想改。这么说你是不能爱我了？我就但愿你这样。说实在的，我虽然非常喜欢你，却并不爱你，如果你的爱情两次都落得个一场空，那未免也太惨了点，你说是不是，亲爱的？我可以叫你‘亲爱的’吗，汉密顿太太？不过不管你喜欢不喜欢，我还是要叫你‘亲爱的’，所以这也没什么。不过按照社交上的习惯，总得问你一声。”

“你真的不爱我？”

“真的不爱。你以为我爱你吗？”

“你别太狂妄了！”

“你是有这个想法的！糟糕，让你的想法落空了！按说我怎么可以不爱你呢，你这么漂亮，没用的本事样样都精。可惜漂漂亮亮、多才多艺同时又像你一样百无一用的女士，这世上实在多得是。对，我不爱你。但是我非常非常喜欢你——因为你的良心富于弹性。你自私而又不屑加以掩盖，为人精明而又讲究实际，我看这后一种品性恐怕是你们家那不算太远的爱尔兰土包子祖宗遗传给你的吧。”

土包子！好啊，他是在侮辱她！她气急败坏，都不知说什么了。

“请你让我说下去，”他捏了捏她的手，用请求的口气说，“我喜欢你，是因为我身上也有你这些性格，这叫作物以类聚吧。我知道你至今仍忘不了那位道貌岸然而实则是个木头脑袋瓜的韦尔克斯先生，尽管他恐怕死了都有六个月了。可是我就不信你心里会因此而容不下我。斯佳丽呀，你不要再辩解了！我有正经话跟你说。那天在十二棵橡树庄园的过道里，你把可怜的查理·汉密顿给迷得神魂颠倒时，我是第一次看到你。可是从那时起，我心里便惦记上了你。我可以告诉你，我对哪个女人都从来没有这么想过——我对哪个女人都没这么老实地等过这么久。”

听到这最后几句话，斯佳丽吃惊得连大气都不喘了。他虽说一直在侮辱她，敢情还真爱她呢，只是他脾气太倔，怕会遭她讥笑，所以不肯吐露真情、坦诚相告。好吧，她倒要给他点厉害看看，说给就给！

“你是要我嫁给你吗？”

他把她的手一松，放声大笑起来，吓得她一个趔趄，身子都贴在椅背上了。

“哪儿的话！我不是告诉过你吗？我这个人是决不会娶老婆的。”

“那——那——你是什么——”

他站起来，手按在胸口，滑稽地向她一鞠躬。

“亲爱的，”他不慌不忙地说，“我敬重你资质聪颖，不敢斗胆先来勾引你，只求你能赏光做我的相好。”

相好。

她在心里喊了起来：相好！这对她是莫大的侮辱！可是她刚才初听他一说大吃一惊，那一瞬间她的反应却并不是觉得自己受了侮辱。那时她只觉得一阵怒火中烧：这家伙居然敢把她当成大傻瓜！她本以为他会向她求婚，可是他没有，他居然向她提出了这样的要求，这不是把她当傻瓜是什么！气愤、虚荣心的破灭，再加上失望，把她脑子搅得乱得像一锅粥，还没来得及想是否应该从道德的高度用大道理去谴责他，话就已经到了嘴边，脱口而出——

“相好！那我还能得到些什么呢，就是替你养一窝崽吗？”

话说出了口她才意识到自己说了些啥，吓得嘴半天也没合上。瑞特笑得连气都喘不过来了，两眼像看稀罕似的尽瞅着黑影里的她，她呢，目瞪口呆地坐在那里，把手绢紧紧按在嘴上。

“这正是我喜欢你的地方！我平生见过的女人中，只有你心眼儿最直，看事情讲究实际，不会装腔作势，满嘴的罪恶啊、道德啊，把事情全搞混了。换了别的女人，准是一听先晕了过去，回过神来就叫我滚蛋。”

斯佳丽跳了起来，羞得满脸通红。自己怎么会说出这种话！她有那样的母亲，受过那样的教育，怎么会坐在这里听他这样侮辱她，还回了他这样没脸没皮的丑话？她当时实在是应该大喊大叫。应该当场昏过去。应该一言不发，冷冰冰地转身就走，毅然离开这儿。可是现在后悔也来不及了！

“你给我滚蛋！”她嚷开了，现在哪怕是让玫兰妮听见，让住在同一条街上的米德家听见，也顾不得那么多了。“你给我滚出去！你好大的胆子，竟敢对我说这种话！我可没和你干过什么没规没矩的事，你怎么就这么没骨头——居然把我当成……你给我滚出去，以后再也不要到这门里来。我这次可是当真的。以后你再也不要拿什么针呀带呀的这些屁也不值的玩意儿上门来，别以为那样我就可以宽恕你。我还要——要去告诉父亲，看他不要了你的命!”

他拿起帽子，鞠了一躬，借着灯光她看见他小胡子底下露出了两排牙齿，还在笑呢。他对此根本不觉得羞耻，他只觉得她这些话好笑，机灵的眼光正津津有味地看着她呢。

呸，这个人真是可恶！她于是一转身，大步向屋里走去。她一把抓住门柄，想砰的一声使劲把门关上，谁知钩在门上的钩子太紧了，怎么也拔不出来。她折腾了半天，累得气喘吁吁的。

“要不要我帮忙?”他倒来问了。

她觉得要是自己再不走的话，只怕连血管都要爆炸了，所以就气冲冲地上了楼。刚到楼上，就听见他轻轻地替她把门关上了。

20

酷暑难熬、炮火连天的八月行将结束之际，轰击爆炸之声戛然而止。降临到亚特兰大城的寂静，反倒让人心惊肉跳。街坊邻居在路上相遇，彼此面面相觑、提心吊胆、忐忑不安，不知道接着会发生什么事情。听了这么些日子炮弹的呼啸，现在突然安静了，人们紧张的神经非但没得到松弛，反而变本加厉绷得更紧了。谁也不知道北方佬的炮队为什么一下子沉默了；南军这方面也没有消息，只是听说他们大批大批地从环城的堑壕里撤出，南下去保卫铁路线去了。如果说仗还在打的话，谁也不知道现在的仗打到了什么地方；如果战争还没有结束的话，谁也不知道战况究竟如何。

眼下的消息全凭口耳相传。自从开始围城，由于纸张、油墨、人手短缺，各家报纸相继停刊，一些荒唐透顶的谣言不晓得从哪儿冒出来后，就会在全城传播开。现在，被沉寂惹得越发心焦的人们，成群结队地拥向胡德将军的司令部，要求发布战报，成群结队地聚集在电报局和火车站周围，希望能得到消息，而且是好消息，因为每个人都希望谢尔曼沉默下来的大炮意味着：北军已全线溃退，邦联军正沿着大路把他们打回多尔顿去。然而什么消息也没有。电报线毫无动静，仅剩的一条通往南边的铁路上也没有列车抵达，邮政早已中断。

尘土飞扬、闷得让人喘不过气来的初秋正悄然来临，往人们疲惫、焦灼的心上增添了干枯、燥热的重压，存心想活活憋死这座蓦地变得沉寂的城市。斯佳丽一心想知道塔拉庄园方面的信息，都快发疯了，尽管她表面上仍装出挺勇敢的样子。对她来说，自从开始围城，仿佛已经度过了不知多少岁月，仿佛她这辈子耳朵里要一直带着轰隆隆的炮声，直至这一片预兆不祥的平静出现。其实，从开始围城到现在只不过才三十天。被困三十天！城市被红土散兵壕紧紧箍住；单调的大炮声一刻不停；街上络绎不绝的是马拉的救护车乃至无篷的牛车，一路鲜血淋漓地把伤员往医院送；疲劳过度的掩埋队拖出一具具几乎还有余温的尸体，把它们像滚木头似的滚入无数排浅坑。总共才三十天！

即使从北军由多尔顿南下算起，也只有四个月！才四个月！回首往事，斯佳丽觉得那遥远的日子简直恍若隔世。哦，不！决不可能才过了四个月！肯定是已经过了一辈子了。

想想四个月前吧！是啊，四个月前，多尔顿、雷萨卡、肯纳索山对她来说还只是铁路沿线的几个地名。在这四个月中，这些地方先后成了战场。自从约翰斯顿的部队退向亚特兰大，与之相关联的是无数次徒劳的浴血苦战。如今，桃树溪、迪凯特、埃兹拉教堂和尤托伊溪再也不是风光旖旎的名景胜地。她无法在脑海中再现这些昵友如云的幽静村庄，这些苍翠欲滴的醉人去处，无法想象自己在那流水潺潺、泥土松软的河畔、溪边曾和一些英俊潇洒的军官们一起野餐的情景。这些地名现在都意味着一次次战斗，她坐过的如茵芳草已被沉重的炮车碾碎，被短兵相接的交战双方踩烂，被咽气前痛得翻身打滚的死者压扁……佐治亚的红土任何时候都不可能把那一条条缓缓流淌的溪水染得更红。据说，北军过后，桃树溪水一片猩红色。桃树溪、迪凯特、埃兹拉教堂、尤托伊溪不再只是过去的地名，而是埋着朋友的一处处坟堆，也有没埋的尸体在那杂乱的灌木丛和茂密的树林里腐烂；这四个地名现在成了亚特兰大的四条边界线，谢尔曼试图从这四边强行把他的军队开进城来，而胡德的部下则顽强地把他们打了回去。

后来，终于从南面传入这座神经紧张的城市一个消息，但这是惊心动魄的消息，对斯佳丽尤其如此。谢尔曼将军企图从该城的第四边方向卷土重来，再次在琼斯博罗强攻铁路线。现在北军大量集结在城市的这第四边，那可不是零零星星的小股兵力或骑兵分队，而是浩浩荡荡的北军人马。同时，成千上万的邦联军也纷纷被从紧靠城市的防线抽过去，准备迎头痛击敌人。这就是刚才突然静下来的原因。

“为什么偏要攻打琼斯博罗？”斯佳丽思忖道，一想到塔拉庄园离得那么近，她的心就怦怦乱跳。“为什么他们老是非打琼斯博罗不可？难道他们就不能另找一个地方来切断铁路线？”

她已有一星期没得到来自塔拉庄园的音信了，而杰拉尔德最近一次寄来的短简更增添了她的恐惧。信上说，卡丽恩的病情又恶化了，她病得很重很重。就目前的形势看来，邮路一天两天是通不了了，不知道还要过多少日子才能得悉卡丽恩是死是活。哦，要是一开始围城时她便回家去，那就好了！管它什么玫兰妮不玫兰妮！

亚特兰大城内只知道琼斯博罗正在打仗，可是仗打得怎么样，谁也说不清，于是各种怪诞离奇的谣传闹得城里沸沸扬扬。最后，一名信使从琼斯博罗带来了令人宽慰的消息，说北方佬被打退了。但是他们曾一度冲进了琼斯博罗，烧毁了火车站，切断了电报线，破坏了三英里的路轨，然后才退去。目前工程兵正在拼命抢修，但要花很长时间，因为北方佬把枕木都撬了起来架作火堆，把扳下的路轨搁在火堆上烧红，然后缠绕在电线杆上，直至一根根电线杆看起来像一个个硕大无比的瓶塞起子。这个时期想重铺铁轨谈何容易，任何铁制的东西坏了都难以修复。

不，北军并没有打到塔拉庄园。让斯佳丽相信这一点的就是那个给胡德将军送急件的信使。激战之后，他出发到亚特兰大来的时候，曾在琼斯博罗遇见了杰拉尔德，于是杰拉尔德就请他给斯佳丽带了一封信。

可是，爸到琼斯博罗去干吗？她这样一问，那名年轻的信使似乎面有难色。杰拉尔德正在找一位军医，准备把他带往塔拉庄园。

斯佳丽站在洒满阳光的门廊前，一边向那位年轻人道谢，一边却觉得自己双腿发软。既然埃伦的医术已经治不了卡丽恩的病，以至于杰拉尔德要到琼斯博罗去找军医，卡丽恩肯定已危在旦夕！等

等信使在扬起的红色烟尘中策马离去后，斯佳丽用发抖的手拆开了杰拉尔德的来信。

信使在扬起的红色烟尘中策马离去后，斯佳丽用发抖的手拆开了杰拉尔德的来信。南部邦联各州的纸张竟短缺到了这种程度，杰拉尔德的信就写在上次斯佳丽写给他的那封信的行间空隙中，所以读起来相当吃力。

亲爱的女儿，你母亲和你两个妹妹都得了伤寒。她们病得很厉害，但我们必须希望她们会好转。你母亲病倒时，让我写信告诉你无论如何不能回家，以免你和韦德被传染上。她让我把她的爱带给你，并要你为她祈祷。

“为她祈祷!”斯佳丽立即飞步上楼，跑进自己屋里跪倒在床边祈祷，那份虔诚是从来没有过的。这回念的不是正正规规的《玫瑰经》文，而是翻来覆去这么几句话：“圣母啊，别让她死！只要不让她死，我一定做个大好人！请别让她死!”

接下来的一个星期，斯佳丽就像热锅上的蚂蚁似的在房子里转来转去等消息。她一听到马蹄声便会跳起来，夜里士兵敲门，她就从黑咕隆咚的楼梯上跑下去，然而塔拉庄园那边却一直没有消息。现在她和自己的家相距何止二十五英里的灰沙路，其间仿佛隔着整整一个大洲。

邮政仍处于瘫痪状态，没有人知道邦联军队现在哪里也不知北方佬在干什么。只知道在亚特兰大和琼斯博罗之间的某个地方有成千上万的士兵，一方的制服是灰色的，另一方是蓝色的。除此以外，就什么情况也不了解了。在一个星期的时间里，塔拉方面音信全无。

在亚特兰大的医院里，斯佳丽见过许多伤寒病患者，知道对这种可怕的疾病来说一个星期可能意味着什么。埃伦一星期前就患了此症，现在也许已奄奄一息了，而斯佳丽却身在亚特兰大，一筹莫展，还得照顾一位孕妇，与自己的家人之间有两支军队阻隔。埃伦病倒了，也许就要咽气了。但埃伦怎么会病倒呢！她是从来不生病的。这件事本身实在让人难以置信，它从根本上动摇了斯佳丽生活的稳定性。其他任何人都可能生病，唯独埃伦决不能生病。埃伦总是照看别的病人，恢复他们的健康。埃伦自己是决不会病倒的。斯佳丽恨不得能插翅飞回家去。她恨不得飞回塔拉庄园，就像一个被吓坏了的孩子急切地盼着回到他所知道的唯一避难所。

家！那座占地广阔的白色宅院，白色的窗帘迎风飘拂，三叶草长得极盛的草坪上蜜蜂正忙个不停，一个黑人男孩在门前的台阶上嘘赶着鸭子和火鸡，不让它们靠近花圃。红土的田野安静静谧，绵延数英里的棉花地在阳光下一片雪白！多么温馨的家！

围攻刚开始，别人都纷纷离城逃难的时候她就该回家去的！她可以平平安安地带走玫兰妮，这样她便能争取到好几个星期的时间。

“哦，这个要命的玫兰妮！”她上千次地这样想着，“她为什么不跟佩蒂姑妈到梅肯去呢？那儿才是她该去的地方，那儿有她的亲人，她不该和我在一起。我跟她没有血缘关系。为什么她死活要拖住我不放？如果她去了梅肯，我现在也就回家到了母亲身边。即使是现在——对，即使是现在，要不是为了她怀着的那个孩子，我照样也可以冒险回家去，不管路上有没有北方佬。胡德将军也许会派人护送我的。胡德将军是个好人，我相信他定能派人护送我，并给我一面白旗，让我通过战线。偏偏我得等那个孩子出生！……啊，妈妈！妈妈！你不能死！……那个孩子怎么还没生下来？我今天就去找米德大夫，问他有没有办法让孩子早点出生，这样只要我能找到护送的人我就可以回家了。米德大夫说过，玫兰妮可能会难产。上帝啊！万一她真的死了呢！万一玫兰妮死了，那么阿希礼——不，我不应该这样想，这太缺德了。可是阿希礼——不，我不应该这样想，因为他反正十有八九已不在人世了。但他曾让我保证照顾好玫兰妮。万一我没照顾好她，结果让她死了，而阿希礼却还活着——不，我不应该这样想。这是罪过。而且我还向上帝许过愿，只要上帝不让母亲死，我就一定做个好人。唉，但愿那孩子能快点降生吧！但愿我能离开这里，回家去，去哪儿都行，只要离开这里就行。”

斯佳丽痛恨现在亚特兰大危机四伏的平静景象，然而当初她却曾喜欢过这座城市。亚特兰大不再是她过去钟爱的游玩胜地——一个可以纵情狂欢的去处。它成了一片疫城似的凶地，在攻城的隆隆炮声停止后，显得那么沉寂，沉寂得可怕。原先炮击时的巨响和危险里边还充满着刺激。但随后出现的寂静中却只有恐怖。城里仿佛有无数鬼怪在作祟，这些鬼怪便是恐惧、焦虑和怀念。人们形容憔悴，斯佳丽见到的少数几名士兵精疲力竭的样子，就像赛跑选手硬撑着在跑最后一圈，而这场比赛早已输定了。

八月的最后一天来临了，随之传来的消息有凭有据，正在进行的是争夺亚特兰大之役打响以来最激烈的战斗。战场在南边某个地方。亚特兰大城里的人在等待此战胜败的消息，甚至没有对人一笑或开个玩笑的心思。现在人人都知道了士兵们两星期前就明白的事情：亚特兰大已濒于绝境，一旦通往梅肯的铁路失守，亚特兰大也将落入敌手。

九月一日清晨，斯佳丽醒来时，只觉得一种令人窒息的恐怖压迫着自己，昨晚她就是带着这份恐怖入睡的。她迷迷糊糊地想："我昨晚上床的时候在惦着什么事情？哦，对了，惦记着战局。昨天好像有什么地方在打大仗！哦，不知哪一方打胜了？"她赶忙坐起来，揉揉眼睛，于是，昨天入睡前的负担重又压在她那颗焦虑的心上。

甚至在清晨这一时刻，空气便那么闷，那么热，到了中午晴朗的天空中势必是烈日炎炎，气温高长。外面大路上一片沉寂。没有吱吱嘎嘎的辎重车队经过。没有扬起红色尘土的队伍。隔壁厨房里没有黑奴懒洋洋的话语，也没有做早餐时种种悦耳的声响，因为除了米德太太和梅里韦瑟太太，隔壁的邻居都逃难去梅肯了。可斯佳丽也听不到那两户人家里有什么动静。沿街道向前，平时热闹的地段如今冷冷清清，许多店铺和办事机构都已关门上锁了，窗户都用木板钉死了，以前房里的人则手握步枪在郊外什么地方打仗。

这样奇怪的安静已经持续了一星期之久，可是这天早晨迎接斯佳丽的那一片沉寂似乎分外险恶。照例，她起床之前总要留恋一会儿被窝，伸上几个懒腰，今天却一骨碌爬了起来。她走到窗前，希望能看见某个街坊，或者什么振奋人心的景象。然而路上却是空荡荡的。她注意到树叶依旧郁郁葱葱，只是干燥无光泽，并且积着厚厚一层红色的尘土，庭前的花卉由于无人照料，显得萎靡不振，可怜兮兮的。

她正站在那儿望着窗外，这时有隐隐的声响从远处传来，既弱且闷，犹如暴风雨来临前的第一阵遥远的闷雷。

“要下雨了。”这是她的第一个念头。接着，她又以那在乡间形成的思维方式补充道：“地里确实需要雨水。”然而，她立即明白了：“下雨？不，不是雨！是炮声！”

她一颗心怦怦乱跳，探身窗外，竖起耳朵听远方隆隆的声响，想辨明它来自哪个方向。可是那隐隐约约的轰鸣实在离得太远了，她一时弄不清究竟在哪个方向。“上帝啊，就让那声音从玛丽埃塔来吧！”她向上帝祈祷道。“或者是从迪凯特、桃树溪来。可不能从南面来！千万不能从南面来！”她越发使劲地抓住窗台，屏声静气地听，那遥远的轰击声似乎响了一些。声音是从南面来的。

炮声在南面！而南面正是琼斯博罗和塔拉庄园——还有母亲。

此时此刻，北方佬也许已经到了塔拉庄园！她又听了一会儿，可是血液直往上涌，两侧的太阳穴突突直跳，几乎淹没了远方的炮火声。不，他们还没有打到琼斯博罗。如果他们已经包抄到了那么远的地方，炮声应该更微弱、更模糊一些。不过，他们肯定是在包抄通往琼斯博罗的铁路，至少已深入到了离此地十英里的地方，大概是在一个名叫马虎村的小乡镇附近，但从马虎村往南到琼斯博罗也不过十英里了。

炮声在南面，亚特兰大沦陷的丧钟恐怕已经敲响了。但对挂念母亲是否平安而忧心如焚的斯佳丽来说，南面有炮火仅仅意味着仗已经打到了塔拉庄园附近。她在楼道上走个不停，紧扭着双手，南军可能要战败——这个想法的全部含义第一次展现在斯佳丽的脑海里。正是谢尔曼的千军万马开始逼近塔拉庄园一事，使她清楚地意识到那种可能的全部含义，让她明白了这场战争的全部可怕之处。而在过去，尽管围攻城池的大炮声把玻璃窗纷纷震碎，尽管缺衣少食，尽管墓地里骤增无数排新坟，却都没有产生这样直接的影响。谢尔曼的军队离塔拉庄园只有几英里之遥了！即使北方佬被打败，他们也很有可能沿着大路朝塔拉庄园方向溃退。杰拉尔德带着三个害病的女眷也就难免遭败兵之灾。

哦，此刻要是她能和家人在一起该多好啊！哪怕北方佬到了那边也不在乎。她光着脚在地板上走来走去，身上的睡袍老是绊着她的腿。越走，一种不祥的预感就越强烈。她要回家。她要待在母亲身边。

她听到楼下厨房里有瓷器的声响，知道普莉西正在准备早餐，可是却没有米德太太家的老妈子贝特西的声音。普莉西的尖嗓门以一种哀怨的调子唱着：

累人的重负，何日是个头……

这歌声让斯佳丽心烦，其中可悲的寓意更让她恐慌，于是，她匆匆披上晨衣，啪嗒啪嗒穿过过道跑到后楼平台上，冲着下面的厨房大喝一声：

“普莉西，闭嘴，别唱了！”

一声阴阳怪气的“是，小姐”飘上楼来，斯佳丽深深地吸了一口气，为自己忽然发这么大的火感到惭愧。

“贝特西在哪儿？”

“不知道。她没来。”

斯佳丽走到玫兰妮卧室门口，把门推开一道缝，朝洒满阳光的屋内张望。玫兰妮穿着睡袍躺在床上，闭着的眼睛周围有黑色的晕圈，她那瓜子脸有些浮肿，原先苗条的体态已变了形，怪难看的。斯佳丽幸灾乐祸地希望阿希礼最好这时候能看到她。斯佳丽以前见过的任何一个孕妇都没她这么难看。斯佳丽看着看着，玫兰妮的眼睛睁开了，脸上露出温柔的微笑。

“进来，”她邀请道，一边颇不方便地翻了个身，“天一亮我就醒了，一直在想心事。斯佳丽，我有件事要求你。”

斯佳丽走进屋，在阳光明媚的床沿上坐下。

玫兰妮伸过手来，握住斯佳丽的一只手，这轻轻的一握洋溢着充分的信任。

“亲爱的，”她说，“我听到了炮声，心里十分愧疚。炮声在琼斯博罗方向，是不是？”

斯佳丽“嗯”了一声，随着焦虑的重新浮起，她的心速又开始加快。

“我知道你心里多么焦急。我知道，要不是为了我，在上星期得知你母亲有病的消息时，你早就回家去了。不是吗？”

“是的。”斯佳丽毫不客气地答道。

“斯佳丽，我的心肝。你对我实在太好了。即使是亲姐妹，也不可能比你更亲切、更勇敢。所以，我太爱你了。是我拖累了你，实在是对不起。”

斯佳丽凝视着她，心想：“她还爱我？这个蠢货！”

“斯佳丽，刚才我躺在这儿想来想去，我想求你帮我一个大忙。”她渐渐握紧她的手，“如果我死了，你愿意收养我的孩子吗？”

玫兰妮瞪大眼睛，和蔼而恳切地望着她。

“你愿意吗？”

斯佳丽急忙抽回手，她这一惊真是非同小可。惊恐使她的声音都变粗了。

“哦，别说蠢话了，兰妮。你不会死的。每一个女人生第一个孩子的时候，都以为自己要死了。我自己就曾这样。”

“不，你没有。你一向是什么都不怕的。你这样说只是想给我壮胆。我并不怕死，可是我非常害怕撇下这个孩子，万一阿希礼……斯佳丽，答应我：如果我死了，你一定要收养这个孩子。那样我就不怕了。佩蒂帕特姑妈年纪大了，带孩子已是力不从心；哈妮和印第亚心地倒挺好，不过……我还是希望由你来抚养我的孩子。答应我吧，斯佳丽。如果是个男孩，请你教育他长大了像阿希礼那样；如果是个女孩，那么，亲爱的，我希望她能像你。”

“活见鬼！”斯佳丽忽地从床沿上跳起来嚷道，“难道你嫌事情不够糟，还要唠唠叨叨什么死呀活的？”

“真对不起，亲爱的。不过你得答应我。我想这事不会超过今天。我相信一定在今天。请你答应我吧。”

“哦，那好吧，我答应。”斯佳丽说，一边不知所措地俯视着她。

“难道玫兰妮那么蠢，真的不知道我钟情阿希礼？或者她什么都了解，并觉得，正因为这个缘故，我会悉心爱护阿希礼的孩子？”斯佳丽感到一阵强烈的冲动，想要大声地把这些疑问提出来。但这时玫兰妮拿起她的手在自己面颊上贴了一会儿，话到了斯佳丽嘴边，却没有说。她的目光又恢复了平和。

“为什么你认为一定会在今天，兰妮?”

“大清早起我就感到腹痛，但并不太厉害。”

“真的?那你为什么不叫我?我好叫普莉西去请米德大夫。”

“不，别这样，斯佳丽。你知道他有多忙，他们那儿人人都忙得很。只需捎个信儿给他，说我们今天可能要他来一下。另外再派人去跟米德太太说一声，请她过来陪陪我。她知道该什么时候去请米德大夫。”

“哦，别那么处处为别人着想。你明明知道，你现在和医院里的病人一样也需要大夫的照顾。我马上派人去请他来。”

“哦，请不要这样。生孩子有时候是整整一天也生不下来的，我怎么能让大夫在这儿白白浪费几个小时呢，现在医院里那些可怜的伤员都非常需要他。只要把米德太太请过来就行了。她知道该怎么办的。”

“那好吧。”斯佳丽说。

21

斯佳丽让普莉西把玫兰妮的早餐送上楼后，便打发她去请米德太太，自己则坐下来跟韦德一起吃早餐。然而这一次她却毫无食欲。一方面，她为玫兰妮即将临盆而惶惶不安；另一方面，她总不由自主地去关注炮声。处于这样的心境中，哪里还吃得下什么东西？她的心脏变得十分怪异：有几分钟跳得好好儿的，接着便迅猛异常地乱蹦乱跳，她被折腾得几乎想要呕吐。熬得挺稠的玉米粥像胶块似的堵在她的喉咙口，用糊玉米和红薯粉混合煮成的代咖啡从来没像今天这么难以下咽。这东西既没加糖，又没加奶油，喝起来简直苦如胆汁，而用作“糖浆”的高粱对改善它的味道效果甚微。斯佳丽才呷了一口，便把杯子推开了。即使没有别的理由，她也痛恨那些北方佬，因为是他们害得她连加糖和炼乳的真正咖啡都喝不上。

韦德倒是比平日里安静，没有像每天早晨那样对他极其讨厌的玉米粥噘嘴皱眉。斯佳丽一匙匙喂给他，他一声不吭地吃着，还咕嘟咕嘟地喝水把黏糊糊的粥往肚里送。他那双柔和的棕色眼睛又大又圆，像两个美元，注视着母亲的一举一动，流露出稚气的困惑，仿佛斯佳丽几乎不加掩饰的担忧传给了他。吃完早餐，斯佳丽打发他到后院去玩，看着他摇摇晃晃地穿过乱蓬蓬的草地向游戏室走去，这才放下心。

她站起来，下到楼梯口，却犹豫地站住了。她应当上楼去陪陪玫兰妮，让她散散心，别去想这场正在逼近的磨难。但是斯佳丽实在是没有这份心思。早不生，晚不生，偏偏挑这么个日子生孩子！还偏偏挑这么个日子说死道活的！

斯佳丽在最底下的一级梯阶上坐下，想让自己定下神来，可是思绪却又回到了老问题上：昨天的仗不知打得怎么样了，今天的战局也不知进展如何？仅数英里外，两军将士正杀得天昏地暗，然而这里却一点消息也没有，真真奇怪！现在如此冷落的市面上简直鸦雀无声，跟那天桃树溪之战相比，简直是天壤之别！佩蒂姑妈家的宅子是亚特兰大最靠北的几座房子之一，战斗则不知在南边什么地方进行着，这儿既没有增援部队急行军匆匆而过，也看不见救护车和一队队脚步踉跄的伤员过来。她估摸着这样的景象大概正在城南出现，于是她为自己总算没住在那边而感谢上帝。只可惜除了米德和梅里韦瑟两家外，住在城北这一带的人都逃难去了。这使她感到十分寂寞冷清。她多么希望此时彼得大叔能在这里，那就可以派他到司令部去打听消息了。要不是被玫兰妮给拖住，她会自己立刻到市内去了解情况。然而，在米德太太过来之前，她不能离开。米德太太怎么还不来？普莉西又到哪儿去了？

她站起身来，走到前门廊上不耐烦地眺望着，可是米德家的房子在街道背阴处的一个拐弯的后面，所以斯佳丽一个人也看不见。隔了好长时间，普莉西才出现。就她一个人，慢慢腾腾地走着，好像闲得慌似的，把裙子扭来扭去，还频频回头看自己有多美。

“你走得比乌龟爬还慢，”普莉西一推门进来，斯佳丽劈头就给她一顿抢白，“米德太太怎么说？她什么时候才能过来？”

“她不在家。”普莉西说。

“她到哪儿去了？什么时候才能回来？”

“是这么回事，小姐，”普莉西津津有味地一个字一个字拖着长腔答道，以此衬托她带回来的消息意义重大。“她家的厨娘告诉我说，今天一大早米德太太就得到消息，说菲尔少爷受伤了，米德太太便赶紧坐上马车，带上塔尔博特老头和贝特西一起去接他回家。厨娘说，菲尔少爷伤得很重，米德太太大概不会考虑到这儿来了。”

斯佳丽瞪着普莉西，恨不得抓住她使劲摇晃几下。黑人总是带来了坏消息还那么扬扬得意。

“算了，别像个傻瓜似的站在这儿。你到梅里韦瑟太太那儿去，请她自己或派她家的黑妈妈来一趟。这就去，快走吧。”

“她也不在家，斯佳丽小姐。刚才回来的路上，我顺便到那儿去跟她家的黑妈妈问声好。东家都出门去了。正屋的门也上了锁。想必是到医院去了。”

“怪不得你去了那么久！听着，无论什么时候我派你到哪儿，你就到我说的地方去，路上不许停下来再跟什么人‘问’什么‘好’。你去——”

斯佳丽不知该派她上哪儿去，只得停住，在脑子里苦苦搜索着。留在城里的朋友中还有谁能帮助她们呢？这时她想到了艾尔辛太太。不用说，在这些日子里艾尔辛太太并不喜欢斯佳丽，但对玫兰妮却一向有好感。

“你去找艾尔辛太太，把这里所有的事情对她好好讲清楚，然后请她到这儿来。还有，普莉西，你仔细听着。兰妮小姐就要生孩子了，随时可能用得着你。你马上去，快去快回。”

“是，小姐。”普莉西应道，然后转过身子，沿着庭前小径慢悠悠地往外走，那步子比蜗牛快不了多少。

“快点，真是急惊风碰上了慢郎中！”

“是，小姐。”

普莉西做出快步走的样子，其实跟原来几乎没差别。斯佳丽回到屋里，上楼见玫兰妮之前，她又想了一下。她得向玫兰妮解释为什么米德太太不能来，如果玫兰妮知道了菲尔·米德身负重伤，会心烦意乱的。算了，还是撒个谎把这事儿搪塞过去吧。

她走进玫兰妮的房间，发现托盘里的早餐原封未动。玫兰妮侧着身子，脸色煞白。

“米德太太到医院去了，”斯佳丽说，“不过艾尔辛太太过一会儿就来。你疼得厉害吗？”

“不是很厉害，”玫兰妮没说实话，“斯佳丽，你生韦德花了多长时间？”

“没花什么时间，”斯佳丽兴致勃勃地答道，其实她心里实在高兴不起来，“当时我在外面院子里，几乎来不及跑回屋里去。妈妈说：这太不成体统了，简直跟女黑奴生孩子差不多。”

“我巴不得也能像女黑奴一样。”玫兰妮勉强露出一丝笑容，可是一阵剧痛使她的五官都变了样，笑颜顿时消失了。

斯佳丽低头看了看玫兰妮狭窄的臀部，明知顺产的希望十分渺茫，但还是用宽慰壮胆的口吻说：“哦，这的确不是什么太可怕的事。”

“我知道这并不可怕。我想大概是我比较胆小的缘故吧。艾尔辛太太是不是马上就来？”

“是的，马上就来，”斯佳丽说，“我下楼去拿点儿凉水来，用海绵给你擦擦。今天实在是太热了。”

她一边打水，一边尽可能地拖延时间，每隔两分钟就跑到前门口去看看普莉西是不是回来了。可是普莉西连个影子都没有，于是她只好回到楼上，用海绵给大汗淋漓的玫兰妮擦了擦身子，再把她长长的秀发梳理了一番。

足足过了有一个小时，她才听到街上有黑人拖着脚步的声音。她到窗口一看，只见普莉西正慢悠悠地往回走，一路仍和先前一样身子扭个不停，脑袋一晃一晃的，那副拿腔作势的德行就像在一大群看得出神的观众面前表演。

“这个小贱人，总有一天我要用鞭子狠狠抽她一顿。”斯佳丽恶狠狠地想着，急忙下楼迎了上去。

“艾尔辛太太在医院。她家的厨娘说：今天清晨火车送来了大批伤兵。这会儿厨娘正在做汤，准备往那儿送。她说——”

“别管她说的这些事了，”斯佳丽只觉得自己的心在往下沉，便打断了她的话，“系上一条干净围裙，你赶快到医院去一趟。我马上给你写一张条子，你去交给米德大夫；要是他不在，你就交给琼斯大夫或者其他随便哪位大夫都行。这次你要是胆敢不赶紧回来，小心我活扒了你的皮。”

“是，小姐。”

“另外，随便向哪位先生打听一下前线的消息。如果他们不知道，你就到火车站去一趟，问问运伤兵来的火车司机。问问他仗是不是在琼斯博罗那一带打。”

“万能的上帝啊，斯佳丽小姐！”普莉西的黑脸上顿时惊恐万状，“莫非北方佬已经打到塔拉庄园了，是不是啊？”

“我不知道。所以我叫你去打听一下消息。”

“万能的上帝啊，斯佳丽小姐！他们会怎么样我妈呢？”

普莉西忽然开始放声大哭，斯佳丽本来就坐立不安，现在越发心烦意乱了。

“别哭！会让玫兰妮小姐听见的。你这就去换一条围裙，快！”

在她的连声催促下，普莉西急忙朝里屋走去，斯佳丽赶紧草草在杰拉尔德最近一封来信的页边写了几句话——整幢房子里只找得到这么一张纸。当她把便条折起来让页边处于醒目位置时，瞥见了杰拉尔德写的只言片语：“你母亲——伤寒——无论如何——不能回家——”斯佳丽差点儿要哭出声来了。要不是为了玫兰妮，她一定会立即回家去的，哪怕全程都得步行也不在乎。

普莉西把信紧紧握在手里走了，这一次倒是小跑，于是斯佳丽回到楼上，正想编一套比较可信的谎话以解释艾尔辛太太为什么来不成。然而玫兰妮却并没发问。她仰卧在床上，神情安详，和颜悦色。见她如此平静，斯佳丽倒也感到了些许安慰。

她坐下来，尝试着想谈些无关紧要的事情，然而，对塔拉庄园的担忧以及北军也许会打赢这一前景，像利锥般猛刺她的神经。她想象着埃伦生命垂危、奄奄一息的样子，想象着北军已攻入亚特兰大，疯狂地烧杀抢掠。而伴随着这万千思绪的始终是远方持续不断的沉闷的轰鸣，那声波滚滚涌入她的耳中，在心里掀起阵阵恐惧的激浪。后来，她实在没心思再闲扯下去了，便把飘忽不定的目光转向窗外炎热而沉寂的街道以及蒙着尘土纹丝不动的树叶。玫兰妮也不做声，只是那安详的面容不时被阵痛拉扯得变了形。

每次阵痛过后，她总是说：“这事儿确实没什么可怕的。”斯佳丽知道她在撒谎。看着她如此默默地强忍疼痛的样子，斯佳丽宁可让她大声尖叫。斯佳丽明白自己应当怜惜玫兰妮，然而不知为什么对她竟没有一星半点的恻隐之心。她自己的忧虑已把她的心扯得支离破碎。有一次她朝玫兰妮痛得变了形的脸瞪了一眼，心想：“世上这么多人，为什么这个时候偏偏得由我在这儿陪玫兰妮？我跟她没有共同点，我恨她，甚至愿意看到她死。没准儿我这个愿望还真能实现，而且大概不用等到天黑。”想到这里，她不禁打了个寒战，忐忑不安地害怕起来。希望某人死是不祥之兆，几乎与诅咒某人同样不吉利。小时候她常听黑妈妈说：诅咒像小鸟，打几个转转又还巢。于是，斯佳丽又急忙默默祈祷玫兰妮不要死，口中急切地一连串说个不停，究竟说了些什么，她自己都不清楚。后来，玫兰妮伸出一只发烫的手按住了她的手腕。

“你不必费神给我说话解闷，亲爱的。我知道你的心事很重。实在抱歉，我给你添了这么多麻烦。”

斯佳丽又不吭声了，但她没法安安稳稳地坐着。万一大夫、普莉西都不能及时赶到，她该怎么办呢？她走到窗口朝下面街上望了望，随后又回来重新坐下。隔了一会儿，她又站起来从房间另一边的窗户往外望。

一个小时过去了，又过了一个小时。到正午，烈日高挂，暑气逼人，没有一丝儿风吹动蒙尘的树叶。玫兰妮的阵痛已开始加剧。她长长的秀发浸透了汗水，睡袍贴着身体，到处可见一块块湿斑。斯佳丽用海绵给她擦脸，虽没说话，心里却怕得要命。上帝啊，倘若那孩子在大夫来到之前就出生了，那可如何是好？对接生助产，她可是一窍不通的。这正是几个星期以来她一直担心会出现的急人的局面。她本指望，万一临时找不到大夫，或许普莉西能对付这样的局面。普莉西懂得如何接生。她自己也说过不止一次。可是普莉西跑到哪儿去了呢？她怎么还不回来？大夫为什么还不来？斯佳丽又一次走到窗口往外望。她侧耳细听，突然疑惑起来：远处的炮声似乎已听不见了，这是真的还是错觉？如果炮声远去，那就意味着战斗离琼斯博罗更近了，那就是说——

最后，她总算看见普莉西三步并作两步急匆匆沿街跑来，便把身子伸到窗外。普莉西抬头望见了斯佳丽，张嘴就要叫喊。她那张小黑脸上显露出极大的恐慌，斯佳丽一见此状，生怕她喊出什么凶信来把玫兰妮吓着，赶忙把一个指头按在嘴唇上，便离开了窗口。

“我去拿点儿凉水。”她说着看了看玫兰妮凹进去的黑眼睛，竭力装出点儿笑容来。接着，她赶紧走出房间，并且小心翼翼地关好了房门。

普莉西坐在过道里扶梯的最低一层台阶上大口大口喘气。

“仗打到琼斯博罗了，斯佳丽小姐！听说我们军队吃了败仗。哦，天哪，斯佳丽小姐！不知我妈和波克会不会出事？哦，天哪，斯佳丽小姐！要是北方佬打到这儿来，我们该怎么办呢？哦，老天爷——”

斯佳丽急忙用手捂住普莉西那肥厚的嘴唇。

“看在上帝的分上，小声点！”

是啊，要是北方佬来了，那该怎么办？塔拉庄园又会怎么样？她把这个想法坚决地推回到脑海中去，权且面对更紧迫的燃眉之急。如果她去想那些事，就会像普莉西一样尖叫大哭起来。

“米德大夫在哪儿？他什么时候来？”

“我根本没见到他，斯佳丽小姐。”

“什么？！”

“没见到，小姐，他不在医院。梅里韦瑟太太和艾尔辛太太也不在那儿。一个男人告诉我说大夫在车库里。刚从琼斯博罗送来的伤兵都在那儿。但，斯佳丽小姐，我不敢到车库去——那儿有好多伤员都只剩下一口气了。我怕死人——”

“那别的大夫呢？”

“斯佳丽小姐，老天可以做证，我实在是没办法，他们谁也不愿看你写的字条。他们在医院里忙得不可开交，简直都像发了疯似的。一位大夫对我说：‘滚远点儿！别在这儿添乱！这里不知有多少人快咽气了，你还来扯什么生孩子。去找个女人帮帮你不就完了！’我只好东奔西走，照你的吩咐到处去打探消息，大家都说仗打到琼斯博罗了，所以我——”

“你是说，米德大夫在火车站？”

“是啊，小姐。他——”

“现在，你仔细听我说。我去找米德大夫。你在这儿陪玫兰妮小姐，她叫你干什么，你就干什么。你要是敢把仗打到什么地方的事向她露出半点儿口风，我就把你卖给南边的人贩子，我一定说到做到。你也不要让她知道别的大夫都不肯来。听见了没有?”

“听见了,小姐。”

“把眼泪擦干,打桶凉水到楼上去。你用海绵给她擦擦。告诉她,我请米德大夫去了。”

“她快生了吗,斯佳丽小姐?”

“我不知道。大概是的,可我不懂。你比我要懂。上去吧。”

斯佳丽从壁炉台上拿起宽边草帽往头上一戴。她照了照镜子,下意识地掠了一下散在帽外的几绺头发,但她并没看见镜中的自己。从她胸窝里泛起的阵阵细微的寒气,正往外冒,一直凉到正摸着自己面颊的指尖,但她身体的其余部分却汗流如注。她快步出门,走到灼热的太阳下。太阳火辣辣的,刺得人睁不开眼。她沿着桃树街匆匆而行时,暑气使她两个太阳穴里的血管突突直跳。她听到街道前端人声鼎沸、吵吵嚷嚷的。及至快到前面的莱登宅院时,她已气喘吁吁,因为她的紧身褡系得太紧了,但她的步子并没有放慢。越往前走,那种喧嚣也就越响。

从莱登宅院到五角场,街上人头攒动,活像一个刚被捣毁的蚂蚁窝。黑人们满街乱跑,惊慌失措;门廊上的白人小孩在那边坐着大哭大叫,没人照料。装满辎重的军车、满载伤员的救护车、堆满行李家什的马车充斥街道。老阿莫斯站在邦尼尔宅院的大门前,按住一匹已套上车的马的辔头。见了斯佳丽,他两眼惊讶地睁得滚圆。

“你还没走,斯佳丽小姐?我们马上就要走了。我们家的老小姐正在准备行李。”

“走?上哪儿去?”

“只有上帝知道。小姐。反正得离开这儿。北方佬就要来了!”

斯佳丽继续匆匆走着,连一声“再见”也没说。北方佬就要来了!她在卫理会教堂前停住脚,以便喘口气,等那颗怦怦乱跳的心平静一下。如果她不让自己定定神,弄不好非晕过去不可。就在她抓住一根路灯柱子以免摔倒时,一名军官骑马从五角场那边沿街疾驰而来。斯佳丽一阵冲动跑到街心向他挥手。

“喂,停下!请停下来!”

那军官猛地一拉缰绳,他的坐骑竟被勒得前蹄腾空跃了起来。

疲劳和紧张在军官脸上刻下了不少粗硬的线条，但他旋即摘去灰色的破军帽挥舞着行了个礼。

“有何贵干，太太？”

“告诉我，是不是真的？北方佬真的就要来了吗？”

“大概是的。”

“你敢肯定？”

“是的，太太。我敢肯定。半小时前司令部刚刚收到从琼斯博罗前线来的电报。”

“已经打到琼斯博罗了？你能肯定？”

“能肯定。用动听的诺言自欺欺人是毫无意义的，太太。电报是哈迪将军发来的：‘这一仗我打输了，现在正全线撤退。’”

“哦，上帝啊！”

那军官俯视着斯佳丽，疲惫、黝黑的脸上毫无表情，然后，他重又理好缰绳，戴上帽子。

“啊，先生，请再等一会儿。那我们该怎么办？”

“太太，这就很难说了。军队很快就要撤离亚特兰大。”

“把我们扔给北方佬，一走了事？”

“恐怕是这样。”

马被靴刺一刺，四足像踩上弹簧似的跑开了，留下斯佳丽站在街心，脚脖子上盖着厚厚一层红色尘土。

北方佬就要来了。守军即将撤离。北方佬就要来了。“我该怎么办？该往哪儿跑？不，我不能跑。我不能撇下躺在床上快要临盆的玫兰妮不管。哦，女人为什么要生孩子呢？要不是为了玫兰妮，我可以带着韦德和普莉西躲到树林里去，北方佬永远别想找到我们。但我没法把玫兰妮也带到树林里去。不，现在不行。真要命，玫兰妮干吗不早些把孩子生下来！哪怕昨天生也好，那样的话，或许可以弄一辆救护车把她带到一个地方藏起来。可现在，我必须去找米德大夫，请他跟我走，去看玫兰妮。也许他有办法催生。”

斯佳丽提起裙裾向街道那边跑去，她的脚步踏出的节拍是：“北方佬就要来了！北方佬就要来了！”到了五角场，只见摩肩接踵的人们都在瞎闯瞎挤，载着伤员的运货篷车、救护车、牛车乃至自备马车挤满了广场。人群、车马汇成一片喧闹，犹如惊涛拍岸。

这时，一幅与兵荒马乱的形势极不协调的奇怪景象呈现在她的眼前。几群妇女肩上托着火腿从铁路那边走来。她们身边紧紧跟着许多小孩，手里提着一桶桶滴滴答答的糖浆，走起路来摇摇晃晃的。稍大些的男孩拖着一袋袋玉米和土豆。有位老汉一个人用独轮车推着一小桶面粉。男女老少，无论黑人还是白人，都绷着脸，急急忙忙地搬运成包成捆、成袋成箱的食物，斯佳丽整整一年都没见过这么多食物了。突然，闪开的人群给一辆东倒西歪的马车让出一条路，从这条窄路驾车驶来的是身材纤弱、一向风度优雅的艾尔辛太太，她一手执着缰绳，一手拿着鞭子，站着赶她的四轮敞篷车。此时她头上没有帽子，脸色苍白，灰色的长发散披在背上，她用鞭子使劲猛抽拉车的马，简直像个复仇女神。她家的黑妈妈美立西坐在后座上，身子随马车的颠簸不断地跳动着，一只手抓着一块膘肥油足的咸肉，另一只手和两只脚则竭力护着堆在她周围的好多箱子和口袋以不让其掉落。一只袋子破了，袋里的干豌豆纷纷撒落在街上。斯佳丽冲着她们大喊，可是人群的喧闹声淹没了她的声音，马车发疯似的飞驰而过。

斯佳丽一时没弄清这一切究竟是怎么回事，后来想起来一座座军需物资仓库就设在铁路旁，这才明白：是军队开了仓，让百姓在北方佬进城之前尽量把物资拿走，以免落入敌手。

她敏捷地在人群缝隙中前进，穿过拥挤在五角场广场上的那黑压压一大片惶惶不可终日的民众，然后以最快的速度抄近路直奔火车站。透过滚滚烟尘，望过横七竖八的救护车堆，可以看到大夫们和抬担架的民夫们有的弯着腰，有的抬着人，忙得不亦乐乎。谢天谢地，她马上就可以找到米德大夫了。等她转过亚特兰大旅馆的拐角，看清楚前面的火车站和铁轨时，突然被眼前的一切给惊呆了。

数百名伤员躺在烈日下，肩膀挨着肩膀，脑袋抵着脚板，把路轨两侧和站台统统占满了，一排排延伸到车库棚下，望不到尽头。有些人直挺挺地躺着一动不动，但多数在骄阳下辗转反侧，发出痛苦的呻吟。到处是一团团的苍蝇在人们头顶盘旋，在人们脸上爬行，嗡嗡之声不绝于耳。到处是污血，是肮脏的绷带；每当抬担架的民伕搬运伤员，疼痛声、尖锐的咒骂声随处可闻。汗臭、血腥、体臭以及便溺的气味混成一股股浑浊的升腾的热浪，触鼻的恶臭差点儿让她作呕。救护人员在遍地皆是的横七竖八的人体之间来回奔忙，常常踩着伤兵，因为他们摆得实在太密了。那些被踩着的似乎已经麻木不仁了，他们只是往上翻两下眼珠，等待着轮到自己被抬走的时刻。

斯佳丽倒退了几步，急忙把自己的嘴捂住，因为她觉得恶心，想呕吐。再往前简直已没法走了。她看见过医院里的伤员，看见过桃树溪之战之后躺在佩蒂姑妈家草坪上的伤员，但从没见过这样的惨景，从没见过这样发出恶臭、流血不止、在烈日下炙烤的人肉堆。这是座十足的地狱——充满痛苦、腥臭和惨叫的地狱。快！快！快！北方佬就要来了！北方佬就要来了！

她挺起肩膀，还是从他们中间走过，并打起精神在站着的人群中寻找米德大夫。但她立即发现这样找不行：如果不是步步留神，她一定会踩着某个可怜的伤兵的。于是，她提起裙裾，小心翼翼地在伤兵之间找路，朝着正在指挥民夫抬担架的一小群人走去。

一路上，不断有发烧的手揪住她的裙裾，用沙哑的声音哀求：

“小姐，水！请给点儿水吧，小姐！看在基督的分上，水！”

她只得把裙裾从那些抓得很紧的手中拉出来，憋得她汗水顺着脸庞直往下淌。万一她踩到某个伤兵，恐怕非得尖声大叫昏过去不可。斯佳丽从死人身旁跨过，也从活人身旁跨过，有的人躺在那里，目光呆滞，手按在肚子上，肚子上凝固的血已经把破军服和创面粘在了一起，有的人胡子被干血浆得硬邦邦的，他们破损的口腔中吐出含糊不清的声音，意思可能是：

“水！水！”

她必须马上找到米德大夫，否则肯定会歇斯底里地大叫起来。她朝车库棚下那一小群人的方向望去，尽可能地扯开嗓子高声喊道：“米德大夫！米德大夫在不在那儿？”

有一个人从那一小群人中走了出来，向斯佳丽这边看了看。那正是米德大夫。他没穿外套，袖子一直撸到肩膀上。他的衬衫和裤子都被染红了，简直跟屠夫的围裙一样，甚至他那铁灰色的胡子尖也因沾上了血而失去了光泽。一看面容就知道他已极度疲劳，还窝着一肚子火，可是仍然满怀同情心。那是一张让尘土染成灰色的脸，汗水在面颊上划出许多长长的沟壑。但他与斯佳丽招呼时的声音却是镇静和坚定的。

“谢天谢地，你来得正好。我正需要人手。”

斯佳丽直愣愣地注视了他好久，慌乱中松开了提着裙裾的手。不料裙裾落在一名伤员脏兮兮的脸上，他有气无力地挣扎着转过脸去，以免裙子的褶裥把他憋死。大夫这话是什么意思？救护车扬起的尘土扑面而来，干燥的灰沙能堵塞咽喉，腐烂的气味像腥臭的黏液直往她鼻孔里灌。

“快来，孩子！到这边来。”

斯佳丽提起裙裾，快步跨过地上躺着的一排排人体，向他那边走去。她把一只手放在大夫胳膊上时，感觉到那支胳膊因疲乏而有些哆嗦，然而大夫脸上的表情依然十分坚定。

“哦，大夫！”她喊道，“你一定得去。玫兰妮要生孩子了。”

大夫望着她，似乎并没听懂这句话的意思。一名用饭盒当枕头躺在斯佳丽脚边地上的伤兵，听了她的话，仰面咧嘴露出了善意的笑容。

“这件事儿包在他们身上。”他风趣地说。

斯佳丽甚至看都没往脚下看一眼，只是摇着大夫的臂膀。

“我说的是玫兰妮！她就要生了！大夫！你一定得去。她——”现在不是讲究什么体面和得体的时候，然而，周围有好几百陌生的耳朵都在听，这话她实在说不出口。

“她疼得越来越厉害了。我求求你了，大夫！”

“生孩子？哦，该死的！”大夫大声诅咒道。恼怒和愤恨使他的脸顿时变了形，这火并非冲着斯佳丽或某一个人而发的，他是冲着居然会有这等事情的整个世界而发的。“你难道疯了？这儿有几百名伤员，他们都快死了。我不能为了一个可恼的小孩而撇下他们不管。你去找个女人给帮帮忙就行。可以让我妻子去。”

斯佳丽正想告诉他为什么米德太太去不了，但是话到了嘴边又停住了。米德大夫可能还不知道自己的儿子负了伤！斯佳丽心想：

他如果知道了，是否还会待在这儿呢？这时，仿佛有一个无言的声音在对她说：是的，即使菲尔只剩一口气了，米德大夫也仍将坚守岗位，为许多人救死扶伤，而不是单单为一个人。

“不，大夫，你一定得去。要知道，你说过她会难产——”难道真是她——斯佳丽——站在这里——这个到处是呻吟声、热得像蒸笼的地狱里——用最大的声音说着如此粗俗、失礼的话？“你要是不去，她会死的！”

米德大夫粗暴地甩开斯佳丽抓着他胳膊的手，像没听清或不明白她说的话似的，说：

“死？对，这里所有这些人——他们都会死的！没有绷带，没有药膏，没有奎宁，没有哥罗仿。啊，上帝啊，要是有吗啡就好了！哪怕有一点点吗啡给伤势最重的人止痛也是好的！哪怕有那么一点点哥罗仿也是好的。那些天杀的北方佬！那些天杀的北方佬！”

“应该把他们都打入地狱，大夫！”地上那个人说，只见他的一口白牙在胡子中一闪。

斯佳丽全身开始发抖，眼睛里闪现出惊恐的泪花。大夫不会跟她去了。玫兰妮会死的。“我不是曾经希望她死吗！”大夫不会去了。

“看在上帝的分上，大夫！求你了！”

米德大夫咬了咬嘴唇，颧骨顿时隆了起来，于是他脸上又恢复了原先的平静。

“孩子，我争取去。我不能向你保证。但我会争取去的。等我们给这些人做了必要的处理之后。北方佬就要来了，部队要从城里撤出去。我不知道他们会怎么安置伤员。火车根本不通。去梅肯的铁路线在北方佬手中……但我会争取去的。你先回去吧。别在这儿妨碍我。给产妇接生没什么大不了的。只要把婴儿的脐带结扎好……”

这时，一名卫生兵碰了下他的胳膊，他立即扭过头去开始连珠炮似的发布命令，同时忽而指一下这个伤员，忽而又指一下那个伤员。斯佳丽脚边那人用同情的目光看着她。斯佳丽只好转身走开了，因为大夫已经把她给忘了。

她迅速从伤兵堆里退出来，开始往桃树街赶。大夫不能来了。她只好硬着头皮自己挑起这副担子。感谢上帝，好在普莉西懂得有关接生的所有事项。这一路斯佳丽被晒得头都疼了，她感到自己的紧身胸衣被汗水浸透了，牢牢沾在皮肤上。她的脑袋已经麻木，两条腿也发麻了，就像在噩梦中想要逃跑的人，怎么也迈不开步子。她想到回去还得走那么长的路，真像是没有尽头似的。

接着，“北方佬就要来了！”这句话，又在她脑海中打起了熟悉的节拍。她的心跳开始加速，四肢又有了新的活力。她匆匆走入五角场的人群中，现在这里越发拥挤不堪了，狭窄的便道上寸步难行，她只好在马路上走。长长的士兵队伍正从这里经过，他们风尘仆仆，疲惫劳顿的脸上毫无表情。他们看起来有好几千人，个个蓬头垢面、胡子拉碴，肩上背着枪，迈着行军的步伐走得很快。炮队过去时，只见赶牲口的挥动生牛皮鞭子狠狠地抽打拉炮的瘦骡子，简直要把骨头上仅剩的一张皮也扒下来。蒙着破帆布篷的军需车队经过坑坑洼洼的路面时颠簸得厉害。骑兵的马蹄扬起呛人的灰尘。队伍好像过不完似的。斯佳丽以前从没见过这么多士兵在一起。撤退！撤退！军队正在弃城撤退。

匆匆离去的队伍把她挤回到挤满了人的便道上，她闻到一股用玉米酿造的廉价威士忌的异味。靠近迪凯特街的人群中有几个打扮得花里胡哨的女人，看她们那鲜艳的服饰和满脸的脂粉，像是在过什么节，与周围的景象极不和谐。她们大都带着醉意，而跟她们挎着胳臂的一些士兵则醉得更厉害。忽然，斯佳丽瞥见了一头红色的鬈发，随后看到了那个活宝——贝尔·沃特林——靠在一名独臂士兵身上（那士兵走路也晃晃悠悠地直打趔趄），还听到了她醉醺醺的尖叫浪笑声。

斯佳丽连推带挤好不容易走到五角场后面的一段街上，那里人群的密度稍稀，于是她提起裙裾，开始奔跑起来。当她跑到卫理会教堂的时候，已上气不接下气，晕头转向了，甚至反胃想吐。紧身褡简直要把她的肋骨勒断了。她在教堂前的台阶上坐下来，垂首掩面，稍事喘息。她只求能深深地吸一口气到肚子里去。只求心别乱摇晃、乱蹦跳。只求在这个疯狂的地方有人能向她伸出援助之手。

说实在的，她这一辈子什么事情都没自己操过心。总有人为她干这干那，总有人照顾她，总有人保护她，总有人偏袒她，总有人疼爱她。确实无法相信她会陷入今天这样的困境。没有一个朋友、一个邻居来帮助她。以前，她周围总是有的是朋友，有的是邻居，有的是样样能干而又乐于效劳的奴仆。可现在，在她最最需要他们的时候，却一个人影也没有。真叫人没法相信，她竟会落得如此孤单、如此惶恐，而且远离自己的家。

家！只要能在自己家里，才不管北方佬是不是打到了塔拉庄园。哪怕埃伦是在害伤寒，她也要回家。她渴望见到埃伦慈祥的面容，渴望让黑妈妈强壮的臂膀搂着她。

斯佳丽强忍着头晕目眩站起来继续往前走。一直到望见了住处的房屋。她看见韦德攀在院前的栅栏门上荡来荡去。韦德一看见妈妈，马上皱起眉嘟起嘴，竖着一个污黑、擦破了点儿皮的手指，哭了起来。

“我疼，”他抽抽搭搭地说，“疼！”

“嘘！不许哭！否则的话我打你！到后面院子里去做泥饼玩吧，待在那儿别乱跑。”

“我饿了。”他抽泣着把疼痛的手指伸进嘴里。

“这我不管，到后院去……”

斯佳丽抬起头望见普莉西从楼房的窗口探出身来，满脸都是惊恐和不安。然而，一见女主人回来，她立刻如释重负，担忧和恐惧之状一扫而空。斯佳丽示意她下楼来，然后自己走进屋子。过道里多阴凉啊！她解开帽带摘下帽子往桌上一扔，用手腕抹了一下额上的汗。她听见楼上的门开了，一声低沉而凄惨的呻吟从痛苦的深渊迸发出来，传到她的耳朵里。普莉西一步跨过三级楼梯跳下楼来。

“大夫来不来？”

“不来。他来不了。”

“天哪，斯佳丽小姐！兰妮小姐情况很不好！”

“大夫来不了。没有人能来。得由你来接生，我做你的帮手。”

普莉西张大了嘴，舌头打着嘟噜，说不出话来。她斜着眼看着斯佳丽，两只脚轮番在地板上摩擦，并且像扭麻花似的扭绞着瘦小的身躯。

“收起你那副白痴样！”斯佳丽吼道，看着普莉西的丑态她怒不可遏。“你怎么了?”

普莉西一步一步地慢慢地向楼上退着。

“看在上帝的分上，斯佳丽小姐——”普莉西那双滴溜溜转动的眼珠子表明，她是既害怕又羞惭。

“怎么了?”

“看在上帝的分上，斯佳丽小姐！我们非得请一位大夫不可。我……我……斯佳丽小姐，我一点都不懂接生的事。妈妈给人家接生的时候，从来不让我在一旁待。”

斯佳丽被吓得魂飞魄散，她先是从两叶肺片里呼出一大口气，然后感到怒不可遏。普莉西试图从她身旁一跳而过，准备溜之大吉，但斯佳丽一把把她抓住了。

“你这吹牛的黑蹄子，你说什么?你明明跟我说过，生孩子的事你全懂。你到底懂不懂?快说!”她抓住普莉西狠狠地晃着，直至那颗长着鬈发的黑脑袋像喝醉了酒似的左右摇晃着。

“我说了假话，斯佳丽小姐！我自己也不知道怎么会撒这样的谎。我只偷看过一次别人生孩子，还结结实实地挨了妈妈一顿鞭子。”

斯佳丽瞪着她，普莉西把身子缩成一团，想要挣脱。有一会儿工夫，斯佳丽在理智上拒不接受对方吐露的真情，然而，当她终于认识到普莉西对接生的知识并不比她懂得更多时，怒火中烧，气到了极点。她这辈子从来没打过黑奴，但这一次却抡起疲乏的胳膊，使出全力照那黑腮帮子掴了一巴掌。普莉西扯着嗓门没命地尖叫着，与其说是因为疼痛，不如说是由于害怕。接着，她开始像跳舞似的上下扭动着身子，企图挣脱斯佳丽的控制。

就在普莉西尖叫的当口，楼上的呻吟停止了，几秒钟之后，她们听见玫兰妮虚弱、发颤的声音在喊：“斯佳丽，是你吗?请来一下！请快上来!”

斯佳丽放开普莉西的胳膊，于是那丫头颓然倒在楼梯上呜咽抽泣起来。斯佳丽一动不动地站了一会儿，抬头又听到传出低沉的呻吟声。她站在那里的时候，好像有一副轭具沉甸甸地架在她的脖子上，只要一迈步，她就能感觉到套着轭具要拉的载荷有多重。

她极力回忆着自己生韦德时黑妈妈和埃伦为她做的每一件事，但是，当初多亏上帝保佑，分娩时的痛楚让她陷入了迷离恍惚状态，只觉得似乎一切都模模糊糊如在雾中。不过有几件事她还是记得的，于是便用十足权威的语气飞快地吩咐普莉西。

“把炉子生起来，火上放一壶水，把它烧开。把你能找到的毛巾还有那一团绳子，统统拿到楼上去。再给我拿把剪子来。不要对我说你找不到这些东西。一定得去找到，而且要快。去，赶紧去找。”

斯佳丽揪住普莉西，把她从楼梯上提起来，再把她使劲往厨房那儿一推。然后，自己打起精神抬脚上楼。她要办的第一件事就够困难的：她要去告诉玫兰妮，孩子将由她和普莉西来接生。

22

再也不会有哪一个下午比这天的下午更长、更热的了。也不会有那么多懒惰而讨厌的苍蝇。虽然斯佳丽不停地扇扇子，苍蝇还是密密麻麻地集到玫兰妮身上来。斯佳丽摇着一柄大芭蕉扇，两只手臂都累酸了。看来她的全部努力都毫无成效：她刚把苍蝇从玫兰妮汗湿的脸上赶走，它们又爬到她黏糊糊的脚上和腿上去了，叮得她有气无力地跺脚蹬腿直叫唤："快把它们赶走！在我脚上！"

房内半明半暗，这是斯佳丽为阻挡暑气和强光放下了遮阳帘的缘故。只有细针似的几道很细的光线透过遮阳帘的小孔和边缘射进来。尽管如此，屋子里仍热得像火炉，斯佳丽浸透汗水的衣服始终未干，反而随着时间的推移湿得更透、沾得更牢了。普莉西蜷缩在墙角，也是大汗淋漓，她身上那股汗臭味实在够呛人的，斯佳丽恨不得把她从屋里赶出去，只是怕那丫头一离开她的视野就会溜之大吉。玫兰妮躺在床上，身上的被单已被汗渍浸得发黑，有的地方则是斯佳丽洒下的斑斑水迹。她不停地翻着身，翻过来转过去，忽而向左，忽而向右，如此反反复复。

有几次她试着想坐起来，但随即又倒在了枕头上，又开始辗转反侧。起先，她还竭力忍住不喊，使劲咬着嘴唇，都咬破了皮，神经跟玫兰妮的嘴唇一样绽露的斯佳丽，实在看不下去了，便对她说：

"兰妮，看在上帝的分上，别硬充好汉了。你想喊就喊吧。除了我们俩，谁也不会听见的。”

随着下午时间的流逝，不管玫兰妮是否想充好汉，她已坚持不住，不能不哼出声来了，有几次甚至大声尖叫起来。那时斯佳丽只好用双手掩住脸并捂住耳朵，不停地扭动身子，恨不得立刻死去。眼看着别人如此痛苦而自己一点办法都没有，那简直比死还难受。没准北方佬这会儿已经到了五角场，而她却被拴在这儿等一个千呼万唤不出来的孩子降生，还有什么能比这更糟的呢？

斯佳丽很后悔过去没太留意那些上了年纪的妇女窃窃私议生孩子时的交谈。为什么不好好听呢！要是她对这种话题稍加注意，那么此刻就能知道玫兰妮分娩是否还要很长时间。她只依稀记得佩蒂姑妈讲过的一件事：她有个朋友临盆时整整折腾了两天，结果死了，孩子也始终没能生下来。倘若玫兰妮也像这样折腾上两天，那该怎么办？要知道，玫兰妮的体质那么孱弱，她熬不了两天这样的苦楚。要是那孩子不赶快生下来，玫兰妮马上就会死的。那么，她——斯佳丽——有何脸面去见阿希礼——万一他还活着的话，——并告诉他，玫兰妮已经死了？而她是向阿希礼答应过好好照看玫兰妮的。

起初，玫兰妮痛得厉害时，就抓着斯佳丽的手，可是她抓得太紧了，简直要把她手的骨头给捏碎了。就这样过了一个小时，斯佳丽的两只手都肿了，青一块紫一块的，都没法弯曲了。斯佳丽把两条长毛巾系在一起，绑在床脚上，两头再打上结放到玫兰妮手中。于是，玫兰妮就像抓救生圈似的抓住那个结，时而拼命地拉紧，时而放松，时而又想把它撕成碎片。整个下午，她的声音一直就像落入陷阱、行将毙命的野兽。她间或松开抓着的毛巾，有气无力地搓搓手掌，用一双因痛苦而瞪得老大的眼睛望着斯佳丽。

“跟我说点什么吧。求求你，跟我说点什么吧。”她的声音细如游丝，于是斯佳丽就不停地东拉西扯，直到玫兰妮重又抓住毛巾的结，重又开始翻过来转过去不停地扭动身子。

幽暗的房间里充斥着热浪、痛楚和嗡嗡叫的苍蝇，时间像拖着两条沉重的腿似的走得非常缓慢，斯佳丽几乎已记不清上午的事了。她觉得自己似乎已经在这个蒸笼般又暗又热的地方待了一辈子。每当玫兰妮喊出声来时，她也非常想扯开嗓门尖叫一声，只得靠狠狠地咬住嘴唇，让疼痛帮助自己保持清醒，才算没有因失去理智而歇斯底里大发作。

有一次，韦德蹑手蹑脚走上楼来，站在门外哭着鼻子。

“妈妈，我饿了！”

斯佳丽正想走向门外，却听见玫兰妮低声说：

“不要离开我。求求你。你在这儿，我还挺得住。”

于是，斯佳丽叫普莉西下楼去把早餐剩下的玉米粥给韦德热一下吃。至于她自己，她觉得今天下午的这份罪够她受的了，此后永生永世不吃东西也不要紧。

壁炉台上的钟停了，她弄不清现在是什么时候，只能等屋里的热浪稍退，细丝般的光线变淡后，才把遮阳帘拉开。她惊讶地发现此时已是黄昏，太阳低垂在天边。也不知为什么，她本以为这烤人的大白天怕是永远也挨不到头了。

她非常急切地想要知道目前市内的情况。队伍是不是都已经撤出了？北方佬是不是已经进城了？邦联部队难道仗也不打一下就这样开走了？然而，一想到邦联军的人数这么少而谢尔曼的部队却是那么兵强马壮，她便泄气了。谢尔曼！哪怕是撒旦的名字也没这个名字一半让她害怕。不过，现在没时间想这些了，因为玫兰妮不断要喝水，要冷毛巾敷头，要扇扇子，要赶脸上的苍蝇。

黄昏来临了，行踪像黑色幽灵一般飘忽不定的普莉西点起了一盏灯，这时，玫兰妮更加虚弱了。她开始呼唤阿希礼，一遍又一遍地喊着他的名字，似乎在说胡话。这可怕而单调的呼唤声让斯佳丽听得难受，直至一阵冲动：恨不得用枕头把她的声音压下去。或许，大夫最后还是会来的。但愿他快点儿来吧！由于又重新抱有希望，她便转过脸去吩咐普莉西赶快跑到米德家去瞧瞧，看看大夫或米德太太是否回来了。

“要是大夫不在，你就问米德太太或厨娘，该怎么办。请她们无论如何要来一个。”

普莉西啪哒啪哒走出房间下楼去了。斯佳丽从窗口目送她沿着街道匆匆而去，她这一次走得倒是很快，斯佳丽做梦也想不到这个无用的丫头竟能走得那么快。然而还是过了相当长一段时间，普莉西才回来，仍然是一个人。

“大夫一整天都没回过家。家里人说他一定是跟士兵们一起走了。斯佳丽小姐，菲尔少爷死了。”

“死了？”

“是的，小姐，”普莉西满脸神气，话也多了。她扯开话说，“他们家的车夫塔尔博特告诉我说菲尔少爷中了弹——”

“这事暂时不用管。”

“我没见到米德太太。厨娘说，米德太太正在擦洗收拾他的尸体，要趁北方佬没来之前把他葬好。厨娘说，要是玫兰妮小姐实在疼得受不了，就在她床下放一把刀子，这样，刀子就能把疼痛切成两半。”

斯佳丽听了她这番高谈阔论，真想再给她一个耳光，但这时玫兰妮睁开一双惊恐的大眼睛，低声问道：

“亲爱的，是不是北方佬要来了？”

“没有，”斯佳丽断然回答，“普莉西就爱撒谎。”

“是的，小姐，我就爱撒谎。”普莉西很痛快地承认道。

“他们就要来了。”玫兰妮喃喃地表示不信，并把脸埋进枕头里。接下来她说话的声音是闷哑的。

“我可怜的孩子，我可怜的孩子。”隔了好大一会儿，她又说，“啊，斯佳丽，你不该待在这儿。你得走，把韦德也带走。”

玫兰妮说的其实正是斯佳丽所想的，但是听到她把这想法给说了出来，斯佳丽还是大为恼火，而且羞愧难当，仿佛她藏在心底的怯懦都清清楚楚地写在脸上似的。

“别说蠢话。我可不怕。你知道我不会撇下你的。”

“其实你不用管我。我反正也要死了。”说完，她又呻吟起来。

斯佳丽从黑灯瞎火的楼梯往下走，动作慢得像个老太太。她扶着栏杆一路往下摸，生怕摔倒。她的两条腿像灌了铅似的沉沉的，由于疲劳、紧张而颤抖发软，汗水冷却后湿漉漉的贴着衣服沾在身上让她直打寒战。她勉强走到前门廊，在台阶顶上颓然倒下。她靠在门廊的一根柱子上，用发抖的手把紧身上衣的扣子解了一半。夜浸润在热乎乎、闷沉沉的黑暗中，她在那儿半卧半坐着，像头牛一样呆呆地凝望着黑夜。

一切都结束了。玫兰妮也没有死，那个像只小猫似的直叫唤的男婴也第一次由普莉西洗了澡。玫兰妮已经睡着了。回想起刚才如此痛苦的大喊大叫，接生的又是成事不足、败事有余的外行，简直像是做了一场噩梦，她怎么还能入睡？她竟没有死！斯佳丽相信，如果摊上这样高手的是她自己，想必早就死了。可是，在一切结束之后，玫兰妮甚至还轻轻说了声“谢谢你”，尽管声音十分微弱，斯佳丽不得不弯下身子凑到她跟前才听得见。随后她就睡着了。她居然还睡得着！斯佳丽忘了，生下韦德之后，她也睡着了。不过她什么都忘了。她的脑海空空如也，周围的世界也是一片空虚。在度过这漫长难熬的一天以前，根本就没有生活，此后也不会再有——有的只是这样一个闷热无比的夜，有的只是她嘶哑疲倦的呼吸声，有的只是从胳肢窝向腰间、从两股向膝部流淌的黏糊糊、滑腻腻、凉丝丝的汗珠。

她觉得自己的呼吸由平稳的大喘气变成了神经质的抽泣，但她的眼睛却是干的，而且是发烫的，仿佛再也流不出一滴泪了。她慢慢地、费力地挪动着身子，把厚实的裙裾撩到大腿上。这会儿她是又热又冷又黏，夜间的空气触及皮肤的感觉可真惬意。她在呆呆地想：要是佩蒂姑妈看到她摊手伸脚地躺在前门廊上，并且还撩起裙子，露出衬裤，会怎么说啊？但斯佳丽并不在乎。她什么都不在乎。时间停滞不动了。现在也许是黄昏刚过，也许已是午夜。她不知道，反正也无所谓。

她听见有人上楼，心想：“这该死的普莉西！”接着便闭上了眼睛，进入一种似睡非睡的状态。在一阵迷迷糊糊、昏天黑地的感觉中，她隐约意识到普莉西正在她身边叽叽喳喳说得正欢。

“我们干得可真棒，斯佳丽小姐。依我看，就是我妈在这儿，也不会干得这么棒。”

斯佳丽在阴暗处瞪了她一眼。她太累了，实在提不起精神来训斥、责骂她，也提不起精神来历数普莉西的不是——大言不惭地吹嘘自己有经验，其实压根儿就没接过生。临阵又惊慌失措、笨手笨脚、一点儿也没用：一会儿不知剪子放哪儿去了，一会儿又把盆里的水泼到了床上，一会儿新生的婴儿又从她手里掉了下来。这会儿她竟然还有脸夸自己干得有多棒。

但北方佬却要解放黑奴！当然，他们是欢迎北方佬来的。

斯佳丽背靠柱子躺着没吭声，普莉西觉察到她心情不好，便轻手轻脚地消失在门廊的黑暗中。过了很长时间，斯佳丽的呼吸才终于平静下来，思绪也恢复了常态。她听见大路上隐隐约约有人声，还有从北边过来的好多好多人的脚步声。兵！她慢慢地坐起来，放下裙裾，尽管她知道黑暗中没有人会看见她。等他们走到屋前，像数不清的梦幻影像列队经过时，斯佳丽便向他们招呼道：

“喂，请等一等！”

一个人影走出人群来到门口。

“你们要走了吗？你们就这样撇下我们吗？”

那影子似乎做了一个脱帽的动作，接着，黑暗中响起了一个斯文的声音：

“是的，太太。我们正这样做。我们是最后一批离开工事的人，是从离此地以北大概一英里的地方撤下来的。”

“这么说，你们——军队真的是在撤退？”

“是的，太太。你也知道，北方佬就要来了。”

北方佬就要来了！她已经把这事儿给忘了。她的嗓子眼突然像被什么东西堵住了似的，再也说不出话来。那影子走开了，跟其他许许多多影子融为一体，只听得脚步声在黑暗中渐渐远去。“北方佬——就要——来了！北方佬——就要——来了！”这便是他们的步伐踩出的节拍，这也是她那颗骤然间怦怦直跳的心随着每一次的搏动发出的信号。北方佬——就要——来了！

“北方佬就要来了！”普莉西哭喊着在她身旁缩成一团，“哦，斯佳丽小姐，他们会把我们统统杀死的！他们会用刺刀戳穿我们的肚皮！他们会——”

“闭嘴！”光想想这些事就够吓人的了，现在又听到普莉西用发抖的声音说出来，这马上给了斯佳丽一阵卷土重来的恐怖感。她能做什么呢？她逃得出去吗？她还能去向谁求助呢？所有的朋友都把她抛弃了。

忽然，她想起了瑞特·巴特勒，心情稍微平静了些，恐惧也减了几分。上午她像一只被割掉了脑袋的鸡到处乱窜乱闯的时候，怎么就没想起他来呢？她恨瑞特，但此人精明强悍，又不怕北方佬。而且他还在城里。当然，斯佳丽对他是十分恼火的，因为上次他们见面时，瑞特·巴特勒说过一些可恶至极的话。不过，在这个时刻，对这样的事情她不妨睁一只眼闭一只眼。何况，他还有一辆马车。哦，她以前怎么就没想到他！瑞特·巴特勒能把她们全带走，让她们离开这个倒霉的鬼地方，离开北方佬，到别处去，去哪儿都行。

她把脸转向普莉西，用迫不及待的狂热口吻说：

“巴特勒船长住的地方——亚特兰大旅馆——你知不知道那地方？”

“知道，小姐，可是——”

“那你马上就到那儿去，跑得越快越好，告诉他说我有事找他。我要他赶快来，把他的马车也赶来，或者来一辆救护车也行，只要他能弄得到。你把这儿刚生了孩子的事也告诉他。对他说，我要求他带我们离开此地。快去。赶快！”

斯佳丽挺直了身子坐起来，把普莉西一推，好让她加快步伐。

“万能的上帝啊，斯佳丽小姐！黑灯瞎火的，让我一个人在外面跑我害怕！要是让北方佬给抓住了，该怎么办？”

“只要你跑得快，就能赶上那些士兵，他们不会让北方佬抓住你的。快去！”

“我害怕！也许巴特勒船长不在旅馆里？”

“那就打听一下他在哪儿。你难道连一点儿脑筋都不会动吗？万一他不在那家旅馆的话，你可以到迪凯特街的酒吧去问问。或者到贝尔·沃特林家去看看。一定得找到他。你这个蠢货，你要是不赶紧去把他找来，我们准会落到北方佬手里，谁也逃不了，你难道还不明白吗？”

“斯佳丽小姐，我要是踏进酒吧或者妓院，妈妈会用棉花秆子抽我的。”

斯佳丽强撑着站起身来。

“听着，你要是再不走，我可要抽你了！你不用进去，可以站在街上叫他嘛，懂吗？或者向别人打听他是不是在里边。去吧。”

普莉西还是磨磨蹭蹭，半天不挪窝，嘴里还嘟嘟囔囔的，于是斯佳丽又推了她一下，差点把她从台阶上一个倒栽葱摔下去。

“你要是不去，我就把你卖给奴隶贩子。你就再也见不到你妈，再也见不到你认识的人了，我要把你卖掉，让你种地去。快走！”

“万能的上帝啊，斯佳丽小姐——”

在女主人的不断驱使下，普莉西只好从台阶上走下去。只听得前门咔嗒一声，斯佳丽在后面喊道：

“快跑哇，你这磨磨蹭蹭的笨蛋！”

她听见普莉西开始小跑的啪哒啪哒的脚步声，不一会儿，这声音便在柔软的泥地上远去、消失了。

23

普莉西走后，斯佳丽疲惫地走到楼下过道里点了盏灯。整栋房子热得像个蒸笼，仿佛整个午间的暑气都留在房屋里了。她的麻木状态此刻已有所消退，肚子开始咕咕地叫。这时她才想起自己从昨天晚上起到现在还什么都没吃过，只喝了一汤匙玉米粥，于是便拿着灯走进厨房。炉灶下的火已熄灭，可屋子里仍热得让人喘不过气来。她发现烤锅内有半块变硬的玉米饼，马上狼吞虎咽地啃了起来。她一边吃着一边继续搜寻，看有没有其他食物。罐子里还剩下一点玉米粥，她等不及把粥盛到碗里，就用一把烹调用的大勺子舀着吃。玉米粥什么味道也没有，但她实在饿极了，也懒得再去找盐。吃了满满四大勺以后，她才觉得这儿实在太热，这才一手举灯，一手拿着没吃完的玉米饼，走出厨房来到过道里。

她心知应当上楼去陪伴玫兰妮。要是有什么事，玫兰妮是连叫唤的力气都没有的。然而，又要让她到挨过了这么多噩梦般时光的那间屋子里去，只要这样一想她就忍不住恶心。即使玫兰妮马上要死了，她也鼓不起勇气回到楼上去。但愿永远不用再跨进那个房间。斯佳丽把灯放在窗边的烛台上，重又回到前门廊。这里凉快多了，虽然夜色沉浸在软绵绵、暖烘烘的空气之中。她在台阶上坐下，油灯投下一圈微光，她继续啃那块玉米饼。

啃完玉米饼，她觉得有点儿力气了。随着体力的恢复，恐惧又开始不断地噬咬她。街上远远传来模糊的声响，但她不知道会发生什么事。除了声音忽高忽低之外，她什么也分辨不出来。她探过身子凝神静听，可是很快就觉得肌肉因紧张而酸痛。此刻她最盼望听到马蹄的嘚嘚声，看到瑞特无忧无虑、充满自信的眼神并笑她被吓成这个样子。瑞特会把她们带走的，会把她们带到别的地方去。她不知道去哪儿。哪儿都行，她不在乎。

就在她侧耳聆听市内动静的时候，树梢出现了一片淡淡的红光。她愣住了，眼看那片红光越来越亮。黑暗的天空先是一片粉红，继而转为深红。猛然间，只见树顶上方一条巨大的火舌高高升向空中。斯佳丽一下子跳了起来，她的心又开始扑通扑通打起鼓来，简直有一种反胃的感觉。

北方佬来了！她知道他们已经来了，此刻他们正在烧城。火光看来在市中心的东侧。火舌越蹿越高，很快就在她惊慌失措的眼神前扩展成红彤彤的一大片。看样子好像有整整一个街区在燃烧。刚刚起了一阵微弱的热风，所以还有燃烧的气味向她这边飘来。

斯佳丽飞步上楼来到自己房间，探身窗外以便看得更清楚些。天空是一片可怕的血红色，大团大团的涡状黑烟腾空而起，形成汹涌的云涛在火焰上空翻滚。现在烟味儿更浓了。她的脑海里这时左奔右突乱成了一团：这火会不会很快就蔓延到桃树街来把这栋房子烧掉？北方佬是不是马上会冲进来收拾她？她该逃往哪儿？该怎么办？好像地狱里所有的魔鬼都在她耳边发出凄厉的尖叫，她感到心慌意乱、天旋地转，不得不扶住窗台，以免摔倒。

“我得想个办法，”她一遍又一遍地对自己说，“我一定得想个办法。”

但是思想怎么也集中不起来，仿佛一群受惊的蜂鸟四处乱窜，刚闯进脑海又飞出去了。就在她扶着窗台站着的瞬间，一声震耳欲聋的爆炸声直冲她的耳膜，这比她听到过的任何炮声都响。冲天的烈火撕裂了夜空。接着又是一连串的爆炸。大地在摇动，她头顶上的窗户玻璃先是咯啷啷一阵晃荡，随后乒乒乓乓在她的周围碎落了。

震破耳膜的爆炸接连不断，世界变成了一个巨响不断、凶焰肆虐、大地战栗的炼狱。火星像喷泉一般向空中喷射，然后懒洋洋地穿过猩红色的大团烟云徐徐落下。她依稀听到隔壁房间传来一声微弱的呼唤，但她并没在意。这会儿她已无暇顾及玫兰妮。她什么都顾不上了，只觉得恐惧像她看到的火焰一样迅速地在血管里漫延。此刻她是个吓得魂飞魄散的孩子，只想把脑袋埋在母亲的两腿间，不愿看见眼前的景象。她多么希望这时候能在自己的家里！在家里，在母亲身边。

透过这片震颤神经的轰鸣声，她又听到了另一个声音，一种惊慌失措、一步三跨冲上楼来的脚步声，夹杂着像一条失群的猎狗一样上气不接下气的喘息声。普莉西闯进屋来，径直扑到斯佳丽跟前，死死地抓住她的胳膊，仿佛要把她的肉一片片掐下来。

“北方佬——”斯佳丽惊呼。

“不，小姐，是我们自己人！”普莉西边喘边嚷道，她的指甲更深地掐入了斯佳丽的胳膊。“他们在烧铸铁厂，烧军需仓库，烧货栈，哦，上帝啊，斯佳丽小姐，他们还把七十车皮的炮弹和火药统统给引爆了，主耶稣啊，我们眼看全都要被烧死了！”

她重新开始尖声哭叫，还使劲掐斯佳丽的胳膊，斯佳丽是又痛又火，忍不住喊了起来，并甩掉了她的手。

北方佬还没进城！要跑还来得及！于是斯佳丽又定下神来重新考虑下一步的打算。

“如果我定不下神来，”她心想，“我会像一只被开水烫着的猫那样没命地叫喊！”看到普莉西吓成这样一副可怜相，倒有助于斯佳丽恢复镇静。她抓住那黑丫头的双肩晃了几下。

“别再这么嚎丧了，好好说话。北方佬还没来呢，你这蠢东西！你见到巴特勒船长了吗？他怎么说？他来不来？”

普莉西总算停住了哭喊，但她的牙齿却在上下打战。

“是的，小姐，我总算找到他了。是在一间酒吧里找到的，正像你说的那样。他——”

“别管是在哪儿找到的。他来不来？你有没有告诉他让他坐他的马车来？”

“天哪，斯佳丽小姐，他说我们的人赶走了他的马车去拉伤兵了。”

“上帝呀！”

“不过他要来——”

“他怎么说的？”

普莉西缓过一口气来，稍稍定了定神，不过她那对眼珠子仍睁得大大的滴溜溜转个不停。

“对，正像你对我说的，我在一间酒吧里找到了他。我站在外边喊他，他走了出来。我见了他，刚要跟他说话，这时我们的兵把迪凯特街的一个货栈给炸了，火一下子烧得满天通红。他说：‘快来！’就一把抓住我往五角场跑。到了那里，他才问：‘有什么事？快说！’我把你的话告诉了他，我说：‘巴特勒船长，赶快去，把你的马车也赶去。玫兰妮小姐生了个孩子，斯佳丽小姐急着要逃出城去。’他说：‘她打算逃到哪儿去？’我说：‘我不知道，先生，不过你一定得去，因为北方佬就要进城了，她要跟你一起走。’他笑了起来，说他的马车已经给拉走了。”

听到这最后的一线希望落了空，斯佳丽的心猛地往下一沉。她真够蠢的，竟然没有想到军队撤离时自然要把城里余下的车辆和牲口统统带走。她一时气蒙了，连普莉西在说些什么也没顾上听。但她旋即又打起精神来听普莉西说完经过。

“后来他又说：‘你去告诉斯佳丽小姐，让她放心。我会给她从军队里偷一匹马来的，哪怕就剩一匹了，我也要弄到手。’他还说：‘偷马我可不是个生手。你告诉她，即使我因此而被枪毙，也一定要为她弄到一匹马。’说到这儿，他又笑了，然后催我赶紧回家。我刚要撒腿跑，就又听到轰轰隆隆的爆炸声！我差点儿当场就摔倒了，他对我说：‘别害怕，那只不过是我们的人在炸弹药库，不让北方佬得到——’”

“他要来？还会带一匹马来？”

“他是这么说的。”

斯佳丽宽慰地出了一大口气。只要还有办法——不管什么办法——能弄到马，瑞特·巴特勒一定会弄到的。瑞特就有这样的能耐。只要他能带她们从这个鬼地方逃出去，她什么都可以原谅他。逃出去！有瑞特在就不怕了。瑞特会保护她们的。感谢上帝送来了瑞特！看到了脱险的前景，她转而着手去具体安排。

“叫醒韦德，给他把衣服穿好，再拿几件我们各人的衣服出来。都装在小箱子里。别告诉玫兰妮小姐说我们要走。先别说。用两条厚毛巾把小宝宝裹起来，别忘了带他的小衣服和尿布。”

普莉西仍牢牢抓着斯佳丽的裙子，直翻白眼。斯佳丽猛推了她一下她才松手。

“快点。”她喝道，于是普莉西像只野兔似的一溜烟跑了。

斯佳丽心里明白，她应当去安慰一下玫兰妮，那持续不断的巨响和照亮夜空的火光，想必已把产妇吓得不省人事了。这景象、这声音简直就像世界末日已经来临了。

然而，斯佳丽还是鼓不起勇气回到那间屋子里去。她跑到楼下，打算把佩蒂帕特小姐去梅肯避难时留下的瓷器和小件银器收拾一下。可是，到了餐厅，她两手哆嗦得厉害，竟把三只盆子掉到地上打碎了。她跑到过道去听了一会儿，然后又回到餐厅里，接着又把银器稀里哗啦掉在了地板上。她的手碰到什么东西，什么东西就会掉下来。匆忙中，她在破地毯上一滑，重重地摔了一跤。但很快就一骨碌爬了起来，甚至都没感到疼。她听见普莉西像匹野马似的在楼上跑来跑去，这声音简直要让她发疯了，因为她自己也在楼下东奔西跑，不知在忙些什么。

她大概是第十次跑到过道上，不过这次她没有回餐厅去干那毫无成效的事情，而是索性坐下了。她什么也没能收拾好，什么也干不了，只能提着一颗七上八上的心在那儿坐等瑞特。好像已经过去好几个小时了，可他还没来。最后，从大路上远远传来轮轴对没给上油而发出抗议的吱嘎声，还有缓慢而且带着几分犹豫的马蹄声。他为什么不加紧点儿？为什么不让马儿跑快些？

声音渐渐驶近，斯佳丽腾地站起来，一边叫着瑞特的名字。接着，她隐隐约约看见瑞特从一辆载货小四轮车的座位上爬下来，听到前门咔嗒一声，知道他向自己走来了。到了跟前，灯光清楚地照在他身上。他的穿戴气派大方，像是要去参加舞会似的：一身做工考究的白色亚麻布西服，灰色波纹缎的绣花背心，前胸略微打了些褶子的衬衫。他的宽边草帽帅气地歪向一边，腰带后插着两把象牙柄的长筒决斗手枪。他的上衣口袋里揣着子弹，沉甸甸地往下垂着。

他迈着富有弹性的步子从院中的石径上走来，动作有点儿野人的味道，他那漂亮的脑袋则是一副来自什么酋长国的王公储君的架势。这天夜里的种种险象，把斯佳丽吓得魂不附体，可是对瑞特·巴特勒来说，却好比平添了几分酒兴。他黝黑的脸上藏匿着一种微妙的凶狠气质，如果斯佳丽能洞察出这份残忍的话，准会吓一大跳的。

瑞特·巴特勒的黑眼睛里闪耀着顽皮的火花，似乎城里发生的一切在他看来都相当可笑，似乎那地动山摇的轰响和凶险恐怖的火光无非是吓唬小孩子的玩意儿罢了。瑞特走上台阶的时候，斯佳丽一扭一扭地迎上前去，她脸色苍白，但一双碧眼却异常明亮。

“晚上好，”瑞特拖着腔调说，同时潇洒地行了个脱帽礼，“天气好极了。我听说你打算作一次旅行？”

“你要是挖苦嘲笑，我就永远不跟你说话了。”她说话的声音稍稍有些发颤。

“你总不至于被吓破了胆吧？”他装作甚为吃惊的样子，并且微微一笑。看到这笑容，斯佳丽恨不得把他从陡峭的台阶上倒推下去。

“不，我确实被吓坏了！吓得要死，只要你有上帝赐给山羊的那么丁点儿头脑，你也会吓坏的。不过，我这会儿没时间和你瞎扯。我们必须离开这里。”

“愿意为你效劳，夫人，只是，你想到什么地方去呢？我上这儿来完全是好奇心的驱使，纯粹想知道你打算到哪儿去。你不能往北，不能往东，不能往南，也不能往西。周围都是北方佬。目前只有一条出城的路北方佬还没有占领，南军正沿着这条路撤退。而且这条路不久就要停止通行了。史蒂夫·李将军的骑兵正在马虎村一带进行一场后卫战，以确保道路通畅到军队撤走为止。你要是跟在军队后面走通往麦克多诺的那条路，他们会征用你的马的，虽然一匹马值不了几个钱，可为了偷它我是费了很大的劲的。那么，你到底想到哪儿去呢？”

斯佳丽站在那儿浑身直哆嗦，尽管她在听瑞特说话，却跟没听差不了多少。不过，瑞特一问起这事，斯佳丽马上就知道自己要去哪儿了，她心里很清楚，在这倒霉的一天里，她内心一直想去那儿。她只想去那个地方。

“我想回家去。”她说。

“家？你指的是塔拉庄园？”

“是的，是的！回塔拉庄园！啊，瑞特，得赶快走！”

瑞特看着她，那眼神好像在说她昏了头。

“回塔拉？哦，天哪，斯佳丽！琼斯博罗一带整天都在打仗，难道你不知道？沿大路大约十英里的地段，从马虎村一直到琼斯博罗镇，甚至那儿的大街小巷都有战斗，难道你不知道？这会儿塔拉庄园、也许整个县里到处都是北方佬。谁也说不准他们已经打到什么地方了，反正就在那一带。你不能回家！你不能硬往北方佬的军队里闯！”

“我要回家！”她叫道，“我要嘛！我要嘛！”

“你这个小傻瓜，”瑞特语调干脆，口气粗暴，“你不能走那条路。即使你没撞到北方佬手里，那儿的树林里也尽是掉队和开小差的士兵，南军和北军的都有。我们的军队还在大批大批地从琼斯博罗撤退。他们也罢，北方佬也罢，见了你的马都不会客气的。你唯一办法就是跟在队伍后面走通往麦克多诺的那条路，并且求上帝保佑趁着黑夜不让他们看见。你不能回塔拉庄园。即使到了那里，八成也会发现那里已经被烧成一片废墟了。我不能让你回家去。你这是在发疯。”

“我要回家！”她嚷道，声音已失去了控制，变成了尖叫。“我要回家！你不能阻止我！我要回家！我要妈妈！你要是敢阻拦，我杀了你！我要回家！”

长期以来的神经紧张终于把她压垮了，充满惊恐和歇斯底里的眼泪决堤般顺着她的脸庞哗哗直淌。她两手握拳捶打着瑞特的胸膛，不断狂叫：“我要嘛！我要嘛！哪怕不得不一路走回去我也要回家！”

忽然，她已扑在了巴特勒的怀里，满是眼泪的腮帮贴在瑞特衬衫前襟上了浆的褶边上，拳头也不再捶打，而是乖乖地放在瑞特胸前。巴特勒的手轻柔地、安慰地抚摩着斯佳丽蓬乱的头发，他的声音也变得柔和了。那么温和，那么柔美，不带半点儿嘲弄，一点儿也不像瑞特·巴特勒的声音，而是某个不相识的强壮男子的声音，他身上散发出白兰地、烟草和马的气味，闻到这种气味斯佳丽心里很舒坦，因为这使她想起了父亲。

“好了，好了，亲爱的，”瑞特轻声说，“别哭了。我让你回家就是了，勇敢的小姑娘。我一定让你回家。别哭了。”

斯佳丽觉得有什么东西触及她的头发，惶惑中她模模糊糊地在想大概是他的嘴唇。他是那么温柔，那么让人感到安慰，斯佳丽真想能永远依偎在他怀里。有如此强壮的两条胳膊搂着她，什么也别想伤害到她。

瑞特在自己的口袋里摸索了一阵，掏出一块手帕，替斯佳丽擦了擦眼睛。

“听着，把你的鼻涕擦擦干净，做个乖孩子，”他命令道，眼睛里却闪烁着微笑，“然后告诉我该做什么。我们得抓紧时间。”

斯佳丽顺从地擦了擦鼻涕，但仍然战栗不已，也想不出来要他做什么。瑞特见她的嘴唇哆哆嗦嗦，眼睛可怜巴巴地望着他，只得自作主张了。

“韦尔克斯太太刚生了孩子，是不是？带她一起走恐怕太冒险——坐这么一辆颠簸晃荡的破车跑二十五英里的路可不是闹着玩儿的。还是把她托付给米德太太为好。”

“米德夫妇都不在家。我不能撇下她。”

“很好。那就让她上车。那个没头脑的小丫头在哪儿？”

“在楼上准备行李。”

“行李？车上什么行李都不能带。单坐你们几个人还嫌太小呢，说不定什么时候它的轮子就会飞了出去。你叫她把屋里最小最小的一床羽绒被拿到车上去。”

斯佳丽还是不能动弹。巴勒特紧紧地抓着她的臂膀，洋溢在瑞特身上的旺盛的生命力似乎多少正在注入她的体内。她多么希望自己也能像他那样镇定自若，那样满不在乎啊！瑞特把她往过道里推去，可斯佳丽依然可怜巴巴地站在那儿望着他。他带着讥讽的表情撇了撇嘴，说：

“难道这就是那个当初向我表示说既不怕上帝也不怕男人的大无

畏小姐?”

瑞特突然放声大笑，松开了她的臂膀。自尊心被刺痛的斯佳丽恶狠狠地瞪了他一眼。

“我就是不怕。”她说。

“不，你怕。再过一会儿你就会晕过去，我身上可没带什么嗅盐。”

斯佳丽无可奈何地跺了跺脚，因为她实在想不出别的办法来消气。然后，她一句话也不说，便拿起油灯开始上楼。瑞特则紧跟在她后面，斯佳丽听见他在偷偷地笑。这声音促使斯佳丽挺直了腰板。她走进韦德的房间，见他衣服穿好了一半，坐在普莉西怀里缩成一团，轻轻地打着嗝儿。普莉西则在呜咽抽泣。韦德床上的羽绒褥垫倒是挺小的，于是斯佳丽便吩咐普莉西把它拿到楼下铺到车上。普莉西放下孩子，照办去了。韦德也跟着她下楼去了，由于眼前发生的事情吸引了这孩子的注意力，他也就不打嗝儿了。

“上这儿来。”斯佳丽说着转向玫兰妮的房间，瑞特手拿帽子跟着她。

玫兰妮静静地躺着，床单一直盖到下巴颏儿上。她的脸呈死灰色，但是那双凹陷的、带着黑眼圈的眼睛却安详而明净。看到瑞特·巴特勒在她卧室里出现，她并没现出惊讶，倒像觉得这是顺理成章的。她试图露出个笑容，但这一丝微笑几乎还没有触及嘴角便消失了。

“我们回家去，去塔拉庄园，”斯佳丽用非常快的语速向她解释道，“北方佬就要来了。瑞特带我们走。这是唯一的办法，兰妮。”

玫兰妮虚弱地点了点头，朝刚出生的小孩那边做了个手势。斯佳丽把婴儿抱起来，并赶紧用一条厚毛巾把他裹好。瑞特走到玫兰妮床前。

“我尽量不碰痛你，”他轻声说，一边把床单在玫兰妮身下掖好，“试试看，你的胳膊能不能搂住我的脖子。”

玫兰妮试了一下，可是胳膊软绵绵地掉了下来。瑞特俯下身去，把自己的一条胳膊插到她的后背下，另一条胳膊插到腿后，小心翼翼地把她托了起来。玫兰妮没有叫喊，但是斯佳丽看到她咬着嘴唇，脸色比刚才还要惨白。斯佳丽拿着灯给瑞特照路，正准备向门那边走去，这时玫兰妮朝墙上做了个有气无力的手势。

“你要什么?”瑞特轻轻地问。

“请等一下，”玫兰妮低声说，一边竭力想指给他看，“查尔斯。”

瑞特俯视着她，以为她在说胡话，但斯佳丽明白她的意思，心里非常恼火。她知道玫兰妮是要查尔斯的相片，那相片挂在墙上他的军刀和手枪下。

“请再等一下，”玫兰妮又说，“还有刀。”

“哦，知道了。”斯佳丽应道。她拿着灯为步步留神地下楼的瑞特照亮以后，又回到屋里，从钩子上取下指挥刀和插着手枪的皮带。一手抱着婴儿一手举着灯，还要拿这些东西，那副狼狈相可想而知。这就是地地道道的玫兰妮：自己顶多只剩半条命了，北方佬又马上就要进城了，可她旁的心不操，单单惦记着查尔斯的遗物。

斯佳丽取下相片时，瞥了一眼查尔斯。他的棕色大眼睛与她的目光相遇，于是斯佳丽稍停了片刻，带着好奇的心情注视着这张相片。这个人曾是她的丈夫，曾有几个夜晚与她共眠，她为这个人生了一个跟他同样温顺的长着棕色眼珠的孩子。可是这个人她几乎已经想不起来了。

她抱着的婴儿挥动着小拳头，像小猫似的哭了起来。斯佳丽低下头去看了看。她头一次意识到这是阿希礼的孩子，忽然，她满怀激情地希望这是她的孩子，她和阿希礼的。

普莉西连跑带跳地上楼来了，斯佳丽把婴儿交给了她。她们匆匆下楼，灯光把晃动不定的影子投在了墙上。在过道里，斯佳丽看见一顶女式软帽，便胡乱拿来戴在了头上，将帽带系上。这是玫兰妮的黑色丧帽，跟斯佳丽的脑袋尺寸不合，但她记不起自己的帽子搁哪儿了。

斯佳丽走出屋子，举着灯下台阶，尽可能不让那把军刀啪哒啪哒地碰着她的腿。玫兰妮直挺挺地躺在车厢后部，她的旁边是韦德和毛巾裹着的婴儿。普莉西爬进车厢，把婴儿抱在自己怀里。

车厢实在太小，车帮的木板又非常矮。轮子又都向内侧倾斜着，仿佛一转动就会飞出去似的。斯佳丽向那匹马一看，心就沉了下去。这牲畜又瘦又小，垂头丧气地站在那儿，脑袋几乎夹在两条前腿之间。马背上皮开肉绽，到处是挽具擦破的伤痕，而且喘得非常厉害，任何一匹健康的马都不会这样。

“这牲畜不太起眼，是不是？”瑞特咧嘴笑道，“看样子它会死在车辕里的。不过，我已经尽了最大的努力。将来有机会，我一定添油加醋地告诉你，我是从什么地方、用什么招数把它偷来的，以及我又是怎么险些挨了枪子。纯粹是出于对你的一片真心，否则我决不会在我一生的这个当口变成盗马贼——而且盗的又是这么匹马。让我扶你上车吧。”

他接过斯佳丽手里的灯，把它放到地上。前座只不过是搁在车帮上的一块木板，非常窄。瑞特把斯佳丽抱起来一转，放到这块板上。斯佳丽一边掖好她宽阔的裙裾，心里一边在想：做一个男人，而且有瑞特那么大的力气，该有多好啊！有瑞特在身边，她什么都不怕，不管是大火、巨响还是北方佬，她都不怕。

巴特勒爬上她旁边的座位，拿起缰绳。

“哦，等一下，”斯佳丽惊叫道，“我忘了给前门上锁。”

瑞特一阵大笑，然后用缰绳在马背上抽了一下。

“你笑什么？”

“笑你竟想把北方佬锁在门外。”他说，这时马慢腾腾地、老大不情愿地勉强起步了。放在地上的灯仍亮着，形成一圈小小的黄光。车渐渐远去，那一点光也变得越来越小、越来越小了。

瑞特赶着那匹怎么也跑不快的马从桃树街往西拐，晃荡的车厢猛地一颠，蹦入一条坑坑洼洼的小巷，颠得玫兰妮想忍住呻吟都来不及。黑魆魆的树木枝杈相连，在他们头顶上方形成一个弧形，两侧依稀可见一座座房屋的轮廓，黑沉沉、静悄悄，栅栏的白色尖桩若隐若现，像一排墓碑。这狭窄的巷子简直就是一条昏暗的隧道，然而密叶的拱顶仍朦朦胧胧地映出天上可怕的红光，块块黑影在什么也看不清楚的路上相互追逐着，犹如许多疯狂的鬼魂。浓烟的气味越来越浓，随着热烘烘的微风从市中心传来纷乱杂沓的喧嚣：叫喊声，辎重车辆沉闷的滚动声，行军队伍铿锵有力的脚步声。当瑞特把缰绳一扯，马车转入另一条街时，又是一声惊天动地的爆炸把耳膜都快震破了，只见西边空中忽地腾起一柱令人魂飞魄散的烈火浓烟。

“想必是把最后一车弹药炸掉了，”瑞特镇定地说，“他们干吗不上午把车开走，这些笨蛋！时间充裕得很。这下可把我们害苦了。我原来想，只要绕过市中心，我们就可以避开火场，躲开迪凯特街上那群醉鬼，平平安安地从西南角出城。不过无论如何我们都得穿过玛丽埃塔街，刚才这一声爆炸，要是我没猜错的话，不会离玛丽埃塔街太远的。”

“非得——我们非得从火场那边走吗？”斯佳丽说话的声音都在发抖。

“不一定，只要我们抓紧时间，”瑞特说罢，跳下车，随即消失在一个院子的黑暗中。回来时手里拿着一根树枝，并开始用它狠抽那伤痕累累的马背。那畜牲打着趔趄小跑起来，马鼻子喷出痛苦而费力的呼哧声，车厢被颠得直向前倾，里边的人就像被装在爆玉米花的罐子里似的翻过来倒过去。婴儿哇哇直哭，普莉西和韦德被车帮碰得生疼，都叫了起来。可是玫兰妮却一声没吭。

接近玛丽埃塔街时，树木比较稀疏，在建筑物上空咆哮的冲天火光把街道和房屋照得比白昼还亮，并且投下触目惊心的阴影，这些影子狂扭乱舞，像一艘即将沉没的船上的众多破帆在疾风中飘摇。

斯佳丽的牙齿在打战，但她被吓蒙了，甚至没有注意到这一点。尽管强烈的大火已经把他们的脸烤得发烫，她却浑身冷得直哆嗦。这是地狱，而她就在其中，如果她能克服两腿的颤抖，一定会从车上跳下去，尖声狂叫着往回跑。向他们来时那条黑咕隆咚的路跑，并重新躲到佩蒂帕特姑妈的房子里去。斯佳丽向瑞特挨得更近了些，用颤抖的手抓住他的胳膊，两眼望着他，等他说些宽心安慰的话。在那凶恶的血红色火光背景映衬下，他黝黑的侧影显得格外清晰，宛如铸在古钱币上的头像，英俊、冷酷、玩世不恭。斯佳丽碰撞到他时，他转过脸来，眼睛射出跟火光一样吓人的光芒。在斯佳丽看来，他显得很兴奋，有一股蔑视一切的气概，似乎眼前这局面让他感到了强烈的刺激，似乎他们一步步临近的炼狱对他来说是适得其所。

"听着，"他说着准备把插在腰带后面的两支长筒手枪拔出一支来，"要是有人，不管黑人还是白人，想从你坐的那一边过来抢马，你先朝他开枪再说。不过，看在上帝的分上，可别慌了神把这匹宝马给打死了。"

"我——我有枪。"她悄悄地说，同时牢牢握住放在腿上裙幅里的手枪，其实她深信不疑：一旦死神真的逼到她面前，她肯定会被吓得掉了魂，哪里还顾得上扣扳机。

"你有枪？哪儿弄来的？"

"查尔斯的。"

"查尔斯？"

"是啊，查尔斯——我丈夫的。"

"难道你真的有过丈夫，亲爱的？"他低声说道，并呵呵地笑了起来。

他怎么就不能正经点儿！怎么不快点加紧赶路！

"照你看我的儿子是哪来的？"斯佳丽怒喝道。

"哦，除了丈夫，还有别的办法——"

"请你闭上嘴，快点赶路，好不好？"

但是，就在要到达玛丽埃塔街时，在一座尚未着火的货栈墙外，巴特勒突然勒住了缰绳。

"快！"斯佳丽头脑里只有一个字。快！快！

"有兵！"瑞特说。

一支队伍，正沿着玛丽埃塔街开来。他们以行军的步伐走在两排燃烧的建筑物之间，样子十分疲惫，扛枪的姿势也是七扭八歪的，他们耷拉着脑袋，连加速通过火场的力气都没有了，也顾不得左右两旁哗啦啦塌下来的烧着的木头，顾不得四周滚滚的浓烟。他们个个衣衫褴褛，分不清谁是官、谁是兵，只有个别人的破帽檐向上翻起，用一枚"C. S. A."（"南部邦联"的英文缩写。——译者注）的花环状帽徽扣着。好多人光着脚，有几个人还用脏兮兮的绷带缠着脑袋或手臂。他们经过时既不朝左看，也不向右望，不声不响，要是没有那沉重的脚步声，他们完全可以被当成是一群幽灵。

“仔细看看吧，”斯佳丽的耳畔响起了瑞特嘲讽的声音，“将来可以告诉你的孙儿、曾孙，说你当年曾目睹过光荣的义师后卫是如何撤退的。”

一时间，斯佳丽对瑞特·巴特勒这个人有了一种痛恨，这种强烈的憎恨一时竟压倒了她的恐惧，使恐惧显得卑下渺小了。她知道，她的安全还有车厢里其他人的安全，都系于瑞特一人，尽管如此，她还是痛恨瑞特不该挖苦这支军容不整的队伍。她想到了已经死了的查尔斯和可能阵亡了的阿希礼，想到了所有那些正在荒冢浅坟里化成朽骨的英武青年，然而她忘了自己也曾在心中骂他们是脓包。她说不出话来，但横眉逼视瑞特的那一双眼睛却射出了仇恨和憎恶的凶光。

最后几名士兵也快走完了，一名殿后的小个子让枪托在地上拖着，只见他身子一晃，停了下来，望着其他人的背影。大概实在是太累了，他那脏乎乎的脸上毫无表情，简直像个梦游者。他的个子小得跟斯佳丽差不多，所以步枪差不多和他一样高，一张满是尘垢的脸上还没有长胡子。斯佳丽头脑里闪过一个不合时宜的想法：他顶多十六岁，大概是名自卫队员，或者是从家里逃出去的中学生。

就在斯佳丽看着的时候，那少年的两条腿慢慢地弯了下去，然后倒在了泥地上。从队伍的末尾闪出两个人来，他们一声不吭地走回到少年跟前。其中一个又高又瘦、长长的黑须一直垂到腰间的人默默地把自己的和少年的枪交给另一个人。然后俯下身把少年举起来扛到自己肩上，其动作之轻松熟练简直像在变戏法似的。他不慌不忙地向撤退的队伍后面走去，承受重量的肩背稍稍弯起，而那个虚弱的少年却像遭到大人耍弄的小孩被激怒了，他拼命叫喊道：“放下我，你这该死的！放下我！我能走！”

大胡子什么也没说，径自不紧不慢地走着，不久便消失在马路拐弯处。

瑞特放松手里的缰绳，静静地坐着没动，望着士兵们远去，他那黝黑的脸上有一种奇特的不悦之色。突然，近处响起木头塌落的断裂声，斯佳丽看见一条细长的火舌蹿出了货栈的屋顶，而他们的马车就停在货栈墙外的阴影中。紧接着，大大小小的火焰，在他们上空如欢庆胜利的招展旌旗。浓烟直往她的鼻子眼儿里钻，韦德和普莉西被呛得咳嗽起来。那婴儿则轻轻地打着喷嚏。

“哦，天哪！瑞特，你在发什么呆呀？快走！快！”

瑞特并不答话，只是用树枝在马背上狠狠抽了一下，那畜牲被抽得一下子向前直蹦出去，拼命拉着车子连簸带颠地开始穿越玛丽埃塔街。在他们前面，通往铁路线的狭窄街道两边的房屋都在燃烧，形成了一条火隧道。他们的车就冲向了这隧道。十几倍于太阳亮度的强光使他们睁不开眼睛，灼热的高温几乎要把他们的皮肤烤焦了，轰隆隆、哗啦啦的巨大声浪把他们的耳朵震得生疼。他们忍受火海熬煎的不长一会儿，长得好像永无终止似的，此后，他们一下子又进入了一片幽暗。

当马车沿着街道狂奔并且剧烈颠簸着越过铁轨的时候，瑞特一直机械地挥舞着用以代替鞭子的树枝。他表情呆滞，心不在焉，仿佛忘记了身在何处。他宽阔的肩膀向前倾斜着，下巴颏儿向外突着，脑子里似乎在不愉快地思索着什么。在大火的强热辐射下，汗水从他的脑门和两颊直往下淌，但他却不擦一下。

马车驶进一条小街，又折入另一条，就这样从一条狭街到另一条陋巷绕过来转过去的，直到斯佳丽完全迷失了方向，而烈火的吼声也远远地在他们后面消逝了。瑞特依然不开口。他只是快慢有序地抽打着马背。天上的红光这时正渐渐消退，道路却变得一片漆黑，十分吓人。斯佳丽盼着能听他说点什么，说什么都可以，哪怕是冷嘲热讽、尖酸刻薄的话都行。可他就是不开口。

他开口也罢，不开口也罢，反正斯佳丽得感谢上苍，因为跟他在一起终究是一大安慰。旁边有个男子汉真好，可以紧靠着他，感觉到他臂上硬邦邦的肌肉，知道在自己与种种难以名状的恐怖之间隔着这么个人，即使他光在那里坐着发愣，也是好的。

“哦，瑞特，”斯佳丽紧紧抓住他的胳膊，轻轻说道，“要是没有你，我们真不知道该怎么办！你没有参军去，我实在是太高兴了！”

巴特勒扭过头来看了她一眼，这一看竟让斯佳丽把抓着他的手放开了并朝后一缩。他这会儿的眼神里并没有嘲讽，而是赤裸裸的恼怒以及某种近乎茫然的表情。他撇了一下嘴，又把头扭了过去。有很长一段时间，他们坐在颠簸前进的马车上，一语不发，只有新生儿的嘤嘤哭泣声和普莉西抽鼻子的唏嘘声打破寂静。当斯佳丽再也无法忍受这抽抽搭搭的声音时，便转过身去狠狠地拧她，普莉西被拧得没命地叫了起来，接着便噤若寒蝉。

后来，瑞特终于赶着马车向右拐了弯，过了一会儿，他们的车上了一条比较宽阔、平坦的路。房屋的轮廓变得越来越模糊，道旁的树木连绵不断，隐隐约约像两堵墙。

"我们已经出城了，"瑞特勒住缰绳简短地说，"这就是通向马虎村的大路。"

"快走！别停下来！"

"牲口得喘口气了。"然后，他转向斯佳丽，一字一句慢慢地问道："斯佳丽，你是不是仍决意要干这丧失理智的蠢事？"

"什么事啊？"

"你是不是仍然想要奔回塔拉庄园去？这是自杀。在你和塔拉庄园之间隔着史蒂夫·李的骑兵和北方佬的军队。"

哦，我的天！她好不容易熬过了如此可怕的一天，到了这个时候，难道瑞特准备釜底抽薪，不送她回家了？

"是的，当然想！当然想回家！求你了，瑞特，快走吧。我看这马还不算太累。"

"等一等。往琼斯博罗不能走这条路。不能沿着铁路线走。从马虎村往南，铁路线上整天都在交火。你是否知道其他能绕过马虎村或琼斯博罗的路？只要车过得去的小路就行。"

"哦，有的，"斯佳丽欣慰地急忙应道，"只要能到马虎村，我知道那附近有一条从通向琼斯博罗的大路岔开的小路，弯弯绕绕有好几英里。我和爸经常骑马走这条路。这条路通往麦金托什田庄，那儿离塔拉只有一英里的路程。"

"那好吧。你也许能平安地绕过马虎村。史蒂夫·李将军整个下午一直都在那里掩护部队撤离。也许北方佬还没有到那里。也许你能平安通过的，只要史蒂夫·李的人不抢你的马。"

"你是说我——我能通过？"

后来，瑞特终于赶着马车向右拐了弯，过了一会儿，他们的车上了一条比较宽阔、平坦的路。

“对，你能。”他的语气相当生硬。

“可是，瑞特——你——你难道不把我们送过去了？”

“是的。我在这里和你们分手。”

斯佳丽茫然地看了看后面青灰色的天空，看了看两旁像牢墙般把他们围在中间的阴森树木，看了看车厢后部那几个惊魂未定的人影，最后又看了看瑞特。莫非是她神经错乱了？莫非是她听错了？

这时瑞特咧嘴笑了。朦胧中，斯佳丽依稀看到他一口的白牙，他目光里又闪动着惯有的嘲弄。

“分手？你打算到哪儿去？”

“亲爱的小姐，我打算跟部队走。”

斯佳丽叹了口气，既感到宽慰，又有些恼火。他为什么偏偏挑这个时候跟她打哈哈？瑞特要去参军！他常说，那些傻瓜会被一阵鼓声和鼓动家的几句豪言壮语招去送命，好让聪明人来发财。可现在，他自己却要去参军了！

“哦，你可别这样吓唬我，小心我掐死你！我们赶路吧！”

“我不是在开玩笑，亲爱的。我感到很伤心，斯佳丽，你竟敢把我英勇的舍身精神当作一句戏言。你的爱国心到哪儿去了？你对我们光荣伟大的事业的爱心又到哪儿去了？现在正是时机，你可以对我说：要么凯歌荣归，要么玉碎沙场。不过，你得赶快，因为我需要时间发表一篇慷慨激昂的演说，然后就出发去打仗。”

他那拖着长腔的声音在斯佳丽听来分明是一种放肆的讥笑。瑞特在嘲弄她，而且，不知为什么，斯佳丽觉得他也是在嘲弄他自己。他这番话不可能是当真的。很难相信他会这么轻飘飘地声称准备在这黑咕隆咚的路上撇下她不管，连带着撇下一个也许会在半途死去的产妇、一个刚出生的婴儿、一个低能的黑丫头和一个吓傻了的孩子，让她——斯佳丽——带着她们穿过好几英里尽是掉队的士兵、北方佬、战火的战场，再说天知道还会遇上什么。

很久以前，在她还是六岁时，有一次从树上掉了下来，趴在地上不能动了。她至今还记得在一口气缓过来之前片刻间那种要命的感受。此时，望着瑞特，当年那种感觉又回来了：气顺不过来，脑袋昏昏沉沉的，而且恶心得直想吐。

“瑞特，你不是在开玩笑吧！”

斯佳丽抓住他的胳膊，惊恐的眼泪扑簌簌滴在自己的手腕上。瑞特把斯佳丽的手举到嘴边轻轻地吻了一下。

“亲爱的，你也太自私了点儿，难道不是吗？你只考虑自己的千金贵体，把邦联的壮烈伟业丢在了脑后。想想看，要是我在千钧一发的危急关头出现在我们的军队里，这对他们将是多大的鼓舞啊！”他的语气里洋溢着一种不怀好意的柔情。

“哦，瑞特，”她哭了起来，“你怎么能这样对我呢？你为什么要离开我呢？”

“为什么？”他爽朗地笑道。“也许是出于潜藏在我们所有南方人身上、可是迟早会显露出来的情感冲动。也许……也许是因为我感到了惭愧。这谁也说不准。”

“惭愧？你应当羞死才对！把我们扔在这儿不管，让我们无依无靠、走投无路……”

“亲爱的斯佳丽！你怎么会走投无路呢？任何一个像你这么自私而果断的人是决不会走投无路的。要是你让北方佬给抓去了，倒是他们要靠上帝保佑了。”

斯佳丽目瞪口呆地看着他突然跳下车去，绕到车的另一边——斯佳丽坐的这边。

“下来吧！”他命令道。

斯佳丽直愣愣地看着他。瑞特不客气地伸出手臂往她腋下一夹，把她从车上抱了下来，放到自己身旁的地上，然后一把抓住她拉着她走到离车若干步的地方。斯佳丽觉得便鞋内渗进了砂土和碎石，硌得她的脚掌生疼。寂静而闷热的黑夜像一场梦紧紧裹住了她。

“我不想请求你的理解或原谅。你能否理解、原谅，我都看得一文不值，因为我永远不会理解、也不会原谅自己干的这桩蠢事。我为自己身上居然还残留着这么多的堂吉诃德精神而烦恼。但是，我们美丽的南方现在需要每一个汉子。我们那位勇敢的布朗州长不正是这样说的吗？这是题外话。我要去打仗了。”他忽然放声大笑，笑得那么响亮、那么肆无忌惮，这笑声在黑暗的树林里激荡，引起阵阵回响。

“‘若不是荣誉对我来说更可贵，亲爱的，我就不会这样爱你。’（十七世纪英国诗人理查·拉夫雷斯的诗句——译者注）这话正用得上，不是吗？用这句诗比我自己此时此刻所能想到的任何话语更贴切。因为我爱你，斯佳丽，尽管在上个月的一天晚上我在门廊上说了那样的话。”

他的拖腔满含着爱抚，他的手顺着斯佳丽裸露的臂膀向上移动，那是一双温暖而强壮的手。

“我爱你，斯佳丽，因为我们俩有那么多相似之处，你我都是叛逆者，亲爱的，都是自私自利的坏蛋。无论你还是我，只要自己日子过得太平、舒服，哪怕全世界都被砸个稀巴烂，也无所谓。”

他在黑暗中不停地说着、说着，斯佳丽听见了他的话，但没把意思听进去。她正艰难地接受一个铁的事实：瑞特要在这里撇下她，由她单枪匹马去对付北方佬。斯佳丽的头脑里反复盘旋着一句话：“他要撇下我走了。他要撇下我走了。”但是她的感情却没有被搅动。

随后，瑞特搂住了她的腰和肩膀，斯佳丽觉得瑞特两条大腿的坚硬肌肉抵着了她的身体，瑞特上衣的扣子嵌入了她的胸脯。一股情感的热浪从心底涌向全身，让她迷惘、惊慌，竟使她忘了这是什么时候、什么地方、形势如何。她觉得自己的身子软得像个布娃娃，通体温暖、四肢乏力、身不由己，让他的两条胳膊扶着真是舒服极了。

“上个月我说的那件事，你变了主意没有？没有什么比危险和死亡更能给人增添刺激的了。献出你的爱国热情吧，斯佳丽。好好想一想吧，你该怎样送一名战士带着甜蜜的回忆走向死亡。”

现在他吻着斯佳丽，他的小胡子扎得斯佳丽的嘴怪痒痒的，灼热的嘴唇从容不迫，仿佛他有整整一夜的时间可以享用。查尔斯可从没这样吻过她。塔尔顿双胞胎和卡尔弗特兄弟的吻，也从没这样让她又热又冷又哆嗦。瑞特让她的身体稍稍后仰，让嘴唇顺着她的脖子往下滑动，滑向用一件浮雕玉饰扣住的紧身上衣的领口。

“宝贝儿，”他低声说道，“宝贝儿。”

斯佳丽看见黑暗中马车模模糊糊的轮廓，听到韦德尖细发颤的声音在叫着：

“妈妈！我害怕！”

猛然间，冷静的理智回到了她迷离恍惚的意识中，她想起了自己一时忘却的事情，那就是：她也害怕，而瑞特就要离开她，扔下她不管，这该死的无赖！最最可恶的是：他居然这么无与伦比地脸皮厚，站在这个大路上说着下流话侮辱她。想到这里，她不禁怒火中烧，恶从中来，顿时挺直腰板，猛地一扭身子，从瑞特的怀抱中挣脱了出来。

“哦，你这个无赖！”她喊道，一边拼命在记忆中搜索着，想用更恶毒的字眼骂他，她曾听到过父亲杰拉尔德骂林肯，骂麦金托什一家，骂发犟不走的骡子，可就是想不起那些话来。“你这个下流的东西、胆小鬼、又脏又臭的家伙！”由于她想不起任何具有强有力杀伤力的词儿来，便抡起胳膊，把剩余的全部力气一齐使上，扇了他一个嘴巴。瑞特倒退了一步，把手举到脸上。

“啊。”他镇定地说，有一会儿工夫两人就这么面对面地在黑暗中站着。斯佳丽听得见瑞特粗重的呼吸声，也听得见她自己好像刚跑了一段急路似的喘得上气不接下气的声音。

“难怪别人这么说！难怪人人都这么说！你不是一位正人君子！”

“我亲爱的小妞儿，”他说，“你真不够味儿。”

斯佳丽明白瑞特在取笑她，这真是火上浇油。

“滚！快滚！马上给我滚！我再也不想见到你了。但愿炮弹直接击中你，把你炸成一百万块碎片！但愿——”

“不必往下说了。你的意思我明白。等我为国捐躯以后，我希望你多少会受到一点儿良心的谴责。”

斯佳丽听到他笑着转身走回马车那边。斯佳丽看见他站在车旁，听到他说话的口气已变得谦恭有礼了，他一向是这么跟玫兰妮说话的。

“韦尔克斯太太！”

车上传来的是普莉西惊慌的声音。

“上帝啊，巴特勒船长！兰妮小姐在里面晕过去了。”

“她没死吧？还有气儿没有？”

“是的，先生，她还有气儿。”

“也许这样对她反倒好些。要是她神志清醒，我怀疑她是不是受得了这份苦。好好照顾她，普莉西。这点钱给你。你已经够傻的了，小心别干出更傻更蠢的事来。”

“好，先生。谢谢先生。”

“再见，斯佳丽。”

斯佳丽知道他已经转过身，此时正面朝着自己，但她没有吭声。憎恨堵塞了她所有的发音器官。路上的碎石被瑞特踩在脚底下，发出嚓嚓的响声，有一会儿工夫黑暗中现出他宽阔双肩的轮廓，后来就看不见了。有一阵儿斯佳丽还可以听到他的脚步声，最后连脚步声也渐渐消失了。斯佳丽慢慢地回到车前，双腿颤抖不已。

他为什么要走，走进黑暗，走向战场，去打一场已经输掉了的战争，进入一个疯狂的世界？爱酒好色的瑞特，对如何享用精美的食物、柔软的床铺、考究的衣料、上等的皮革是很在行的，他明明讨厌南方，嘲笑为南方打仗的人都是傻瓜，现在他却脚蹬擦得锃亮的皮靴，踏上了苦难的征途，这条路上的饥饿、创伤、疲劳、悲伤，犹如横行的狼群，比比皆是，嗥声不绝于耳。这条道路的尽头是死亡。他没有必要去。他现在既安全又富有，满可以舒舒服服地过日子。然而他走了，把她撇在这伸手不见五指的黑夜里，在她和她的家中间还隔着北方佬的军队。

此刻，她想用来骂瑞特的那些恶毒的词语，一下子全记起来了，但为时已晚。她把头靠在弯下头的马脖子上，哭了。

24

清晨，从头顶的枝叶间洒下的灿烂阳光照醒了斯佳丽。她睡着时的姿势很别扭，醒来后四肢发麻，一时想不起自己是在什么地方。太阳照得她睁不开眼睛，身子底下车厢的木板硬邦邦地抵着她的背脊，腿上沉甸甸地不知压着什么东西。她试着撑起身子，发现重物原来是枕着她大腿睡觉的韦德。玫兰妮的一双光脚几乎碰到了她的脸，普莉西像只黑猫似的蜷缩在车座下面，把婴儿夹在她自己和韦德之间。

于是，斯佳丽回忆起了一切。她霍地坐起来，匆匆地四处张望。谢天谢地，周围没看见北方佬！马车隐蔽的地方夜里没被发现。此刻，昨晚的一切又在她头脑里重现。自从瑞特的脚步声远去以后，那段行程简直像场噩梦：长夜漫漫，漆黑的路上布满车辙和大石块，车身一路颠簸着，还几次滑进两旁的深沟中，她和普莉西两人在恐惧的驱使下发疯似的拼命把轮子从沟里拉出来。有好几次，当她听到有不知道是友还是敌的士兵临近时，总是慌忙赶着那匹犟马把车拉到田地或树林里去躲避，还一直提心吊胆，谁咳嗽一声、打个喷嚏或者韦德打个嗝儿什么的，就可能暴露她们的踪迹，被行军的队伍发觉。现在回想起来，斯佳丽仍不寒而栗。

哦，那条漆黑的路啊！路上经过的士兵都像鬼魂，谁也不说话，只有靴子踩在松软的泥土上的那种沉闷的脚步声、马笼头轻微的咔嗒声和皮带紧绷的吱嘎声。哦，那短短的一瞬间，回想起来心中仍有余悸：马累坏了不肯再往前走，而骑兵和轻炮兵正在黑暗中陆续经过斯佳丽她们屏息停车的地方，相距仅咫尺之遥，近得几乎她伸出手去就可以触及他们，近得她甚至能闻到士兵们身上的汗臭！

当她们终于挨到马虎村附近，只见前面零零星星点着几堆篝火，那是史蒂夫·李最后的一批断后部队在待命撤离。斯佳丽把车赶到犁过的地里，绕了大约一英里的路，直至完全看不见后面火堆的亮光为止。可就在这时她在黑暗中迷了路，怎么也找不到她原先十分熟悉的那条赶车小道，急得直哭。后来总算找到了，马又在挽具中跪下去起不来了，甚至不管斯佳丽和普莉西怎么使劲拽笼头，它也不肯站起来。

于是，斯佳丽只得给马解开挽具，累得大汗淋漓。她爬到车厢后部，伸直两条酸得要命的腿。她模模糊糊记得，在睡魔把她的眼皮夹拢前，玫兰妮微弱的声音带着歉意、简直像在乞讨似的说："斯佳丽，能不能请你给我点水喝？"

当时斯佳丽说了句："没有水。"话还没出口，人已经睡着了。

现在已是清晨，周围一片静穆，绿荫丛中筛下无数金色的光斑。目光所及之处没有兵。斯佳丽是又饥又渴，浑身酸痛，手足麻木，心里直纳闷儿：她——斯佳丽·奥哈拉——向来是非清洁的床单和细软的羽绒被褥不睡，现在竟然能在硬木板上像个种地的黑奴那样酣睡。

她在阳光下眨巴了一阵眼睛，视线落到了玫兰妮身上，顿时吓得缓不过气来了。玫兰妮躺在那儿一动不动，面色惨白，全无半点生气，斯佳丽想她一定是死了。她看上去像个死去的老妇人，形容枯槁，蓬乱纠结的黑发拂在脸上。后来斯佳丽见她胸口微微起伏作浅呼吸状，才知道这一夜玫兰妮总算是熬过来了。

斯佳丽用手遮住阳光环顾四周。显然，她们是在某户人家前院的树下过的夜，因为有一条铺着砂砾的车道伸展在她面前、夹在两行杉树中蜿蜒远去。

"这不是马洛里庄吗！"她思忖道，想到这里会有朋友提供帮助，她的心立即欢欣雀跃起来。

然而，死一般的寂静笼罩着庄园。草坪上的花草灌木被马蹄、车轮、人足来回反复践踏和碾压，已是遍体鳞伤，连泥土都翻了出来。斯佳丽向房屋那边望去，她相当熟悉的一栋有着白色外围护墙板的老宅子已荡然无存，只见到一条长长的熏黑的花岗石矩形地基，还有两支砖砌成的高烟囱耸入枯焦、静止的树叶丛中。

她打着寒战倒吸了一口凉气。塔拉庄园会不会也像这里一样被夷为平地、笼罩着死一般的寂静？

“我现在不应该这样想，”她急忙对自己说，“我必须制止这种想法。要是我这样想，我又会被吓破胆的。”但是，她的心还是不由自主地加速了跳动，而且每跳一下都像打雷一样：“回家！赶快！回家！赶快！”

她们又得出发往家赶。不过首先必须得找些吃的和水，特别是水。她推醒普莉西。普莉西滴溜溜地转动两颗眼珠子向四周张望着。

“上帝啊，斯佳丽小姐，我原以为醒来时一定已经到了天国。”

“你离那儿还远着呢。”斯佳丽说着掠了一下自己乱蓬蓬的头发。她的脸上、身上都已汗湿。她觉得自己脏得要命，乌糟糟、黏糊糊，甚至有些臭烘烘的。和衣而睡的结果是衣服已皱得不成样子，而且她有生以来从没感到如此疲倦、如此酸麻过。由于昨晚用力过度，肌肉疼得厉害，她不知道身上还有这些肌肉。现在只要稍稍一动弹，便会是一阵剧痛。

她俯身看了看玫兰妮，见她的黑眼睛已经睁开了。这是一双病人的眼睛，眼眶下垂着袋状的黑圈，异样明亮的目光说明她正在发烧。她张开干裂的嘴唇，低声央求道：“水。”

“普莉西，起来，”斯佳丽吩咐说，“我们到井边去打点儿水来。”

“可是，斯佳丽小姐！说不定那儿有鬼。没准儿有人在那边死了。”

“你要是不下车去，我就让你先变成一个鬼。”斯佳丽说着，就一瘸一拐地爬到地上。她根本没心思跟普莉西辩论。

这时她才想起了马。我的天哪！马或许已经在夜里死了！昨夜她给马解开挽具的时候，它就像要死了一样。斯佳丽急忙绕过车厢，见马侧卧在地上。若是马死了，斯佳丽将诅咒上帝，然后甘愿自己也倒地死去。《圣经》里就有人干过这样的事：诅咒上帝，结果自己死了。斯佳丽可以理解那人当时的心情。不过，马还活着——呼吸沉重而费力，泪汪汪的眼睛半开半闭，但是还活着。不要紧，让它喝点儿水就能走了。

普莉西连声哼哼着，硬着头皮从车厢爬下来，胆怯地跟在斯佳丽后面沿着杉树院的小径走去。废墟后面一排刷白的奴隶棚子寂然无声，在树荫下显得凄惨荒凉。在棚子和烧黑的正屋石基之间，她们找到了水井，井上的顶架还在，水桶深深地挂在井下。斯佳丽和普莉西合力转动辘轳把绳子绞了上来，当一桶清凉晶莹的井水从黑洞洞的井底被吊起来，斯佳丽立刻微微倾侧水桶将之凑到唇边，咂咂有声地开怀痛饮起来，淋得一身都是水。

她咕嘟咕嘟地喝着，直到普莉西在一旁发急了："好了，斯佳丽小姐，我还渴着呢。"她这才想起还有别人需要水。

"把桶上的绳结解开，拿到车上去，让他们也喝个够，剩下的就给马喝。你说说，玫兰妮小姐是不是该给宝宝喂奶了？宝宝都快饿坏了。"

"天哪，斯佳丽小姐，玫兰妮小姐没奶水，而且也不会有的。"

"你怎么知道的？"

"像她这样的我见过很多。"

"别在我面前充内行了。昨天接生时你一点也不内行。快走。我再去想办法弄点儿吃的。"

斯佳丽觅食的结果是一无所获，后来在果园里找到几只苹果。在她之前已有兵到过那里，树上一个也没剩下。这几只还是掉在地上的，多半都已经腐烂了。她挑比较好的拣了一裙兜，穿过软软的泥地往回走，路上有好些小石子钻进了她的便鞋里。昨晚她怎么没想到换一双结实点儿的鞋呢？她怎么没把遮阳帽带上？怎么连吃的都没带？她的举动实在是蠢得可以。不过，她原以为反正一切瑞特都会替她们操心的。

瑞特！她往地上啐了口唾沫，因为即使在想象中提到这名字都觉得不是味儿。斯佳丽把他恨得要死！这人太可恨了！而她竟还站在大路上让这个人吻了自己——几乎还挺乐意的。昨晚她简直像个疯子。那家伙真卑鄙！

她回到车旁，给每个人分了几只苹果，剩下的都倒在车厢后部。马已经站了起来，但水似乎也并没能使它恢复多少精力。阳光下，它的样子比昨晚更让人害怕。它的髋骨像一头老母牛的那样突出，肋骨根根显露，跟搓衣板差不多，背上更是体无完肤。斯佳丽给它套挽具的时候，吓得简直不敢碰它。当她把嚼子放进马嘴时，发现它几乎已经没牙了。真是不折不扣的“老掉牙”了！瑞特既然去偷马，干吗不偷匹好点儿的？

她登上车把式的座位，用一根山核桃树枝抽打马背。马打了一声响鼻，起步拉车，可是当斯佳丽把它赶上车道，那畜牲走得缓慢无比，斯佳丽相信自己用不着费什么劲也能比它走得快些。哦，要是没有玫兰妮，没有韦德，没有那婴儿，没有普莉西这些累赘就好了！她一定能很快走到家的！是啊，她会飞也似的一路跑回家去的，因为每一步都能使她越来越靠近塔拉庄园，越来越靠近妈妈。

这儿离家顶多十五英里，可是照这匹老马的速度走下去，得花整整一天，因为她不得不经常让马休息一下。整整一天！斯佳丽顺着耀眼的红土路朝前望去，大炮的轮子和救护车在上面留下了许多很深的车辙。还得再过好几个小时，她才能知道塔拉庄园是不是依然存在，母亲是不是还在那里。还得再过好几个小时，她才能结束这九月骄阳下跋涉的痛苦。

斯佳丽回头看了一眼玫兰妮，见她躺在那里闭着恹恹的双眼以避开阳光，斯佳丽松开自己头上软帽的带子，将它摘下来扔给了普莉西。

“用帽子遮住她的脸，太阳就不刺她的眼睛了。”可是这样一来，斯佳丽一无遮盖的头部便直接挨着太阳烤，于是她心想：“一天下来，我准会给晒出满脸雀斑，像个珍珠鸡蛋。”

她这辈子还从没不戴帽子或没戴面纱就在户外让太阳晒，也从没不戴手套就握着缰绳赶车，因为手套可以保护她那双有许多小圆窝的纤纤玉手。可现在，她驾着一匹散架老马拉的散架破车，在烈日下曝晒，蓬头垢面、浑身汗臭、又饥又累，除了像蜗牛似的在这片荒无人烟的土地上爬行以外完全无能为力。短短几个星期之前，她还过着无忧无虑的太平日子！不久之前，她还跟其他人一样认为：亚特兰大决不会陷落，佐治亚州决不会被入侵。可是，四个月前出现在西北方的一小块乌云，竟酿成一场凶猛的暴风骤雨，继而刮起一股狂啸怒吼的龙卷风，横扫了属于她的那个世界，把她从安乐窝式的生活中刮出，抛到这死气沉沉、鬼比人多的悲凉绝境中来。

塔拉庄园是依然无恙，还是也被这场席卷佐治亚的风暴刮得无影无踪了？

斯佳丽在疲乏的马背上抽了一鞭，想催它快跑，然而那两对晃晃悠悠的轮子却把车上的人颠过来簸过去的，一个个都跟喝醉了差不多。

死神在空气中游荡。西斜的阳光下，每一片熟悉的田野和树丛都碧油油、静悄悄的，这种非尘世的沉寂不断把恐怖注入斯佳丽的心中。这一天，她们每路过一栋被炮弹打得千疮百孔的空房子，每看到一支在焦土废墟中矗立的光杆烟囱，她的恐惧就增加一分。从昨夜到现在，她们还没有遇到过一个活人，连活牲口都没碰见过。横在路旁的尽是死人、死马、死骡子，它们已经腐烂膨胀，身上沾满了苍蝇。周围毫无生气：远处不闻哞哞的牛叫，枝头也没了鸟儿歌唱，甚至没有一丝风儿拂动树叶。只有疲乏拖沓的马蹄声和玫兰妮的婴儿的微弱啼哭声划破这一片死寂。

乡间的景色仿佛被某种可怕的魔法所震慑。或许比这更糟，它就像一位亲切、可爱的母亲的面容，经过了临终的痛苦挣扎，最后重现了生前的美丽和平静——想到这里，斯佳丽禁不住浑身直哆嗦。她觉得，自己过去常来的这些树林里此时充斥着鬼魂。在琼斯博罗附近的战斗中死去的人成千上万。他们就在这些阴森森的树丛中，斜阳透过静止不动的树叶将不祥的余晖射过来，鬼魂们——朋友的和敌人的——正盯着赶着这辆破车的她，鲜血和红土蒙住了他们的眼睛，目光呆滞，十分可怕。

“妈妈！妈妈！”她低声呼唤着。多么希望能到埃伦身边呀！但愿上帝能创造奇迹——塔拉庄园安然无恙，她可以驾车通过两旁是树木的通道，走进家门，看到母亲慈祥和蔼的面容，再次让那双温柔、灵巧、能驱散恐惧的手抚摩自己，并拽住母亲的裙裾，把自己的脸埋进去。母亲会有办法的。她不会让玫兰妮和她的小宝宝死去的。她只要轻轻吆喝几声“嘀嘘”，鬼魂和恐惧便会逃之夭夭。可是母亲病了，或许已奄奄一息了。

斯佳丽一鞭子抽在疲惫的马臀上。说什么都必须快些赶路！她们在这条没有尽头的路上已经爬行了漫长而炎热的一整天了。天快黑了，她们又将孤零零地在这荒野地里露宿，这就意味着死亡。她用磨起了泡的手把缰绳拽得更紧，同时狠命地抽打马背，而她一挥鞭胳臂就热辣辣地酸痛难忍。

她但求能投入塔拉和埃伦慈爱的怀抱中，卸下她的累赘，她娇嫩的肩膀实在是不胜负荷——一个生命垂危的产妇、一个哭声越来越细弱的婴儿、一个饿得半死的小男孩（她自己的儿子）、一个吓破了胆的黑丫头，他们都指望从她身上得到些鼓舞，得到保护，把她挺直的腰板视作勇气和精力的象征，其实她根本没有勇气，精力也早已耗尽。

筋疲力尽的马对鞭子和缰绳已毫无反应，只是勉强拖着四条腿蹒跚前行着，不时被石头绊得跌跌撞撞、歪歪扭扭，眼看就要跌倒。不过，黄昏来临时，他们的长途跋涉终于进入了最后阶段。马车从小道上一拐弯，上了大路。离此一英里便是塔拉庄园了！

前面隐约可见黑郁郁的一大片桑橙树篱，它标志着从那里开始便是麦金托什的地界。过了一会儿，斯佳丽在橡树院的通道前勒马停车，这条通道从大路直通到老安古斯·麦金托什的宅门前。斯佳丽透过越来越浓的暮霭从两行古树中间望了过去。到处都是灰蒙蒙的。无论是正屋还是棚子里，都看不到一点灯火。斯佳丽在黑暗中尽力用目光搜索着，终于又模模糊糊分辨出一幅这可怕的一天下来已变得十分熟悉的景象：两座高高的烟囱像巨大的墓碑矗立在被毁的二楼上空，没有灯光的空窗框在墙上留下了黑黑的窟窿，就像盲人呆滞不动的眼珠。

“喂！”斯佳丽使出全身力气喊道，“喂！”

普莉西吓得魂灵出窍，急忙抓住她，斯佳丽回头一看，见这丫头的两个眼珠子直往上翻。

“别‘喂’，斯佳丽小姐！请别再‘喂’了！”她抖着嗓子悄悄说，“天知道应声回答的会是什么！”

“我的上帝啊！”斯佳丽思忖道，并且顿时全身起了鸡皮疙瘩，“我的上帝啊！她说得对。什么都可能从那儿冒出来。”

斯佳丽把缰绳一抖，驱车向前。麦金托什宅院的景象把她心中保留的最后一点希望都化成了泡影。跟她当天经过的所有庄园一样，这个庄子也遭了兵灾，人去楼空，剩下一堆废墟。塔拉庄园离此地仅半英里，也在这条大路旁，是军队必经之地。塔拉庄园也已被夷为平地！她看到的将只是熏黑的断壁残垣，星光照进没有屋顶的房墙，埃伦和杰拉尔德也不知去向，两个妹妹不知去向，黑妈妈不知去向，奴隶们不知去向，只有与此同样可怕的死寂笼罩着一切。

她为什么要干这种违背常识的蠢事，拖着玫兰妮和她的婴儿一起逃难呢？与其顶着毒日头在颠簸的车上受这一整天的罪，临了却死在塔拉庄园无声无息的废墟之中，还不如死在亚特兰大省事。

然而，阿希礼把玫兰妮托付给了她。“好好照顾她。”哦，那美丽而令人断肠的一天，阿希礼和她吻别以后，便一去不回！“你会好好照顾她的，是不是？答应我！”于是她作出了承诺。她干吗要让这样一项承诺束缚住自己？阿希礼去世以后，这负担变得加倍沉重了。现在她累得什么感觉都麻木了，可还是恨玫兰妮，恨那婴儿似小猫叫一般尖细的声音——他那刺破沉寂的啼哭已越来越轻、越来越弱。但是，她作出了承诺，这母子俩的存亡安危现在就得由她来负责，正如她要对韦德和普莉西负责一样，只要一息尚存，就必须为他们拼命。她本可以把他们留在亚特兰大，把玫兰妮塞进医院，自己一走了之的。然而，她若这样做了，便无颜再见阿希礼——不论是在阳世还是阴间，——无颜告诉他她撇下他的妻子和孩子不管了，听任他们在陌生人中死去。

哦，阿希礼！斯佳丽今晚带着他的妻子和孩子在这条魅影重重的路上爬行逃难，而他在哪儿呢？他是不是还活着？是不是被关在罗克艾兰的监狱里在思念着她呢？还是几个月前就已死于天花，和另外数百名邦联军一起葬身沟壑了？

斯佳丽的神经犹如绷紧的弦，当附近的矮树丛中突然发出响声的时候，那根弦便差点绷断了。普莉西大声尖叫，一下子趴倒在车厢里，把婴儿压在了自己下面。玫兰妮虚弱地挪动身子，想伸手找孩子，韦德则捂住眼睛一个劲儿哆嗦着，吓得喊都喊不出来。稍后，近旁的矮树在笨重的蹄子下发出断裂声，并向两边分开，接着是一声低沉而凄凉的吼叫直冲耳膜。

“不过是条母牛罢了，”斯佳丽说，嗓音却由于惊慌而变得沙哑，“别疯疯癫癫的，普莉西。小宝宝会被压扁的，还把兰妮小姐和韦德吓得半死。”

“是鬼。”普莉西抽泣着，一边仍趴在车厢里神经质地扭动着。

斯佳丽胸有成竹地转过身去，举起她当鞭子的树枝抽在普莉西的背上。她实在是疲惫不堪，并因恐惧而变得十分脆弱，因而不能容忍别人的脆弱。

“坐好，你这蠢东西，”她说，“免得我在你身上把鞭子抽断了。”

普莉西哭着抬起头来，从车帮上往外望，看见站在那儿的果真是条黑白相间的花母牛，一双惊恐的大眼睛怪可怜地望着他们。母牛又张嘴哞哞地叫起来，像是在喊疼。

“它是不是受伤了？这声音不像一般的牛叫。”

“听起来它好像是奶胀得厉害，急着要人给它挤奶，”普莉西说，她多少恢复了一些自制力，“这大概是麦金托什先生的牛，他让下人把牛都赶到树林里去了，所以才没被北方佬抢去。”

“让我们带走它，”斯佳丽迅即作出决定，“这样我们的小宝宝就有奶吃了。”

“怎么能把牛带走呢，斯佳丽小姐？我们不能把牛带走。好久没挤奶的牛是一点用处都没有的。它的奶子都快胀破了。所以它才叫个不停。”

“你既然这么在行，那就把你的衬裙脱下来撕成布条，把牛拴到车后去。”

“斯佳丽小姐，你知道我都已经一个月没穿衬裙了，即使有衬裙，我也决不会白白给牛穿的。我从来没跟牛打过交道。我见了牛就害怕。”

斯佳丽放下缰绳，把自己的裙子撩了起来。里面镶花边的衬裙是她所剩的最后一件漂亮衣裳了，也是她最后一件完好的衣裳。她解开背心的带子，褪下衬裙，把细软的麻纱褶子弄得咔嚓直响。这麻纱料子和花边是瑞特从拿骚给她带来的，那也是瑞特偷越封锁线的最后一船货物。斯佳丽花了一个星期才缝成这条衬裙。现在她毫不犹豫地抓起裙边就撕，还放在嘴里咬，直到料子裂开一道口子，给撕下长长的一条来。她狠命地咬，使劲地撕，最后衬裙在她的手中变成了许多条带子。她把这些条子打结接长，尽管她的手酸麻发颤，泡也磨破了，在渗血。

“把这个夫套在牛角上。”她吩咐道。

可是普莉西却畏缩不前。

“我看见牛心里就发毛，斯佳丽小姐。我从没跟牛打过交道。我不是种地养牛的黑奴。我是当使唤丫头的黑奴。”

“你是个笨得要命的黑奴，我父亲在运气最坏的一天干的最倒霉的事就是把你给买下了，”斯佳丽慢腾腾地说着，她甚至累得没有力气发火了，“等我又能抡起胳膊的时候，看我不结结实实地抽你。”

“唉，我也跟着她说了‘黑奴’，”她心想，“要是让母亲听见，一定会很不高兴的。”

普莉西拼命地转动眼珠，先瞧瞧主人毫无表情的脸，再瞅瞅哞哞哀叫的母牛。看起来两者之中斯佳丽的危险较小，所以普莉西便牢牢抓住车帮，赖在原处不动。

斯佳丽挪动僵直的身子从车座上下来，每一个动作都会引起肌肉疼痛。见了牛“发毛”的不光是普莉西，斯佳丽也向来怕牛，即便是最温驯的母牛在她看来也像心怀叵测，但现在不是向这类芝麻绿豆的恐惧心理屈服的时候，因为真正巨大的恐怖如黑云压城般厚厚地积聚在她的头顶。幸而这条母牛脾气挺温和。它是因疼痛而向人寻求伴侣和帮助，所以当斯佳丽把衬裙撕成的布条绳子的一端绕在牛角上的时候，它没做什么威胁性的动作。斯佳丽把另一端绑在车后，尽她不听使唤的手指所能达到的限度尽量系牢。然后，她准备回到前面的车把式座位上去，突然，一阵天昏地暗的眩晕向她袭来，旋得她左摇右晃。她赶紧抓住车帮，以免摔倒。

玫兰妮睁开眼睛，见斯佳丽站在她身边，便低声问道：

“亲爱的，我们是不是到家了？”

家！听到这个字，斯佳丽禁不住热泪盈眶。家。玫兰妮哪里知道，已经没有家了，她们是在一个狂乱的世界里，置身于无人的荒野中，举目无亲，孤立无援。

“还没有，”斯佳丽的喉咙像是给什么东西堵住了，只得尽可能温和地说，“不过快到了。我刚弄到一条母牛，一会儿就能给你和小宝宝挤牛奶喝了。”

“可怜的小宝宝。”玫兰妮轻轻说了一句，一只手缓慢而又虚弱地伸向她的孩子，可是没够着。

重新爬上车夫的座位需要斯佳丽使出全身的力气，但总算成功了，于是她拿起缰绳。那马垂头丧气地站着不动，拒绝起步。斯佳丽狠心地抽了它一鞭子。她希望上帝能宽恕她如此虐待一匹劳顿的牲口。万一上帝不肯宽恕，也只好抱歉了。说到底，前面就是塔拉庄园了，只要能挨过剩下的这四分之一英里，马要倒下就让它倒下吧。

马终于慢腾腾地起步动身了，车厢吱吱嘎嘎地在晃荡，那条牛几乎每走一步都要发出哞哞的哀鸣。牲畜痛苦的叫声刺激着斯佳丽的神经，直到她打算停车把拴着母牛的绳子解开。倘若到了塔拉一个人也找不到，这牛对她们又有什么用呢？她自己不会挤牛奶，即使会挤，那畜牲也一定不会让谁碰它酸胀的乳房，八成还会踹她一蹄子的。然而，既然得到了这条牛，为什么就不能保住它呢？除了这条牛，她在这个世界上如今简直一无所有。

当马车终于来到一道缓坡脚下时，斯佳丽的眼睛变得模糊了，因为爬过了这道坡便是塔拉！紧接着，她的心猛地一沉。这匹老朽的牲口是决爬不上坡的。以前斯佳丽骑着她那匹快马疾驰过岗时，一向觉得这岗子徐升缓降，坡度很小。她简直无法相信，这么些日子不见，这斜坡竟变得如此之陡。这马拉着如此重的车，是无论如何也上不去的。

斯佳丽强打起精神下车去拉住马笼头。

“下来，普莉西，”她命令道，“让韦德也下来，你抱着他，或者让他自己走。把小宝宝放在玫兰妮小姐的身边。”

韦德抽抽搭搭地哭起鼻子来，斯佳丽从他的哭泣中只能分辨出只言片语：“黑——黑——我害怕！”

“斯佳丽小姐，我走不动。我的脚已磨起了泡，鞋也破了，我跟韦德加在一起也没多重，就算了吧——”

“下来！要不我就把你拖下来！到那时候可别怪我，我会把你撂下不管，让你一个人在这儿摸黑的。快！”

普莉西看着道路两旁的树木，忍不住呜咽啜泣，仿佛一从车厢这个庇护所出来，这些黑魆魆的树就会伸出魔爪来把她攫走似的。但她还是把小宝宝放到了玫兰妮身旁，自己则爬到地上，再踮着脚把韦德抱下来。那小男孩紧缩在他的小保姆身边，不停地哭鼻子。

“叫他闭嘴。我受不了，”斯佳丽一边说着，一边抓住笼头牵着马勉强起步，“韦德，拿出小小男子汉的样子来，别哭了，要不，我就过来揍你。”

她的脚脖子在黑咕隆咚的路上扭得生疼，于是她咬牙切齿地想：“上帝干吗要造出孩子来？这些讨厌的累赘只会哭，一点儿用处也没有，老是让别人操心，老是碍手碍脚。”此时，韦德拽住普莉西的手在她身旁小跑，还不断抽泣着；对这个吓慌了的孩子，斯佳丽的心中没有怜悯，只在厌烦——自己怎么会生下他的？随之而来的当然只有一种腻味的困惑——自己怎么会嫁给查尔斯·汉密顿？

“斯佳丽小姐，”普莉西抓住主人的胳膊悄悄说，“我们还是别回塔拉庄园了吧。他们不会在那儿的。他们都走了。说不定已经死了——妈妈死了，别人也都死了。”

其实斯佳丽自己也在这样想，可是听到普莉西说出这些话，她勃然大怒，甩掉普莉西抓着的手。

“那就让我来扶韦德吧。你可以一直在这儿坐着。”

“不，小姐！不，小姐！”

“那你就闭嘴！”

马走得多慢啊！从它嘴里流出来的口水滴在了斯佳丽的手上。她脑海里忽然闪过曾经跟瑞特一起唱过的一首歌，只记得一句，其余的都想不起来了：

累人的重负还得再担几天……

“还得再熬几步，”她在头脑里一遍又一遍地哼着，“累人的重负，还得再熬几步。”

他们总算登上了坡顶，眼前塔拉庄园的橡树连成黑压压的一大片在越来越暗的天幕前耸立着。斯佳丽急急忙忙极目远望，看看有没有一星半点的灯光从什么地方的树缝中漏过来。但是哪儿也没有灯光。

“那儿没人！”她的心告诉她，胸中顿时像压上了一块冰凉的铅，“人都不知哪儿去了！”

她把马头一转，拐上房前的车道，头顶上冠梢相连的两行杉树把他们揽入到夜半的漆黑中。斯佳丽集中精力拼命从暗沉沉的长拱道里望过去，见前面——且慢，她真的看到了？还是因疲劳而眼花了？——前面模模糊糊现出了塔拉的白色砖墙。家！家！亲爱的白砖墙，飘拂帘儿的窗户，宽敞的门廊——难道这一切都在她前面？还是于心不忍的夜幕掩藏了与麦金托什家同样骇人的惨象？

杉树车道简直像有几英里长，不管斯佳丽怎么使劲牵笼头，那马还是倔强地我行我素，越走越慢。斯佳丽的眼睛在黑暗中竭力搜索着。屋顶看来完好无损。这可能吗？怎么会有这种事？不，这不可能。战争对什么都不手软，塔拉庄园也不会例外，即使这宅院造起来是准备让它屹立五百年的。战争不可能放过塔拉庄园的。

渐渐地，朦朦胧胧的轮廓开始显形具状。斯佳丽牵着马加速向前。透过黑暗呈现在面前的果真是白色砖墙。而且也没有被烟熏黑。塔拉庄园逃过了灾难！家！斯佳丽扔下马笼头，跑完最后几步路，迫不及待地扑上前去，想把墙搂在怀里。这时，她看见一个模糊的影子从漆黑的前门廊里闪出来站在台阶顶上。塔拉并非一座空宅。家里有人！

一声欣喜的呼喊正想从喉咙里发出，却卡住了。整幢房子没有一点光亮和声息，那个影子既不动弹也不与她打招呼。总有点儿不对劲。究竟是什么不对呢？塔拉虽完好无损，然而跟遭难的整个地区一样笼罩在不祥的沉寂中。这时，那个影子移动了，它僵硬而缓慢地从台阶上走了下来。

“爸？”斯佳丽用沙哑的嗓音轻轻叫了一声，她几乎不敢相信自己的眼睛，“是我——凯蒂·斯佳丽。是我回家了。”

杰拉尔德朝她这边移动着，像个梦游者似的一声不吭，一条僵直的腿在地上拖着。他来到斯佳丽跟前，迷离恍惚地看着她，似乎觉得自己是在梦中见到女儿似的。杰拉尔德伸出一只手搁在斯佳丽的肩上。斯佳丽感到这只手在颤抖，仿佛他刚从噩梦中惊醒，仍处于半睡半醒的状态。

“女儿，”他费力地说，“女儿。”

说完，便不作声了。

“天哪，他怎么老成这个样子了！”斯佳丽思忖道。

杰拉尔德的背弯了。他的脸斯佳丽虽看不太清，但那种精神饱满、不知疲倦的活力已经消失，他那双直勾勾注视着女儿面容的眼睛，几乎跟小韦德的眼睛同样现出被吓得晕头转向的神情。斯佳丽面前站着的只是一个弯腰弓背的矮老头儿，他彻底垮了。

于是，对一切一无所知的恐惧，倏地从黑暗中跳出来逮住了她，她只能站在那里与父亲面面相觑，想提的一连串问题涌到嘴边又给关住了。

车上又传来微弱的啼哭，杰拉尔德似乎在努力想使自己从半昏迷状态中清醒来。

“那是玫兰妮带着她的小宝宝，”斯佳丽轻轻地很快地说，“她身体很不好。我把她带回家来了。”

杰拉尔德放下了搁在斯佳丽肩膀上的手，挺了挺自己的腰板。当他慢慢地走向车厢那边时，昔日热情迎客的塔拉庄园的主人被一个幽灵般的空架子代替了，他说的话也像是从淡忘了的记忆中挖掘出来的。

“玫兰妮，我的侄女！”

玫兰妮的声音在应答，但词语含糊，听不清楚。

“玫兰妮，我的侄女，这儿就是你的家了。十二棵橡树庄园已被烧掉了。你得留在我们这里。”

想到这些日子里玫兰妮连续吃了那么多苦，斯佳丽只得行动起来。眼前的事儿又得她一件件来安排，必须把玫兰妮和她的小宝宝安置在一张柔软的床上，还有各种琐碎的事，凡是能办到的都得去为她办。

“她不能走路。得来人抬。”

在一阵拖着地的脚步声之后，一个黑人的身影从过道的门洞里出现了。波克从台阶上跑了下来。

“斯佳丽小姐！斯佳丽小姐！”他喊着。

斯佳丽紧紧握着他的双臂。波克，塔拉庄园不可分割的一部分，就像这砖墙和阴凉的走廊一样可亲可爱！波克不大自然地轻轻拍着斯佳丽，边哭边说：

“你回来了真是太让人高兴了！真是太——”

斯佳丽感觉到波克的眼泪扑簌簌地滴在她手上。

普莉西也放声大哭起来，一边口齿不清地叫着：“扑克！扑克，我的亲爹！”小韦德见大人们都哭得像泪人儿似的，胆子也壮了，并开始抽抽搭搭地说：“我渴死了！”

斯佳丽让大家安静下来听她指挥。

“玫兰妮小姐还在车上，还有她的小宝宝。波克，你必须非常小心地把她抱到楼上去安顿在后面的客房里。普莉西，你抱着小宝宝带韦德进屋去，给韦德弄点儿水喝。波克，黑妈妈在吗？告诉她，说我需要她。”

在斯佳丽权威口气的激励下，波克走到车厢旁，在车后板上摸索了一阵。当他半扶半拖地把玫兰妮从她躺了几十个小时的羽绒褥垫上托起来的时候，只听她哼哼了几声。波克有力的胳膊已经把她抱起来了，玫兰妮像个小孩似的把脑袋搭在他肩上。普莉西一手抱着小宝宝，一手拖着韦德，跟在他们后面登上宽阔的台阶，消失在漆黑的过道里。

斯佳丽那双磨破了皮、正在渗血的手急切地握住父亲的手。

“她们都好了吗，爸爸？”

“你两个妹妹正在康复中。”

接着是一片沉默。沉默中，一个可怕得无法用言语表达的猜想在斯佳丽头脑中形成了。她无法说出口，无法迫使自己提这个问题。她咽下一口唾液，又咽下一口唾液，但是，她突然觉得口干舌燥，似乎咽喉的各部分都粘在一起了。塔拉如此沉寂，这个令人胆寒的哑谜的谜底难道就在于此？这时，杰拉尔德开口了，似乎在回答斯佳丽头脑中的疑问。

“你母亲——”他欲言又止。

“妈妈怎么了？”

“你母亲昨天死了。”

斯佳丽牢牢搀扶着父亲，摸索着走进宽敞的过道，尽管这里一片漆黑，可斯佳丽仍对它了如指掌。好几把高背椅子、一个空空的枪架、一张四腿呈爪形外伸的旧餐桌，她都一一绕了过去，什么也没撞倒。她觉得有一种本能把自己引向宅子后部那间小小的账房，因为埃伦经常坐在那里管着那些没完没了的账。斯佳丽相信，走进那间屋子，母亲一定又是坐在那张带文件柜的写字台旁，一定会抬起头来，手里握着鹅毛笔，然后带着馥郁的芳香，伴着裙箍的窸窣声站起来迎接她旅途劳顿的女儿。埃伦不可能死了，纵然父亲这样说，纵然他像仅会一句话的鹦鹉那样反复唠叨：“她昨天死了——她昨天死了——她昨天死了。”

说来也怪，她现在竟然毫无感觉，只是觉得累，累得像有沉重的铁链拴住了手脚，只觉得饿，饿得两腿发颤。待会儿再想母亲。她必须暂时把母亲置于脑后，要不然，她会像杰拉尔德那样痴呆地一句话唠叨个没完，或者像韦德那样成天哭鼻子。

波克摸黑从宽阔的楼梯上走了下来，像一只冻坏的动物趋向火炉那样急急挨到斯佳丽身边。

“亮儿呢？”斯佳丽问道，“屋里为什么这么暗，波克？拿蜡烛来。”

“蜡烛全被他们拿走了，斯佳丽小姐，只剩一支了，夜里要找东西的时候才用，也快用完了。黑妈妈用布条捻成灯芯浸在一盆猪油里当灯点，现在正用来服侍卡丽恩小姐和苏埃伦小姐。”

“把剩下的蜡烛头拿来，”她吩咐道，“拿到母亲的——拿到那间账房去。”

波克叭嗒叭嗒向餐室走去，斯佳丽搀扶着杰拉尔德摸进了黑咕隆咚的斗室，在沙发上坐下。父亲的胳膊仍挎在她的臂弯里，自己无能为力，巴巴地指望帮助，处处依赖他人——只有天真稚子和垂暮老人的手才会这样。

“他老了，他太累了。”斯佳丽又一次这样想道，同时隐隐约约地暗自纳闷：为什么自己对此无动于衷？

一点光亮晃晃悠悠地移了进来，波克高举着插在碟子里的半支蜡烛进来了。这个黑洞恢复了一点生气，斯佳丽和父亲所坐的陷了下去的旧沙发、顶部几乎高达天花板的写字台、台上分成好多小格的文件架、塞满了那些格子的留有母亲娟秀字迹的文件、写字台旁母亲坐的那把苗条的雕花靠背椅、磨旧的地毯——一切都依然如故，单单缺少埃伦，再也没有埃伦了，再也闻不到美人樱香囊那股淡淡的清香，再也看不见她那双丹凤眼中柔婉的眼神。斯佳丽觉得心在隐隐作痛，仿佛由于创伤太深，一下子麻木了的神经又开始顽强地复苏了。现在她不能让麻木的创痛复苏，来日方长，有的是时间抚创思痛。但是现在不行！上帝啊，现在可千万别让我痛！

斯佳丽看着杰拉尔德油灰色的面孔，竟然发现——这是斯佳丽平生头一次发现——他没刮脸，他一向容光焕发的脸上现在满是斑白的胡子楂儿。波克把蜡烛放到烛台上，走到斯佳丽身旁。斯佳丽心中油然产生一种感觉：如果波克是一条狗，一定会把鼻子搁在她腿上的裙兜里，呜呜地叫着请求抚摩它的脑袋。

“波克，还有多少黑人？”

“斯佳丽小姐，那些个没良心的黑人都跑了，有几个还是跟北方佬走的，也有的——”

“到底还有多少？”

“有我，斯佳丽小姐，有黑妈妈。她整天在服侍两位小姐。还有迪尔西，她正在楼上，夜里由她负责陪着两位小姐。就我们三个，斯佳丽小姐。”

原先一百名黑奴就只剩下了“我们三个”。斯佳丽费劲地扭动酸痛的颈脖抬起头来。她知道必须使自己的声音保持沉着和镇定。令她惊讶的是，自己说出的话居然口气从容、语调自然，好像压根儿就没在打什么仗，只要她一招手，就可以毫不费力地召集十来个家奴。

“波克，我饿极了。有吃的没有？”

“没有，小姐。全让他们拿走了。”

“那，菜园子呢？”

“他们把马放到菜园子里去了。”

“连山坡上种的红薯也没了吗？”

波克的厚嘴唇掠过一丝满意的微笑。

“斯佳丽小姐，我把红薯给忘了。我想一定还在。那些北方佬从来不种红薯，他们以为那不过是些草根，所以——”

“月亮就要出来了，你去刨一些来烤一下。有没有玉米面？有没有干豆？有没有鸡？”

“没有，小姐。没有，小姐。他们把在这儿来不及吃掉的鸡，都系在马鞍子上带走了。”

他们——他们——他们——究竟有完没完？他们烧，他们杀，难道还不够？还非要让妇女、儿童和可怜的黑人在劫掠一空的地方饿死？

“斯佳丽小姐，有一些苹果，黑妈妈拿去藏在地窖子里了。我们今天就是吃的苹果。”

“先把苹果拿来，然后再去刨红薯。对了，波克，我——我——头晕得厉害。酒窖里还有酒没有，哪怕黑莓酒也行！”

“哦，斯佳丽小姐，他们一到，最先去的就是酒窖。”

饥饿、睡眠不足、极度疲劳和精神上受到的沉重打击，混合成一种眩晕、恶心的感觉，突然向她袭来，她紧紧抓住玫瑰花形状的雕花沙发扶手。

“没有酒。”她木然地说着，脑海中浮现出酒窖里一排排数不清的瓶子。忽然，她的记忆被搅动了。

“波克，爸曾把一只橡木桶埋在了葡萄棚下面，那桶玉米威士忌怎么样了？”

波克的黑脸又掠过一丝微笑，这微笑洋溢着喜悦和钦佩。

“斯佳丽小姐，你真是个了不起的孩子！我早已把那桶酒忘得一干二净了。不过，斯佳丽小姐，那种威士忌不好喝。它在地里才藏了一年，再说，小姐们喝威士忌怎么说也是不行的。”

黑人实在是太蠢了！除了别人对他们说过的话，他们从不用脑子想想别的。北方佬却要解放他们。

“这会儿本小姐正用得着它，爸也要。快去，波克，把那桶酒挖出来，再给我们拿两只酒杯来，还要一些薄荷和糖，我要调朱蕾普酒。”

波克脸上露出责备的神情。

“斯佳丽小姐，要知道，塔拉庄园已经断糖很久了。薄荷也都让他们的马吃得精光，杯子也全被他们给打破了。”

如果他再说一声“他们”，斯佳丽准会大叫起来。“我受不了。”她心想，她接着出声说道：“好吧，你赶紧去把威士忌拿来，快点。我们就喝没糖的。”波克刚转过身，她又说：“等一下，波克。要做的事情太多了，我简直理不出个头绪……哦，对了。我带了一匹马和一条母牛回来，母牛已好久没挤奶了，一定胀得厉害；得给马松套、喂水。去叫黑妈妈照看母牛。让她无论如何要想办法把牛养起来。要是没东西喂玫兰妮小姐的宝宝，他会死的……”

“兰妮小姐她——不能——？”波克知趣地没再说下去。

“玫兰妮小姐没奶。”上帝啊，妈妈要是听到她这样说，一定会晕过去的！

“那么，斯佳丽小姐，我的迪尔西会给兰妮小姐的宝宝喂奶的。我的迪尔西新近又添了个孩子，她的奶够两个孩子吃的。”

“你们又添了孩子，波克？”

孩子，孩子，孩子。上帝为什么要生那么多的孩子？不过，上帝并没有生下他们。是愚蠢的人们把他们生下来的。

“是的，小姐，一个又大又胖的黑男孩。他——”

“去叫迪尔西不用再待在我两个妹妹那儿了。我会照料她们的。叫迪尔西去喂玫兰妮小姐的宝宝，还要好好侍候玫兰妮小姐。让黑妈妈去照看母牛，再把那匹可怜的马牵到马厩里去。”

“马厩没有了，斯佳丽小姐。他们把马厩拆了当柴火烧了。”

“别再对我说‘他们’干了些什么。叫迪尔西去照料产妇和小孩。你，波克，去把那桶威士忌起出来，再刨些红薯来。”

“可，斯佳丽小姐，没亮我怎么刨土？”

“你不会用木柴当火把吗？”

“哪儿还有木柴，全被他们——”

“那你自己想办法……我管不着。我只要你把东西刨出来，而且要快。快去吧。”

听到斯佳丽的嗓门变大，波克赶紧走了，屋里只剩下杰拉尔德父女俩。斯佳丽轻轻拍着父亲的腿。她发现那两条原先硬邦邦鼓着马鞍肌的大腿萎缩了许多。她必须设法把父亲从这种麻木的状态中拖出来，但她没有勇气询问母亲的事。这事只能等她做好了精神准备以后再说。

“他们为什么没把塔拉庄园烧掉？”

杰拉尔德莫名其妙地凝视了她片刻，似乎没听见她的话，于是斯佳丽又问了一遍。

“为什么——”他嗫嚅了一阵，“这房子做了他们的司令部。”

“北方佬——在我们家？”

她顿时觉得自己心爱的墙壁被玷污了。对她来说这房子是神圣的，因为埃伦曾在这里住过，但那帮人——那帮人——竟把这里做了司令部。

“他们在这儿待过，我的女儿。我们先是看见河那边的十二棵橡树庄园浓烟滚滚，随后他们就来了。不过，哈妮小姐和印第亚小姐带着一些黑奴已经逃到梅肯去了，所以我们并不为她们担忧。可是我们没能去梅肯。你的两个妹妹病得那么厉害……还有你母亲……我们不能走。我们的黑奴都不知跑到哪里去了。他们偷走了大车和骡子。就只剩下黑妈妈和迪尔西，还有波克了——他们没跑。我们没法带着你的两个妹妹和母亲去逃难。”

“是啊，是啊。”决不能让他提起母亲。别的什么都可以谈。甚至可以谈谢尔曼将军曾经拿这间屋子——母亲的账房——做司令部。谈什么都行。

“当时北方佬正在琼斯博罗推进，准备切断铁路线。他们从河边来到大路上，成千上万的人，大炮和马匹也有好几千。我走到前厅去见他们。”

“哦，好样的小个子杰拉尔德！”斯佳丽心中暗暗为父亲感到骄傲：杰拉尔德站在塔拉的台阶上面对强敌，好像有一支军队在他背后呐喊助威，而不是在他前面耀武扬威。

“他们让我趁早离开，说要烧房子了。我说除非把我也一起烧了。我们不能走——两个女孩子有病，还有你母亲……”

“后来怎么样了？”他干吗老是把话头转到埃伦身上去？

“我对他们说，这房子里有伤寒病人，搬动病人等于送她们的命。他们要烧房子就得连我们一起烧掉。反正我是决不离开……决不离开塔拉……”

他的话音渐渐归于沉寂，眼睛无神地环顾四壁。斯佳丽明白，杰拉尔德背后站着一大群爱尔兰祖先，他们都死在几亩薄地上，他们宁可战斗到最后一息也不愿离开自己的家园，因为他们曾在那里生活、耕作、恋爱、繁衍生息。

“我说，他们要想烧房子除非把三个垂死的女病人一起烧掉。要我们离开此地是绝对办不到的。那位年轻的军官——是位君子。”

“北方佬会是君子？你说什么呀，爸！”

“是位君子。他骑马出去了一会儿，就带着一名上尉军医回来了，那军医看了你两个妹妹和你母亲的病情。”

“你让一个该死的北方佬到她们房间里去？”

“他有鸦片。我们没有。是他救了你两个妹妹。当时苏埃伦血出得很厉害。那位大夫心地好极了。他向上司报告说这里有病人，所以他们没烧房子。一位将军和他手下的一些人住了进来。他们占用了所有房间，只除了病人那一间。士兵们……”

他又停顿了一下，似乎太累了，需要喘口气。他那胡子拉碴的下巴下沉沉地向胸前挂下一道道宽松的肉裥。他好不容易才重又说起话来。

“士兵们在房屋的周围扎营，棉花地、玉米地里到处都有营帐。牧草地也都成了一片蓝色，到处都是他们的人。那天夜里点起的营火有上千堆。他们拆下了栅栏生火做饭，后来又拆了干草棚、马厩和熏肉房。他们宰牛、杀猪、杀鸡，甚至杀了我的火鸡。”这么说，杰拉尔德珍爱的那些火鸡也完了。“他们什么都要，就连画像也拿走了，还有好多家具、瓷器……”

“那些银餐具呢？”

“波克和黑妈妈把银餐具藏起来了，可是我记不起藏在哪儿了，或许是在井里，”杰拉尔德的语调变得烦躁不安起来，“北方佬就从这儿——从塔拉——指挥打仗，整天都是闹嚷嚷的人声、来来往往的马蹄声。后来大炮就在琼斯博罗打响了——那声音就跟打雷一样，连你两个病重的妹妹都能听见，她们翻来覆去地说：‘爸，你想想办法让这雷别打了。’”

“那么……妈妈呢？她知不知道北方佬在我们家里。”

“她一直人事不省。”

“谢天谢地。”斯佳丽说。上帝总算没让她遭那份罪。母亲始终不知道，也没听到敌人就在楼下的几间屋子里，始终没听到琼斯博罗的炮声，始终不知道她苦心经营的这片土地已被北方佬踩在脚下。

“我很少见到他们，因为我一直待在楼上你两个妹妹和你母亲那儿。我见得最多的是那位年轻的军医。他人很好，非常善良，斯佳丽。他整天忙着治疗伤员，完了以后总要来看看我们的病人。他还留下了一些药品。后来，他们的军队就继续向前推进，临走时他对我说，你两个妹妹会好起来的，可是你母亲……他说，她过于虚弱，怕是熬不过去了。他说她已经把自己的精力都掏空了……”

在接下来的静默中，斯佳丽可以清楚地想象到母亲病倒前最后几天的模样，她虽瘦弱，却是塔拉庄园的精神支柱，她废寝忘食地照顾孩子、努力工作、忙这忙那，让别人吃饱睡好。

“他们后来就开拔了。他们后来就开拔了。”

杰拉尔德半晌没有出声，然后摸索着找女儿的手。

“我真高兴你回家来。”他只说了这么一句。

后门廊上传来了摩擦的声响。可怜的波克四十年来已训练有素——进屋前先擦干净鞋底，——甚至在目前这种情况下也不忘规矩。他小心地抱着两个葫芦走了起来，从葫芦中洒出来的几滴威士忌已先于他把浓烈的酒香送进了室内。

“被我洒了不少，斯佳丽小姐。把酒从桶孔放出来往葫芦里灌可真不容易。”

“干得很好，波克，谢谢你。”她从波克手中接过一个湿漉漉的长柄葫芦，冲人的酒味使她皱眉缩鼻。

“喝吧，爸。”她说着把那个奇形怪状的威士忌容器放到了杰拉尔德手里，又从波克那里接过第二个葫芦——盛水的。杰拉尔德像个听话的孩子似的举起酒葫芦，发出很大的声响喝起来。斯佳丽把水葫芦递给了他，可他摇了摇头。

斯佳丽从父亲手里取过威士忌放到了自己嘴边，见父亲的一双眼在注视着她，她目光中隐约透出一丝不以为然的表情。

“我知道，大家闺秀是不该喝烈性酒的，”她直截了当地说，“但我今天不做大家闺秀，爸，再说今晚我还有事情要做。”

她把酒葫芦倒过来，深深吸一口气，然后很快地喝了下去。热乎乎的液体顺着她的喉咙一直烧到了胃里，呛得她眼泪都流出来了。她又喝了一口，接着又把葫芦举到嘴边。

“凯蒂·斯佳丽，”杰拉尔德说，这是斯佳丽回来后听到父亲说的第一句口气严厉的话，“够了。你不了解酒性，这种酒会使你晕头转向的。”

“晕头转向？”她发出一阵颇有些失态的大笑，“晕头转向？我但求能醉得不省人事。我巴不得酩酊大醉，把这一切统统忘掉。”

她又喝了一口，一股热流在她的血管里缓慢地流动，渐渐地流遍全身，直到她的指尖都觉得火辣辣的。这股可心怡人的火产生的感觉可真是妙不可言。这火甚至能渗透她那颗冰封的心，精力重又回到了她的体内。斯佳丽看着父亲困惑而又痛苦的神情，再次拍了拍他的膝盖，努力做出一向能博得他欢心的那副涎皮赖脸相来。

“这酒哪会让我晕头转向呢，爸？难道我不是你的女儿？你不是把克莱顿县最沉稳的头脑传给我了吗？”

杰拉尔德看着女儿倦怠不堪的面容，几乎忍俊不禁。威士忌也在使他兴奋起来。斯佳丽把酒葫芦递给了他。

“再喝一点，然后我带你上楼，让你睡觉。”

斯佳丽发觉自己说走了嘴。哟，这是她对韦德说话的口吻，对父亲可不能用这样的腔调。她这是目无尊长。然而杰拉尔德听了倒是正中下怀。

“对，让你睡觉，”斯佳丽改用轻松的语气补充说道，“我再给你喝一口，没准儿把葫芦里的全给你，然后让你去睡觉。你需要睡觉，有凯蒂·斯佳丽在，你什么也不用操心了。喝吧。”

杰拉尔德很听话地又喝了一口，斯佳丽把胳膊伸到他腋下，扶他站了起来。

“波克……”

波克一只手拿着葫芦，另一只手挎着杰拉尔德的胳膊。斯佳丽拿起烛光摇曳的蜡台，于是三个人慢慢地穿过黑洞洞的过道，登上螺旋楼梯向杰拉尔德的房间走去。

苏埃伦和卡丽恩合睡在一张床上，两人在梦中不停地翻着身，还嘟嘟囔囔地不知在说些什么，屋子里有股很难闻的气味，因为唯一的光亮来自浸在一碟猪油里点着的用破布条捻成的灯芯。所有的窗户都是关着的。房内充斥着病房的气息、药物的味儿、猪油的恶臭，斯佳丽刚打开房门，这股浑浊的空气就差点儿把她熏倒。也许医生会说，病人不能吹风，但她要是在这里待上一段时间的话，就必须换换空气，否则非得闷死。于是她把三扇窗统统都打开了，橡树叶和泥土的清香弥漫进来，然而种种令人作呕的臭味在这紧闭的室内已陈积了好几个星期，这点儿新鲜空气一时哪能把它们驱散。

卡丽恩和苏埃伦躺在一张很高的四柱大床上，斯佳丽回想起美好的过去，那时她们常在这张床上一起说悄悄话，如今她俩形容憔悴，面无血色，睡眠断断续续，醒来就直愣愣地睁大眼睛说胡话。屋角放着一张拿破仑时代流行的空单人床，两端都有雕饰，那是埃伦从萨凡纳带回来的。埃伦生病时就是躺在这张小床上。

斯佳丽在大床旁坐下，木然凝视着两个妹妹。威士忌注入很久没进食的空腹恶作剧起来。她时而觉得两个妹妹变得很小，与她隔得很远，她们传到她耳朵里的声音像是嗡嗡的虫鸣。时而又觉得她们变成了庞然大物，似闪电般向她扑过来。她太累了，累得无以复加。要是让她躺下，她可以一连睡上好几天。

她真想倒头就睡，想在醒来时感觉到埃伦轻轻摇她的臂膀，说："时间不早了，斯佳丽。你怎么能懒成这样！"然而，再也不能这样了。要是埃伦还活着该多好啊！要是有一个年纪比她大、见识比她广而又没像她那样精疲力竭的人，她就可以去求助，可以依偎在那人的膝上，可以把沉重的负担卸到那人肩上！

门悄没声儿地开了，迪尔西走了进来，怀里抱着玫兰妮的婴儿，手里拿着装威士忌的葫芦。油灯隔着烟雾的微光摇曳着，迪尔西似乎比斯佳丽上次见到时瘦了，印第安血统在她脸上也越发明显了。高耸的颧骨更加突出，鹰钩鼻变得更尖，紫铜色的皮肤比以前更有光泽了。她那件褪了色的印花布连衣裙的前襟一直敞到腰部，露出了赤褐色的巨大乳房。玫兰妮的婴儿紧紧挨着迪尔西，他那苍白的小嘴贪婪地吸吮着黑色的乳头，两只小拳头抵在软乎乎的胸脯上，就像一只小猫蜷缩在母腹温暖的毛皮中。

斯佳丽晃晃悠悠地站起来，把一只手放在迪尔西的胳膊上。

"你能留下来真是太好了，迪尔西。"

"我怎么会跟那些没出息的黑人一起走呢，斯佳丽小姐？你爸好心把我和我的小普莉西买了下来，你妈心地又那么好。"

"坐下吧，迪尔西。这么说，小宝宝吃得下奶？玫兰妮小姐怎么样了？"

"这宝宝没事儿，就是饿了，反正有的是奶喂一个饿宝宝。玫兰妮小姐也不要紧。她不会死的，斯佳丽小姐，你别担心。像她这样的我见多了，白人黑人都有。她太累了，太着急，生怕这个宝宝有个好歹。不过我已经让她定下神来了，我把葫芦里剩下的酒给了她一点儿，这会儿她已经睡着了。"

敢情这玉米威士忌全家都享用了！斯佳丽甚至产生了一个歇斯底里的想法：也许该让小韦德也喝一口，看看能不能止住他打嗝儿……玫兰妮不会死了。等到阿希礼回来——如果他能回来的话……不，这事也放到以后再想吧。有那么多的事要想！那么多的头绪要理，那么多的主意要拿——统统放到以后再说。但愿能无限期地推迟这个"以后"！突然，一阵吱吱嘎嘎、扑通扑通有节奏的响声划破了窗外的沉寂，使她猛吃一惊。

“那是黑妈妈在打水准备给两位小姐擦身。她们要经常洗澡。”迪尔西一边解释道，一边把葫芦插在桌上的药瓶、杯子中间。

斯佳丽蓦地笑出声来。深深留在她记忆中的井辘轳的响声居然会把她吓一大跳，可见她的神经已乱成了散股的烂纱。迪尔西直瞪瞪地看着她笑，丝毫不动声色，脸上仍保持着庄重的神色，但斯佳丽觉得迪尔西心里全明白。斯佳丽重又在椅子上坐了下来。她真想脱下紧身褡、卡脖子的衣领以及仍然嵌满沙砾的鞋，她的脚都被磨起了泡。

随着绳索的转动，井辘轳发出了吱吱嘎嘎的声音，每一声吱嘎都把水桶吊得高了些，离井口更近了些。她很快就能见到黑妈妈了，那是她的黑妈妈，也是埃伦的黑妈妈。斯佳丽默然而坐，对什么都失去了兴趣，这时婴儿已经吃饱了奶，可是他发现那个可亲的乳头不见了，于是又呜呜地哭起来。迪尔西也不吭声，又把乳头送到婴儿嘴边，抱着他轻轻摇晃，而斯佳丽则在注意听着黑妈妈拖着鞋底慢慢穿过后院的脚步声。夜如此宁静！即使极轻微的声音在她听来都如雷贯耳。

黑妈妈肥胖的身躯挪近门口时，楼上的过道似乎一齐在摇动。接着，黑妈妈进屋了，两只沉重的木桶把她的肩膀压得耷拉了下去，她那慈祥的黑脸罩着一种困惑不解的哀愁，像猴子莫名其妙时的表情。

一见到斯佳丽，她的眼睛刷地亮了，她放下水桶时露出了一口发亮的白牙。斯佳丽向她跑了过去，并把脑袋埋在她宽阔、松软的胸前，这胸膛曾抚慰过好多脑袋，包括黑的和白的。斯佳丽心想：“总算还有这么点儿牢靠的东西在，总算还保留着一点儿生活的老样子。”然而，黑妈妈一开口，就把这种幻觉一扫而光。

“黑妈妈的孩子回家了！哦，斯佳丽小姐，现在埃伦小姐已经进了坟墓，叫我们可怎么办啊？哦，斯佳丽小姐，我只想跟埃伦小姐一起去死！离开了埃伦小姐，这日子叫我可怎么过？除了苦难和倒霉，如今什么也没有。只有累人的重负，宝贝，只有累人的重负。”

斯佳丽把脑袋紧紧偎依在黑妈妈胸前，这时引起她注意的是

“累人的重负”几个字。整个下午，单调地在她头脑里响个不停的不正是这几个字吗？响得她直想呕吐。此刻，她怀着一颗沉重的心记起了这首歌其余的词：

累人的重负还得再担几天！
哪怕担子重得把腰压弯！
担到有朝一日趔趔趄趄回家转……

“哪怕担子重得把腰压弯！”这句话的含义进入了她疲惫的头脑。难道她的担子就减轻不了吗？她回到塔拉难道并不意味着苦难到了尽头，而只是意味着担子的加重？她从黑妈妈怀里抽出胳膊，举起手来轻轻拍了一下那张皱巴巴的黑脸。

“宝贝，你的手怎么弄成这个样子了？”黑妈妈抓住斯佳丽的小手，看着上面起的水泡和血块，惊愕中包含着责备。“斯佳丽小姐，是不是大家闺秀，只要看看她的手便知道了——这话我不知对你说过多少次了，不是吗？瞧，你的脸也晒黑了！”

可怜的黑妈妈，她仍不放过这些鸡毛蒜皮的小事，尽管战争和死亡的风暴刚刚从她们的头上刮过！再过一会儿，她准会说，手上起泡、脸生雀斑的小姐十有八九是找不到如意郎君的。于是，斯佳丽抢先转移话题。

“黑妈妈，我要你告诉我母亲的事。听爸讲她的事实在让人受不了。”

黑妈妈俯身提起水桶来时，眼泪夺眶而出。她默默地把水放到床前，然后掀开被单，开始往上褪苏埃伦和卡丽恩的睡衣。斯佳丽借着暗淡闪烁的灯光仔细向两个妹妹看去，卡丽恩身上的睡袍虽然干净，但已是破烂不堪，苏埃伦则裹着一件宽松的旧晨衣，是亚麻布的本色料子，镶有不少爱尔兰花边。黑妈妈无声地一边流着眼泪，一边用一条旧围裙的残片权充毛巾给两位姑娘擦洗瘦骨嶙峋的身子。

“斯佳丽小姐，这都怨斯莱特里一家，是斯莱特里家那些可恶、混账、下流的穷光蛋白人害死了埃伦小姐。我不知叮嘱过她多少次：为那些混账东西做事没个好，可埃伦小姐向来助人为乐，而且她的心肠又是那么软，从不拒绝需要帮助的任何人。”

“斯莱特里家？”斯佳丽莫名其妙地问，“这跟他们有什么相干呢？”

“她们害的就是那种该死的病，”黑妈妈一面说，一面拿围裙的残片打着手势，示意是跟两个裸露的姑娘同样的病，而从破布上滴下的水把她们的床单都淋湿了，“先是斯莱特里太太的女儿埃米病倒了，斯莱特里太太急急忙忙到这儿来找埃伦小姐，她一有什么麻烦就总是这样。自己的女儿干吗不自己照顾？埃伦小姐本来就忙不过来，可她还是去了斯莱特里家照顾埃米。本来埃伦小姐自己的身体都够呛，斯佳丽小姐。你妈身体不好已经有好长时间了。这儿又没什么可吃的，地里长出来的全都给拿去充了军粮。埃伦小姐吃的比一只鸟多不了多少。我不知跟她说过多少次，叫她别理那些穷白佬，可她就是不听。得，就在埃米像是要好起来的那会儿，卡丽恩小姐又病倒了，也是这劳什子病。是啊，伤寒沿着大路飞了过来，把卡丽恩小姐给逮住了，后来苏埃伦小姐也跟着躺倒了。那时埃伦小姐又得照顾她们。

“大路上一直在打仗，北方佬就在河对岸，我们不知道会有什么事情会降临到自己头上，每天夜里都有种地的黑人逃跑，我简直都要发疯了。可埃伦小姐仍像没事儿一样，她只是很担心两个姑娘的病，因为我们弄不到药，什么也弄不到。一天晚上，在我们给两个姑娘擦了十来次身子后，她对我说：‘黑妈妈，如果灵魂能卖的话，我宁愿把我的灵魂卖了换一块冰放在我女儿的头上。’

“她不让杰拉尔德先生到这儿来，也不让罗莎和蒂娜进来，只有我除外，因为我以前得过伤寒。后来，斯佳丽小姐，她也得了这种病，我一下就看出这下没救了。”

黑妈妈直了直腰，撩起围裙抹掉泉水般涌出的泪水。

“她的病很快就越来越严重了，斯佳丽小姐，连那位好心的北方佬大夫也没办法。她完全没有了知觉。我叫她，跟她说话，可她连她的黑妈妈都不认识了。”

“她有没有……提到过我？有没有喊过我？”

“没有，宝贝儿。她以为自己又回到了萨凡纳，又是当年的小姑娘。她没有喊过谁的名字。”

这时迪尔西挪动了一下身子，把睡着了的婴儿放在大腿上。

“不，她叫过的，小姐。她叫过一个名字。”

“给我闭嘴，你这印第安黑娘们！”黑妈妈转过身气势汹汹地对迪尔西说。

“别这样，黑妈妈！她叫了谁，迪尔西？是不是叫我爸？”

“不，小姐。不是叫你爸。那是烧棉花的那天夜里——”

“棉花被烧掉了？快告诉我！”

“是的，小姐，被烧掉了。那些兵把大捆大捆的棉花从仓库里推出来滚到后院里，高声喊道：‘快来看佐治亚州最大的火堆！’然后把它们点着了。”

三年收获贮存的价值十五万美元的棉花就这么付之一炬了！

“烧棉花的火把周围照得跟白天一样，当时这间屋子亮得能把一根针从地板上捡起来，我们吓得要命，生怕房子也会烧着了。火光映进窗户时，好像把埃伦小姐惊醒了，她从床上坐起来大声地叫喊，叫了一声又一声：‘菲利普！菲利普！’我以前从来没听到过这个名字，可这确实是个名字，她在叫一个人。”

黑妈妈好像成了化石似的站在那里，瞪着迪尔西，但是斯佳丽把脸埋进了自己手中。菲利普是谁？他是母亲的什么人，母亲临死怎么会叫他的名字？

从亚特兰大到塔拉庄园的这条漫长路程走完了，原以为会把她引向埃伦怀抱的这条路，尽头竟是一堵没有门窗的墙。斯佳丽再也不能像小孩子似的在父亲的屋檐下安然入睡，让母亲的爱像裹着她的鸭绒被那样又温暖又软和地呵护她。如今没有了安乐窝，也没有了她可以求助的避风港。无论怎么左转右拐、过来倒去，她都无法回避走进这个死胡同。她无法把包袱卸到任何人肩上。父亲老了，经过这样的打击已经一蹶不振；两个妹妹都还病着；玫兰妮虚弱不堪；孩子们也怪可怜的；黑奴们用天真信赖的目光仰视着她，围着她转，认定埃伦的女儿也会像埃伦一样庇护他们。

窗外，借着冉冉升起的月亮的微光，可以看到展现在她面前的塔拉庄园，黑奴们逃散了，田地荒芜了，仓房也全毁了，塔拉像一个人的躯体在她的眼前流着血，就像她自己的身体一样在慢慢地流血。这就是路的尽头，这里有颤颤巍巍的老人，有病重如山的少女，有嗷嗷待哺的幼儿，有牢牢拽着她衣裾的求援之手。在这路的尽头，是要什么没什么，而她，斯佳丽·奥哈拉·汉密顿，只不过才十九岁，还带着个孩子，孤儿寡母的，又能有多大的作为呢？

面对这么个烂摊子，她该怎么办？佩蒂姑妈和伯尔家会让玫兰妮母子俩住到梅肯去的。如果卡丽恩和苏埃伦得到康复，埃伦娘家的人——不论他们愿不愿意——都必须接受她们。她自己和杰拉尔德可以去投靠詹姆斯和安德鲁伯伯。

斯佳丽看着两个妹妹骨瘦如柴的身躯在她眼前辗转反侧，被淋湿的床单上是一摊摊明显的水迹。她并不爱苏埃伦。现在她突然清楚地意识到了这一点。她从来就不喜欢苏埃伦。对卡丽恩她也没有特别的好感——她没法去爱任何一个弱者。但她们都是她的骨肉同胞，是塔拉庄园的一部分。不，她不能坐视她们在姨妈家以穷亲戚的身份讨生活。不能坐视奥哈拉家的成员去寄人篱下，靠嗟来之食和他人的容忍度日！哦，那绝对不行！

难道就没有一点办法从这个死胡同逃出？她那疲乏的脑瓜实在已经动不了了。她好不容易举起两只手捧住脑袋，这空气就像是水，她的胳膊必须使劲克服它的阻力才能举起。斯佳丽拿起插在杯子和药瓶之间的葫芦往里边看了看。葫芦底里还剩有一些威士忌，有多少她可说不准，因为光线太暗。说来也怪，那么冲的酒味现在她已不觉得那么刺鼻了。她慢慢地喝着，这一次并没感到火烧火燎，只觉得热乎乎、暖洋洋的。

她放下空葫芦，环顾四周。所有的一切——烟雾腾腾、半明半暗的房间，瘦成皮包骨的两个女孩子，黑妈妈在床边弓着腰的臃肿体态，似铜像般不语不动的迪尔西以及在她深褐色的胸前睡着的那团嫩红色的小生命——全是一场梦，她会从梦中醒来的，那时她将会闻到厨房里煎熏肉的香味，将听见黑人们的欢声笑语和大车吱吱嘎嘎驶往田间的动静，而埃伦会温柔而坚定地推她，催她起床。

后来，斯佳丽发现已经到了自己房间，躺在自己床上，淡淡的月光划破黑暗，黑妈妈和迪尔西正在给她脱衣服。折磨人的紧身褡不再夹磨她的腰部，她可以不紧不慢地深呼吸，直达肺底和丹田。她感觉到自己的袜子被轻轻地脱掉，听见黑妈妈一边替她洗起泡的脚，一边喃喃地说着些含糊不清的宽心话。水真凉快，像孩子似的躺在这柔软的床上真舒服。她舒了口气，全身得到了松弛。过了一段时间——可能是一年，也可能只是一秒——此处就只剩下她一个人了，月光照进窗户洒在了床上，屋里比先前亮了些。

她不知道自己醉了，不知道醉于劳累和威士忌。她只知道自己脱离了疲乏的躯壳，在自己躯体的上方凌空飘浮。那里没有痛苦，没有困顿，在她的大脑中好多事物以超自然的清晰度显现出来。

她好像换了双眼睛看问题，在返回塔拉庄园的漫长路途中，她已经把自己的少女时代抛在后面了。她再也不是一团可塑的粘土，会把每一种新的体验印在上面。黏土已经变硬，这变化就发生在这充满悬念、长如千年的一昼夜中的某一个时刻。今晚是她最后一次让人当孩子照料。她现在已经是个妇女，少不更事的时代已经结束了。

不，她不能也不会去投靠杰拉尔德或埃伦的亲戚。奥哈拉家的人从来不接受施舍。奥哈拉家的人从不求人。她的负担是她自己的，既然如此，她就有能挑起这副担子的肩膀。她从高处往下看，对自己的肩膀现在无论什么都能胜任并不吃惊，因为她所能遇到的最坏的情况都已经熬过来了。她不能放弃塔拉庄园。与其说这些红土地是属于她的，不如说她是属于这些红土地的。她深深扎根在这色如红血的土壤，并且像棉花一样从中汲取营养。她要留在塔拉，想办法把庄园维持下去，养活父亲和妹妹，照顾好玫兰妮和阿希礼的孩子，也要让那几个黑人不至于流离失所。明天——哦，明天！明天她将把这副牛轭套上自己的脖子。明天有那么多的事情要做。先到十二棵橡树庄园和麦金托什家的庄园去，看看那儿废弃的菜园子里有没有什么水果蔬菜剩下；到河边的沼泽地去搜索一下，看有没有迷路的猪和鸡；再带上埃伦的首饰去一趟琼斯博罗和洛夫乔伊——那儿总有个把人愿意拿吃的东西跟她交换的。明天……明天……她的头脑像松了发条的钟滴答滴答越走越慢，然而内心仍是那样透明。

忽然间，他们家族的故事水晶球般清晰地显现在她面前，这些故事她从孩子时起就不知听过多少遍了，听得都有些腻了，颇不耐烦，却又似懂非懂。杰拉尔德是白手起家创建了塔拉庄园的；埃伦是克服了神秘的精神创痛才振作起来的；外公罗比亚尔是拿破仑帝位倾覆后的幸存者，在佐治亚的海边沃土上重振了家业；外婆的父亲普柳多姆曾在海地茂密的丛林中建立过一个袖珍王国，却把它丢了，后来又在萨凡纳赢得了人们的尊敬。斯佳丽家族中有些人曾参加过爱尔兰义勇军为自由爱尔兰而战，结果竟被绞死了。奥哈拉家族中也有人为捍卫属于他们的权利而战斗着，直到流尽最后一滴血，死在博恩河畔。

这些人无不经历过如雷轰顶的不幸，却都没有被轰倒。帝国的覆灭、造反奴隶手中的大刀、战争、叛乱、放逐、抄家——都没有压垮他们。厄运也许曾断其头，却从未夺其志。他们不流泪，他们顽强奋斗。他们死时或精疲力竭，或弹尽粮绝，但决不屈服。所有祖先的幽灵似乎都在月光如水的房间里悄然游荡，他们的血在斯佳丽的静脉中流动。见到他们，斯佳丽并不吃惊，这些血亲虽曾遭到命运最残酷的打击，但他们却能牵住命运的鼻子。塔拉庄园是她的命运，她的战场就在这里，她必须战斗而且获胜。

她迷迷糊糊地翻过身去，一片缓缓移动的黑暗将她的意识笼罩住。他们是否真的在悄悄地给她以无言的鼓励？抑或这是她梦中的情景？

“你们在那里也罢，不在那里也罢，”她在睡梦的门槛上喃喃自语，“祝你们晚安，并且——谢谢你们。”

25

第二天早晨，由于头天走了很多的路又在车上颠簸了那么久，斯佳丽浑身僵直酸麻，稍一动弹便疼得要命。她的脸被晒成了深红色，起了好多泡的手掌也跟针扎似的。舌头上覆着厚厚一层苔，喉咙里干得像是让火焰给烤焦了似的，无论多少水也解不了渴。她脑袋肿胀，甚至转动一下眼珠子都直皱眉头。跟怀孕初期十分相似的反胃感觉，让她一看到早餐桌上热气腾腾的红薯就想吐，连它的气味也受不了。照理，杰拉尔德满可以告诉她，昨晚她是第一次喝醉，所以现在这么难受是很自然的，但杰拉尔德什么也没注意到。他坐在餐桌的首席，已是一个白发苍苍的老人，一双褪了色的眼睛呆呆地望着门口，脑袋略略歪斜，仿佛在听埃伦衣裙的窸窣声，在闻香囊中美人樱的香气。

斯佳丽坐下之后，杰拉尔德喃喃地说：

“等一会儿奥哈拉太太吧。她有事耽搁了。”

斯佳丽怀疑自己的耳朵也出了毛病，强忍头痛抬眼向父亲那边望去，却碰到了站在杰拉尔德椅子背后的黑妈妈央求的目光。斯佳丽晃晃悠悠地站起来，一只手按在自己脖子上，透过早晨的阳光仔细俯视着父亲。杰拉尔德抬头毫无表情地看着女儿，斯佳丽见他双手发颤，脑袋也在微微晃抖。

在此之前，斯佳丽还没有意识到自己实际上对杰拉尔德寄予厚望，希望杰拉尔德来坐镇指挥，告诉她该做什么，可现在……天哪，他昨晚看上去几乎还是好好儿的。虽然看不见了平时那种爱说大话和精力充沛的样子，但他至少还做了一番相当连贯的叙述，可现在……现在他甚至忘了埃伦已经不在了。北方佬的到来和埃伦之死，这双重打击使他的神经出了毛病。斯佳丽正要开口，只见黑妈妈拼命摇着头并且撩起围裙来擦她通红的双眼。

“哦，难道爸的神经错乱了？”斯佳丽心想。她的头本来就一阵阵拉着痛，这新增加的烦恼简直要把她的脑袋炸裂了。“不，不。他只是让这一切给震蒙了。他大概只是身体不好。过些时会恢复的。他必须恢复。倘若恢复不了，叫我怎么办呢？……这事我现在不去想。现在我不愿想他或母亲的事，也不愿想那些可怕事情中的任何一件。我暂时还受不了。有许许多多别的事情需要我考虑，在这些事情上花功夫也许还有点儿用，我又何必去想那些已经无能为力的事情呢！”

她什么也没吃就离开了餐室，来到后门廊上，发现波克光着脚，穿着他最体面的破烂衣服，坐在台阶上剥花生。斯佳丽脑袋里像有锤子在砸，炽烈的阳光直刺眼睛。单是保持身体不东倒西歪就得咬紧牙关，于是她尽可能把话说得简短，干脆撇开母亲一贯教导她的对黑人应当讲究的一般礼貌。

她开始粗声大气地提问，坚决地发号施令，波克莫名其妙地扬起两道眉毛。埃伦小姐跟任何人说话都从来不用这种口气，即使当场逮住他们偷小鸡或西瓜的时候也不。斯佳丽又一次问了棉田、菜园和牲畜的状况，她的绿眼睛透出严峻的寒光，这是波克以前在她眼睛里从没看到过的。

“是的，小姐，那匹马死了，就躺在我拴它的地方，鼻子伸在被它打翻的水桶里。不，小姐，那头母牛没死。你不知道吗？昨夜它下了一头崽。怪不得它叫个不停。”

“你的普莉西将来一定是个呱呱叫的接生婆，”斯佳丽刻薄地说，“她说那牛叫是因为它需要挤奶。”

“斯佳丽小姐，普莉西没有学过给牛接生，”波克颇有分寸地说，“反正上帝赐的我不挑，因为这崽子能长成头好母牛，小姐们就会有好多黄油牛奶，据那位北方佬大夫说，她们非常需要这些东西。”

“好了，接下去。还有留下来的牲畜吗？”

“没有，小姐。只有一头老母猪和一窝小猪。北方佬来的那天，我把它们赶到泥塘地里去了，现在天知道上哪儿去找。那头老母猪胆小得很。”

“还是得把它们找回来。你和普莉西马上去找。”

波克又吃惊又气愤。

“斯佳丽小姐，那是种地的黑人干的活。我一向是干家里活的。”

斯佳丽的眼球后边有一个小小的魔鬼拿着一把烧红的钳子在咄咄逼人地瞪着他。

“你们俩必须去逮住那头母猪——要不然就像那些种地的黑人一样从这儿滚出去。”

泪珠在波克受到伤害的眼眶里颤动。哦，要是埃伦小姐还活着就好了！她待人体贴入微，懂得种地黑人与听差黑人的职责是大不相同的。

“滚，斯佳丽小姐？你叫我滚到哪里去，斯佳丽小姐？”

“这我不知道，我管不着。但是，谁要是不愿在塔拉庄园干活，就可以去投奔北方佬。这话你也可以告诉别的黑人。”

“是，小姐。”

“好，波克，玉米和棉花呢？”

“玉米？天哪，斯佳丽小姐，他们在玉米地里放马，没有被马吃掉和踩坏的也全让他们带走了。他们的大炮和车队从棉花地里通过，把棉花全都压烂了，只有小河尽头的几亩地没被他们发现。可是那儿不值得去花什么功夫，因为顶多只有三包花。”

三包。斯佳丽想到往常塔拉每年收获那么多的棉花，她的头疼得更厉害了。而现在只有三包。恐怕最没出息的斯莱特里一家也能收这么多。更糟的是还有完税的问题。邦联政府征税可以用棉花作价，但三包棉花甚至不够完税的。不过对于她或对于邦联来说这还不是最重要的，因为所有种地的黑奴都逃跑了，压根儿就没人能去摘棉花。

“这事我也不去想，”斯佳丽在心里对自己说，“反正完税不关女人的事。这种事该由爸来操心，可是爸——我现在不愿想爸的事。邦联要税除非西边出太阳。眼前我们需要的是能填饱肚子的东西。”

“波克，有谁去过十二棵橡树庄园或麦金托什庄园？那儿的菜园子里不知有没有剩下什么东西？”

“没有，小姐！我们没离开过塔拉。北方佬会把我们抓去的。”

“回头我让迪尔西去麦金托什庄园看看。兴许她能在那儿找到些东西。我去十二棵橡树庄园。”

“你跟谁一起去，孩子？”

“我自己。黑妈妈得待在两个姑娘身边，杰拉尔德先生又不能……”

波克急得叫了起来，十二棵橡树庄园那儿也许有北方佬或不规矩的黑人，她一个人怎么能去呢？这可把斯佳丽惹火了。

“别说了，波克。叫迪尔西马上就去。你和普莉西去把老母猪和那一窝小猪赶回来。”发出简短的命令后，她扭头就走。

黑妈妈的遮阳旧软帽虽然已经褪了色，倒是挺干净的，仍挂在后门廊的钩子上，斯佳丽拿来往自己头上一戴，恍如隔世般想起瑞特曾从巴黎给她带来一顶插有绿色卷曲羽毛的帽子。她拿起一只用橡树皮编的大篮子，从后台阶上走下去，每走一步，脑袋就受到一次震动，甚至脊梁骨仿佛也要从颅顶裂开来似的。

通往河边的红土路在被毁的棉田中被烤得火热滚烫。没有树木投下一点阴凉，阳光穿透黑妈妈的帽子射下来，好像它不是用好几层印花布厚厚地缝就，而是用上浆的网眼轻纱做的。扬起的尘土直往喉咙和鼻子眼里钻，斯佳丽甚至觉得若是说话口腔黏膜非干裂不可。马拖着重炮经过的路面留下很深的车辙印，两侧的红土沟也让轮子碾出了深深的裂口。棉株被砍倒的砍倒，被践踏的践踏，因为炮队得从狭窄的路上通过，骑兵和步兵只好在绿色的棉花丛中行进，把棉株都踏进地里去了。路上和地里散落着扣环和挽具的碎皮条、被马踩扁的水壶、弹药车的轮子、军服纽扣、蓝军帽、破袜子、血衣的残片——反正部队行军中丢下的乱七八糟的东西应有尽有。

斯佳丽经过一片不大的雪松林和矮砖墙围着的她家的茔地，那里的三个小土堆葬着她三个小兄弟，但她竭力不去想它们旁边那又添的一座新坟。哦，埃伦！斯佳丽拖着沉重的脚步下了土岗，经过斯莱特里家留下的一堆灰烬和一支短烟囱时，她产生了一种无比强烈的愿望——但愿这一家子也统统化成灰烬。要不是为了斯莱特里一家，要不是为了那个不要脸的埃米（她竟和他们的管家生了个野种），埃伦不会死。

一粒尖石子戳破了她脚上的泡，疼得她直叫。她到这儿来干什么？她，斯佳丽·奥哈拉，县里顶尖的美人，塔拉庄园主的掌上明珠，差不多光着脚跋涉在这坎坷的路上干什么？她那双娇小的脚是为了跳舞而不是为了趔趄而生的，她那双轻巧的鞋应当在亮闪闪的绸裙下偶一探头，而不应容纳尖石和尘土。她生来就是让人疼爱和伺候的，可现在，衣衫褴褛、狼狈不堪，为饥饿所迫，竟落得上邻家菜园子去觅食的地步。

平缓的土岗下是河流，纵横交错的树木把枝条垂向水面，这儿多么清凉、多么安静啊！她在较低的岸边坐下，脱去破鞋破袜，把一双灼热的脚泡在凉水里轻轻拍打着。要是整天都能坐在这里该多好！这样可以远远地离开塔拉庄园里那一双双可怜巴巴的眼睛，只有树叶的沙沙声和潺潺的流水声打破寂静。但她还是硬着头皮重新穿上鞋袜，在树荫下沿着长满海绵般松软的青苔河岸走去。北方佬把桥烧了，但她知道下游百来码处有几根木头横跨在水流的一个蜂腰段。斯佳丽小心翼翼地过了河，还得在烈日下走半英里的上坡路才能到十二棵橡树庄园。

那十二棵橡树从印第安人时代起就矗立在那里了，如今依然高耸入云，只是遭了这场兵灾后已是叶枯枝焦。在它们围成的圆圈中，约翰·韦尔克斯的堂皇宅院当初曾以它白色的圆柱呈现出一派庄重的景象，俨然是小山之巅的一顶王冠，如今却成了一堆瓦砾焦土。只有原先是地窖的深坑、烧黑的粗石地基和两支大烟囱标示着房屋坐落的位置。一根长长的圆柱一半已熏黑，倒在草坪上，把茉莉花丛压得七零八落。

斯佳丽在圆柱上坐了下来，眼前的景象使她没有勇气再往前走。这劫后令人触目惊心的荒凉是她过去见所未见、闻所未闻的。韦尔克斯家族的骄傲化作了脚下的灰烬。这么一个温和谦恭之家竟落得如此下场。这座房子过去对她一向是竭诚欢迎，她也曾费尽心机梦想成为它的女主人。她曾到这里赴宴、跳舞、调情，她曾在这里怀着一颗受到伤害的心、强抑一腔妒火眼看着玫兰妮倩笑盈盈地与阿希礼眉目传情。也是在这个凉爽的树荫下，当她向查尔斯·汉密顿表示愿意嫁给他时，他大喜过望，紧紧握住了她的手。

"哦，阿希礼，"她心想，"我希望你已经牺牲！我无论如何也不忍心让你见到这幅惨象。"

阿希礼是在这里和他的新娘成的亲，但他的儿子、孙子永远也不可能带上新娘走进这座宅院了。她曾经十分喜爱这栋房子，渴望在此主宰一切，谁知这里再也不会有男婚女嫁、婴儿诞生等等喜事了。这宅院已经死去，对斯佳丽来说，韦尔克斯家所有的人仿佛都葬身在它的灰烬之中了。

"这事我现在不去想它。我现在受不了。以后再想吧。"她出声地自言自语道，同时把目光移开。

为了寻找菜园子，她步履艰难地环绕废墟转了一圈，从韦尔克斯家的姑娘们精心侍弄而今横遭践踏的玫瑰花坛旁走过，再穿过后院，经过熏肉房、牲口棚和养鸡场的残垣断壁。菜园子周围的木桩栅栏也已被拆除，过去一畦畦整齐碧绿的蔬菜也遭到与塔拉菜园子同样的命运。松软的泥土被马蹄的印痕和重炮车辙纵横切割，蔬菜嵌入土中成了稀泥。在这里她一无所获。

斯佳丽穿越院子往回走，然后选择了一条下坡小径走向一排寂然无声的粉白小屋，边走边叫："有人吗？"但是没有人应声。连狗吠也听不见。显而易见，韦尔克斯家的黑人要么逃跑要么跟北方佬走了。她知道每个黑奴都有自己的菜地，她到下房去就是指望那些小块的菜地能够幸免于难。

她的搜索果然没有落空：那里的大头菜和卷心菜虽因无人浇水而干枯萎缩，却还活着；蔓生的腰果和蚕豆虽已枯黄，但还可以吃。然而她实在是太累了，看见这些蔬菜甚至提不起精神来高兴一下。她干脆在菜地里坐下来，用一双哆嗦的手从泥土中把菜抠出来，慢慢地装满篮子。今晚塔拉庄园可以美餐一顿了，尽管没有排骨肉放在蔬菜里一起煮汤。也许，可以用迪尔西点灯用的咸猪油调味。她必须记住让迪尔西用松树枝来照明，把猪油省下来烧菜。

在紧靠小屋后台阶的一处菜地里，她发现了短短一垄萝卜，顿时觉得自己饿得慌。此刻她的饥肠对带辣味的萝卜正求之不得。她几乎等不及把萝卜上的泥土在自己裙子上擦去就一口咬下半个，急匆匆吃了下去。这萝卜是又老又硬，还特别辣，呛得她眼泪直冒。一团未经咀嚼的东西刚咽下去，她那空了许久、火烧火燎的胃立即翻腾起来。她只得趴在松软的泥地里，有气无力地开始呕吐。

小屋里隐隐约约透出一股黑人居住的气味，越发使她恶心难忍，她索性不去遏制这种感觉，继续翻肠倒胃地吐，小屋和树木在她周围飞快地旋转起来。

过了好长一段时间，她脸朝下四肢无力地在那里趴着，泥土像羽绒枕头一样柔软舒适，她的大脑深感疲惫，思绪飘忽不定。她——斯佳丽·奥哈拉——趴在一所黑人小屋的后面，身处一座被毁的庄园之中，是又恶心，又乏力，动弹不得，可是压根儿又没有人知道，也没有人顾得上她。即使有人知道，也不关他们的事，因为每个人自己的麻烦都已经够多的了，哪里还顾得上她。而这一切却发生在她——斯佳丽·奥哈拉——身上。以前她连丢在地板上的袜子都从没自己捡过，她的鞋带向来也是别人系的。只要有一点点头疼脑热，立即就会得到悉心照料。她发脾气使性子，别人总会姑息迁就，一辈子都是这样。

她在地上趴着，无力击退回忆和愁绪纷至沓来的围攻，它们就像一群兀鹫在她头上盘旋着，等着享用一具死尸。她再也没有力气说："妈和爸的事，还有阿希礼以及这个烂摊子，统统都放到以后考虑——等我受得了的时候再说。"现在她受不了，可是不管她愿不愿意，她还是在想这些事。思绪不停地在盘旋，在她头顶做老鹰抓小鸡的游戏，伺机便向她俯冲，把利爪和尖嘴扎入她的脑海。斯佳丽一动不动地趴着，不知过了多长时间，脸埋在泥土中，背脊承受着火辣辣阳光的灼烤，她回首往事和一些已经不在世上的人，回首那种一去不复返的生活，展望一片黑暗、凶多吉少的前途。

最后，当她站起身来，重又看到十二棵橡树庄园的焦土瓦砾时，她高高地昂起头，与青春、美丽和含蓄的柔情融为一体的某种气韵已从她脸上永远消失。过去的已经过去。死了的不再复生。昔日那种养尊处优的生活已经不能追回。就在斯佳丽把沉甸甸的篮子挎上胳膊的时候，她已下定了决心，勾画好了自己的生活蓝图。

没有回头路，她只能往前走。

在今后的五十年里，整个南方不断有女人眼里带着凄苦的表情回首往事，缅怀消失的时代，思念死去的男人，从内心深处唤醒那些徒增伤感的记忆，怀着痛苦的自豪感忍受着贫困的煎熬，因为她们拥有这些记忆。然而，斯佳丽决心不再回首。

她凝视着烧黑的基石，眼前最后一次浮现出十二棵橡树庄园昔日的丰姿，豪华而骄傲，象征着一个阶层以及这个阶层的生活方式。然后，她沿着大路朝塔拉庄园走去，沉重的篮把简直要勒进她的肉里去了。

饥饿又在噬咬她的空肚子，她大声说："上帝做证，上帝做证，北方佬休想把我整垮。我要挺住，等熬过了这一关，我决不再忍饥挨饿。也决不再让我的亲人挨饿。哪怕去偷、去杀人——请上帝做证，我无论如何也不再忍饥挨饿了。"

在随后的日子里，塔拉庄园是那样安静，那样与世隔绝，就像《鲁滨逊漂流记》里的荒岛。虽然这里离外部世界仅数英里，然而好像有连绵千万里的惊涛骇浪把塔拉与琼斯博罗、费耶特维尔、洛夫乔伊隔开，甚至把塔拉与邻近的庄园隔开。那匹老马死了，他们与外界联系的唯一的交通工具也没了。要步行数英里累人的红土路，既没时间也没精力。

在累断脊梁的日子里，为了获取食物得拼死拼活地干，还得无休止地照顾三个年轻女子，斯佳丽有时候发现自己在侧耳盼望听到熟悉的动静：下房里黑人小孩的尖笑声，大车从地里回家来的嘎吱声，杰拉尔德的坐骑穿越牧草地时飞奔的嘶鸣声，马车驶进庭院的辘辘声以及来闲聊的邻居打发下午时光的谈笑声。但她什么也没听到。大路上静悄悄、空荡荡的，没有红土扬起的烟尘通报宾客的来临。在绵延起伏的绿色山丘和红土田野中，塔拉不啻是汪洋大海中的一座孤岛。

别的地方有另一个世界，那里的人们在自己的房子里吃定心饭、睡安稳觉。别的地方的姑娘们穿着三度翻新的衣裙快乐地与人调情，唱着《无情战争结束后》。几个星期前她也唱过这支歌。有的地方仍在打仗，大炮在轰鸣，城镇在燃烧，男人们躺在医院那令人作呕的恶臭中，伤口在腐烂。有的地方，军队光着脚板、穿着脏兮兮的土布制服在行军，在战斗，在睡觉，又饿又困，那是知道大势已去绝望之余的困乏。而在佐治亚的一些地方，丘陵山岗上是清一色的蓝军服，那里已是兵强马壮的北方佬的天下。

塔拉以外有战争，有另外一个世界。但是在庄园里，战争和另一个世界都不存在，除非是在回忆中，当这些回忆乘疲惫之隙进入脑际时，必须把它们赶走。全空和半空肚子的需求已把外部世界挤到了次要的位置，生活已成为两个相互关联的概念：食物和怎么去弄到食物。

食物！食物！为什么肚子的记忆力比脑子强？斯佳丽能抑制住悲伤，却无法抑制住饥饿。每天早晨她似醒非醒地躺着，在记忆把战争和饥饿带回到她脑海中之前，她懒洋洋地蜷缩在床上，期待着闻到煎熏肉和烤面包卷的浓香。每天早晨她都使劲地嗅着，真的想嗅到那些馋人的香味，嗅着嗅着便醒过来了。

塔拉的餐桌上有苹果、红薯、花生和牛奶，但是就连这些寒酸的食品也一直不够多。一天三次见到这些东西，总使她的记忆闪回到以前的日子、往日的膳食、烛光明亮的餐桌和香味四溢的饭菜。

想当年他们对食物压根儿没当一回事，实在是太浪费了！面包卷、软烤饼、玉米松饼、鸡蛋烙饼，每件上面都有大滴大滴的黄油掉下来——进餐时全都摆在桌上。餐桌的一端是火腿，另一端是炸鸡；炖白菜漂浮在色彩斑斓的油汤里，蚕豆在花色鲜艳的瓷盆里堆成了小山；还有炸笋瓜、焖秋葵、稠得可以切成块的胡萝卜奶酪酱。甜点心有三种，可以任意挑选：巧克力千层酥、香草杏仁果冻、奶油蛋糕。想起这些美味佳肴，她就禁不住泪流满面（死亡和战争都不曾使她掉泪），她那老是咕咕叫唤的空腹就会恶心难忍。过去黑妈妈一直为她胃口不好而忧心忡忡，现在这个十九岁的女子食欲大振，加之以前她从没像现在这样劳累得喘不过气来，现在她能吃当初的四倍。

在塔拉庄园，不光是她一个人的食量成了伤脑筋的问题。无论她朝哪边看，都是一张张饥饿的——黑的和白的脸。要不了多久，卡丽恩和苏埃伦将开始狼吞虎咽，伤寒病人在复原期大都如此。小韦德已经开始拉长调子抱怨："我不喜欢吃红薯。我肚子饿。"

其他人也略有怨言：

"斯佳丽小姐，除非能吃得饱一点儿，否则两个孩子我一个也喂不了。"

"斯佳丽小姐，要是吃不饱，我就没力气劈柴。"

"我的小羊羔，我都快饿扁了。"

"女儿，非得每餐都吃红薯吗？"

唯有玫兰妮不叫苦，尽管她的面孔越来越消瘦、越来越苍白，甚至在睡梦中也会痛苦地抽搐。

"我不饿，斯佳丽。把我的那份牛奶给迪尔西吧。她要给两个孩子喂奶。生病的人是不知道饥饿的。"

玫兰妮默默无言的苦熬比其他人嘟嘟囔囔的牢骚更让斯佳丽恼火。斯佳丽可以用尖酸刻薄的讥讽使别人闭嘴，但对玫兰妮的无私表现她却毫无办法，唯其毫无办法才让她憋气窝火。现在杰拉尔德、黑人们和韦德都爱接近玫兰妮，因为她虽然身体虚弱，心地却很善良，会体贴人，而斯佳丽在那些日子里是二者都谈不上。

特别是韦德，整天都待在玫兰妮的屋子里。韦德这孩子近来总有点儿不大对头，但斯佳丽没工夫去弄清楚究竟。黑妈妈认为这孩子有蛔虫，斯佳丽便接受了她的说法，给他喝埃伦一向用来给黑人小孩治蛔虫的药草和树皮煎的汁。然而喝了这药后韦德的脸更没血色了。这些日子，在斯佳丽的意识中根本没把韦德当作一个人看待。有他无非是多了一个累赘，多了一张要吃饭的嘴。等过了眼前这段非常时期，她会跟儿子一起玩儿，给他讲故事，教他认字的，但眼下她既没时间也没心思。每当斯佳丽最疲劳、最心烦的时候，韦德好像老是在身边碍手碍脚的，所以她跟儿子说话常常没好气。

她的厉声呵斥常把韦德吓得眼睛瞪得大大的，斯佳丽一见他这模样就有气，因为韦德受到惊吓的时候会表现出一副低能的傻相。

斯佳丽没有意识到，这个小男孩所接触到的惨象太恐怖了，甚至大人们也未必能理解。恐惧占据了韦德的心房，震撼着他的灵魂，使他在夜里常常尖声大叫着惊醒过来。他听到任何出乎意料的响声或提高嗓门说的话都会发抖，因为在他的脑海里响声和口气生硬的话语是和北方佬难解难分地纠缠在一起的，他怕北方佬甚于怕普莉西借以吓唬他的鬼怪。

围攻亚特兰大的炮声打响之前，韦德一直过着快乐、安定、平静的生活。尽管斯佳丽并不太关心他，但韦德仍然得到别人的疼爱，听到的是亲切的话语。直到那天夜晚他在朦胧中被拖起来，随后只见火光冲天，爆炸声震耳欲聋。在那天夜里以及接下来的第二天，他第一次挨了母亲的打，听到母亲冲他粗声叫骂。过去，除了在桃树街那栋砖房里舒适地生活，他别无任何经历，而这种生活在那天夜里一下子化为乌有，永远也找不回来了。在逃离亚特兰大的过程中，他只知道后面有北方佬的追兵，直到现在他仍时刻担心北方佬会抓住他，把他剁成肉酱。每当斯佳丽提高嗓门骂他，他就心惊肉跳，他那模糊、幼稚的记忆会重现第一次被母亲打骂时的恐怖景象。从此，母亲发怒的声音在他的头脑里和关于北方佬的概念结下了不解之缘，所以他很怕母亲。

斯佳丽不可能对韦德近来常常躲着她毫无察觉，在整天忙不完的事务间隙偶尔想起这一点时，她心里老大不是滋味。这甚至比韦德原先老在她身边纠缠不休更糟，因为她的自尊心受到了伤害，韦德的避难所竟是玫兰妮的病榻，他在那儿与玫兰妮做游戏，听玫兰妮讲故事。韦德非常爱姑妈，她柔声细气，总是面带微笑，从不说："别烦，韦德！你把我头都烦疼了！"或者，"看在上帝的分上，别在这儿碍事，韦德！"。

斯佳丽没有时间、也没有强烈的愿望去疼他，但看到玫兰妮这样做，又不免产生了妒意。一天，斯佳丽发现韦德在玫兰妮床上立蜻蜓，见他倒在了玫兰妮身上，便打了他一耳光。

"你怎么能把姑妈当床垫子，你不知道她身体不好吗？马上给我出去，到院子里玩去，以后再也不许到这儿来。"

可玫兰妮伸出一只羸弱的手，把哭得伤心的韦德又拉回到自己身边。

“别哭，韦德乖。你不是有意把我当床垫子的，对吗？斯佳丽，他并没烦我。就让他待在我这儿吧。让我来照看他。这是我身体好起来之前唯一能做的事，你即使不管他都已经忙不过来了。”

“别说傻话，兰妮，”斯佳丽生硬地说，“你身体恢复得够慢的了，让韦德摔倒在你的肚子上对你更不会有好处。听着，韦德，要是再让我碰见你在姑妈床上，看我不收拾你！不许抽鼻子。你怎么老抽鼻子？你该学点儿男子汉的样子！”

韦德抽抽搭搭地逃下楼去了。玫兰妮咬着嘴唇，泪水直在眼眶里打转。在过道里目睹这一幕的黑妈妈紧皱双眉，慨然长叹。但是，那段日子里谁也不敢跟斯佳丽顶嘴。大家都怕她那张利嘴，大家都怕那个裹着她的躯壳、但言行已经和过去判若两人的斯佳丽。

现在的塔拉庄园一切都是斯佳丽说了算。和有些一下子抓到大权的人一样，她天性中所有恃强凌弱的本能全表现出来了。倒不是说她骨子里半点善良的本性都没有。她已经给吓坏了，缺乏自信，所以才那么盛气凌人，其实是生怕别人摸清了她难以胜任的底细而不承认她的权威。再说，把别人呼来喝去的，知道他们怕她——这里头也是有某种乐趣的。斯佳丽发现这能使过于劳损的神经得到一些休息。她并非全然看不到自己的个性在发生变化。有时候，她粗声大气地发号施令，会让波克噘出下嘴唇，使黑妈妈忍不住嘀咕：“现在有些人还真抖起来了！”——遇到这种情况，连斯佳丽自己都纳闷：她受过良好教养的言谈举止都哪里去了？埃伦一直努力使她养成的习惯——礼貌待人、温良谦恭——怎么会消失得这么快，犹如树叶经萧瑟的秋风一吹便纷纷脱落飘逝一般。

埃伦不止一次地说过：“对地位比你低的，尤其是黑人，态度是既要坚定又要和气。”但是，如果她和和气气，黑人们就会整天坐在厨房里，没完没了地谈以前的好日子，说那时可不兴把干屋里活的黑人当干地里活的黑人使唤。

“要爱护妹妹，要好好照顾她们。对病人要慈善，”埃伦常说，“对处在悲哀和患难中的人要体贴入微。”

她现在没法爱她的妹妹们。她们纯粹是压在她肩上的累赘。至于照顾她们，难道她没给她们洗澡、梳头、喂饭，甚至不惜每天走上好几英里去为她们找蔬菜？难道她没学着挤牛奶，尽管那头怪吓人的畜牲冲着她晃两只角时，她的心都快从嗓子眼里蹦出来了——难道不是吗？如果她对她们爱怜得过了头，她们兴许会在床上赖得更久，而她需要她们尽快下地，可以多出两双手帮帮她。

她们康复得很慢，至今仍缠绵病榻，瘦弱不堪。在她们不省人事的那些日子里，世界已经变了样。北方佬来过了，黑人们跑了，母亲也死了。这三件令人难以置信的事都不是她们所能接受得了的。有时候她们以为自己仍处于原来的状态，这些事情根本没有发生。斯佳丽变成了这样，这当然不可能是真的。有几次，斯佳丽靠在她们的床架上谈她们康复以后能干些什么活的设想，当时她们瞠目结舌，简直把她看成了妖怪。她们无法理解家里再也没有一百名奴隶干这些活。她们更无法理解奥哈拉家的小姐得从事体力劳动。

“可是，大姐，”卡丽恩说，她那稚气的脸竟吓成了死灰色，“我不能劈引火柴！那会把我的手弄坏的！”

“瞧我的手。”斯佳丽说着露出一丝怪可怕的苦笑，并且把一双起泡、长茧的手掌伸到卡丽恩面前。

“我讨厌你这样跟我和卡丽恩说话！”苏埃伦喊了起来，“我看你是在撒谎，想吓唬我们。要是妈还在，她决不会允许你这样跟我们说话的！劈引火柴，亏你说得出口！”

苏埃伦不顾体弱，憎恶地瞪了大姐一眼，她确信斯佳丽说这些是存心跟她们过不去。这场大病差点儿让苏埃伦送了命，她失去了母亲，她孤独，她害怕，她需要别人的慰抚，需要别人疼爱。而斯佳丽偏偏每天站在床的另一端看着她们，那双斜视的绿眼睛射出一种可恶的异光，估量着她们复原的程度，一边列举她们该做的事：整理床铺、做饭、提水、劈引火柴等等。瞧她那德行，好像她说这些怪吓人的事情就是为了找乐子似的。

斯佳丽确实高兴这样做。她对黑人采取高压手段，并伤害两个妹妹的感情，不仅仅是因为她要操心的事太多，紧张和劳累使她想不出别的办法，还因为这样她能往别人的头上出一出自己的怨气：母亲对她讲过的生活道理统统不管用了。

母亲对她的教诲如今是绝对没有任何价值，斯佳丽伤心透了，并且陷入了迷茫。其实，埃伦不可能预见到她养育几个女儿的那个环境、那种文明会崩溃、解体，不可能预料到她苦心孤诣培养女儿去占据的社会地位将不复存在——但斯佳丽不这样想。斯佳丽也不谅解，当初埃伦教导她做人要温顺、和蔼、高尚、善良、谦逊、诚实时，埃伦展望的未来是长长的一串安详静谧的岁月，各方面都像她自己平平而过的一生。埃伦还常说，只要女人牢记这些教训，生活就亏不了她们。

斯佳丽在绝望中想："她给我的教诲对我毫无帮助，一点用也没有！善良现在能给我带来什么好处？温顺又有什么价值？当初倒不如让我像黑人一样学会犁地或摘棉花。哦，母亲啊，你错了！"

她没平心静气地想一想，埃伦那个按部就班、有条不紊的世界已经随风飘逝了，取而代之的是一个残忍的世界，这个世界里的是非标准、价值观念都已经变化。斯佳丽只看到，更确切地说是她自以为看到母亲错了，于是她赶紧改弦易辙，以适应那个与她所受教养大相径庭的新世界。

只是她对塔拉庄园的感情没变。每次她拖着疲乏的身子从地里回来，看到这座横向布局散漫的白色房子，她的心总是洋溢着爱和燕子归巢的喜悦。每次推窗遥望葱绿的牧场、红土的田野和长得很高的沼泽地树丛，她的胸中定会充塞一种美的感受。当其他一切都在变的时候，斯佳丽身上唯一没有改变的便是对故乡家园的爱，爱这儿绵延起伏的丘陵，爱这儿鲜红艳丽的土壤，它有血红、石榴红、砖红、朱砂红等各种色彩，上面会神奇地长出绿油油的草丛，白色的茸毛如满天星斗洒落其间。世上任何别的地方都没有这样的土地。

当她眺望塔拉庄园，她在一定程度上明白了战争争的是什么。瑞特说人们打仗为的是钱，这话不对。不，他们争的是犁松过的土地，是割得齐整、绿草如茵的牧场，是流水潺潺的河流，是木兰丛中阴凉的白色房屋。只有这些才值得一战，只有红色的土地才值得一争，这是他们的土地，将来是他们儿孙的，这红色的田地要为他们的儿孙以及儿孙的儿孙长出棉花来。

塔拉庄园遭到蹂躏的土地是她现在仅有的一切。母亲和阿希礼已经去世，经过这次劫难，杰拉尔德成了痴呆，金钱、黑奴、衣食无忧的牢固地位一夜之间统统化为了乌有。斯佳丽恍若隔世地回忆起她跟父亲关于土地的一次谈话。如今她感到惊讶的是自己当时怎么会那么幼稚、无知，竟不懂父亲的话是什么意思。杰拉尔德说，世上唯一值得为之战斗的就是土地。

“因为它是世上唯一经久不变的东西……对任何一个身上有爱尔兰血液的人来说，他们在其上居住、靠它生活的土地就像母亲……这是唯一值得为之辛苦、为之战斗、为之去死的东西。”

是的，塔拉庄园是值得为之战斗的，所以她二话没说便投入了战斗。任何人都休想从她手中把塔拉庄园夺走。任何人都不能迫使她和她的家人背井离乡去仰仗亲戚的施舍。她要把塔拉庄园支撑下去，即使得把这里每个人的脊梁都累断也在所不惜。

26

从亚特兰大逃回塔拉庄园以后的两个星期，斯佳丽脚上最大的一个泡开始溃烂了，直肿得连鞋也穿不上，路也不能走，只能脚挨着地勉强挪几步。瞧着脚趾上发炎的疮口她心急如焚。万一它像那些伤兵的创口一样发生坏疽，而附近又找不到一位医生，她会死吗？尽管现在生活这么苦，她可绝对没有不想活下去的想法。

她刚回家时，曾指望杰拉尔德会重振雄风来当这个家，然而两星期来这个希望落空了。现在她明白，不管她愿意不愿意，庄园以及这里所有人的命运都已交到了她缺乏经验的双手中，因为杰拉尔德仍像睡着了似的整天闷声不响、顺从安详，对塔拉庄园的事不闻不问。无论斯佳丽向他求教什么，他唯一的回答就是："你认为怎么好就怎么办吧，女儿。"或者更糟地说："去跟你母亲商量吧，小姑娘。"

他永远不会有什么改变了，斯佳丽已经认识到了真相，而且并不十分激动地接受了这个事实——杰拉尔德将始终等待埃伦，细听埃伦是不是在来，一直到他死为止。他仿佛置身于一个半明半暗的阴阳界中，那里的时间是静止的，而埃伦就在隔壁房间。埃伦一死，把杰拉尔德赖以生存的主要动力也给带走了，于是他那种近乎狂妄的自信、鲁莽和不知疲倦的劲头也随之消失了。杰拉尔德·奥哈拉一生风风火火的连台好戏就是演给埃伦看的。现在幕已永远地落下，灯光变得暗淡，突然没了观众，而这位茫然不知所措的老演员仍留在空荡荡的舞台上，等着别人的提示。

那天上午家里静悄悄的，因为除了斯佳丽、韦德和三个有病的年轻女子外，所有人都去沼泽地找那头老母猪了。甚至杰拉尔德的精神也比平时好了点儿，他一只手扶着波克，另一只手挎着一捆绳子，穿越犁过的地蹒跚而去。苏埃伦和卡丽恩哭过一阵后便睡着了，她们每天至少有两次会想起埃伦，想着想着，伤心和病弱的眼泪就会顺着深陷的腮帮淌下来。那天，玫兰妮还是头一次让人用枕头垫在背后扶起来，身上盖着一条补过的床单，半坐半卧在两个婴儿中间，一手搂着一个长出亚麻色茸毛的脑袋，另一只手同样温柔地托着迪尔西孩子长着鬈发的黑脑袋。韦德则坐在床脚边听她讲童话。

对斯佳丽来说，塔拉庄园的这种寂静实在让人难以忍受，因为这气氛太像她从亚特兰大回家途中那漫长一天所经过的荒村野外中死一般的沉寂。那条母牛和小牛犊一连几个小时不叫一声。窗外没有鸟儿啁啾，甚至连几代都在木兰树叶丛中筑巢的模仿鸟那天也不唱歌，尽管这个家族平日里叽叽喳喳最爱聒噪。斯佳丽把一张矮椅子搬到自己卧室开着的窗前坐下，把裙裾高高地撩过膝盖，两手托着下巴搁在窗台上，眼睛望着宅前的车道、草坪以及大路那边绿色的牧场。一桶井水放在她旁边的地板上，她不时把肿胀发炎的脚浸入水桶中，冰凉而又刺痛的感觉把她的脸扭曲成一副怪相。

她把下巴搁在手上坐着发愁。偏偏在她最需要力气的时候，这个脚趾溃烂了。那些蠢货永远逮不着老母猪。就是那些小猪他们也花了足足一个星期才一头一头抓了回来，可是到现在都过去两个星期了，老母猪依然逍遥自在。斯佳丽相信，要是自己跟他们一起到沼泽地去，只要把裙裾撩到腰间束好，拿起绳圈一甩，准保一眨眼的工夫就把老母猪套住。

可是，即使逮住老母猪了，那又怎么样呢？把老母猪和一窝小猪吃掉，以后又怎么办？日子还得过下去，还得有东西填肚子。等冬天来临，就没东西吃了，甚至从邻庄菜园里弄来的一点残余菜蔬也将告罄。必须储备干豌豆、高粱、面粉、大米……还有……还有好多好多东西。来年春播的玉米种子和棉籽还没着落，衣服也要添一些。所有这一切上哪儿去弄？叫她拿什么付账？

她曾私下里搜遍杰拉尔德的口袋和银柜，只找到几沓邦联债券和三千元邦联钞票。她带着一丝苦笑想，如今邦联货币几乎一文不值，这些钱充其量只够全家饱餐一顿。但是，即使她有钱并且能买到食物，她又怎么把食物拉回塔拉庄园？上帝为什么要让那匹老马死去？倘若有瑞特偷来的那马，哪怕它老弱病残一应俱全，那也会大不相同的。哦，当初在路那边牧场上遛蹄的那些骡子毛色柔滑光亮，真是棒！那些拉载人车的马多漂亮！还有她的小牝马、卡丽恩和苏埃伦的小马驹！杰拉尔德的大雄马跑起来只见草皮在它蹄下飞溅……哦，那么多骡马只要有其中的一匹就行了，即便是那头脾气最犟的骡子也好啊！

不过没关系，等她的脚好以后，她可以步行去琼斯博罗。这将会是她有生以来步行最远的路程，但她会走去的。就算北方佬把那个城镇全烧光了，她总能在附近找到个把人，人家会告诉她去哪儿能弄到食物。这时，她眼前浮现出韦德那张瘦饿的脸。他老是说不喜欢吃红薯，想要一只鸡腿和一碗浇上卤汁的米饭。

阳光明媚的庭院骤然间仿佛云遮雾罩，树木隔着泪帘变模糊了。斯佳丽的脑袋耷拉到胳膊上，她竭力不让自己哭。现在哭一点儿用也没有。只有身边有你想要讨他喜欢的男人时，眼泪才管用。正当她伏在窗台上竭力把眼泪压回去时，忽然被一阵马蹄声惊动。但她并没抬起头来。最近两个星期她白天黑夜好像曾多次听到这声音，正如埃伦的衣裙窸窣之声不时萦绕在她耳际一样。跟以前这样的时刻一样，她的心怦怦地跳得厉害，然后她暗暗呵斥自己："别痴心妄想！"

但是，马蹄声渐渐地慢了下来，由跑步转为走步，那自然真切的程度着实让人吃惊。接着，细石院径上响起了有节奏的嘚嘚声。有人骑马来了——是塔尔顿家的还是方丹家的？她迅速抬头一看，竟是一个北方佬骑兵。

她本能地躲到窗帘后，像着了魔似的隔帘偷看着，吓得大气也不敢喘。

来者无精打采地坐在马鞍上，那是一位相貌粗鲁、身材矮壮的汉子，一脸很不整洁的大黑胡子散乱在纽扣都没扣好的蓝军服上。眶距太近的一双小眼睛在强烈的阳光下眯成了两条缝，他从容不迫地从绷紧的蓝军帽檐下察看着这座房子。在他慢慢地下马、把缰绳扔过拴马桩时，斯佳丽屏住的一口气总算喘了过来，不过喘得十分突兀而且痛苦，像是当胸挨了一击似的。一个北方佬，一个臀部插着长筒手枪的北方佬！而斯佳丽孤零零一个人在这座房子里，还带着三个有病的弱女子和两个婴儿！

那北方佬慢悠悠地沿着院子走过来，一只手放在枪套上，两颗小眼珠子左顾右盼，这时斯佳丽的想象像飞旋的万花筒映现出一幅幅杂乱的画面，都是佩蒂帕特姑妈悄悄讲述的故事：女子在无人保护的情况下遭到袭击；有人被割破喉管；房屋在垂死的妇女头上燃烧；孩子因哭叫被挑在刺刀尖上——总之，与“北方佬”三字联系在一起的种种非语言所能形容的恐怖一齐涌上了心头。

惊骇之余斯佳丽的第一个冲动是想躲进贮藏室，钻到床底下，或者从后扶梯飞奔下楼，一路尖叫着往沼泽地那儿跑——反正只要能从那人手中逃脱就行。接着，她听见那人蹑手蹑脚地登上前院的台阶，随后又鬼鬼祟祟地跨进过道，斯佳丽知道逃走的路已被切断。她吓得手脚冰凉，没法动弹，只听那人在楼下从一间屋子窜到另一间屋子，发现一个人也没有，他的脚步便越来越响，也越来越大胆了。此刻他在餐室，再过一会儿就要进厨房了。

一想到厨房，斯佳丽顿时怒火中烧，仿佛心被扎了一刀，在压倒一切的愤怒面前，恐惧退却了。厨房！那儿的炉灶上有两只陶罐，一只正炖着苹果，另一只正用好不容易从十二棵橡树庄园和麦金托什家菜园里弄来的蔬菜炖什锦羹——九个人就指着这充饥，而事实上这连两个人都吃不饱。斯佳丽已经有好几个小时一直在抑制自己的食欲，等其他人回来再吃，所以当她想到那北方佬要把他们可怜的饭食吃掉，禁不住气得浑身发抖。

这些天杀的强盗！他们像蝗虫一般从天而降，把塔拉洗劫一空，想让这里的人慢慢地饿死，现在又回来还要偷走这么点儿可怜的残余食物。斯佳丽空空如也的胃部一阵痉挛。

“我向上帝起誓，至少这个北方佬再也偷不成人家的东西了！”

她脱去那只旧鞋，光着脚吧嗒吧嗒迅捷地走到写字台前，甚至那个溃烂的脚趾也不觉得痛了。她悄没声儿地拉开最上边的抽屉，抓起她从亚特兰大带回来的那支沉甸甸的手枪，查尔斯生前曾把它带在身上，却从来没有放过一枪。斯佳丽从挂在墙上的那把军刀下的皮弹夹内摸出一枚火帽，把它装进弹膛，她的手一点儿也不哆嗦。她迅速而又无声地跑到楼上的过道里，然后一手扶着栏杆，另一只手藏在裙裥中紧贴大腿握着手枪，飞身下楼。

“是谁?”一个从鼻腔里发出来的声音喝道。

斯佳丽在楼梯半道上站住了，这时血在她太阳穴里跳得那么响，她几乎听不见那人的声音了。

“别动，否则我开枪了!”那个声音在叫。

他半蹲半站在餐室门口，身体像拉紧的弓，一只手持枪，一只手拿着一只花梨木针线匣，里边有金顶针、金柄剪子、织补用的小小金顶。斯佳丽的两条腿从脚底一直凉到膝盖，但是怒火把她的脸都快烧焦了。埃伦的针线匣在那人手里。她真想大声喊叫：“放下!把它放下，你这肮脏的……”可是她喊不出来。她只能隔着栏杆瞠目而视，眼看着他的面孔由凶狠、紧张变成一副半似冷笑、半似谄笑的嘴脸。

“敢情这房子里还有人。”他说着把枪插回到皮套里，同时跨进过道，站到斯佳丽下面的楼梯脚边。“就你一个人吗，小妞儿?”

斯佳丽闪电般地把手枪举过栏杆瞄准了那个惊恐万状的大胡子脸。他甚至来不及伸手去摸自己的枪，斯佳丽已经扣动了扳机。手枪的反冲力让她摇摇晃晃，一声巨响震聋了她的耳朵，一缕硝烟直冲鼻孔。那汉子扑通一声朝后倒在了地上，半个身子跌入餐室，这股力量之猛把家具都震动了。针线匣从他手中掉落，里边的东西都撒在了他周围的地板上。斯佳丽几乎是无意识地奔下楼梯站在他的旁边，俯视着那张脸变成了什么：鼻子现在是一个血肉模糊的凹坑，被火药烧焦的眼睛目光呆滞。就在她凝神细看时，两股鲜血——一股从他脸上，另一股从他脑后——顺着光亮的地板缓缓地流淌着。

是的，他死了。毫无疑问。她杀了一个人。

袅袅硝烟飘向房顶，两股殷红的鲜血在她脚边漫延。她站在那里的一会儿工夫不知有多长，在盛夏上午的寂静中，任何不相干的声音和气味，包括她心脏急如鼓点的搏动、木兰花叶丛轻微的沙沙声、远处沼泽地里一只野禽的悲鸣以及窗外的花香，无不比平常增强了好几倍。

过去，即使在狩猎时遇到需要结果动物性命时，她也总是竭力避开。她无法忍受猪在屠刀下的哀号或兔子陷入罗网时的尖叫。可现在，她竟杀了人。“这是凶杀！”她迟钝地想，“我犯了桩凶杀案。哦，我不可能遇上这种事！”这时，地板上一只指头粗短、汗毛长长的手映入她的眼帘，这只手离针线匣很近很近，忽然，她重又精神倍增，而且产生了一种冷血、残忍的快感。她真想用脚跟在那家伙鼻子部位的伤口里碾它几下，让自己的光脚蘸上他热乎乎的血，以此解恨和获得快感。她这一枪为塔拉庄园报了仇，也为埃伦报了仇。

楼上过道里响起慌慌张张、跌跌撞撞的脚步声，稍停了一下后脚步声又响了起来，这次是有气无力地在地上拖行，中间夹杂着金属的碰击声。斯佳丽恢复了对时间和周围现实的感觉，她抬头一看，只见玫兰妮站在扶梯顶上，穿一件现在是她睡袍的破衬衣，一只握着查尔斯的军刀的手无力地耷拉了下来。玫兰妮一眼便把发生在楼下的一幕全看清楚了：一具穿蓝军服的尸体倒在了血泊中，针线匣就在尸体边，斯佳丽光着脚，面色如土，紧握着长筒手枪。

她的目光与斯佳丽的目光在沉默中相遇。玫兰妮平常温顺的脸上此刻呈现出一种反常的骄傲，她的笑容中流露出赞赏和狂热的喜悦，这跟斯佳丽自己心中汹涌澎湃的感情倒是不谋而合。

“想不到……想不到她竟和我一样！她理解我！”这念头在那漫长的一瞬间从斯佳丽的脑海中闪过，“换了她，也会这么干的！”

斯佳丽激动地看了看弱不禁风的玫兰妮，对眼前这个连站都站不稳的女子，斯佳丽从没有任何感情，只有厌恶和憎恨。可现在，一种油然而生的欣赏和认同，把对阿希礼妻子的敌意压了下去。在胸怀坦荡、毫无私心杂念的一刹那，她从玫兰妮温和的声音和柔顺的眼神后看到了她不屈不挠的意志仿佛锋利的钢刀寒光闪闪，还感觉到蕴藏在玫兰妮娴静性格深处的勇气不亚于一支旌旗飘扬、军号嘹亮的雄师。

那汉子扑通一声朝后倒在了地上，半个身子跌人餐室，这股力量之猛把家具都震动了。

“斯佳丽！斯佳丽！”苏埃伦和卡丽恩惊恐而虚弱的叫声从她们关着的房门里传来，韦德则在拼命喊：“姑妈！姑妈！”玫兰妮赶紧将一个指头举到嘴边示意斯佳丽别作声，然后把军刀搁在扶梯上，挣扎着沿楼道走到病室前推开门。

“别害怕，胆小鬼！”只听她用戏谑的口吻说道，“你们的大姐想把查尔斯手枪上的铁锈擦掉，不料那玩意儿走了火，差点儿没把她吓死！”过了一会儿，又听她说：“韦德·汉普顿，你妈刚才用你好爸爸的枪放了一枪！等你长大了，也会让你放的。”

“好个玫兰妮，撒起谎来那么镇静！”斯佳丽暗暗佩服，“我可没法那么快就想出搪塞的话来。不过，何必撒谎？她们应该知道我干了什么。”

她又看了一下地板上的尸体，现在，愤怒和恐惧渐渐消退后，在她身上占上风的是极度的憎恶，她的双膝在反作用下开始哆嗦。玫兰妮重又撑着走到楼梯口，并且扶着栏杆一步步走下楼来，牙齿咬着苍白的下唇。

“回床上去，傻瓜，你这不是要自己的命吗？”斯佳丽想喝住她，但是衣不蔽体的玫兰妮已经撑着走到了楼下门厅里。

“斯佳丽，”她悄悄说，“我们得把他弄出去埋掉。或许不止他一个人，万一他们在这儿发现他……”她扶住斯佳丽的胳膊以免自己跌倒。

“肯定只有他一个人，”斯佳丽说，“我从楼上的窗户里没看见任何其他人。他一定是开小差的。”

“就算只有他一个人，这件事也不能让任何人知道。黑人们嘴不严，北方佬会来把你抓去的。斯佳丽，我们必须在家里其他人从沼泽地回来前把他藏好。”

玫兰妮紧张急切的语气促使斯佳丽开始开动脑筋苦思冥想。

“可以把他埋在花园角落里的凉棚下——前些日子波克挖出威士忌的地方土还是松的。可是我怎么把他弄到那儿去呢？”

“我们俩一人抓住一条腿把他拖去。”玫兰妮果断地说。

尽管不太情愿，斯佳丽还是情不自禁地进一步佩服玫兰妮的胆略。

“你连一只猫都拖不动。让我来拖他，”斯佳丽生硬地说，“你回床上去。小心把你自己的命送了。不用你帮我，否则我就把你抱到楼上去。”

玫兰妮纸一样白的脸上绽开了甜蜜的笑容表示理解。“你太好了，斯佳丽。”说着，她用嘴唇在斯佳丽面颊上轻轻挨了一下。没等斯佳丽从惊讶中回过神来，玫兰妮又接着说：“要是你能把他拖出去，那我就来洗刷这——这脏乱的一摊，赶在他们回来前收拾好。哦，斯佳丽——”

“什么？”

“要是搜一下他的背包，你觉得这算不算不道德？说不定他带着些吃的。”

“我觉得不算，”斯佳丽答道，同时暗暗恼恨自己为什么没想到这一点，“你来搜背包，我来搜他的口袋。”

她强忍着嫌恶俯身解开死人上衣所有的纽扣，开始逐一搜他的口袋。

“上帝啊！”她轻轻地发出一声惊叹，一边掏出用破布裹着的一只鼓鼓囊囊的皮夹子。“玫兰妮……兰妮，这里边大概都是钱！”

玫兰妮什么也没说，只是一下子坐到地板上，背靠到墙上。

“你看吧，”她声音发颤，“我觉得有点儿累了。”

斯佳丽扯去那块破布，哆嗦着打开折拢的皮夹。

“看，兰妮，你看！”

玫兰妮抬头一看，眼睛都睁大了。皮夹里乱七八糟地塞着许许多多的钞票，在合众国的绿色美元中夹杂着邦联发行的纸币，在钞票中闪闪发光的还有一枚十美元和两枚五美元的金币。

“现在别数钱，”玫兰妮见斯佳丽开始点钞票了，便说，“我们没时间……”

“你知道吗？玫兰妮，有了这些钱我们就不用挨饿了。”

“我知道，知道，亲爱的。我知道，可是现在我们没时间。你再看看他别的口袋，我来对付背包。”

斯佳丽实在不愿放下那皮夹。她眼前展现出十分光明的前景——真正的钱、那北方佬的马、食物！上帝毕竟有灵，赐予了我们这一切，尽管赐予的方式非常特别。斯佳丽蹲下去，凝视着皮夹傻笑。食物！玫兰妮从她手中夺过皮夹。

“快点儿看吧！”玫兰妮说。

裤袋里没别的，只有一块蜡烛头、一把大折刀、一块嚼烟和一根细绳。玫兰妮从背包里取出一小包咖啡，再三嗅着，好像这是最最沁人心脾的香水，还有一块压缩饼干，接着——她脸色变了——又取出一个嵌在珍珠金框里的小女孩的袖珍肖像、一枚石榴石胸针、两只极宽的金手镯（还垂着细细的金链条）、一只金顶针、一只孩子玩的小银杯、一把绣花用的金剪子、一枚独粒钻戒和一副梨形钻石坠耳环，即使是她们并不内行的眼光也能肯定这些钻石每颗都远远不止一克拉。

“他是个贼！”玫兰妮低声说，同时往后退缩着，只想离尸体远点儿，“斯佳丽，这全是他偷来的！”

“当然，”斯佳丽说，“他到这里来也是指望再从这里偷走点儿什么。”

“我很高兴你杀了他，”玫兰妮说这话时那双温顺的眼睛的神情是严峻的，“亲爱的，现在得赶快，把他从这儿弄出去。”

斯佳丽弯下身子抓住死人的靴子拉了一下。那死鬼重得要命，她突然觉得自己的力气太小了。要是她拖不动怎么办？她转过身去背对着尸体，两个胳肢窝各夹住一只沉重的靴子，然后让自己身体的重量前倾。尸体挪动了，于是她又拉了一下。刚才激奋中忘了疼痛的那只脚，现在像针扎一般，她只得咬咬牙把身体的重心移到脚后跟上。她使劲向前移动，额头上汗如雨下，就这样把尸体从门厅往外拖，一路留下殷红的血迹。

“要是他把满院子洒得都是血，我们就没法遮掩了，”她气喘吁吁地说，“把衬衣给我，玫兰妮，我把他的脑袋包起来。”

玫兰妮纸一样白的脸变得通红。

“别傻了，我不会看你的，”斯佳丽说，“要是我穿着衬裙或长裤，我也会脱下来派这个用场。”

玫兰妮靠在墙边缩成一团，把那件亚麻布破衬衣从头上褪了下来，默默扔给斯佳丽，可怜她只得用两只手竭力遮蔽自己的身体。

“感谢上帝，我的脸皮可没那么薄。”斯佳丽心想。在用那件破衬衣把死者血肉模糊的脸包裹起来时，与其说她看到了不如说感觉到了玫兰妮那痛苦的窘态。

斯佳丽一瘸一拐地连拉带拽，把尸体从过道拖到门廊，然后停下来用手背擦了擦额头上的汗，回头看看靠着墙坐在地上屈起双膝遮掩着裸露的乳房的玫兰妮。斯佳丽有些恼火：玫兰妮也真够傻的，这种时候还怕难为情。这正是她循规蹈矩的一种表现，斯佳丽向来因此而瞧不起她。想到这儿，斯佳丽内心不禁一阵惭愧。不管怎么说……不管怎么说，玫兰妮毕竟是在产后不久挣扎着从床上起来，带着她举也举不动的兵器来援助她的。这是需要勇气的，斯佳丽承认自己并不具备这种勇气，而在亚特兰大陷落的那个恐怖之夜往塔拉奔逃的途中，玫兰妮却表现了这种坚韧如钢、柔弱如丝的勇气。这也是韦尔克斯家族成员人人具备的那种不可捉摸且并不显眼的勇气，斯佳丽对这种品质难以理解，但也不得不肃然起敬。

“回床上去，”她转过脸朝背后说，“否则你会送命的。等我把他埋了，再来收拾这脏乱的一摊。”

“我会用破地毯把它擦干净的。”玫兰妮低声说着，一边看着地上那摊血，脸色十分难看。

“随你的便，你送了命我才不管呢！万一在我做完之前家里有谁先回来的话，你就想办法让他们待在房子里别出去，至于那匹马，你就说不知是从什么地方自己跑到这儿来的。”

玫兰妮坐在上午的阳光里直发抖，当死尸的脑袋从台阶上一磴一磴地被拖下去时，她捂着耳朵怕听那令人恶心的磕碰声。

谁也没问马是哪儿来的。这一带前不久还是战场，那显而易见是匹掉队迷路的马，反正大家都很高兴有这么一头牲口。那北方佬被埋在葡萄棚下斯佳丽挖的一个浅坑里。原先支撑粗藤茂叶的几根柱子已经腐烂了，那天夜里斯佳丽用菜刀一阵乱砍，直到柱倒棚塌，盘根错节的藤蔓覆盖了墓穴。在整修家园的过程中，斯佳丽唯独不提立柱搭棚，即使黑人们猜到了其中的原委，他们也保持着沉默。

在过于疲倦反而睡不着的漫漫长夜里，始终没有鬼魂从那个浅浅的墓穴里爬出来作祟缠她。每次想到这件事，她既不害怕也不后悔。如此心安理得，连她自己也纳闷儿，因为她知道仅仅在一个月前自己也决不会干出这种事来。好一位年轻妩媚的汉密顿太太，酒窝迷人，耳坠玎珰，平常简直没半点用，怎么居然会开枪把一个人的脸打得稀巴烂，然后将他埋入草草挖就的土坑了事！如果让她的一些老朋友知道了，他们准会吓得瞠目结舌的——想到这儿，斯佳丽不禁露出略带几分狰狞的苦笑。

“我再也不想这件事了，”她暗自下决心，“事情已经过去，到此为止，如果我不杀他，那我就是个傻瓜。不过……不过自从回家以后，我恐怕是有点儿变了，否则我是不会干这种事的。”

尽管她并没有有意识地信奉下面这种观点，但是无论什么时候她碰到不愉快而又棘手的难题，潜伏在内心深处的这念头就会给她力量：“我连人都杀过了，还怕干不了这件事？”

其实，她身上发生的变化比她想象的更强烈。当她还趴在十二棵橡树庄园的黑奴菜地里时，她的心便开始形成一层硬壳，这层外壳渐渐地越结越厚，她的心也随着越变越硬了。

现在有马了，斯佳丽便可以去弄清楚，他们的邻居究竟都发生什么事情了。回家以后，她已上千次地苦苦思索、不得其解：“县里是不是就剩我们这几个人了？是不是别人都已葬身火海？还是都逃到梅肯去了？”十二棵橡树庄园、麦金托什庄园和斯莱特里小屋只剩下断壁残垣的景象在她的头脑里记忆犹新，她几乎怕知道真实情况。但，知道发生了最坏的事也比一无所知强。她决定先骑马去方丹家，并非仅因为他们是近邻，而是因为老方丹大夫可能在家。玫兰妮需要一位医生。她现在恢复得很不理想，她那苍白、虚弱的模样斯佳丽看着实在是害怕。

所以，在斯佳丽的脚痊愈到能穿鞋的第一天，她便骑上那匹北方佬的马。她一只脚伸进改短的马镫，另一条腿盘起来搁在前鞒上，这样便跟坐在女式侧鞍上差不多，然后便出发穿过田野往含羞草庄园而去，思想上已做好了看到那里也已烧成一片焦土的准备。

让她又惊又喜的是看到那栋已经褪色的黄粉墙房子仍坐落在含羞草的树丛中，依然是老样子。当方丹家的三个女人从屋里出来，又是亲吻又是欢呼地迎接斯佳丽的时候，一股幸福的暖流涌上她的心头，几乎让她热泪盈眶了。

但等初次相见的那阵兴高采烈的心情渐趋平静后，大家鱼贯进入餐室坐了下来，斯佳丽感到一阵悲凉。北方佬没有到含羞草庄园是因为它远离大路，因此方丹家的牲畜和粮食都还在，但含羞草和塔拉以及周围乡村一样也笼罩在异样的沉寂中。除了四名干家里活的女仆，所有黑奴听说北方佬逼近都吓得逃跑了。家里没有一个男丁，除非把萨丽才离了尿布的小儿子乔算作男人。偌大一栋房子里只有早已古稀的方丹老太太、她那已经年过半百但仍一直被称作“少奶奶”的儿媳以及才满二十岁的萨丽。她们离邻居都很远，而且没人保护，但如果说她们心里免不了有些提心吊胆的话，脸上却不动声色。斯佳丽想，多半是因为萨丽和少奶奶太怕那位表面看上去像瓷器一样脆弱、意志却百折不挠的老太太，所以即使有疑虑也不敢说。斯佳丽自己也怕那位老太太，因为她目光尖锐，词语更锐利，这二者斯佳丽过去都领教过。

虽然三代人并无血缘关系，而且年龄悬殊，但精神和遭遇的相似把这三个女人连在了一起。她们都穿着自染的丧服，显得憔悴而忧伤，尽管没愁眉苦脸，也没怨天尤人，可是在她们的笑容和好客的言语背后，毕竟可以感觉到她们内心的痛苦。想想看，她们的黑奴跑了，钱不值钱了，萨丽的丈夫乔在葛底斯堡一仗中阵亡。少奶奶也成了寡妇，因为小方丹大夫已在维克斯堡死于痢疾。亚力克和汤尼则在弗吉尼亚的什么地方，是死是活无人知晓。老方丹大夫随惠勒的骑兵部队开到别处去了。

“这个傻老头都七十三了，还硬充好汉。他有风湿，浑身上下酸痛的关节比猪身上的跳蚤还多。”老太太其实是在为自己的丈夫骄傲，她那神采飞扬的眼神与口中尖酸刻薄的言语显然对不上号。

“你们有没有亚特兰大方面的消息？”大家坐好定了定神以后，斯佳丽问，“我们在塔拉简直跟被埋在了坟墓里一样。”

“哦，孩子，可别这么说！”老太太照例掌握着谈话的主动权，“我们的情形跟你们一样。只听说这个城市最后还是被谢尔曼拿了下来，此外我们就一点消息也不知道了。”

“到底被他拿了下来。眼下他在干什么？仗打到什么地方了？”

“我们三个单身女人待在乡下这地方，常常是几个星期见不到一封信、一张报，怎么知道打仗的事呢？”老太太酸溜溜地嘀咕开了，“我们家一个黑奴跟别人家的黑奴闲聊，那家的黑奴见过另一个去过琼斯博罗的黑奴，除此以外我们就什么也没听说了。她们说北方佬赖在亚特兰大不走了，他们的人马都在休息，可这是真是假，你我都说不准儿。要说休息嘛，他们还真需要，因为我们把他们打得够呛。”

“这些日子你一直都在塔拉庄园，可我们一点儿也不知道，真是的！”少奶奶插进来说，“哦，都怪我没去看看你们！可是这儿有那么多事要做，黑人又差不多全跑光了，实在抽不出身来。不过，我还是应该挤时间去一趟的。我也太不像邻里乡亲了！不过，我们还以为北方佬把塔拉庄园也像十二棵橡树庄园和麦金托什家那样给烧了，你们全家一定也都去梅肯了。我们做梦也没想到你会在家，斯佳丽。”

“是啊，奥哈拉先生的黑奴们从这儿路过时，都吓得瞪大了眼珠子，他们说北方佬要烧塔拉了，那我们还能不这样想吗？”老太太插了一句。

“我们总觉得——”萨丽开口道。

“我正说着呢，请别打断我，”老太太立即拦住她的话头，“他们说，北方佬在整个塔拉庄园安营扎寨，你们家的人正打算逃到梅肯去。后来，就在那天夜里，我们见塔拉那边火光冲天，一连烧了好几个小时，把我们那些愚蠢的黑人吓得灵魂出窍，结果他们全逃了。烧的究竟是什么？”

“我们所有的棉花——价值十五万美元呢。”斯佳丽心疼地说。

“得感谢上帝没把你们的房子烧了。”老太太用拐杖抵着下巴颏儿说，“棉花还可以不断地种出来，可房子是种不出来的。我倒想问问，你们开始摘棉花了没有？”

“没有，”斯佳丽说，“再说，反正大部分都已给毁了。剩下没毁的顶多只有三包，那些地也远得很，在河边的低谷里，而且，收了又有什么用？我们干地里活的人都跑了，没人摘。”

“我的天哪，你听听！‘我们干地里活的人都跑了，没人摘！’”

老太太故意拿着腔儿学着对方说话，还满含挖苦地瞪了斯佳丽一眼，“小姐，你自己这双可爱的爪子难道断了不成？还有你两个妹妹的呢？”

“我？你让我去摘棉花？”斯佳丽喊了起来，她这一惊非同小可，仿佛老太太非要她去干一件最见不得人的丑事似的。“像一个干地里活的黑奴？像一个穷白佬？像斯莱特里家的婆娘那样吗？”

“穷白佬，真是的！你们听听，这一代姑娘真是娇气，到底是大家闺秀！告诉你，小姐，在我还是姑娘的时候，父亲便破了产，家里一个子儿也没了，可我不在乎凭自己的双手从事正当的劳动，包括下地干活，直到爸有钱添加了几个黑人为止。我锄过地、摘过棉花，如果必要的话，我还能再干别的。看来还真有必要。穷白佬，真是的！”

“哦，可是，妈妈，”她儿媳急忙出来打圆场，同时向两个年轻的女子投去央求的目光，恳请她们帮她让老太太消消气，“那是很久以前的事了，时代完全不同，如今世道变了。”

“正当的劳动如果一天少不了，世道就一天不会变，”目光尖利的老太太表示她拒绝别人的劝解，“斯佳丽，照你刚才说的，好像是正当的劳动使好人变成穷白佬似的，我真为你母亲感到羞愧。‘亚当刨地，夏娃纺纱……’”

为了转移话题，斯佳丽赶忙问：

“塔尔顿家和卡尔弗特家怎么样了？他们的宅院是不是也被烧了？他们有没有逃到梅肯去？”

“北方佬从来没有到过塔尔顿家。他们家跟我们这儿一样远离大路，可是北方佬到了卡尔弗特家，把他们的牲畜和家禽连宰带拿搞了个精光，还挑唆黑人也都跟他们跑了——”萨丽才开了个头。

老太太又把她的话头打断了。

“啊，他们向所有的黑人女仆许愿，说要让她们穿绸衣服，戴金耳坠——他们就是这样骗人的。据凯瑟琳·卡尔弗特说，有些北方佬骑兵离开时，背后的马鞍上还驮着愚蠢的黑女人。瞧着吧，绸衣服、金耳坠她们是休想得到的，只会添些个半黑不白的娃娃，而且我认为北方佬的血对改良这个种族不会有什么好处。”

“啊，妈妈!”

“别大惊小怪的，简。我们都是结过婚了的，对不对?何况，上帝明鉴，在此之前我们也见过黑白混血儿。”

“他们为什么没烧卡尔弗特家?”

“那栋房子没遭殃多亏了第二位卡尔弗特太太和她那个北方佬监工希尔顿两人南腔北调的口音。”老太太说。她总是称那位前家庭教师为“第二位卡尔弗特太太”，虽然第一位卡尔弗特太太已经去世二十年了。

“‘我们是坚决拥护联邦的，’”老太太从她细长的鼻子里发出声音来模仿他们的腔调，“据凯瑟琳说，他们俩赌咒发誓说整个卡尔弗特家族都是北方佬。可怜卡尔弗特先生死在野兽出没的密林里!赖福死在葛底斯堡，凯德还在弗吉尼亚打仗!凯瑟琳说宁愿让他们把房子烧了，也实在咽不下这口窝囊气。她说，凯德回来听说这样的丑事，肺都会气炸的。唉，娶北方佬女人做老婆就是这德行——什么自尊心、体面统统都可以不要，她们永远只关心自己……斯佳丽，北方佬怎么没把塔拉庄园烧掉?”

斯佳丽在回答之前略显迟疑。她知道紧接着的问题是：“你们家里的人都好吗?你亲爱的母亲怎么样了?”斯佳丽知道自己没有勇气告诉她们埃伦已经死了。她知道，只要她把这句话说出来，甚至只要让自己在这些富于同情心的妇女面前想到这事，她就会哭得死去活来的。她不能哭。自从回到家，她还没有真正哭过，她明白这闸门一开，她咬紧牙关挺住不哭的自制力就会决堤。但是看着周围这些热情洋溢的脸，她也明白，如果隐瞒埃伦的死讯，方丹家三代人是决不会原谅她的。尤其是老太太，她是埃伦的好友知己，像埃伦那样能赢得老太太用她瘦骨嶙峋的手打着响指称赞的人，在县里可谓绝无仅有。

“说出来呀，”老太太用锐利的目光盯着她催促道，“你也不知道吗，小姐?”

“要知道，我是在那一仗打完的第二天才回到家里的，”斯佳丽急忙回答，“那时北方佬都已经走了。爸……爸告诉我……他劝他们不要烧房子，因为苏埃伦和卡丽恩得了伤寒，病得很重，不能移动。”

“我这还是头一次听说北方佬干了一件有人味的事，”老太太说，她好像很后悔听到有关那些入侵者的任何好话，“现在两个姑娘怎么样了？”

“哦，她们现在好些了，好多了，可还是十分虚弱。”斯佳丽答道。接着，眼看自己最怕触及的问题已经到了老太太的嘴边，她赶紧抛出另一个话题。

“我……我不知道你们能不能借些吃的给我们？北方佬像蝗虫把我们家吃得精光。不过，要是你们自己也很紧巴的话，那就请实说，千万别——”

“你让波克赶辆大车来，凡是我们有的，大米、面粉、火腿、鸡，全都拿一半去。”老太太说着突然目光犀利地向斯佳丽扫了一眼。

“哦，太多了！真的，我只是——”

“你什么也别说了！我不想听。谁让我们是邻居呢？”

“你真是太好了，我不知道该怎么——不过我现在得走了。家里人会为我担心的。”

老太太蓦地站起来抓住了斯佳丽的胳膊。

“你们俩待在这里，”她向儿媳和孙媳命令道，自己推着斯佳丽往后门廊那儿走去，“我有句话要跟这孩子说。斯佳丽，你扶我从台阶上下去。”

少奶奶和萨丽跟斯佳丽道了别，并答应不久将去看她。她们非常想知道老太太有什么话要对斯佳丽说，但是除非老太太自己愿意告诉她们，否则她俩是绝对不会知道的。“老太太们的脾气都不大好对付。”少奶奶悄悄对萨丽说，两人继续做着针线活。

斯佳丽牵着马笼头在那儿站着，心头罩着一片愁云。

“现在告诉我，”老太太盯着她的脸说，“塔拉出了什么事？你有什么事情瞒着我们？”

斯佳丽望着老人明察秋毫的眼睛，知道自己可以把真情说出而不会哭出来。任何人都不敢在老方丹太太面前哭泣，除非得到了她明确的特许。

"母亲死了。"斯佳丽直截了当地说。

抓住她胳膊的那只手越捏越紧，一直到斯佳丽感到疼痛，一直到老人眨了一下皱巴巴的眼睑，把黄浊的眼珠遮住后马上又睁开。

"是北方佬杀了她?"

"她是害伤寒死的。我到家的前一天死的。"

"别再想这事了，"老太太断然说，斯佳丽见她硬是把涌上来的恸哭吞了下去。"那你爸呢?"

"爸现在……爸现在完全变了。"

"你指的什么?说出来。他病了?"

"刺激太深……他现在非常古怪……他完全——"

"究竟是怎么个变法?你是不是说他神经错乱了?"

听到真情被直截了当地说出来斯佳丽反而如释重负。这位老太太真好，她没有说一些表示同情的话，否则斯佳丽肯定会失声痛哭的。

"是的，"斯佳丽黯然说道，"他像丢了魂儿，整天恍恍惚惚，有时候他好像不记得母亲已经死了。哦，老太太，我实在不忍看见他一连几个小时坐着等母亲，而且极有耐性，然而原来他的耐性一向比孩子还差。当他记起母亲已经去世的时候，情况就更糟。常常有这样的情形：他安静地坐着，竖起耳朵听是不是母亲来了，过了一会儿，他会猛地站起身来，跌跌撞撞走出家门往坟地走去。之后，他又拖着两条腿回来，满脸都是泪水，反反复复地说：'凯蒂·斯佳丽，奥哈拉太太死了。你母亲死了。'一遍又一遍重复着，我总像是头一次听到似的，真想没命地叫。有时候，在夜深人静的时候，我听见他在叫母亲，我就从床上起来，走进他的屋里对他说，母亲正在楼下下房里照看害病的黑人女仆。他听了就烦躁起来，因为母亲老是为了护理别人而把自己累坏了。让他重新睡下可真费劲。他就像个孩子。哦，要是方丹大夫在家就好了！我知道他一定会想办法帮助我爸的！而且玫兰妮也需要一位医生。她产后恢复得很不利索——"

"兰妮有孩子了?她和你住在一起?"

"是的。"

“兰妮怎么会跟你在一起？她怎么不在梅肯跟她姑妈和她的亲戚住？我一直觉得你并不太喜欢她，小姐，尽管她是查尔斯的妹妹。那么，你把这些事都跟我说说。”

“说来话长，老太太。你要不要再回到屋里去坐下？”

“我可以站着听，”老太太很干脆地说，“如果你当着我儿媳和孙媳的面讲你的故事，她们会一把鼻涕一把眼泪搞得你灰溜溜地没法不哭。你就在这儿说吧。”

斯佳丽从亚特兰大遭到围困和玫兰妮即将临盆开始讲，起初说得有些结结巴巴，然而在老太太一眨不眨地盯着她的锐利目光下，叙述的事件逐步展开，她已能找到有分量的言语来表达她所经历的恐怖。一切又在她脑海中重现了：婴儿出生那天令人昏迷的闷热、让人心惊肉跳的紧张气氛、逃亡途中的各种险象以及瑞特撒手不管的经过。她讲到在那个伸手不见五指的黑夜，远处闪烁着也不知是自己人还是敌人的营火，第二天晨光中她看到的是孤零零的烟囱，沿路是死人、死马，是饥馑，是荒凉，她担心塔拉庄园也已付之一炬了。

“我以为只要能回家见到母亲，她会把每一件事情都安排好的，我就可以卸下这累人的重负了。归途中我以为最坏的情况我都经历过了，可是当我得知她已去世，这才明白什么是真正最坏的情况。”

她低首垂目，等着老太太说话。静默持续了好大一会儿，她开始怀疑老太太是不是能体会到她陷入了何等悲惨的绝境。后来，老太太终于开口了，她的语气是慈祥的，斯佳丽从没听见她如此和善地对任何人说话。

“好孩子，一个女人遇到最坏最坏的事情本身就非常糟糕，因为她碰到最坏的事情后，任何事情都再也不可能真正使她害怕了。而一个女人如果不为某件事情担惊受怕的话，那是非常糟糕的。你以为我不理解你告诉我的境况，不理解你是从什么样的患难中闯过来的吗？不，我理解得很清楚。我在你这个年龄的时候正赶上印第安人的克里克部族暴动——那是紧接着米姆斯堡大屠杀之后发生的事。是啊，”从她的语调中可以听出老太太已陷入遐想，“就跟你现在的年纪差不多，那是五十多年前。当时我钻进灌木丛躲了起来，我趴在那里，看见我家的房子起火，看见印第安人剥下我兄弟姐妹的头皮。我只能趴在那里求上帝保佑别让火光暴露我的藏身之处。他们把母亲拖出来杀死在离我只有二十英尺的地方，还剥了她的头皮。有一个印第安人曾一再走到她身边用短斧劈她的头颅。我是母亲的宝贝疙瘩，而我趴在那儿把这一切全看在眼里。第二天一早，我出发去最近的村落，那儿离我家有三十英里的路程。我走了三天三夜，途中要经过沼泽地和印第安人的部落。后来大家都以为我疯了……就是在那个时候我遇见了方丹大夫。他悉心照料我……哦，我说过，那是五十多年前的事，从那时起，我就什么事也不怕，什么人也不怕了，因为最最坏的事情我都经历过了。这种不知道什么叫害怕的性格不知给我招来了多少麻烦，也不知让我牺牲了多少欢乐。上帝的旨意是让我们做害羞、胆怯的人，一个女人如果肆无忌惮，总不是那么顺应自然……斯佳丽，任何时候都应该有所顾忌，正像任何时候都应该有爱心一样……”

老太太的声音低了下去，她默默地站着回顾半个世纪前她还知道什么叫害怕的那一天。斯佳丽不耐烦地换脚变换重心。她原以为老太太理解了，也许能给她指出一条摆脱困境的出路。然而像所有的老人一样，她竟大谈发生在他人都还没出生以前而且对此也不感兴趣的往事。斯佳丽后悔自己向她吐露了心曲。

“好了，回去吧，孩子，要不他们会担心的，”老太太忽然说，“今天下午就让波克赶辆大车来……别想象什么时候能卸下这副重负。因为你没法卸掉。我知道。”

那年的小阳春一直持续到十一月，那段暖和的日子对塔拉庄园的人来说已经算是柳暗花明、否极泰来了。他们现在有了一匹马，可以骑马而不必长途跋涉。早餐有煎鸡蛋，晚餐有煎火腿调剂红薯、花生和苹果干的单调食谱，有一次过节他们甚至还烤了一只鸡。老母猪最后总算逮住了，它和它那窝小猪给关进了地窖，眼下正在圈里用鼻子拱地，呼噜噜玩得正欢。有时它们拉长调子发出很响的尖叫声，让房子里的人谁也听不见谁说话，但这是令人愉快的声音。这意味着，到天气转冷，杀猪时节来临时，白人将有鲜肉可吃，黑人则有下水可吃。这意味着大家都有食物过冬了。

斯佳丽去了趟方丹家后，精神为之一振，而且超过了她自己意识到的程度。现在她知道还有邻居，一些世交幸存了下来，这消除了回到塔拉后头几个星期里一直压得她喘不过气来的那种可怕的失落感和孤独感。方丹家和塔尔顿家都不在军队经过的路上，他们十分慷慨地把自己所剩不多的食物拿出来与斯佳丽家分享。邻里乡亲互相帮助是本地的传统，所以他们不肯接受斯佳丽一分钱，说如果换了是她，她也会这么做的，等来年塔拉庄园又有了收获，她可以还给他们实物。

现在斯佳丽有了供一家人吃的食物，有了一匹马，还有从北方佬逃兵身上搜出来的钱和首饰，剩下的最大需要便是添置一些衣服了。她知道，打发波克去南边买衣服是有很大风险的，因为马有可能被北方佬或邦联军抢走。但至少她有钱买衣服，有此行所需的马和大车，何况波克也有可能完成此行而又不被抓去。反正最坏的局面已经过去。

每天早晨起来，斯佳丽为能看到窗外淡蓝的天空和温暖的阳光而感谢上帝，因为寒衣虽然少不了，但气候晴朗的每一天都能推迟那个无法避免的时刻来临。而且，暖和的日子多一天，黑奴小屋里的棉花就会堆得更多些，现在庄园里只剩下那些空房子可以权当仓房了。地里的棉花超过了斯佳丽和波克原先估计的数量，恐怕有四包，都快把那些小屋堆满了。

斯佳丽并不打算亲自动手摘棉花，尽管她挨了方丹老太太一顿尖酸刻薄的抢白。她，奥哈拉家的大小姐，现今塔拉庄园的女主人，去下地干活——这是不可思议的。这样她岂不跟蓬头垢面的斯莱特里太太和埃米一样了吗？她曾打算让黑人去干地里活，由她和逐渐康复的姑娘们料理家务，没想到竟碰上了比她自己更根深蒂固的等级观念。波克、黑妈妈和普莉西一听说要下地干活就大叫大嚷。他们再三声明他们是在屋里干活的黑人，不是在地里干活的。黑妈妈尤其激愤地声明她甚至从没干过院里的活。她生在罗比亚尔家的大宅院里而不是黑奴的小屋里，而且是在老太太卧室里长大的，一直睡在床边的草垫上。只有迪尔西什么也没说，她一眼不眨地看着普莉西，把她看得扭过来转过去地坐立不安。

斯佳丽对他们的抗议置若罔闻，径自赶车把他们统统送到了棉花地里。但黑妈妈和波克干得太慢了，还哭哭啼啼唠叨个没完，斯佳丽只好让黑妈妈回厨房去做饭，打发波克带着罗网到树林里去捕野兔和负鼠，拿着钓线去河边钓鱼。摘棉花有失波克的身份，可是捕猎和钓鱼却无损他的尊严。

斯佳丽接下来曾尝试着让两个妹妹和玫兰妮下地，但效果同样不佳。玫兰妮心甘情愿地在毒热的阳光下干了一个小时，摘得又快又干净，后来一声不响地晕倒了，结果不得不卧床一星期。苏埃伦总是哭丧着脸，眼泪汪汪的，她假装也晕了过去，但当斯佳丽把一瓢凉水泼到她脸上时，她立刻苏醒了过来，像一只被激怒的猫一样呜噜呜噜狂叫。最后，她索性不干了。

“我可不愿像个黑奴似的在地里干活！你不能强迫我。要是朋友中有谁听说这事，他们会怎么想？要是让肯尼迪先生知道了呢？啊，要是母亲知道了这事——”

“你敢再提母亲，苏埃伦·奥哈拉，我就扇你两个耳光，”斯佳丽吼道，“母亲在世时干得比这里任何一名黑奴都更辛苦，这一点你明明是知道的，娇贵的小姐！”

“她没干过！她至少没下过地。你不能强迫我。我要去告诉爸，他决不会强迫我干活的！”

“不许拿你我的任何纠纷去烦爸！”斯佳丽呵斥道，对妹妹的恼恨和对杰拉尔德的忧虑搅得她心乱如麻。

“大姐，我来帮你，”卡丽恩温顺地插进来说，“我可以把苏埃伦的活儿也干了。她还没好利索，在太阳底下晒着对她不好。”

斯佳丽满怀感激地说：“谢谢你，甜妞儿。”但她忧心忡忡地打量着小妹妹。以前，卡丽恩的脸蛋一向嫩红粉白的，犹如春风中飘落的樱花，十分可爱，现今嫩红已不复见，但她沉思的表情中仍流露出樱花般淡雅的韵味。她从大病的昏迷中醒来，发现埃伦已经去世了，斯佳丽成了恶煞凶神，周围的一切全都变了样，每天的日程就是干不完的活，从此，她便沉默寡言，总有点儿神不守舍。卡丽恩柔弱的性情不能做到随遇而安。对已经发生的事她简直无法理解，整天像个梦游患者似的在塔拉庄园走来走去，叫她干什么就干什么。她的样子和实质都很柔弱，但她谨慎、顺从、诚恳。如果不是在干斯佳丽安排的活儿，手里一定握着一串念珠，嘴唇微微翕动，为母亲和布伦特·塔尔顿的亡灵祈祷。斯佳丽没有想到布伦特之死对卡丽恩的打击竟会如此沉重，她的悲痛是无法愈合的。在斯佳丽的心中，卡丽恩依然是“小不点儿”，远远谈不上真正的爱情。

斯佳丽站在阳光下的棉花地里，她的腰背因长久弯屈而酸痛，一双手由于不断接触干燥的棉桃而变粗糙了。她在想，要是有一个集苏埃伦的精力和卡丽恩的温顺于一身的妹妹该多好啊。因为卡丽恩摘棉花细心又认真。但是，劳动一个小时下来就看得很清楚了，还没有恢复到能胜任这个工作的是她，而不是苏埃伦。于是斯佳丽只好把卡丽恩也打发回家了。

现在只有迪尔西、普莉西和她一起留在长长的一行行棉花地里。普莉西摘棉花的样子懒洋洋的，时快时慢，还不停地抱怨脚麻、腰酸、肚子疼、全身没劲，直到她母亲拔起一根棉秆抽得她没命地叫唤。这以后她干得稍微好了一些，并留神与她母亲保持比较安全的距离。

迪尔西干活不知疲倦，不声不响，就像一台机器，斯佳丽自己干得腰也直不起来，肩膀因为背棉花袋而被勒破了皮，她暗自思忖：迪尔西真顶用。

“迪尔西，”她说，“等我们又过上好日子的时候，我不会忘记你的功劳。你真是好样的。”

别的黑人得到主人的称赞时，会咧着嘴笑或不好意思地忸怩作态，这个古铜色皮肤的大个子女人却不这样。她向斯佳丽转过雕塑似的脸，不卑不亢地说：“谢谢小姐。不过杰拉尔德先生和埃伦小姐待我太好了。杰拉尔德先生为了不让我难过，把我的普莉西也买回来了，我是不会忘记这事的。我是半个印第安人，而印第安人是从不会忘记对他们好的人的。可惜我的普莉西太不懂事。她完完全全像个黑人，就跟她爸一样。她爸就是大大咧咧的，一点没头脑。”

尽管斯佳丽由于指望别人出力摘棉花遇到了不少问题，尽管她自己也干得疲劳不堪，但是随着棉花一点点地从田间搬到小屋，她的精神也渐渐振作起来。棉花有某种让人放心的稳定因素。塔拉庄园是靠棉花发的财，甚至整个南方都是这样，而斯佳丽身上的南方人气质足以让她相信：塔拉庄园乃至整个南方仍会从这片红土田野里站立起来，重振雄风。

诚然，她收获的那点儿棉花不多，但也不是于事无补。卖了可以换些邦联钞票，这样她就可以把北方佬皮夹里的绿票子和金币节省下来，留到非花不可的时候再花。明年春天她要争取向邦联政府要回被征用的大个子山姆以及另几个干地里活的黑奴。如果政府不放他们回来，她就用北方佬的钱去向邻居租用田间劳力。明年春天她要播种，播种……她挺直疲乏的腰板，环顾了一下入秋后变成棕色的田野，仿佛看到了明年田野里一亩连一亩的作物绿油油地茁壮挺拔，长势喜人。

明天春天！说不定到明年春天战争已经结束了，好日子又回来了。不管邦联赢还是输，日子总会好过些。无论如何总比老是提心吊胆怕遭到两边军队的袭击要安生。等战争结束后，庄园的收成能让一家人温饱不愁。哦，但愿这仗快点打完吧！那时候老百姓就可以播下种子而不至于对收获毫无把握！

现在总算有了希望。战争不可能永远持续下去。她手头有了点棉花，贮存了一些食物，弄到了一匹马，积聚了数额不大但十分珍贵的一笔钱。是的，最困难的时期已经过去了！

27

十一月中旬的一天中午，大家聚集在餐桌旁，吃着黑妈妈用玉米面和越橘干加高粱糖浆做成的点心，快吃完了。天有点儿冷，这是今秋送来的第一阵寒意。波克站在斯佳丽的椅子背后，得意扬扬地搓着手问："斯佳丽小姐，你看是不是到了杀猪的时节了？"

"你是不是已经闻到猪下水的香味了？"斯佳丽粲然一笑，"是啊，我自己也想吃鲜猪肉了，要是这样的天气再持续几天，那我们就……"

玫兰妮的匙勺还在嘴边，她突然打断斯佳丽的话：

"你听，亲爱的！有人来了！"

"有人在叫。"波克紧张地说。

从秋高气爽的户外清楚地传来像惊悸的心跳那样急促的马蹄声，还有一个女人高声呼喊的声音："斯佳丽！斯佳丽！"

餐桌周围的人面面相觑，一会儿，大家纷纷推开椅子跳起身来。尽管叫喊者由于恐惧而声音尖锐，大家还是听出那是萨丽·方丹的声音，一小时前她去琼斯博罗路过塔拉曾进来小坐了片刻，谈了谈家常。现在，大家呼拉一下拥到前门，只见萨丽骑着一匹汗水淋漓的马一阵狂风似的冲上庭前的车道，她头发披散在肩后，帽子靠丝带挂住在背上晃荡。她并没勒住缰绳，一边朝着他们狂奔而来，一边往后指着她来的方向。

“北方佬来了！我看见他们了！在大路上！北方佬——”

就在马即将冲上前台阶的一刹那，她狠命地一勒缰绳，嚼子像锯子一样割开了马口。那马来了个急转弯，纵身腾跃三次便过了道侧的草坪，接着，萨丽像在狩猎场上似的策马越过了四英尺高的围栏。只听得沉重的马蹄声先是穿过后院，后从黑人小屋之间的狭巷那里传过来，于是斯佳丽等人知道萨丽·方丹是要穿越田野径直奔向含羞草庄园。

一时间大家都目瞪口呆地站着，随后苏埃伦与卡丽恩开始啜泣，互相抓着对方的手。小韦德吓得呆若木鸡，一个劲儿地哆嗦着，连哭都哭不出来。自从逃离亚特兰大的那天夜里以来，他一直担心的事情终于发生了。北方佬来抓他了。

“北方佬？”杰拉尔德感到莫名其妙，径自嘟哝着，“北方佬不是已经来过了吗？”

“圣母玛丽亚！”斯佳丽失声惊呼道，她的目光与玫兰妮惊恐的目光相遇。短短一瞬间，亚特兰大陷落前最后一夜的恐怖景象、乡间处处被毁的房舍废墟、所有那些关于奸淫烧杀的传闻故事重又在斯佳丽的脑海中掠过。她眼前又出现了手里拿着埃伦的针线匣站在过道里的那名北方佬士兵。她想：“我要死了。我会立刻死在这儿的。我原以为一切都已经熬过来了。这次我是非死不可了。我再也受不了了。”

这时，她的目光落在了装好鞍座拴在桩边的马身上，波克本来是准备骑马去塔尔顿庄园办事的。她的马！这是她仅有的一匹马！北方佬会把它连同母牛、牛犊一起拉走的。还有老母猪和那窝小猪崽……哦，把老母猪和那些灵活敏捷的小猪捉回来不知花了多大的精力和功夫！北方佬会把方丹家给她的一只公鸡、几只正在孵蛋的母鸡和鸭子也拿走的。还有贮藏室里的苹果和红薯。还有面粉、大米和干豌豆。还有那个北方佬士兵皮夹里的钱。他们会把所有这一切席卷一空，活活把这里的人饿死。

“不能让他们抢去！”她大声喊道，大家都惊恐万状地转过脸来望着她，怕她听到这消息后脑子出了毛病。“我不愿再挨饿！不能让他们抢去！”

“你怎么了，斯佳丽？你怎么了？”

“那匹马！那头牛！还有那些猪！不能让他们抢去！我决不能让他们把这一切抢去！”

她突然转向挤在门口的四个黑人，他们个个面如土色。

“沼泽地。”她断然说了一句。

“什么沼泽地？”

“河边的沼泽地，你们这些傻瓜！把猪全赶到沼泽地里去。你们都去。快。波克，你和普莉西到地窖去把猪赶出来。苏埃伦，你和卡丽恩把吃的东西都装到篮子里，搬到树林里去。只要拿得动，尽量装满些。黑妈妈，你把银器重新再藏到井里去。还有，波克！听我说，波克，你别站在那儿发愣！你把爸带着一起走。别问我该带他去哪儿！去哪儿都行！爸，你跟波克去吧。这才是好爸爸。”

即使在忙乱不堪的情况下她仍想到，如果杰拉尔德看见北方佬的蓝军服，他本来就不正常的头脑可能会产生严重的后果。她沉吟片刻，扭绞着双手，偏偏在这个时候，吓得要命的小韦德抓住玫兰妮的裙子呜呜咽咽地哭了起来，简直要把心慌意乱的斯佳丽急疯了。

“我该做什么，斯佳丽？”在一片啼哭和匆忙的脚步声中玫兰妮的语气显得非常镇定，虽然她的脸色像纸一样惨白，而且浑身发抖，然而她平静的声音却让斯佳丽定下了神来，提醒她大家都在听她的指挥。

“母牛和小牛在老牧场，”斯佳丽快速说道，“你骑上马把牛赶到沼泽地去，并且——”

她还没说完，玫兰妮已经甩开了韦德抓住她裙子的手，走下前台阶向马那儿奔去，边跑边撩起她宽大的裙裾。斯佳丽只瞥见两条纤细的腿以及裙裾和衬衣忽地一闪，玫兰妮已经飞身上了马鞍，她的脚远远够不着马镫，在那里晃荡着。她拿起缰绳，脚跟在马腹上一夹，接着突然勒住马，并且吓得脸色都变了。

“我的宝宝！”她喊道，“哦，我的宝宝！北方佬会杀死他的！把宝宝给我！”

她一只手抓鞍，准备从马背上溜下来，但斯佳丽喝住了她：

“快去！快去！把牛赶走！我会照看宝宝的！快去，听见没有？

难道我会让他们碰阿希礼的孩子吗？快去！”

兰妮无可奈何地回头看了一眼，但还是使劲用脚跟在马腹上一夹，接着碎石路面上响起了一阵马蹄声，她已沿着车道向牧场疾驰而去。

斯佳丽思忖道：“我怎么也没想到兰妮·汉密顿竟能像个男人一样跨鞍骑马！”然后她跑进屋去。韦德紧紧地跟在她后面，一边呜呜地哭着，一边努力想抓住她飞快摆动的裙裾。她匆匆忙忙上了台阶，见苏埃伦和卡丽恩正挎着用橡树皮编的篮子往贮藏室跑，波克不太恭敬地拉着杰拉尔德的胳膊拖着他向后台阶走。杰拉尔德像个孩子似的嘟嘟囔囔地挣扎着不肯走。

斯佳丽听到黑妈妈老鸦一样的声音在后院说：“喂，普莉西！你到地窖去把那些小猪递给我！你明知道我块头太大，爬不进去。迪尔西，你来叫这个没头脑的丫头——”

“我原以为把猪在地窖里养着是个挺好的主意，以为这样便没人能把它们偷走了，”斯佳丽跑进自己的房间里时心想，“哦，我为什么不在沼泽地里给它们盖个猪圈呢？”

她拉开五斗柜最顶上的抽屉，在衣物中一阵乱翻，找到了那个北方佬的皮夹子。她又从自己的针线篮中取出了藏在那里的独粒宝石戒指和钻石耳坠，将它们塞进了皮夹里。可是藏到什么地方去呢？床垫里？烟囱里？扔到井里？放在怀里？不，万万不能放在怀里！皮夹子的轮廓会从她的紧身胸衣里显出来，要是让北方佬看见了，他们会扒光她衣服搜身的。

“他们若这么干，那我必死无疑！”她绝望地想。

楼下的脚步声、啜泣声乱成一团。面对这乱哄哄的局面，斯佳丽真希望玫兰妮这时能在自己身边。说话镇定自若的兰妮，在斯佳丽枪杀北方佬那天表现得如此勇敢的兰妮，一个能顶仨。兰妮——刚才兰妮说什么来着？哦，对了，宝宝！

斯佳丽把皮夹子紧紧贴在胸前，穿过过道跑到了另一间屋子里，小宝宝正在浅浅的摇篮里睡觉。斯佳丽把他抱了起来，孩子醒了，他挥动着两只小拳头，睡眼惺忪地淌着口水。

斯佳丽听见苏埃伦在叫：“走吧，卡丽恩！走吧！已经拿得够多的了。哦，小姑奶奶，快点儿!”

后院里传来小猪没命的尖叫声和母猪愤怒的噜噜声。斯佳丽跑到窗前，只见黑妈妈两个胳肢窝一边夹着一头挣扎的小猪，摇摆着肥胖的身躯匆匆从棉花地穿过。在她后面，波克也夹着两头小猪一边推着杰拉尔德往前走。杰拉尔德跌跌撞撞地在棉田的犁沟里走着，不时挥动着他的手杖。

斯佳丽探身窗外高声喊道：“迪尔西，把母猪也弄走！你叫普莉西把它赶出来。你赶着它从地里走过去。”

迪尔西抬起头来，她那古铜色的脸显出很为难的表情。她的围裙里兜着一堆银餐具。她指了指地窖。

“母猪咬了普莉西，把她堵在了地窖里。”

“这母猪也真够可以的。”斯佳丽心想。她赶紧又回到自己房间里，从隐蔽处匆匆取出她在死去的北方佬身上发现的镯子、胸针、袖珍肖像、银杯等物品。可这些东西往哪儿藏呢？一手抱着小宝宝，另一只手拿着皮夹子和这些玩意儿，实在是不方便。她把孩子放到床上。

宝宝一离开斯佳丽的怀抱便哭了起来，这倒触动了斯佳丽的灵感。还有什么地方比宝宝的尿布里更安全？她迅即把孩子翻了个身，推起他的衣裳，把皮夹子插到了尿布下面贴着他的屁股。这么一折腾，宝宝哭得更厉害了，斯佳丽急忙把这三角形的服饰在他乱踢乱蹬的腿上扎紧。

“好了，”她深深地吸了一口气思忖着，“现在到沼泽地去!”

她一手抱着大哭大叫的宝宝，一手把那些贵重物品贴在自己的胸前跑到楼上的过道里。突然，她急促的脚步停了下来，恐惧让她双膝发软。这房子好静啊！多么可怕的沉寂！难道他们已经走得一个不剩了？把她撇下不管了？就没有一个人留下来等她？她可没让他们把她一个人留在这里。这种兵荒马乱的日子，一个单身女人遇上眼看就要到的北方佬，什么事情都可能发生——

一点轻微的响动把她吓得差点跳了起来。她立刻扭头一看，见被她遗忘的儿子蜷缩在扶梯栏杆旁边，充满惊恐的眼睛睁得老大老大的。他想开口说话，可是喉咙里却发不出声来。

“起来，韦德·汉普顿，”斯佳丽立即命令道，“快起来跟我走。现在妈妈没法抱你。”

韦德像只受惊的小动物似的跑到她跟前，抓住她宽大的裙裾把脸埋在里面。斯佳丽可以感觉到他的小手隔着裙裥想把她的腿抱住。斯佳丽开始下楼梯，可是韦德的手仍扯着她的后腿，使她寸步难行，于是她声色俱厉地说道：“松手，韦德！放开我，你自己走！”但那孩子反而拽得更紧了。

斯佳丽走到楼梯平台上，整个底层好像都一齐迎着她跳了起来。每一件亲切而熟悉的家具似乎都在悄悄说着，“再见！再见！”斯佳丽都快要哭出来了。小账房的门开着，可以瞥见旧写字台的一角，多年来埃伦一直都是在那里辛勤工作的。餐室里的椅子凌乱地摆放着，盘子里还有没吃完的甜点心。地板上破旧的地毯是埃伦亲手染织的。外祖母罗比亚尔的画像半露胸脯，高耸发髻，鼻子周围的线条画得那么深，使她的面部始终带有一丝傲视一切的讥笑。曾是斯佳丽童年回忆组成部分的每一件东西，与她心灵最深处息息相通的每一件物品，都在向她耳语：“再见！再见，斯佳丽·奥哈拉！”

北方佬会把这一切统统烧光，烧光！

这是她对故居所看的最后一眼，也许，她还会躲在树林或沼泽地里看着自己的家，到那时高高的烟囱已经被浓烟包裹，屋顶已在火海中倒塌了。

“我不能撇下你，”想到这里，她吓得上下牙竟打起架来，“我不能撇下你不管。爸也不会撇下你不管的。他曾对北方佬说过，要烧房子除非把他一起烧掉。那么，现在如果他们要烧你，除非把我也一起烧掉，因为我同样不能撇下你。我现在所有的一切就只有你了。”

横下一条心以后，她的恐惧一下子退去了不少，胸中剩下的只是一种冰凉的感觉，仿佛所有的希望和恐惧都在那里冻结了。她这样站着，听见林荫道上传来了许多马蹄的嘚嘚声、军刀在鞘内振动和缰绳嚼子发出的哐当声，有一个人用刺耳的声音发着口令：“下马！”斯佳丽迅速俯身对脚边的儿子说，语气紧迫而又异常温柔：

“松开我，韦德，宝贝！你快下楼去，从后院往沼泽地里跑。妈妈会到那儿去的，还有兰妮姑妈。快跑，乖儿子，别害怕。”

孩子发现母亲的语调起了变化，便诧异地抬起头，斯佳丽被他眼里的神情惊呆了：他活像一只落入罗网的幼兔。

“哦，圣母啊！”斯佳丽只得向上苍祷告，“别让他抽起风来！千万不要在北方佬面前犯病。决不能让他们知道我们害怕。”她感到韦德把她的裙子拽得更紧了，便索性清清楚楚地对他说：“拿出小小男子汉的样子来，韦德。他们不过是一群该死的北方佬罢了！”

于是她走下楼梯迎着他们走了过去。

谢尔曼的军队正从亚特兰大横穿佐治亚向海边进发。他们身后留下的是亚特兰大冒烟的焦土，因为蓝军离开那里时放了一把火。他们前面实际上是三百英里不设防的土地，因为少数残余的州民团以及由老头和毛孩子组成的自卫队根本算不上什么防御力量。

这里伸展着佐治亚州的肥沃土地，星罗棋布的庄园里还有不少老弱妇孺和黑人。北方佬在一条宽八十英里的地带大肆烧掠。数以百计的宅院被焚毁，数以百计的人家遭到了他们军靴的践踏。但是，目睹蓝军拥入前厅的斯佳丽，并不认为这是波及全国的事情。她认为，这纯属个人恩怨，是存心跟她和她的一家人过不去。

她站在楼梯脚下，怀里抱着宝宝，韦德紧挨着她，把脑袋藏在了她裙子里，这时北方佬已蜂拥而至，登堂入室，有的粗野无礼地从她身旁冲上楼去，有的把家具拖到前门廊，用刺刀和匕首划破面料，寻找里面有没有藏金银财宝。上楼的则撕裂床垫和羽绒被，直到过道里羽绒漫天飞舞，纷纷扬扬飘落到她头上。斯佳丽站在那儿，眼睁睁看着他们恣意劫掠、破坏，无处发泄的愤怒挤走了她心中残余的恐惧。

为首的中士是个罗圈腿、灰头发的矮个子，腮帮子里正嚼着一大块烟叶。他抢在手下人之前走到斯佳丽跟前，一边把唾沫往地板上和她的裙子上乱吐，一边开门见山地说：

“把手里的东西给我，小姐。”

斯佳丽忘了自己手里还拿着打算藏起来的那些值钱的玩意儿，于是便冷笑着把东西扔在了地板上（她希望自己的神态无愧于外祖母罗比亚尔画像上的表情)，看到随即出现的士兵们贪婪地你抢我夺的丑态，她几乎产生了一种快感。

“劳驾把戒指和耳坠也摘下来。”

斯佳丽把宝宝在腋下夹紧了些，致使那婴儿头朝下倒悬着，涨红了脸拼命地哭着。她先摘下石榴石耳环，这是杰拉尔德送给埃伦的结婚礼物，再褪下镶着一颗大蓝宝石的戒指，这是查尔斯给她的订婚信物。

“别扔。交给我，”中士伸出双手说，“那些杂种捞得已经够多了。还有别的东西吗?”他锋利的目光盯着斯佳丽的紧身上衣。

一时间斯佳丽只觉得天旋地转，她几乎已经感到那双无耻的手伸进了她的胸脯，摸索着想解开她上衣的带结。

“全在这儿了，不过我想，落到你们手里就得给扒光衣服，这大概是你们的规矩吧。”

“哦，我可以相信你。”中士做出一副相当好说话的样子，在转身走开时又吐了一口唾沫。斯佳丽把宝宝抱正了，尽量哄他别哭，同时用手按住尿布里藏皮夹子的地方，同时为玫兰妮有个宝宝而宝宝裹着尿布而感谢上帝。

她能听见沉重的军靴踏在楼板上的咚咚声、家具被穷凶极恶地拖来拽去的吱嘎声、瓷器和镜子被砸碎的乒乓声、由于没找到什么贵重东西而发出的咒骂声。院子里有人高声叫喊道：“拦住它们！别让它们跑了！”同时传来鸡、鸭、鹅咯咯嘎嘎乱成一团的惊叫声。当她听到一阵死命的尖叫突然被一声枪响刹住时，只觉得痛彻心肺，她知道母猪已死了。该死的普莉西！她自己跑了，却扔下母猪不管。但愿那些小猪能保住！但愿家里人都能平安躲进沼泽地！可是谁知道呢?

她默默地站在门厅里，而那些士兵则在她周围东奔西忙，一边吵吵嚷嚷，骂不绝口。吓得韦德痉挛的手指死死地拽住她的裙裾不放。斯佳丽只觉得韦德紧挨着她脚的身体在发抖，但她没法安慰儿子。对那些北方佬她也说不出一句话来，既没有恳求他们，也没有表示抗议或愤怒。她只能感谢上帝，因为她的双膝还能支撑她站稳，她的脖子还硬得容许她把脑袋高高地昂起。但这时一群胡子拉碴的士兵拿着准备抢走的各种东西扛的扛、拖的拖从楼梯上下来，斯佳丽见其中一人还拿着查尔斯的军刀，一下子情不自禁地叫了起来。

那把军刀是韦德的。他的父亲和祖父都曾用过这把军刀，斯佳丽在韦德最近一次生日时把它给了他。那天还郑重其事地举行过一个仪式，当时玫兰妮哭了，掉下了自豪、悲伤的眼泪，并且吻了韦德，说他长大后应该成为一名像他父亲和祖父一样勇敢的军人。韦德非常以此为荣，常常爬到挂军刀的墙边那张桌子上去抚摩它。看到可恨的敌军从家里拿走她自己的财宝斯佳丽还可以忍受，但是看到儿子的骄傲被夺走了，她怎么也受不了。韦德听到叫声，从母亲的裙幅后向外张望了一下，随着一声突发的哭泣他也有了勇气和说话的能力。他伸出一只手喊道：

"那是我的！"

"这你不能拿走！"斯佳丽断然说道，同时也伸出了一只手。

"我不能？嘿！"拿军刀的那名小个子士兵厚颜无耻地冲她龇牙咧嘴笑道，"我就是能！这是叛军的刀！"

"这不是……不是的。这是墨西哥战争留下的军刀。你不能拿走它。这是我儿子的刀。还是他祖父传下来的！哦，上尉，"她转向中士喊道，"请让他把刀还给我！"

听到自己军衔一下子连升了数级的中士十分得意，他向前跨了一步。

"把刀给我看看。鲍勃。"他说。

那小个子骑兵老大不乐意地把军刀递给了中士。"刀柄是纯金的。"他说。

中士接过来转了几下，见刀柄上刻有文字，便拿到阳光下仔细阅读。

"'威廉. R·汉密顿上校惠存，'"中士辨认着读道，"'为表达对上校勇武精神的敬意，参谋部全体幕僚恭赠。1847 年于布埃纳维斯塔。'"

"哦，小姐，"中士说，"我也参加过布埃纳维斯塔战役。"

"是吗？"斯佳丽冷冰冰地说道。

"当然！告诉你，那仗打得才真叫过瘾。眼下这场战争中我还没见过那样激烈的战斗。这么说，军刀是这孩子爷爷的，是吗？”

“是的。”

“那好吧，就让他留着吧。”中士说，他对包在自己手帕里的那些珠宝首饰已感到很满足了。

“可这刀柄是纯金的。”那名小个子骑兵仍不死心。

“把它留给这位小姐做个纪念。”中士笑道。

斯佳丽接过军刀，连一声“谢谢”也没说。何必感谢这帮强盗把她自己的财物还给她呢？她拿着军刀，把刀柄贴在自己的胸前，这时那名小个子骑兵还在跟中士争吵不休。

最后，中士发火了，他叫那名骑兵滚到地狱里见鬼去，不准再顶嘴。于是那骑兵吼道：“妈的，我非得给这帮叛乱分子留点儿什么做个纪念不可！”

小个子骑兵到房子后部扫荡去了，斯佳丽稍微松了口气。他们只字没提要烧房子，他们没叫她离开，好让他们点火。也许——也许——。那些兵继续纷纷进入门厅，有从楼上下来的，也有从门外进来的。

“找到些什么没有？”中士问。

“一只猪和几只鸡鸭！”

“一些玉米，少量红薯和干豆子。刚才我们看见的那只骑马的野猫准是来报信的，肯定没错。”

“还是个地地道道的爱国者呢，呃？”

“这里差不多什么也没有了，中士。你得到的只是几根骨头罢了。趁我们到这儿来的消息还没在这一带传开，还是赶快前进吧。”

“熏肉房下面挖了没有？他们常常把东西埋在那里。”

“没有熏肉房。”

“黑人小屋里搜过了吗？”

“小屋里除了棉花什么也没有。我们把棉花全烧了。”

刹那间，斯佳丽回想起在棉花地里苦熬的那些炎热而又漫长的日子，重又感觉到腰酸背疼和两个肩膀皮开肉绽的痛楚。所有的苦全白吃了。棉花又被付之一炬。

“你们这里东西确实不多，你说是吗，小姐？”

“你们的军队以前到这儿来过。”斯佳丽冷冷地说。

“这倒是事实。九月份我们到过这一带，”说这话的一名士兵手里正摆弄着一件东西，“我现在想起来了。”

斯佳丽看到他手里摆弄着埃伦的金顶针。过去母亲做针线活时，斯佳丽常见这个顶针在那儿闪闪发光。睹物思人，无数痛苦的回忆一齐涌上心头，她怎么也忘不了那只戴过这个顶针的十指尖尖的纤手。眼下它落到了这个粗糙肮脏的外人手中，不久将被带到北方，套到某个以佩戴赃物为荣的北方佬女人的手指上。可那是埃伦的顶针啊！

斯佳丽低下头去，不让敌人看到她在哭泣，让眼泪慢慢地滴落到婴儿脸上。透过泪水她看见士兵们纷纷向门外走去，听到那位中士在粗声大气地发号施令。他们即将离去，塔拉总算保住了，但是对埃伦追忆的痛楚简直让她无心庆幸。她站在原处，一下子觉得全身乏力，提不起一点精神来，尽管军刀的铿锵声和马蹄的嘚嘚声正沿着林荫道渐渐远去，他们带着掠夺来的衣服、毯子、图画、鸡鸭、母猪走了，可是这种不幸中的大幸几乎没有给她带来什么宽慰。

接着，她的鼻子闻到了焦煳味，于是扭过头去，但她绷紧的神经松弛下来以后实在是太虚弱了，哪还顾得上棉花。她通过餐室开着的窗户向外望去，只见烟从黑人小屋缓缓飘出，棉花完了，完税的钱和本该帮助他们度过严冬的一部分钱都完了。除了眼睁睁地看着它化为灰烬，她毫无办法。棉花起火的事她以前见过不止一次，知道将它扑灭是多么困难，即便一大群男人也无济于事。感谢上帝，下房离正屋还有一大段距离！感谢上帝，今天没有风把火星刮到塔拉的正屋顶上来！

突然，她转过身子，像一条猎狗一样一动不动地朝引起她注意的方向，瞪出一双充满恐怖的眼睛，穿过门厅，穿过走廊把目光投向了厨房。有烟从厨房里冒出来！

慌忙间，她在门厅与厨房之间的某个地方放下宝宝。她还在某个地方甩掉死死抓住自己的韦德，把他猛地推到墙上，自己冲进浓烟弥漫的厨房，但立即被呛得倒退了出来，眼泪直淌。她撩起裙裾掩住口鼻再次冲了进去。

只有一扇采光小窗的厨房里本来就暗沉沉的，加上烟雾缭绕，斯佳丽压根儿什么也看不见，但她能听到火焰在嗞嗞作响、噼啪乱炸。她用一只手扇开浓烟，眯着眼睛拼命向黑暗中张望，只见一道道细长的火焰沿着厨房的地面向墙边蹿去。有人把灶膛里的木柴扒出来撒了一地，干燥的松木地板吸吮着明火，又像喷水般吐出火舌。

斯佳丽赶紧回到餐室，从地板上抓起一条破地毯，砰地把两把椅子拖翻了。

“我绝对扑灭不了这火——绝对不可能！哦，上帝啊，要是有人能来帮帮我就好了！塔拉庄园是完了——完了！哦，上帝啊！刚才那矮脚恶棍说要给我留下点什么做纪念，原来是这么回事呀！哦，我又何苦不让他把军刀拿走呢！”

经过过道时，她发现儿子抱着那把军刀躺在角落里。他闭着眼睛，脸上是一种凝滞、异样的平静。

“我的天哪！他死了！他们把他给吓死了！”斯佳丽方寸大乱，脑子里掠过了这样的念头，但她没有停下来，而是从韦德身边跑了过去，直奔总是放在走廊尽头厨房门旁的一桶饮用水。

她把地毯的一端浸入桶中，深深地吸了一口气，然后重又冲进浓烟滚滚的厨房，随手砰的一声关上门。在一段仿佛异常漫长的时间里，她咳个不停，身体左右摇晃，用湿地毯扑打着一道道火焰。可是只要她一转过身，火焰便在她后面迅速复燃。有两次她的长裙都给烧着了，她只得用手去拍。她的头发从发夹中散落下来，披在肩上，被烤焦了，她闻得到那股令人作呕的焦味。火焰不断地从她背后的地上蹿起，像无数条火蛇在蜿蜒腾跃，越来越逼近连接正屋走廊的墙脚。趋于精疲力竭的斯佳丽心里明白，这样扑打下去是没有希望的了。

正在这个时候，门开了，吹进来的气流把火势扇得更旺。门砰的一声又关上了，几乎成了瞎子的斯佳丽在浓烟的旋涡中看见玫兰妮在用脚踩火焰，还拿着一件不知是什么的黑糊糊、沉甸甸的东西四处扑打。斯佳丽看到她站也站不稳，还听到她呛得厉害，在闪电般的一瞬，还瞥见她苍白而专注的面容和眯成两条缝抵御烟雾的眼睛，她在上下挥舞手里拿着的东西（也是一条地毯），娇小的身躯随着它前后扭动。她俩并肩战斗了又一段仿佛无穷长的时间，拼命挥舞着地毯，斯佳丽看得出地上的一条条火蛇正在缩短。这时，玫兰妮朝她这边转过身来，伴随着一声喊叫，使出全部力气在她肩上猛抽了一下。斯佳丽倒了下去，被卷入一股浓烟和黑暗的旋风中。

她睁开眼睛的时候，已经躺在了后门廊上，脑袋舒适地枕在玫兰妮的大腿上，午后的阳光照在她的脸上。她的双手、脸和肩膀都烫伤了，剧痛难忍。下房那儿还冒着烟，黑人住的小屋被裹在了滚滚浓烟中，棉花燃烧的气味十分刺鼻。斯佳丽看见缕缕烟雾从厨房徐徐飘出，立即发狂似的挣扎着想站起来。

但她被按住了，只听玫兰妮安详的声音在说：

“躺着别动，亲爱的。火已经灭了。”

斯佳丽闭目静卧了一会儿，如释重负地舒了几口气，听到身旁有宝宝巴巴的咂嘴声和韦德的打嗝声，便更加放心了。这么说，他没死，谢天谢地！她睁眼定神仰视着玫兰妮。玫兰妮的鬈发烤焦了，脸也熏黑了，但一双眼睛兴奋得闪闪发光，她在笑。

“你的样子像个黑人。”斯佳丽喃喃地说着，虚弱地把脑袋在柔软的枕头里埋得更深了些。

“你的模样像草台班里的小丑。”玫兰妮平静地回敬道。

“刚才你干吗猛抽我一下？”

“亲爱的，你背上着火了。我做梦也没想到你竟会晕倒，虽然今天一天发生的事情足够把你送上西天的，上帝知道得很清楚……我把牲畜在树林里藏好后，马上就回来了。想到只有你一个人和宝宝留在家里，我都快急疯了。怎么样，那些北方佬伤害你了吗？”

“如果你指的是强奸的话，那倒没有，”斯佳丽说着试图坐起来，与此同时发出了痛苦的呻吟。尽管玫兰妮的大腿很软，躺在门廊里毕竟远远谈不上舒适，“可他们把所有的东西都抢走了，所有的东西。我们现在是什么也没有了……我真不明白，有什么值得你这么高兴的？”

“我们并没失去一切，我们仍在一起，我们的孩子也没事，我们还有房子可住，”玫兰妮说这话时的语调活泼轻快，“眼下任何人希望的都莫过于此……天哪，宝宝尿湿了！可能北方佬把他的换洗尿布都拿走了。他——喂，斯佳丽，他的尿布里是什么？”

突然，她惊恐地把手伸到宝宝屁股下取出了那只皮夹。一时间她直愣愣地望着它，就好像以前从没见过这东西似的，随后开始放声大笑，那一阵又一阵的笑声真是乐不可支，没有半点歇斯底里的成分。

“这样的歪点子除了你谁也想不出来，”玫兰妮叫道，同时搂着斯佳丽的脖子连连亲吻，“你真是我最最妙不可言的嫂子！”

斯佳丽听任她拥抱，因为她自己实在是太累了，没有力气挣扎，因为听着玫兰妮的赞誉之辞如饮甘醇，还因为在那黑烟弥漫的厨房里对这位小姑子产生了更深切的敬意和更亲密的友情。

“说句公道话，”斯佳丽不得不在心里承认，“当你需要她的时候，她总会出现在你身旁。”

28

随着一场严霜的降临，天气骤然变冷了。凉风嗖嗖地从门缝下钻了进来，把松动的窗框吹得哐啷啷直响。本来就近乎光秃秃的树上仅剩的几片叶子也纷纷脱落下来，唯有松树衣冠不卸，黑魆魆、寒森森地耸立在灰白的天幕下。坑坑洼洼的红土路冻得燧石般坚硬，饥荒乘风横扫着整个佐治亚州。

回想起上次跟方丹老太太的谈话，斯佳丽感到十分后悔。两个月前的那天下午现在觉得仿佛隔了好多年似的，她对老太太说自己已经历过了可能碰上的最坏事情，当时她这番话倒是由衷之言，现在品味起来却像小学生在夸大其词。谢尔曼的部队第二次通过塔拉庄园以前，斯佳丽手头上有一些食物和钱，有一些比她运气好些的邻居，有一些能帮她维持到明年春天的棉花。这下可好，棉花没了，食物没了，钱对她也没用了，因为没有食物可买，而邻居们的境况反倒比她更糟了。她至少还有一头奶牛、一头牛犊、几只小猪和一匹马，而邻居们除了来得及藏进树林和埋入地下的那么一点点东西外，已一无所有。

塔尔顿家的宅院被烧得精光，塔尔顿太太和四个女儿只好在监工家栖身。洛夫乔伊附近的芒罗家宅院也被夷为平地。含羞草庄园的木结构厢房被焚毁了，正屋全靠墙面的灰泥厚实，加上方丹家几个女人和她们的黑奴用浸湿的毛毯、被子死命扑救，才保存了下来。

卡尔弗特家的房屋再次得以幸免，靠的是北方佬总管希尔顿的从中周旋，不过庄园里连一头牲畜、一只家禽、一颗玉米也没剩下。

怎么才能搞到吃的是塔拉以及全县面临的一大难题。大多数人家除了所剩无几的红薯、花生和林子里所能猎获的野味外，压根儿是什么也没有了。每户人家都把自己所有的匀些给比他们更不幸的朋友，正如他们在比较富裕的日子里一贯做的那样。但是，很快就到了没有什么可匀给别人的地步。

在塔拉，如果波克运气好，大家就可以吃到野兔、负鼠和鲇鱼。其他日子便靠挤一点儿牛奶、拾几枚山核桃、烤橡实和烤红薯来打发。他们老是肚子饿。斯佳丽觉得，无论自己朝哪边扭头或拐弯，都没法不碰到向她伸出的乞怜的手、向她投来的哀求的目光。家里人的模样简直要让她发疯了，因为她自己也和他们一样饿得慌。

她吩咐把小牛杀了，因为它要喝掉那么多宝贵的牛奶。那天晚上，全家人吃了好多新鲜小牛肉，结果人人都吃坏了肚子。斯佳丽知道应该宰一头小猪，可她总是一天又一天地往后拖延，希望能把小猪养大。它们太小了。如果现在宰杀，只能出那么点儿肉。要是能再养段时间，就大不一样了。有好几个夜晚，她都在跟玫兰妮商量：是否应该打发波克带些钞票赶车外出去设法买点儿吃的回来。但是，由于担心在路上波克的马和钱可能会被抢走，她们一直下不了决心。谁也不知道北方佬现在在哪里。他们可能远在千里之外，也可能只有一水之隔。有一次，斯佳丽实在忍不住了，准备自己驾车外出觅食，但是，对北方佬满怀恐惧的全家上下，竟一起哭得死去活来，她只好打消这个念头。

为了搜寻食物，波克经常走很远，有几次都整夜没回家，斯佳丽也不问他上哪儿去了。有时他带回来一些野味，有时则是几个玉米、一袋干豆子。一次他带回来一只公鸡，说是在树林里发现的。家里人吃得津津有味，但也不无内疚，因为明知鸡是波克偷来的，同样，干豆子和玉米也是他偷的。在此以后不久的一天夜里，大家早已睡熟了，波克轻轻敲开斯佳丽的房门，怯生生地给她看了自己的一条被铅砂打烂的腿。趁斯佳丽给他包扎的时候，他挺不好意思地解释道：在费耶特维尔他企图溜进一座鸡棚时被人发现了。斯佳丽没问是谁家的鸡棚，只是亲切地拍了拍波克的肩膀，眼里噙着泪花。这些黑奴既蠢又懒，有时真是让她生气，但他们的忠心却是金钱难以买到的，只要他们觉得自己和白人主子是一家人，那么，为了让餐桌上有东西吃，即使拿生命冒险，他们也在所不惜。

如果在别的时候，主人对波克的小偷小摸行为是决不会等闲视之的，很可能要请他吃一顿鞭子。如果在别的时候，迫于家法斯佳丽至少也得狠狠地训斥他一通。“永远要记住，亲爱的，”埃伦说过，“既然上帝把黑人托付给你来照管，你就必须对他们的健康负责，同样也要对他们的品行负责。你必须明白，他们就像孩子一样，要像照管孩子一样照管他们，与此同时你必须随时为他们作表率。”

但现在，斯佳丽却把这番教诲置之脑后了。她不再为自己纵容盗窃而受良心谴责，哪怕被盗者的处境也许比她更悲惨。这件事的道德内涵，在她的心目中根本无足轻重。她没有处罚或斥责波克，只是为波克中了霰弹而感到惋惜。

“以后你一定得多加小心，波克。我们可不愿失去你。如果没有你，我们怎么办？你一直忠心耿耿，干得很好，等我们又有钱了，我要给你买一块大金表，并且要在上面刻一句《圣经》里的话，诸如：‘奖给鞠躬尽瘁的义仆’什么的。”

听到这番夸奖，波克咧开嘴笑了，并且小心翼翼地揉了一下那条缠了绷带的腿。

“你这样说真是太好了，斯佳丽小姐。你看要到什么时候才能有那笔钱呢？”

“不知道，波克，但总有一天我能弄到钱的，总会有办法的。”斯佳丽注视着他，那茫然无神的眼睛里流露出剧烈的痛楚，看得波克不自在地扭动着身躯。“总有一天，等战争结束以后，我会有好多好多钱，到那时我就再也不会挨饿受冻了。家里谁也不会挨饿受冻了。我们大家都穿好衣服，天天吃炸子鸡，还要——”

说到这里，她停住了。她自己在塔拉庄园立了一条最严厉的规矩，而且一直由她不折不扣地执行着，那就是：任何人都不得谈论以前吃过的美食，也不得谈论如果有可能现在想吃些什么。

波克从房间里溜了出去，斯佳丽依然忧郁地凝视着无形的目标。

那已永远消逝的往日生活，丰富多彩，包含着许许多多纷繁而又复杂的问题。她得设法赢得阿希礼的爱，同时还得设法让身边那帮多情种子继续围着她转，饱尝可望而不可即的相思之苦；她得把自己举止行为上略有些越轨的细枝末节瞒过长辈；对那些满怀妒意的姑娘或加以嘲弄，或稍事抚慰；她得挑选布料想着做什么款式的时装，尝试着做各种不同的发型，哦，还有好多好多事情等着她拿主意！可现在，生活简单到了令人吃惊的程度，全部内容便是弄到食物以免饿死、弄到衣服以免冻死，还有堵补头上的屋顶让它不至于漏得太厉害。

就在这些日子里，斯佳丽开始噩梦不断，这种状态一直折磨了她好多年。她老是做同样的梦，连细节也从不变换，但噩梦的恐怖却一次比一次加强，后来她甚至在醒着的时候也在为夜里又要受罪而心惊肉跳。在她头一次做这梦之前的那个白天发生的事，她记得一清二楚。

连日里寒雨恼人，屋里阴冷潮湿，穿堂风出入无禁。壁炉里的木柴水分太多，光冒烟不冒火。从早餐起，家里除了牛奶什么吃的也没有，因为红薯已经告罄，波克的渔猎又一无所获。不得不定于次日宰杀一头小猪，除非他们可以不用任何东西填肚子。全家人都注视着她，那一张张黑的、白的、紧张而又饥饿的面孔，都在无声地向她要吃的。看来她将不得不冒着丢失马的风险，打发波克到别处去买东西了。偏偏这时韦德又病了，他咽喉疼痛，还发着高烧，此时此地既请不到医生，也弄不到药品，真是雪上加霜。

斯佳丽本来就饿得慌，护理儿子又把她累得够呛，她把韦德交给玫兰妮照看一会儿，自己回屋里小床上去打个盹儿。她双脚冰凉冰凉的，沉甸甸压在心上的忧惧和绝望使她辗转反侧，难以入眠。她翻来覆去苦思冥想："我该怎么办？到哪里去求援？这世上难道就没有任何人能帮助我了吗？"当初稳如磐石的一切都到哪儿去了？为什么就没有一个强壮、聪明的能人把这副重担从她的肩头接过去呢？她生来不是挑这副担子的料。她可实在是挑不动了。想着想着，她就迷迷糊糊地进入了并不舒适的瞌睡状态。

她来到一处荒僻的异乡旷野，缭绕的雾团浓得伸手不见五指。

脚下的地面晃动不已。这是一片鬼怪出没的凶土，死一般的寂静令人毛骨悚然，她像个夜间迷路的孩子，惘惘惶惶，胆战心惊。她又冷又饿，对潜藏在周围浓雾中的危险怕得要命，想喊却喊不出来。不知什么东西纷纷从雾里伸出手来扯她的衣裾，打算把她拖到她站着的晃荡不稳的地底下去，那是一只只无言、无情、非人的手。后来，她好像一下子明白了，在她周围浓得难以拨开的幽暗中某个地方有一处避难所，在那里可以得到庇护，得到援助，得到温暖。可这地方究竟在哪儿呢？会不会还没有到达避难所，这些手就已经抓住她了并且把她拖到流沙底下去了呢？

突然，她发现自己在奔跑，疯狂地在雾中乱闯，边跑边哭边叫，还拼命挥着手臂想找个支撑点，可抓到的只是空气和湿雾。哪儿是避难所？那地方使劲地躲着她，但是避难所肯定是存在的，只是藏而未露罢了。但愿她能到达那里。只要能到达那里，她便得救了！可是，恐惧让她两腿发软，饥饿也弄得她头晕眼花。她发出一声绝望的哀叫，醒了过来，只见玫兰妮一脸焦急地俯视着自己，正在使劲地推醒自己。

此后，无论什么时候，只要空着肚子睡下，这梦就一而再再而三地来扰她。而空着肚子躺下的时候可是够多的了。斯佳丽吓得连觉也不敢睡了，虽然她一个劲儿对自己说：这个梦没什么可怕的。不就是梦见了雾吗，怎么就吓成这个样子？什么事儿也没有！……然而，一想到睡着了就会掉进那个雾漫漫的鬼地方去，她就心存恐怖，于是便开始跟玫兰妮在一起睡，只要斯佳丽哼哼出声，身体扭动，就表明她又遭噩梦袭扰了，玫兰妮就会把她弄醒。

处在如此的精神重压之下，她的脸变得苍白、消瘦了。她的面容也失去了可爱的圆润，颧骨高高耸起，使她那双绿眼珠的丹凤眼显得特别大，活像只觅食的饿猫。

“白天本身就像噩梦，已经够受的了，到夜里还得受这份罪。”她怀着走投无路的心情开始每天从吃的东西中省下一些来，留到临睡时吃。

圣诞节前夕，弗兰克·肯尼迪带领一支军需小分队来到塔拉庄园，徒然地打算为南军搜集谷物和肉类。他们衣衫褴褛，简直就像一群流浪汉，胯下也都是些喘得厉害的跛马，显而易见是因为不能再当战马才调到后勤部门的。马上的人也和他们的坐骑一样，都是从前线部队退下来的，除了弗兰克以外个个伤残，不是缺了胳膊，少了眼睛，就是关节不能屈伸。他们大都穿着被俘北方佬的蓝色外套，塔拉庄园的人一时惊恐万状，还以为谢尔曼的部队又来了。

军需小分队在庄上过夜，就睡在客厅的地板上。他们已经有好几个星期一直露宿野外，不是以松针做垫褥就是干脆睡在硬地上，这回能舒舒服服地躺在丝绒地毯上简直是一种再奢侈不过的享受了。尽管他们胡子拉碴，破衣烂衫，可仍然是些有教养的人，善于恭维打趣，谈笑令人愉悦。能有机会像昔日他们习惯的那样在一所大宅院里与一群漂亮的女士共度圣诞之夜，他们感到非常高兴。他们不愿意讨论严肃的战争话题，而是信口胡诌些无稽之谈，逗得姑娘们哈哈大笑，为这栋被洗劫一空的宅院带来了一点儿久违了的轻松情绪和节日气氛。

"这情景就跟家里以前的亲朋聚会差不多，你说是吗?"苏埃伦兴致勃勃地和斯佳丽说着悄悄话。苏埃伦又能在家里接待自己的男朋友，飘飘然幸福得简直像在腾云驾雾，目光怎么也离不开弗兰克·肯尼迪。斯佳丽惊讶地发现苏埃伦今天几乎称得上"俊俏"，尽管自从染病以来她总是那么瘦弱单薄。她两颊通红，双目明亮，充满了柔情。

"看来这丫头对他还真有那么点意思，"斯佳丽带着鄙夷的心情想，"我估摸着，要是她有个丈夫的话，她会有点儿人味的，哪怕是弗兰克这么个惯于斤斤计较、吹毛求疵的人做她的丈夫也行。"

卡丽恩也比平日里有了点儿精神头，那天晚上她的眼里并没有梦游般的神情。她发现军需队中有一个人与布伦特·塔尔顿认识，而且布伦特阵亡的前一天他们还在一起，于是卡丽恩决定晚餐后跟他单独谈谈。

晚餐时玫兰妮努力克服羞怯心理，表现得可以说是相当活跃，这使大家深感意外。她有说有笑，跟一名仅剩一只眼睛的士兵简直只差没有调情了，那人也竭力以殷勤潇洒的风度回应。斯佳丽明白玫兰妮在身心两方面都是作了极大努力的，因为只要有男性在场她向来都是极难为情的，简直如坐针毡。更何况她的身体还远远没有恢复。她硬说自己身强力壮，干的活甚至比迪尔西还多，但斯佳丽知道她身体不好。每当玫兰妮提起重物，脸色就会发白，而且使劲干了一阵子力气活之后往往会突然坐下来，好像两条脚再也支持不住了似的。然而这天晚上，她和苏埃伦、卡丽恩一样在竭尽全力让这些士兵欢度圣诞夜。唯有斯佳丽一人并不因为来了客人而高兴。

黑妈妈端出干豆子、花生和炖苹果干组成的晚餐招待客人，客人们则添上他们的烤玉米和排骨肉，说这是他们几个月来吃到的最丰盛的一餐。斯佳丽看他们吃着，心里很不是滋味。她不仅心疼他们吃掉的每一口食物，而且还坐立不安，生怕他们发觉波克昨天杀了一头小猪的事。小猪此时就挂在贮藏室里，斯佳丽已经告诫过全家，谁要是向客人们露半点儿口风，或者提起那头死猪还有兄弟姐妹被安全转移到沼泽地的棚里去了，她非把那人的眼珠子抠出来不可。这些饿汉一顿就能狼吞虎咽把整只小猪全部吃掉，如果让他们知道还有活猪，那他们还会强行为部队征集。此外，斯佳丽也为母牛和马而忧心忡忡，她后悔没把它们藏到沼泽地里去，而只是拴在放牧的草坡下。万一军需队把她的牲畜带走了，塔拉是无论如何也熬不过冬天的。这样的损失将是无法弥补的。至于部队吃什么，那她可管不着。让部队自己养活自己，只要他们做得到。对她来说，养活自己的家人已经够艰难的了。

客人们从背包里取出一些“通条卷儿”作为晚餐的最后一道小吃，斯佳丽这还是头一次亲眼见到这种邦联军的特色食品，尽管关于它的笑话几乎跟虱子一样多。它外形像烧成了炭的木块，呈螺旋状。士兵们都极力劝她尝尝，斯佳丽硬着头皮咬了一口，发现在墨一样黑的表层下面是没放盐的玉米窝头。当兵的把玉米面口粮用水和了，能弄到盐就加点儿盐，然后用推枪弹的通条滚上这种面团放在营火上烤。这东西硬得像冰糖，又像锯末一样淡而无味，斯佳丽才咬了一口，便急忙还给了人家，引起哄堂大笑。她与玫兰妮的目光相遇，两人脸上都明明白白地写着同样的想法……“仅靠这样的粮食他们怎么能继续打仗？”

晚餐的气氛还是相当愉快的，甚至木然坐在餐桌上座位置的杰拉尔德居然也从他模糊的意识深处重又拼凑起一点儿待客之道，露出了飘忽不定的笑容。男士们高谈阔论，女士们含笑盈盈、极力奉承——但是，当斯佳丽突然转过脸去向着弗兰克·肯尼迪准备打听佩蒂姑妈的消息时，不经意间从弗兰克脸上看到了一种表情，竟使她忘了自己想要说什么。

弗兰克的视线已不再盯着苏埃伦看，而是在室内游荡，落到杰拉尔德孩子般瞪着发愣的眼睛上，落到没铺地毯的地板上，落到缺了各种小摆设的壁炉台上，落到弹簧塌陷的沙发上，落到被北方佬用刺刀捅穿的垫子上，落到餐具柜上方的破镜子上，落到墙上一块块没褪色的方形痕迹上（那帮强盗光顾之前那里挂着一幅幅画），落到少得可怜的餐具上，落到姑娘们细心补缀过、但毕竟相当旧的衣服上，落到用面粉袋改制的给韦德穿的苏格兰短裙上。

弗兰克回忆起战前他熟知的塔拉庄园，脸上露出痛苦的表情，一种疲惫而无处发泄愤怒的表情。他爱苏埃伦，喜欢她的姐妹，敬重杰拉尔德，对这个庄园怀有真诚的好感。自从谢尔曼的部队横扫佐治亚以来，弗兰克在全州各处骑着马千方百计搜集军粮时各种惨状见得多了，但是最使他痛心的莫过于塔拉眼前这幅景象。他很想为奥哈拉家出点儿力，尤其是为苏埃伦，可他什么忙也帮不上。他情不自禁地满怀怜悯摇晃着蓄着小胡子的脑袋，舌头还在牙床上弹出了声，这个时候他的目光正好与斯佳丽相遇。他见斯佳丽的眼睛里燃着愤怒的火焰，显然，她的自尊心受到了伤害，弗兰克迅速低首垂目望着自己的盘子，窘迫不堪。

姑娘们急切地想听新闻。亚特兰大陷落以来，邮路不通已有四个月了，目前北方佬在什么地方，邦联军打得怎么样了，亚特兰大的命运如何，她们的老朋友们的遭遇又怎样——这些情况她们全不知道。弗兰克因职务关系经常在这一带四处奔走，他消息灵通的程度比起报纸来是有过之而无不及，因为自梅肯以北直至亚特兰大这一带，几乎所有人都跟他沾亲带故，至少他都是知道的，他能提供许多涉及个人的有趣谈资，而这些内容照例是从不见诸报端的。弗兰克的感触让斯佳丽看破后，为了掩饰窘态，他赶紧开始报道新闻。他告诉女士们，谢尔曼的部队离开了亚特兰大之后，邦联军收复了该城，但是此举并无实际价值，因为谢尔曼已彻底焚毁了它。

“我还以为亚特兰大是在我们逃出来那天夜里起火的，”斯佳丽给弄糊涂了，大声说，“我还以为是我们的人放火把它烧了！”

“哦，不，斯佳丽小姐！”弗兰克一听这话大吃一惊，急忙嚷嚷道，“只要里边有我们的百姓，我们从没烧过一座自己的城市！你看见起火的是军用物资仓库，我们不愿补给品被北方佬拿去，还有就是铸铁厂和弹药库。只有这几个地方。谢尔曼进城时，民宅和店铺都完好无损。他自己的部队就驻扎在那些房子里。”

“可是老百姓怎么样了？他有没有……杀人？”

“杀了一些——但并不是用子弹，”那个独眼士兵沉着脸说，“开进亚特兰大后不久，他便对市长说，城里的百姓都必须离开，一个人也不得留下。可是有许多老人没法远行，有些病人是不能移动的，还有妇女——妇女也有不能移动的。可是在一场铺天盖地的狂风暴雨中他竟逼着他们离家出城，把他们赶到马虎村附近的树林里，还派人给胡德将军捎话，叫他把他们领走。许多人都害肺炎或受不了这种虐待而死了。”

“哦，可是他干吗要这样干？老百姓又不可能加害于他。”玫兰妮叫道。

“他说要把全城腾出来，好让他的人马得到休整，”弗兰克说，“人马在那里休整到十一月中旬，然后开拔。离开亚特兰大时，他放了一把火，把一切都烧得精光。”

“啊，真的烧得精光了？不会吧！”姑娘们惊恐地失声叫道。

无法想象，她们如此熟悉的一座城市，那么热闹，有那么多百姓，那么多士兵，就这么一下子完了。那些大树浓荫中可爱的房屋、那些大商店、那些富丽堂皇的旅店——难道真的全完了？玫兰妮的泪水好像马上就要夺眶而出，因为她出生在那儿，她的家在那儿，而不是在别的什么地方。斯佳丽的心也沉了下去，因为除了塔拉之外，她最喜欢的地方就是亚特兰大了。

“嗯，差不多全烧光了吧。”弗兰克见她们的脸色不好，便赶紧修正自己的说法，并极力装出挺高兴的样子，因为他最怕搅乱女士们的心情了。女士们的心烦意乱总是把他也搅得心烦意乱，让他不知如何是好。他不忍心把最坏的消息告诉她们。让她们从别人那里去获得这些消息吧。

他不忍心把邦联军重新开进亚特兰大时看到的景象告诉他们。绵延数里的瓦砾场上一支支黑烟囱从废墟中探出身子；大半烧毁的各种家什和残砖断瓦堆积如山，把街道堵得满满的；许多古树经过大火已奄奄一息，烧焦的枯枝在寒风中纷纷跌落。弗兰克还记得当时所见的场景曾使他恶心，还记得邦联军目睹此城的残骸时无不切齿咒骂。但愿女士们永远不要听到教堂公墓被劫掠一空的事，否则她们永远也别想从恐怖中恢复过来。查理·汉密顿和玫兰妮的父母都葬在那里。那座公墓的惨象至今仍让弗兰克噩梦不断。北军士兵为了猎取随葬的金银财宝，竟捣毁墓穴，掘开棺材。他们大肆洗劫死人，撬下棺材上金的或银的铭牌、银饰件和银把手。朽骨和尚未腐烂的尸首被胡乱扔在捣开的棺木中，暴露在光天化日之下，惨不忍睹。

弗兰克也不忍心把城里那些猫狗的命运告诉给女士们。女士们一向把宠物看得很重。这些小动物的主人被粗暴无礼地赶出亚特兰大之后，数以千计的饿狗饿猫无家可归，那情景使弗兰克震惊的程度不下于教堂公墓，因为他也十分喜爱猫和狗。它们饥寒交迫，饱受惊吓，变得如野兽般疯狂，恃强凌弱，弱者等更弱者死去以便吃掉它们。食尸的秃鹰不断在这被毁的城市上空盘旋，它们矫捷的身影不祥地点缀着冬日的天幕。

弗兰克搜肠刮肚，想报道些让女士们稍觉宽慰的消息。

“有些房屋还在，”他说，“那主要是有大块空地，跟别的房子离得较远，才没有着火。教堂和共济会堂，还有少数店铺还在。不过，商业区、铁路两旁和五角场那一带——唉，女士们，亚特兰大的那一部分已经被夷为平地了。”

“这么说，”斯佳丽痛心地大声问道，“查理遗留给我的那座靠近铁路的货栈也完了吗？”

“要是靠近铁路，肯定就完了，不过——”他忽然露出了笑容。对了，他怎么没早点儿想到？“告诉你们一个好消息，女士们！你们佩蒂姑妈的房子还在。只是有点儿损坏，可房子仍在。”

“哦，大火怎么没烧到它？”

“嗯，那是栋砖房，屋顶是石板瓦，这在亚特兰大大概是独一无二的，所以即使有火星溅在上面也没着火，我猜是这个原因。而且，它恐怕是市北梢最后一幢房子，那一带火势不算太猛。当然，驻扎在那里的北方佬把屋里破坏得不轻。他们甚至把踏脚板和楼梯的红木扶手拆下来当柴烧，不过这些关系都不大！房子本身大体完好。上星期我在梅肯看到佩蒂小姐时——”

“你看到她了？她好吗？”

“挺好。挺好的。我告诉她房子还在，她决定立刻回家去。不过……这要看那个老黑奴彼得同不同意她回去。好多亚特兰大人都已经回去了，因为他们不放心待在梅肯。谢尔曼虽没有攻占梅肯，但是大家都担心威尔逊的突击队不久会去袭击它，那可比谢尔曼更可怕。”

“可亚特兰大连房子都没了，回去不是犯傻吗？他们回去住哪儿呢？”

“斯佳丽小姐，他们有的住帐篷，有的住棚子和小木屋，少数没被烧掉的房子里，往往六七家人挤在一起。他们正在想办法重建家园。斯佳丽小姐，不要说他们犯傻。你对亚特兰大人的了解并不比我差。他们的心和那座城市牢牢地连在一起，正如查尔斯顿人念念不忘查尔斯顿一样，北方佬也罢，大火也罢，都休想从那儿把他们逼走。亚特兰大人——请原谅，兰妮小姐——在有关亚特兰大这个问题上，那死心眼儿简直和骡子一样。我实在弄不明白为什么，因为这座城市给我的印象一直是一个非常不客气、不大顾及颜面的地方。不过，我天生是个乡下人，不喜欢任何一座城市。告诉你们，最先回去的那些人其实很精明。最后回去的人会发现他们的房子连一根木头、一块石头或砖头都不会剩下。因为人人都在满城捡各种有用的材料重建自己的房屋。前天，我还看见梅里韦瑟太太、梅贝尔小姐和她们家的黑老婆子在外面往一辆手推车里捡砖头。米德太太告诉我，她准备盖一间小木屋，就等丈夫回来帮她了。她说自己初到亚特兰大时——那会儿它还叫马萨斯维尔——就是住在一间小木屋里，所以现在她一点儿也不在乎再这样。当然，她只是说说笑话，不过我也从中了解到他们目前的心境。”

“我觉得他们很有勇气，”玫兰妮自豪地说，“你说呢，斯佳丽？”

斯佳丽点了点头，心里充满了一种反常的喜悦，她为自己的第二故乡感到骄傲。刚才弗兰克说，那是一个非常不客气、不大顾及颜面的地方，而斯佳丽喜欢的恰恰是它这一点。它并不像一些资格较老的城市那样墨守成规、死气沉沉，而是朝气蓬勃、无所顾忌，这正好合她的口味。“我就像亚特兰大，”她心里想道，“无论是北方佬还是一场大火都休想把我压垮。”

“如果佩蒂姑妈要回亚特兰大的话，我们最好还是回去和她在一起，斯佳丽，”玫兰妮的话打断了她的思路，“她一个人待在那边会被吓死的。”

“可我怎么能撇下这儿不管呢，兰妮？”斯佳丽生硬地问，“如果你那么急着回去，你尽管去。我不留你。”

“哦，我可没那样想，亲爱的，”玫兰妮窘得满面通红，“我真太糊涂了！你当然不能离开塔拉，再说——再说我估摸着彼得大叔和厨娘会照料姑妈的。”

“我看不出有什么东西拖你的后腿。”斯佳丽断然指出说。

“你知道我是不会撇下你离开的，”玫兰妮答道，“再说，离开了你，我——我会吓破胆的。”

“随你的便。反正我是决不会再回亚特兰大去的了。说不定他们刚盖起几幢房子，谢尔曼又要回去把它烧掉。”

“他不会再去了，”尽管弗兰克说话时力图保持常态，脑袋还是耷拉了下去，“他已经横穿了整个佐治亚州到达了海边。萨凡纳是本星期被拿下的，据说北方佬正准备北上去南卡罗来纳。”

“萨凡纳也被拿下了！”

“是。唉，女士们，萨凡纳不可能不失守。那里没有足够的兵力，尽管他们已经把找得到的每一个男丁都用上了——只要能挪得动两条腿走路的。当北方佬向米勒奇维尔挺进时，南方各军校的士官生连低年级的都一起被召到部队里去了，甚至打开了州监狱，从犯人中补充兵员，你们知道吗？是啊，各位，所有愿意上前线的犯人都被放了出来，还答应赦免他们所犯的罪，如果他们能活到战争结束的话。一想到那些年轻的士官生跟盗贼和杀人犯排列在一起，我便浑身都起鸡皮疙瘩。”

“把犯人都放出来，让他们害我们？”

“哟，斯佳丽小姐，不必紧张。他们离这儿远得很，而且他们也正在变成好兵。我觉得，做过小偷并不妨碍一个人做一名好士兵，难道不是吗？”

“我倒觉得这样好。”玫兰妮轻声说。

“哦，我可不这样想，”斯佳丽毫不掩饰地说，“反正在这一带窜来窜去的盗贼已经够多的了，再加上北方佬和——”她马上发现自己说漏了嘴，但客人们都笑了起来。

“再加上北方佬和我们这支军需队。”他们替她把这句话说完，斯佳丽的脸红了。

“可是胡德将军的部队在哪里呢？”玫兰妮赶紧插进来解围道，“他一定能守住萨凡纳的。”

“哎，玫兰妮小姐，”弗兰克先是一愣，接着用责备的口气说，“胡德将军压根儿就没在那一带。他在田纳西州，试图把北方佬的兵力从佐治亚吸引过去。”

“可他的神机妙算结果怎么样呢？”斯佳丽大声挖苦道，“他让天杀的北方佬在我们的土地上横行无阻，把保护我们的任务全交给了一些学生、犯人和自卫队。”

“女儿，”杰拉尔德说着起身离座，“你怎么也说起粗话来了？你母亲知道了会很伤心的。”

“那些北方佬就是该遭天杀！”斯佳丽感情冲动地喊道，“我决不想用别的话来骂他们。”

一提起埃伦，大家都觉得挺不自在的，谈话便戛然而止。玫兰妮再次开口打破冷场。

“你在梅肯时，有没有看到哈妮·韦尔克斯她们，她们有没有——她们有没有听到有关阿希礼的什么消息？”

“哦，兰妮小姐，你知道的，要是有阿希礼的消息，我会马上从梅肯赶到这儿来告诉你的，”弗兰克很不以为然地说，“没有，她们没有任何他的消息，不过，——唉，你也不必为阿希礼担心，兰妮小姐。我知道你已经很久没他的消息了，可是你不能指望听到一个被关在俘虏营里的人的音信。是不是？而且，北方佬俘虏营里的情况并不像我们俘虏营里那么糟。不管怎么说，北方佬有大量的食物，有足够的药品和毯子。他们可不像我们这样——连自己都吃不饱，哪儿还顾得上俘虏。"

"哦，北方佬是什么都有，"玫兰妮激动地说，悲愤之情溢于言表，"可东西再多他们也不会给俘虏。你知道他们不会给的，肯尼迪先生。你那样说无非是想让我好受些。你明知道我们的小伙子们在那里挨饿受冻，饿死冻死也见不到大夫、吃不上药，就因为北方佬跟我们势不两立！哦，我真恨不得把所有的北方佬从地球上统统消灭掉！哦，我知道阿希礼已——"

"不许说这种话！"斯佳丽大喝一声，她的心都跳到嗓子眼了。只要没人说阿希礼已经死了，斯佳丽心中仍存有一线微弱的希望，但斯佳丽觉得，只要听谁说出这句话，阿希礼就会立即在她心中死去。

"我说，韦尔克斯太太，你不必为你的丈夫担忧，"那个独眼士兵劝慰道，"在第一次马纳萨斯战役中，我当了俘虏，后来是通过交换才回来的。在俘虏营，他们简直像填鸭子似的喂我，不是炸子鸡，就是热酥饼——"

"我看你是个吹牛大王，"玫兰妮带着一丝淡淡的笑意说，这是斯佳丽第一次见她跟男人打趣，"我说的没错吧？"

"我看没错。"独眼士兵承认道，并且笑呵呵地拍了一下自己的大腿。

"如果诸位都到客厅里去，让我给你们唱几首圣诞颂歌吧，"玫兰妮说，心里乐得换个题目，"钢琴是北方佬唯一没法拿走的东西。苏埃伦，它是不是音走得厉害？"

"一塌糊涂。"苏埃伦一边回答，一边很高兴地含笑示意弗兰克跟她到客厅去。

但是，当大家陆续离开餐厅时，弗兰克故意落在后面，他轻轻地扯了一下斯佳丽的衣袖。

“我可以跟你单独谈谈吗？”

在让人担惊受怕的一瞬间，斯佳丽生怕弗兰克向她问起牲畜的事，便迅速准备好了一套头头是道的谎话。

其余的人都走出了餐厅，只剩他俩站在了壁炉前，弗兰克刚才在大家面前假装开心的表情消失了，斯佳丽现在看到的简直是个上了年纪的人。他面容枯槁，呈棕褐色，与塔拉草坪上被风吹来吹去的落叶相似，姜黄色的两鬓又稀又乱，而且已经杂有几根白发。他不自觉地挠了挠鬓角，说话之前先清了清嗓子，对此斯佳丽颇为反感。

“对于你母亲的去世我深表哀悼，斯佳丽小姐。”

“请不要谈这件事了。”

“而且你父亲——他变成了现在这样是不是从——？”

“是的——他的确——有些失常，正像你看到的。”

“你母亲对他来说实在是太重要了。”

“哦，肯尼迪先生，我们还是别说——”

“对不起，斯佳丽小姐，”他一边说着，一边局促地不断在地上擦脚，“说实话，我本想跟你父亲商量件事情，但就目前来看大概不会有什么结果。”

“也许我能帮你，肯尼迪先生。你看，现在是我在当这个家。”

“哦，我——”弗兰克刚要开口，又局促地挠了挠鬓角，“说实话——是这么回事，斯佳丽小姐，我本想为我和苏埃伦小姐的事征求你父亲的意见。”

“你的意思是不是说，”斯佳丽觉得既惊讶又好笑，“你还没跟爸谈过你和苏埃伦的事。可你追求她已经有日子了！”

弗兰克的脸涨红了，现出怪不好意思的笑容，到底还是像个腼腆怕羞的少年。

“嗯，我——我一直不知道她还要不要我。我年龄比她大得多，而且——过去有那么多漂亮小伙子老在塔拉转悠……”

“哦！”斯佳丽心想，“他们那是围着我转，不是围着她！”

“我到现在都还不知道她愿不愿意嫁给我。我从来没有问过她，但她肯定是了解我的感情的。我——我本想向奥哈拉先生求亲，把

其余的人都走出了餐厅，只剩下他俩站在了壁炉前。

一切都对他说清楚。斯佳丽小姐，现在我是身无分文。说句不怕你见笑的话，以前我有好多钱，可是现在全部财产只有我的马和身上穿的衣服。是这样的：我报名入伍时卖掉了大部分土地，把所有的钱统统变成了邦联债券。你也知道，这些债券现在值多少钱。连印这些债券的纸张都不值了。反正我连债券也没了，因为北方佬放火烧我妹妹家时，把债券一起烧光了。我知道，目前像我这样身无分文的人，想与苏埃伦小姐结亲也实在是太自不量力了，可是——反正就这么回事儿。我已经习惯这样思考：谁也不知道这仗会打出个什么名堂来。对我来说，这就像是世界末日。我们对任何事情都没把握，所以我觉得，如果我们订了婚，对我——或许对她也是一样——将是莫大的安慰。这样我们双方就都有了着落。斯佳丽小姐，在有能力养活她以前，我是不会要求跟她完婚的，可我不知道这要等到什么时候。不过，倘若在你心中真正的爱情多少有些价值的话，那么，苏埃伦小姐在这一点上将是富有的，哪怕除此以外一无所有，这一点你可以放心。”

他说最后一句话的语调有些天真，却不失庄重，斯佳丽不禁为之动容，尽管她暗自觉得有趣。她无法理解会有人爱上苏埃伦。在她眼里，她这个妹妹简直是个自私透顶的怪物，成天只知发牢骚，处处闹别扭，她只能称那种性格为十足的冥顽不化。

“你言重了，肯尼迪先生，”她和蔼地说，“这不是挺好吗？我相信我是可以代表爸爸说话的。他向来是很器重你的，而且他一直期望苏埃伦能和你结合。”

“他现在仍然这样想吗？”弗兰克激动地问，同时已经喜形于色了。

“毫无疑问。”斯佳丽答道，却不让对方看出自己是在发笑，因为她想起杰拉尔德曾多次在晚餐时毫不掩饰地向餐桌另一端的苏埃伦大嚷：“喂，小姐！你那位狂热的崇拜者还没提那档子事儿吗？要不要我去问问他有什么打算？”

“我今晚就跟她谈，”弗兰克说着嘴唇有些发抖，他抓住斯佳丽的手紧紧握了一下，“你真太好了，斯佳丽小姐。”

“我叫她来找你。”斯佳丽微微一笑，开始向客厅走去。

那里玫兰妮正在弹琴。钢琴的音走得可怕，不过有些和弦还是

悦耳动听的，玫兰妮正提高嗓门带领其他人一起唱《听，报信的天使歌声多么嘹亮!》

斯佳丽走了几步又站住了。听到这首古老的圣诞颂歌心里甜滋滋的，几乎没法相信战争的旋风曾两度从他们头上扫过，没法相信他们现在是身在疮痍满目的家乡，濒于饿死的绝境。她突然向弗兰克转过身去。

“刚才你说觉得这像是世界末日，你这话是什么意思?”

“我可以明白地告诉你，”弗兰克不紧不慢地说，“但我希望你不要把我的话告诉另外几位女士，免得引起她们的恐慌。这仗打不了很长时间了。部队的兵员得不到补充，开小差的现象日益严重，比军方愿意承认的严重得多。可以理解，士兵们都知道家里人快饿死了，哪里还有心思在远离家乡的地方打仗，所以他们都纷纷逃回去，设法养家糊口。我不能责备他们，但是这种现象会削弱部队的战斗力。而且部队又不能饿着肚子打仗，而根本又没有粮食。这事我最清楚，因为我的任务就是弄粮食，这话不说你也明白。自从我们收复亚特兰大，这一带所有的地方我都走遍了，搞到的粮食还不够喂一只鸟的。由此往南三百英里直到萨凡纳，情况都差不多。人们在挨饿，铁路遭到破坏，枪支破旧不堪，弹药即将用完，做鞋的皮革也没有了……所以我认为末日差不多已经来临。”

然而，说邦联军大势已去对斯佳丽的震动并不太大，倒是听到弗兰克谈到粮食奇缺使她神经紧张。她本打算派波克用马套一辆大车，带上金币和联邦钞票到乡间各处去寻找食物和衣料。但如果弗兰克所言属实——

但梅肯还没落入敌手。梅肯应该有吃的。只等军需队走远，她将冒宝马被军队拉走的风险，打发波克去梅肯。她不得不铤而走险了。

“好吧，我们今晚别谈不愉快的事了，肯尼迪先生，”她说，“你去我母亲的小账房，我叫苏埃伦来找你，好让你们——嗯，让你们单独谈谈。”

弗兰克红着脸笑嘻嘻地溜出了餐厅，斯佳丽目送着他离去。

“可惜他不能马上将苏埃伦娶走，”她想，“否则就可以少张嘴吃饭了。”

29

第二年四月，重又被任命指挥他旧部所剩残兵败将的约翰斯顿将军在北卡罗来纳州率部投降，至此战争遂告结束。但这个消息过了两个星期才传到塔拉庄园。在塔拉，每个人都有许许多多的活儿要干，没工夫到外边去打探新闻，而邻居们也和他们一样忙，彼此很少走动，所以消息传播得很慢。

当时正值春耕大忙季节，波克从梅肯弄回来的棉花籽和瓜菜籽要种下去。此行归来后，波克的尾巴简直要翘到天上去了，因为他平安赶回来整整一车衣物、种子、鸡鸭、火腿、肋肉和粗面粉。他一遍又一遍地讲述返回塔拉途中他是如何多次侥幸脱险的，如何走羊肠小道、乡间狭路、久不通行或勉强过得马的荒蹊古径。他走了五个星期，在这五个星期里斯佳丽是日愁夜愁，寝食不安。波克到家后，斯佳丽并没责怪他，因为此行非常成功，而且钱还剩了不少回来，斯佳丽简直是喜出望外。她有个八九不离十的猜想：波克之所以能剩下那么多钱，大概那些鸡鸭或大部分食物并不是他买的。如果路旁有无人看管的鸡棚，或者很容易溜进去的熏肉房，他要再花掉斯佳丽给的钱，那就太对不起他自己了。

现在有了些吃的，塔拉庄园人人都忙活起来，力图使生活多少恢复点儿昔日的模样。每双手都有活干，活实在是太多了，永远干不完。头年棉花的枯秆必须拔干净，以腾出地来播今年的种子。那匹马并不惯于耕作，勉强在田里慢慢地拉着犁。菜园子要松土、除草、播种，柴火要劈，还得重修猪圈、牛棚，重建被北方佬无端烧毁的数英里长的栅栏。波克设下的逮野兔的陷阱每天得去察看两次，放在河里的钓线也得换饵。此外，铺床、扫地、做饭、洗碗、喂猪、喂鸡、捡蛋没一样可以省。还要给母牛挤奶，把它放到沼泽地附近去吃草，要一个人整天看着它，因为北方佬或弗兰克·肯尼迪手下的人随时可能回来把牛抢走。甚至小韦德也有职责。每天早晨，他都一本正经地提着一只篮子出去捡些细树枝和碎木片做引火柴。

县里最早退伍回家的是方丹兄弟，他们带回了南军投降的消息。亚力克居然还穿着靴子，步行回来的，汤尼光着脚，骑着一头光背骡子。汤尼向来爱占小便宜，家里人都让着他。四年来，这哥儿俩经过日晒雨淋，显得比过去更黝黑、更干瘦，战场上没法刮的大黑胡子越发让人认不出他们来了。

他们途经塔拉回含羞草庄园，由于归心似箭，所以只在那里逗留了一会儿，跟姑娘们见面吻了一下，告诉了她们投降的消息。这哥儿俩说，一切都过去了，一切都结束了，而且他们对此好像并不怎么在乎，也不想多谈。他们只关心含羞草庄园有没有被烧毁。从亚特兰大归来的路上，他们经过了好多朋友家的宅院，只见到孤零零的烟囱，因而已经不大指望自己的家能够幸免。现在听说家园还在的好消息。这哥儿俩才大大松了口气。斯佳丽把去年萨丽如何飞马赶来报信，又如何纵马一跃干净利落地跳过塔拉树篱的事告诉了他们，听得哥儿俩连连拍着大腿，笑个不停。

“这姑娘胆子真大，”汤尼说，“可惜命太苦，她的乔被打死了。你们这儿有嚼烟吗？”

“没有，只有兔儿烟。爸把它装在玉米棒子里抽的那种。”

“我还没落到这步田地，”汤尼说，“不过我早晚也会到这一步的。”

“迪米蒂·芒罗好吗？”亚力克问道，样子既急切又有点难为情，斯佳丽这才隐隐想起他对萨丽的妹妹有过好感。

“哦，挺好的。现在她跟她姑妈一起住在费耶特维尔。要知道，她们在洛夫乔伊的房子被烧了。她家其他人也都在梅肯。”

“他是问：迪米蒂有没有嫁给自卫队里哪位英武的上校？”汤尼打趣地说，亚力克狠狠地瞪了他一眼。

“当然没有。”斯佳丽说，她觉得挺有趣的。

“她也许还是嫁了的好，”亚力克忧郁地说，“真他妈的该死——对不起，斯佳丽。你想想，一个堂堂的男子汉，所有的黑奴都被解放了，牲口也都被抢走了，口袋里一分钱也没有，叫他怎么向姑娘求婚？”

“你知道迪米蒂对此并不会计较的。”斯佳丽说。她乐得为迪米蒂说几句好话，做个顺水人情，因为亚力克·方丹从来不曾在她自己的男朋友之列。

“天打雷劈的——哎呀，我得再一次请你原谅。我得戒掉诅咒的习惯，要不然老奶奶非用鞭子抽我不可。我决不请求任何一位姑娘嫁给一个穷光蛋。她可以不计较，可我计较。”

斯佳丽跟方丹兄弟在前门廊交谈的时候，玫兰妮、苏埃伦和卡丽恩一听到南军投降的消息，便悄悄地溜进屋里。等哥儿俩告辞穿过塔拉后宅的田野回家去了，斯佳丽走进屋里，听见姑娘们在埃伦的小账房的沙发上哭成一团。一切都完了，那个辉煌绚丽的梦曾是她们的情之所依、希望之所在，她们的朋友、爱人、丈夫为那项光荣的事业献出了生命，她们的家也为此破了产。她们原以为决不会失败的千秋伟业却永远彻底垮台了。

但是，斯佳丽并不想哭。听到这个消息的最初一刹那，她头脑里的反应是：感谢上帝！从此不用担心母牛会被抢走了。马也可以保住了。从此可以从井里取出银餐具，人人都可以用刀叉了。从此可以驾车各处转悠寻找食物而不必提心吊胆了。

这下可以松口气了！再也不必一听见马蹄声便提心吊胆了。再也不会在黑夜中惊醒过来，屏声静气地听院子里嚼铁的叮当声、马蹄的嘚嘚声和北方佬发出命令的吆喝声到底是梦还是真。最最重要的是：塔拉保住了！从今以后，她最可怕的噩梦决不会变成现实。从今以后，她决不会站在草地上眼看心爱的家中腾起滚滚浓烟，听到烈焰咆哮，看到房屋倒塌。

是的，伟业失败了，不过她一向觉得战争是荒唐的，还是和平好。仰望邦联旗顺着旗杆冉冉升起，她从没激动得两眼闪闪发光；听到《狄克西》的歌声响起，也从没肃然起敬。她并不是靠狂热的信念支撑着才熬过了种种困苦和匮乏，熬过了令人作呕的看护工作，熬过了身处围城时的恐慌忧惧以及最近几个月的饥荒之灾，而别人却正是凭着一种狂热的信念甘愿承受所有这些苦难，只要伟业昌盛。如今一切都过去了，结束了，她并不想为此哭泣。

一切都过去了！这场仿佛永无尽头的战争，这场不请自至、大可不必的战争把她的生活断成了两截，而且这裂口是如此分明，简直让人很难追忆起那段与忧患无缘的太平岁月。当年那个楚楚动人的斯佳丽，脚穿一双纤巧轻盈的摩洛哥羊皮绿舞鞋，裙衫的荷叶边衣香袭人。如今回首往事她竟木然地无动于衷，甚至怀疑那个少女到底是不是自己。全县的小伙子都拜倒在她脚下的那个斯佳丽·奥哈拉，有一百名听她使唤的奴隶，塔拉庄园的财富是她优裕生活的保障，爱之若掌上明珠的父母千方百计地满足她的任何要求。难道那个娇生惯养、无忧无虑、除了和阿希礼这件事以外无不称心如意的斯佳丽就是她吗？

就在这四年曲折漫长的道路中，那个身佩香囊、脚穿舞鞋的少女不知在什么地方一溜烟不见了，留下了一个绿眼珠、目光锐利的妇人，每花一分钱都精打细算，好多本该下人干的活她都得干，经历了这场浩劫，除了脚下那片摧毁不了的红土地，她已一无所有。

当她站在过道里听姑娘们呜咽哭泣时，头脑里已在规划庄园的经营策略。

"我们要多种些棉花，要比现在多得多。明天就打发波克到梅肯去添购种子。往后北方佬不会来烧棉花了，我们的军队也用不着棉花了。我的天哪！到秋天棉花的价格总会大涨特涨了吧！"

她走进小账房，根本不理睬在沙发上唏嘘抽泣的姑娘们，自顾自地在写字台旁坐下，拿起一支羽毛笔来，计算她还剩下多少现金，这笔钱能添购多少种子。

"战争结束了。"她这样想着，心里突然觉得涌上一阵狂喜，羽毛笔竟从她手里掉下来。战争结束了，阿希礼也——要是阿希礼还活着的话，也要回来了！斯佳丽暗自思量着：正为南方的伟业垮台而痛哭流涕的玫兰妮不知有没有想到这一点。

“我们很快就会收到他的信的——哦，不，不会是信。邮政还没恢复。不过快了，哦，他一定会想办法让我们知道他的音讯的！”

然而，几天过去了，几个星期过去了，依然没有阿希礼的消息。南方的邮政仍然处在很不稳定的状态，乡下则根本没通邮。偶尔有人从亚特兰大带来佩蒂姑妈的一封短笺，佩蒂声泪俱下地恳求玫兰妮和斯佳丽回去。但就是没阿希礼的消息。

南军投降后，斯佳丽和苏埃伦之间经常为用马的事发生摩擦而积怨。现在遭遇北方佬的危险不存在了，苏埃伦想要到邻居家走走。孤寂的苏埃伦十分怀念昔日快乐的社交生活，一心想外出访友，哪怕仅仅是为了让自己确信：县里其他人家的境况也并不比塔拉好。可斯佳丽却毫不让步。马有的是活干，它得把柴火从树林里拉回来，得犁地，波克还得赶着它出去弄吃的。星期天，那匹马享有在牧场上吃草休息的权利。如果苏埃伦想访友，她尽可以步行去。

直到去年以前，苏埃伦这辈子每次步行从没超过一百码，因而斯佳丽给她出的这个主意对她没有半点吸引力。于是她就在家里唠唠叨叨，又哭又闹，动不动就说：“哦，要是妈妈还活着就好了！”听到这话，斯佳丽就给她一个已许下很久的耳光，出手之重竟掴得苏埃伦发出没命的尖叫而倒在了床上，闹得全家鸡犬不宁。这之后苏埃伦的牢骚话有所收敛，至少在斯佳丽跟前是这样。

斯佳丽说的要让马得到休息的话倒是不假，但这仅仅算是实际情况的一半。另外的一半是这样的：得知投降消息后的一个月内，她到县里各家旧友去作了一番拜访，看到了那些老朋友和老庄园的境况，她的勇气大大动摇了，虽然她嘴上不愿意承认。

方丹家多亏了萨丽驾车东奔西跑，日子过得比谁家都好，但这仅仅是与其他邻居的悲惨遭遇相比较的结果。方丹老太太在率领全家奋力救火保住宅院的那天心脏病发作后，始终没有完全康复。老方丹大夫被截去了一只胳膊，目前正在逐渐康复。亚力克和汤尼开始笨手笨脚地扶犁、锄地。斯佳丽去拜访时，他们隔着栅栏探过身跟斯佳丽握手，把她那辆东倒西歪的破车取笑了一番，然而他们的黑眼睛却透出隐隐的凄凉，因为他们也是在嘲笑自己。斯佳丽要买他们的玉米种子，他们答应了她的要求，接着便谈起家常来。方丹家有十二只鸡、两头母牛、五头猪以及哥儿俩停战后带回来的一头骡子。最近死了一头猪，他们担心另外几头也快保不住了。这两位昔日的公子哥儿以前从没认真考虑过生活问题，再认真也不超过哪款领带最为时髦之类，现在听他们这么正儿八经地谈猪，斯佳丽不禁哈哈大笑了起来，她的笑声中同样蕴含着几分辛酸。

含羞草庄园全都欢迎斯佳丽的来访，他们坚持把玉米种子送给她而不是卖给她。当她把一张钞票放到桌上时，方丹家族的火暴性子一下子发作了，他们断然拒绝收钱。斯佳丽收下了玉米种，把一美元的钞票悄悄塞到了萨丽手中。萨丽跟八个月前斯佳丽回到塔拉庄园后不久见到的那个姑娘简直判若两人。那时的她虽然憔悴、忧伤，但身上却有一股活力。现在这股活力消失了，仿佛南军的战败使她所有的希望都破灭了。

“斯佳丽，”她一边紧攥那张钞票，一边低声说，“这一切究竟有什么意义？我们到底为什么打仗？哦，可怜的乔！哦，我那苦命的孩子！”

“我不知道为什么打仗，我也不想知道，”斯佳丽说，“这个问题我根本不感兴趣。我从来就不感兴趣。战争是男人的事，与女人无关。现在我关心的只是棉花的收成。你把这一块钱拿去给小乔买件衣服。他实在是需要一件像样的衣服。虽然亚力克和汤尼那么客气，可我不想白拿你们的玉米。”

哥儿俩把她送到大车旁，并且扶她上了车，尽管衣衫褴褛，可照样风度翩翩，洋溢着那种豪放不羁的方丹式欢快热情，然而当斯佳丽驾车离开含羞草庄园时，他们的贫困景象仍历历在目，让她不寒而栗。那种勒紧裤带生活的苦日子她已经过腻了。要是能看到人家生活富裕，不必吃了上顿愁下顿的，那该是件多么愉快的事情啊！

凯德·卡尔弗特已回到了松花庄园他自己的家里，在以前幸福的日子里斯佳丽经常到这座古老的宅院来跳舞，现在她登上庭前的台阶，发现凯德的脸色显然将不久于人世。他靠在一张安乐椅里晒着太阳，腿上盖着一方大围巾，人也瘦得可怕，还不停地咳嗽，不过看见斯佳丽，他顿时笑逐颜开。他说只是有点小小的寒气窝在胸腔内，说时还勉强欠起身子来迎接客人。他说这都是因为睡觉时经常淋雨，很快就会好的，到时候他就要下地干活了，家里也可以多个帮手。

凯瑟琳·卡尔弗特闻声从屋里出来，隔着她兄弟的脑袋与斯佳丽交换了一下目光，斯佳丽从她的眼里看到了揪心的绝望。凯德自己也许不知道，但凯瑟琳心里明白。松花庄园看上去满目荒凉、杂草丛生，田间的松苗也已开始发芽，宅院内一派颓败荒废、杂乱无章的景象。凯瑟琳也很瘦，一举一动就像绷紧的弦。

姐弟二人和他们的北方佬继母以及四个异母小妹妹在这座冷冷清清、有着怪异回声的宅院里住着，此外还有北方佬监工希尔顿。斯佳丽向来讨厌这个希尔顿，就像不喜欢自己家里的监工乔纳斯·威尔克森一样，现在见他慢悠悠走上前来以平等的身份与自己打招呼，越发讨厌他了。过去，希尔顿身上也有威尔克森那种糅合着谄媚和傲慢的性格，但现在，卡尔弗特先生和赖福在战争中死了，凯德又病成这样，希尔顿便丢开了谄媚的一面。第二位卡尔弗特太太从来不懂得如何让黑奴尊敬她，所以更不必指望能得到一个白人监工的尊敬了。

“希尔顿先生真是位好人，他始终和我们一起度过了这些艰难的岁月，”卡尔弗特太太显得局促不安地说着，还频频向她那个默不作声的继女瞟上一眼，“真是侠义心肠。你大概也听说了，谢尔曼在这一带的时候，希尔顿先生曾先后两次保住了我们的房子。如果没有他，我真不知道该怎么办，既没有钱，凯德又……”

凯德苍白的脸涨得通红，凯瑟琳则用长长的睫毛盖住了眼睛，闭紧嘴唇。斯佳丽明白，这姐弟俩不得不承受这位北方佬监工的恩惠，都窝着一肚子火。卡尔弗特太太眼看就要哭出来了。她不明白怎么又捅了娄子。反正她一说话老是捅娄子。她实在摸不透南方人的脾气，尽管她在佐治亚已经生活了二十年了。她永远不知道哪些话不能对继女继子说，不管她说了什么或做了什么，他们总是对她客客气气的，敬而远之。她暗暗发誓要带着自己的孩子回北方老家去，永远离开这些不可捉摸、格格不入的倔强的南方人。

走访了这两家，斯佳丽已不想再到塔尔顿家去了。他们家的四个儿子都死了，房子也烧得精光，一家人在监工的小屋里栖身，斯佳丽实在不愿去走这一趟。但苏埃伦和卡丽恩一再央求，玫兰妮也说，不去看看从战场上回来的塔尔顿先生对不起邻里乡亲，于是她们挑了一个星期天一同前往。

这次访问的所见所闻确实太惨了。

大车驶近宅院的废墟时，只见贝特丽丝·塔尔顿着一身破骑装，腋下夹着一根马鞭子，坐在围场的栅栏上，像没看见她们似的望着前方发呆。她身旁坐着一个罗圈腿的小个子黑奴，以前他专门训练塔尔顿家的马匹，而此时他的神情似乎和女主人一样忧郁。想当年那个围场里满是欢蹦乱跳的健马壮驹和性情温和的良种母马，现在却空荡荡的，只有一头骡子，那是塔尔顿先生在南军投降后骑回来的。

"天哪，现在我的那些宝贝都没了，我真的不知道该怎么办了。"塔尔顿太太说着从栅栏上爬了下来。陌生人不知就里，还以为她是在说死去的四个儿子，但塔拉庄园的姑娘们都知道她指的是她养的马。"我那些漂亮的马儿都死了。还有那匹可怜的耐利！哪怕只留下耐利也好！可是除了一头该死的骡子，什么也没有留下。一头该死的骡子，"她反复地说着，同时恶狠狠地瞪着那只瘦骨嶙峋的牲口，"在我那些纯种宝贝的围场里圈养着一头骡子，实在太对不起死去的马了。骡子是胡乱配生的杂种，是违反自然的产物，法律应当禁止繁殖骡子。"

吉姆·塔尔顿由于一脸蓬蓬松松的胡子而完全变了模样，他从监工屋里出来迎接客人，和她们一一亲吻。他那四个红头发、穿着打补丁的衣服的女儿，也跟在父亲后面一拥而出，差点被十来条黑狗和黄狗绊倒，这些猎狗听见了生人的声音，纷纷跑到门口汪汪乱叫。这一家子故意让人看到的欢乐气氛，却比含羞草庄园的哀伤或松花庄园的死亡气息更令斯佳丽感到彻骨的悲凉。

塔尔顿一家坚持要留姑娘们吃饭，说这些日子里他们几乎没有客人登门，很想听听各种新闻。斯佳丽不愿意久留，因为这里的气氛让她感到压抑，但玫兰妮和两个妹妹却想多待一会，结果她们便留下来用餐，很有节制地吃了一点儿主人款待她们的排骨和干豆子。

主人对如此寒碜的伙食发出了阵阵自嘲的笑声，塔尔顿家的姑娘们还咯咯地笑着向她们介绍拼补改接旧衣服的种种高招，好像在讲极有趣的笑话似的。玫兰妮也凑趣地谈到如何在塔拉磨炼藐视困难的本领，居然还谈得有声有色，真有点出乎斯佳丽意料。斯佳丽几乎是一句话也说不出来。要是身材魁梧的塔尔顿四兄弟还在，一定会舒胳膊伸腿地靠在椅子里，抽着雪茄逗趣儿，少了他们，屋子里显得空荡荡的。既然她都能感觉到这一片空白，那么，塔尔顿一家在邻居面前强颜欢笑的同时，内心又该是一番什么滋味呢？

吃饭时，卡丽恩话说得很少，但饭后她走到塔尔顿太太身边跟她悄悄说了些什么。塔尔顿太太脸色突变，强装出来的笑容从她嘴角消失了，她一只手搂住了卡丽恩的纤腰。她俩离开了屋子，斯佳丽觉得在这儿一分钟也待不下去了，便跟在她们后面出去了。她们沿着小径穿过菜园，斯佳丽见她们朝墓地走去。啊，她可不能现在回屋里去，那样显得太不礼貌了。可是，贝特丽丝·塔尔顿明明费了好大的劲才使自己坚强起来，卡丽恩还把她拉出来到她儿子的坟上去究竟想干什么？

在砖墙围起来的一块地上，几棵幽暗的雪松下是新竖起的两块大理石墓碑——新得甚至上面还没有溅上红土。

“石碑是我们上星期才弄到的，”塔尔顿太太自豪地说，“是塔尔顿先生到梅肯去买了用大车拉回来的。”

两块大理石墓碑！那得花多少钱啊！斯佳丽一下子觉得塔尔顿家并不像她原来感到的那么可怜。在食品如此昂贵而又非常难得的时候，肯花宝贵的钱去买墓碑的人是不值得同情的。而且每块碑上都刻了几行字。字刻得越多，价格就越高。这一家人想必都疯了！同样，把三个儿子的尸体运回来也得花钱。只是没找到博伊德的尸体，连一点踪迹都没找到。

布伦特和斯图特的坟之间的墓碑上刻着这么一句话：“他们生前友爱相随，死后仍不分离。”

另一块碑上刻着博伊德和汤姆的名字，还有些拉丁文，开头是“Dulce et——”（全句应为Dulce et decorum est pro patria mori，意即为祖国而死是愉快而光荣的。——译者注），但斯佳丽在费耶特维尔女校读书时每次上拉丁文课时总是想方设法逃课，所以一窍不通。

花那么多钱在墓碑上！唉，他们可真够蠢的！她气愤已极，就像是花了她的钱似的。

卡丽恩的眼里却闪着异样的光芒。

"我觉得这碑文很可爱。"她指着第一块墓碑低声说。

卡丽恩当然会觉得它可爱。只要是带着感伤情调的东西都能让她激动不已。

"是的，"塔尔顿太太说，她的声音中充满慈爱，"我们觉得这句话非常恰当——他俩差不多是在同一时间死的，先是斯图特，然后布伦特从斯图特手中接过掉下的军旗。"

姐妹姑嫂四人返回塔拉庄园的途中，斯佳丽有一阵子默默不语，心里在回忆走访各家所见到的情景，同时不由自主地回忆起县里昔日的繁荣，那时的大户人家高朋满座，钱财源源而来，下房里黑奴人丁兴旺，精耕细作的田野里棉花欣欣向荣。

"再过一年，这些地里到处都会长出松苗来的，"她思忖道，眼望着围在田野四周的树林，她不禁打了个寒战。"没有黑奴，我们充其量只能勉强糊口。没有黑奴，谁也经营不了这么大一个庄园，大片大片的田地根本没有人耕种，树林将重新取代耕地。谁也不可能种很多棉花，那时我们该怎么办呢？务农为本的乡下人的命运会怎么样呢？城里人好歹能对付。他们总有办法的。而我们乡下人就要倒退一百年，就像当年的拓荒者那样住进小屋，只种区区几英亩薄田，勉强维持性命。"

"不——"她横下一条心，"塔拉决不会那样。我宁可自己拉犁耕地。整个这一带，整个佐治亚州都可以倒退成树林，这我管不着，但我决不让塔拉荒芜。我不打算把钱瞎花在墓碑上，或者把时间浪费在哀悼战败上。我们能熬过去。我知道，要不是男人们一个个都死了，我们是能熬过去的。失去了黑奴并不是最可怕的。最可怕的是丧失了男子汉，丧失了精壮汉子。"她又想到塔尔顿的四兄弟，想到了乔·方丹、赖福·卡尔费特和芒罗兄弟，以及她从伤亡名单上看到的那些来自费耶特维尔和琼斯博罗的小伙子的姓名。"要是有相当一部分男人活下来，我们就能想办法对付，可现在——”

忽然另一个念头猛一闪——如果她想改嫁又会怎样呢？当然，她并不想改嫁。她的第一次婚姻绝对已经够了。何况，她唯一愿嫁的人是阿希礼，然而即使他还活着，也是有妇之夫。不过，倘若她果真想重新嫁人呢？又有谁愿娶她呢？想到这里，她像挨了当头一棒。

“兰妮，”她说，“南方的姑娘们怎么办？”

“你这是什么意思？”

“就是这意思。她们会怎么样呢？她们都嫁不出去了。听我说，兰妮，小伙子们都已战死沙场，整个南方成千上万的姑娘到死都只能做老处女了。”

“而且永远不会有孩子了。”玫兰妮添了一句，对她来说这是最重要的事情。

对坐在车厢后的苏埃伦来说这个想法显然并不陌生，因为她一下子哭了起来。自从圣诞节以后，她就再没得到过弗兰克·肯尼迪的消息。她不知道这是因为邮政不通呢，还是心上人把感情当儿戏，把她给忘了。也许他在停战前的最后几天里被打死了！后一种命运比她被遗忘要好得多，因为至少毁于战火的爱情是悲壮感人的，卡丽恩和印第亚·韦尔克斯头上就有这样的光环，而一个遭遗弃的未婚妻就无此荣耀。

“哦，看在上帝的分上，别哭了！”斯佳丽说。

“哦，说得倒轻巧，”苏埃伦抽抽搭搭地说道，“你结过婚，有了一个孩子，人人都知道你曾有人要过。可我呢？你也真够卑鄙的，竟当面说我是老处女，可这能怨我吗？你这人实在太可恨了！”

“闭嘴！你明知道我非常讨厌整天哭哭啼啼的人。你也很清楚地知道，你那位姜黄色连鬓胡子的家伙并没死，他会回来娶你的。因为他就那么蠢。换了我，我宁可做一辈子老处女也不嫁给他。”

有一会儿车厢后部鸦雀无声，卡丽恩心不在焉地轻轻拍着苏埃伦安慰她，而她自己的思绪却远远地萦绕在三年前布伦特·塔尔顿陪她骑马走的林间小道上。她的眼睛放出兴奋的光彩。

“唉，”玫兰妮凄然说道，“少了那些棒小伙子，南方不知会像个什么样？要是他们还活着，南方又会是个什么样？他们的勇敢精神、坚强毅力以及聪明才智对我们还是有用的。斯佳丽，我们有儿子的都应当把孩子抚养长大，好让他们顶替那些死去的男人，成为和他们一样勇敢的人。”

“再也不会有他们那样的男人了，”卡丽恩轻声地说，“没人能取代他们。”

在回家途中余下的路程，她们谁也没再开口。

不久的一天，凯瑟琳·卡尔弗特在日落时分来到了塔拉庄园。骡子一瘸一拐，两耳招风，配着一副女式侧鞍，斯佳丽从没见过这么可怜的畜牲，而凯瑟琳本人也跟她的坐骑差不多。她身穿褪了色的花格布连衣裙，这式样从前只有女用人才穿，遮阳软帽用一根细绳系在下巴颏下。她一直骑到门厅前，但并没从骡子上下来，正欣赏落日的斯佳丽和玫兰妮迎着她走下台阶。凯瑟琳的脸色和斯佳丽去她家那天凯德的脸色一样苍白，不仅苍白，而且还显得既紧张又脆弱，仿佛一开口这张脸就会裂成碎片似的。不过她的腰挺得笔直，跟她们点头打招呼时脑袋也昂得高高的。

斯佳丽突然想起，韦尔克斯家大宴宾客那天，她曾和凯瑟琳一起悄悄议论瑞特·巴特勒。那天，凯瑟琳穿着青色蝉翼纱衣，腰带上插着芬芳的玫瑰，黑丝绒便鞋穿在她纤细的脚上。此时直挺挺坐在骡子上的这个凯瑟琳·卡尔弗特，哪儿还有当年那个少女的半点影子？

“我就不下来了，谢谢，”她说，“我只是来告诉你们一声，我要结婚了。”

“你说什么？”

“跟谁结婚？”

“瑟琳，太好了！”

“什么时候呢？”

“明天，”凯瑟琳说得很快，语调有些异常，这让她们顿时收起了热情的笑容，“我明天就要嫁人了，婚礼在琼斯博罗举行——我不邀请你们大家参加了。”

她们默默玩味了一下这个消息，抬起头望着她，大惑不解。后来还是玫兰妮先开口。

“亲爱的，那个人我们认不认识?”

“认识，”凯瑟琳的回答极其简短，“就是希尔顿先生。”

“希尔顿先生?”

“对，希尔顿先生，就是我家的监工。”

斯佳丽连一声“哦”都没说出来，但是凯瑟琳突然俯视着玫兰妮，用低沉而粗野的声音说：“兰妮，你要是哭出来，我可受不了。我会死的!”

玫兰妮什么也没说，只是拍了拍她踩在鞍镫上的那只穿着难看的自制皮鞋的脚，低头望着地。

“别拍我！我也受不了这个。”

玫兰妮垂下手，但仍没抬头。

“好了，我得走了。我只是来告诉你们一声。”那张苍白、脆弱的面具又套上了，她拉起了缰绳。

“凯德怎么样了?”斯佳丽问，她完全不知所措，只是随便找句话说说，想打破这难堪的沉默。

“他快死了。”凯瑟直截了当地说。她的语气中似乎毫无感情，“只要做得到，我一定会让他安安静静地去的，不用担心他死后没人照应我。是这样的：我继母要带着她的孩子搬到北方去，明天就动身。就是这么回事，我得走了。”

玫兰妮这才抬起头来与凯瑟琳严峻的目光相对。玫兰妮睫毛上颤动着晶莹的泪珠，眼里流露出理解的神情。在斯佳丽和玫兰妮面前，凯瑟琳扭曲着嘴唇苦笑了一下，就像一个咬紧牙关不哭以示勇敢的孩子。这一切把斯佳丽搞得糊里糊涂的，她直到现在还无法理解凯瑟琳·卡尔弗特要嫁给一个监工是怎么回事。要知道，凯瑟琳是一位富有庄园主的千金小姐，县里的姑娘除斯佳丽外，她是拥有最多追求者的人。

凯瑟琳弯下腰来，玫兰妮踮起脚跟。她们互相吻别。然后凯瑟琳使劲一抖缰绳，那头衰老的骡子便起步走了。

玫兰妮目送着她，眼泪顺着面颊潸然而下。斯佳丽瞠目结舌，还在那儿愣着。

“兰妮，她是不是疯了？你知道她不可能对那个人产生爱情的。”

“产生爱情？哦，斯佳丽，这样可怕的事根本不要提了！哦，可怜的凯瑟琳！可怜的凯德！”

“真是乱弹琴！”斯佳丽开始恼火了。玫兰妮好像总是比她更善于把握问题的实质，这真是可气。凯瑟琳的婚事在斯佳丽的心目中与其说是灾难，不如说是怪诞。不用说，嫁一个北方佬，一个穷光蛋，并没有什么太美妙的前景，但一个姑娘家总不能只身在一座庄园里过日子；她得有个丈夫帮她经营田产。

“兰妮，前些日子我不是说过吗！姑娘们没人可嫁了，但她们总得找个人嫁出去。”

“哦，她们并不是非嫁人不可啊！终身不嫁压根儿也不是什么丢人的事。佩蒂姑妈不就没嫁人吗！哦，我宁愿让凯瑟琳死！我知道凯德看见她死了还好受些。这是卡尔弗特家的末日。想想吧，她的——不，他们的——孩子会是什么样的呢？哦，斯佳丽，快叫波克备马，你快骑马去追她，叫她来跟我们一块儿过！”

“老天啊！”斯佳丽失声惊呼道，看到玫兰妮自作主张当真准备让他人住到塔拉来，她不禁愕然。斯佳丽当然无意额外又多供一张嘴吃饭。她刚想说出这层意思，看到玫兰妮脸上万分懊丧的表情她又把话缩了回去。

“她不会来的，兰妮，”斯佳丽改变了策略，“你也知道她是不肯来的。她自尊心很强，她会把这看成施舍。”

“说得有理，说得有理！”玫兰妮心烦意乱，眼看着一小团红色的烟尘沿着大路远去。

“你在我家已经住了好几个月了，”斯佳丽看着她的小姑子，阴郁地想道，“你从来没想到过是在接受施舍。我估计你大概永远不会这么想。有些人经过了这场战争什么都没改变，你就是其中之一，你的想法和做法仍一如既往，就像什么也没有发生过一样，就像我家仍然是财主，吃喝不尽，东西多得不知怎么办才好，款待多少客人都不在话下。恐怕我这辈子都得把你一直养下去了。但我可不愿再养一个凯瑟琳。”

30

停战后的那个炎热夏节，塔拉突然一下子不再是个孤岛了。接连好几个月，一批批胡子拉碴、衣衫褴褛、双脚疼痛、饥肠辘辘的士兵，不断爬过红土岗来到塔拉庄园，在阴凉的前院台阶上歇息，向主人讨吃的，恳求借宿一夜。他们是回家去的邦联军士兵。铁路把约翰斯顿的残部从北卡罗来纳运到亚特兰大，然后像倒垃圾似的把他们留在那里，剩下的路程他们得靠两条腿来走。约翰斯顿的人潮过后，弗吉尼亚军中疲惫的老兵又到了，接着又是西线部队的士兵，他们一路南行，前往也许已不复存在的老家，去见也许已经离散或死亡的亲人。他们大都是步行，只有少数幸运儿骑着投降条款允许他们保留的弱马瘦骡，就是外行人也看得出，这些可怜的牲口是决支撑不到遥远的佛罗里达或佐治亚南部的。

回家去！回家去！这些士兵的头脑里只有这个念头。有些人抑郁寡言，有些人则一团高兴，并不把困难当回事，但支撑着他们的却是同一种想法：仗总算打完了，现在可以回家了。几乎没人感到战败的悲哀。他们把悲哀留给家里的女眷和老人去咀嚼。他们拼死拼活地作战，却被打败了，现在要在他们曾经反对过的那面旗帜下和平地耕作生息。

回家去！回家去！他们无心谈论任何别的事情，不管是战役、负伤还是被俘或未来。他们将来会重温那些战役，会向他们的第二代、第三代讲述自己参与的那些劫掠、突袭、骚扰、急行军，讲述他们挨饿、负伤的情形，但现在他们不讲。他们中有些人缺胳膊少腿，或只剩下一只眼睛，许多人身上留有伤疤，如果活到七十岁，这些旧伤碰到阴雨天会隐隐作痛的，但这些目前在他们看来都无关紧要。将来什么都会变的。

不论年长的还是年轻的，不论健谈的还是寡言的，不论富有的庄园主还是黄瘦的穷白人，有两件事情却是他们共同的：长虱子和拉肚子。南军士兵对身上长的虱子已习以为常，并不把它当回事，甚至有女士在场他们也会下意识地挠痒痒。至于拉肚子——女士们则委婉地称之为“赤痢”——从小兵到将军看来是无一幸免。四年的半饥不饱，四年极为粗劣的伙食——有时吃的东西几乎已经腐烂，有的还没有成熟——岂有不坏肚子的！每一个逗留在塔拉庄园的士兵，不是刚害过这病，便是处在被折腾得正凶的阶段。

“邦联军全军上下没有一个人肚子、肠子没毛病，”黑妈妈下了这么一句够惨的评语，她正在灶旁挥汗熬着黑莓根的苦汁，那是埃伦过去治这类病的特效良药，“依我看，不是北方佬打败了我们的男人们，而是他们自己的肚子在作怪。肚子里灌满了水，哪里还能打仗！”

黑妈妈给每个人灌药，从来不先问他们的肚子怎么样之类的愚蠢问题，而他们尽管脸部扭曲成一副怪相，却都乖乖地喝药，一边大概回忆起远在他乡的另一些严厉的黑面孔和另一些拿着汤匙给他们坚定地喂药的黑手。

在实行隔离这一点上，黑妈妈同样也是铁面无私的。任何一个长了虱子的士兵都休想跨进塔拉。她把他们打发到一片茂密的灌木丛林中，让他们脱去军装，给他们一大盆水、一块浓碱液熬制的肥皂让他们把自己洗刷干净，然后借床单和毯子给他们蔽体，她自己则趁机把他们的衣服放在一口清洗的大锅里煮。姑娘们极力反对，说这样对待士兵是让他们出洋相，但毫无结果。黑妈妈回答说，一旦她们在自己身上发现了虱子，那就要出更大的洋相了。

自从这里几乎天天有士兵到来时起，黑妈妈就反对让他们进卧室。她老是提心吊胆的，生怕一只虱子闯过了她的严密防线。斯佳丽也不跟她争论，干脆把铺着厚厚的丝绒地毯的客厅当作集体寝室。黑妈妈还是同样以大嗓门抗议说，让士兵睡在埃伦小姐的地毯上是亵渎，但斯佳丽的态度也很坚决。士兵们总得有地方睡。于是，停战后几个月，地毯那厚实、柔软的绒面开始变旧，后来，在被那些大大咧咧的士兵鞋跟磨过、靴刺扎过的地方终于露出了织物的经纬。

斯佳丽和玫兰妮急切地向每一位士兵打听阿希礼的下落。苏埃伦则老是拿着架子询问肯尼迪先生的消息。但士兵中谁也没听说过这两个人，他们也不想谈失踪人员的事。反正自己还活着，这就够了，至于无名墓中那些千千万万永远回不了家的人，他们是连想也不愿去想的。

每次打听不得要领之后，一家人就竭力安慰玫兰妮，让她别泄气。毫无疑问，阿希礼并没有死在俘虏营。如果他真的死了，北方佬的牧师一定会写信通知有关方面的。想必他正在回家的路上，然而他所在的俘虏营又是那么远。天哪，你想想，这段路即使坐火车也要几天几夜呢，要是他也像这些人这样步行……可他为什么不来信呢？这个啊，亲爱的，眼下的邮政状况你是知道的，即使在已经恢复了邮路的地方也够呛，全得靠碰运气。可是，他会不会——会不会死在回家的路上呢？哦，玫兰妮，那一定会有哪个北方佬女人写信把这事告诉我们的！……北方佬女人？哪里有这样的好人！……兰妮，总会有一些心地善良的北方佬女人。是的，总会有的！上帝不可能造出一个连一些好心女人都没有的国家！斯佳丽，你该记得，那次我们在萨拉托加遇到过一个北方佬女人，不是挺好的吗？斯佳丽，你把这事给兰妮讲讲！

"好个屁！"斯佳丽答道，"她问我，我们养了多少条对付黑奴的警犬！我同意兰妮的看法。我从来没见过一个北方佬好人，男女都没有。不过你别哭，兰妮！阿希礼会回来的。路上要走好多日子，也许——也许他连一双靴子也没有。"

想象着阿希礼光脚的狼狈样，斯佳丽差点儿没哭出来。别的士兵可以一身破烂、用麻袋或地毯的碎片裹着脚、一瘸一拐地行走，唯独阿希礼不能这样。他应当骑着高头大马、身着整齐的戎装、足蹬锃亮的皮靴、帽上插着一根羽毛回家来。对斯佳丽来说，想象阿希礼可能落到跟这些士兵一样的田地，这是无法忍受的。

六月份的一天下午，塔拉庄园的人全都聚集在后门厅里，正急切地看着波克切开这一茬中第一个勉强成熟的西瓜，忽然听见前院车道的石子路面上响起一阵马蹄声。普莉西懒洋洋地朝前门走去，其他人则展开了热烈的争论：如果来的是一名士兵，要不要把这西瓜藏起来，还是晚餐时端出去款待客人？

兰妮和卡丽恩低声主张应当给士兵一份，斯佳丽则在苏埃伦和黑妈妈的支持下示意波克赶快把西瓜藏起来。

“别犯傻了，姑娘们！我们自己都还不够吃呢，如果外面一下子来了两三个饿得要命的士兵，我们会一口也尝不到的。”斯佳丽说。

波克站在那里，紧紧地抱着那只小西瓜，正无所适从，只听得普莉西在大声叫喊。

“万能的上帝啊！斯佳丽小姐！兰妮小姐！你们快来！”

“谁来了？”斯佳丽大声地问，同时从台阶上跳起来穿过门厅直奔门外。兰妮紧随其后，其他人也都跟着跑到前门。

阿希礼！斯佳丽的脑海里立刻闪出这个念头。哦，也许——

“彼得大叔来了！佩蒂帕特小姐家的彼得大叔！”

大伙儿一齐拥到前门廊，只见佩蒂姑妈家的那位高个子、花头发的老霸王正从一匹长着耗子尾巴、搭着一条破被子权充鞍座的劣马背上爬下来。他那宽阔的黑脸上照例是正经八百的表情，唯恐由于见到了老朋友喜形于色而有失庄重，结果是：他的眉额紧皱，但无牙的嘴却咧开了，活像一条高兴的老猎狗。

所有人都跑下台阶来欢迎他，黑人白人一一和他握手，问长问短，但兰妮的声音最分明。

“姑妈好吗，她没生病吧？”

“没有，小姐。感谢上帝，她身体还可以，”彼得回答时先是冲兰妮、接着冲斯佳丽严厉地瞪了一眼，她们立即觉得自己有了过失，但想不出错在哪里，“她身体倒还可以，可就是非常生你们两位小姐的气，如果实话实说，那么，我也一样！”

“怎么了，彼得大叔？究竟是怎么——”

“你们用不着找理由原谅自己。难道佩蒂小姐没有一封又一封信地叫你们回去吗？难道我没看到她写信？可是你们的回信总是说这个老农场里要做的事太多，不能回去，可怜她每次收到这样的信都哭一场，难道我没看在眼里？”

“可，彼得大叔——”

“你们怎么能让佩蒂小姐这样孤零零一个人待着呢，她一向胆子小得厉害。你们跟我一样都知道得很清楚，佩蒂小姐从来都没独自一个人住过，自打她从梅肯回来，白天黑夜老是怕得发抖。她让我向你们把话挑明：她实在弄不明白，你们怎么能在她有困难的时候撇下她不管。”

“够了，别唠叨了！”黑妈妈不客气地说，因为她听到他称塔拉为“老农场”心里有气。一个在城里长大、屁也不懂的黑人，哪能区别出什么是农场，什么是庄园。“难道我们就没困难？难道我们这儿就不需要斯佳丽小姐和兰妮小姐了？也许比你们更需要呢！既然佩蒂小姐有困难，干吗不叫她自己的兄弟帮她？”

彼得大叔恶狠狠地瞪了她一眼。

“我们跟亨利先生好多年一直没来往了，我们都已经老了，不可能再重新开始。”他转过脸去仍朝着斯佳丽和玫兰妮，她俩都觉得可笑，但都极力忍住不笑出声来。“你们两位小姐扔下佩蒂小姐一个人不管，应该觉得难为情，可怜她的朋友一半已经死了，一半又在梅肯，而亚特兰大到处都是北方佬的兵，还有那些刚解放出来的臭黑奴。”

斯佳丽和玫兰妮尽量一本正经地恭听这番训斥，但想到佩蒂姑妈竟打发彼得来剋她们并要把她们带回亚特兰大去，她们实在忍不住了，终于笑出了声，笑得前仰后合，互相靠在肩膀上才没摔倒。波克、迪尔西和黑妈妈看到贬低他们心爱的塔拉的那个家伙压根儿就没被当成一回事，自然也乐不可支，狂笑不已。苏埃伦和卡丽恩都在哧哧地笑着，甚至杰拉尔德脸上也泛起了一丝淡淡的笑意。除彼得外所有人都在笑，他的一双大八字脚左挪右移着身体的重心，火气越来越大。

“你是怎么了，黑鬼？”黑妈妈撇着嘴问道，“是不是太老了，没本事保护你的女主人了？”

彼得发作了。

“太老?我太老了?才不是呢!我能像以前一样保护佩蒂小姐。逃难的时候，难道不是我保护她去的梅肯吗?北方佬到了梅肯，她吓得动不动就晕过去，难道不是我一直在保护她?难道不是我弄到了这匹马把她送回亚特兰大，一路上保护了她和她爸留下来的银器吗?”彼得一边为自己辩护，一边把他高大的身躯挺得笔直。“我说的不是能不能保护的事儿。我说的是怎么看的事儿。”

“看什么?谁会看?”

“我是说这事儿别人会怎么看。大家见佩蒂小姐一个人住，会说闲话的。没出嫁的小姐独自一个人过日子总会招来许多闲言碎语的。”彼得继续说着，听他发议论的人心里完全明白，在他心目中佩蒂帕特至今仍是个胖鼓鼓招人喜爱的十六岁大姑娘，必须维护她的名声以防流言中伤。“我不想让别人对她说三道四。不，才不呢……我也不想让她仅仅是为了要人做伴而去招房客来住。我就是这样对她说的。我说:‘你只要有亲人在，我是怎么也不会答应的。’可现在偏偏她的亲人不管她。佩蒂小姐完全是个小孩子……”

听到这里，斯佳丽和兰妮更乐了，一片哈哈大笑之声比刚才更响，她俩不得不在台阶上坐下，最后，兰妮抹去了笑出来的眼泪。

“可怜的彼得大叔!很抱歉，刚才我笑了。这是真心话。好了!请原谅我吧。斯佳丽小姐和我眼下实在不能回去。等到了九月份，摘了棉花，也许我会回去。姑妈打发你这么大老远赶来，难道就让我们骑着这皮包骨的牲口回去吗?”

她这么一问，彼得的下颌顿时耷拉下来了，他那皱纹累累的黑脸上也现出负疚和惶恐的神情。刚才还噘着的下嘴唇立即复了位，就像乌龟把脑袋一下子缩到甲壳里去一般神速。

“兰妮小姐，看来我确实是老糊涂了，我一时间竟把她打发我来的事儿给忘得一干二净了，而且这是件很要紧的事儿。我这儿有一封给你的信。佩蒂小姐不放心邮寄，也信不过别人就特地派我送来……”

“信?给我的?谁写的?”

“小姐，是这样的，佩蒂小姐嘱咐我:‘彼得，你要好好对兰妮小姐说，慢慢儿让她明白。’我这就说——”

兰妮手按在心口上从台阶上站了起来。

“阿希礼！阿希礼！他死了！”

“不是，小姐！不是，小姐！”彼得急了，他的声音越来越高，成了尖声大叫，他同时伸手到胸前破外套的口袋里摸索。“他活着！这儿还有他的来信。他要回来了。他——哦，上帝啊！快扶住她，黑妈妈！让我——”

“别碰她，蠢老头！”黑妈妈喝道，一边拼命扶住玫兰妮瘫软的身体不让她倒在地上。“你这假惺惺的黑猴子！还‘好好说’呢！波克，你抬起她的脚。卡丽恩小姐，托住她的脑袋。我们先让她躺到客厅沙发上去。”

除了斯佳丽，大伙都挤在晕过去的玫兰妮周围，大叫大嚷的，纷纷跑进屋去，取水的取水，拿枕头的拿枕头，一时人声喧哗，一阵忙乱，只剩下斯佳丽和彼得大叔站在庭前的小路上。斯佳丽像在地上生了根似的，怎么也没法改变她听了彼得的话蹦起来以后所保持的那种姿势，只是直愣愣地看着老头儿在那儿有气无力地挥着一封信站着。他的老黑脸显得怪可怜的，就像一个挨了母亲责骂的孩子，尊严全垮了。

有好大一会儿斯佳丽说不出话来，也动弹不得，虽然她头脑里有一个声音在高喊：“他没死！他就要回家了！”但这个消息带来的既不是欢欣也不是激动，只是震惊之后的麻木。彼得大叔的声音仿佛是从很远的地方传来的，如哀诉，又如慰抚。

“梅肯的威利·伯尔先生是我们的亲戚，是他把这封信带给了佩蒂小姐。威利先生和阿希礼先生关在同一座俘虏营里。由于威利先生搞到了一匹马，所以很快就回来了。但阿希礼先生是步行的，他——”

斯佳丽从他手中抢过那封信。上面是佩蒂姑妈的笔迹，信封上写着兰妮收，但斯佳丽心中并没产生一刹那的犹豫。她撕开信封，佩蒂姑妈附在里边的字条落到了地上。信封里有一张折起来的纸，因为是放在不干净的口袋里带回来的，所以弄得脏兮兮、皱巴巴的，纸边已经破损。上面是阿希礼的笔迹：“佐治亚州亚特兰大或琼斯博罗十二棵橡树庄园乔治·阿希礼·韦尔克斯太太收（烦莎拉·琪恩·汉密顿小姐转）。”

斯佳丽哆嗦着手把纸展开，开始读信：

“我的爱人，我就要回到你的身边——”

眼泪顺着她的面颊哗哗直流，让她没法看清信上的字，她的心在不断地膨胀，直到她觉得自己已承受不了充盈其中的喜悦。她把信紧紧地贴在胸前，跑到前门廊的台阶上，在过道里从客厅门前经过，见塔拉的全体居民正七手八脚地忙于照顾失去知觉的玫兰妮，便径自走进埃伦的账房。她把门关好上了锁，倒在弹簧松弛的旧沙发上，又是哭又是笑的，并且连连吻那封信。

“我的爱人，”她喃喃地念着，“我就要回到你的身边。”

常识告诉她们，除非阿希礼长出翅膀，否则就得花上几个星期，甚至几个月才能从伊利诺斯州走到佐治亚州，然而每当有士兵拐进塔拉的林荫道，大伙的心还是怦怦直跳。他们觉得每个胡子拉碴、衣衫褴褛的过客都可能是阿希礼。即使不是阿希礼，他也可能带来阿希礼的消息，或者是佩蒂姑妈托他捎来有关阿希礼的信。每次听到脚步声，塔拉的黑人和白人便纷纷奔到前门厅去。只要瞥见一个穿军服的，他们就会飞也似的从柴堆旁、牧场上或棉花地里跑来。彼得大叔送信来后的一个月里，庄园的活几乎处于停滞状态。谁也不愿在自己不在家的时候错过阿希礼到来的感人场面，最不愿意的要数斯佳丽。既然她自己无心干活，那么她也就不能非要别人照常从事各自的工作。

但几个星期过去了，阿希礼还是没有来，也没有任何消息，塔拉又渐渐回到了它常规的生活中。殷殷思念的心灵只能承受这么多了，望穿秋水也是有限度的。一种隐忧悄悄进入到斯佳丽的意识中：他会不会出了什么事？罗克艾兰那么远，他身上没钱，正在跋涉穿越的又是一片把邦联视为仇敌的地域。如果知道他在什么地方，斯佳丽会寄钱给他的，她要把所有的钱分文不留地给他寄去，哪怕让全家挨饿也在所不惜，好让他快快坐火车回家。

“我的爱人，我就要回到你的身边了。”

她读到这句话产生第一阵狂喜时，这句话仅仅意味着阿希礼就要回到她身边了。过后，比较清醒的理智告诉她，阿希礼是要回到玫兰妮的身边，回到这些日子里一直喜气洋洋地唱着歌、满屋跑的那个玫兰妮身边。有时候斯佳丽苦苦地纳着闷儿：玫兰妮在亚特兰大分娩时怎么就没死呢？她死了事情就十全十美了。只要过上一段体面所要求的时间，斯佳丽就可以嫁给阿希礼，同时成为小宝宝的好继母。这样的想法在头脑中出现时，她并没急急地祈求上帝宽恕，说她没有这个意思。她现在再也不怕上帝了。

来到塔拉的士兵有时是一个人，有时是两个人，也有十来个一起的，他们照例都饿得要命。斯佳丽绝望地默默咕哝道：就是飞来一群蝗虫也没这个可怕。她再次诅咒好客的老传统，按盛行于物阜民丰时代的风俗，对任何过客不论贵贱都必须留宿一夜，请客人吃饭，给客人的马喂料，竭尽地主之谊，否则是不能让他继续赶路的。斯佳丽心里明白，那个时代已经一去不复返了，但家里其他人却不明白，士兵们也不明白，所以每个士兵都被当作盼望已久的客人受到了热诚接待。

人流在络绎不绝地经过此地，她的心肠则变得越来越硬。那些人吃掉了塔拉几个月的口粮，吃掉了她在长长的菜畦间累得腰酸背痛种出来的蔬菜，吃掉了她赶车跑了无数里地买回来的食物。这些食物是她费了九牛二虎之力才弄到的，而那个北方佬皮夹里的钱也不是用之不尽的。现在只剩下几张联邦钞票和两枚金币了。她凭什么得让这帮饿汉吃饱呢？战争已经结束了。他们再也不是保护她身家性命的中流砥柱。于是，她命令波克，如果来了士兵，应当减少摆上餐桌的饭菜。这道命令一直生效到她发现玫兰妮有了特殊反应为止：玫兰妮自从生了宝宝后身体一直很虚弱，可是现在她竟变着法儿让波克在她盘子里只放几乎看不见的一丁点食物，而把她的那份匀出来给士兵。

“你不能再这样，玫兰妮，”斯佳丽责怪她说，“你自己都快倒了，你要是不多吃点儿，会病倒的，我们还得服侍你。让那些人饿着点儿不要紧。他们挺得住。他们四年都挺过来了，再熬一阵子也没什么大不了的。”

玫兰妮转过脸来看着她，从那双安详明净的眼睛里斯佳丽还是头一次看到毫不掩饰的强烈反应。

“哦，斯佳丽，别责怪我！你就让我这样做吧。你不知道这样我倒觉得好受得多。每当我把自己的那份给了一个可怜的人，我总觉得，也许在北边的一个什么地方，有个女人也正把她的一份饭食给我的阿希礼，这样他就会有力气走路，好回到我的身边来！”

我的阿希礼！

我的爱人，我就要回到你的身边了。

斯佳丽无话可说，转身走开了。此后，玫兰妮注意到，只要有客人一起吃饭，餐桌上的食物多了一些，尽管斯佳丽对他们吃掉的每一口东西想必仍然觉得很心疼。

如果士兵的身体已坏得无法继续赶路（这样的人还是相当多的），斯佳丽也只好硬着头皮安排他们躺下。收留一个病人就意味着多一张要吃饭的嘴。并且还需要一个人服侍他，这又意味着少了一个修栅栏、锄地、除草和扶犁的人。有一次，一个骑马去费耶特维尔的士兵发现一个嘴上刚开始长出金色绒毛的少年昏倒在路旁不省人事，便把他横驮在马鞍上带到了离那儿最近的塔拉庄园，放在前门厅里。当谢尔曼的部队兵临米勒奇维尔时，有一批娃娃士官生从军校应召入伍，塔拉庄园的姑娘们估计这位少年大概就是其中之一，但她们始终不知道他究竟是谁，因为他还没有恢复知觉便死了，在他身上的口袋里也没发现任何线索。

这是位相貌不俗的少年，显然是上等人家的子弟，而在南边的某个地方，某个女人正时时刻刻地向大路上眺望着，不知他现在何处，何时可以到家，斯佳丽和玫兰妮也是这样，怀着近乎疯狂的希望，注视着走入宅前林荫道的每一个大胡子身影。她们把士官生埋在自家坟地里，挨着奥哈拉家的三个男孩，当波克往穴中填土时，玫兰妮号啕大哭，不知他乡有没有人也会以同样的古道热肠对待阿希礼高大的身躯。

另一个叫威尔·本蒂恩的士兵和那个无名少年一样，也是失去了知觉由伙伴把他横在鞍鞒上托来的。威尔得的是肺炎，病得很重，姑娘们把他放置在床上时，担心他很快就会步坟茔里那个少年的后尘。

他面带疟疾患者那种灰黄色，佐治亚南部的穷苦白人也往往如此，头发是淡红色的，一双像是褪了色的蓝眼睛即使在神志昏迷时也是那么温和、柔顺。他的一条腿膝盖以下已被截去，残肢上装了一条草草削就的木腿。很显然，他是个穷人，正如不久前才被埋葬的那个少年一眼就看得出是庄园主的儿子一样。至于姑娘们根据什么作出这样的判断，那她们可说不清楚。与许多来到塔拉的人相比威尔须发并不更长，身上的虱子也并不更多。他在昏迷中说的胡话也并不比塔尔顿家的孪生兄弟更不合语法。可是姑娘们本能地判断出他不属于她们那个阶级，就像她们一眼就能区分出纯种马和杂种马一样。但是，这并不影响她们尽力挽救他的生命。

在北方佬的俘虏营里关了一年，本来就憔悴不堪，又加上拄着这只胡乱装上的木腿饱受长途跋涉之苦，身体消耗实在太大，他已经没力气跟肺炎搏斗，接连数日他躺在床上痛苦地呻吟，时而想挣扎着起来，那其实是在一遍又一遍重演所经历的战斗。他一次也没叫过母亲、妻子、姐妹或心上人，这种现象引起了卡丽恩的不安。

“一个人总该有自己的亲人吧，”她说，“但他在这个世上好像一个亲人也没有。”

尽管他那么精瘦细长，筋骨却很坚韧，在姑娘们的悉心护理下，他居然挺了过来。终于有一天，他浅蓝色的眼睛完全看清了周围的事物，视线落在了坐在他床边的卡丽恩身上，那姑娘正数着念珠默诵《玫瑰经》，早晨的阳光照在她金色的头发上，熠熠生辉。

“我不是在梦里见到你吧？”他说，语调平和，没有抑扬顿挫，“但愿我没给你添太多的麻烦，小姐。”

他的康复过程显得很漫长，他一直安静地躺着，看着窗外的木兰花，很少麻烦任何人。卡丽恩因为他不声不响、又不让人感到局促所以喜欢他。盛夏白天长，这姑娘常常整个下午不声不响地坐在他床边给他打扇。

这些天里卡丽恩也实在不想说话，她那娇弱的身躯像幽灵似的在屋内游荡，做一些力所能及的事。她经常做祷告，每当斯佳丽没有敲门走进她的房间，总是发现她跪在自己的床边。看到这种情景，斯佳丽总是挺恼火的，因为她觉得做祷告的时代已经过去了。既然上帝忍心这样惩罚她们，表明上帝是压根儿不要听她们祷告的。宗教与斯佳丽的关系向来具有一种交易色彩。她向上帝保证过举止行为规规矩矩，为的是换取上帝的眷顾。她认为上帝一再违反他们之间的协定，所以她现在是什么也不欠上帝的。在卡丽恩应当午睡片刻或干些缝纫活的时候，如果斯佳丽发现她是在跪着做祷告，总觉得卡丽恩是在逃避她应尽的那份责任。

一天下午，威尔·本蒂恩已经能坐在椅子里了，斯佳丽把自己的看法说给他听。威尔却用他那种平淡的语调说："随她的便吧，斯佳丽小姐。她这样做心里觉得安慰。"

斯佳丽颇感意外。

"她觉得是一种安慰？"

"她是在为你们的妈妈和他祈祷。"

"'他'是谁？"

威尔那双褪了色的蓝眼睛从黄中带点儿红的睫毛下并不惊奇地看着她。看来什么也不能让他惊讶或激动了。也许他见到的意想不到的事情太多了，再也不会有让他大吃一惊的事了。斯佳丽不知道妹妹心里在想些什么，这一点他似乎也并不觉得奇怪。他认为这很自然，同样，卡丽恩乐意跟他这样一个陌生人谈谈，他认为这也是很自然的。

"她的男朋友，那个叫布伦特什么的，在葛底斯堡一仗中被打死的那个小伙子。"

"她的男朋友？"斯佳丽没好气地问，"怎么会是她的男朋友呢？胡说！他和他哥哥过去是我的男朋友。"

"是的，她跟我说过的。好像县里大部分小伙子都是你的男朋友。可是，虽说如此，在你拒绝了布伦特以后，布伦特就成了她的男朋友，因为上次他回来休假时他俩订了婚。卡丽恩说，布伦特是她唯一爱过的人，所以她觉得为布伦特祈祷心里可以得到一点安慰。"

"乱弹琴！"斯佳丽说着感觉到有一支很小很小的妒嫉之箭直往她心里钻。

斯佳丽好奇地打量着这个身材细长的人，看着他瘦骨嶙峋的尖肩膀、微呈红色的头发和一双安详平和的眼睛。她家的一些事连她自己都懒得去探究，而这个人却都知道。怪不得卡丽恩老是在祈祷，整天像是在梦游似的。没关系，她会渐渐淡忘的。多少女子失去了心上人，还有死了丈夫的，不也都渐渐淡忘了吗。斯佳丽自己无疑已把查尔斯给忘了。据她所知，亚特兰大有个女子在这场战争中曾先后三次变成了寡妇，可仍然对男人感兴趣。斯佳丽把这番话跟威尔说了，威尔听了却直摇头。

"卡丽恩小姐可不是这种人。"

跟威尔谈话是件愉快的事，因为他自己很少开口，又很能理解对方的话。斯佳丽把管理庄园的各种打算告诉了他，如除草、锄地、播种、喂猪、养牛，威尔总能帮她出些点子，因为他自己在佐治亚南部有一个小农场和两名黑奴。他知道他的奴隶已被解放，农场已荒芜，成了杂草和松树苗的世界。他只有一个妹妹，几年前就随丈夫迁到得克萨斯州去了，如今他是孑然一身。不过，他对所有这些事情似乎都无所谓，最使他难过的莫过于在弗吉尼亚失去了半条腿。

是的，斯佳丽觉得好不容易把一天应付过去之后跟威尔聊聊也算是种安慰，因为她成天听到的尽是黑人的嘀咕、苏埃伦的牢骚怪话以及杰拉尔德那没完没了的询问——埃伦去哪儿了？她跟威尔无话不谈，甚至把杀死那个北方佬的事也告诉了他，威尔听后仅用一句"干得漂亮！"来评价时，斯佳丽脸上显出神采飞扬、十分得意的表情。

渐渐地，家里不管是谁，只要有不顺心的事都到威尔的房间里来一吐为快，最后连黑妈妈也来了，起初她一直跟威尔保持距离，认为他的身份不怎么样，只有两名奴隶而已。

等到威尔能拄着假腿在屋里走动时，他便动手用砍成条的橡树皮编篮子，修理被北方佬砸坏的家具。他还擅长刻削木块，韦德经常在他身边待着，因为威尔能用木块给他刻制玩具，这小男孩还不曾有过其他玩具。有威尔在家，大家出去干活就放心地把韦德和两个婴儿留在屋里，因为他可以像黑妈妈一样熟练地照看他们，只有兰妮在哄又哭又叫的一黑一白两个婴儿方面比他高明。

他说："你们待我太好了，斯佳丽小姐，我不过是个外乡人，跟你们非亲非故。我给你们添了很多麻烦，还让你们为我担忧，要是你们不嫌弃的话，我想在这里再待些日子帮你们干点杂活，让我多少报答一下你们的恩情。我知道要完全还清是永远都做不到的，因为一个人受了救命之恩，是无论什么代价都偿还不了的。"

于是他就留下来了，不知不觉，塔拉的一大部分担子逐步从斯佳丽的肩头移到了威尔·本蒂恩瘦骨嶙峋的肩上。

九月，正是摘棉花的季节。在早秋宜人的阳光下，威尔·本蒂恩在前院斯佳丽脚边的台阶上坐着，他那平直的声音慢腾腾地说着费耶特维尔附近一台新轧棉机在代轧棉花时漫天要价的事。不过，今天他在费耶特维尔打听到，如果把马和大车借给轧棉机的主人两个星期，费用可减去四分之一。在跟斯佳丽商量之前，他没敢敲定这笔生意。

斯佳丽看着这个靠在门廊柱子上正嚼着一根麦秆的细长汉子。正如黑妈妈多次宣布的那样，威尔无疑是上帝派来的，斯佳丽常想，要是没有威尔，塔拉这几个月的日子真不知怎么过呢。他从不多话，从不浪费精力，也从不对周围的事情表现过分的好奇，但他对塔拉每一个人的每一件事都了如指掌。而且他从不闲着。他干活不声不响，很耐心，也很在行。尽管只有一条腿，但干起活来却比波克还快。他还善于发挥波克的作用，这在斯佳丽看来简直是神了。有一次母牛腹痛如绞，马又害了一种怪病倒下了，大有永远离开他们之势，威尔一连几宿没睡看护着它们，终于把它们救活了。斯佳丽对他在买卖上的精明劲儿也十分佩服，他早上赶车拉上一到两个蒲式耳的苹果、红薯等瓜果蔬菜出去，能带回种子、衣料、面粉和其他必需品，斯佳丽知道这么多东西她是绝对换不到的，虽然生意经她也懂得不少。

在不知不觉中，威尔取得了家庭中一员的资格，他睡在杰拉尔德隔壁小更衣室里的一张帆布床上。他不提何时离开塔拉，斯佳丽也避而不问，生怕他会离开。斯佳丽有时候想，如果他有志气，想出人头地的话，总是要回自己家乡去的，尽管家已不复存在。然而即使明白这个道理，她仍然热切地祈望他能无限期地留下来。家里有个男人毕竟方便多了。

她还认为，卡丽恩只要有不少于一只老鼠的智力，就该看出威尔对她是有意的。如果威尔向斯佳丽提出想娶卡丽恩的话，斯佳丽对他会感激不尽的。当然，如果是在战前，威尔无疑是个不合适的人选。他根本不属于庄园主阶级，尽管也不属于白人贫民。他只是个普通的南方小农户，没受过什么教育，文理也欠通，不懂被奥哈拉家视为上等人所必不可少的那一套潇洒风度。其实，斯佳丽曾不止一次地问自己：他能不能算得上是上等人？结论是不能。玫兰妮激烈地为他辩护，说任何人如果能像威尔那样心地善良，处处为他人着想，必定是上等人家出身。斯佳丽明白，埃伦只要想象一下如果把她的一个女儿嫁给这样一个人，非昏倒不可。但是斯佳丽现在却不会为此而感到不安，因为情势所迫，她不得不远远背离埃伦的教诲。现在男丁奇缺，女孩子总得嫁人，而塔拉又需要一个男人。可是卡丽恩却越来越深地沉浸在她的祈祷书中，与现实世界的距离是一天比一天远，她对威尔很体贴，像对待一位兄长，把他当作波克一样的熟人而已。

"如果卡丽恩对我为她所做的一切有一点感激之心，那她就该嫁给威尔，不让他离开这里，"斯佳丽颇有些愤愤然地这样想着，"可事实却偏偏不是这样，看来她将总是这样失魂落魄地怀念一个八成从没认真想过她的愣小子。"

就这样，威尔仍留在塔拉庄园，斯佳丽不知道他为什么不走，反正他那种踏踏实实、诚诚恳恳的态度对斯佳丽来说既愉快又有帮助。对神情恍惚的杰拉尔德，威尔总是毕恭毕敬的。但在他心目中，真正的一家之主是斯佳丽。

斯佳丽同意他把马租出去的计划，尽管这意味着一家人在一段时期内没有了任何交通工具。苏埃伦对此肯定会特别不高兴的。她最开心的事便是趁威尔赶车外出办事的机会跟他一起去琼斯博罗或费耶特维尔。她用家里现有的最好服饰打扮自己去走访老朋友，听听县里的小道消息，觉得自己又是塔拉庄园的奥哈拉小姐了。苏埃伦从不放过溜出庄园到不知道她在菜园子里除草整地的人们中去摆摆小姐架子的机会。

“这位架子十足的小姐有两个星期不能外出闲逛，”斯佳丽思忖道，“对她的牢骚和哭闹我们只得忍受。”

玫兰妮见他们在门廊口，也抱着宝宝走过来，把一条旧毯子铺在地上，让小宝宝在上面爬。自从阿希礼来信后，玫兰妮不是喜气洋洋地唱歌，就是焦灼不安地盼望着。但是高兴也罢，忧伤也罢，她的消瘦和苍白的确令人吃惊。她毫无怨言地干着活，但身体一直不好。老方丹大夫给她的诊断是妇科病，并且赞同当初米德大夫关于她根本不应该怀宝宝的说法。老方丹大夫说得非常直率：倘若她再次生育，非送命不可。

“今天我在费耶特维尔发现了一件很有意思的东西，”威尔说，“我估计你们女士会感兴趣的，所以就把它带回来了。”他把手伸到后裤兜里掏出一只钱包，那是卡丽恩用糊在树皮上的布给他做的。威尔从钱包里取出一张邦联钞票。

“威尔，你如果觉得邦联的钱有意思，我可一点儿也不觉得，”斯佳丽生硬地说，因为她一看见邦联钞票就火冒三丈，“现在爸的箱子里就有三千块这种鬼东西，黑妈妈老缠着我，要求用这些钞票把顶楼墙上的缝糊上，免得冷风吹得她头疼。我决定让她这么干。至少也算派上了用场。”

“‘天威赫赫的恺撒，死后化作泥土，’”（见莎士比亚悲剧《哈姆雷特》第五幕第一场。——译者注）玫兰妮带着一丝忧郁的微笑说道，“别这样，斯佳丽。留着给韦德吧。有朝一日他会引以为骄傲的。”

“关于天威赫赫的恺撒我一窍不通，”威尔不紧不慢地说，“不过，兰妮小姐，我要给你们看的正好跟你刚才所说留给韦德的话是一个意思。这张钞票背面贴着一首诗。我知道斯佳丽小姐不太喜欢诗，不过我想这首诗也许会让她感兴趣的。”

他把钞票翻过来。背面贴着一块粗糙的棕色包装纸片，字迹是用颜色很淡的自制墨水写的。威尔清了一下嗓子，读得很慢，也很费力。

“题目叫《邦联纸币背面的诗》。”他说。

它的价值已所剩无几，
不论在哪儿都趋于零，
留着让后人看看吧，亲爱的朋友，
它是一个消亡的国家的象征。

这张纸的故事可传儿孙，
值得为他们好好保留，
它标志着爱国者梦寐以求的自由，
它记载了一个多难之邦灭亡的命运。

“哦，太美了！真动人！”玫兰妮赞叹着，“斯佳丽，你千万别让黑妈妈用它糊顶楼了。这不光是纸，正像这首诗中所说，是‘一个消亡的国家的象征’！”

“哦，兰妮，你也太容易动感情了！纸就是纸，我们现在缺的就是纸，再说，黑妈妈老是抱怨顶楼上裂缝太多，我都听腻了。我希望等到韦德长大时，我有好多正宗的联邦绿票子给他，而不是邦联的废纸。”

她们俩争论时，威尔用那张纸币逗引宝宝在毯子上爬，这时，他抬起头，用手遮住阳光，向门前车道遥望。

“有人来了，”他说着眯着眼躲避阳光，“又是个士兵。”

斯佳丽顺着他的视线望去，看到了一幅已习以为常的景象：一个胡子拉碴的汉子沿着雪松林荫道向这边慢慢地走来。他身穿灰蓝两种制服胡乱拼凑的破衣裳，脑袋疲惫地耷拉着，两只脚拖地而行。

“我还以为不再有接待士兵的事儿了呢，”斯佳丽说，“但愿这位不至于饿得太厉害。”

“他大概饿得很厉害。”威尔这么说了一句。

玫兰妮站起身来。

“还是我去叫迪尔西多准备一份餐具，”她说，“再让黑妈妈给这可怜的人脱衣服时手下留情，并且——”

她突然停住了，斯佳丽转过脸去看着她。玫兰妮骨瘦如柴的一只手按在脖子上，使劲抓住不放，一副剧痛难忍的样子，斯佳丽看得见青筋在她的白皮肤下剧烈搏动着。玫兰妮的面色变得更加惨白，一双棕色的眼睛拼命睁得大大的。

“她马上就要晕过去了。”斯佳丽心想，同时赶忙跳起来抓住玫兰妮的胳膊。

但是，玫兰妮把她的手甩开，一眨眼的工夫就下了台阶。只见她伸出双臂沿着石径飞奔，步伐像鸟儿一般轻捷，几乎是脚不沾地，褪了色的裙裾在她的背后飘扬。斯佳丽这才恍然大悟，顿时像挨了当头一棒。她身子向后靠在了一根廊柱上，这时那汉子仰起满是脏乎乎金色胡须的脸，望着眼前的宅院，驻足不前，仿佛累得一步也迈不动了。斯佳丽的心猛跳过后骤然停止，等到玫兰妮不知喊了句什么投入到那肮脏士兵的怀抱，他低下头来偎着玫兰妮的脸，斯佳丽的心又开始怦怦乱跳起来。在狂喜的冲动下，斯佳丽飞快地向前跑了两步，但是威尔一把拉住了她的裙裾，制止了她。

“别煞风景。”威尔轻声说。

“放开我，傻瓜！放开我！那是阿希礼！”

威尔没松手。

“他毕竟是她丈夫，难道不是吗？”威尔平静地问。

斯佳丽高兴得忘乎所以，同时又窝着一肚子火，她怀着这样矛盾的心情俯视着拉住她裙子的威尔，她从那双安详的眼睛深处看到了理解和同情。